# Probabilidad
# y estadística
# para ingeniería
# y administración

# Probabilidad y estadística para ingeniería y administración

**Tercera edición en inglés**
**(Segunda edición en español)**

**William W. Hines**
Associate Director for Graduate Programs
School of Industrial and Systems Engineering
Georgia Institute of Technology

**Douglas C. Montgomery**
Department of Industrial and Management Systems Engineering
Arizona State University

SEGUNDA REIMPRESIÓN
MÉXICO, 1995

COMPAÑÍA EDITORIAL CONTINENTAL, S.A. DE C.V.
MÉXICO

Título original de la obra:
PROBABILITY AND STATICS IN ENGINEERING AND
MANAGEMENT SCIENCE, 3rd. ed.
ISBN 0-471-60090-3
Traducción autorizada por:
Copyright © MCMXC by John Wiley and Sons, Inc.

Traducción:
Físico Gabriel Nagore
Instituto de Investigaciones Eléctricas de la CFE
Palmira, Cuernavaca, Morelos

Revisión técnica:
Físico Juan Carlos Iracheta
Facultad de Ciencias UNAM

Probabilidad y estadística para ingeniería y administración
Derechos reservados respecto a la segunda edición en español:
© 1993, COMPAÑÍA EDITORIAL CONTINENTAL, S.A. de C.V.
Renacimiento 180, Colonia San Juan Tlihuaca,
Delegación Azcapotzalco, Código Postal 02400, México, D.F.

Miembro de la Cámara Nacional de la Industria Editorial.
Registro núm. 43

ISBN 968-26-1232-2 (segunda edición)
(ISBN 968-26-0655-1 primera edición)

Impreso en México
Printed in Mexico

**Segunda edición: 1993**
Primera reimpresión: 1994
Segunda reimpresión: 1995

*A Gayle y Meredith, Neil y Colin*

# Prólogo

Este libro se ha escrito para un primer curso de probabilidad y estadística aplicadas para estudiantes universitarios de ingeniería, ciencias físicas, ciencias administrativas o investigación de operaciones. Durante los últimos años la industria en Estados Unidos ha reconocido que debe mejorar en forma radical la calidad de sus productos y servicios si planea competir eficazmente tanto en el mercado doméstico como en el mundial. Una parte importante de este esfuerzo de mejora de la calidad y la productividad se centra en el personal de ingeniería y administrativo, ya que estos profesionales controlan las actividades de diseño y desarrollo de productos y procesos, los sistemas de manufactura y las operaciones que a fin de cuentas se llevan a cabo para entregar productos al consumidor. Las herramientas estadísticas desempeñan un papel vital apoyando a los ingenieros y gerentes para que realicen sus trabajos de manera más eficaz. Por ello resulta esencial el adiestramiento de aquéllos en el empleo de dichas herramientas. Nuestro libro se enfoca en los temas de la probabilidad y la estadística aplicadas que son indispensables para ingenieros y gerentes.

Esta tercera edición constituye una revisión amplia del texto. El capítulo 1 es una introducción al campo de la probabilidad y estadística, y brinda al lector una introducción a técnicas gráficas y numéricas sencillas para la descripción de datos. Los temas de la probabilidad aplicada se presentan a partir del capítulo 2 al 8, y en el 18. Los temas de estadística en ingeniería se presentan en los capítulos 9 al 17 y en el 19. Este material se ha ampliado y reordenado de modo considerable. Los principales cambios incluyen la ampliación del material sobre el diseño de experimentos en los capítulos 13 y 14, un tratamiento más detallado sobre el proceso de control estadístico en el capítulo 18, y un nuevo capítulo acerca de estadística no paramétrica (capítulo 16). En todo el libro se han agregado nuevos ejemplos y ejercicios. El libro puede ser utilizado por lectores con conocimientos de cálculo diferencial e integral (primer grado universitario). Se requiere cierta familiaridad con el álgebra matricial para el estudio de la regresión múltiple en el capítulo 15.

Cada nuevo concepto en el libro se ilustra por medio de uno o más ejemplos numéricos. Nuestra experiencia a partir de la primera y segunda ediciones es que los ejemplos son una parte importante del texto y deben estudiarse con cuidado. En muchos casos, hemos tomado ejemplos de la bibliografía ya publicada para ilustrar la extensa gama de aplicaciones potenciales de la metodología estadística en la toma de decisiones de la ingeniería y la administración. Los problemas de tarea desempeñan un papel integral en los cursos de probabilidad y estadística aplicadas. El libro contiene más de 500 ejercicios, que van de los problemas computacionales a las extensiones de la metodología básica. Las especificaciones y los datos de muchos de estos ejemplos se han extraído de aplicaciones reales de la estadística y la probabilidad.

El libro puede utilizarse de diversas maneras. Nosotros lo hemos empleado para un curso de uno o dos semestres de estadística en ingeniería para el segundo año de los estudios universitarios. Este curso se enfoca a los siguientes temas:

- La presencia de la variabilidad en el mundo real de los problemas de ingeniería y administración.
- El valor de los métodos gráficos en el análisis de datos.
- La importancia del planteamiento estadístico en la toma de decisiones cuando la variabilidad se presenta.
- El valor de los experimentos diseñados estadísticamente y los fundamentos de los diseños factoriales y factorial-fraccionales.
- El papel de herramientas estadísticas tales como experimentos destinados al diseño y desarrollo de producto, así como al desarrollo y mejoramiento del proceso.
- La filosofía y los métodos de Shewhart, Juran, Deming y otros en relación con el mejoramiento continuo de procesos, y el desarrollo y entrega de productos y servicios de calidad.

Este curso de un semestre se inicia con la introducción al campo de la probabilidad y la estadística en el capítulo 1, destacando los métodos gráficos del análisis de datos; los estudios de temas de probabilidad aplicada en los capítulos 2 al 18, centrados en las propiedades y aplicaciones de varias distribuciones discretas y continuas importantes (binomial, Poisson, normal, exponencial, lognormal y de Weibull), presentan el intervalo de confianza y los procedimientos de prueba de hipótesis en los capítulos 10 y 11, analizan los métodos del diseño de experimentos en los capítulos 12 y 13 subrayando el concepto de diseño factorial, y concluyen con una introducción a los diagramas de control y el control de procesos estadísticos a partir del capítulo 17. En términos de horas de clase, dedicamos alrededor del 15 por ciento del tiempo a la introducción y la estadística descriptiva, 20 por ciento a temas de probabilidad y de distribuciones importantes, 20 por ciento a los intervalos de confianza y la prueba de hipótesis, 25 por ciento al diseño de experimentos y 20 por ciento a los diagramas de control y el control de procesos estadísticos. Creemos fervientemente que un curso de estas características debe ser obligatorio en todos los programas de ingeniería y de administración cuantitativa.

El curso de un semestre no deja suficiente tiempo para estudiar todos los temas del libro, o para explorar todos los ejemplos y los conjuntos de datos incluidos. Si se destina más tiempo a los temas listados antes, y si se cubren algunos métodos adicionales, tales como el análisis de regresión (capítulos 14 y 15), estadística no paramétrica (capítulo 16), e ingeniería de confiabilidad (la última mitad del capítulo 17), el libro puede usarse para un curso de un año (seis créditos de semestre o de 9 a 10 créditos de trimestre). Una parte importante de un curso más largo es asignar proyectos en los que los estudiantes diseñan un experimento, lo llevan a cabo, analizan los datos resultantes y presentan los resultados. Hemos encontrado estos proyectos muy benéficos porque remarcan los conceptos de variabilidad y el papel clave que los métodos estadísticos desempeñan en la toma de decisiones en la ingeniería.

Expresamos nuestro agradecimiento a los muchos estudiantes y profesores que han usado tanto la primera como la segunda ediciones de este libro y nos han ofrecido muchas sugerencias útiles para su revisión. Estamos en deuda con el profesor E. S. Pearson y con Biometrika Trustees, John Wiley & Sons, Prentice-Hall, la American Statistical Association, el Institute of Mathematical Statistics, y los editores de Biometrics por el permiso para usar material protegido por los derechos de autor. Se aprecian particularmente las contribuciones de Frank B. Alt, de la Universidad de Maryland; Michael P. Diesenroth, del Instituto Politécnico de Virginia; John S. Gardner, de IBM, Elizabeth A. Peck, de The Coca-Cola Company, y de Thomas C. Bingham, de The Boeing Commercial Airplane Company. La Oficina de Investigación Naval de los Estados Unidos e IBM Corporation han patrocinado la investigación básica de uno de los autores (D. C. Montgomery) durante varios años, por lo que agradecemos el importante papel que este patrocinio ha desempeñado en la elaboración del libro.

Atlanta, Georgia  
Tempe, Arizona

**William W. Hines**  
**Douglas C. Montgomery**

# Contenido

# Capítulo 1

# Introducción y descripción de datos

## 1-1 El campo de la probabilidad y la estadística

La estadística trata de la selección, análisis y uso de datos con el fin de resolver problemas. A toda persona, tanto en su ejercicio profesional como en su actividad diaria en contacto con revistas noticiosas, televisión y otros medios, se le ofrece información en forma de datos. Consecuentemente, algunos conocimientos de estadística le serán de utilidad a la población en general, pero en particular, el conocimiento estadístico será vital para ingenieros, científicos y administradores debido a que de manera rutinaria, manejan y analizan datos. Este libro está diseñado para aportar a los lectores con orientación técnica, las herramientas básicas de la estadística necesarias para ejercer sus profesiones. Además, *la probabilidad*, que estudia las variaciones al azar en diversos sistemas se presentará para el estudio de la *estadística inferencial* y para dar sustento a otras aplicaciones de la probabilidad y la estadística en ingeniería y ciencias.

La importancia de la estadística en la ingeniería y la administración ha quedado manifiesta al involucrarse la industria de los Estados Unidos con la mejoría de la calidad. Muchas compañías estadounidenses se han dado cuenta de que la baja calidad del producto, manifestada en defectos de fabricación y en la baja confiabilidad del producto asociadas con su desempeño de campo, afectan directamente a la productividad global, a su mercado accionario y a su posición competitiva y, en consecuencia, a sus ganancias. Un programa acertado de incremento de la calidad puede eliminar el desperdicio y reducir sobrantes y trabajos rehechos, abatir necesidades de inspección y prueba, bajar pérdidas por garantía y hacer resaltar la satisfacción del cliente, además de poder lanzar a la compañía a su mercado como productor de alta calidad y bajo precio. La estadística propicia un criterio para lograr mejoras, debido a que sus técnicas se pueden usar para describir y comprender la *variabilidad*.

La variabilidad existe en todo tipo de procesos. Veamos un ejemplo, consideremos la selección de varios moldes metálicos necesarios en un proceso de fabricación y obtengamos una medida crítica en cada pieza, tal como el desplazamiento de una corredera. Si el instrumento de medida tiene la resolución suficiente, esos desplazamientos serán diferentes, es decir, habrá variabilidad en sus medidas. De manera inversa, si contásemos el número de defectos en tablillas de circuitos impresos, hallaríamos variabilidad en el número de irregularidades, esto es, en algunos circuitos hallaríamos pocas, y en otros, en cambio serían abundantes. Estas variabilidades están en *todos* los medios; por ejemplo, en el grosor del recubrimiento de óxido sobre moldes de silicón, en la producción horaria de un proceso químico, en el número de errores en órdenes de compra y en el flujo de tiempo que se requiere al ensamblar motores de avión.

Aunque los casos anteriores son ejemplos de fabricación y producción particulares, las aplicaciones de la probabilidad y la estadística son numerosas en todos los casos de la ciencia aplicada en donde existan variaciones y donde las conclusiones acerca de un sistema estén basadas en datos observados. En realidad todo el trabajo experimental tiene esta naturaleza y la variabilidad es el común denominador de estos problemas.

¿Por qué ocurre la variabilidad? En general, la variabilidad es resultado de los cambios que ocurren en las condiciones en las cuales se hacen las observaciones. Dentro del contexto de la manufactura, estos cambios pueden ser diferencias en los materiales de muestras, diferencias en la forma de trabajar de la gente, diferencias en las variables del proceso, tales como temperatura, presión, o duración del proceso, así como diferencias en los *factores ambientales*, como la humedad relativa. La variabilidad también ocurre debido al sistema de medida empleado. Por ejemplo, el peso obtenido en una báscula puede depender del lugar en donde se coloque, en el plato, el objeto por pesar. El proceso de muestreo también puede causar variabilidad. Por ejemplo, supongamos que un lote de 1,000 circuitos integrados tiene exactamente 100 defectuosos. Si inspeccionáramos los 1,000 chips y si el proceso de inspección fuera perfecto (sin error en la inspección o en las medidas), encontraríamos los 100 defectuosos. Sin embargo, supongamos que seleccionamos una *muestra* de 50 unidades. Algunos de éstos podrían ser los defectuosos y podría esperarse que fuese el 10% de la selección, aunque podría ser que fuera el 0, ó el 2, ó el 12 por ciento los defectuosos, dependiendo de la muestra particular que se hubiese seleccionado.

Por estadística y probabilidad entendemos los métodos para describir y modelar la variabilidad además de permitir la toma de decisiones cuando la variabilidad está presente. En la estadística inferencial, por lo general deseamos tomar una decisión acerca de una *población*. El término *población* se refiere a una colección de medidas de todos los elementos de un universo, acerca del que deseamos obtener conclusiones o tomar decisiones. Por ejemplo, una población puede consistir en todos los generadores de potencia para computadoras personales fabricadas durante la semana pasada por una compañía determinada. Supongamos que el fabricante está particularmente interesado en el voltaje de salida de cada generador. La población para este caso, bien podría consistir en los niveles de voltaje de salida de los generadores, cada medida de la población es una medida numérica tal como 5.10, 5.24. Los datos en este caso se referirán como una *medida* o *datos numéricos*. Por otra parte, el fabricante podría estar interesado en que cada fuente de poder produzca o no un voltaje de salida que cumpla con los requerimientos. Podemos entonces visualizar la población como si consistiera en *datos de atributos*, donde a cada fuente de poder se asigna un valor de uno si la unidad no cumple con los requerimientos y un valor de cero si cumple con ellos. En este libro presentaremos técnicas que comprenden tanto mediciones como datos de atributos.

En la mayor parte de las aplicaciones de la estadística, los datos disponibles consisten en una muestra de la población de interés. Esta muestra es sólo un subconjunto de observaciones seleccionadas de la población. En el ejemplo de las fuentes de poder, la muestra podría consistir en cinco fuentes de poder, seleccionadas del universo de aquellas manufacturadas durante la semana de interés. El voltaje observado en estas fuentes de poder podría ser 5.10, 5.24, 5.13, 5.19 y 5.08.

*La estadística descriptiva* es la rama de la estadística que trata con la organización, el resumen y la presentación de datos. Muchas de las técnicas de la estadística descriptiva se han empleado desde hace más de 200 años y se han originado en estudios y actividades de censos. La moderna tecnología de las computadoras, en particular las gráficas por computadora, han ampliado en forma considerable el campo de la estadística descriptiva en los últimos años. Nuevas y complejas técnicas para la presentación de datos están emergiendo rápidamente. *Las técnicas de la estadística descriptiva pueden aplicarse ya sea a poblaciones enteras o a muestras.*

A menudo, los datos disponibles resultan de una muestra, y en ocasiones el objetivo del responsable de la toma de decisiones es utilizar la información en la muestra para extraer una *conclusión* (o una *deducción*) acerca de la población de la que se extrajo la muestra. La clase de técnicas estadísticas utilizadas en este tipo de problemas se llama *estadística inferencial*. La mayor parte de las técnicas de esta estadística se han desarrollado en los últimos 80 años. En consecuencia, la estadística inferencial es una rama de la estadística mucho más reciente que la estadística descriptiva y no obstante la mayoría de las aplicaciones de la estadística en la ingeniería moderna, la ciencia y la administración, incluyen la inferencia y la toma de decisiones. Por ejemplo, el ingeniero industrial que toma datos de muestra relativos al voltaje de salida de una fuente de poder, a la larga deseará emplear esta información para obtener una deducción acerca de la capacidad del proceso de manufactura que está produciendo las fuentes de poder. Por consiguiente, la estadística inferencial es de particular importancia.

Uno de los principales objetivos de este libro es presentar las técnicas de la inferencia estadística que son de utilidad para los ingenieros, los científicos y los administradores. Los tres tipos más importantes de técnicas que analizaremos son la *estimación puntual, la estimación del intervalo de confianza* y *la prueba de hipótesis.* Los capítulos 9 al 17 y el 19 se refieren al desarrollo de estos procedimientos básicos e ilustra su aplicación en una variedad de problemas de toma de decisiones en la ingeniería y la administración.

Los capítulos 2 al 8 presentan los conceptos básicos de la *probabilidad.* El conocimiento de esta última facilitará la transición de la estadística descriptiva al empleo de datos para tomar decisiones. Específicamente, la probabilidad conforma la base que permite entender cómo se desarrollan las técnicas de deducción y de toma de decisiones, por qué funcionan y cómo las conclusiones de estas técnicas deductivas pueden interpretarse y presentarse en forma correcta. El estudio de la probabilidad nos ayuda a comprender la incertidumbre asociada a la interpretación de la información obtenida de una muestra que se ha seleccionado de una población particular. En cambio, la teoría de la probabilidad proporciona los fundamentos matemáticos y el lenguaje de la estadística inferencial y da marco a las metodologías utilizadas en la descripción de las variaciones aleatorias de los sistemas. Por esta razón, en los capítulos 2 al 8 se presentan los fundamentos empleados en la estadística inferencial y en la descripción de la variación aleatoria y sus efectos en los sistemas de ingeniería. Como ejemplo de esta última situación, considérese la decisión de diseño que enfrenta un ingeniero al especificar el número de líneas troncales requeridas para proporcionar un nivel adecuado de servicio en una instalación de telecomunicaciones, donde las llamadas llegan de modo aleatorio y con duración variable. La aplicación de métodos probabilísticos conduce a un modelo analítico de este sistema que puede emplearse para determinar valores de las variables de diseño, tales como el número de líneas troncales y el número de operadores requeridos para proporcionar un nivel especificado de servicio. Algunas aplicaciones de probabilidad y de procesos estocásticos a estos problemas se estudian en el capítulo 18.

A continuación, se presentan las técnicas básicas de la estadística descriptiva que son útiles en los problemas deductivos y de toma de decisiones. En la sección 1-2 se presentan las técnicas gráficas, y en la sección 1-3 se desarrollarán algunas otras para el resumen numérico de datos.

## 1-2  Presentación gráfica de datos

Hay muchos métodos gráficos y tabulares útiles en el resumen de datos. En esta sección presentamos unas cuantas de las técnicas de mayor utilidad. En lo que se refiere a la notación, sea $n$ el número de observaciones en un conjunto de datos, y las propias observaciones se representarán por medio de variables con subíndice, digamos $x_1, x_2, \ldots, x_n$. De tal modo, siendo $n = 5$ valores, la resistencia total a la de concreto observados por un ingeniero civil, podría representarse por $x_1 = 2,310$, $x_2 = 2,325$, $x_3 = 2,315$, $x_4 = 2,340$ y $x_5 = 2,335$.

### 1-2.1 Datos de medición: La distribución de frecuencia y el histograma

Considérense los datos de la tabla 1-1. Estos datos son las resistencias en libras por pulgada cuadrada (psi) de 100 botellas de vidrio no retornables de un litro de refresco. Estas observaciones se obtuvieron probando cada botella hasta romperla. Los datos se registraron en el orden en el cual se probaron las botellas, y en este formato no brindan suficiente información acerca de la resistencia al rompimiento de las botellas. No es fácil contestar preguntas tales como "¿cuál es la resistencia promedio al rompimiento?" o "¿qué porcentaje de las botellas se rompe debajo de 230 psi?" cuando los datos se presentan en esta forma.

Una distribución de frecuencia es un resumen más compacto de datos que las observaciones originales. Para construir una distribución de frecuencia, debemos dividir la gama de los datos en intervalos, que suelen denominarse intervalos de clase. Si es posible, los intervalos de clase deben ser de igual ancho, para incrementar la información visual en la distribución de frecuencias. Deben hacerse algunos juicios al seleccionar el número de intervalos de clase para dar una imagen razonable. El número de intervalos de clase que se utiliza depende del número de observaciones y de la cantidad de discriminación o dispersión en los datos. Una distribución de frecuencias en la que se emplean muy pocos o demasiados intervalos de clase no será muy informativa. Encontramos en general que entre 5 y 20 intervalos es satisfactorio en muchos casos, y que el número de intervalos de clase debe aumentar con $n$. La elección del número de intervalos de clase aproximadamente igual a la raíz cuadrada del número de observaciones a menudo funciona bien en la práctica.

**TABLA 1-1.  Resistencia al rompimiento en libras por pulgada cuadrada de 100 botellas de vidrio no retornables de refresco de 1 litro**

| 265 | 197 | 346 | 280 | 265 | 200 | 221 | 265 | 261 | 278 |
|-----|-----|-----|-----|-----|-----|-----|-----|-----|-----|
| 205 | 286 | 317 | 242 | 254 | 235 | 176 | 262 | 248 | 250 |
| 263 | 274 | 242 | 260 | 281 | 246 | 248 | 271 | 260 | 265 |
| 307 | 243 | 258 | 321 | 294 | 328 | 263 | 245 | 274 | 270 |
| 220 | 231 | 276 | 228 | 223 | 296 | 231 | 301 | 337 | 298 |
| 268 | 267 | 300 | 250 | 260 | 276 | 334 | 280 | 250 | 257 |
| 260 | 281 | 208 | 299 | 308 | 264 | 280 | 274 | 278 | 210 |
| 234 | 265 | 187 | 258 | 235 | 269 | 265 | 253 | 254 | 280 |
| 299 | 214 | 264 | 267 | 283 | 235 | 272 | 287 | 274 | 269 |
| 215 | 318 | 271 | 293 | 277 | 290 | 283 | 258 | 275 | 251 |

TABLA 1.2   **Distribución de frecuencias para los datos de resistencia al rompimiento en la tabla 1.1**

| Intervalos de clase (psi) | Lote | Frecuencia | Frecuencia relativa | Frecuencia relativa acumulativa |
|---|---|---|---|---|
| $170 \leq x < 190$ | \|\| | 2 | .02 | .02 |
| $190 \leq x < 210$ | \|\|\|\| | 4 | .04 | .06 |
| $210 \leq x < 230$ | \|\|\|\| \|\|\| | 7 | .07 | .13 |
| $230 \leq x < 250$ | \|\|\|\| \|\|\|\| \|\|\| | 13 | .13 | .26 |
| $250 \leq x < 270$ | \|\|\|\| \|\|\|\| \|\|\|\| \|\|\|\| \|\|\|\| \|\|\|\| \|\| | 32 | .32 | .58 |
| $270 \leq x < 290$ | \|\|\|\| \|\|\|\| \|\|\|\| \|\|\|\| \|\|\|\| | 24 | .24 | .82 |
| $290 \leq x < 310$ | \|\|\|\| \|\|\|\| \| | 11 | .11 | .93 |
| $310 \leq x < 330$ | \|\|\|\| | 4 | .04 | .97 |
| $330 \leq x < 350$ | \|\|\| | 3 | .03 | 1.00 |
|  |  | 100 | 1.00 |  |

En la tabla 1-2 se muestra una distribución de frecuencias con base en los datos de resistencia al rompimiento en la tabla 1.1. Puesto que el conjunto de datos contiene 100 observaciones, sospechamos que alrededor de $\sqrt{100} = 10$ intervalos de clase producirán una distribución de frecuencias satisfactoria. Los valores más grande y más pequeño de los datos son 346 y 176, respectivamente, por lo que los intervalos de clase deben cubrir al menos $346 - 176 = 170$ unidades psi en la escala. Si queremos que el límite inferior para el primer intervalo empiece ligeramente debajo del valor de los datos más pequeños y que el límite superior para el último elemento esté un poco encima de los valores de los datos más grandes, podríamos entonces iniciar la distribución de frecuencias en 170 y terminarla en 350. Éste es un intervalo de unidades de 180 psi. Nueve intervalos de clase, cada uno con un ancho de 20 psi, producen una distribución de frecuencias razonable, y la distribución de frecuencias en la tabla 1.2 se basa en consecuencia en 9 intervalos de clase.

La cuarta columna de la tabla 1.2 contiene una *distribución de frecuencias relativas*. Las frecuencias relativas se determinan dividiendo la frecuencia observada en cada intervalo de clase por el número total de observaciones. La última columna de la tabla 1.2 expresa las frecuencias relativas en una base acumulativa. Las distribuciones de frecuencias son a menudo más fáciles de interpretar que las tablas de datos. Por ejemplo, es muy sencillo ver de la tabla 1.2 que la mayor parte de las botellas se rompen entre 230 y 290 psi, y que el 13 por ciento de ellas se rompe por debajo de 230 psi.

También es útil presentar la distribución de frecuencias en forma gráfica, como se muestra en la figura 1.1. Un diagrama de este tipo se denomina *histograma*. Para dibujar un histograma, se usa el eje horizontal para representar la escala de medida, y se dibujan las fronteras de los intervalos de clase, el eje vertical representa la escala de frecuencia (o frecuencia relativa). Si los intervalos de clase son de igual ancho, las *alturas* de los rectángulos dibujadas en el

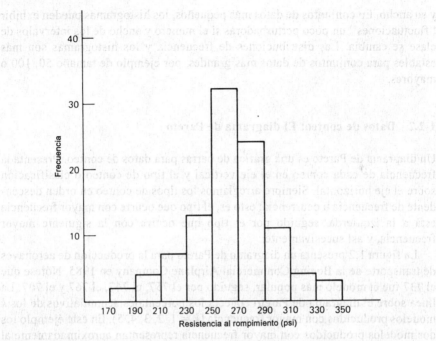

**Figura 1.1** Histograma de la resistencia al rompimiento de 100 botellas de vidrio no retornables de refresco de 1 litro.

histograma son proporcionales a las frecuencias. Si los intervalos de clase son de ancho desigual, se acostumbra entonces dibujar rectángulos cuyas *áreas* son proporcionales a las frecuencias. Sin embargo, los histogramas son más fáciles de interpretar cuando los intervalos de clase son de igual ancho. El histograma brinda una interpretación visual de la forma de la distribución de las mediciones, así como información acerca de la diseminación o dispersión de los datos.

Cuando se pasa de los datos originales a la distribución de frecuencia o al histograma, cierta cantidad de información se ha perdido puesto que ya no tenemos las observaciones individuales. No obstante, está pérdida de información es pequeña comparada con la precisión y facilidad de interpretación ganadas al utilizar la distribución de frecuencia y el histograma. En casos en los que los datos tomen sólo unos cuantos valores distintos, puede ser innecesario formar intervalos de clase. Por ejemplo, supóngase que medimos el ancho de líneas de circuito formadas sobre una placa de cobre mediante un proceso fotolitográfico y encontramos sólo cinco anchos distintos: 100 mm, 1.01 mm, 1.02 mm, 1.03 mm y 1.04 mm. Podría construirse un histograma empleando estos cinco valores distintos como los valores sobre el eje horizontal.

Por último, recuérdese que la distribución de frecuencia y el histograma pueden ser relativamente sensibles a la elección del número de intervalos de clase y su ancho. En conjuntos de datos más pequeños, los histogramas pueden exhibir "fluctuaciones" un poco perturbadoras si el número y ancho de los intervalos de clase se cambia. Las distribuciones de frecuencia y los histogramas son más estables para conjuntos de datos más grandes, por ejemplo de tamaño 50, 100 ó mayores.

## 1-2.2 Datos de conteo: El diagrama de Pareto

Un diagrama de Pareto es una gráfica de barras para datos de conteo. Presenta la frecuencia de cada conteo en el eje vertical y el tipo de conteo o clasificación sobre el eje horizontal. Siempre arreglamos los tipos de conteo en orden descendente de frecuencia u ocurrencia; esto es, el tipo que ocurre con mayor frecuencia está a la izquierda, seguido por el tipo que ocurre con la siguiente mayor frecuencia, y así sucesivamente.

La figura 1.2 presenta un diagrama de Pareto para la producción de aeronaves de transporte de la Boeing Commercial Airplane Company en 1985. Nótese que el 737 fue el modelo más popular, seguido por el 757, el 747, el 767 y el 707. La línea sobre el diagrama de Pareto conecta los porcentajes acumulativos de los $k$ modelos producidos con mayor frecuencia ($k = 1, 2, 3, 4, 5$). En este ejemplo los dos modelos producidos con mayor frecuencia representan aproximadamente al 72 por ciento del total de las aeronaves manufacturadas en 1985. Una característica de estos diagramas es que la escala horizontal no es necesariamente

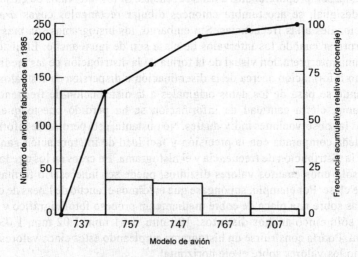

**Figura 1.2** Producción de aviones en 1985. (Fuente: Boeing Commercial Airplane Company.)

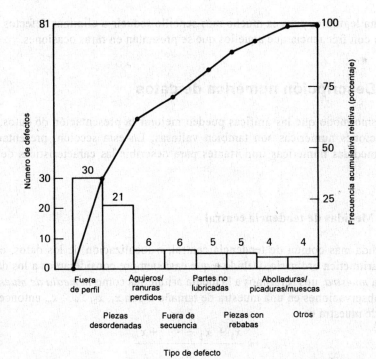

**Figura 1.3** Diagrama de Pareto de los defectos en elementos estructurales en puertas.

numérica. Suele ocurrir que se empleen clasificaciones categóricas como en el ejemplo de la producción de aeronaves.

El diagrama de Pareto recibe ese nombre por un economista italiano que especuló que en ciertas economías la mayor parte de la riqueza la poseía una minoría de la gente. En datos de conteo, el "Principio de Pareto" ocurre con frecuencia, y esa es la razón del nombre del diagrama.

Los diagramas de Pareto son muy útiles en el análisis de *datos de defectos* en sistemas de manufactura. La figura 1.3 presenta un diagrama de Pareto que muestra la frecuencia con la cual diversos tipos de defectos ocurren en las partes metálicas empleadas en un componente estructural del marco de una puerta de automóvil. Obsérvese cómo el diagrama de Pareto pone de relieve que relativamente pocos defectos son responsables de la mayor parte de los defectos observados en la pieza. El diagrama de Pareto es una parte importante de un programa de mejoramiento de la calidad porque permite que administradores e ingenieros enfoquen su atención a los defectos más críticos en un producto o proceso. Una vez que se identifican estos defectos críticos, deben desarrollarse e implantarse las acciones correctivas para reducir o estimar dichos defectos. Lo anterior es más fácil de hacer cuando nos aseguramos de estar atacando un problema legítimo, pues es mucho más sencillo reducir o eliminar defectos que ocurren con frecuencia que aquellos que se presentan en raras ocasiones.

## 1-3  Descripción numérica de datos

Del mismo modo que las gráficas pueden mejorar la presentación de datos, las descripciones numéricas son también valiosas. En esta sección, presentamos varias medidas numéricas importantes para describir las características de los datos.

### 1-3.1   Medidas de tendencia central

La medida más común de tendencia central, o localización de los datos, es la media aritmética ordinaria. Debido a que casi siempre consideramos a los datos como la *muestra*, nos referimos a la media aritmética como la *media de muestra*. Si las observaciones en una muestra de tamaño $n$ son $x_1, x_2, \ldots, x_n$, entonces la media de muestra es

$$\bar{x} = \frac{x_1 + x_2 + \cdots + x_n}{n}$$

$$= \frac{\sum\limits_{i=1}^{n} x_i}{n} \tag{1-1}$$

Para los datos de resistencia al rompimiento de las botellas en la tabla 1.1, la media de muestra es

$$\bar{x} = \frac{\sum\limits_{i=1}^{100} x_i}{100} = \frac{26,406}{100} = 264.06$$

Del examen de la figura 1.1, parece que la media de muestra 264.06 psi es un valor "típico" de la resistencia al rompimiento, puesto que ocurre cerca del punto medio de los datos donde se concentran las observaciones. Sin embargo, esta impresión puede ser engañosa. Supóngase que el histograma se parece al de la figura 1.4. La media de estos datos sigue siendo una medida de tendencia central, pero no necesariamente implica que la mayor parte de las observaciones se concentren alrededor de ella. En general, si consideramos a las observaciones como si tuvieran unidades de masa, la media de muestra sería exactamente el centro de masa de los datos. Esto implica que el histograma estará equilibrado de modo perfecto si se sostiene en la media de muestra.

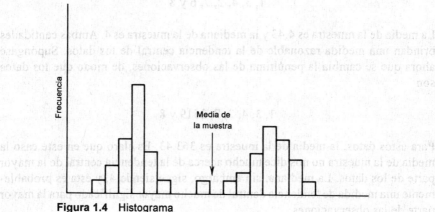

**Figura 1.4** Histograma

La media de la muestra $\bar{x}$ representa el valor promedio de todas las observaciones en la muestra. También podemos pensar en el cálculo del valor promedio de todas las observaciones en una *población*. Este promedio se denomina la *media de la población*, y se denota por medio de la letra griega $\mu$ (mu). Cuando hay un número finito de observaciones (digamos, $N$) en la población, entonces la media de la población es

$$\mu = \frac{\sum\limits_{i=1}^{n} x_i}{N} \tag{1-2}$$

En los capítulos siguientes, estudiaremos modelos para poblaciones infinitas, y daremos una definición más general de $\mu$. En los capítulos sobre deducción estadística, presentaremos métodos para hacer deducciones acerca de la media de la población que se basan en la media de la muestra. Por ejemplo, usaremos la media de la muestra como una estimación puntual de $\mu$.

Otra medida de tendencia central es la *mediana*, o punto en el cual la muestra se divide en dos mitades iguales. Sean $x_{(1)}, x_{(2)}, \ldots, x_{(n)}$ los elementos de una muestra arreglada en orden creciente de magnitud; esto es, $x_{(1)}$ denota la observación más pequeña, $x_{(2)}$ denota la segunda observación más pequeña, $\ldots$, y $x_{(n)}$ denota la observación más grande. Entonces la mediana se define matemáticamente como

$$\tilde{x} = \begin{cases} x_{([n+1]/2)}, & n \text{ impar} \\ \dfrac{x_{(n/2)} + x_{([n/2]+1)}}{2} & n \text{ par} \end{cases} \tag{1-3}$$

La mediana tiene la ventaja de que no es afectada de manera considerable por los valores extremos. Por ejemplo, supóngase que las observaciones de la muestra son

$$1, 3, 4, 2, 7, 6 \text{ y } 8$$

La media de la muestra es 4.43 y la mediana de la muestra es 4. Ambas cantidades brindan una medida razonable de la tendencia central de los datos. Supóngase ahora que se cambia la penúltima de las observaciones, de modo que los datos son

$$1, 3, 4, 2, 7, 2519 \text{ y } 8$$

Para estos datos, la media de la muestra es 363.43. Es claro que en este caso la media de la muestra no nos dice mucho acerca de la tendencia central de la mayor parte de los datos. La mediana, sin embargo, sigue siendo 4, y ésta es probablemente una medida de tendencia dentral de mucho mayor significado para la mayor parte de las observaciones.

Así como $\tilde{x}$ es el valor medio en una muestra, hay un valor medio en la población. Definimos $\tilde{\mu}$ como la mediana de la población; esto es, $\tilde{\mu}$ es un valor de la variable tal que, la mitad de la población se encuentra debajo de $\tilde{\mu}$ y la mitad esta arriba de ella.

El *modo* es la observación que ocurre con mayor frecuencia en la muestra. Por ejemplo, el modo de los datos de la muestra

$$2, 4, 6, 2, 5, 6, 2, 9, 4, 5, 2 \text{ y } 1$$

es 2, ya que este valor ocurre cuatro veces, y ningún otro valor se presenta tan a menudo. Puede haber más de un modo.

Si los datos son simétricos, entonces coinciden la media y la mediana. Si además, los datos sólo tienen un modo (diremos que los datos son unimodales), entonces coinciden la media, la mediana y el modo. Si los datos están sesgados (asimétricos, con una larga cola en un lado), la media, la mediana y el modo no coincidirán. Suele encontrarse que el modo < mediana < media si la distribución

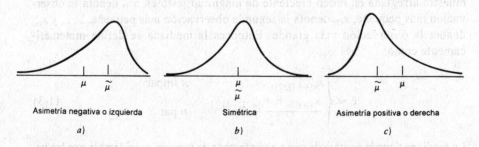

Asimetría negativa o izquierda        Simétrica        Asimetría positiva o derecha

*a)*        *b)*        *c)*

**Figura 1.5**   La media y la mediana para distribuciones simétrica y asimétrica.

es asimétrica hacia la derecha, en tanto que el modo > mediana > media si la distribución es asimétrica hacia la izquierda. Véase la figura 1.5.

La distribución de la media de la muestra se conoce bien y es relativamente fácil trabajar con ella. Además, la media de la muestra es más estable que su mediana, en el sentido de que no varía tanto de una muestra a otra. En consecuencia, muchas técnicas estadísticas analíticas usan la media de la muestra. No obstante, la mediana y el modo son medidas descriptivas útiles.

### 1-3.2 Medidas de dispersión

La tendencia central no necesariamente proporciona suficiente información para describir los datos en forma adecuada. Por ejemplo, considérense las resistencia al rompimiento obtenidas de dos muestras de dos botellas cada una:

| | | | | | | |
|---|---|---|---|---|---|---|
| Muestra 1: | 230 | 250 | 245 | 258 | 265 | 240 |
| Muestra 2: | 190 | 228 | 305 | 240 | 265 | 260 |

La media de ambas muestras es 248 psi. Sin embargo, nótese que la diseminación o dispersión de la muestra 2 es mucho mayor que la de la muestra 1. Refiérase a la figura 1.6. En esta sección, definimos varias medidas de dispersión ampliamente usadas.

La medida de dispersión más importante es la *varianza de la muestra*. Si $x_1$, $x_2, \ldots, x_n$ es una muestra de $n$ observaciones, entonces la varianza de la muestra es

$$s^2 = \frac{\displaystyle\sum_{i=1}^{n} (x_i - \bar{x})^2}{n - 1} \qquad (1\text{-}4)$$

Nótese que el cálculo de $s^2$ requiere el cálculo de $\bar{x}$, $n$ sustracciones, y $n$ elevaciones al cuadrado y la suma de operaciones. Las desviaciones $x_i - x$ pueden ser

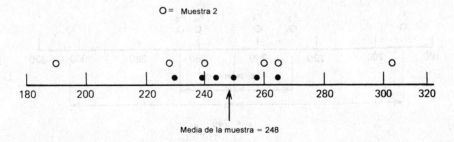

● = Muestra 1

○ = Muestra 2

Media de la muestra = 248

**Figura 1.6** Datos de resistencia al movimiento.

bastante tediosas al trabajar con ellas, y pueden llevarse varios decimales para asegurar la precisión numérica. Una fórmula computacional más eficiente para la varianza de la muestra se obtiene como sigue:

$$s^2 = \frac{\sum\limits_{i=1}^{n}(x_i - \bar{x})^2}{n-1}$$

$$= \frac{\sum\limits_{i=1}^{n}\left(x_i^2 + \bar{x}^2 - 2\bar{x}x_i\right)}{n-1}$$

$$= \frac{\sum\limits_{i=1}^{n}x_i^2 + n\bar{x}^2 - 2\bar{x}\sum\limits_{i=1}^{n}x_i}{n-1}$$

y puesto que $\bar{x} = (1/n)\sum_{i=1}^{n}x_i$ esta última ecuación se reduce a

$$s^2 = \frac{\sum\limits_{i=1}^{n}x_i^2 - \left(\sum\limits_{i=1}^{n}x_i\right)^2\Big/n}{n-1} \tag{1-5}$$

Para ver cómo la varianza de la muestra mide la dispersión o variabilidad, considérese la figura 1.7, la cual muestra las desviaciones $x_i - \bar{x}$ para la segunda muestra de las seis resistencias al rompimiento de las botellas. Cuanto más grande sea la cantidad de variabilidad en los datos de resistencia al rompimiento, tanto mayores serán en magnitud absoluta algunas de las desviaciones $x_i - \bar{x}$. Debido a que las desviaciones siempre se sumarán a cero, deberemos usar una medida de variabilidad que cambie las desviaciones negativas a cantidades no negativas. El procedimiento que se usa para obtener la varianza de la muestra es elevar al cuadrado las desviaciones. En consecuencia, si $s^2$ es pequeña, hay una relativamente pequeña variabilidad en los datos, pero si $x^2$ es grande, la variabilidad es relativamente grande.

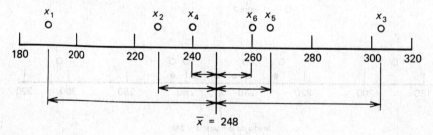

**Figura 1.7** Forma en que la varianza de la muestra mide la variabilidad a través de las desviaciones $x_i - \bar{x}$.

Las unidades de medida para la varianza de la muestra son el cuadrado de las unidades originales de la variable. De tal modo, si $x$ se mide en libras por pulgada cuadrada (psi), las unidades para la varianza de la muestra son (psi)$^2$.

**Ejemplo 1-1** Calcularemos la varianza de la muestra de la resistencia al rompimiento de las botellas para la segunda muestra, como vemos en la figura 1.6. Las desviaciones $x_i - \bar{x}$ para esta muestra se presentan en la figura 1.7.

| Observaciones | $x_i - \bar{x}$ | $(x_i - \bar{x})^2$ |
|---|---|---|
| $x_1 = 190$ | $-58$ | 3364 |
| $x_2 = 228$ | $-20$ | 400 |
| $x_3 = 305$ | 57 | 3249 |
| $x_4 = 240$ | $-8$ | 64 |
| $x_5 = 265$ | 17 | 289 |
| $x_6 = 260$ | 12 | 144 |
| $\bar{x} = 248$ | Suma = 0 | Suma = 7510 |

de la ecuación 1-4,

$$s^2 = \frac{\sum_{i=1}^{n}(x_i - \bar{x})^2}{n-1} = \frac{7510}{5} = 1502(\text{psi})^2$$

Podemos calcular también $s^2$ de la fórmula alternativa, ecuación 1-5:

$$s^2 = \frac{\sum_{i=1}^{n} x_i^2 - \left(\sum_{i=1}^{n} x_i\right)^2 \Big/ n}{n-1}$$

$$= \frac{376{,}534 - (1488)^2/6}{5}$$

$$= 1502(\text{psi})^2$$

Si calculamos la varianza de la muestra de la resistencia al rompimiento para las primeras seis botellas, encontramos que $s^2 = 158$ (psi)$^2$. Esta es considerablemente más pequeña que la varianza de muestra de la Muestra 2, lo que confirma nuestra impresión inicial de que la Muestra 1 tiene menor variabilidad que la Muestra 2.

Debido a que $s^2$ se expresa en el cuadrado de las unidades originales, no es fácil interpretarla. Además, la variabilidad es un concepto poco familiar y más difícil que la localización o tendencia central. Sin embargo, podemos resolver "el problema de la dimensionalidad" trabajando con la raíz cuadrada (positiva) de la varianza, *s*, denominada *desviación estándar de la muestra*. Esto brinda una medida de la dispersión expresada en las mismas unidades que la variable original.

**Ejemplo 1.2**  La desviación estándar de las resistencias al rompimiento de las botellas para la segunda muestra en el ejemplo 1.1 y la figura 1.6 es

$$s = \sqrt{s^2} = \sqrt{1502} = 38.76 \text{ psi}$$

Para la primera muestra de las botellas, la desviación estándar de la resistencia al rompimiento es

$$s = \sqrt{158} = 12.57 \text{ psi}$$

**Ejemplo 1.3**  Calcule la varianza de la muestra y la desviación estándar de la muestra de los datos de la resistencia al rompimiento de las botellas en la tabla 1.1. Note que

$$\sum_{i=1}^{100} x_i^2 = 7.074.258.00 \qquad y \qquad \sum_{i=1}^{100} x_i = 26,406$$

En consecuencia, la varianza de la muestra es

$$s^2 = \frac{\sum_{i=1}^{100} x_i^2 - \left(\sum_{i=1}^{100} x_i\right)^2 \Big/ 100}{99} = \frac{7,074,258.00 - (26,406)^2/100}{99} = 1025.15 \text{ psi}^2$$

y la desviación estándar de la muestra es

$$s = \sqrt{1025.15} = 32.02 \text{ psi}$$

De igual forma que para la muestra $s^2$, hay una medida de variabilidad en la población llamada *varianza de la población*. Para denotarla usaremos la letra griega $\sigma^2$. La raíz cuadrada de $\sigma^2$, $\sigma$, denotará la desviación estándar de la población. Cuando la población es finita y consiste en $N$ valores podemos definir la varianza de la población como

$$\sigma^2 = \frac{\sum_{i=1}^{N} (x_i - \mu)^2}{N} \tag{1-6}$$

En los capítulos siguientes se darán definiciones más generales de la varianza.

Observamos que la media de la muestra podría emplearse para hacer deducciones acerca de la media de la población. De modo similar, la varianza de la muestra puede emplearse para efectuar deducciones relativas a la varianza de la población. Observamos que el divisor para la varianza de la muestra es el tamaño de la muestra menos 1 $(n - 1)$, en tanto que para la varianza de la población es el tamaño de la población $N$. Si conociéramos en realidad el verdadero valor de la media de la población $\mu$, podríamos definir la varianza de la muestra como la desviación cuadrática promedio de las observaciones de la muestra alrededor de $\mu$. En la práctica, el valor de $\mu$ casi nunca se conoce, y por ello la suma de las desviaciones cuadráticas alrededor del promedio de la muestra $\bar{x}$ debe utilizarse. Sin embargo, las observaciones $x_i$ tienden a estar más cerca de su promedio $\bar{x}$ que de la media de la población $\mu$, de modo que para compensar esto utilizamos como divisor $n - 1$ en lugar de $N$. Si utilizamos $N$ como un divisor en la varianza de la muestra, obtendríamos una medida de la variabilidad que es, en promedio, consistentemente más pequeña que la verdadera varianza de la población $\sigma^2$.

Otra manera de considerar lo anterior es pensar en la varianza de la muestra $s^2$ como si se basara en $n - 1$ *grados de libertad*. El término *grados de libertad* resulta del hecho de que las $n$ desviaciones $x_1 - \bar{x}, x_2 - \bar{x}, \ldots, x_n - \bar{x}$ siempre suman cero, por lo que la especificación de los valores de cualesquiera $n - 1$ de estas cantidades determina en forma automática la restante. Por consiguiente, sólo $n - 1$ de las $n$ desviaciones $x_i - \bar{x}$ son independientes.

Otra medida de dispersión útil es el intervalo de la muestra

$$R = \text{máx } (x_i) - \text{mín } (x_i) \tag{1-7}$$

El intervalo de la muestra se calcula con mucha facilidad, pero tiene la inconveniencia de que se ignora toda la información que existe entre las observaciones más pequeña y más grande. Para tamaños de muestra pequeños, digamos $n \leq 10$, esta pérdida de información no es demasiado seria en algunas situaciones. El intervalo tiene una amplia aplicación en el control de calidad estadístico, donde los tamaños de muestra de 4 ó 5 son comunes y la simplicidad del cálculo es una consideración importante. Analizaremos el uso del intervalo en problemas de control de calidad estadístico en el capítulo 17.

**Ejemplo 1.4**  Calcule los intervalos de las dos muestras de resistencia al rompimiento de botellas dados en la página 13. Para la primera muestra, encontramos que

$$R_1 = 265 - 230 = 35$$

en tanto que en la segunda

$$R_2 = 305 - 190 = 115$$

Note que el intervalo de la segunda muestra es mucho mayor que el de la primera, implicando que la segunda muestra tiene mayor variabilidad que la primera.

En ocasiones, se desea expresar la variación como una fracción de la media. Una medida de la variación relativa denominada coeficiente de variación de la muestra se define como

$$CV = \frac{s}{\bar{x}} \qquad (1\text{-}8)$$

El coeficiente de variación es útil cuando se compara la variabilidad de dos o más conjuntos de datos que difieren de modo considerable en la magnitud de las observaciones. Por ejemplo, el coeficiente de variación podría ser de utilidad en la comparación de la variabilidad del consumo diario de electricidad dentro de muestras de residencias unifamiliares en Atlanta, Georgia, y Butte, Montana, en el mes de julio.

### 1-3.3 Datos agrupados

Si los datos están en una distribución de frecuencia, es necesario modificar las fórmulas calculadas para las medidas de tendencia central y dispersión dadas en las secciones 1-3.1 y 1-3.2. Supóngase que para cada uno de los $p$ valores distintos de $x$, digamos $x_1, x_2, \ldots, x_p$, la frecuencia observada es $f_j$. Entonces la media y la varianza de la muestra puede calcularse como

$$\bar{x} = \frac{\sum\limits_{j=1}^{p} f_j x_j}{\sum\limits_{j=1}^{p} f_j} = \frac{\sum\limits_{j=1}^{p} f_j x_j}{n} \qquad (1\text{-}9)$$

y

$$s^2 = \frac{\sum\limits_{j=1}^{p} f_j x_j^2 - \left( \sum\limits_{j=1}^{p} f_j x_j \right)^2 \Big/ n}{n - 1} \qquad (1\text{-}10)$$

respectivamente.

En un gran número de distribuciones de frecuencia, ya no es posible determinar las observaciones individuales, sino sólo los intervalos de clase a los cuales pertenecen. Por ejemplo, véase la distribución de frecuencia de las resistencias al rompimiento de las botellas en la figura 1.1. En tales casos, podemos aproximar la media y la varianza de la muestra. Esto requiere que supongamos que las observaciones se concentran en el centro del intervalo de clase. Si $m_j$ denota el punto medio del intervalo de clase $j$ésimo y hay $c$ intervalos de clase, entonces la media y la varianza de la muestra son aproximadamente

$$\bar{x} \simeq \frac{\sum\limits_{j=1}^{c} f_j m_j}{\sum\limits_{j=1}^{c} f_j} = \frac{\sum\limits_{j=1}^{c} f_j m_j}{n} \qquad (1\text{-}11)$$

y

$$s^2 \simeq \frac{\sum\limits_{j=1}^{c} f_j m_j^2 - \left(\sum\limits_{j=1}^{c} f_j m_j\right)^2 \Big/ n}{n-1} \qquad (1\text{-}12)$$

**Ejemplo 1.5.** Para ilustrar el empleo de las ecuaciones 1-11 y 1-12, calcularemos la media y la varianza de la resistencia al rompimiento para los datos en la distribución de frecuencia de la tabla 1.2. Nótese que hay $c = 9$ intervalos de clase, y que $m_1 = 180, f_1 = 2, m_2 = 200, f_2 = 4, m_3 = 220, f_3 = 7, m_4 = 240,$ $f_4 = 13, m_5 = 260, f_5 = 32, m_6 = 280, f_6 = 24, m_7 = 300, f_7 = 11, m_8 = 320,$ $f_8 = 4, m_9 = 340,$ y $f_9 = 3$. De tal modo

$$\bar{x} \simeq \frac{\sum\limits_{j=1}^{9} f_j m_j}{n} = \frac{26{,}460}{100} = 264.60 \text{ psi}$$

y

$$s^2 \simeq \frac{\sum\limits_{i=1}^{9} f_i m_i^2 - \left(\sum\limits_{i=1}^{9} f_i m_i\right)^2 \Big/ 100}{99} = \frac{7{,}091{,}900 - (26{,}460)^2 / 100}{99} = 914.99 \text{ psi}^2$$

Nótese que estos valores son muy cercanos a los obtenidos a partir de los datos desagrupados.

Cuando los datos se agrupan en intervalos de clase, también es posible aproximar la mediana y el modo. La mediana es aproximadamente

$$\tilde{x} \simeq L_M + \left(\frac{\dfrac{n+1}{2} - T}{f_M}\right) \Delta \qquad (1\text{-}13)$$

donde $L_M$ es el límite inferior del intervalo de clase que contiene a la mediana (denominado clase de la mediana), $f_M$ es la frecuencia en la clase de la mediana,

$T$ es el total de las frecuencias en los intervalos de clase que preceden a la clase de la mediana, y $\Delta$ es el ancho de la clase de la mediana. El modo, digamos $MO$, es aproximadamente

$$MO \simeq L_{MO} + \left( \frac{a}{a+b} \right) \Delta \tag{1-14}$$

donde $L_{MO}$ es el límite inferior de la clase modal (el intervalo de clase con la frecuencia más grande), $a$ es el valor absoluto de la diferencia en frecuencia entre la clase modal y la clase precedente, $b$ es valor absoluto de la diferencia en frecuencia entre la clase modal y la siguiente clase, y $\Delta$ es el ancho de la clase modal.

Por último, si los datos se agrupan y se cifran alrededor de un origen arbitrario, por ejemplo $m_0$, tal que $d_j = (m_j - m_0)/\Delta$, donde $\Delta$ es el ancho del intervalo de clase y $m_j$ es el punto medio del intervalo de clase $j$ésimo, $j = 1, 2, \ldots, c$, entonces la media y la varianza de la muestra son aproximadamente

$$\bar{x} \simeq \Delta \left( \frac{\sum\limits_{j=1}^{c} f_j d_j}{n} \right) + m_0 \tag{1-15}$$

y

$$s^2 \simeq \Delta^2 \left( \frac{\sum\limits_{j=1}^{c} f_j d_j^2 - \left( \sum\limits_{j=1}^{c} f_j d_j \right)^2 \Big/ n}{n-1} \right) \tag{1-16}$$

Estas ecuaciones son algunas veces útiles en los experimentos de campo en los que deben colectarse bastantes datos.

## 1-4   Análisis exploratorio de datos

El histograma es un formato de exhibición gráfico muy útil. Puede brindar al responsable de la toma de decisiones un buen entendimiento de los datos y es muy útil en la presentación de la *forma, localización* y *variabilidad* de los datos. No obstante, el histograma no permite identificar datos individuales, debido a que todas las observaciones que caen en una celda son indistinguibles. Hay varios recursos gráficos que pueden ser más informativos que el histograma, y debido a que son a menudo de mayor utilidad en las etapas iniciales del análisis de datos con frecuencia reciben el nombre de métodos de *análisis exploratorio de datos*.

En esta sección, presentaremos dos de estos procedimientos; diagramas de árbol y de caja.

### 1-4.1  El diagrama de árbol

Supóngase que los datos están representados por $x_1, x_2, \ldots, x_n$, y que cada número $x_i$ consta de al menos dos dígitos. Para construir un diagrama de árbol, dividimos cada número $x_i$ en dos partes: un tronco, consistente en uno o más de los primeros dígitos, y una hoja, consistente en los dígitos restantes. Por ejemplo, si los datos están compuestos por información de defectos porcentuales entre 0 y 100 en lotes de obleas de semiconductores, entonces podríamos dividir el valor 76 en el tronco y en la hoja 6. En general, debemos elegir relativamente pocos troncos en comparación con el número de observaciones. Suele ser mejor elegir un número entre 5 y 20 troncos. Una vez que se ha elegido un conjunto de troncos, se listan a lo largo del margen del lado izquierdo del formato y junto a cada tronco las hojas correspondientes a los valores de los datos observados, se listan en el orden en el que se encontraron en el conjunto de datos.

**Ejemplo 1.6**  Para ilustrar la construcción de un diagrama de árbol, considérese los datos de la resistencia al rompimiento de las botellas en la tabla 1.1. Para construir el diagrama de árbol, seleccionamos como valores de tronco los números 17, 18, 19, . . . , 34. El diagrama de árbol resultante se presenta en la figura 1.8. La inspección de este despliegue revela de inmediato que la mayor parte de las resistencias al rompimiento se encuentran entre 220 y 330 psi, y que el valor central está en alguna parte entre 260 y 270 psi. Además, las resistencias al rompimiento se distribuyen casi en forma simétrica en torno al valor central. Por tanto, el diagrama de árbol, al igual que el histograma, nos permite determinar de manera rápida algunas características importantes de los datos que de inmediato no son evidentes en el despliegue original, tabla 1.1. Nótese que aquí los números originales no se han perdido como sucede en un histograma. Algunas veces, para apoyar la búsqueda de percentiles, ordenamos las hojas por magnitud, produciendo un diagrama de árbol *ordenado*, como en la figura 1.9. Puesto que $n = 100$, es un número par, la mediana es el promedio de las dos observaciones con rango 50 y 51, o

$$\tilde{x} = (265 + 265)/2 = 265$$

El *décimo percentil* es la observación con rango $(.1)(100) + .5 = 10.5$ (a la mitad entre la observación décima y la onceava), o $(220 + 221)/2 = 220.5$. El *primer cuartil* es la observación con rango $(.25)(100) + .5 = 25.5$ (a la mitad entre las observaciones vigésima quinta y vigésima sexta), $(248 + 248)/2 = 248$, y el tercer cuartil es la observación con rango $(.75)(100) + .5 = 75.5$ (a la mitad entre las

| Tronco | Hoja | Frecuencia |
|--------|------|------------|
| 17 | 6 | 1 |
| 18 | 7 | 1 |
| 19 | 7 | 1 |
| 20 | 0, 5, 8 | 3 |
| 21 | 0, 4, 5 | 3 |
| 22 | 1, 0, 8, 3 | 4 |
| 23 | 5, 1, 1, 4, 5, 5 | 6 |
| 24 | 2, 8, 2, 6, 8, 3, 5 | 7 |
| 25 | 4, 0, 8, 0, 0, 7, 8, 3, 4, 8, 1 | 11 |
| 26 | 5, 5, 5, 1, 2, 3, 0, 0, 5, 3, 8, 7, 0, 0, 4, 5, 9, 5, 4, 7, 9 | 21 |
| 27 | 8, 4, 1, 4, 0, 6, 6, 4, 8, 2, 4, 1, 7, 5 | 14 |
| 28 | 0, 6, 1, 0, 1, 0, 0, 3, 7, 3 | 10 |
| 29 | 4, 6, 8, 9, 9, 3, 0 | 7 |
| 30 | 7, 1, 0, 8 | 4 |
| 31 | 7, 8 | 2 |
| 32 | 1, 8 | 2 |
| 33 | 7, 4 | 2 |
| 34 | 6 | 1 |
|  |  | 100 |

**Figura 1.8**  Diagrama de árbol para datos de la resistencia al rompimiento en la tabla 1.1.

| Tronco | Hoja | Frecuencia |
|--------|------|------------|
| 17 | 6 | 1 |
| 18 | 7 | 1 |
| 19 | 7 | 1 |
| 20 | 0, 5, 8 | 3 |
| 21 | 0, 4, 5 | 3 |
| 22 | 0, 1, 3, 8 | 4 |
| 23 | 1, 1, 4, 5, 5, 5 | 6 |
| 24 | 2, 2, 3, 5, 6, 8, 8 | 7 |
| 25 | 0, 0, 0, 1, 3, 4, 4, 7, 8, 8, 8 | 11 |
| 26 | 0, 0, 0, 0, 1, 2, 3, 3, 4, 4, 5, 5, 5, 5, 5, 5, 7, 7, 8, 9, 9 | 21 |
| 27 | 0, 1, 1, 2, 4, 4, 4, 4, 5, 6, 6, 7, 8, 8 | 14 |
| 28 | 0, 0, 0, 0, 1, 1, 3, 3, 6, 7 | 10 |
| 29 | 0, 3, 4, 6, 8, 9, 9 | 7 |
| 30 | 0, 1, 7, 8 | 4 |
| 31 | 7, 8 | 2 |
| 32 | 1, 8 | 2 |
| 33 | 4, 7 | 2 |
| 34 | 6 | 1 |
|  |  | 100 |

**Figura 1.9**  Diagrama de árbol ordenado para datos de resistencia al rompimiento de botellas.

observaciones septuagésima quinta y septuagésima sexta), o $(280 + 280)/2 = 280$.
El primero y el tercer cuartil se denotan en ocasiones mediante los símbolos Q1
y Q3, respectivamente, y el *intervalo del intercuartil* IQR = Q3 – Q1 puede usarse
como otra medida de variabilidad. Para los datos de resistencia al rompimiento
de las botellas, el intervalo del intercuartil es IQR = Q3 – Q1 = 280 – 248 = 32.
Los diagramas de árbol en las figuras 1.8 y 1.9 son equivalentes a un histograma
con 18 intervalos de clase. En algunas situaciones, puede desearse proporcionar
más clases o troncos. Una forma de hacerlo sería modificar los troncos originales
como sigue: Divídase el tronco 5 (por ejemplo) en dos nuevos troncos, 5* y 5˙.
El tronco 5* tiene las hojas 0, 1, 2, 3 y 4, y el tronco 5˙, las 5, 6, 7, 8 y 9. Esto
duplicará el número de troncos originales. Podríamos incrementar el número de
troncos originales cinco veces definiendo cinco nuevos troncos: 5* con hojas 0 y
1, 5*t* (para doses y treses) con hojas 2 y 3, 5*f* (para cuatros y cincos) con hojas 4
y 5, 5*s* (para seises y sietes) con hojas 6 y 7, y 5˙ con hojas 8 y 9.

## 1-4.2 El diagrama de caja

Un diagrama de caja exhibe los tres cuartiles, el mínimo y el máximo de los datos
en una caja rectangular, alineada en forma horizontal o vertical. La caja encierra
el intervalo intercuartil con la línea izquierda (o inferior) en el primer cuartil Q1
y la línea derecha (o superior) en el tercer cuartil Q3. Se dibuja una línea a través
de la caja en el segundo cuartil (que es el quincuagésimo percentil o la mediana)
$Q2 = \tilde{x}$. Una línea en cualquier extremo se extiende hasta los valores extremos.
Estas líneas, llamadas algunas veces bigotes, pueden extenderse sólo hasta los
percentiles 10° y 90°, o el 5° y el 95° en grandes conjuntos de datos. Algunos
autores se refieren al diagrama de caja como el diagrama de caja y bigotes. La
figura 1.10 presenta el diagrama de caja para los datos de la resistencia al
rompimiento de las botellas. Este diagrama de caja indica que la distribución de
las resistencias al rompimiento es bastante simétrica alrededor del valor central,

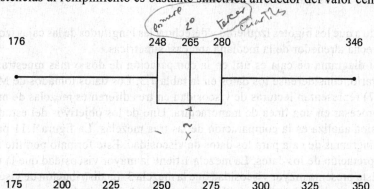

**Figura 1.10** Diagrama de caja para los datos de resistencia al rompimiento de botellas.

TABLA 1.3.    **Medidas de viscosidad para tres mezclas**

| Mezcla 1 | Mezcla 2 | Mezcla 3 |
|----------|----------|----------|
| 22.02    | 21.49    | 20.33    |
| 23.83    | 22.67    | 21.67    |
| 26.67    | 24.62    | 24.67    |
| 25.38    | 24.18    | 22.45    |
| 25.49    | 22.78    | 22.28    |
| 23.50    | 22.56    | 21.95    |
| 25.90    | 24.46    | 20.49    |
| 24.98    | 23.79    | 21.81    |

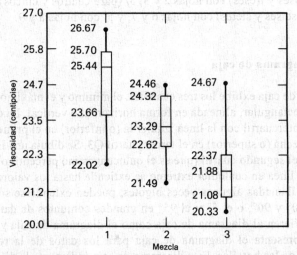

**Figura 1.11**   Diagramas de caja para los datos de viscosidad
de mezclas en la tabla 1-3.

debido a que los bigotes izquierdo y derecho y las longitudes de las cajas izquierda
y derecha alrededor de la mediana son casi simétricas.

El diagrama de caja es útil en la comparación de dos o más muestras. Para
ilustrarlo, considérense los datos en la tabla 1.3. Los datos tomados de Messina
(1987) representan lecturas de viscosidad en tres diferentes mezclas de material
sin procesar en una línea de manufactura. Uno de los objetivos del estudio que
Messina analiza es la comparación de las tres mezclas. La figura 1.11 presenta
los diagramas de caja para los datos de viscosidad. Este formato permite la fácil
interpretación de los datos. La mezcla 1 tiene la mayor viscosidad que la mezcla
2, y ésta presenta mayor viscosidad que la mezcla 3. La distribución de viscosidad
no es simétrica, y la lectura de viscosidad máxima de la muestra 3 parece
inusualmente grande en comparación con las otras lecturas. Esta observación

puede ser un dato extraño, y es posible que justifique un examen y análisis adicionales.

## 1-5 Resumen

Este capítulo ha proporcionado una introducción al campo de la probabilidad y la estadística, describiendo algunas de las aplicaciones de los métodos de modelado y análisis estadísticos y probabilísticos en la ingeniería y la administración. Hemos presentado varios métodos para la descripción y el análisis gráfico de datos. Las herramientas gráficas importantes que se han cubierto incluyen la distribución de frecuencias, el histograma, el diagrama de árbol, y el diagrama de caja. Los métodos gráficos son útiles principalmente para datos medidos; esto es, datos que pueden medirse en una escala analítica, o datos de conteo. El diagrama de Pareto es una forma gráfica de utilidad particular para datos de conteo.

También hemos discutido varios métodos numéricos para resumir datos. La media, la mediana y el modo son formas de describir la tendencia central, la localización o el punto medio de los datos. La varianza, la desviación estándar, el intervalo y el intervalo intercuartil son formas con las que se describe la dispersión, la propagación o variabilidad de los datos. En los capítulos siguientes se explorará la aplicación de estas técnicas.

## 1-6 Ejercicios

**1-1** El periodo de almacén (vida de anaquel) de una película fotográfica de alta velocidad está siendo investigada por un fabricante. Se dispone de los siguientes datos.

| Vida (días) | Vida (días) | Vida (días) | Vida (días) |
| --- | --- | --- | --- |
| 125 | 140 | 121 | 141 |
| 127 | 125 | 127 | 147 |
| 140 | 124 | 128 | 150 |
| 135 | 122 | 134 | 132 |
| 126 | 121 | 140 | 143 |
| 120 | 127 | 121 | 121 |
| 121 | 130 | 126 | 124 |
| 142 | 131 | 124 | 131 |
| 151 | 141 | 125 | 141 |
| 160 | 137 | 127 | 127 |

Construya un histograma y comente las propiedades de los datos.

1-2   El porcentaje de algodón en una tela utilizada para elaborar camisas para hombre se presenta a continuación. Construya un histograma para los datos. Comente las propiedades de los datos.

| | | | | | | | |
|---|---|---|---|---|---|---|---|
| 34.2 | 33.6 | 33.8 | 34.7 | 37.8 | 32.6 | 35.8 | 34.6 |
| 33.1 | 34.7 | 34.2 | 33.6 | 36.6 | 33.1 | 37.6 | 33.6 |
| 34.5 | 35.0 | 33.4 | 32.5 | 35.4 | 34.6 | 37.3 | 34.1 |
| 35.6 | 35.4 | 34.7 | 34.1 | 34.6 | 35.9 | 34.6 | 34.7 |
| 34.3 | 36.2 | 34.6 | 35.1 | 33.8 | 34.7 | 35.5 | 35.7 |
| 35.1 | 36.8 | 35.2 | 36.8 | 37.1 | 33.6 | 32.8 | 36.8 |
| 34.7 | 35.1 | 35.0 | 37.9 | 34.0 | 32.9 | 32.1 | 34.3 |
| 33.6 | 35.3 | 34.9 | 36.4 | 34.1 | 33.5 | 34.5 | 32.7 |

1-3   Los datos que se muestran en seguida representan la producción en 90 hornadas consecutivas de sustrato de cerámica al cual se ha aplicado un revestimiento metálico mediante un proceso de depositación a vapor. Construya un histograma para estos datos y comente las propiedades de los datos.

| | | | | | |
|---|---|---|---|---|---|
| 94.1 | 87.3 | 94.1 | 92.4 | 84.6 | 85.4 |
| 93.2 | 84.1 | 92.1 | 90.6 | 83.6 | 86.6 |
| 90.6 | 90.1 | 96.4 | 89.1 | 85.4 | 91.7 |
| 91.4 | 95.2 | 88.2 | 88.8 | 89.7 | 87.5 |
| 88.2 | 86.1 | 86.4 | 86.4 | 87.6 | 84.2 |
| 86.1 | 94.3 | 85.0 | 85.1 | 85.1 | 85.1 |
| 95.1 | 93.2 | 84.9 | 84.0 | 89.6 | 90.5 |
| 90.0 | 86.7 | 87.3 | 93.7 | 90.0 | 95.6 |
| 92.4 | 83.0 | 89.6 | 87.7 | 90.1 | 88.3 |
| 87.3 | 95.3 | 90.3 | 90.6 | 94.3 | 84.1 |
| 86.6 | 94.1 | 93.1 | 89.4 | 97.3 | 83.7 |
| 91.2 | 97.8 | 94.6 | 88.6 | 96.8 | 82.9 |
| 86.1 | 93.1 | 96.3 | 84.1 | 94.4 | 87.3 |
| 90.4 | 86.4 | 94.7 | 82.6 | 96.1 | 86.4 |
| 89.1 | 87.6 | 91.1 | 83.1 | 98.0 | 84.5 |

1-4   Una compañía electrónica fabrica fuentes de poder para computadoras personales. Se producen varios cientos de fuentes en cada turno, y cada unidad se somete a una prueba de quemado de 12 horas. El número de unidades que falla durante esta prueba de 12 horas en cada turno se presenta adelante.
      a)   Elabore una distribución de frecuencias y un histograma.
      b)   Determine la media, la varianza y la desviación estándar de la muestra.

| 3 | 6 | 4 | 7 | 6 | 7 |
|---|----|----|----|----|----|
| 4 | 7 | 8 | 2 | 1 | 4 |
| 2 | 9 | 4 | 6 | 4 | 8 |
| 5 | 10 | 10 | 9 | 13 | 7 |
| 6 | 14 | 14 | 10 | 12 | 3 |
| 10 | 13 | 8 | 7 | 10 | 6 |
| 5 | 10 | 12 | 9 | 2 | 7 |
| 4 | 9 | 4 | 16 | 5 | 8 |
| 3 | 8 | 5 | 11 | 7 | 4 |
| 11 | 10 | 14 | 13 | 10 | 12 |
| 9 | 3 | 2 | 3 | 4 | 6 |
| 2 | 2 | 8 | 13 | 2 | 17 |
| 7 | 4 | 6 | 3 | 2 | 5 |
| 8 | 6 | 10 | 7 | 6 | 10 |
| 4 | 4 | 8 | 3 | 4 | 8 |
| 2 | 10 | 6 | 2 | 10 | 9 |
| 6 | 8 | 4 | 9 | 8 | 11 |
| 5 | 7 | 6 | 4 | 14 | 7 |
| 4 | 14 | 15 | 13 | 14 | 2 |
| 3 | 13 | 4 | 3 | 4 | 8 |
| 2 | 12 | 7 | 6 | 4 | 10 |
| 8 | 5 | 5 | 5 | 8 | 7 |
| 10 | 4 | 3 | 10 | 7 | 4 |
| 9 | 6 | 2 | 6 | 9 | 3 |
| 11 | 5 | 6 | 7 | 2 | 6 |

**1-5** Considere los datos del periodo de almacén del ejercicio 1-1. Calcule la media estándar, la varianza de la muestra y la desviación estándar de la muestra.

**1-6** Considere los datos de porcentaje de algodón en el ejercicio 1-2. Determine la media de la muestra, la varianza de la muestra, la desviación estándar de la muestra, la mediana de la muestra y el modo de la muestra.

**1-7** Considere los datos de producción en el ejercicio 1-3. Calcule la media de la muestra, la varianza de la muestra y la desviación estándar de la muestra.

**1-8** En Applied Life Data Analysis (Análisis de datos aplicado a la vida) (Wiley, 1982), Wayne Nelson presenta el tiempo de falla de un fluido aislante entre electrodos a 34 kV. Los tiempos, en minutos, son como sigue: .19, .78, .96, 1.31, 2.78, 3.16, 4.15, 4.67, 4.85, 6.50, 7.35, 8.01, 8.27, 12.06, 31.75, 32.52, 33.91, 36.71 y 72.89.
(a) Elabore la distribución de frecuencias y el histograma para estos datos
(b) Calcule la media de la muestra, la mediana de la muestra, la varianza de la muestra y la desviación estándar de la muestra.

**1-9**  Para los datos del fluido aislante en el ejercicio 1-8, suponga que se descarta la última observación (72.89). Elabore una distribución de frecuencias y un histograma para los datos restantes, y calcule la media de la muestra, la mediana de la muestra, la varianza de la muestra y la desviación estándar de la muestra. Compare los resultados con los obtenidos en el ejercicio 1-8. ¿Qué impacto tuvo la eliminación de esta observación en el resumen estadístico?

**1-10**  Un artículo en *Technometrics* (Vol. 19, 1977, p. 425), presenta los siguientes datos acerca de las tasas de octanaje de combustible de motor de varias mezclas de gasolina:

> 88.5, 87.7, 83.4, 86.7, 87.5, 91.5, 88.6, 100.3, 95.6, 93.3, 94.7, 91.1, 91.0,
> 94.2, 87.8, 89.9, 88.3, 87.6, 84.3, 86.7,  88.2, 90.8, 88.3, 98.8, 94.2, 92.7,
> 93.2, 91.0, 90.3, 93.4, 88.5, 90.1, 89.2,  88.3, 85.3, 87.9, 88.6, 90.9, 89.0,
> 96.1, 93.3, 91.8, 92.3, 90.4, 90.1, 93.0,  88.7, 89.9, 89.8, 89.6, 87.4, 88.4,
> 88.9, 91.2, 89.3, 94.4, 92.7, 91.8, 91.6,  90.4, 91.1, 92.6, 89.8, 90.6, 91.1,
> 90.4, 89.3, 89.7, 90.3, 91.6, 90.5, 93.7,  92.7, 92.2, 92.2, 91.2, 91.0, 92.2,
> 90.0, 90.7.

(*a*)  Elabore un diagrama de árbol.
(*b*)  Elabore una distribución de frecuencias y un histograma.
(*c*)  Calcule la media de la muestra, la varianza de la muestra y la desviación estándar de la muestra.
(*d*)  Determine la mediana de la muestra y el modo de la muestra.

**1-11**  Considere los datos del periodo de almacenaje en el ejercicio 1-1. Construya un diagrama de árbol para estos datos. Construya un diagrama de árbol ordenado. Utilice este diagrama para encontrar los percentiles 65 y 95.

**1-12**  Considere los datos de porcentaje del algodón en el ejercicio 1-2.
(*a*)  Elabore un diagrama de árbol.
(*b*)  Calcule la media de la muestra, la varianza de la muestra y la desviación estándar de la muestra.
(*c*)  Construya un diagrama de árbol ordenado.
(*d*)  Determine la mediana, y el primero y tercer cuartiles.
(*e*)  Determine el intervalo intercuartil.

**1-13**  Considere los datos de producción del ejercicio 1-3.
(*a*)  Construya un diagrama de árbol ordenado.
(*b*)  Encuentre la mediana, y el primer y tercer cuartiles.
(*c*)  Calcule el intervalo intercuartil.

**1-14**  Construya un diagrama de caja para los datos de vida de almacenaje del ejercicio 1-1. Interprete los datos utilizando este diagrama.

**1-15**  Construya un diagrama de caja para los datos de porcentaje de algodón del ejercicio 1-2. Interprete los datos utilizando este diagrama.

**1-16** Construya un diagrama de caja para los datos de producción en el ejercicio 1-3. Compárelo con el histograma (ejercicio 1-3) y el diagrama de árbol (ejercicio 1-13). Interprete los datos.

**1-17** Una compañía ha investigado las causas de informes de labores erróneas del grupo de trabajo. Los resultados se muestran a continuación. Construya un diagrama de Pareto e interprete los datos.

| Causa | Horas totales para ajuste |
|---|---|
| Registro de entrada | 3286 |
| Perforación de tarjeta | 1845 |
| Tarjeta equivocada | 915 |
| Estación inválida | 412 |
| Número de trabajo inválido | 87 |
| Error de tabla | 36 |
| Número de carga inválido | 24 |
| Número de empleado inválido | 18 |

**1-18** La siguiente tabla contiene la frecuencia de ocurrencia de las letras finales en un artículo del Atlanta Journal. Construya un histograma con estos datos. ¿Alguno de los conceptos numéricos descritos en este capítulo tiene algún significado para estos datos?

| | | | |
|---|---|---|---|
| a | 12 | n | 19 |
| b | 11 | o | 13 |
| c | 11 | p | 1 |
| d | 20 | q | 0 |
| e | 25 | r | 15 |
| f | 13 | s | 18 |
| g | 12 | t | 20 |
| h | 12 | u | 0 |
| i | 8 | v | 0 |
| j | 0 | w | 41 |
| k | 2 | x | 0 |
| l | 11 | y | 15 |
| m | 12 | z | 0 |

**1-19** Demuestre que
(a) $\sum_{i=1}^{n}(x_i - \bar{x}) = 0$.
(b) $\sum_{i=1}^{n}(x_i - \bar{x})^2 = \sum_{i=1}^{n} x_i^2 - n\bar{x}^2$.

**1-20** Se está investigando el peso de cojinetes producidos mediante un proceso de forjado. En una muestra de seis cojinetes los pesos son 1.18, 1.21, 1.19, 1.17, 1.20, 1.21 libras.

Determine la media de la muestra, la varianza de la muestra, la desviación estándar de la muestra y la mediana de la muestra.

**1-21** El diámetro de ocho anillos de pistones automotrices se muestra a continuación. Calcule la media, la varianza y la desviación estándar de la muestra.

| | |
|---|---|
| 74.001 mm | 73.998 mm |
| 74.005 | 74.000 |
| 74.003 | 74.006 |
| 74.001 | 74.002 |

**1-22** El espesor de tablillas de circuito impreso es una característica muy importante. Una muestra de ocho tablillas tiene los siguientes espesores (en milésimas de pulgada): 63, 61, 65, 62, 61, 64, 60 y 66. Calcule la media, la varianza y la desviación estándar de la muestra. ¿Cuáles son las unidades de medida para cada estadística?

**1-23** **Codificación de datos.** Considere los datos de espesor de las tablillas de circuito impreso en el ejercicio 1-16.

(a) Suponga que restamos la constante 63 a cada número. ¿Cuál es el efecto en la media, la varianza y la desviación estándar de la muestra?

(b) Suponga que multiplicamos cada número por 100. ¿Cómo son afectadas la mediana, la varianza y la desviación estándar de la muestra?

**1-24** **Codificación de datos.** Sea $y_i = a + bx_i$, $i = 1, 2, \ldots, n$, donde $a$ y $b$ son constantes diferentes de cero. Determine la relación entre $\bar{x}$ y $\bar{y}$, y entre $s_x$ y $s_y$.

**1-25** Considere la cantidad $\sum_{i=1}^{n} (x_i - a)^2$. ¿Para qué valor de $a$ esta cantidad se minimiza?

**1-26** **La media ordenada.** Suponga que los datos se arreglan en orden creciente y que se suprime el LN porcentual de las observaciones de cada extremo, y se calcula la media de la muestra de los números restantes. La cantidad resultante se denomina media ordenada. Ésta, por lo general, se encuentra entre la media de la muestra $\bar{x}$ y la mediana de la muestra $\tilde{x}$ (¿por qué?).

(a) Calcule la media ordenada al 10% de los datos producidos en el ejercicio 1-3.

(b) Calcule la media ordenada al 20% de los datos producidos en el ejercicio 1-3 y compárela con la cantidad encontrada en la parte (a).

**1-27** **La media ordenada.** Suponga que LN no es un entero. Desarrolle un procedimiento para obtener una media ordenada.

**1-28** Considere los datos del periodo de almacenaje en el ejercicio 1-1. Construya una distribución de frecuencias y un histograma empleando un intervalo de clase de ancho 2. Calcule la media y la desviación estándar aproximadas a partir de la distribución de frecuencias y compárelas con los valores exactos encontrados en el ejercicio 1-5.

**1-29** Considere la siguiente distribución de frecuencias.

| $x_i$ | 115 | 116 | 117 | 118 | 119 | 120 | 121 | 122 | 123 | 124 |
|-------|-----|-----|-----|-----|-----|-----|-----|-----|-----|-----|
| $f_i$ | 4 | 6 | 9 | 13 | 15 | 19 | 20 | 18 | 15 | 10 |

(a) Calcule la media, la varianza y la desviación estándar de la muestra.

(b) Calcule la mediana y el modo.

1-30 Considere la siguiente distribución de frecuencias.

| $x_i$ | $-4$ | $-3$ | $-2$ | $-1$ | 0 | 1 | 2 | 3 | 4 |
|-------|------|------|------|------|---|---|---|---|---|
| $f_i$ | 60 | 120 | 180 | 200 | 240 | 190 | 160 | 90 | 30 |

(a) Calcule la media, la varianza y la desviación estándar de la muestra.

(b) Calcule la mediana y el modo.

1-31 Para los dos conjuntos de datos en los ejercicios 1-29 y 1-30, calcule los coeficientes de variación de la muestra.

1-32 Calcule la media, la varianza, la mediana y el modo aproximados de la muestra a partir de los datos en la siguiente distribución de frecuencias:

| Intervalo de clase | Frecuencia |
|--------------------|-----------|
| $10 \leq x < 20$ | 121 |
| $20 \leq x < 30$ | 165 |
| $30 \leq x < 40$ | 184 |
| $40 \leq x < 50$ | 173 |
| $50 \leq x < 60$ | 142 |
| $60 \leq x < 70$ | 120 |
| $70 \leq x < 80$ | 118 |
| $80 \leq x < 90$ | 110 |
| $90 \leq x < 100$ | 90 |

1-33 Calcule la mediana, la desviación estándar, la varianza, la mediana y el modo, aproximados de la muestra para los datos en la siguiente distribución de frecuencias:

| Intervalo de clase | Frecuencia |
|--------------------|-----------|
| $-10 \leq x < 0$ | 3 |
| $0 \leq x < 10$ | 8 |
| $10 \leq x < 20$ | 12 |
| $20 \leq x < 30$ | 16 |
| $30 \leq x < 40$ | 9 |
| $40 \leq x < 50$ | 4 |
| $50 \leq x < 60$ | 2 |

**1-34**  Calcule la media, la desviación estándar, la varianza, la mediana y el modo, aproximados de la muestra para los datos en la siguiente distribución de frecuencias

| Intervalo de clase | Frecuencia |
|---|---|
| $600 \leq x < 650$ | 41 |
| $650 \leq x < 700$ | 46 |
| $700 \leq x < 750$ | 50 |
| $750 \leq x < 800$ | 52 |
| $800 \leq x < 850$ | 60 |
| $850 \leq x < 900$ | 64 |
| $900 \leq x < 950$ | 65 |
| $950 \leq x < 1000$ | 70 |
| $1000 \leq x < 1050$ | 72 |

# Capítulo 2

# Introducción
# a la probabilidad

## 2-1 Introducción

El término *probabilidad* ha alcanzado un amplio uso en la vida diaria para cuantificar el grado de confianza en un evento de interés. Hay abundantes ejemplos tales como las afirmaciones siguientes: "hay una probabilidad de lluvia de 0.2", o "la probabilidad de que la computadora personal de marca X llegue a 100,000 horas de operación sin reparación es 0.75". En este capítulo presentaremos la estructura básica, los conceptos elementales y métodos para sustentar enunciados precisos y sin ambigüedad como los planteados arriba.

El estudio formal de la teoría de la probabilidad se originó en los siglos diecisiete y dieciocho en Francia y fue motivado por el estudio de los juegos de azar. Con un soporte matemático poco formal, la gente vio con algo de escepticismo el campo; sin embargo, este punto de vista empezó a cambiar en el siglo diecinueve cuando un modelo (descripción) probabilístico se desarrolló para el comportamiento de las moléculas en un líquido. Esto se conoció como el movimiento browniano, ya que Robert Brown, botánico inglés, fue el primero que observó el fenómeno en 1827. En 1905, Albert Einstein explicó el movimiento browniano bajo la hipótesis de que las partículas se sometían a un bombardeo continuo de moléculas del medio circundante. Estos resultados estimularon de modo considerable el interés en la probabilidad, como lo hizo el advenimiento del sistema telefónico al final del siglo diecinueve y el principio del veinte. Puesto que fue necesario un sistema físico de conexión para posibilitar la interconexión de teléfonos individuales, con duración de llamadas e intervalos de interdemanda que presentaban gran variación, surgió una fuerte motivación para desarrollar modelos probabilísticos para describir este comportamiento del sistema.

A pesar de que aplicaciones como éstas se expandieron con rapidez en los inicios del siglo veinte, generalmente se cree que no fue hasta los años de 1932 a 1934 que apareció una estructura matemática rigurosa para la probabilidad. Este capítulo presenta conceptos básicos que conducen e incluyen una definición de la probabilidad, así como algunos resultados y métodos útiles en la solución de problemas. El objetivo a través de los capítulos 2 al 8 es estimular una comprensión y apreciación del tema con aplicaciones en una variedad de problemas en la ingeniería y la ciencia. El lector estará de acuerdo en que hay un rico y amplio campo de las matemáticas relacionado con la probabilidad que se encuentra más allá del alcance de este libro.

## 2-2   Repaso de conjuntos

Para presentar los conceptos básicos de la teoría de la probabilidad, emplearemos algunos conceptos de la teoría de conjuntos. *Conjunto* es un agregado o colección de objetos. Por lo general, los conjuntos se designan con las letras mayúsculas, $A$, $B$, $C$, etc. A los componentes de un conjunto $A$ se les llama elementos de $A$. En general cuando $x$ es un elemento de $A$ escribimos $x \in A$ y si $x$ no es un elemento de A, escribimos $x \notin A$. Al especificar los elementos de un conjunto podemos optar ya sea por la *enumeración* o bien por establecer una *propiedad de definición*. Estos conceptos se ilustran en los siguientes ejemplos. Para denotar un conjunto se emplean las llaves, y la coma dentro de ellas se emplea como sinónimo del término "tal que".

**Ejemplo 2.1**   El conjunto cuyos elementos son los enteros 5, 6, 7, 8 es un conjunto finito con cuatro elementos. Se podría denotar mediante

$$A = \{5, 6, 7, 8\}$$

Obsérvese que $5 \in A$ y que $9 \notin A$ son afirmaciones verdaderas, en donde $\in$ se lee "es un elemento de" y $\notin$ se lee "no es un elemento de".

**Ejemplo 2.2**   Si escribimos $V = \{a, e, i, o, u\}$ hemos definido el conjunto de vocales del alfabeto. Podemos utilizar la propiedad de definición y escribir

$$V = \{*: * \text{ es una vocal en el alfabeto}\}$$

**Ejemplo 2.3**   Si decimos que $A$ es el conjunto de todos los números reales entre 0 y 1 inclusive, podríamos también denotar $A$ por medio de una propiedad de definición como

$$A = \{x: x \in R, 0 \leqslant x \leqslant 1\}$$

en donde $R$ es el conjunto de todos los números reales.

**Ejemplo 2.4** El conjunto $B = \{-3, +3\}$ es el mismo conjunto que

$$b = \{x: x \in R, x^2 = 9\}$$

donde $R$ es nuevamente el conjunto de los números reales.

**Ejemplo 2.5** En el plano real podemos considerar los puntos $(x, y)$ que están sobre una línea determinada. De tal modo, la condición para la inclusión de $A$ requiere que $(x, y)$ satisfaga $ax + by = c$, por lo que

$$A = \{(x, y): x \in R, y \in R, ax + by = c\}$$

donde $R$ es el conjunto de los números reales.

El *conjunto universal* es el conjunto de todos los objetos en consideración, y por lo general se denota por la letra $U$. Otro conjunto especial es el *conjunto nulo* o *conjunto vacío*, denotado usualmente por $\varnothing$. Para ilustrar este concepto, considérese un conjunto

$$A = \{x: x \in R, x^2 = -1\}$$

El conjunto universal en este caso es $R$, el conjunto de los números reales. Es evidente que el conjunto $A$ es vacío puesto que no hay ningún número real con la propiedad de definición $x^2 = -1$. Debemos señalar que $B = \{0\} \neq \varnothing = \{\ \ \}$.

Si se consideran dos conjuntos, por ejemplo $A$ y $B$, se dice que $A$ es un *subconjunto* de $B$, lo que se denota $A \subset B$, si cada elemento de $A$ es también un elemento de $B$. Se dice que los conjuntos $A$ y $B$ son *iguales* $(A = B)$ si y sólo si $A \subset B$ y $B \subset A$. Como consecuencia directa de esto, podemos demostrar que:

1. Para cualquier conjunto $A$ $\varnothing \subset A$.
2. Para un conjunto $U$ determinado, entonces $A$ considerado en el contexto de $U$ satisface la relación $A \subset U$.
3. Para un conjunto dado $A$, $A \subset A$ (relación reflexiva).
4. Si $A \subset B$ y $B \subset C$, entonces $A \subset C$ (relación transitiva).

Una consecuencia interesante de la igualdad de conjuntos es que el orden de los elementos listados no tiene importancia. Para ilustrar esto, sea $A = \{a, b, c\}$ y $B = \{c, a, b\}$. Obviamente $A = B$ por su definición. Además, cuando se utilizan las propiedades de definición, los conjuntos pueden ser iguales aunque las propiedades de definición sean diferentes. Como ejemplo de la segunda consecuencia, sea $A = \{x: x \in R, x$ es un número par, primo$\}$, y $B = \{x: x \in R, x + 3 = 5\}$, y puesto que el entero 2 es el único primo par, $A = B$.

Consideraremos ahora algunas operaciones con conjuntos. Sean $A$ y $B$ subconjuntos cualesquiera del conjunto universal $U$. Entonces

1. El *complemento* de $A$ (con respecto a $U$) es el conjunto formado por los elementos de $U$ que no pertenecen a $A$. A este conjunto complementario se le denota $\overline{A}$. Esto es,

$$\overline{A} = \{x: x \in U, x \notin A\}$$

2. La *intersección* de $A$ y $B$ es el conjunto de elementos que pertenecen tanto a $A$ como a $B$. Esta intersección se denota $A \cap B$. En otras palabras,

$$A \cap B = \{x: x \in A \text{ y } x \notin B\}$$

Debemos notar también que $A \cap B$ es un *conjunto* y podríamos dar a este conjunto alguna designación tal como $C$.

3. La *unión* de $A$ y $B$ es el conjunto de elementos que pertenecen *al menos a uno* de los conjuntos $A$ y $B$. Si $D$ representa la unión, entonces

$$D = A \cup B = \{x: x \in A \text{ o } x \in B \text{ (o de ambos)}\}$$

Estas operaciones se ilustran en los siguientes ejemplos.

**Ejemplo 2.6**  Sea $U$ el conjunto de letras en el alfabeto, esto es, $U = \{*: *$ es una letra del alfabeto$\}$; y sea $A = \{**: **$ una vocal$\}$ y $B = \{***: ***$ es una de las letras $a$, $b$, $c\}$. Como consecuencia de las definiciones,

$$\overline{A} = \text{El conjunto de las consonantes}$$
$$\overline{B} = \{d, e, f, g, \ldots, x, y, z\}$$
$$A \cup B = \{a, b, c, e, i, o, u\}$$
$$A \cap B = \{a\}$$

**Ejemplo 2.7**  Si el conjunto universal se define como $U = \{1, 2, 3, 4, 5, 6, 7\}$, y se definen tres subconjuntos, $A = \{1, 2, 3\}$, $B = \{2, 4, 6\}$, $C = \{1, 3, 5, 7\}$, entonces como consecuencia de las definiciones vemos que

$$\overline{A} = \{4, 5, 6, 7\} \qquad \overline{B} = \{1, 3, 5, 7\} \qquad \overline{C} = \{2, 4, 6\} = B$$

$$A \cup B = \{1, 2, 3, 4, 6\}, \qquad A \cup C = \{1, 2, 3, 5, 7\}, \qquad B \cup C = U$$

$$A \cap B = \{2\}, \qquad A \cap C = \{1, 3\}, \qquad B \cap C = \varnothing$$

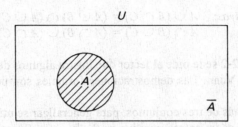

**Figura 2.1** Un conjunto en un diagrama de Venn.

Los *diagramas de Venn* pueden usarse para ilustrar ciertas operaciones con conjuntos. Se dibuja un rectángulo para representar el conjunto universal $U$. Un subconjunto $A$ de $U$ se representa por la región dentro de un círculo dibujado en el interior del rectángulo, mientras que $\bar{A}$ se representará por el área del rectángulo fuera del círculo, como se ilustra en la figura 2.1. En la figura 2.2 se ilustran, la intersección y unión, con esta notación.

Las operaciones de intersección y unión pueden extenderse de manera directa al acomodar cualquier número finito de conjuntos. En el caso de tres conjuntos, por ejemplo $A$, $B$ y $C$, $A \cup B \cup C$ tiene la propiedad de que $A \cup (B \cup C) = (A \cup B) \cup C$, la que obviamente se cumple por si tienen idénticos elementos. De igual forma, vemos que $A \cap B \cap C = (A \cap B) \cap C = A \cap (B \cap C)$. A continuación se presentan varias leyes importantes de operaciones de conjuntos que ya han sido definidas.

*Leyes de identidad*:  $A \cup \varnothing = A$      $A \cap U = A$
                         $A \cup U = U$      $A \cap \varnothing = \varnothing$
*Leyes de Morgan*:  $\overline{A \cup B} = \bar{A} \cap \bar{B}$    $\overline{A \cap B} = \bar{A} \cup \bar{B}$
*Leyes asociativas*:  $A \cup (B \cup C) = (A \cup B) \cup C$
                     $A \cap (B \cap C) = (A \cap B) \cap C$

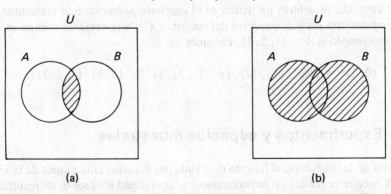

(a)                      (b)

**Figura 2.2** La intersección y unión de dos conjuntos en un diagrama de Venn. *a*) La intersección sombreada. *b*) La unión sombreada.

*Leyes distributivas*:   $A \cup (B \cap C) = (A \cup B) \cap (A \cup C)$
$A \cap (B \cup C) = (A \cap B) \cup (A \cap C)$

En el ejercicio 2-2 se le pide al lector que ilustre algunos de estos enunciados con diagramas de Venn. Las demostraciones formales son por lo general más largas.

En el caso de más de tres conjuntos, para generalizar se utiliza un subíndice. De modo que, si $n$ es un entero positivo, y $B_1, B_2, \ldots, B_n$ son conjuntos dados, entonces $B_1 \cap B_2 \cap \cdots \cap B_n$ es el conjunto de elementos que pertenecen a *todos* los conjuntos y $B_1 \cup B_2 \cup \cdots \cup B_n$ es el conjunto de elementos que pertenecen al *menos a uno* de los conjuntos dados.

Si $A$ y $B$ son conjuntos, entonces el conjunto de todos los pares ordenados $(a, b)$ tales que $a \in A$ y $b \in B$ se denomina el *conjunto del producto cartesiano* de $A$ y $B$. La notación usual es $A \times B$. De tal modo tenemos que

$$A \times B = \{(a, b): a \in A \text{ y } b \in B\}$$

Sea $r$ un entero positivo mayor que 1, y sean los conjuntos $A_1, \ldots, A_r$. Entonces el conjunto del producto cartesiano está dado por

$$A_1 \times A_2 \times \ldots \times A_r = \{(a_1, a_2, \ldots, a_r): a_j \in A_j \text{ para } j = 1, 2, \ldots, r\}$$

Con frecuencia resulta importante determinar el *número* de elementos de un conjunto, y denotamos por $n(A)$ al número de elementos en el conjunto $A$. Si el número fuese *finito*, se trata de un conjunto *finito*. Si el conjunto fuese infinito de modo tal que sus elementos pueden ponerse en correspondencia uno a uno con los números naturales, entonces al conjunto se le denomina *conjunto infinito numerable*. El conjunto *no numerable* contiene un número infinito de elementos que no pueden numerarse. Por ejemplo, si $a < b$, entonces el conjunto $A = \{X \in R, a \le x \le b\}$ es un conjunto no numerable.

Un conjunto de interés particular es el *conjunto potencia*. Los elementos de este conjunto son los subconjuntos del conjunto $A$, y una notación común es $\{0, 1\}^A$. Por ejemplo si $A = \{1, 2, 3\}$, entonces

$$\{0, 1\}^A = \{\{\varnothing\}, \{1\}, \{2\}, \{3\}, \{1, 2\}, \{1, 3\}, \{2, 3\}, \{1, 2, 3\}\}$$

## 2-3  Experimentos y espacios muestrales

La teoría de la probabilidad ha sido motivada por diversas situaciones de la vida real en las que se realiza un experimento y el investigador observa un resultado. Además, el resultado no puede predecirse con certeza. A estos experimentos se les llama *experimentos aleatorios*. El concepto de un experimento aleatorio se considera desde el punto de vista matemático como una noción primitiva y por ello no se define de otra manera; sin embargo, podemos notar que los experimentos aleatorios tienen algunas características comunes. Primero, en tanto que no podemos predecir un resultado con certeza, sí es posible describir el *conjunto de resultados posibles*. Segundo, desde un punto de vista conceptual, el experimento es tal que podría repetirse en condiciones que permanezcan invariables, ocurriendo los resultados de una manera fortuita; no obstante, a medida que el número de repeticiones aumenta, surgen ciertos patrones en la frecuencia de ocurrencia de los resultados.

A menudo consideraremos experimentos idealizados. Por ejemplo, cuando se arroja una moneda, podemos descartar la posibilidad de que caiga de canto. Esto es más por conveniencia que por necesidad. El conjunto de resultados posibles se llama *espacio muestral* y estos resultados definen al experimento idealizado en particular. Los símbolos $\mathscr{E}$ y $\mathscr{S}$ se utilizan para representar el experimento aleatorio y el espacio muestral asociado.

De acuerdo con la terminología empleada en el repaso de conjuntos y sus operaciones, clasificaremos espacios muestrales (y con ello a los experimentos aleatorios). Un *espacio muestral discreto* es aquel en el que hay un número finito de resultados o un número finito contable (numerable) de resultados. Del mismo modo, un *espacio muestral continuo* tienen resultados incontables. Éstos podrían ser números reales en un intervalo o pares reales contenidos en el producto de intervalos, donde las mediciones se realizan respecto a dos variables en un experimento.

Para ilustrar experimentos aleatorios con un espacio muestral asociado consideremos los ejemplos siguientes:

## Ejemplo 2.8

$\mathscr{E}_1$: Lanzar una moneda genuina y observar el lado que cae hacia arriba.
$\mathscr{S}_1$: $\{H, T\}$.

## Ejemplo 2.9

$\mathscr{E}_2$: Lanzar tres veces una moneda genuina y observar la secuencia de "caras" y "cruces".
$\mathscr{S}_2$: $\{HHH, HHT, HTH, HTT, THH, THT, TTH, TTT\}$

$(H = \text{cara}, T = \text{cruz})$

## Ejemplo 2.10

$\mathscr{E}_3$: Lanzar una moneda genuina y observar el número total de "caras".
$\mathscr{S}_3$: $\{0, 1, 2, 3\}$

## Ejemplo 2.11

$\mathscr{E}_4$:  Lanzar un par de dados y observar los números que resultan.

$\mathscr{S}_4$:  {(1, 1), (1, 2), (1, 3), (1, 4), (1, 5), (1, 6),
      (2, 1), (2, 2), (2, 3), (2, 4), (2, 5), (2, 6),
      (3, 1), (3, 2), (3, 3), (3, 4), (3, 5), (3, 6),
      (4, 1), (4, 2), (4, 3), (4, 4), (4, 5), (4, 6),
      (5, 1), (5, 2), (5, 3), (5, 4), (5, 5), (5, 6),
      (6, 1), (6, 2), (6, 3), (6, 4), (6, 5), (6, 6)}.

## Ejemplo 2.12

$\mathscr{E}_5$:  Una puerta de automóvil se ensambla con un gran número de puntos de soldadura. Después del ensamblado se inspecciona cada punto y se cuenta el número total de defectos.

$\mathscr{S}_5$:  {0, 1, 2, . . . , K}, donde $K$ = el número total de puntos soldados en la puerta.

## Ejemplo 2.13

$\mathscr{E}_6$:  Se fabrica un tubo de rayos catódicos y se somete a una prueba de duración hasta que ocurra la falla. Se registra el tiempo (en horas) de buen funcionamiento.

$\mathscr{S}_6$:  $\{t: t \in R, t \geq 0\}$.

## Ejemplo 2.14

$\mathscr{E}_7$:  Un monitor registra los conteos de emisión de una fuente radiactiva en un minuto.

$\mathscr{S}_7$:  {0, 1, 2, 3, . . .}.

## Ejemplo 2.15

$\mathscr{E}_8$:  Dos soldaduras de amarre sobre una tablilla de circuito impreso se inspeccionan electrónica y visualmente, y cada una de ellas se cataloga como buena, $G$, o defectuosa, $D$, si requiere soldarse o desecharse.

$\mathscr{S}_8$:  {GG, GD, DG, DD}

## Ejemplo 2.16

$\mathscr{E}_9$:  En una planta química el volumen diario producido de cierto producto varía entre un valor mínimo, $b$, y un valor máximo, $c$, que corresponde a la capacidad de producción. Se elige un día al azar y se observa la cantidad producida.

$\mathscr{S}_9$: $\{x: x \in R, b \leqslant x < c\}$.

## Ejemplo 2.17

$\mathscr{E}_{10}$: Una planta de extrusión produce una orden de piezas de 20 pies de largo. Debido a que la operación de recorte origina desperdicios en ambos extremos, la barra extruida debe de tener más de 20 pies. Debido a los costos involucrados, la cantidad de desperdicios es crítica. La barra se extruye, recorta y termina y se mide la longitud total de la parte desperdiciada.

$\mathscr{S}_{10}$: $\{x: x \in R, x > 0\}$.

## Ejemplo 2.18

$\mathscr{E}_{11}$: En el lanzamiento de un misil, se monitorean desde tierra las tres componentes de velocidad como una función del tiempo. Un minuto después del lanzamiento se imprimen dichas componentes en una unidad de control.

$\mathscr{S}_{11}$: $\{(v_x, v_y, v_z): v_x, v_y, v_z$ son números reales$\}$.

## Ejemplo 2.19

$\mathscr{E}_{12}$: En el ejemplo anterior, las componentes de velocidad se registran continuamente en intervalos de un segundo durante cinco minutos.

$\mathscr{S}_{12}$: En este caso el espacio se complica, debido a que tenemos que considerar todas las realizaciones posibles de las funciones $v_x(t)$, y $v_y(t)$, y $v_z(t)$ para $0 \leqslant t \leqslant 5$ minutos.

Todos estos ejemplos tienen las características necesarias para ser experimentos aleatorios. Con excepción del ejemplo 2.19, la descripción del espacio muestral es directa y, aunque no se considera la repetición, sería factible repetir los experimentos. Para ilustrar el fenómeno de la ocurrencia aleatoria, considérese el ejemplo 2.8. Es evidente que si $\mathscr{E}_1$ se repite en forma indefinida, obtenemos una secuencia de *caras* y *cruces*. A medida que continuamos el experimento surge un patrón. Nótese que debido a que la moneda es genuina, deberían obtenerse caras aproximadamente la mitad de las veces. Para poder reconocer la *idealización* del modelo, simplemente aceptemos un conjunto de resultados teóricos posibles. En $\mathscr{E}_1$ se eliminó la posibilidad de que la moneda cayera de canto, y en $\mathscr{E}_6$, donde registramos el tiempo transcurrido hasta la falla, el espacio muestral idealizado está compuesto por todos los números reales no negativos.

## 2-4  Eventos

Un evento, por ejemplo $A$, está asociado al espacio muestral del experimento. El espacio muestral se considera el conjunto universal, de modo que $A$ es simplemente un subconjunto de $\mathcal{S}$. Obsérvese que tanto $\varnothing$ como $\mathcal{S}$ son subconjuntos de $\mathcal{S}$. Como regla general, se utilizará una letra mayúscula para denotar un evento. Para un espacio muestral finito, nótese que el conjunto de todos los subconjuntos es el *conjunto potencia*, y de manera más general, se requiere que si $A \subset \mathcal{S}$, entonces $\overline{A} \subset \mathcal{S}$ y si $A_1$, $A_2$, . . . es una secuencia de eventos mutuamente excluyentes en $\mathcal{S}$ según se define más adelante, entonces $\cup_{i=1}^{\infty} A_i \subset \mathcal{S}$. Los eventos siguientes se relacionan con los experimentos $\mathcal{E}_1$, $\mathcal{E}_2$, . . . , $\mathcal{E}_{10}$, que fueron descritos en la sección precedente. Éstos se presentan sólo como ejemplos, y podrían haberse descritos muchos otros para cada uno de los casos.

$\mathcal{E}_1.A$:  Al lanzar la moneda sale cara $\{ H \}$.

$\mathcal{E}_2.A$:  Todas las veces que se lanza la moneda dan el mismo resultado $\{ HHH, TTT \}$.

$\mathcal{E}_3.A$:  El total de caras es de dos $\{ 2 \}$.

$\mathcal{E}_4.A$:  La suma de los lanzamientos de la moneda es siete $\{(1, 6), (2, 5), (3, 4), (4, 3), (6, 1), (5, 2)\}$.

$\mathcal{E}_5.A$:  El número de soldaduras defectuosas no excede 5 $\{0, 1, 2, 3, 4, 5\}$.

$\mathcal{E}_6.A$:  El tiempo hasta la falla es mayor de 1000 horas $\{t: t > 1000\}$.

$\mathcal{E}_7.A$:  El conteo es exactamente dos $\{2\}$.

$\mathcal{E}_8.A$:  Ningún punto soldado está defectuoso $\{ GG \}$.

$\mathcal{E}_9.A$:  El volumen producido está entre $a > b$ y $c\{x: x \in R, b < a < x < c\}$.

$\mathcal{E}_{10}.A$:  El desperdicio no excede de un pie $\{x: x \in R, 0 \leqslant x \leqslant 1\}$.

Ya que un evento es un conjunto, las operaciones de conjuntos y las leyes y propiedades de la sección 2-2, son válidas con los eventos. Si las intersecciones

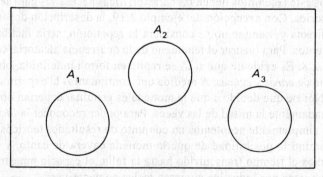

**Figura 2.3**   Tres eventos mutuamente excluyentes.

de todas las combinaciones de dos o más eventos entre los $k$ eventos considerados son vacías, se dice entonces que los eventos son *mutuamente excluyentes*. Si hay dos eventos, $A$ y $B$, son mutuamente excluyentes si $A \cap B = \varnothing$. Con $k = 3$, requeriríamos que $A_1 \cap A_2 = \varnothing$, $A_1 \cap A_3 = \varnothing$, $A_2 \cap A_3 = \varnothing$, y $A_1 \cap A_2 \cap A_3 = \varnothing$. Este caso se ilustra en la figura 2.3. Es conveniente resaltar que estos eventos múltiples están asociados a un experimento.

## 2-5 Definición de probabilidad y asignación

Se emplea un enfoque axiomático para definir la probabilidad como una *función de conjuntos* en donde los elementos del dominio son conjuntos y los elementos del rango son números reales. Si el evento $A$ es un elemento en el dominio de esta función, se utiliza la notación funcional establecida, $P(A)$, para designar el elemento correspondiente en el rango.

### Definición

Si un experimento $\mathscr{E}$ tiene un espacio muestra $\mathscr{S}$ y un evento $A$ está definido en $\mathscr{S}$, entonces $P(A)$ es un número real al que se denomina la probabilidad de un evento $A$ o la probabilidad de $A$. La función $P(*)$ tiene las siguientes propiedades:

1. $0 \leqslant P(A) \leqslant 1$ para cada evento $A$ de $\mathscr{S}$.
2. $p(\mathscr{S}) = 1$
3. Para cualquier número finito $k$ de eventos mutuamente excluyentes definidos en $\mathscr{S}$.

$$P\left(\bigcup_{i=1}^{k} A_i\right) = \sum_{i=1}^{k} P(A_i)$$

4. Si $A_1, A_2, A_3, \ldots$ es una secuencia numerable de eventos mutuamente excluyentes definidos en $\mathscr{S}$, entonces

$$P\left(\bigcup_{i=1}^{\infty} A_i\right) = \sum_{i=1}^{\infty} P(A_i)$$

Nótese que las propiedades de la definición dada no dice al experimentador cómo asignar las probabilidades: sin embargo, restringen la manera en que la asignación puede llevarse a cabo. En la práctica, la probabilidad se asigna con base en (1) estimaciones obtenidas de experiencias u observaciones previas, (2) una consideración analítica de las condiciones experimentales, o (3) una suposición.

Para ilustrar la asignación de probabilidad con base en la experiencia, consideramos la repetición del experimento y la frecuencia relativa de la ocurrencia del evento de interés.

Esta noción de frecuencia relativa tiene un recurso intuitivo e implica la repetición conceptual del experimento y un conteo tanto del número de repeticiones como del número de veces que el evento en cuestión ocurre. De manera más precisa, $\mathcal{E}$ se repite $m$ veces y dos eventos se denotan como $A$ y $B$. Dejamos que $m_A$ y $m_B$ sean dos números de veces que $A$ y $B$ ocurren en $m$ repeticiones.

## Definición

El valor $f_A = m_A/m$ se denomina *frecuencia relativa* del evento $A$. Tiene las siguientes propiedades:

1.  $0 \le f_A \le 1$.
2.  $f_A = 0$ si y sólo si $A$ nunca ocurre, y $f_A = 1$ si y sólo si $A$ ocurre en cada repetición.
3.  Si $A$ y $B$ son eventos mutuamente excluyentes, entonces $F_{A \cup B} = f_A + f_B$.

El hecho de que $f_A$ tiende a estabilizarse a medida que $m$ se vuelve más grande, es una consecuencia de la regularidad que a su vez es consecuencia del requisito de que el experimento sea reproducible. Esto es, cuando el experimento se repite, la frecuencia relativa del evento $A$ variará menos y menos (de repetición a repetición) conforme el número de repeticiones aumente. El concepto de frecuencia relativa y la tendencia a la estabilidad conducen a un método para asignar probabilidades. Si un experimento $\mathcal{E}$ tienen el espacio muestral $\mathcal{S}$ y se define un evento $A$, y si la frecuencia relativa $f_A$, se aproxima a algún número $P_A$ conforme aumenta el número de repeticiones, entonces se atribuye al número $P_A$ a $A$ como su probabilidad, esto es, cuando $m \to \infty$,

$$P(A) = \frac{m_A}{m} = P_A \qquad (2\text{-}1)$$

En la práctica, es obvio que debe aceptarse un número de repeticiones menor a infinito. Como un ejemplo, considérense los datos de resistencia al rompimiento de las botellas presentados en la sección 1-2.1. Si el proceso observacional se considera como el experimento aleatorio de modo que para una repetición particular $\mathcal{S} = \{x \in R: x \ge 0\}$, definimos un evento $A = \{x \in R: 230 \le x < 250\}$ donde éste se define antes de efectuar las observaciones. Por consiguiente, después de $m = 100$ repeticiones de $\mathscr{E}$, notamos que $m_A = 13$ como se muestra en la tabla 1.2, y por tanto la frecuencia relativa de $A$ es $f_A = 13/100$. Si hubieran sido 10,000 observaciones en lugar de 100, cualquiera estaría mas conforme al asignar esta frecuencia relativa a $A$ como $P(A)$. La estabilidad de $f_A$ cuando $m$ se vuelve grande es una noción intuitiva hasta este punto; sin embargo, más adelante se tratará con mayor precisión.

Un método para calcular la probabilidad de un evento en que el espacio muestral tiene un número finito, $n$, de elementos, $e_i$, y en que la probabilidad asignada a un resultado sea $p_i = P(E_i)$, donde $E_i = \{e_i\}$, y

$$p_i \geqslant 0 \quad i = 1, 2, \ldots, n$$

en tanto que

$$p_1 + p_2 + \cdots + p_n = 1$$

es

$$P(A) = \sum_{i:\, e_i \in A} p_i \tag{2-2}$$

Este enunciado establece que la probabilidad del evento $A$ es la suma de las probabilidades asociadas a los resultados que conforman el evento $A$ y este resultado es simplemente una consecuencia de la definición de probabilidad. El profesional sigue enfrentándose a la asignación de probabilidades a los resultados, $e_i$. Se observa que el espacio muestral no necesita ser finito si los elementos $e_i$ de $\mathscr{S}$ son infinitos contablemente en número. Este caso, notamos que

$$p_i \geqslant 0, \quad i = 1, 2, \ldots$$

$$\sum_{i=1}^{\infty} p_i = 1$$

No obstante, la ecuación 2-2 puede utilizarse sin modificación.

Si el espacio muestral es finito y tiene resultados igualmente probables de modo que $p_1 = p_2 = \cdots = p_n = 1/n$, entonces

$$P(A) = \frac{n(A)}{n} \tag{2-3}$$

donde hay $n$ resultados, y $n(A)$ está contenido en $A$. Los métodos de conteo útiles en la determinación de $n$ y $n(A)$ se presentarán en la sección 2-6.

**Ejemplo 2.20** Supóngase que la moneda en el ejemplo 2.9 se altera de modo que los resultados del espacio muestral $\mathscr{S} = \{HHH, HHT, HTH, HTT, THH, THT, TTH, TTT\}$ tienen probabilidades $p_1 = \frac{1}{27}$, $p_2 = \frac{2}{27}$, $p_3 = \frac{2}{27}$, $p_4 = \frac{4}{27}$, $p_5 = \frac{2}{27}$,

$p_6 = \frac{4}{27}, p_7 = \frac{4}{27}, p_8 = \frac{8}{27}$, donde $e_1 = HHH$, $e_2 = HHT$, etc. Si hacemos que el evento $A$ sea el evento en el que todos los lanzamientos producen la misma cara, entonces $P(A) = \frac{1}{27} + \frac{8}{27} = \frac{1}{3}$.

**Ejemplo 2.21**  Supóngase que en ejemplo 2.14 tenemos el conocimiento previo de que

$$p_i = \frac{e^{-2} \cdot (2)^{i-1}}{(i-1)!} \quad i = 1, 2, \ldots$$

$$= 0 \qquad \text{de otro modo}$$

Si consideramos el evento $A$ como aquel que incluye los elementos 0 y 1, entonces $A = \{0, 1\}$, y $P(A) = p_1 + p_2 = e^{-2} + 2e^{-2} = 3e^{-2} \cong 0.406$.

**Ejemplo 2.22**  Considérese el ejemplo 2.9, donde una moneda se lanza tres veces, y considérese el evento $A$ en el que todas las monedas muestran la misma cara.

$$P(A) = \frac{n(A)}{n} = \frac{2}{8}$$

puesto que hay 8 resultados posibles y 2 son favorables al evento $A$. Si supuso que la moneda no estaba alterada, por lo que los 8 resultados posibles son igualmente probables.

**Ejemplo 2.23**  Supóngase que el dado en el ejemplo 2.11 no está alterado, y considérese el evento $A$ en que la suma de los números de los dos dados sea 7. Al emplear los resultados de la ecuación 2.3, notamos que hay 36 resultados de los cuales 6 son favorables al evento en cuestión, de modo que $P(A) = \frac{1}{6}$.

Nótese que los ejemplo 2.22 y 2.23 son extremadamente simples en dos aspectos: el espacio muestral es muy restringido, y el proceso de conteo es fácil. Los métodos combinatorios con frecuencia se vuelven necesarios a medida que el conteo se torna más complejo. Los métodos de conteo básicos se repasan en la sección 2-6. En seguida se presentan algunos teoremas importantes relativos a la probabilidad.

## Teorema 2-1

Si $\varnothing$ es el conjunto vacío, entonces $P(\varnothing) = 0$.

**Prueba** Nótese que $\mathcal{S} = \mathcal{S} \cup \varnothing$, y $P(\mathcal{S}) + P(\varnothing)$ de acuerdo con la propiedad 4; por tanto $P(\varnothing) = 0$.

## Teorema 2-2

$P(\overline{A}) = 1 - P(A)$.

**Prueba** Nótese que $\mathcal{S} = A \cup \overline{A}$ y $P(\mathcal{S}) = P(A) + P(\overline{A})$ de la propiedad 4, pero de la propiedad 2, $P(\mathcal{S}) = 1$; en consecuencia, $P(\overline{A}) = 1 - P(A)$.

## Teorema 2-3

$P(A \cup B) = P(A) + P(B) - P(A \cap B)$.

**Prueba** Puesto que $A \cup B = A \cup (B \cap \overline{A})$, donde $A$ y $(B \cap \overline{A})$ son mutuamente excluyentes, y $B = (A \cap B) \cup (B \cap \overline{A})$, donde $(A \cap B)$ y $(B \cap \overline{A})$ son mutuamente excluyentes, entonces $P(A \cup B) = P(A) + P(B \cap \overline{A})$, y $P(B) = P(A \cap B) + P(B \cap \overline{A})$. Restando, $P(A \cup B) - P(B) = P(A) - P(A \cap B)$, entonces $P(A \cup B) = P(A) + P(B) - P(A \cap B)$.

El diagrama de Venn de la figura 2.4 es útil en el seguimiento del argumento de la prueba para el teorema 2-3.

## Teorema 2-4

$$P(A \cup B \cup C) = P(A) + P(B) + P(C) - P(A \cap B) - P(A \cap C)$$
$$- P(B \cap C) + P(A \cap B \cap C).$$

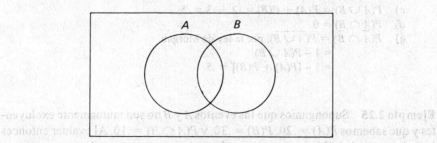

**Figura 2.4** El diagrama de Venn para dos eventos.

**Prueba**   Podemos escribir $A \cup B \cup C = (A \cup B) \cup C$ y utilizar el teorema 2-3 puesto que $A \cup B$ es un evento. Se pide al lector proporcionar los detalles en el ejercicio 2.32.

## Teorema 2-5

$$P(A_1 \cup A_2 \cup A_3 \cup \cdots \cup A_k) = \sum_{i=1}^{k} P(A_i) - \sum_{i<j=2}^{k} P(A_i \cap A_j)$$

$$+ \sum_{i<j<r=3}^{k} P(A_i \cap A_j \cap A_r) + \cdots$$

$$+(-1)^{k-1} P(A_1 \cap A_2 \cap A_3 \cap \cdots \cap A_k).$$

**Prueba**   Refiérase al ejercicio 2-33.

## Teorema 2-6

Si $A \subset B$, entonces $P(A) \leqslant P(B)$

**Prueba**   Si $A \subset B$, entonces $B = A \cup (\overline{A} \cap B)$ y $P(B) = P(A) + P(\overline{A} \cap B) \geqslant P(A)$ puesto que $P(\overline{A} \cap B) \geqslant 0$.

**Ejemplo 2.24**   Si $A$ y $B$ son eventos mutuamente excluyentes, y se conoce que $P(A) = .20$ y que $P(B) = .30$, podemos evaluar varias probabilidades:

a)   $P(\overline{A}) = 1 - P(A) = .80$.
b)   $P(\overline{B}) = 1 - P(B) = .70$.
c)   $P(A \cup B) = P(A) + P(B) = .2 + .3 = .5$.
d)   $P(\underline{A} \cap B) = 0$.
e)   $P(\overline{A} \cap \overline{B}) = P(\overline{A \cup B})$, por la ley de Morgan
        $= 1 - P(A \cup B)$
        $= 1 - [P(A) + P(B)] = .5$.

**Ejemplo 2.25**   Supongamos que los eventos $A$ y $B$ no son mutuamente excluyentes y que sabemos $P(A) = .20$, $P(B) = .30$, y $P(A \cap B) = .10$. Al evaluar entonces las mismas probabilidades que antes, obtenemos.

a)  $P(\overline{A}) = 1 - P(A) = .80.$
b)  $P(\overline{B}) = 1 - P(B) = .70.$
c)  $P(A \cup B) = P(A) + P(B) - P(A \cap B) = .2 + .3 - .1 = .4.$
d)  $P(\underline{A} \cap \underline{B}) = .1.$
e)  $P(\overline{A} \cap \overline{B}) = P(\overline{A \cup B}), = 1 - [P(A) + P(B) - P(A \cap B)] = .6.$

## 2-6  Espacios muestrales finitos y conteo

Los experimentos que dan lugar a un espacio finito ya se han analizado, y se han presentado los métodos para asignar probabilidades a eventos asociados con tales experimentos. Podemos usar las ecuaciones 2-1, 2-2 y 2-3 y tratar con resultados "igualmente probables" e "igualmente improbables", respectivamente. En algunas situaciones tendremos que recurrir al concepto de frecuencia relativa y a ensayos sucesivos (experimentación) para *estimar* probabilidades, como se indica en la ecuación 2-1, con alguna *m* finita. En esta sección, sin embargo, trataremos con resultados igualmente probables y la ecuación 2-3. Nótese que esta ecuación representa un caso especial de la ecuación 2-2, donde $p_1 = p_2 = \cdots = p_n = 1/n$.

Para asignar probabilidades, $P(A) = n(A)/n$, debemos ser capaces de determinar tanto *n*, el número de *resultados*, como $n(A)$; el número de *resultados favorables* al evento *A*. Si hay *n* resultados en $\mathcal{S}$, entonces $2^n$ son los posibles subconjuntos que son los elementos del conjunto potencia, $\{0, 1\}^A$.

El requisito de que *n* resultados sean igualmente probables es importante, y habrá numerosas aplicaciones en las que el experimento especificará que uno (o más) objetos sea (sean) seleccionados al azar de un grupo de población de *N* objetos sin sustitución.

Si *n* representa el tamaño de la muestra ($n \leqslant N$) y la selección es aleatoria, entonces cada selección posible (muestra) es igualmente probable. Se observará más adelante que hay $N!/[n!(N - n)!]$ de tales muestras, de modo que la probabilidad de obtener una muestra particular debe ser $[n!(N - n)!/N!]$. Debe observarse cuidadosamente que una muestra difiere de otra si uno, o más objetos aparecen en una muestra y no en la otra. En consecuencia, los objetos de la población deben ser identificables. Como ejemplo, supóngase una población que tiene cuatro chips denominados, *a, b, c* y *d*. El tamaño de la muestra será dos ($n = 2$). Los resultados posibles de la selección, sin considerar el orden, son: *ab, ac, ad, bc, bd, cd*. Cada muestra posible es un elemento de $\mathcal{S}$ en el contexto del desarrollo previo. Si el proceso de muestreo es aleatorio, la probabilidad de obtener cada posible muestra es $\frac{1}{6}$. El mecanismo de selección de muestras aleatorias varía en forma considerable, y con frecuencia se utilizan dispositivos tales como tablas de *números aleatorios* y el *dado icosaedro* como se analizará más adelante.

Es evidente que necesitamos métodos de *enumeración* para evaluar $n$ y $n(A)$ para experimentos que producen resultados igualmente probables en las siguientes subsecciones, de la 2-6.1 a la 2-6.5, se revisarán las técnicas de enumeración básicas y resultados útiles para este propósito.

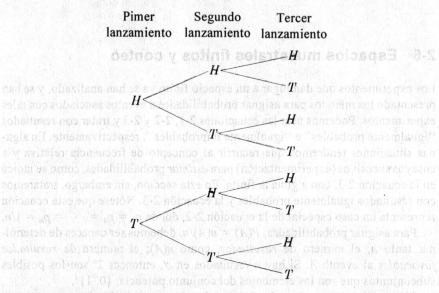

Pimer           Segundo           Tercer
lanzamiento   lanzamiento   lanzamiento

### 2-6.1  Diagrama de árbol

En experimentos simples, un diagrama de árbol puede ser útil en la enumeración del espacio muestral. Considerese el ejemplo 2.9, donde una moneda real se lanza tres veces. El conjunto de resultados posibles podría encontrarse tomando todas las trayectorias en el diagrama de árbol indicado. Debe notarse que hay dos resultados para cada ensayo, 3 ensayos, y $2^3 = 8$ resultados $\{HHH, HHT, HTH, HTT, THH, THT, TTH, TTT\}$.

### 2-6.2  Principio de multiplicación

Si los conjuntos $A_1, A_2, \ldots, A_k$ tienen, respectivamente $n_1, n_2, \ldots, n_k$ elementos, entonces hay $n_1 \cdot n_2 \cdot \ldots \cdot n_k$ maneras de seleccionar primero un elemento de $A_1$, seleccionar después un elemento de $A_2, \ldots$, y finalmente seleccionar un elemento de $A_k$.

En el caso especial en que $n_1 = n_2 = \ldots = n_k = n$, hay $n^k$ selecciones posibles. Ésta fue la situación que se encontró en el experimento del lanzamiento de la moneda del ejemplo 2.9.

Supóngase que consideremos cierto experimento combinado $\mathscr{E}$ compuesto de $k$ experimentos, $\mathscr{E}_1, \mathscr{E}_2, \ldots, \mathscr{E}_k$. Si los espacios muestrales $\mathscr{S}_1, \mathscr{S}_2, \ldots, \mathscr{S}_k$

contienen $n_1, n_2, \ldots, n_k$ resultados respectivamente, entonces hay $n_1 \cdot n_2 \cdot \ldots n_k$ resultados para $\mathscr{E}$. Además, si los $n_j$ resultados de $\mathscr{S}_j$ son igualmente probables para $j = 1, 2, 3, \ldots, k$, entonces $n_1 \cdot n_2 \cdot \ldots \cdot n_k$ resultados de $\mathscr{E}$ son igualmente probables.

**Ejemplo 2.26**  Supóngase que lanzamos una moneda y un dado no alterados. Debido a ello, los dos resultados para $\mathscr{E}_1$, $\mathscr{S}_1 = \{H, T\}$, son igualmente probables y los seis resultados para $\mathscr{E}_2$, $\mathscr{S}_2 = \{1, 2, 3, 4, 5, 6\}$, son igualmente probables. Puesto que $n_1 = 2$ y $n_2 = 6$, hay 12 resultados para el experimento completo y los resultados son igualmente probables. En vista de la simplicidad del experimento en este caso, un diagrama de árbol permite una enumeración fácil y completa.

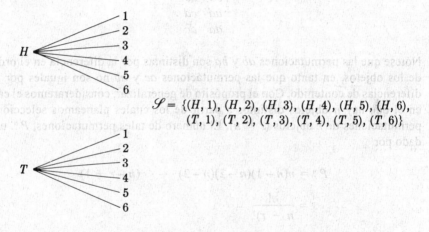

$$\mathscr{S} = \{(H, 1), (H, 2), (H, 3), (H, 4), (H, 5), (H, 6),$$
$$(T, 1), (T, 2), (T, 3), (T, 4), (T, 5), (T, 6)\}$$

**Ejemplo 2.27**  Un proceso de manufactura se efectúa con muy poca "inspección en el propio proceso". Cuando se terminan los artículos se transportan a un área de inspección, y se inspeccionan cuatro características, cada una por un inspector diferente. El primer inspector evalúa una característica de acuerdo con uno de cuatro valores. El segundo, utiliza tres valores, y el tercero y cuarto inspectores emplean dos valores cada uno. Cada inspector marca el valor en la etiqueta de identificación del artículo. Habría un total de $4 \cdot 3 \cdot 2 \cdot 2 = 48$ maneras en las cuales podrían marcarse el artículo.

### 2-6.3  Permutaciones

Una permutación es un arreglo de objetos distintos. Una permutación difiere de otra si el orden del arreglo o el contenido difieren. Para ilustrar lo anterior, supongamos otra vez que consideramos cuatro chips distintos denominados $a$, $b$, *c* y *d*. Deseamos considerar todas las permutaciones de estos chips tomados uno a la vez. Éstas serían

$$a$$
$$b$$
$$c$$
$$d$$

Si consideramos todas las permutaciones tomadas dos a la vez, éstas serían:

| | |
|---|---|
| *ab* | *bc* |
| *ba* | *cb* |
| *ac* | *bd* |
| *ca* | *db* |
| *ad* | *cd* |
| *da* | *dc* |

Nótese que las permutaciones *ab* y *ba* son distintas por la diferencia en el orden de los objetos, en tanto que las permutaciones *ac* y *ab* no son iguales por las diferencias de contenido. Con el propósito de generalizar, consideraremos el caso en el que hay *n* objetos distintos a partir de los cuales planeamos seleccionar permutaciones de *r* objetos ($r \leq n$). El número de tales permutaciones, $P^n_r$, está dado por

$$P^n_r = n(n-1)(n-2)(n-3) \cdots \cdots (n-r+1)$$

$$= \frac{n!}{(n-r)!}$$

Este es un resultado del hecho de que hay *n* maneras de seleccionar el primer objeto, $(n-1)$ maneras de seleccionar el segundo, ..., $[n-(r-1)]$ maneras de seleccionar el *r*ésimo y de la aplicación del principio de multiplicación. Nótese que $P^n_n = n!$.

### 2-6.4   Combinaciones

Una combinación es un arreglo de objetos distintos donde una combinación difiere de otra, sólo si difiere el contenido del arreglo. En el caso de los cuatro chips etiquetados *a, b, c* y *d*, las combinaciones de los mismos tomados de dos en dos son

$$ab$$
$$ac$$

$$ad$$
$$bc$$
$$bd$$
$$cd$$

Estamos interesados en determinar el número de combinaciones cuando en $n$ objetos distintos deben seleccionarse $r$ a la vez. Puesto que el número de permutaciones fue el número de maneras de seleccionar $r$ objetos de los $n$ y de permutar $r$ objetos, notamos que

$$P_r^n = r! \cdot \binom{n}{r} \tag{2-4}$$

donde $\binom{n}{r}$ representa el número de *combinaciones*. Resulta que

$$\binom{n}{r} = P_r^n/r! = \frac{n!}{r!(n-r)!} \tag{2-5}$$

En el ejemplo con los cuatro chips donde $r = 2$, el lector puede verificar de inmediato que $P_2^4 = 12$ y $\binom{4}{2} = 6$, resultado que encontramos con la enumeración completa.

Para los propósitos presentes, $\binom{n}{r}$ se define cuando $n$ y $r$ son enteros tales que $0 \le r \le n$; sin embargo, los términos $\binom{n}{r}$ pueden definirse en general para $n$ real y cualquier entero no negativo, $r$. En este caso escribimos

$$\binom{n}{r} = \frac{n(n-1)(n-2) \cdots\cdots (n-r+1)}{r!}$$

El lector recordará el *teorema del binomio*:

$$(a + b)^n = \sum_{r=0}^{n} \binom{n}{r} a^r b^{n-r} \tag{2-6}$$

Los números $\binom{n}{r}$ se llaman por tanto coeficientes binomiales.

Al volver brevemente a la definición de muestreo aleatorio de una población finita sin reemplazo, se consideraban $N$ objetos de los cuales se seleccionarían $n$. Por consiguiente, hay $\binom{N}{r}$ muestras diferentes. Si el proceso de muestreo es aleatorio, cada muestra posible tiene una probabilidad $1/\binom{N}{r}$ de ser seleccionada.

Dos identidades que a menudo resultan útiles en la solución de problemas son

$$\binom{n}{r} = \binom{n}{n-r} \tag{2-7}$$

y

$$\binom{n}{r} = \binom{n-1}{r-1} + \binom{n-1}{r} \tag{2-8}$$

Para obtener el resultado que se muestra en la ecuación 2-7 notamos que

$$\binom{n}{r} = \frac{n!}{r!(n-r)!} = \frac{n!}{(n-r)!r!} = \binom{n}{n-r}$$

y para desarrollar el resultado que se indica en la ecuación 2-8, expedimos el lado derecho y ordenamos términos.

Para verificar que una colección finita de $n$ elementos tienen $2^n$ subconjuntos como se indicó antes, observamos que

$$2^n = (1+1)^n = \sum_{r=0}^{n} \binom{n}{r} = \binom{n}{0} + \binom{n}{1} + \cdots + \binom{n}{n}$$

de la ecuación 2-5. El lado derecho de esta relación produce el número total de subconjuntos puesto que $\binom{n}{0}$ es el número de subconjuntos con 0 elementos, $\binom{n}{1}$ es el número con un elemento, . . . , y $\binom{n}{n}$ es el número con $n$ elementos.

**Ejemplo 2.28**   Se sabe que en un lote de producción de tamaño 100, el 5 por ciento es defectuoso. Una muestra aleatoria de 10 artículos se selecciona sin reemplazo. Para determinar la probabilidad de que no habrá artículos defectuosos en la muestra, recurriremos a contar tanto el número de muestras posibles como el número de muestras favorables al evento $A$, donde se considera éste como el evento en el que no existen defectos. El número de muestras posibles es $\binom{100}{10} = \frac{100!}{10!(90)!}$. El número "favorable a $A$" es $\binom{5}{0} \cdot \binom{95}{10}$, por lo que

$$P(A) = \frac{\binom{5}{0}\binom{95}{10}}{\binom{100}{10}} = \frac{\dfrac{5!}{0!5!} \dfrac{95!}{10!85!}}{\dfrac{100!}{10!90!}} = .58375$$

Para generalizar el ejemplo anterior, consideraremos el caso en el que la población tienen $N$ artículos de los cuales $D$ pertenecen a alguna clase de interés (como la defectuosa). Se selecciona sin reemplazo una muestra aleatoria de tamaño $n$. Si $A$ denota el evento de obtener exactamente $r$ artículos de la clase de interés en la muestra, entonces

$$P(A) = \frac{\binom{D}{r}\binom{N-D}{n-r}}{\binom{N}{n}} \qquad r = 0, 1, 2, \ldots, \min(n, D) \qquad (2\text{-}9)$$

## 2-6.5 Permutaciones con objetos similares

En el caso de que haya $k$ clases distintas de objetos, y los objetos dentro de la clase no sean distintos, se obtiene el siguiente resultado, siendo $n_1$ el número de la primera clase, $n_2$ el de la segunda clase, ..., $n_k$ el de la clase $k$ésima, y $n_1 + n_2 + ... + n_k = n$:

$$P^n_{n_1, n_2, ..., n_k} = \frac{n!}{n_1! \cdot n_2! \cdots n_k!} \tag{2-10}$$

Los métodos de conteo que se presentaron en esta sección son principalmente para sustentar la asignación de la probabilidad donde hay un número finito de resultados igualmente probables. Es importante recordar que este es un caso especial.

## 2-7 Probabilidad condicional

Como se señaló en la sección 2-4, un evento se asocia a un espacio muestral, y el evento se representa por medio de un subconjunto de $\mathcal{S}$. Todas las probabilidades estudiadas en la sección 2-5 se relacionan con un espacio muestral completo. Hemos empleado el símbolo $P(A)$ para denotar la probabilidad de estos eventos; sin embargo, podríamos haber utilizado el símbolo $P(A|\mathcal{S})$, que se lee como "la probabilidad de $A$, dado el espacio muestral $\mathcal{S}$". En esta sección consideraremos la probabilidad de eventos que están *condicionados* en algún subconjunto del espacio muestral.

Algunos ejemplos de esta idea deben ser de utilidad. Considérese un grupo de 100 personas de las que 40 son estudiantes graduados, 20 trabajan por su cuenta, y 10 cumplen las dos condiciones anteriores. Dejemos que $B$ represente el conjunto de estudiantes graduados y que $A$ represente a los que trabajan por su cuenta, de modo que $A \cap B$ es el conjunto de los estudiantes graduados que trabajan por su cuenta. Del grupo de 100, se seleccionará al azar una persona. (A cada persona se le da un número de 1 a 100, y 100 fichas con los mismos números se colocan en una urna y son seleccionados por una persona ajena con los ojos vendados.) Por consiguiente, $P(A) = .2$, $P(B) = .4$, y $P(A \cap B) = .1$ si se considera el espacio muestral completo. Como se señaló, puede resultar más instructivo escribir $P(A|\mathcal{S})$, $P(B|\mathcal{S})$, y $P(A \cap B|\mathcal{S})$ en un caso como éste. Supóngase ahora que se considera el siguiente suceso: selección de una persona que trabaja por su cuenta dado que es un estudiante graduado $(A|B)$. Es obvio que el espacio muestral se reduce por el hecho de que sólo se consideran los estudiantes graduados (figura 2.5). La probabilidad, $P(A|B)$ está dada en consecuencia por

$$P(A|B) = \frac{P(A \cap B)}{P(B)} = \frac{.1}{.4} = .25$$

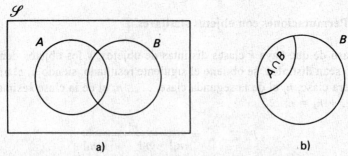

**Figura 2.5**  Probabilidad condicional. *a)* Espacio muestra inicial. *b)* Espacio muestra reducido.

El espacio muestral reducido está compuesto por el conjunto de todos los subconjuntos de $\mathcal{S}$ que pertenecen a $B$. De los subconjuntos pertenecientes a $B$, $A \cap B$ satisface la condición.

Como segundo ejemplo, considérese el caso en el que una muestra de tamaño 2 se selecciona al azar de un lote de tamaño 10. Se sabe que el lote tiene 7 artículos buenos y 3 defectuosos. Sea $A$ el evento en el que el primer artículo seleccionado está en buen estado, y $B$ el evento en el que el segundo artículo seleccionado también está en buen estado. Si los artículos se seleccionan *sin reemplazo*, esto es, el primer artículo no se reemplaza antes de seleccionar el segundo artículo, entonces

$$P(A) = \frac{7}{10}$$

y

$$P(B|A) = \frac{6}{9}$$

Si el primer artículo se reemplaza antes de seleccionar el segundo, la probabilidad condicional $P(B|A) = P(B) = \frac{7}{10}$, y los eventos $A$ y $B$ que resultan de dos experimentos de selección contenidos en $\mathcal{E}$ se dice que son *independientes*. Una definición formal de $P(A|B)$ se dará después, y la independencia se estudiará en detalle. Los siguientes ejemplos ayudarán a desarrollar cierta noción intuitiva para la probabilidad condicional.

**Ejemplo 2.29**  Recuérdese el ejemplo 2.11 en el que se lanzan dos dados, y supóngase que ninguno de los dos está alterado. Se enumera los 36 resultados posibles. Si consideramos dos eventos

$$A = \{(d_1, d_2): d_1 + d_2 = 4\}$$
$$B = \{(d_1, d_2): d_2 \geq d_1\}$$

donde $d_1$ es el valor mostrado por el primer dado y $d_2$ el valor correspondiente al segundo dado, tenemos que $P(A) = \frac{3}{36}$, $P(B) = \frac{21}{36}$, $P(A \cap B) = \frac{2}{36}$, $P(B|A) = \frac{2}{3}$, y $P(A|B) = \frac{2}{21}$. Las probabilidades se obtuvieron de la consideración directa del espacio muestral y del conteo de los resultados. Nótese que

$$P(A|B) = \frac{P(A \cap B)}{P(B)} \quad y \quad P(B|A) = \frac{P(A \cap B)}{P(A)}$$

**Ejemplo 2.30** En la Segunda Guerra Mundial, uno de los primeros intentos de investigación de operaciones en la Gran Bretaña se orientaba a establecer patrones de búsqueda de submarinos desde vuelos de escuadrones o mediante un sólo avión. Por algún tiempo, la tendencia fue concentrar los vuelos en las costas, pues se pensaba que el mayor número de avistamientos ocurrirían ahí. El grupo de investigación estudió 1000 registros de vuelos de un solo avión con los siguientes resultados (los datos son ficticios):

|  | En la playa | Fuera de la costa | Total |
| --- | --- | --- | --- |
| Observación | 80 | 20 | 100 |
| No observación | 820 | 80 | 900 |
| Total de salidas | 900 | 100 | 1000 |

Sea $S_1$: Hubo un avistamiento.
$S_2$  No hubo avistamiento.
$B_1$  Salida solitaria en la costa.
$B_2$  Salida solitaria en alta mar.

Vemos de inmediato que

$$P(S_1|B_1) = \frac{80}{900} = 0.0889$$

$$P(S_1|B_2) = \frac{20}{100} = 0.20$$

lo cual indica una estrategia de búsqueda contraria a la primera práctica.

## Definición

Podemos definir la probabilidad condicional del evento $A$ dado el evento $B$ como

$$P(A|B) = \frac{P(A \cap B)}{P(B)} \quad si \quad P(B) > 0 \tag{2-11}$$

Esta definición resulta de la noción intuitiva que se presentó en el análisis precedente. La probabilidad condicional $P(\cdot|\cdot)$ satisface las probabilidades requeridas de las probabilidades. Esto es,

1. $0 \leq P(A|B) \leq 1$.
2. $P(\mathcal{S}|B) = 1$.
3. $P(A_1 \cup A_2 \cup A_3 \cup \cdots |B) = P(A_1|B) + P(A_2|B) + P(A_3|B) + \cdots$, para $A_1, A_2, A_3, \ldots$, una consecuencia numerable de eventos disjuntos.
4. $P(\cup_{i=1}^{\kappa} A_i|B) = \Sigma_{i=1}^{\kappa} P(A_i|B)$ para $(A_i \cap A_j) = \varnothing$ si $i \neq j$.

En la práctica podemos resolver problemas utilizando la ecuación 2-11 y calculando $P(A \cap B)$ y $P(B)$ con respecto al espacio muestral original (como se ilustró en el ejemplo 2.30) o considerando la probabilidad de $A$ con respecto al espacio muestral reducido $B$ (como se ilustró en el ejemplo 2.29).

Un replanteamiento de la ecuación 2-11 conduce a lo que a menudo se llama la *regla de la multiplicación*, esto es

$$P(A \cap B) = P(B) \cdot P(A|B) \qquad P(B) > 0$$

y

$$P(A \cap B) = P(A) \cdot P(B|A) \qquad P(A) > 0 \qquad (2\text{-}12)$$

El segundo enunciado es una consecuencia obvia de la ecuación 2-11 con la condicionante en el evento $A$ más que en el $B$.

Debe notarse que si $A$ y $B$ son *mutuamente excluyentes* como se indica en la figura 2.6, entonces $A \cap B = \varnothing$ por lo que $P(A|B) = 0$ y $P(B|A) = 0$.

En el otro extremo, si $B \subset A$ como se muestra en la figura 2.7, entonces $P(A|B) = 1$. En el primer caso, $A$ y $B$ no pueden ocurrir en forma simultánea, de manera que el conocimiento de la ocurrencia de $B$ nos dice que $A$ no ocurre. En el segundo caso, si $B$ ocurre, $A$ debe ocurrir. Hay muchos casos en los que los eventos no tienen ninguna relación, y el conocimiento de la ocurrencia de uno no guarda

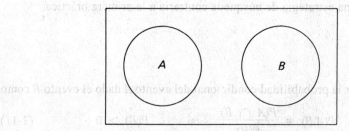

**Figura 2.6**    Eventos mutuamente excluyentes.

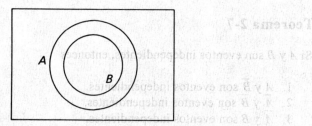

**Figura 2.7** Evento $B$ como subconjunto de $A$.

ninguna relación ni produce información en torno al otro. Considérese por ejemplo, el experimento donde una moneda no alterada se lanza dos veces. El evento $A$ corresponde a que el primer lanzamiento produce una "cara", y el evento $B$ es aquel en el que el segundo lanzamiento es "cara". Nótese que $P(A) = \frac{1}{2}$ puesto que la moneda no está alterada, y $P(B|A) = \frac{1}{2}$, por la misma razón anterior y porque la moneda no tiene memoria. La ocurrencia del evento $A$ no afecta de ninguna forma la ocurrencia de $B$, y si deseamos determinar la probabilidad de ocurrencia de $A$ y $B$, esto es, $P(A \cap B)$, encontramos que

$$P(A \cap B) = P(A) \cdot P(B|A) = \frac{1}{2} \cdot \frac{1}{2} = \frac{1}{4}$$

Podemos observar que si no tuvimos conocimiento acerca de la ocurrencia o no ocurrencia de $A$, tenemos que $P(B) = P(B|A)$ como en este ejemplo.

De modo informal, se considera que dos eventos serán *independientes* si la probabilidad de la ocurrencia de uno no está afectada por la ocurrencia o la no ocurrencia del otro. Esto conduce a la siguiente definición.

## Definición

$A$ y $B$ son independientes si y sólo si

$$P(A \cap B) = P(A) \cdot P(B) \tag{2-13}$$

Una consecuencia inmediata de esta definición es que si $A$ y $B$ son eventos independientes, entonces de la ecuación 2-12,

$$P(A|B) = P(A) \quad \text{y} \quad P(B|A) = P(B) \tag{2-14}$$

El siguiente teorema es en ocasiones útil. Sólo se presenta aquí la prueba de la primera parte.

# Teorema 2-7

Si $A$ y $B$ son eventos independientes, entonces

1. $A$ y $\overline{B}$ son eventos independientes.
2. $\overline{A}$ y $B$ son eventos independientes.
3. $\overline{A}$ y $B$ son eventos independientes.

**Prueba**   Parte 1

$$
\begin{aligned}
P(A \cap \overline{B}) &= P(A) \cdot P(\overline{B}|A) \\
&= P(A) \cdot [1 - P(B|A)] \\
&= P(A) \cdot [1 - P(B)] \\
&= P(A) \cdot P(\overline{B})
\end{aligned}
$$

En la práctica, hay muchas situaciones en las que no es fácil determinar si dos eventos son o no independientes; sin embargo, ocurren otros casos numerosos donde los requisitos pueden justificarse o aproximarse a partir de una conside-ración física del experimento. Un experimento de muestreo servirá como ejemplo.

**Ejemplo 2.31**   Supóngase que se va a seleccionar una muestra aleatoria de tamaño 2 de un lote de tamaño 100, y que se sabe que 98 de los 100 artículos se encuentran en buen estado. La muestra se toma de manera tal que el primer artículo se observa y se regresa antes de seleccionar el segundo artículo. Si aceptamos que

$A$: El primer artículo observado está en buen estado
$B$: El segundo artículo observado está en buen estado

y si deseamos determinar la probabilidad de que ambos artículos estén en buen estado, entonces

$$
P(A \cap B) = P(A) \cdot P(B) = \frac{98}{100} \cdot \frac{98}{100} = .9604
$$

Si la muestra se toma "sin reemplazo" de modo que el primer artículo no se regresa antes de seleccionar el segundo, entonces

$$
P(A \cap B) = P(A) \cdot P(B|A) = \frac{98}{100} \cdot \frac{97}{99} = .9602
$$

Los resultados son obviamente muy cercanos, y una práctica común es suponer que los eventos son independientes cuando la *fracción de muestreo* (tamaño de la muestra/tamaño de la población) es pequeña, digamos menos que .1.

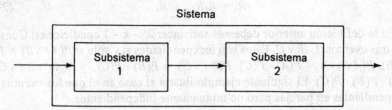

**Figura 2.8** Un sistema en serie simple.

**Ejemplo 2.32** El campo de la *ingeniería de confiabilidad* se ha desarrollado de manera muy rápida desde principios de la década de los sesenta. Un tipo de problema encontrado es el de la estimación de la confiabilidad del sistema teniendo confiabilidades de subsistemas. La confiabilidad se define aquí como la probabilidad de funcionar en forma apropiada en un periodo de tiempo establecido. Considérese la estructura de un sistema en serie simple, mostrado en la figura 2.8. El sistema funciona si y sólo si ambos subsistemas funcionan. Si los subsistemas perduran en forma independiente, entonces

$$\text{Confiabilidad del sistema} = R_S = R_1 \cdot R_2$$

donde $R_1$ y $R_2$ son las confiabilidades de los subsistemas 1 y 2, respectivamente. Por ejemplo, si $R_1 = .90$ y $R_2 = .80$, entonces $R_S = .72$.

El ejemplo 2.32 ilustra la necesidad de generalizar el concepto de independencia para más de dos eventos. Supóngase que el sistema está compuesto por 3 subsistemas o quizá por 20 subsistemas. ¿Qué condiciones se requerirían para permitir al analista obtener una estimación de confiabilidad del sistema obteniendo el producto de las confiabilidades de los subsistemas?

## Definición

Los $k$ eventos $A_1, A_2, \ldots, A_k$ son mutuamente independientes si y sólo si la probabilidad de la intersección de cualesquiera $2, 3, \ldots, k$ de estos conjuntos es el producto de sus probabilidades respectivas.

Enunciando con más precisión, se requiere que para $r = 2, 3, \ldots, k$

$$P\left(A_{i_1} \cap A_{i_2} \cap A_{i_3} \cap \cdots \cap A_{i_r}\right) = P\left(A_{i_1}\right) \cdot P\left(A_{i_2}\right) \cdot P\left(A_{i_3}\right) \cdot \cdots \cdot P\left(A_{i_r}\right)$$

$$= \prod_{j=1}^{r} P\left(A_{i_j}\right)$$

En el caso de los cálculos de la confiabilidad de un sistema en serie en donde razonablemente puede suponerse la independencia mutua, la confiabilidad del sistema es un producto de las confiabilidades de los subsistemas.

$$R_s = R_1 R_2 \ldots R_k \qquad (2\text{-}15)$$

En la definición anterior debemos satisfacer $2^k - k - 1$ condiciones. Considérese tres eventos $A$, $B$, y $C$. Éstos son independientes si y sólo si $P(A \cap B) = P(A) \cdot P(B)$, $P(A \cap C) = P(A) \cdot P(C)$, $P(B \cap C) = P(B) \cdot P(C)$, y $P(A \cap B \cap C) = P(A) \cdot P(B) \cdot P(C)$. El siguiente ejemplo ilustra el caso en el que los eventos son independientes en parejas pero no mutuamente independientes.

**Ejemplo 2.33**   Supóngase que el espacio muestral, con resultados igualmente probables, para un experimento particular es como sigue:

$$\mathscr{S} = \{(0, 0, 0), (0, 1, 1), (1, 0, 1), (1, 1, 0)\}$$

Sea $A_0$: El primer dígito es cero.          $B_1$: El segundo dígito es uno.
$\quad\;\; A_1$: El primer dígito es uno.          $C_0$: El tercer dígito es cero.
$\quad\;\; B_0$: El segundo dígito es cero.          $C_1$: El tercer dígito es uno.

Resulta que

$$P(A_0) = P(A_1) = P(B_0) = P(B_1) = P(C_0) = P(C_1) = \tfrac{1}{2}$$

y se ve fácilmente que

$$P(A_i \cap B_j) = \tfrac{1}{4} = P(A_i) \cdot P(B_j) \qquad i = 0, 1, j = 0, 1$$

$$P(A_i \cap C_j) = \tfrac{1}{4} = P(A_i) \cdot P(C_j) \qquad i = 0, 1, j = 0, 1$$

$$P(B_i \cap C_j) = \tfrac{1}{4} = P(B_i) \cdot P(C_j) \qquad i = 0, 1, j = 0, 1$$

Sin embargo, notamos que

$$P(A_0 \cap B_0 \cap C_0) = \tfrac{1}{4} \neq P(A_0) \cdot P(B_0) \cdot P(C_0)$$

$$P(A_0 \cap B_0 \cap C_1) = 0 \neq P(A_0) \cdot P(B_0) \cdot P(C_1)$$

y hay otras tripletas a las que esto podría extenderse.

El concepto de *experimentos independientes* se presenta para completar esta sección. Si consideramos dos experimentos denotados $\mathscr{E}_1$ y $\mathscr{E}_2$, y dejamos $A_1$ y $A_2$ sean eventos arbitrarios definidos en los espacios muestrales respectivos $\mathscr{S}_1$ y $\mathscr{S}_2$ de los dos experimentos, entonces puede darse la siguiente definición.

## Definición

Si $P(A_1 \cap A_2) = P(A_1) \cdot P(A_2)$, se dice entonces que $\mathscr{E}_1$ y $\mathscr{E}_2$ son experimentos independientes.

## 2-8  Particiones, probabilidad total y teorema de Bayes

Una *partición* del espacio muestral puede definirse del modo siguiente.

## Definición

Si $B_1, \ldots B_k$ son subconjuntos disjuntos de $\mathscr{S}$ (eventos mutuamente excluyentes), y si $B_1 \cup B_2 \cup \cdots \cup B_k = \mathscr{S}$, se dice que estos subconjuntos forman una partición de $\mathscr{S}$.

Cuando se efectúa el experimento uno y sólo uno de los eventos, $B_i$ ocurre si tenemos una partición de $\mathscr{S}$.

**Ejemplo 2.34**  Una "palabra" binaria particular está compuesta de cinco "bits" $b_1, b_2, b_3, b_4, b_5$, donde $b_i = 0, 1; i = 1, 2, 3, 4, 5$. Un experimento consiste en transmitir una "palabra", y se deduce que hay 32 palabras posibles. Si los eventos son como sigue:

$B_1 = \{(0, 0, 0, 0, 0), (0, 0, 0, 0, 1)\}$

$B_2 = \{(0, 0, 0, 1, 0), (0, 0, 0, 1, 1), (0, 0, 1, 0, 0), (0, 0, 1, 0, 1), (0, 0, 1, 1, 0), (0, 0, 1, 1, 1)\}$

$B_3 = \{(0, 1, 0, 0, 0), (0, 1, 0, 0, 1), (0, 1, 0, 1, 0), (0, 1, 0, 1, 1), (0, 1, 1, 0, 0), (0, 1, 1, 0, 1), (0, 1, 1, 1, 0), (0, 1, 1, 1, 1)\}$

$B_4 = \{(1, 0, 0, 0, 0), (1, 0, 0, 0, 1), (1, 0, 0, 1, 0), (1, 0, 0, 1, 1), (1, 0, 1, 0, 0), (1, 0, 1, 0, 1), (1, 0, 1, 1, 0), (1, 0, 1, 1, 1)\}$

$B_5 = \{(1, 1, 0, 0, 0), (1, 1, 0, 0, 1), (1, 1, 0, 1, 1), (1, 1, 1, 0, 0), (1, 1, 1, 0, 1), (1, 1, 1, 1, 0), (1, 1, 0, 1, 0)\}$

$B_6 = \{(1, 1, 1, 1, 1)\}$

entonces $\mathscr{S}$ está particiando por los eventos $B_1, B_2, B_3, B_4, B_5$ y $B_6$.

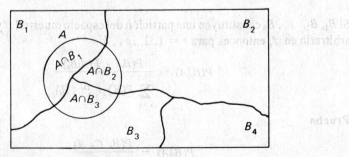

**Figura 2.9**  Partición de $\mathscr{S}$.

En general, si $k$ eventos, $B_i$ $(i = 1, 2, \ldots, k)$, forman una partición de $A$, es un evento arbitrario con respecto a $\mathscr{S}$ y es posible escribir

$$A = (A \cap B_1) \cup (A \cap B_2) \cup \cdots \cup (A \cap B_k)$$

por lo que

$$P(A) = P(A \cap B_1) + P(A \cap B_2) + \cdots + P(A \cap B_k)$$

puesto que los eventos $(A \cap B_i)$ son eventos mutuamente excluyentes en parejas. (Véase la figura 2.9 para $k = 4$.) No importa que $A \cap B_i = \varnothing$ para alguno o la totalidad de los $i$ puesto que $P(\varnothing) = 0$.

Al considerar los resultados de la ecuación 2-12 podemos establecer el siguiente teorema.

## Teorema 2-8

Si $B_1, \ldots, B_k$ representa una partición de $\mathscr{S}$ y $A$ es un evento arbitrario de $\mathscr{S}$, entonces la *probabilidad total* de $A$ está dada por

$$P(A) = P(B_1) \cdot P(A|B_1) + P(B_2) \cdot P(A|B_2) + \cdots + p(B_k) \cdot P(A|B_k)$$

El resultado del teorema 2-8 es muy útil, ya que hay numerosas situaciones prácticas en las que $P(A)$ no puede calcularse directamente. Sin embargo, con la información de que $B_i$ ha ocurrido, es posible evaluar $P(A|B_i)$ y determinar así $P(A)$ cuando se obtienen los valores $P(B_i)$.

Otro importante resultado de la ley de probabilidad total se conoce como el *teorema de Bayes*.

## Teorema 2-9

Si $B_1, B_2, \ldots, B_k$ constituyen una partición del espacio muestral $\mathscr{S}$ y $A$ es un evento arbitrario en $\mathscr{S}$, entonces para $r = 1, 2, \ldots, k$

$$P(B_r|A) = \frac{P(B_r) \cdot P(A|B_r)}{\sum_{i=1}^{k} P(B_i) \cdot P(A|B_i)} \tag{1-16}$$

**Prueba**

$$P(B_r|A) = \frac{P(B_r \cap A)}{P(A)}$$

$$= \frac{P(B_r) \cdot P(A|B_r)}{\sum\limits_{i=1}^{k} P(B_i) \cdot P(A|B_i)}$$

El numerador es un resultado de la ecuación 2-12 y el denominador es un resultado del teorema 2.8.

**Ejemplo 2.35** Tres industrias suministran microprocesadores a un fabricante de equipo de telemetría. Todos se elaboran supuestamente con las mismas especificaciones. No obstante, el fabricante ha probado durante varios años los microprocesadores, y los registros indican la siguiente información:

| Instalación proveedora | Fracción de defectos | Fracción suministrada por |
|---|---|---|
| 1 | .02 | .15 |
| 2 | .01 | .80 |
| 3 | .03 | .05 |

El fabricante ha interrumpido las pruebas por causa de los costos involucrados, y puede ser razonable suponer que la proporción defectuosa y la mezcla de inventarios son las mismas que durante el periodo en el que se efectuaron los registros. El director de manufactura selecciona un microprocesador al azar, lo lleva al departamento de pruebas, y descubre que está defectuoso. Si dejamos que $A$ sea el evento en el que el artículo está defectuoso, y $B_i$ el evento en el que el artículo provino de la instalación $i$ ($i = 1, 2, 3$), podemos evaluar entonces $P(B_i|A)$. Supóngase por ejemplo, que nos interesa determinar $P(B_3|A)$. Entonces

$$P(B_3|A) = \frac{p(B_3) \cdot P(A|B_3)}{P(B_1) \cdot P(A|B_1) + P(B_2) \cdot P(A|B_2) + P(B_3) \cdot P(A|B_3)}$$

$$= \frac{(.05)(.03)}{(.15)(.02) + (.80)(.01) + (.05)(.03)} = \frac{3}{25}$$

## 2-9 Resumen

Este capítulo presentó el concepto de experimentos aleatorios, los espacios muestrales y eventos, así como una definición formal de probabilidad. A ésta siguieron los métodos para asignar probabilidades a eventos. Los teoremas 2-1 a

2-6 brindan resultados importantes para tratar la probabilidad de eventos especiales. Se definió e ilustró la probabilidad condicional, junto con el concepto de eventos independientes. Además, consideramos particiones del espacio muestral, probabilidad total y el teorema de Bayes. Se analizaron los espacios muestrales finitos con sus propiedades especiales, y se revisaron los métodos de enumeración para utilizarlos en la asignación de probabilidad a eventos en el caso de resultados experimentales igualmente probables. Los conceptos que se presentaron en este capítulo constituyen importantes fundamentos para el resto del libro.

## 2-10 Ejercicios

2-1 Se está realizando la inspección final de aparatos de televisión después del ensamble. Se identifican tres tipos de defectos como críticos, mayores y menores y una empresa de envíos por correo los clasifica en: $A$, $B$ y $C$, respectivamente. Se analizan los datos con los siguientes resultados.

| | |
|---|---|
| Aparatos que sólo tienen defectos críticos | 2% |
| Aparatos que sólo tienen defectos mayores | 5 |
| Aparatos que sólo tienen defectos menores | 7 |
| Aparatos que sólo tienen defectos críticos y mayores | 3 |
| Aparatos que sólo tienen defectos críticos y menores | 4 |
| Aparatos que sólo tienen defectos mayores y menores | 3 |
| Aparatos que tienen los tres tipos de defectos | 1 |

a) ¿Qué porcentaje de los aparatos no tienen defectos?

b) Los aparatos con defectos críticos o mayores (o ambos) deben manufacturarse nuevamente. ¿Qué porcentaje corresponde a esta categoría?

2.2 Ilustre las siguientes propiedades por medio de sombreados o colores en diagramas de Venn.

a) *Leyes asociativas:*    $A \cup (B \cup C) = (A \cup B) \cup C$
$A \cap (B \cap C) = (A \cap B) \cap C$

b) *Leyes distributivas:*    $A \cup (B \cap C) = (A \cup B) \cap (A \cup C)$
$A \cap (B \cup C) = (A \cap B) \cup (A \cap C)$

c) Si $A \subset B$, entonces $A \cap B = A$

d) Si $A \subset B$, entonces $A \cup B = \underline{A}$

e) Si $A \cap B = \emptyset$, entonces $A \subset \overline{B}$

f) Si $A \subset B$ y $B \subset C$, entonces $A \cap C$

2-3 Considere un conjunto universal compuesto por los enteros del 1 al 10 o $U = \{1, 2, 3, 4, 5, 6, 7, 8, 9, 10\}$. Sea $A = \{2, 3, 4,\}$, $B = \{3, 4, 5\}$, y $C = \{5, 6, 7\}$. Por enumeración, liste los miembros de los siguientes conjuntos.

a) $A \cap B$

b) $\underline{A \cup B}$

c) $\overline{A \cap B}$

d) $\overline{A \cap (B \cap C)}$

e) $\overline{A \cap (B \cup C)}$

**2-4** Un circuito flexible se selecciona al azar de una corrida de producción de 1000 circuitos. Los defectos de manufactura se clasifican en tres diferentes tipos, denominados $A$, $B$ y $C$. Los defectos de tipo $A$ ocurren el 2 por ciento de las veces, los del tipo $B$, el 1 por ciento, y los de tipo $C$, el 1.5 por ciento. Además, se sabe que el 0.5 por ciento tienen los defectos de tipo $A$ y $B$; el 0.6 por ciento, los defectos $B$ y $C$, y el 0.4 por ciento presenta los defectos $B$ y $C$, en tanto que el 0.2 por ciento tiene los tres defectos. ¿Cuál es la probabilidad de que el circuito flexible seleccionado tenga al menos uno de los tres tipos de defectos?

**2-5** En un laboratorio de factores humanos, se miden tiempos de reacción, por ejemplo, el tiempo que transcurre desde el instante en que se despliega un número de posición en un tablero digital hasta que el sujeto presiona un botón localizado en la posición indicada. Participan dos sujetos, midiéndose el tiempo en segundos para cada individuo $(t_1, t_2)$. ¿Cuál es el espacio muestral para este experimento? Presente los siguientes eventos como subconjuntos y márquelos sobre un diagrama: $(t_1 + t_2)/2 \leq .15$, máx $(t_1, t_2) \leq .15$, $|t_1 - t_2| < .06$.

**2-6** Durante un periodo de 24 horas se entrará a un procesamiento computarizado. En un tiempo $X$ y se saldrá en tiempo $Y \geq X$. Considérense $X$ y $Y$ medido en horas en la línea del tiempo con el inicio del periodo de 24 horas como el origen. El experimento consiste en observar $X$ y $Y$, $(X, Y)$.

a) Describa el espacio muestral $\mathcal{S}$.

b) Dibuje los siguientes eventos en el plano $X$, $Y$.

   i) El tiempo de utilización es una hora o menos

   ii) El acceso es antes de $t_1$ y la salida después de $t_2$, donde $0 \leq t_1 < t_2 \leq 24$.

   iii) El tiempo de utilización es menor que el 20 por ciento del periodo.

**2-7** Se prueban diodos de un lote uno a la vez y se marcan ya sea como defectuosos o como no defectuosos. Esto continúa hasta encontrar dos artículos defectuosos o cuando se han probado cinco artículos. Describa el espacio muestral para este experimento.

**2-8** Un conjunto tiene cuatro elementos $A = \{a, b, c, d\}$. Describa el conjunto potencia $\{0, 1\}^A$.

**2-9** Describa el espacio muestral para cada uno de los siguientes experimentos:

a) Un lote de 120 tapas de baterías para celdas de marcapasos contiene varias defectuosas debido a un problema con el material de barrera que se aplica en el sistema de alimentación. Se seleccionan tres tapas al azar (sin reemplazo) y se inspeccionan con cuidado siguiendo una reducción.

b) Una paleta de 10 piezas fundidas contiene una unidad defectuosa y nueve en buen estado. Se seleccionan cuatro piezas al azar (sin reemplazo) y se inspeccionan.

**2-10** El gerente de producción de cierta compañía está interesado en probar un producto terminado, que se encuentra disponible en lotes de tamaño 50. A él le gustaría volver a elaborar un lote si tiene la completa seguridad de que el 10 por ciento de los artículos son defectuosos. Decide seleccionar una muestra al azar de 10 artículos sin reemplazo y volver a producir el lote si éste contiene uno o más artículos defectuosos. ¿Este procedimiento parece razonable?

**2-11** Una firma de transporte tienen un contrato para enviar una carga de mercancías de la ciudad $W$ a la ciudad $Z$. No hay rutas directas que enlacen $W$ con $Z$, pero hay seis carreteras de $W$ a $X$ y cinco de $X$ a $Z$. ¿Cuántas rutas en total deben considerarse?

**2-12** Un estado tienen un millón de vehículos registrados y está considerando emplear placas de licencia con seis símbolos en los que los primeros tres sean letras y los últimos tres, dígitos. ¿Es éste esquema factible?

**2-13** El gerente de una pequeña planta desea determinar el número de maneras en que puede asignar trabajadores al primer turno. Cuenta con 15 hombres que pueden servir como operadores del equipo de producción, 8 que pueden desempeñarse como personal de mantenimiento y 4 que pueden ser supervisores. Si el turno requiere 6 operadores, 2 trabajadores de mantenimiento, y 1 supervisor, ¿de cuántas maneras puede integrarse el primer turno?

**2-14** Un lote de producción tiene 100 unidades de las cuales 20 se sabe que están defectuosas. Una muestra aleatoria de 4 unidades se selecciona sin reemplazo. ¿Cuál es la probabilidad de que la muestra no contenga más de 2 unidades defectuosas?

**2-15** En la inspección de lotes de mercancías que están por recibirse, se emplea la siguiente regla de inspección en lotes que contienen 300 unidades; se selecciona una muestra al azar de 10 artículos. Si no hay más que un artículo defectuoso en la muestra, se acepta el lote. De otro modo se regresa al vendedor. Si la fracción defectuosa en el lote original es $p'$, determinar la probabilidad de aceptar el lote como una función de $p'$.

**2-16** En una planta de plásticos, 12 tubos vacían diferentes químicos en un tanque de mezcla. Cada tubo tienen una válvula de cinco posiciones que mide el flujo dentro del tanque. Un día, mientras se experimenta con diferentes mezclas, se obtiene una solución que emite un gas venenoso, no habiéndose registrado los valores en las válvulas. ¿Cuál es la probabilidad de obtener esta misma solución cuando se experimenta de nuevo de manera aleatoria?

**2-17** Ocho hombres y ocho mujeres con las mismas habilidades solicitan dos empleos. Debido a que los dos nuevos empleados deben trabajar estrechamente, sus perso-nalidades deben ser compatibles. Para lograr esto, el administrador de personal ha aplicado una prueba y debe comparar las calificaciones para cada posibilidad. ¿Cuántas comparaciones debe efectuar el administrador?

**2-18** En forma casual, un químico combinó dos sustancias de laboratorios que produjeron un producto conveniente. Desafortunadamente, su asistente no registró los nombres de los ingredientes. Hay cuarenta sustancias disponibles en el laboratorio. Si las dos en cuestión deben encontrarse mediante experimentos sucesivos de ensayo y error, ¿cuál es el número máximo de pruebas que pueden realizarse?

**2-19** Suponga que en el problema anterior, se empleó un catalizador conocido en la primera reacción accidental. Debido a ello, es importante el orden en el que se mezclan los ingredientes. ¿Cuál es el número máximo de pruebas que podrían efectuarse?

**2-20** Una compañía planea construir cinco almacenes adicionales en sitios nuevos. Se consideran diez sitios. ¿Cuál es el número total de elecciones que pueden consi-derarse?

**2-21** Unas máquinas lavadoras pueden tener cinco tipos de defectos mayores y cinco de defectos menores. ¿De cuántas maneras pueden ocurrir un defecto mayor y un defecto menor? ¿De cuántas maneras pueden ocurrir dos defectos mayores y dos menores?

**2-22** Considere el diagrama de un sistema electrónico que muestra las probabilidades de que los componentes del sistema operen de modo apropiado. ¿Cuál es la probabilidad de que el sistema opere si el ensamble III y al menos uno de los componentes en los ensambles I y II deben operar para que funcione el ensamble? Suponga que los componentes de cada ensamble operan independientemente y que la operación de cada ensamble también es independiente.

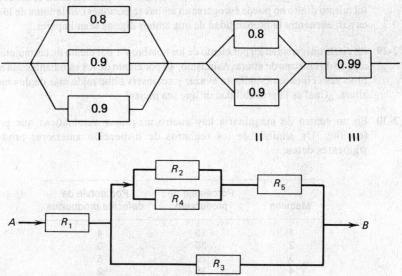

**2-23** ¿Cómo se afecta la probabilidad del sistema si, en el problema anterior, la probabi-lidad para la operación exitosa del componente en el ensamble III cambia de .99 a .9?

**2-24** Considere el ensamble serie-paralelo que se muestra abajo. Los valores $R_i$ ($i = 1, 2, 3, 4, 5$) son las confiabilidades de los cinco componentes indicados, esto es, $R_i =$ probabilidad de que la unidad $i$ funcione de manera adecuada. Los componentes operan (y fallan) de manera mutuamente independiente y el ensamble falla sólo cuando se rompe la trayectoria de $A$ a $B$. Exprese la confiabilidad del ensamble como una función de $R_1$, $R_2$, $R_3$, $R_4$ y $R_5$.

**2-25** Un prisionero político será enviado a Siberia o a los Urales. Las probabilidades de que lo envíen a estos dos lugares son .6 y .4, respectivamente. Se sabe además que si un residente de Siberia se elige al azar hay una probabilidad de .5 de que lleve un abrigo de piel, en tanto que la probabilidad para lo mismos es de .7 en el caso de un residente de los Urales. Al llegar al exilio, la primera persona que ve el prisionero no lleva un abrigo de piel. ¿Cuál es la probabilidad de que esté en Siberia?

**2-26** Se diseña un dispositivo de frenado para evitar que un automóvil patine en el que incluye un sistema electrónico e hidráulico. El sistema completo puede descomponerse en tres subsistemas en serie que operan de manera independiente: un sistema electrónico, un sistema hidráulico y un accionador mecánico. En un frenado particular, las confiabilidades de estas unidades son aproximadamente .995, .993 y .994, respectivamente. Estime la confiabilidad del sistema.

**2-27** Dos bolas se extraen de una urna que contiene $m$ bolas numeradas del 1 a $m$. Se conserva la primera bola si tiene el número 1, y se regresa en caso contrario. ¿Cuál es la probabilidad de que la segunda bola extraída tenga el número 2?

**2-28** Se eligen dos dígitos al azar de los dígitos del 1 al 9 y la selección es sin reemplazo (el mismo dígito no puede escogerse en ambas selecciones). Si la suma de los dígitos es par, encuentre la probabilidad de que ambos dígitos sean impares.

**2-29** En cierta universidad 20 por ciento de los hombre y 1 por ciento de las mujeres miden más de dos metros de altura. Asimismo, 40 por ciento de los estudiantes son mujeres. Si se selecciona un estudiante al azar y se observa que mide más de dos metros de altura, ¿Cuál es la probabilidad de que sea mujer?

**2-30** En un centro de maquinaria hay cuatro máquinas automáticas que producen tornillos. Un análisis de los registros de inspección anteriores produce los siguientes datos:

| Máquina | Porcentaje de producción | Porcentaje de defectos producidos |
|---------|--------------------------|-----------------------------------|
| 1 | 15 | 4 |
| 2 | 30 | 3 |
| 3 | 20 | 5 |
| 4 | 35 | 2 |

Las máquinas 2 y 4 son más nuevas y se les ha asignado más producción que a las máquinas 1 y 3. Suponga que la combinación de inventarios refleja los porcentajes de producción indicados.

*a)* Si se elige un tornillo al azar del inventario, ¿cuál es la probabilidad de que esté defectuoso?

*b)* Si se elige un tornillo y se encuentra que está defectuoso, ¿cuál es la probabilidad de que se haya producido en la máquina 3?

**2-31** Se elige al azar un punto dentro de un círculo. ¿Cuál es la probabilidad de que el punto esté más cerca del centro que de la circunferencia?

**2-32** Complete los detalles de la demostración del teorema 2-4 en el texto.

**2-33** Demuestre el teorema 2-5.

**2-34** Demuestre la segunda y la tercera partes del teorema 2-7.

**2-35** Suponga que hay $n$ personas en un cuarto. Si se elabora una lista de todos sus cumpleaños (el mes específico y el día del mes), ¿cuál es la probabilidad de que dos o más personas tengan el mismo cumpleaños? Suponga que hay 365 días en el año y que cada día es igualmente probable que ocurra para el cumpleaños de cualquier persona. Sea $B$ el evento de que dos o más personas tienen el mismo cumpleaños. Encuentre $P(B)$ y $P(\bar{B})$ para $n = 10, 20, 21, 22, 23, 24, 25, 30, 40, 50$ y 60.

**2-36** En cierto juego de dados, los jugadores continúan lanzando los dados hasta que ganen o pierdan. El jugador gana en el primer lanzamiento si la suma de las dos caras es 7 u 11, y pierde si la suma es 2, 3, ó 12. De otro modo, la suma de las caras viene a ser la puntuación del jugador. El jugador continúa sus lanzamientos hasta el primer tiro bueno con el que logra su punto (en cuyo caso gana), o hasta que lanza un tiro malo (en cuyo caso pierde). ¿Cuál es la probabilidad de que el jugador con los dados gane al final el juego?

**2-37** El departamento de ingeniería industrial de la compañía $XYZ$ está realizando un estudio de muestreo de la labor de ocho técnicos. El ingeniero desea establecer en forma aleatoria el orden en que visitará las áreas de trabajo de los técnicos. ¿De cuántas maneras puede arreglar estas visitas?

**2-38** Una excursionista sale del punto $A$ indicado en la figura de abajo y eligiendo una trayectoria al azar entre $AB$, $AC$, $AD$, y $AE$. En cada unión subsecuente ella elige otra trayectoria al azar. ¿Cuál es la probabilidad de que ella arribe al punto $X$?

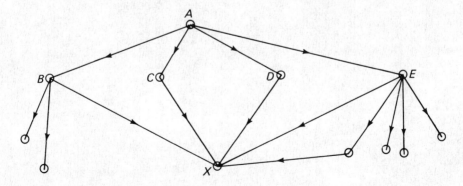

**2-39**  Tres imprentas realizan trabajos para la oficina de publicaciones del tecnológico de Georgia. La oficina de publicaciones no negocia una multa contractual por trabajos atrasados, y los datos siguientes reflejan una gran experiencia con estas imprentas.

| Imprenta, $i$ | Fracción de contratos con la imprenta $i$ | Fracción de tiempo de entrega con más de un mes de retraso |
|:---:|:---:|:---:|
| 1 | .2 | .2 |
| 2 | .3 | .5 |
| 3 | .5 | .3 |

Un departamento observa que su folleto de reclutamiento tiene más de un mes de retraso. ¿Cuál es la probabilidad de que el contrato se haya otorgado a la imprenta 3?

**2-40**  Se conduce una investigación detallada de accidentes aéreos. La probabilidad de que un accidente por falla estructural se identifique correctamente es .9 y la probabilidad de que un accidente que no se debe a una falla estructural se identifique en forma incorrecta como un accidente por falla estructural es .2. Si el 25 por ciento de los accidentes aéreos se deben a fallas estructurales, determine la probabilidad de que un accidente aéreo debido a falla estructural sea diagnosticado como falla de este tipo.

# Capítulo 3

# Variables aleatorias unidimensionales

## 3-1 Introducción

Los objetivos de este capítulo son presentar el concepto de variables aleatorias, para definir e ilustrar funciones de distribución acumulativas y distribuciones de probabilidad, y presentar caracterizaciones útiles para variables aleatorias.

Cuando se describe el espacio muestral de un experimento aleatorio, no es necesario especificar que un resultado individual será un número. En varios ejemplos, observamos esto, como en el ejemplo 2.9, donde una moneda no alterada se lanzó tres veces, y el espacio muestra es $\mathcal{S} = \{HHH, HHT, HTH, HTT, THH, THT, TTH, TTT\}$, o el ejemplo 2.15 donde las pruebas de uniones soldadas produjeron un espacio muestral $\mathcal{S} = \{GG, GD, DG, DD\}$.

Sin embargo, en muchas situaciones experimentales nos interesan los resultados numéricos. Por ejemplo, en el caso del lanzamiento de la moneda podríamos asignar un número real $x$ a cada elemento del espacio muestral. En general, deseamos asignar un número real $x$ a todo resultado $e$ del espacio muestra $\mathcal{S}$. Se utilizará al inicio una notación funcional, así que $x = X(e)$, donde $X$ es la función. El dominio de $X$ es $\mathcal{S}$, y los números en el rango son números reales. La función $X$ se denomina una variable aleatoria. La figura 3.1 ilustra la naturaleza de esta función.

## Definición

Si $\mathscr{E}$ es un experimento que tiene el espacio muestral $\mathcal{S}$, y $X$ es una *función* que asigna un número real $X(e)$ para todo resultado $e \in \mathcal{S}$, entonces $X(e)$ se llama *variable aleatoria*.

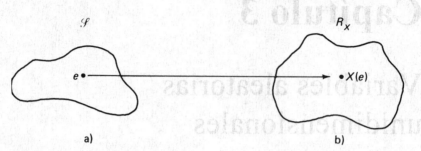

a)
b)

**Figura 3.1** El concepto de variables aleatoria. *a)* $\mathscr{S}$: el espacio muestral de $\mathscr{E}$. *b)* $R_X$: el espacio del rango de $X$.

**Ejemplo 3.1** Considérese el experimento del lanzamiento de una moneda analizado en los párrafos anteriores. Si $X$ es el número de caras que se presentan, entonces $X(HHH) = 3$, $X(HHT) = 2$, $X(\text{HTH}) = 2$, $X(HTT) = 1$, $X(THH) = 2$, $X(THT) = 1$, $X(TTH) = 1$, y $X(TTT) = 0$. El espacio del rango $R_X = \{x: x = 0, 1, 2, 3\}$ en este ejemplo (véase la figura 3.2).

El lector debe recordar que, para todas las funciones y cada elemento en el dominio, hay exactamente un valor en el rango. En el caso de la variable aleatoria para todo resultado $e \in \mathscr{S}$ corresponde exactamente un valor $X(e)$. Debe notarse que diferentes valores de $e$ pueden conducir al mismo $x$, como fue el caso donde $X(TTH) = 1$, $X(THT) = 1$, y $X(HTT) = 1$ en el ejemplo anterior.

Cuando el resultado en $\mathscr{S}$ es ya la característica numérica deseada, entonces $X(e) = e$, la función identidad. El ejemplo 2.13 en el cual un tubo de rayos catódicos operaba hasta fallar, es un buen ejemplo. Recuérdese que $\mathscr{S} = \{t: t \geq 0\}$. Si $X$ es el tiempo previo a la falla, entonces $X(t) = t$. Algunos autores llaman a este tipo de espacio muestral *fenómeno de valores numéricos*.

El espacio del rango $R_X$, está integrado por los valores posibles de $X$, y en un

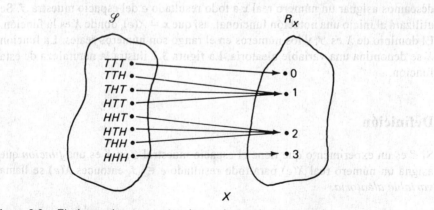

**Figura 3.2.** El número de caras en tres lanzamientos de una moneda.

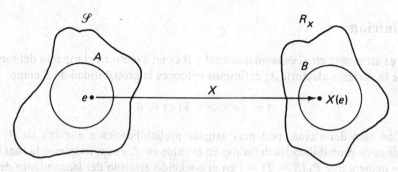

**Figura 3.3.** Eventos equivalentes.

trabajo subsecuente no será necesario indicar la naturaleza funcional de $X$. En este caso estamos interesados en eventos que se asocian a $R_X$, y la variable aleatoria $X$ inducirá probabilidades en estos eventos. Si regresamos de nuevo al experimento del lanzamiento de la moneda para ilustrar lo anterior y suponemos que la moneda no está alterada, hay ocho resultados igualmente probables, *HHH, HHT, HTH, HTT, THH, THT, TTH, TTT*, teniendo cada uno una probabilidad de $\frac{1}{8}$. Supóngase ahora que $A$ es el evento "exactamente dos caras" y, como antes, dejemos que X represente el número de caras (véase la figura 3.2). Tal evento $(X = 2)$ se relaciona con $R_X$, no con $\mathscr{S}$; sin embargo, $P_X(X = 2) = P(A) = \frac{3}{8}$, ya que $A = \{HHT, HTH, THH\}$ es el evento equivalente en $\mathscr{S}$, y la probabilidad se definió respecto a eventos en el espacio muestral. La variable aleatoria $X$ induce la probabilidad de $\frac{3}{8}$ al evento $(X = 2)$. Nótese que el paréntesis se utilizará para denotar un evento en el rango de la variable aleatorias, y en general escribiremos $P_X(X = x)$.

Para generalizar esta noción, considérese la siguiente definición.

## Definición

Si $\mathscr{S}$ es el espacio muestra de un experimento $\mathscr{E}$ y una variable aleatoria $X$ con espacio del rango $R_X$ se define en $\mathscr{S}$, y además si el evento $A$ es un evento en $\mathscr{S}$ y $B$ es un evento en $R_X$, entonces $A$ y $B$ son eventos equivalentes si

$$P_X(B) = P(A) \qquad \text{donde} \quad A = \{e \in \mathscr{S} : X(e) \in B\}$$

La figura 3.3 ilustra este concepto.

De modo más simple, si el evento $A$ en $\mathscr{S}$ consistente en todos los resultados en $\mathscr{S}$ para los cuales $X(e) \in B$, los eventos $A$ y $B$ son eventos equivalentes. Cada vez que $A$ ocurre, $B$ ocurre, y cada vez que $B$ ocurre, $A$ ocurre. Nótese que $A$ y $B$ se asocian a diferentes espacios.

## Definición

Si $A$ es un evento en el espacio muestral y $B$ es un evento en el espacio del rango $R_X$ de la variable aleatoria $X$, definimos entonces la probabilidad de $B$ como

$$A = \{ e \in \mathscr{S} : X(e) \in B \}$$

Con esta definición, podemos asignar probabilidades a eventos en $R_X$ en términos de probabilidades definidas en eventos en $\mathscr{S}$, y *suprimiremos* la función $X$, de manera que $P_X(X = 2) = \frac{3}{8}$ en el conocido ejemplo del lanzamiento de la moneda significa que hay un evento $A = \{HHT, HTH, THH\} = \{e: X(e) = 2\}$ en el espacio muestral con probabilidad $\frac{3}{8}$. En análisis subsecuentes, no trataremos con la naturaleza de la función $X$, puesto que estamos interesados en los valores del espacio del rango y en sus probabilidades asociadas. En tanto que los resultados en el espacio muestral no pueden ser números reales, se observa otra vez que todos los elementos del rango de $X$ son números reales.

Un enfoque alternativo pero similar utiliza el inverso de la función $X$. Simplemente definiríamos $X^{-1}(B)$ como

$$X^{-1}(B) = \{ e \in \mathscr{S} : X(e) \in B \},$$

de manera que

$$P_X(B) = P(X^{-1}(B)) = P(A)$$

Los siguientes ejemplos ilustran la relación espacio muestral-espacio del

TABLA 3.1   **Eventos equivalentes**

| Algunos eventos en $R_y$ | Eventos equivalentes en $\mathscr{S}$ | Probabilidad |
|:---:|:---|:---:|
| $Y = 2$ | $\{(1, 1)\}$ | $\frac{1}{36}$ |
| $Y = 3$ | $\{(1, 2), (2, 1)\}$ | $\frac{2}{36}$ |
| $Y = 4$ | $\{(1, 3), (2, 2), (3, 1)\}$ | $\frac{3}{36}$ |
| $Y = 5$ | $\{(1, 4), (2, 3), (3, 2), (4, 1)\}$ | $\frac{4}{36}$ |
| $Y = 6$ | $\{(1, 5), (2, 4), (3, 3), (4, 2), (5, 1)\}$ | $\frac{5}{36}$ |
| $Y = 7$ | $\{(1, 6), (2, 5), (3, 4), (4, 3), (5, 2), (6, 1)\}$ | $\frac{6}{36}$ |
| $Y = 8$ | $\{(2, 6), (3, 5), (4, 4), (5, 3), (6, 2)\}$ | $\frac{5}{36}$ |
| $Y = 9$ | $\{(3, 6), (4, 5), (5, 4), (6, 3)\}$ | $\frac{4}{36}$ |
| $Y = 10$ | $\{(4, 6), (5, 5), (6, 4)\}$ | $\frac{3}{36}$ |
| $Y = 11$ | $\{(5, 6), (6, 5)\}$ | $\frac{2}{36}$ |
| $Y = 12$ | $\{(6, 6)\}$ | $\frac{1}{36}$ |

rango, y el interés por este último más que por el espacio muestral es evidente, puesto que los resultados numéricos son de interés.

**Ejemplo 3.2** Considérese el lanzamiento de dos dados no alterados como se describió en el ejemplo 2.11. (El espacio muestral se describió en el capítulo 2.) Supóngase que definimos una variable aleatoria $Y$ como la suma de los números que caen al lanzar los dados. Por tanto, $R_Y = \{2, 3, 4, 5, 6, 7, 8, 9, 10, 11, 12\}$ y las probabilidades son $\left(\frac{1}{36}, \frac{2}{36}, \frac{3}{36}, \frac{4}{36}, \frac{5}{36}, \frac{6}{36}, \frac{5}{36}, \frac{4}{36}, \frac{3}{36}, \frac{2}{36}, \frac{1}{36}\right)$ respectivamente. La tabla 3-1 muestra eventos equivalentes. El lector recordará que hay 36 resultados, los cuales, puesto que los dados no están alterados, son igualmente probables.

**Ejemplo 3.3** Un ciento de marcapasos de corazón se ponen a prueba de durabilidad en una solución salina a una temperatura lo más cercana posible a la del cuerpo humano. La prueba es funcional, con la salida del marcapaso monitoreada con un sistema que proporciona salida de la señal de conversión a la forma digital para realizar una comparación contra un patrón de diseño. La prueba se inició el primero de julio de 1987. Cuando la salida del marcapasos varía respecto del patrón de 10 por ciento, ello se considera una falla y la computadora registra la fecha y la hora del día $(d, t)$. Si $X$ es la variable aleatoria "tiempo antes de la falla", entonces $\mathcal{S} = \{(d, t): d = \text{fecha}, t = \text{tiempo}\}$ y $R_X = \{x: X \geq 0\}$. La variable aleatoria $X$ es el número total de unidades de tiempo transcurrido desde que el módulo se sometió a prueba. Trabajaremos directamente con $X$ y su ley de probabilidad. Este concepto se analizará en las siguientes secciones.

## 3-2 La función de distribución

Como convención utilizaremos una letra minúscula de la misma letra para denotar un valor particular de una variable aleatoria. De tal modo $(X = x)$, $(X , x)$, $(X \leq x)$ son eventos en el espacio del rango de la variable aleatoria $X$, donde $x$ es un número real. La probabilidad del evento $(X \leq x)$ puede expresarse como función de $x$ en la forma

$$F_X(x) = P_X(X \leq x) \tag{3-1}$$

Esta función $F_X$ se llama la *función de distribución*, o *función acumulativa* o *función de distribución acumulativa* (FDA) de la variable aleatoria $X$.

**Ejemplo 3.4** En el caso del experimento del lanzamiento de la moneda, la variable aleatoria $X$ se supone con cuatro valores 0, 1, 2, 3 y probabilidades $\frac{1}{8}$, $\frac{3}{8}$, $\frac{3}{8}$, $\frac{1}{8}$. Podemos establecer $F_X(x)$ como sigue:

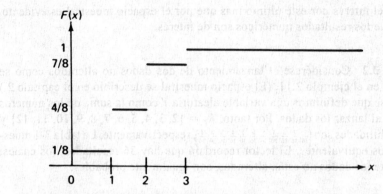

**Figura 3.4**   Una función de distribución para el número de caras en el lanzamiento de tres monedas no alteradas.

$$F_x(x) = 0 \qquad x < 0$$
$$= \tfrac{1}{8} \qquad 0 \le x < 1$$
$$= \tfrac{4}{8} \qquad 1 \le x < 2$$
$$= \tfrac{7}{8} \qquad 2 \le x < 3$$
$$= 1 \qquad x \ge 3$$

Una representación gráfica se muestra en la figura 3.4.

**Ejemplo 3.5**  Recuérdese otra vez el ejemplo 2.13, cuando un tubo de rayos catódicos se pone a funcionar hasta fallar. Ahora $\mathcal{S} = \{t: t \ge 0\}$, y si dejamos que $X$ represente el tiempo transcurrido en horas hasta la falla, entonces el evento $(X \le x)$ está en el espacio del rango de $X$. Un modelo matemático que asigna la probabilidad a $(X \le x)$ es

$$F_X(x) = 0 \qquad\qquad x \le 0$$
$$= 1 - e^{-\lambda x} \qquad x > 0,$$

donde $\lambda$ es un número positivo llamado la tasa de falla (fallas/horas). El empleo

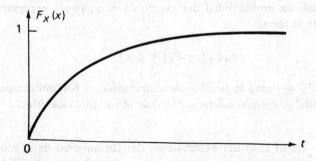

**Figura 3.5.**  Función de distribución para el tiempo previo a la falla de un TRC.

de este modelo en la práctica depende de ciertas suposiciones en torno al proceso de falla.

Estas suposiciones se presentarán con mayor detalle después. Una representación gráfica de la distribución acumulativa para el tiempo hasta la falla correspondiente al TRC se muestra en la figura 3.5.

**Ejemplo 3.6** Un cliente entra a un banco donde hay una fila de espera común para todos los cajeros en la que el individuo que encabeza la fila va con el primer cajero que queda disponible. De tal modo, cuando el cliente entra, el tiempo de espera previo al de pasar con el cajero se asigna como la variable aleatoria $X$. Si no hay nadie en el momento de la llegada y el cajero está desocupado, el tiempo de espera es cero, pero si otros están esperando y todos los cajeros están ocupados, entonces se supondrá que el tiempo de espera como cierto valor positivo. A pesar de que la forma matemática de $F_X$ depende de suposiciones acerca de este sistema de servicio, una representación gráfica general se ilustra en la figura 3.6.

Las funciones de distribución acumulativas tienen las siguientes propiedades, las cuales se deducen directamente de la definición:

1. $0 \leq F_X(x) \leq 1$      $-\infty < x < \infty$
2. $\lim_{x \to \infty} F_X(x) = 1$
   $\lim_{x \to -\infty} F_X(x) = 0$
3. La función es no decreciente. Esto es, si $x_1 \leq X_2$, entonces $F_X(X_1) \leq F_X(X_2)$.
4. La función es continua desde la derecha. Esto es para todo $x$ y $\delta > 0$,

$$\lim_{\delta \to 0} \left[ F_X(x + \delta) - F_X(x) \right] = 0$$

Al revisar los últimos tres ejemplos, notamos que en el ejemplo 3.4, los valores de $x$ para los cuales hay un aumento en $F_X(x)$ son enteros, y donde $x$ no es un entero, entonces $F_X(x)$ tiene el valor que tuvo en el entero más cercano $x$ a la izquierda. En este caso, $F_X(x)$ tiene un *salto* en los valores 0, 1, 2 y 3, y continúa

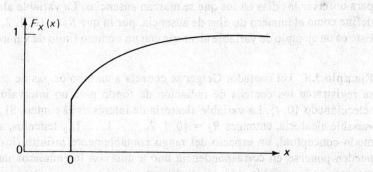

**Figura 3.6** Función de distribución del tiempo de espera.

de 0 a 1 en series de estos saltos. El ejemplo 3.5 ilustra una situación diferente, en donde $F_X(x)$ continúa sin alteración de 0 a 1, y es continua en todos lados pero no diferenciable en $x = 0$. Finalmente, el ejemplo 3.6 ilustra una situación en la que hay un salto en $x = 0$ y para $x > 0$, $F_X(x)$ es continua.

Al emplear una forma simplificada de resultados a partir del *teorema de descomposición de Lebesque*, se observa que podemos representar $F_X(x)$ como la suma de dos funciones de componentes, por ejemplo $G_X(x)$ y $H_X(x)$, o

$$F_X(x) = G_X(x) + H_X(x) \tag{3-2}$$

donde $G_X(x)$ es continua y $H_X(x)$ es una función escalonada continua a la derecha con saltos que coinciden con los de $F_X(x)$, y $H_X(-\infty) = 0$. Si $G_X(x) \equiv 0$, entonces $X$ se llama *variable aleatoria discreta* y si $H_X(x) \equiv 0$, entonces $X$ se llama *variable aleatoria continua*. En el caso en el que ninguna de estas situaciones se cumpla, se dice que $X$ es una *variable aleatoria mixta*, y aunque esto se ilustró en el ejemplo 3.6, este texto se concentrará en variables aleatorias discretas y continuas debido a que la mayor parte de las aplicaciones de la ingeniería y la administración de la probabilidad y la estadística en este libro se relacionan con el conteo o con mediciones simples.

## 3-3   Variables aleatorias discretas

Si bien las variables aleatorias discretas pueden resultar de una diversidad de situaciones experimentales, en ingeniería y ciencias aplicadas a menudo están asociadas al conteo. Si $X$ es una variable aleatoria discreta, entonces $F_X(x)$ tendrá a lo más un número contablemente infinito de saltos, y $R_X = \{x_1, x_2, \ldots, x_k, \ldots\}$.

**Ejemplo 3.7**   Supóngase que el número de días laborables en un año particular es 250 y que los registros de los empleados se marcan para cada día que ellos se ausentan del trabajo. Un experimento consiste en seleccionar al azar un registro para observar los días en los que se marcan ausencias. La variable aleatoria $X$ se define como el número de días de ausencia, por lo que $R_X = \{0, 1, 2, \ldots, 250\}$. Este es un ejemplo de variable aleatoria con un número finito de valores posibles.

**Ejemplo 3.8**   Un contador Geiger se conecta a un tubo de gas de modo tal que se registrarán los conteos de radiación de fondo para un intervalo de tiempo seleccionado $\{0, t\}$. La variable aleatoria de interés es el conteo. Si $X$ denota la variable aleatoria, entonces $R_X = \{0, 1, 2, \ldots, k, \ldots\}$, y tenemos, al menos de modo conceptual, un espacio del rango contablemente infinito (los resultados pueden ponerse en correspondencia uno a uno con los números naturales) de manera que la variable aleatoria es discreta.

## Definición

Si $X$ es una variable aleatoria discreta, asociamos un número $p_X(x_i) = P_X(X = x_i)$ con cada resultado $x_i$, en $R_X$ para $i = 1, 2, \ldots, n, \ldots$, donde los números $p_X(x_i)$ satisfacen

1. $p_X(x_i) \geq 0$     para todo $i$
2. $\sum_{i=1}^{x} p_X(x_i) = 1$

Observamos de inmediato que

$$p_X(x_i) = F_X(x_i) - F_X(x_{i-1}) \tag{3-3}$$

y

$$F_X(x_i) = P_x(X \leq x_i) = \sum_{x \leq x_i} p_X(x) \tag{3-4}$$

La función $p_X$ se llama *función de probabilidad* o *ley de probabilidad* de la variable aleatoria, y la colección de pares $[(x_i, p_X(x_i)), i = 1, 2, \ldots]$ se llama *distribución de la probabilidad* de $X$. La función $p_X$ suele presentarse en forma *tabular, gráfica* o *matemática*, como se ilustra en los siguientes ejemplos.

**Ejemplo 3.9** En el experimento del lanzamiento de una moneda del ejemplo 2.9, donde $X =$ al número de caras, la distribución de probabilidad se da tanto en forma tabular como en forma gráfica en la figura 3.7. Se recordará que $R_X = \{0, 1, 2, 3\}$.

**Ejemplo 3.10** Supóngase que tenemos una variable aleatoria $X$ con una distribución de probabilidad dada por la relación

$$p_X(x) = \binom{n}{x} p^x (1 - p)^{n-x} \quad x = 0, 1, \ldots, n$$

$$= 0 \qquad\qquad \text{de otro modo} \tag{3-5}$$

| Presentación tabular | | Presentación gráfica |
|---|---|---|
| $x$ | $p(x)$ | |
| 0 | 1/8 | |
| 1 | 3/8 | |
| 2 | 3/8 | |
| 3 | 1/8 | |

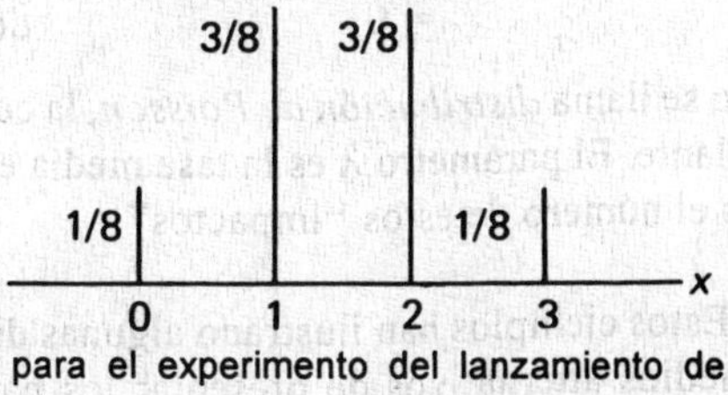

**Figura 3.7** Distribución de probabilidad para el experimento del lanzamiento de una moneda.

donde $n$ es un entero positivo y $0 < p < 1$. Esta relación se conoce como la *distribución binomial*, y se estudiará con mayor detalle después. Aunque sería posible desplegar este modelo en forma gráfica o tabular para $n$ y $p$ particulares evaluando $p_X(x)$ para $x = 0, 1, 2, \ldots, n$, esto rara vez se realiza en la práctica.

**Ejemplo 3.11**  Recuérdese el análisis anterior del muestreo aleatorio a partir de una población finita sin reemplazo. Supóngase que hay $N$ objetos de los cuales $D$ son defectuosos. Una muestra aleatoria de tamaño $n$ se selecciona sin reemplazo, y si dejamos que $X$ represente el número de defectos en la muestra, entonces

$$p_X(x) = \frac{\binom{D}{x}\binom{N-D}{n-x}}{\binom{N}{n}} \qquad x = 0, 1, 2, \ldots, \text{mín}(n, D)$$

$$= 0 \qquad\qquad\qquad \text{de otro modo} \qquad\qquad (3\text{-}6)$$

Esta distribución se conoce como la *distribución hipergeométrica*. En un caso particular, supóngase $N = 100$ artículos, $D = 5$ artículos, y $n = 4$, de modo que

$$p_X(x) = \frac{\binom{5}{x}\binom{95}{4-x}}{\binom{100}{4}} \qquad x = 0, 1, 2, 3, 4$$

$$= 0 \qquad\qquad\qquad \text{de otro modo}$$

Si se deseara la presentación ya sea en forma tabular o gráfica, sería como se muestra en la figura 3.8; sin embargo, a menos que haya alguna razón especial para usar estas formas, usaremos la relación matemática.

**Ejemplo 3.12**  En el ejemplo 3.8, donde el contador Geiger se preparó para detectar el conteo de la radiación de fondo, podríamos emplear la siguiente relación que experimentalmente ha demostrado ser apropiada:

$$p_X(x) = e^{-\lambda t}(\lambda t)^x / x! \qquad x = 0, 1, 2, \ldots \qquad \lambda > 0$$

$$= 0 \qquad\qquad\qquad \text{de otro modo} \qquad\qquad (3\text{-}7)$$

Esto se llama *distribución de Poisson*, la cual se obtendrá de manera analítica más adelante. El parámetro $\lambda$ es la tasa media en "impactos" por unidad de tiempo, y $x$ es el número de estos "impactos".

Estos ejemplos han ilustrado algunas distribuciones de probabilidad discretas y medios alternativos de presentar los pares $[(x_i, p_X(x)), i = 1, 2, \ldots]$. En las

| $x$ | $p_X(x)$ |
|---|---|

$$0 \qquad \binom{5}{0}\binom{95}{4} \Big/ \binom{100}{4} \doteq 0.805$$

$$1 \qquad \binom{5}{1}\binom{95}{3} \Big/ \binom{100}{4} \doteq 0.178$$

Presentación tabular

$$2 \qquad \binom{5}{2}\binom{95}{2} \Big/ \binom{100}{4} \doteq 0.014$$

$$3 \qquad \binom{5}{3}\binom{95}{1} \Big/ \binom{100}{4} \doteq 0.003$$

$$4 \qquad \binom{5}{4}\binom{95}{0} \Big/ \binom{100}{4} \doteq 0.000$$

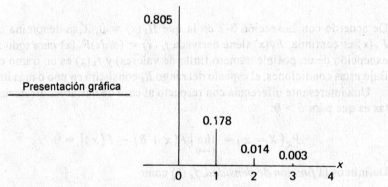

Presentación gráfica

**Figura 3.8** Algunas probabilidades hipergeométricas $N = 100$, $D = 5$, $n = 4$.

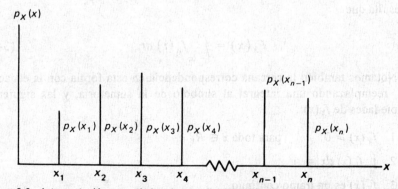

**Figura 3.9** Interpretación geométrica de una distribución de probabilidad.

secciones posteriores se desarrollarán varias distribuciones de probabilidad, cada una a partir de un conjunto de postulados motivados a partir de consideraciones de *fenómenos del mundo real*.

Una representación gráfica general de la distribución discreta del ejemplo 3.11 se presentará la figura 3.9. Esta interpretación geométrica es a menudo útil para desarrollar una noción intuitiva relativa a las distribuciones discretas. Hay una analogía cercana a la mecánica si consideramos la distribución de probabilidad como una masa de una unidad distribuida sobre la línea real en cantidades $p_X(x_i)$ en puntos $x_i$, $i = 1, 2, \ldots, n$. Además, empleando la ecuación 3-3, notamos el siguiente resultado útil donde $b \geqslant a$:

$$P_X(a < X \leq b) = F_X(b) - F_X(a) \tag{3-8}$$

## 3-4   Variables aleatorias continuas

De acuerdo con la sección 3-2 en la que $H_X(x) \equiv 0$, $X$ se denomina *continua*, $F_X(x)$ es continua, $F_X(x)$ tiene derivada $f_X(x) = (d/dx)F_X(x)$ para todo $x$ (con la excepción de un posible número finito de valores) y $f_X(x)$ es un tramo continuo. Bajo estas condiciones, el espacio del rango $R_X$ consistirá en uno o más intervalos.

Una interesante diferencia con respecto al caso de variables aleatorias discretas es que para $\delta > 0$:

$$P_X(X = x) = \lim_{\delta \to 0} [F(x + \delta) - F(x)] = 0 \tag{3-9}$$

Definimos la *función de densidad*, $f_X(x)$ como

$$f_X(x) = \frac{d}{dx} F_X(x) \tag{3-10}$$

y resulta que

$$F_X(x) = \int_{-\infty}^{x} f_X(t)\, dt \tag{3-11}$$

Notamos también la cercana correspondencia en esta forma con la ecuación 3-4, reemplazando una integral al símbolo de la sumatoria, y las siguientes propiedades de $f_X(x)$:

1. $f_X(x) \geqslant 0$         para toda $x \in R_X$

2. $\int_{R_x} f_X(x)\, dx = 1$

3. $f_X(x)$ es un tramo continuo.

4. $F_X(x) = 0$ si $x$ no está en el rango $R_X$.

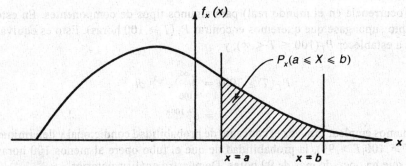

**Figura 3.10** Función de densidad de probabilidad hipotética.

Estos conceptos se ilustran en la figura 3.10. Esta definición de una función de densidad estipula una función $f_X$ definida en $R_X$ tal que

$$P\{e \in \mathcal{S}: a \le X(e) \le b\} = \int_b^a f_X(x)\, dx \qquad (3\text{-}12)$$

donde $e$ es un resultado en el espacio muestral. Sólo estamos interesados en $R_X$ y $f_X$. Es importante darse cuenta de que $f_X(x)$ no presenta la probabilidad de nada, y que sólo cuando la función se integra entre dos puntos produce una probabilidad.

Algunos comentarios en torno a la ecuación 3-9 pueden ser de utilidad, pues este resultado puede ser contrario a la intuición. Si consideramos el hecho de que permitimos a $X$ tomar todos los valores en algún intervalo, entonces $P_X(X = x_0) = 0$ no es equivalente a decir que el evento $(X = x_0)$ en $R_X$ es imposible. Recuérdese que si $A = \varnothing$, entonces $P_X(A) = 0$; sin embargo, el hecho de que $P_X(X = x_0) = 0$ y de que el conjunto $A = \{x: x = x_0\}$ no está vacío indica claramente que el inverso no es cierto.

Un resultado inmediato de lo anterior es que $P_X(a \le X \le b) = P(a, X \le b) = P(a < X < b) = P(a \le X < B)$, donde $X$ es continua, resultado de $F_X(b) - F_X(a)$.

**Ejemplo 3.13.** El tiempo previo a la falla del tubo de rayos catódicos que se describió en el ejemplo 2.13 tienen la siguiente función de densidad de probabilidad:

$$f_T(t) = \lambda e^{-\lambda t} \qquad t \ge 0$$
$$= 0 \qquad \text{de otro modo}$$

donde $\lambda > 0$ es una constante conocida como la tasa de falla. Esta función de densidad de probabilidad se llama la *densidad exponencial*, y la evidencia experimental ha indicado que es apropiada para describir el tiempo previo a la falla (una ocurrencia en el mundo real) para algunos tipos de componentes. En este ejemplo supóngase que queremos encontrar $P_T(T \geq 100$ horas). Esto es equivalente a establecer $P_T(100 \leq T < \infty)$, y

$$P_T(T \geq 100) = \int_{100}^{\infty} \lambda e^{-\lambda t}\, dt$$

$$= e^{-100\lambda}$$

Podríamos emplear otra vez el concepto de probabilidad condicional y determinar $P_T(T \geq 100 | T > 99)$, la probabilidad de que el tubo opere al menos 100 horas dado que ha operado más de 99 horas. De nuestro análisis anterior.

$$P_T(T \geq 100 | T > 99) = \frac{P_T(T \geq 100 \ \text{ y } \ T > 99)}{P_T(T > 99)}$$

$$= \frac{\int_{100}^{\infty} \lambda e^{-\lambda t}\, dt}{\int_{99}^{\infty} \lambda e^{-\lambda t}\, dt} = \frac{e^{-100\lambda}}{e^{-99\lambda}} = e^{-\lambda}$$

**Ejemplo 3.14.**   Una variable aleatoria $X$ tiene la función de densidad de probabilidad dada a continuación, mostrada gráficamente en la figura 3.11.

$$f_X(x) = x \qquad 0 \leq x < 1$$

$$= 2 - x \qquad 1 \leq x < 2$$

$$= 0 \qquad \text{de otro modo}$$

Las siguientes probabilidades se calculan a modo de ejemplo:

a)   $P_X\left(-1 < X < \frac{1}{2}\right) = \int_{-1}^{0} 0\, dx + \int_{0}^{1/2} x\, dx = \frac{1}{8}$

b)   $P_X\left(X \leq \frac{3}{2}\right) = \int_{-x}^{0} 0\, dx + \int_{0}^{1} x\, dx + \int_{1}^{3/2}(2 - x)\, dx$

$$= 0 + \frac{1}{2} + \left(2x - \frac{x^2}{2}\right)_1^{3/2}$$

$$= \frac{1}{2} + \frac{3}{8} = \frac{7}{8}$$

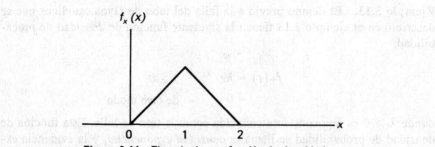

**Figura 3.11**   Ejemplo de una función de densidad.

c)  $P_X(X \leq 3) = 1$

d)  $P_X(X \geq 2.5) = 0$

e)  $P_X(\frac{1}{4} < X < \frac{3}{2}) = \int_{1/4}^{1} x\,dx + \int_{1}^{3/2}(2 - x)\,dx$

$\qquad\qquad\quad = \frac{15}{32} + \frac{3}{8} = \frac{27}{32}$

Al describir las funciones de densidad de probabilidad suele emplearse un modelo matemático. También puede ser útil una presentación gráfica o geométrica. El área bajo la función de densidad corresponde a la probabilidad, y el área total es igual a 1. De nuevo el estudiante familiarizado con la mecánica podría considerar la probabilidad de uno como distribuida sobre la línea real de acuerdo con $f_X$. En la figura 3.12 los intervalos $(a, b)$ y $(b, c)$ son de la misma longitud; sin embargo, la probabilidad asociada con $(a, b)$ es mayor.

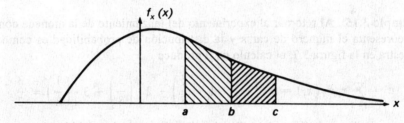

**Figura 3.12**  Una función de densidad.

## 3-5  Algunas características de las distribuciones

En tanto que una distribución discreta se especifica por completo por medio de pares $[(x_i, p_X(x_i)); i = 1, 2, \ldots, n, \ldots]$, y una función de densidad de probabilidad se especifica del mismo modo mediante $[(x, f_X(x)); x \in R_X]$, a menudo es conveniente trabajar con algunas características descriptivas de la variable aleatoria. En esta sección presentaremos dos medidas descriptivas ampliamente utilizadas, así como una expresión general para otras medidas similares. La primera es el primer momento alrededor del orden. Ésta se llama la *media de la variable aleatoria* y se denota con la letra griega $\mu$, donde

$$\mu = \sum_i x_i p_X(x_i) \qquad \text{para } X \text{ discreta}$$

$$= \int_{-x}^{x} x f_X(x)\,dx \qquad \text{para } X \text{ continua} \qquad (3\text{-}13)$$

Esta medida brinda una indicación de la *tendencia central* en la variable aleatoria.

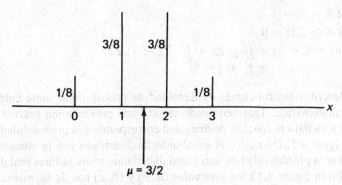

**Figura 3.13.**   Cálculo de la media.

**Ejemplo 3.15**   Al retornar al experimento del lanzamiento de la moneda donde $X$ representa el número de caras y la distribución de probabilidad es como se muestra en la figura 3.7, el cálculo de $\mu$ produce

$$\mu = \sum_{i=1}^{4} x_i p_X(x_i) = 0 \cdot \left( \frac{1}{8} \right) + 1 \cdot \left( \frac{3}{8} \right) + 2 \cdot \left( \frac{3}{8} \right) + 3 \cdot \left( \frac{1}{8} \right) = \frac{3}{2}$$

como se indica en la figura 3.13. En este ejemplo particular, debido a la simetría, el valor de $\mu$ podría haberse determinado fácilmente por inspección.

**Ejemplo 3.16**   En el ejemplo 3.14, se definió una densidad $f_X$ como

$$\begin{aligned} f_X(x) &= x & 0 \le x \le 1 \\ &= 2 - x & 1 \le x \le 2 \\ &= 0 & \text{de otro modo} \end{aligned}$$

La media se determina de la manera siguiente:

$$\mu = \int_0^1 x \cdot x \, dx + \int_1^2 x \cdot (2 - x) \, dx$$
$$+ \int_{-\infty}^0 x \cdot 0 \, dx + \int_2^\infty x \cdot 0 \, dx = 1$$

Otra medida describe la diseminación o dispersión de la probabilidad asociada con los elementos $R_X$. Esta medida se llama la *varianza*, denotada con la letra griega $\sigma^2$, y se define de la siguiente forma:

$$\sigma^2 = \sum_i (x_i - \mu)^2 p_X(x_i) \qquad \text{para } X \text{ discreta}$$

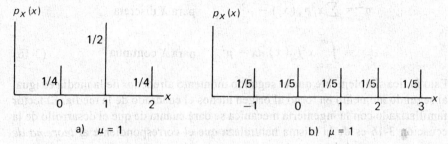

**Figura 3.14** Algunas distribuciones hipotéticas.

$$= \int_{-\infty}^{\infty} (x - \mu)^2 f_X(x) \, dx \qquad \text{para } X \text{ continua} \qquad (3\text{-}14)$$

Este es el segundo momento alrededor de la media, y corresponde al momento de inercia en mecánica. Considérese la figura 3.14, donde dos distribuciones discretas hipotéticas se muestran en forma gráfica. Nótese que la media es uno en ambos casos. La varianza para la variable aleatoria discreta mostrada en la figura 3.14$a$ es

$$\sigma^2 = (0 - 1)^2 \cdot \left(\frac{1}{4}\right) + (1 - 1)^2 \cdot \left(\frac{1}{2}\right) + (2 - 1)^2 \cdot \left(\frac{1}{4}\right) = \frac{1}{2}$$

y la varianza de la variable aleatoria discreta indicada en la figura 3.14$b$ es

$$\sigma^2 = (-1 - 1)^2 \cdot \frac{1}{5} + (0 - 1)^2 \cdot \frac{1}{5} + (1 - 1)^2 \cdot \frac{1}{5}$$

$$+ (2 - 1)^2 \cdot \frac{1}{5} + (3 - 1)^2 \cdot \frac{1}{5} = 2$$

que es cuatro veces más grande que la varianza de la variable aleatoria que se muestra en la figura 3.14$a$.

Si las unidades en la variable aleatoria son pies, por ejemplo, entonces las unidades de la media son las mismas, pero las unidades de la varianza serían pies cuadrados. Otra medida de dispersión, llamada la *desviación estándar*, se define como la raíz cuadrada positiva de la varianza y se denota por medio de $\sigma$, donde

$$\sigma = \sqrt{\sigma^2} \qquad (3\text{-}15)$$

Se observa que la unidad de $\sigma$ son las mismas que las de la variable aleatoria, y un valor pequeño de $\sigma$ indica poca dispersión, en tanto que un valor grande señala una dispersión más grande.

Una forma alternativa de la ecuación 3-14 se obtiene mediante manipulación algebraica como

$$\sigma^2 = \sum_i x_i^2 p_X(x_i) - \mu^2 \qquad \text{para } X \text{ discreta}$$

$$= \int_{-\infty}^{\infty} x^2 f_X(x) \, dx - \mu^2 \qquad \text{para } X \text{ continua} \qquad (3\text{-}16)$$

Esto indica simplemente que el segundo momento alrededor de la media es igual al segundo momento en torno al origen menos el cuadrado de la media. El lector familiarizado con la ingeniería mecánica se dará cuanta de que el desarrollo de la ecuación 3-16 es de la misma naturaleza que el correspondiente al *teorema de momentos* en mecánica.

## Ejemplo 3.17

a) *Lanzamiento de una moneda —Ejemplo* 3.9. Recuérdese que $\mu = \frac{3}{2}$ del ejemplo 3.16 y

$$\sigma^2 = \left(0 - \frac{3}{2}\right)^2 \cdot \frac{1}{8} + \left(1 - \frac{3}{2}\right)^2 \cdot \frac{3}{8}$$

$$+ \left(2 - \frac{3}{2}\right)^2 \cdot \frac{3}{8} + \left(3 - \frac{3}{2}\right)^2 \cdot \frac{1}{8} = \frac{3}{4}$$

Al emplear la forma alternativa

$$\sigma^2 = \left[0^2 \cdot \frac{1}{8} + 1^2 \cdot \frac{3}{8} + 2^2 \cdot \frac{3}{8} + 3^2 \cdot \frac{1}{8}\right] - \left(\frac{3}{2}\right)^2 = \frac{3}{4}$$

que es sólo un poco más sencilla.

b) *Distribución binomial —Ejemplo* 3.10. De la ecuación 3-13 podemos demostrar que $\mu = np$, y

$$\sigma^2 = \sum_{x=0}^{n} (x - np)^2 \binom{n}{x} p^x (1 - p)^{n-x}$$

o

$$\sigma^2 = \left[\sum_{x=0}^{n} x^2 \cdot \binom{n}{x} p^x (1 - p)^{n-x}\right] - (np)^2$$

lo que se simplifica a

$$\sigma^2 = np(1 - p)$$

c) Considérese la función de densidad $f_X(x)$, donde

$$f_X(x) = 2e^{-2x} \qquad x \geq 0$$

$$= 0 \qquad \text{de otro modo}$$

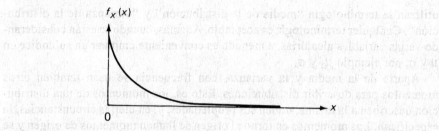

Entonces

$$\mu = \int_0^\infty x \cdot 2e^{-2x}\, dx = \frac{1}{2}$$

y

$$\sigma^2 = \int_0^\infty x^2 \cdot 2e^{-2x}\, dx - \left(\frac{1}{2}\right)^2 = \frac{1}{2} - \frac{1}{4} = \frac{1}{4}$$

d) Otra densidad es $g_X(x)$, donde

$$g_X(x) = 16xe^{-4x} \qquad x \geq 0$$
$$= 0 \qquad\qquad \text{de otro modo}$$

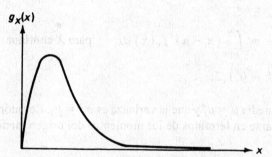

En consecuencia

$$\mu = \int_0^\infty x \cdot 16xe^{-4x}\, dx = \frac{1}{2}$$

y

$$\sigma^2 = \int_0^\infty x^2 \cdot 16xe^{-4x}\, dx - \left(\frac{1}{2}\right)^2 = \frac{1}{8}$$

Nótese que la media es la misma para las densidades en las partes c) y d), teniendo c) una varianza dos veces mayor que d).

En el desarrollo de la media y la varianza, utilizamos la terminología "media de la variable aleatoria" y "varianza de la variable aleatoria". Algunos autores utilizan la terminología "media de la distribución" y "varianza de la distribución". Cualquier terminología es aceptable. Además, cuando se están considerando varias variables aleatorias, a menudo es conveniente emplear un subíndice en $\mu$ y $\sigma$, por ejemplo $\mu_X$ y $\sigma_X$.

Aparte de la media y la varianza, con frecuencia se usan también otros momentos para describir distribuciones. Esto es, los momentos de una distribución describen a la misma, miden sus propiedades, y, en ciertas circunstancias, la especifican. Los momentos en torno al origen se llaman momentos de origen y se denotan $\mu'_k$ para el momento del origen $k$ésimo, donde

$$\mu'_k = \sum_i x_i^k p_X(x_i) \qquad \text{para } X \text{ discreta}$$

$$= \int_{-\infty}^{\infty} x^k f_X(x)\, dx \qquad \text{para } X \text{ continua}$$

$$k = 0, 1, 2, \ldots \tag{3-17}$$

Los momentos alrededor de la media se llaman momentos centrales y se denotan $\mu_k$ donde

$$\mu_k = \sum_i (x_i - \mu)^k p_X(x_i) \qquad \text{para } X \text{ discreta}$$

$$= \int_{-\infty}^{\infty} (x - \mu)^k f_X(x)\, dx \qquad \text{para } X \text{ continua}$$

$$k = 0, 1, 2, \ldots \tag{3-18}$$

Nótese que la media $\mu = \mu'_1$ y que la varianza es $\sigma^2 = \mu_2$. Los momentos centrales pueden expresarse en términos de los momentos del origen mediante la relación

$$\mu_k = \sum_{j=0}^{k} (-1)^j \binom{k}{j} \mu^j \mu'_{k-j} \qquad k = 0, 1, 2, \ldots \tag{3-19}$$

## 3-6  Desigualdad de Chebyshev

En secciones previas de este capítulo, se señaló que una varianza pequeña, $\sigma^2$, indica que son improbables grandes desviaciones respecto a la media, $\mu$. La desigualdad de Chebyshev nos brinda un medio para entender cómo la varianza mide la variabilidad alrededor de $\mu$.

# Teorema 2-1

Sea $X$ una variable aleatoria (discreta y continua), y sea $k$ algún número positivo. Entonces

$$P_X(|X - \mu| \geq k\sigma) \leq \frac{1}{k^2} \tag{3-20}$$

**Prueba** Para $X$ continua, y una constante $K > 0$, considérese

$$\sigma^2 = \int_{-\infty}^{\infty} (x - \mu)^2 \cdot f_X(x)\, dx = \int_{-\infty}^{\mu - \sqrt{K}} (x - \mu)^2 \cdot f_X(x)\, dx$$

$$+ \int_{\mu - \sqrt{K}}^{\mu + \sqrt{K}} (x - \mu)^2 \cdot f_X(x)\, dx + \int_{\mu + \sqrt{K}}^{\infty} (x - \mu)^2 \cdot f_X(x)\, dx$$

Puesto que

$$\int_{\mu - \sqrt{K}}^{\mu + \sqrt{K}} (x - \mu)^2 \cdot f_X(x)\, dx \geq 0$$

resulta que

$$\sigma^2 \geq \int_{-\infty}^{\mu - \sqrt{K}} (x - \mu)^2 \cdot f_X(x)\, dx + \int_{\mu + \sqrt{K}}^{\infty} (x - \mu)^2 \cdot f_X(x)\, dx$$

Después de esto, $(x - \mu)^2 \geq K$ si y sólo si $|x - \mu| \geq \sqrt{K}$; por tanto,

$$\sigma^2 \geq \int_{-\infty}^{\mu - \sqrt{K}} K f_X(x)\, dx + \int_{\mu + \sqrt{K}}^{\infty} K f_X(x)\, dx$$

$$\sigma^2 \geq K\left[ P_X(X \leq \mu - \sqrt{K}) + P_X(X \geq \mu + \sqrt{K}) \right]$$

y

$$P_X(|X - \mu| \geq \sqrt{K}) \leq \frac{\sigma^2}{K}$$

por lo que si $k = \sqrt{K}/\sigma$, entonces

$$P_X(|X - \mu| \geq k\sigma) \leq \frac{1}{k^2}$$

La prueba para $X$ discreta es bastante similar.

Una forma alternativa de esta desigualdad

$$P_X(|X - \mu| < k\sigma) \geq 1 - \frac{1}{k^2} \tag{3-21}$$

o

$$P_X(\mu - k\sigma < X < \mu + k\sigma) \geq 1 - \frac{1}{k^2}$$

es a menudo útil.

La utilidad de la desigualdad Chebyshev parte del hecho de que se requiere un conocimiento mínimo de la distribución de $X$. Sólo deben conocerse $\mu$ y $\sigma^2$. Sin embargo, La desigualdad de Chebyshev es un enunciado débil, lo que está en detrimento de su utilidad. Si se conoce la forma precisa de $f_X(x)$ o $p_X(x)$, entonces puede efectuarse un enunciado más poderoso.

**Ejemplo 3.18**   A partir del análisis de los registros de una compañía, un gerente de control de materiales estima que la media y la desviación estándar del "tiempo de entrega" que se requiere al comprar una pequeña válvula son de 8 y 1.5 días, respectivamente. El no conoce la distribución del tiempo de entrega, pero está dispuesto a suponer que las estimaciones de la media y la desviación estándar son del todo correctas. Al gerente le gustaría determinar un intervalo de tiempo tal que la probabilidad de que se reciba durante ese tiempo sea al menos de $\frac{8}{9}$. Esto es,

$$1 - \frac{1}{k^2} = \frac{8}{9}$$

de modo que $k = 3$ y $\mu \pm k\sigma$ da como resultado $8 \pm 3(1.5)$ o [3.5 días a 12.5 días]. Se observa que este intervalo puede ser demasiado grande como para que pueda ser de valor para el gerente, en cuyo caso él puede decidir aprender más acerca de la distribución de los tiempos de entrega.

## 3-7   Resumen

Este capítulo presentó la idea de variables aleatorias. En la mayor parte de las aplicaciones de la ingeniería y la administración, éstas son discretas o continuas; sin embargo, la sección 3-2 ilustra un caso más general. Una gran mayoría de las variables discretas que se considerarán en este libro resultan de procesos de conteo, en tanto que las variables continuas se emplean en una diversidad de mediciones. La media y la varianza como medidas de tendencia central y de dispersión, y como caracterizaciones de las variables aleatorias, se presentaron junto con momentos más generales de orden mayor. La desigualdad de Chebyshev se presentó como una probabilidad límite en la que una variable aleatoria se encuentra entre $\mu - k\sigma$ y $\mu + k\sigma$.

# 3-8 Ejercicios

**3-1** Una mano de póker de cinco cartas contiene de cero a cuatro ases. Si $X$ es la variable aleatoria que denota el número de ases, enumere el espacio del rango de $X$. ¿Cuáles son las probabilidades asociadas con cada valor posible de X?

**3-2** Una agencia de renta de automóviles recibe 0, 1, 2, 3, 4 ó 5 autos que le regresan cada día, con probabilidades de $\frac{1}{6}, \frac{1}{6}, \frac{1}{3}, \frac{1}{12}, \frac{1}{6}$ y $\frac{1}{12}$, respectivamente. Encuentre la media y la varianza del número de automóviles regresados.

**3-3** Una variable aleatoria $X$ tiene la función de densidad de probabilidad $ce^{-x}$. Encuentre las variables apropiadas de $c$, suponiendo $0 \leq X < \infty$. Encuentre la media y la varianza de la función de densidad de probabilidad de $X$.

**3-4** La función de distribución de probabilidad de que un tubo de televisión fallará en $t$ horas es $1 - e^{-ct}$, donde $c$ es un parámetro que depende del fabricante y $t \geq 0$. Encuentre la función de densidad de probabilidad de $X$, la vida de servicio del tubo.

**3-5** Considere las tres funciones dadas a continuación. Determine cuáles funciones son de distribución (FDC).

a) $F_X(x) = 1 - e^{-x}$     $0 < x < \infty$

b) $G_X(x) = e^{-x}$     $0 \leq x < \infty$

        $= 0$          $x < 0$

c) $H_X(x) = e^x$     $-\infty < x \leq 0$

        $= 1$          $x > 0$

**3-6** Refiérase al ejercicio 3-6. Encuentre la función de probabilidad correspondiente a las funciones dadas, si ellas son funciones de distribución.

**3-7** ¿Cuáles de las funciones siguientes son distribuciones de probabilidad discretas?

a) $p_X(x) = \dfrac{1}{3}$     $x = 0$

       $= \dfrac{2}{3}$     $x = 1$

       $= 0$     de otro modo

b) $p_X(x) = \dbinom{5}{x} \left(\dfrac{2}{3}\right)^x \left(\dfrac{1}{3}\right)^{5-x}$     $x = 0, 1, 2, 3, 4, 5$

       $= 0$     de otro modo

**3-8** La demanda de un producto es $-1$, 0, $+1$, $+2$ por día con las probabilidades respectivas de $\frac{1}{5}, \frac{1}{10}, \frac{2}{5}, \frac{3}{10}$. Una demanda de $-1$ implica que se regresa una unidad. Encuentre la demanda esperada y la varianza. Dibuje la función de distribución (FCD).

**3-9** El gerente de un almacén de ropa de hombre está interesado en el inventario de trajes, que en ese momento es de 30 (todas las tallas). El número de trajes vendidos a partir de ahora hasta el final de la temporada se distribuye como

$$f_X(x) = \frac{e^{-20}20^x}{x!} \qquad x = 0, 1, 2, \ldots$$

$$= 0 \qquad\qquad \text{de otro modo}$$

Encuentre la probabilidad de que le queden trajes sin vender al final de la temporada.

**3-10** Una variable aleatoria $X$ tiene una FCD de la forma:

$$F_X(x) = 1 - \left(\frac{1}{2}\right)^{x+1} \qquad x = 0, 1, 2, \ldots$$

$$= 0 \qquad\qquad x < 0$$

a) Determine la función de probabilidad para X.
b) Encuentre $P_X(0 < X \le 8)$

**3-11** Considere la siguiente función de densidad de probabilidad:

$$f_X(x) = kx \qquad\qquad 0 \le x < 2$$

$$= k(4 - x) \qquad 2 \le x \le 4$$

$$= 0 \qquad\qquad\quad \text{de otro modo}$$

a) Encuentre el valor de $k$ para el cual $f$ es una función de densidad de probabilidad.
b) Encuentre la media y la varianza de $X$.
c) Encuentre la función de distribución acumulativa.

**3-12** Repita el problema anterior considerando que la función de densidad de probabilidad está definida como

$$f_X(x) = kx \qquad\qquad\quad 0 \le x < a$$

$$f_X(x) = k(2a - x) \qquad a \le x \le 2a$$

$$= 0 \qquad\qquad\qquad \text{de otro modo}$$

**3-13** La gerente de un taller de reparaciones no conoce la distribución de probabilidad del tiempo que se requiere para completar un trabajo. Sin embargo, de acuerdo con el desempeño pasado, ella ha podido estimar la media y la varianza como 14 días y 2 (días)$^2$, respectivamente. Encuentre un intervalo en el que la probabilidad de que un trabajo se determine durante ese tiempo sea de 0.75.

**3-14** La variable aleatoria continua $T$ tiene la función de densidad de probabilidad $f(t) = kt^2$ para $-1 \le t \le 0$. Determine lo siguiente:

a) El valor apropiado de $k$.
b) La media y la varianza de $T$.
c) Encuentre la función de distribución acumulativa.

**3-15** Una variable aleatoria discreta $X$ tiene la función de probabilidad: $p_X(x)$, donde

$$p_X(x) = k(1/2)^x \qquad x = 1, 2, 3$$

$$= 0 \qquad \text{de otro modo}$$

*a)* Determine $k$.

*b)* Encuentre la media y la varianza de $X$.

*c)* Encuentre la función de distribución acumulativa, $F_X(x)$.

**3-16** La variable aleatoria discreta $N(N = 0, 1, \ldots)$ tiene probabilidades de ocurrencia de $kr^n$ $(0 < r < 1)$. Encuentre el valor apropiado de $k$.

**3-17** El servicio postal requiere, en promedio, 2 días para entregar una carta en una ciudad. La varianza se estima como .4 (día)$^2$. Si un ejecutivo desea que el 99 por ciento de sus cartas se entreguen a tiempo, ¿con cuánta anticipación las debe depositar en el correo?

**3-18** Dos agentes de bienes raíces, $A$ y $B$, tienen lotes de terrenos que se ofrecen en venta. Las distribuciones de probabilidad de los precios de venta por lote se muestran en la siguiente tabla.

**Precio**

|   | $1000 | $1050 | $1100 | $1150 | $1200 | $1350 |
|---|-------|-------|-------|-------|-------|-------|
| A | .2    | .3    | .1    | .3    | .05   | .05   |
| B | .1    | .1    | .3    | .3    | .1    | .1    |

Suponiendo que $A$ y $B$ trabajan en forma independiente, calcule

*a)* El precio de venta esperado de $A$ y de $B$.

*b)* El precio de venta esperado de $A$ dado que el precio de venta de $B$ es $1,150.

*c)* La probabilidad de que tanto $A$ como $B$ tengan el mismo precio de venta.

**3-19** Demuestre que la función de probabilidad para la suma de los valores obtenidos al lanzar dos dados puede escribirse como

$$p_X(x_i) = \frac{x_i - 1}{36} \qquad x_i = 2, 3, \ldots, 6$$

$$= \frac{13 - x_i}{36} \qquad x_i = 7, 8, \ldots, 12$$

**3-20** Determine la media y la varianza de la variable aleatoria cuya función de probabilidad se definió en el problema anterior.

**3-21** Una variable aleatoria continua $X$ tiene una función de densidad.

$$f_X(x) = \frac{2x}{9} \qquad 0 < X < 3$$

$$= 0 \qquad \text{de otro modo}$$

a)   Desarrolle la FDC para $X$.
b)   Determine la media de la varianza de $X$.
c)   Encuentre $\mu_3'$.
d)   Determine el valor $m$ tal que $P_X(X \geq m) = P(X \leq M)$.

**3-22**   Suponga que $X$ toma los valores 5 y –5 con probabilidades de $\frac{1}{2}$. Grafique la cantidad $P[|X - \mu| \geq k \sqrt{\sigma^2}]$ como una función de $k$ (para $k > 0$). En el mismo sistema de ejes, grafique la probabilidad determinada por la desigualdad de Chebyshev.

**3-23**   Encuentre la función de distribución acumulativa asociada a

$$f_X(x) = \frac{x}{t^2} \exp\left( -\frac{x^2}{2t^2} \right) \qquad t > 0,\, x \geq 0$$

$$= 0 \qquad \text{de otro modo}$$

**3-24**   Encuentre la función de distribución acumulativa asociada a

$$f_X(x) = \frac{1}{\sigma\pi} \frac{1}{\left\{ 1 + \left[ (x - \mu)^2/\sigma^2 \right] \right\}} \qquad -\infty < x < \infty,\, -\infty < \mu < \infty,\, \sigma > 0$$

**3-25**   Considere la función de densidad de probabilidad $f_Y(y) = k \operatorname{sen} y$, $0 \leq y \leq \pi/2$. ¿Cuál es el valor apropiado de $k$? Determine la media de distribución.

**3-26**   Demuestre que los momentos centrales pueden expresarse en términos de los momentos del origen mediante la ecuación 3-19. *Sugerencia*: Véase el capítulo 3 de Kendall y Stuart (1963).

# Capítulo 4

# Funciones de una variable aleatoria y esperanza

## 4-1  Introducción

Los ingenieros y los científicos de la administración con frecuencia están interesados en el comportamiento de alguna función, por ejemplo $H$, de una variable aleatoria. Supóngase por ejemplo, un caso en que el área de la sección transversal circular de un alambre de cobre es el punto de interés. La relación $Y = \pi X^2/4$, donde $X$ es el diámetro, brinda el área de la sección transversal. Puesto que $X$ es una variable aleatoria, $Y$ también es una variable aleatoria, y esperaríamos ser capaces de determinar la distribución de probabilidad de $Y = H(X)$ si se conoce la distribución de $X$. La primera parte de este capítulo tratará con problemas de este tipo. Esto resulta del concepto de esperanza, una noción empleada extensamente a lo largo del resto de los capítulos de este libro. Se desarrollan aproximaciones para la media y la varianza de funciones de variables aleatorias, y se presenta la función generatriz de momentos, un artificio matemático para producir momentos y describir distribuciones, con algunos ejemplos.

## 4-2  Eventos equivalentes

Antes de presentar algunos métodos específicos utilizados en la determinación de la distribución de probabilidad de una función de una variable aleatoria, los conceptos involucrados deben formularse con mayor precisión.

Considérese un experimento $\mathscr{E}$ con espacio muestral $\mathscr{S}$. La variable aleatoria $X$ se define en $\mathscr{S}$, asignando valores a los resultados $e$ en $\mathscr{S}$, $X(e) = x$, donde los valores $x$ están en el espacio del rango $R_X$ de $X$. Después de esto si $Y = H(X)$ se

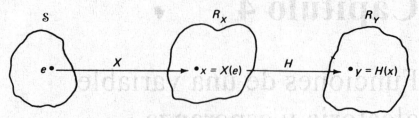

**Figura 4.1**   Función de una variable aleatoria.

define de manera que los valores $y = H(x)$ en $R_Y$, el espacio del rango de $Y$, sean reales, entonces $Y$ es una variable aleatoria, puesto que para todo resultado $e \in \mathcal{S}$, se determina un valor $y$ de la variable aleatoria $Y$; esto es, $y = H[X(e)]$. Esta noción se ilustra en la figura 4.1.

Si $C$ es un evento asociado a $R_Y$, el espacio del rango de $Y$, y $B$ es un evento en $R_X$, entonces $B$ y $C$ son eventos equivalentes si ellos ocurren juntos; es decir, si $B = \{x \in R_X : H(x) \in C\}$. Además, si $A$ es un evento asociado con $\mathcal{S}$ y, también, $A$ y $b$ son equivalentes, entonces $A$ y $C$ son eventos equivalentes.

## Definición

Si $X$ es una variable aleatoria (definida en $\mathcal{S}$) que tiene espacio del rango $R_X$, y si $H$ es una función de valores reales, de modo que $Y = H(X)$ es una variable aleatoria con espacio del rango $R_Y$, definimos entonces para cualquier evento $C \subset R_Y$

$$P_Y(C) = P_X(\{x \in R_X : H(x) \in C\}) \qquad (4\text{-}1)$$

Se observa que estas probabilidades se relacionan con probabilidades en el espacio muestral. Podríamos escribir

$$P_Y(C) = P(\{e \in \mathcal{S} : H[X(e)] \in C\})$$

Sin embargo, la ecuación 4-1 indica el *método* que se usará en la solución del problema. Encontramos que el evento $B$ en $R_X$ es equivalente a $C$ en $R_Y$; después determinamos la probabilidad del evento $B$.

**Ejemplo 4.1**   En el caso del área de la sección transversal $Y$ de un alambre, supóngase que conocemos que el diámetro tiene la función de densidad:

$$f_X(x) = 200 \qquad 1.000 \le x \le 1.005$$
$$= 0 \qquad \text{de otro modo}$$

Además, supóngase que deseamos encontrar $P_Y (Y \leq (1.01) \pi/4)$. Se determina el evento equivalente. $P_Y(Y < (1.01) \pi/4) = P_X[(\pi/4)X^2 < (1.01) \pi/4] = P_X(|X| \leq \sqrt{1.01})$. El evento $\{x \in R_X : |x| \leq \sqrt{1.01}\}$ está en el espacio del rango $R_X$, y como $f_X(x) = 0$, para toda $x < 1.0$, calculamos

$$P_X\left(|X| \leq \sqrt{1.01}\,\right) = P_X\left(1.0 \leq X \leq \sqrt{1.01}\,\right) = \int_{1.000}^{\sqrt{1.01}} 200 \, dx$$

$$= 200(\sqrt{1.01} - 1)$$

$$= .9975$$

**Ejemplo 4.2**  En el caso del experimento del contador Geiger del ejemplo 3.12, empleamos la distribución dada en la ecuación 3-7:

$$p_X(x) = e^{-\lambda t}(\lambda t)^x / x! \qquad x = 0, 1, 2, \ldots$$
$$= 0 \qquad \text{de otro modo}$$

Recuérdese que $\lambda$, donde $\lambda > 0$, representa la tasa media de "impactos" y $t$ es el intervalo de tiempo para el cual opera el contador. Supóngase ahora que deseamos encontrar

$$P_Y(Y \leq 5)$$

donde

$$Y = 2X + 2$$

Procediendo como en el ejemplo anterior,

$$P_Y(Y \leq 5) = P_X(2X + 2 \leq 5) = P_X\left(X \leq \frac{3}{2}\right)$$

$$= [p_X(0) + p_X(1)] = \left[e^{-\lambda t}(\lambda t)^0 / 0!\right] + \left[e^{-\lambda t}(\lambda t)^1 / 1!\right]$$

$$= e^{-\lambda t}[1 + (\lambda t)]$$

El evento $\{x \in R_X : x \leq \frac{3}{2}\}$ está en el espacio del rango de $X$, y tenemos la función $p_X$ para trabajar en ese espacio.

## 4-3  Funciones de una variable aleatoria discreta

Supóngase que tanto $X$ como $Y$ son las variables aleatorias discretas, y dejemos que $x_{i_1}, x_{i_2}, \ldots, x_{i_j}, \ldots$, representen los valores de $X$ de modo que $H(x_{i_j}) = y_i$ para algún conjunto de valores índices, $\Omega = \{j : j = 1, 2, \ldots, s_i\}$.

La distribución de probabilidad para $Y$ se denota por medio de $p_Y(y_i)$ y está dada por

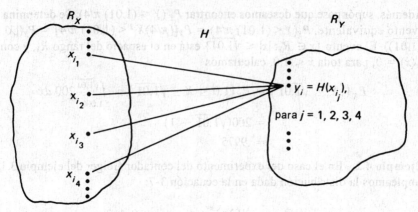

**Figura 4.2**   Probabilidades en $R_Y$.

$$p_Y(y_i) = P_Y(Y = y_i) = \sum_{j \in \Omega} p_X(x_{i_j}) \tag{4-2}$$

Por ejemplo, en la figura 4.2 donde $x_i = 4$, la probabilidad de $y_i$ es $p_Y(y_i) =$. $p_X(x_{i_1}) + p_X(x_{i_2}) + p_X(x_{i_3}) + p_X(x_{i_4})$

En el caso especial en que $H$ es tal que para cada $y$ hay exactamente una $x$, entonces $p_Y(y_i) = p_X(x_i)$, donde $y_i = H(x_i)$. Para ilustrar estos conceptos, considérense los siguientes ejemplos.

**Ejemplo 4.3**   En el experimento del lanzamiento de la moneda donde $X$ representó el número de caras, recuérdese que $X$ tiene cuatro valores, 0, 1, 2, 3, con probabilidades $\frac{1}{8}, \frac{3}{8}, \frac{3}{8}, \frac{1}{8}$. Si $Y = 2X - 1$, entonces los valores posibles de $Y$ son $-1$, 1, 3, 5, y $p_Y(-1) = \frac{1}{8}$, $p_Y(1) 0 \frac{3}{8}$, $p_Y(3) = \frac{3}{8}$, $p_Y(5) = \frac{1}{8}$. En este caso, $H$ es tal que para cada $y$ hay exactamente una $x$.

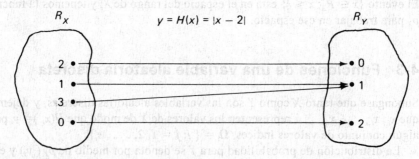

**Figura 4.3**   Ejemplo de función $H$.

**Ejemplo 4.4** $X$ es como en el ejemplo anterior; sin embargo, supóngase ahora que $Y = |X - 2|$, por lo que los valores posibles de $Y$ son 0, 1, 2, como se indica en la figura 4.3. En este caso

$$p_Y(0) = p_X(2) = \frac{3}{8}$$

$$p_Y(1) = p_X(1) + p_X(3) = \frac{4}{8}$$

$$p_Y(2) = p_X(0) = \frac{1}{8}$$

En el caso de que $X$ sea continua pero $Y$ sea discreta, la formulación para $p_Y(y_i)$ es como sigue:

$$p_Y(y_i) = \int_B f_X(x) \, dx \tag{4-3}$$

donde el evento $B$ es el evento en $R_X$ que es equivalente al evento $(Y = y_i)$ en $R_Y$.

**Ejemplo 4.5** Supóngase que $X$ tiene una función de densidad dada por

$$f_X(x) = \lambda e^{-\lambda x} \qquad x \geq 0$$

$$= 0 \qquad \text{de otro modo}$$

Además, si

$$Y = 0 \quad \text{para } X \leq 1/\lambda$$
$$= 1 \quad \text{para } X > 1/\lambda$$

entonces

$$p_Y(0) = \int_0^{1/\lambda} \lambda e^{-\lambda x} \, dx = -e^{-\lambda x} \Big|_0^{1/\lambda} = 1 - e^{-1} \approx .6321$$

y

$$p_Y(1) = \int_{1/\lambda}^{\infty} \lambda e^{-\lambda x} \, dx = -e^{-\lambda x} \Big|_{1/\lambda}^{\infty} = e^{-1} \approx .3679$$

## 4.4  Funciones continuas de una variable aleatoria continua

Si $X$ es una variable aleatoria continua con función de densidad $f_X$, y $H$ también es continua, entonces $Y = H(X)$ es una variable aleatoria continua. La función de densidad de probabilidad para la variable aleatoria $Y$ se denotará por $f_Y$ y puede determinarse efectuando estos tres pasos.

1. Obtener $F_Y(y) = P_Y(Y \leq y)$ determinando el evento $B$ en $R_X$, que es equivalente al evento $(Y \leq y)$ en $R_Y$.
2. Diferenciar $F_Y(y)$ con respecto a $y$ para obtener $f_Y(y)$.
3. Encontrar el espacio del rango de la nueva variable aleatoria.

**Ejemplo 4.6**   Supóngase que la variable aleatoria $X$ tiene la siguiente función de densidad

$$f_X(x) = x/8 \qquad 0 \leq x \leq 4$$
$$= 0 \qquad \text{de otro modo}$$

Si $Y = H(X)$ es la variable aleatoria para la cual se desea la densidad $f_Y$, y $H(x) = 2x + 8$, como se indica en la figura 4.4, entonces procedemos de acuerdo con los pasos mencionados antes.

$a)$  $F_Y(y) = P_Y(Y \leq y) = P_X(2X + 8 \leq y)$
  $= P_X(X \leq (y - 8)/2)$
  $= \displaystyle\int_0^{(y-8)/2} (x/8)\, dx = \dfrac{x^2}{16}\Big|_0^{(y-8)/2} = \dfrac{1}{64}(y^2 - 16y + 64)$

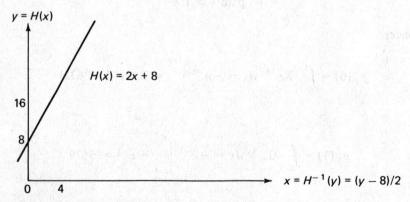

**Figura 4.4**   La función $H(x) = 2x + 8$.

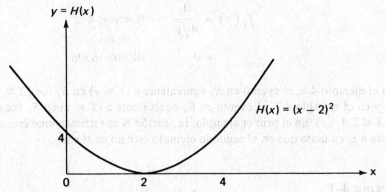

$y = H(x)$

$H(x) = (x - 2)^2$

**Figura 4.5** La función $H(x) = (x - 2)^2$.

b) $f_Y(y) = F_Y'(y) = \dfrac{1}{32}(y) - \dfrac{1}{4}$

c) Si $x = 0, y = 8$, y si $x = 4, y = 16$, por lo que tenemos

$$f_Y(y) = (y/32) - \frac{1}{4} \qquad 8 \leq y \leq 16$$

$$= 0 \qquad\qquad \text{de otro modo}$$

**Ejemplo 4.7** Considérese la variable aleatoria $X$ definida en el ejemplo 4.6, y supóngase $Y = H(X) = (X - 2)^2$, como se muestra en la figura 4.5. Al proceder como en el ejemplo 4.6, encontramos:

a) $F_Y(y) = P_Y(Y \leq y) = P_X((X - 2)^2 \leq y) =$
   $P_X(-\sqrt{y} \leq (X - 2) \leq +\sqrt{y})$
   $= P_X(2 - \sqrt{y} \leq X \leq 2 + \sqrt{y})$

$$= \int_{2-\sqrt{y}}^{2+\sqrt{y}} \frac{x}{8}\, dx = \frac{x^2}{16}\Big|_{2-\sqrt{y}}^{2+\sqrt{y}}$$

$$= \frac{1}{16}[(4 + 4\sqrt{y} + y) - (4 - 4\sqrt{y} + y)]$$

$$= \frac{1}{2}\sqrt{y}$$

b) $f_Y(y) = F_Y'(y) = \dfrac{4}{4\sqrt{y}}$

c) Si $x = 2, y = 0$, y si $x = 0$ o $x = 4, y = 4$; sin embargo, $f_Y$ no está definida para $y = 0$. Por tanto,

$$f_Y(y) = \frac{1}{4\sqrt{y}} \qquad 0 < y \le 4$$

$$= 0 \qquad \text{de otro modo}$$

En el ejemplo 4.6, el evento en $R_X$ equivalente a $(Y \le y)$ en $R_Y$ fue $[X \le (y - 8)/2]$; y en el ejemplo 4.7, el evento en $R_X$ equivalente a $(Y \le y)$ en $R_Y$ fue $(2 - \sqrt{y} \le X \le 2 + \sqrt{y})$. En el primer ejemplo, la función $H$ es estrictamente creciente respecto a $x$, en tanto que en el segundo ejemplo éste no es el caso.

## Teorema 4-1

Si $X$ es una variable aleatoria continua con función de densidad de probabilidad $f_X$ que satisface $f_X(x) > 0$ para $a < x < b$, y $y = H(X)$ es una función de $x$ continua estrictamente creciente o estrictamente decreciente, entonces la variable aleatoria $Y = H(X)$ tiene la función de densidad

$$f_Y(y) = f_X(x) \cdot \left| \frac{dx}{dy} \right| \tag{4-4}$$

con $x = H^{-1}(y)$ expresada en términos de $y$. Si $H$ está creciendo, $f_Y(y) > 0$ si $H(a) < y < H(b)$; y si $H$ está disminuyendo, $f_Y(y) > 0$ si $H(b) < y < H(a)$.

**Prueba**   (Considerando sólo $H$ creciente. Un argumento similar se cumple para $H$ decreciente.)

$$F_Y(y) = P_Y(Y \le y) = P_X(H(X) \le y)$$

$$= P_X[X \le H^{-1}(y)]$$

$$= F_X[H^{-1}(y)]$$

$$f_Y(y) = F_Y'(y) = \frac{dF_X(x)}{dx} \cdot \frac{dx}{dy}, \qquad \text{por la regla de la cadena}$$

$$= f_X(x) \cdot \frac{dx}{dy}, \qquad \text{donde } x = H^{-1}(y)$$

**Ejemplo 4.8**   En el ejemplo 4.6 tuvimos

$$f_X(x) = x/8 \qquad 0 \le x \le 4$$

$$= 0 \qquad \text{de otro modo}$$

y $H(x) = 2x + 8$, que es una función estrictamente creciente. Al emplear la ecuación 4-4,

$$f_Y(y) = f_X(x) \cdot \left| \frac{dx}{dy} \right| = \frac{y-8}{16} \cdot \frac{1}{2}$$

puesto que $x = (y-8)/2$. $H(0) = 8$ y $H(4) = 16$; por tanto,

$$f_Y(y) = (y/32) - \frac{1}{4} \qquad 8 \le y \le 16$$

$$= 0 \qquad \text{de otro modo}$$

## 4-5 Esperanza

Si $X$ es una variable aleatoria, y $Y = H(x)$ es una función de $X$, entonces el *valor esperado* de $H(X)$ se define del modo siguiente:

$$E(H(X)) = \sum_{\text{todo } i} H(x_i) \cdot p_X(x_i) \qquad \text{para } X \text{ discreta} \qquad (4\text{-}5)$$

$$E(H(X)) = \int_{-\infty}^{\infty} H(x) \cdot f_X(x)\, dx \qquad \text{para } X \text{ continua} \qquad (4\text{-}6)$$

En el caso en el que $X$ es continua, restringimos $H$ de manera que $Y = H(X)$ es una variable aleatoria continua.

La media y la varianza, presentadas antes, son aplicaciones especiales de las ecuaciones 4-5 y 4-6. Si $H(X) = X$, vemos que

$$E(H(X)) = E(X) = \mu \qquad (4\text{-}7)$$

Por tanto, el valor esperado de la variable aleatoria $X$ es justamente la media, $\mu$.

Si $H(X) = (X - \mu)^2$, entonces

$$E(H(X)) = E\big((X - \mu)^2\big) = \sigma^2 \qquad (4\text{-}8)$$

De tal modo, la varianza de la variable aleatoria $X$ puede definirse en términos de esperanza. Puesto que la varianza se utiliza en forma extensiva, suele introducirse el *operador* de varianza $V$, que se define en términos del operador del valor esperado $E$:

$$V(H(X)) = E\big([H(X) - E(H(X))]^2\big) \qquad (4\text{-}9)$$

Otra vez, en el caso donde $H(X) = X$

$$V(X) = E\big((X - E(X))^2\big)$$
$$= E(X^2) - [E(X)]^2 \qquad (4\text{-}10)$$

que es la *varianza de X*, denotada por $\sigma^2$.

Los momentos del origen y los momentos centrales estudiados en el capítulo anterior también pueden expresarse empleando el operador del valor esperado como

$$\mu'_k = E(X^k) \qquad (4\text{-}11)$$

y

$$\mu_k = E\big((X - E(X))^k\big)$$

Hay dos funciones especiales, $H$, que deben considerarse en este punto. Primero, supóngase que $H(X) = aX$, donde $a$ es una constante. De modo que para $X$ discreta

$$E(aX) = \sum_{\text{todo } i} ax_i \cdot p_X(x_i) = a \sum_{\text{todo } i} x_i\, p_X(x_i) = aE(X) \qquad (4\text{-}12)$$

y el mismo resultado se obtiene para $X$ continua, a saber:

$$E(aX) = \int_{-\infty}^{\infty} ax \cdot f_X(x)\, dx = a\int_{-\infty}^{\infty} xf_X(x)\, dx = aE(X) \qquad (4\text{-}13)$$

Al emplear la ecuación 4-9,

$$V(aX) = E\big([aX - aE(X)]^2\big) = a^2 V(X) \qquad (4\text{-}14)$$

En el caso en el que $H(X) = a$, una constante, el vector puede verificar de inmediato que

$$E(a) = a \qquad (4\text{-}15)$$

y

$$V(a) = 0 \qquad (4\text{-}16)$$

**Ejemplo 4.9**  Supóngase que un contratista participa en un concurso para efectuar un trabajo que requiere para terminarse $X$ días, donde $X$ es una variable aleatoria que denota el número de días para terminar el trabajo. Su ventaja, $P$, depende de $X$; esto es, $P = H(X)$. La distribución de probabilidad, de $X$, $(x, p(x))$, es como sigue:

| $x$ | $p_x(x)$ |
|---|---|
| 3 | $\frac{1}{8}$ |
| 4 | $\frac{5}{8}$ |
| 5 | $\frac{2}{8}$ |
| en otro caso | 0 |

Con el empleo de la noción del valor esperado, calcúlese la media y la varianza de $X$ del modo siguiente:

$$E(X) = 3 \cdot \frac{1}{8} + 4 \cdot \frac{5}{8} + 5 \cdot \frac{2}{8} = \frac{33}{8}$$

y

$$V(X) = \left[3^2 \cdot \frac{1}{8} + 4^2 \cdot \frac{5}{8} + 5^2 \cdot \frac{2}{8}\right] - \left(\frac{33}{8}\right)^2 = \frac{23}{64}$$

Si la función $H(X)$ está dada como:

| $x$ | $H(x)$ |
|---|---|
| 3 | $\$10,000$ |
| 4 | 2,500 |
| 5 | $-7,000$ |

entonces el valor esperado de $H(X)$ es

$$E(H(X)) = 10,000\left(\frac{1}{8}\right) + 2500\left(\frac{5}{8}\right) - 7000\left(\frac{2}{8}\right) = \$1062.50$$

y el contratista vería esto como una ventaja promedio que obtendría si el contratista concursara muchas veces (en realidad un número infinito de veces), donde $H$ permanece igual y la variable aleatoria se comporta de acuerdo con la función de probabilidad $p_X$. La varianza de $P = H(X)$ puede calcularse rápidamente como

$$V(H(X)) = \left[(10,000)^2 \cdot \frac{1}{8} + (2500)^2 \cdot \frac{5}{8} + (-7000)^2 \cdot \frac{2}{8}\right] - (1062.5)^2$$

$$\simeq \$27.53 \cdot 10^6$$

**Ejemplo 4.10**  Un simple problema de inventarios bastante conocido es "el problema del voceador": Un voceador compra periódicos a 15 centavos cada uno y los vende a 25 centavos cada uno de ellos, y no puede regresar los que no venda. La demanda diaria tiene la siguiente distribución y es independiente de la demanda del día anterior:

| Número de clientes, $x$ | 23 | 24 | 25 | 26 | 27 | 28 | 29 | 30 |
|---|---|---|---|---|---|---|---|---|
| Probabilidad, $p_X(x)$ | .01 | .04 | .10 | .10 | .25 | .25 | .15 | .10 |

Si el voceador apila demasiados periódicos, sufre una pérdida atribuible al exceso de suministro. Si apila muy pocos, se reducen sus ganancias por el exceso de demanda. Parece razonable que el voceador apile cierto número de periódicos de manera que minimice la pérdida esperada. Si dejamos que $s$ represente el número de periódicos apilados, $X$ representa la demanda diaria, y $L(X, s)$ la pérdida del voceador para un nivel de apilamiento particular $s$, entonces la pérdida es simplemente

$$L(X, s) = .10(X - s) \quad \text{si } X > s$$
$$= .15(s - X) \quad \text{si } X \leq s$$

y para un nivel de apilamiento dado, $s$, la pérdida esperada es

$$E(L(X, s)) = \sum_{x=23}^{s} .15(s - x) \cdot p_X(x) + \sum_{x=s+1}^{30} .10(x - s) \cdot p_X(x)$$

y las $E[L(X, s)]$ se evalúan para algunos valores diferentes de $s$.
Para $s = 26$:

$$E(L(X, 26)) = .15[(26 - 23)(.01) + (26 - 24)(.04) + (26 - 25)(.10)$$
$$+ (26 - 26)(.10)] + .10[(27 - 26)(.25) + (28 - 26)(.25)$$
$$+ (29 - 26)(.15) + (30 - 26)(.10)]$$
$$= \$.1915$$

Para $s = 27$:

$$E(L(X, 27)) = .15[(27 - 23)(.01) + (27 - 24)(.04) + (27 - 25)(.10)$$
$$+ (27 - 26)(.10) + (27 - 27)(.25)] + .10[(28 - 27)(.15)$$
$$+ (29 - 27)(.15) + (30 - 27)(.10)]$$
$$= \$.1440$$

Para $s = 28$:

$$E(L(X, 28)) = .15[(28 - 23)(.01) + (28 - 24)(.04) + (28 - 25)(.10)$$
$$+ (28 - 26)(.10) + (28 - 27)(.25) + (28 - 28)(.25)]$$
$$+ .10[(29 - 28)(.15) + (30 - 28)(.10)]$$
$$= \$.1790$$

De tal modo, la política del voceador debe ser almacenar 27 periódicos si desea minimizar su pérdida esperada.

**Ejemplo 4.11**  Considérese el sistema redundante que se muestra en el siguiente diagrama.

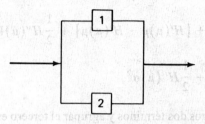

Al menos una de las unidades debe funcionar, la redundancia está en espera (lo que significa que la segunda unidad no opera hasta que falla la primera), la conmutación es perfecta, y el sistema no tiene mantenimiento. Puede demostrarse que en ciertas condiciones cuando el tiempo de falla para las unidades de este sistema tiene una distribución exponencial, entonces el tiempo de falla para el sistema tiene la siguiente función de densidad de probabilidad:

$$f_X(x) = \lambda^2 x e^{-\lambda x} \quad x > 0, \lambda > 0$$

$$= 0 \qquad \text{de otro modo}$$

donde $\lambda$ es "tasa de falla" de los modelos exponenciales de componente. El tiempo medio de falla (TMF) para este sistema es

$$E(X) = \int_0^\infty x \cdot \lambda^2 x e^{-\lambda x}\, dx = \frac{2}{\lambda}$$

Los términos "tiempo medio de falla" y "vida esperada" son sinónimos.

## 4-6  Aproximaciones a $E(H(X))$ y $V(H(X))$

En casos en los que $H(X)$ es muy complicada, puede resultar difícil la evaluación de la esperanza y de la varianza. A menudo, puede obtenerse una aproximación a $E(H(X))$ y $V(H(X))$ utilizando un desarrollo de la serie de Taylor. Para estimar la media, se expande la función $H$ hasta dos términos de una serie de Taylor, donde la expansión es alrededor de $x = \mu$. Si $Y = H(X)$, entonces

$$Y = H(\mu) + (X - \mu)H'(\mu) + \frac{(X - \mu)^2}{2} \cdot H''(\mu) + R$$

donde $R$ es el residuo. Utilizamos las ecuaciones 4-12 a la 4-16 para efectuar

$$E(Y) = E(H(\mu)) + [E(H'(\mu)X) - E(H'(\mu)\mu)]$$

$$+ E\left(\frac{1}{2}H''(\mu)(X - \mu)^2\right) + E(R)$$

$$= H(\mu) + [H'(\mu)\mu - H'(\mu)\mu] + \frac{1}{2}H''(\mu)V(X) + E(R)$$

$$\simeq H(\mu) + \frac{1}{2}H''(\mu)\sigma^2 \tag{4-17}$$

Al usar los primeros dos términos y agrupar el tercero en el residuo se obtiene

$$Y = H(\mu) + (X - \mu) \cdot H'(\mu) + R_1$$

donde

$$R_1 = R + \frac{(X - \mu)^2}{2} \cdot H''(\mu)$$

por lo que una aproximación para la varianza de $Y$ se determina como

$$V(Y) \simeq V(H(\mu)) + V((X - \mu) \cdot H'(\mu)) + V(R_1)$$

$$\simeq 0 + V(X) \cdot [H'(\mu)]^2$$

$$\simeq [H'(\mu)]^2 \cdot \sigma^2 \tag{4-18}$$

Si la varianza de $X$, $\sigma^2$, es grande y la media, $\mu$, es pequeña, es posible que exista un gran error en esta aproximación.

**Ejemplo 4.12**   La tensión superficial de un líquido se representa por $T$ (dina/cm), y en ciertas condiciones, $T \simeq 2(1 - .005X)^{1.2}$, donde $X$ es la temperatura en grados centígrados. Si $X$ tiene la función de densidad de probabilidad $f_X$, donde

$$f_X(x) = 3000x^{-4}, \quad x \geq 10$$

$$= 0 \qquad \text{de otro modo}$$

entonces

$$E(T) = \int_{10}^{\infty} 2(1 - .005x)^{1.2} \cdot 3000x^{-4}\, dx$$

y

$$V(T) = \int_{10}^{\infty} 4(1 - .005x)^{2.4} \cdot 3000x^{-4}\, dx - (E(T))^2$$

Para determinar estos valores, es necesario evaluar

$$\int_{10}^{\infty} \frac{(1 - .005x)^{1.2}}{x^4} \, dx \quad \text{y} \quad \int_{10}^{\infty} \frac{(1 - .005x)^{2.4}}{x^4} \, dx$$

Puesto que la evaluación es difícil, empleamos las aproximaciones dadas por las ecuaciones 4-17 y 4-18. Nótese que

$$\mu = E(X) = \int_{10}^{\infty} x \cdot 3000x^{-4} \, dx = -1500x^{-2} \Big|_{10}^{\infty} = 15^{\circ}C$$

y

$$\sigma^2 = V(X) = E(X^2) - [E(X)]^2 = \int_{10}^{\infty} x^2 \cdot 3000x^{-4} \, dx - 15^2 = 75(^{\circ}C)^2$$

Puesto que

$$H(X) = 2(1 - .005X)^{1.2}$$

por tanto

$$H'(X) = -.012(1 - .005X)^{0.2}$$

y

$$H''(X) = .000012(1 - .005X)^{-0.8}$$

por lo que

$$H(15) = 2[1 - .005(15)]^{1.2} = 1.82$$
$$H'(15) \simeq -.012$$

y

$$H''(15) \simeq 0$$

Al emplear las ecuaciones 4-17 y 4-18

$$E(T) \simeq H(15) + \frac{1}{2}H''(\mu) \cdot \sigma^2 = 1.82$$

y

$$V(T) \simeq [H'(15)]^2 \cdot \sigma^2 = [-.012]^2 \cdot 75 \simeq .081$$

Un planteamiento alternativo a este tipo de aproximaciones utiliza la simulación digital y los métodos estadísticos para estimar $E(Y)$ y $V(Y)$. La esencia de este último planteamiento es producir $n$ reconocimientos de la variable $X$, donde

$X$ tiene la distribución de probabilidad $f_X$ o $p_X$. Los valores generados, $x_1, x_2, \ldots$ $x_n$, se utilizan luego para calcular los valores de $Y$, es decir $y_1 = H(x_1)$, $y_2 = H(x_2)$, $\ldots, y_n = H(x_n)$. Después, utilizando los métodos de los capítulos 9 y 10, $E(Y)$ y $V(Y)$ se estiman en forma estadística a partir de los valores $y_1, \ldots, y_n$.

Hay varios métodos para generar $n$ reconocimientos de $X$. Uno de ellos, llamado el *método de la función inversa*, es

$$x_i = F_X^{-1}(u_i) \qquad i = 1, 2, \ldots, n \qquad (4\text{-}19)$$

donde $u_i$ es el reconocimiento $i$ésimo de una variable aleatoria $U$ que es uniforme en $[0, 1]$, esto es

$$
\begin{aligned}
f_U(u) &= 1 \qquad 0 \le u \le 1 \\
&= 0 \qquad \text{de otro modo} \qquad (4\text{-}20)
\end{aligned}
$$

y además se requiere que las variables $U_i$ sean mutuamente independientes. La independencia se estudiará además en el capítulo 5, y la distribución uniforme se presenta en el capítulo 7. No siempre es posible encontrar $F_X^{-1}$ en una forma cerrada, así que la utilidad de la ecuación 4-19 puede ser limitada; sin embargo, se disponen otros esquemas de generación, y considerados en conjunto, estos esquemas abarcan la mayor parte de las distribuciones de probabilidad utilizadas comúnmente.

## 4-7   La función generatriz de momentos

A menudo es conveniente utilizar una función especial en la búsqueda de los momentos de una distribución de probabilidad. Esta función especial, llamada *función generatriz de momentos*, se define de la manera siguiente.

### Definición

Dada una variable aleatoria $X$, la función generatriz de momentos $M_X(t)$ de su distribución de probabilidad es el valor esperado de $e^{tX}$. Expresado en forma matemática

$$M_X(t) = E(e^{tX}) \qquad (4\text{-}21)$$

$$= \sum_{\text{todo } i} e^{t_i X_i} p_X(x_i) \qquad X \text{ discreta} \qquad (4\text{-}22)$$

$$= \int_{-\infty}^{\infty} e^{tx} f_X(x)\, dx \qquad X \text{ continua} \qquad (4\text{-}23)$$

Para ciertas distribuciones de probabilidad, la función generatriz de momentos puede no existir para todos los valores reales de $t$. Sin embargo, para las distribuciones de probabilidad tratadas en este libro, la función generatriz de momentos siempre existe.

Expandiendo $e^{tX}$ como una serie de potencias en $t$ obtenemos

$$e^{tX} = 1 + tX + \frac{t^2 X^2}{2!} + \cdots + \frac{t^r X^r}{r!} + \cdots$$

Al tomar las esperanzas vemos que

$$M_X(t) = E[e^{tX}] = 1 + E(X) \cdot t + E(X^2) \cdot \frac{t^2}{2} + \cdots + E(X^r) \cdot \frac{t^r}{r!} + \cdots$$

por lo que

$$M_X(t) = 1 + \mu_1' \cdot t + \mu_2' \cdot \frac{t^2}{2!} + \cdots + \mu_r' \cdot \frac{t^r}{r!} + \cdots \qquad (4\text{-}24)$$

De tal manera, vemos que cuando $M_X(t)$ *se escribe como una serie de potencias en* $t$, el coeficiente de $t^r/r!$ en la expansión es el momento résimo alrededor del origen. Un procedimiento, en consecuencia, para utilizar la función generatriz de momentos sería

1. Encontrar $M_X(t)$ analíticamente para la distribución particular.
2. Expandir $M_X(t)$ como una serie de potencias en $t$ y obtener el coeficiente de $t^r/r!$ como el momento del origen résimo.

La principal dificultad al utilizar este procedimiento es la expansión de $M_X(t)$ como una serie de potencias en $t$.

Si sólo estamos interesados en algunos de los primeros momentos de la distribución, el proceso de determinar estos momentos suele entonces hacerse más sencillo notando que la résima derivada de $M_X(t)$, con respecto a $t$, evaluada en $t = 0$, es exactamente

$$\frac{d^r}{dt^r} M_X(t) \bigg|_{t=0} = E[X^r e^{tX}]_{t=0} = \mu_r' \qquad (4\text{-}25)$$

suponiendo que podemos intercambiar las operaciones de diferenciación y esperanza. Por consiguiente, un segundo procedimiento para utilizar la función generatriz de momentos consiste en

1. Determinar $M_X(t)$ en forma analítica para la distribución particular.
2. Hallar $\mu_r' = \dfrac{d^r}{dt^r} M_X(t) \bigg|_{t=0}$

Las funciones generatrices de momentos tienen muchas propiedades interesantes y útiles. Quizá la más importante de ellas es que la función generatriz de momentos es única cuando ella existe, por lo que si conocemos la función generatriz de momentos, conocemos de inmediato la forma de la distribución.

En casos en los que no existe la función generatriz de momentos, podemos utilizar la función característica, $C_X(t)$, que se define como la esperanza de $e^{itX}$, donde $i = \sqrt{-1}$. Son varias las ventajas cuando se utiliza la función característica en lugar de la función generatriz de momentos, pero la principal es que $C_X(t)$ existe siempre para todo $t$. No obstante, por simplificación, sólo usaremos la función generatriz de momentos.

**Ejemplo 4.13**   Supóngase que $X$ tiene una *distribución binomial*, esto es

$$p_X(x) = \binom{n}{x} p^x (1-p)^{n-x} \qquad x = 0, 1, 2, \ldots, n$$

$$= 0 \qquad\qquad\qquad \text{de otro modo}$$

donde $0 < p < 1$ y $n$ es un entero positivo. La función generatriz de momento $M_X(t)$ es

$$M_X(t) = \sum_{x=0}^{n} e^{tx} \binom{n}{x} p^x (1-p)^{n-x}$$

$$= \sum_{x=0}^{n} \binom{n}{x} (pe^t)^x (1-p)^{n-x}$$

Así, esta última sumatoria se reconoce como el desarrollo del binomio de $[\,pe^t + (1+p)]^n$, por lo que

$$M_X(t) = \left[ pe^t + (1-p) \right]^n$$

Tomando las derivadas, obtenemos

$$M_X'(t) = npe^t \left[ 1 + p(e^t - 1) \right]^{n-1}$$

y

$$M_x''(t) = npe^t (1 - p + npe^t) \left[ 1 + p(e^t - 1) \right]^{n-2}$$

En consecuencia

$$\mu_1' = \mu = M_X'(t)\big|_{t=0} = np$$

y

$$\mu_2' = M_X''(t)\big|_{t=0} = np(1 - p + np)$$

El segundo *momento central* puede obtenerse utilizando $\sigma^2 = \mu_2' - \mu^2 = np(1 - p)$.

**Ejemplo 4.14**   Supóngase que $X$ tiene la siguiente distribución:

$$f_X(x) = \frac{a^b}{\Gamma(b)} x^{b-1} e^{-ax} \qquad 0 \le x < \infty, a > 0, b > 0$$

$$= 0 \qquad\qquad\qquad \text{de otro modo}$$

La función generatriz de momentos es

$$M_X(t) = \int_0^\infty \frac{a^b}{\Gamma(b)} e^{x(t-a)} x^{b-1} \, dx$$

la cual, si dejamos $y = x(a - t)$, se convierte en

$$M_X(t) = \frac{a^b}{\Gamma(b)(a - t)^b} \int_0^\infty e^{-y} y^{b-1} \, dy$$

Puesto que la integral a la derecha es exactamente $\Gamma(b)$ (como se mostrará en el capítulo 6), obtenemos

$$M_X(t) = \frac{a^b}{(a - t)^b} = \left(1 - \frac{t}{a}\right)^{-b}$$

Al emplear ahora el desarrollo en serie de potencias para

$$\left(1 - \frac{t}{a}\right)^{-b}$$

encontramos

$$M_X(t) = 1 + b\frac{t}{a} + \frac{b(b + 1)}{2!}\left(\frac{t}{a}\right)^2 + \cdots$$

que da como resultado los momentos

$$\mu_1' = \frac{b}{a} \qquad \text{y} \qquad \mu_2' = \frac{b(b + 1)}{a^2}$$

# 4-8   Resumen

Este capítulo presentó en primer lugar los métodos para determinar la distribución de probabilidad de una variable aleatoria que surge como una función de otra variable aleatoria con distribución conocida. Esto es, donde $Y = H(X)$, y $X$ es discreta con distribución conocida $p_X(X)$ o $X$ es continua con densidad conocida

$f_X(x)$, se presentaron los métodos para obtener la distribución de probabilidad de $Y$.

Se presentó el operador del valor esperado en términos generales para $E[H(X)]$, y se demostró que $E(X) = \mu$, la media, y $E(X - \mu)^2 = \sigma^2$, la varianza. El operador de la varianza $V$ se definió como $V(X) = E(X)^2 - [E(X)]^2$. Se desarrolla- ron aproximaciones para $E(H(X))$ y $V(H(X))$ que son útiles cuando los métodos exactos presentan dificultades.

Se ha presentado e ilustrado la función generatriz de momentos para los momentos $\mu'_r$, de una distribución de probabilidad. Se observó que $E(X^r) = \mu'_r$.

## 4-9   Ejercicios

**4-1**   Un robot posiciona diez unidades en un torno para maquinado cuando se gradúa el torno. Si el robot no tiene la unidad posicionada de manera apropiada, ésta cae, y la posición del torno permanece abierta, resultando de ese modo un ciclo que produce menos de diez unidades. Un estudio del funcionamiento pasado del robot indica que si $X$ = número de posiciones abiertas,

$$\begin{aligned} p_X(x) &= 0.6 & x = 0 \\ &= 0.3 & x = 1 \\ &= 0.1 & x = 2 \\ &= 0.0 & \text{de otro modo} \end{aligned}$$

Si la pérdida debida a posiciones vacías está dada por $Y = 20X^2$,
a)   Encuentre $p_Y(y)$.
b)   Encuentre $E(Y)$ y $V(Y)$.

**4-2**   El contenido de magnesio en una aleación es una variable aleatoria, dada por la siguiente función de densidad de probabilidad:

$$f_X(x) = \frac{x}{18} \qquad 0 \le x \le 6$$

$$= 0 \qquad \text{de otro modo}$$

La utilidad que se obtiene de esta aleación es $P = 10 + 2X$.
a)   Determine la distribución de probabilidad de $P$
b)   ¿Cuál es la utilidad esperada?

**4-3**   Un fabricante de aparatos de televisión a color ofrece un año de garantía de restitución gratuita si el tubo de imagen falla. El fabricante estima el tiempo de falla, $T$, como una variable aleatoria con la siguiente distribución de probabilidad:

$$f_T(t) = \frac{1}{4} e^{-t/4} \qquad t > 0$$

$$= 0 \qquad \text{de otro modo}$$

a)   ¿Qué porcentaje de aparatos tendrá que reparar?

*b*)    Si la utilidad por venta es de $200 y la sustitución del tubo de imagen cuesta $200, encuentre la utilidad esperada del negocio.

**4-4**    Un contratista ofrece realizar un proyecto, y los días, $X$, requeridos para la terminación siguen la distribución de probabilidad dada como:

$$p_X(x) = 0.1 \quad x = 10$$
$$= 0.3 \quad x = 11$$
$$= 0.4 \quad x = 12$$
$$= 0.1 \quad x = 13$$
$$= 0.1 \quad x = 14$$
$$= 0 \quad \text{de otro modo}$$

La utilidad del contratista es $Y = 2000(12 - X)$.
*a*)    Encuentre la distribución de probabilidad de $Y$.
*b*)    Determine $E(X)$, $V(X)$, $E(Y)$ y $V(Y)$.

**4-5**    Suponga que una variable aleatoria continua $X$ tiene la distribución de probabilidad

$$f_X(x) = 2xe^{-x^2} \quad x \geq 0$$
$$= 0 \quad \text{de otro modo}$$

Determine la distribución de probabilidad de $Z = X^2$.

**4-6**    En el desarrollo de un generador de dígitos aleatorio, una propiedad importante que se busca es que un dígito $D_i$ siga la distribución:

$$p_{D_i}(d) = \frac{1}{10} \quad d = 0, 1, 2, 3, \dots, 9$$
$$= 0 \quad \text{de otro modo}$$

*a*)    Obtenga $E(D_i)$ y $V(D_i)$
*b*)    Si $y = [[|D_i - 4.5|]]$ donde $[[ \ \ ]]$ es el entero más grande contenido en la función, determine $p_Y(y)$, $E(Y)$, $V(Y)$.

**4-7**    El porcentaje de cierto aditivo en gasolina determina el precio de venta. Si $A$ es la variable aleatoria que representa el porcentaje, entonces $0 \leq A \leq 1$. Si el porcentaje de $A$ es menor que .70, la gasolina es de prueba baja y se vende a 92 centavos por galón. Si el porcentaje de $A$ es mayor que o igual a .70, la gasolina es de prueba alta y se vende a 98 centavos por galón. Determine el ingreso esperado por galón en el caso en el que $f_A(a) = 1$, $0 \leq a \leq 1$; y de otro modo, $f_A(a) = 0$.

**4-8**    La función de probabilidad de la variable aleatoria $X$

$$f_X(x) = \frac{1}{\theta} e^{-(1/\theta)(x-\beta)} \quad x \geq \beta, \theta > 0$$
$$= 0 \quad \text{de otro modo}$$

se conoce como exponente de distribución de dos parámetros. Calcúlese la función generatriz del momento de $X$. Evalúese $E(X)$ y $V(X)$ utilizando la función de generación de momento.

**4-9**  Una variable aleatoria $X$ tiene la siguiente función de densidad:

$$f_X(x) = e^{-x} \quad x > 0$$
$$= 0 \qquad \text{de otro modo}$$

a)  Desarrolle la función de densidad para $Y = 2X^2$.
b)  Desarrolle la densidad $V = X^{1/2}$.
c)  Desarrolle la densidad para $U = \ln X$.

**4-10**  Una antena rotatoria de dos lados recibe señales. La posición rotacional (ángulo) de la antena se denota con la letra $X$, y puede suponerse que esta posición en el tiempo en el que se recibe una señal es una variable aleatoria con la densidad que se indica adelante. En realidad, la aleatoriedad está en la señal.

$$f_X(x) = \frac{1}{2\pi} \quad 0 \le x \le 2\pi$$
$$= 0 \qquad \text{de otro modo}$$

La señal puede recibirse si $Y > y_0$, donde $Y = \tan X$. Por ejemplo, $y_0 = 1$ corresponde a $\frac{\pi}{4} < X < \frac{\pi}{2}$ y $\frac{5\pi}{4} < X < \frac{3\pi}{2}$. Encuentre la función densidad para $Y$.

**4-11**  La demanda de anticongelante en una temporada se considera una variable aleatoria $X$, con densidad

$$f_X(x) = 10^{-6} \quad 10^6 \le x \le 2 \times 10^6$$
$$= 0 \qquad \text{de otro modo}$$

donde $X$ se mide en litros. Si el fabricante obtiene una utilidad de 50 centavos por cada litro que vende al final del año, y si debe conservar cualquier exceso durante el siguiente año a un costo de 25 centavos por litro, determine el nivel "óptimo" de existencias para un final de temporada particular.

**4-12**  La acidez de cierto producto, medida en una escala arbitraria, está dada por la relación

$$A = (3 + .05G)^2$$

donde $G$ es la cantidad de uno de los constituyentes con distribución de probabilidad

$$f_G(g) = \frac{1}{32}(5g - 2) \quad 0 \le g \le 4$$
$$= 0 \qquad \text{de otro modo}$$

Evalúe $E(A)$ y $V(A)$ empleando las aproximaciones que se obtuvieron en este capítulo.

$$f_X(x) = 1 \qquad 1 \le x \le 2$$
$$= 0 \qquad \text{de otro modo}$$

Determine la función de densidad de probabilidad de $Y = H(X)$ donde $H(x) = 4 - x^2$.

**4-13.** Suponga que $X$ tiene la función de densidad de probabilidad

$$f_X(x) = 1 \qquad 1 \le x \le 2$$
$$= 0 \qquad \text{de otro modo}$$

Obtenga la función de densidad de probabilidad de $Y = H(X)$ donde $H(x) = e^x$.

**4-14** Suponga que $X$ tiene la función de densidad de probabilidad

$$f_X(x) = e^{-x} \qquad x \ge 0$$
$$= 0 \qquad \text{de otro modo}$$

Encuentre la función de densidad de probabilidad $Y = H(X)$ donde

$$H(x) = \frac{3}{(1 + x)^2}$$

**4-15** Un vendedor de automóviles usados encuentra que vende 1, 2, 3, 4, 5 o 6 autos a la semana con igual probabilidad.
(*a*)  Determine la función generatriz de momentos de $X$.
(*b*)  Mediante el uso de la función generatriz de momentos determine $E(X)$ y $V(X)$.

**4-16** Sea $X$ una variable aleatoria con función de densidad de probabilidad

$$f_X(x) = ax^2 e^{-bx^2} \qquad x > 0$$
$$= 0 \qquad \text{de otro modo}$$

*a*)  Evalúe la constante $a$.
*b*)  Suponga que una nueva función $Y = 18X^2$ es de interés. Encuentre un valor aproximado para $E(Y)$ y para $V(Y)$.

**4-17** Suponga que $Y$ tiene la función de densidad

$$f_Y(y) = e^{-y} \qquad y > 0$$
$$= 0 \qquad \text{de otro modo}$$

Obtenga el valor aproximado de $E(X)$ y $V(X)$ donde

$$X = \sqrt{Y^2 + 36}$$

**4-18** La concentración de reactivo en un proceso químico es una variable aleatoria que tiene la distribución de probabilidad

$$f_R(r) = 6r(1 - r) \qquad 0 \leq r \leq 1$$
$$= 0 \qquad\qquad\qquad \text{de otro modo}$$

La utilidad asociada con el producto final es $P = \$1.00 + \$3.00R$. Encuentre el valor esperado de $P$. ¿Cuál es la distribución de probabilidad de $P$?

**4-19** El tiempo de reparación (en horas) para cierta máquina de molienda controlada electrónicamente sigue la función de densidad:

$$f_X(x) = 4xe^{-2x} \qquad x > 0$$
$$= 0 \qquad\qquad \text{de otro modo}$$

Determine la función generatriz de momentos para $X$ y emplee esta función para evaluar $E(X)$ y $V(X)$.

**4-20** Un pedazo de varilla circular de acero tiene como diámetro de la sección transversal el valor $X$. Se sabe que $E(X) = 2$ cm y $V(X) = 25 \times 10^{-6}$ cm$^2$. Con una herramienta de corte se logran rodajas que tienen un espesor de exactamente 1 cm, y este valor es constante. Determine el valor esperado de una rodaja.

**4-21** Demuestre que cualquier distribución de probabilidad continua puede transformarse en una forma rectangular muy simple en la que todos los valores de la variable de 0 a 1 son igualmente probables.

**4-22** Considere la función de densidad de probabilidad

$$f_X(x) = k(1 - x)^{a-1}x^{b-1} \qquad 0 \leq x \leq 1, a > 0, b > 0$$
$$= 0 \qquad\qquad\qquad \text{de otro modo}$$

a)   Evalúe la constante $k$.
b)   Determine la media.
c)   Encuentre la varianza.

**4-23** La distribución de probabilidad de una variable aleatoria $X$ está dada por

$$p_X(x) = 1/2 \qquad x = 0$$
$$1/4 \qquad x = 1$$
$$1/8 \qquad x = 2$$
$$1/8 \qquad x = 3$$
$$0 \qquad \text{de otro modo}$$

a)   Determine la media y la varianza de $X$ a partir de la función generatriz de momentos.
b)   Si $Y = (X - 2)^2$, encuentre la FDC para $Y$.

**4-24** El tercer momento alrededor de la media se relaciona con la asimetría, u oblicuidad, de la distribución y se define como

$$\mu_3 = E(X - \mu_1')^3$$

Demuestre que $\mu_3 = \mu'_3 - 3\mu'_2\,\mu'_1 + 2(\mu'_1)^3$. Demuestre que para una distribución simétrica $\mu_3 = 0$.

**4-25** Sea $f$ una función de densidad de probabilidad para la cual existe el momento $\mu'_r$ de orden $r$. Demuestre que también existen todos los momentos de orden menor que $r$.

**4-26** Un conjunto de constante $k_r$, denominadas *acumulantes*, puede emplearse en lugar de los momentos para caracterizar una distribución de probabilidad. Si $M_X(t)$ es la función generatriz de momentos de la distribución de probabilidad de una variable aleatoria $X$, entonces los acumulantes están definidos por la función generatriz

$$\psi_X(t) = \log M_X(t)$$

De tal modo, el acumulante $r$ésimo está dado por

$$k_r = \left. \frac{d^r\psi_X(t)}{dt^r} \right|_{t=0}$$

Determine los acumulantes de la distribución cuya función de densidad es

$$f(x) = \frac{1}{\sigma\sqrt{2\pi}}\, \exp\left\{ -\frac{1}{2}\left( \frac{x - \mu}{\sigma} \right)^2 \right\} \qquad -\infty < x < \infty,\ -\infty < \mu < \infty,\ \sigma > 0$$

**4-27** Mediante el empleo del método de la función inversa, produzca 20 conversiones de la variable $X$ descrita por $p_X(x)$ en el problema 4-23.

**4-28** Mediante el empleo del método de la función inversa, produzca 10 conversiones de la variable aleatoria $T$ en el problema 4-3.

# Capítulo 5

# Distribuciones de probabilidad conjunta

## 5-1 Introducción

En muchas situaciones debemos tratar con dos o más variables aleatorias en forma simultánea. Por ejemplo, podríamos seleccionar muestras de hojas de acero fabricadas y medir la resistencia al corte y el diámetro de soldaduras de puntos soldados. De tal modo, que tanto la resistencia al corte de la soldadura como el diámetro de la misma son variables aleatorias de interés.

El objetivo de este capítulo es formular *distribuciones de probabilidad conjuntas* para dos o más variables aleatorias y presentar los métodos para obtener distribuciones tanto *marginales* como *condicionales*. Se define la esperanza condicional, así como la *regresión de la media*. Presentamos también definiciones de *independencia* de variables aleatorias, *covarianza* y *correlación*. Se presentan además funciones de dos o más variables aleatorias, y se incluye un caso especial de *combinaciones lineales* con su correspondiente función generatriz de momentos. Por último, se presenta la *ley de los grandes números*.

### Definición

Si $\mathscr{S}$ es el espacio muestral asociado a un experimento $\mathscr{E}$, y $X_1, X_2, \ldots, X_k$ son funciones, cada una de la cuales asigna un número real, $X_1(e), X_2(e), \ldots, X_k(e)$, a cada resultado $e$, designaremos a $[X_1, X_2, \ldots, X_k]$ *vector aleatorio k-dimensional* (véase la figura 5.1).

El espacio del rango del vector aleatorio $[X_1, X_2, \ldots, X_k]$ es el conjunto de todos los valores posibles del vector aleatorio. Puede representarse como $R_{X_1 \times X_2 \times \cdots \times X_k}$, donde

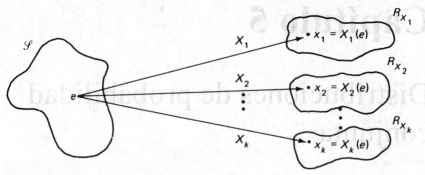

**Figura 5.1**  Vector aleatorio $k$-dimensional.

$$R_{X_1 \times X_2 \times \, \cdots \, \times X_k} = \left\{ [x_1, x_2, \ldots, x_k] : x_1 \in R_{X_1}, \; X_2 \in R_{X_2}, \ldots, X_k \in R_{X_k} \right\}$$

Éste es un producto cartesiano de los conjuntos del espacio del rango para las componentes. En el caso en el que $k = 2$, esto es, donde tenemos un vector aleatorio bidimensional como en los ejemplos que se han presentado, $R_{X_1 \times X_2}$ es un subconjunto del plano euclidiano.

## 5-2  Distribución conjunta para variables aleatorias bidimensionales

En la mayor parte de las consideraciones hechas aquí, estaremos interesados en vectores aleatorios bidimensionales. En algunas ocasiones se utilizará el término equivalente *variables aleatorias bidimensionales*.

Si los valores posibles de $[X_1, X_2]$ corresponden a un número finito o contablemente infinito, entonces $[X_1, X_2]$ será un *vector aleatorio discreto bidimensional*. Los valores de $[X_1, X_2]$ son $[x_{1_i}, x_{2_j}]$, $i = 1, 2, \ldots, n, j = 1, 2, \ldots, m$.

Si los valores posibles de $[X_1, X_2]$ son algún conjunto innumerable del plano euclidiano, entonces $[X_1, X_2]$ será un *vector aleatorio continuo bidimensional*. Por ejemplo, si $a \le x_1 \le b$ y $c \le x_2 \le d$, tendríamos $R_{X_1 \times X_2} = \{ [x_1, x_2]: a \le x_1 \le b, c \le x_2 \le d \}$.

Es posible además que una componente sea discreta y la otra continua; sin embargo, sólo consideraremos aquí el caso en el que ambas son discretas o ambas continuas.

**Ejemplo 5.1**  Considérese el caso en el que se miden la resistencia al corte y el diámetro de la soldadura. Si dejamos que $X_1$ represente el diámetro en pulgadas y $X_2$ representa la resistencia en libras, y si sabemos que $0 \le X_1 < .25$ pulgadas, en tanto que $0 \le x_2 \le 2000$ libras, entonces el espacio del rango para $[X_1, X_2]$ es el conjunto $\{ [x_1, x_2]: 0 \le x_1 < .25, \, 0 \le x_2 \le 2000 \}$. Este espacio se muestra en forma gráfica en la figura 5.2.

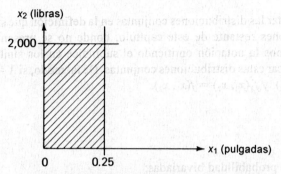

**Figura 5.2**   El espacio del rango de $[X_1, X_2]$, donde $X_1$ es el diámetro de soldadura y $X_2$ es la resistencia al corte.

**Ejemplo 5.2**   Una bomba pequeña se inspecciona considerando cuatro características de control de calidad. Cada característica se clasifica como buena, defecto menor (no afecta la operación) y defecto mayor (afecta la operación). Se selecciona una bomba y se cuentan los defectos. Si $X_1$ = número de defectos menores y $X_2$ = número de defectos mayores, sabemos que $x_1 = 0, 1, 2, 3, 4$ y $x_2 = 0, 1, \ldots, 4 - x_1$ debido a que sólo se inspeccionan cuatro características. El espacio del rango para $[X_1, X_2]$ es en consecuencia $\{[0, 0], [0, 1], [0, 2], [0, 3], [0, 4], [1, 0], [1, 1], [1, 2], [1, 3], [2, 0], [2, 1], [2, 2], [3, 0], [3, 1], [4, 0]\}$. Estos resultados posibles se muestran en la figura 5.3.

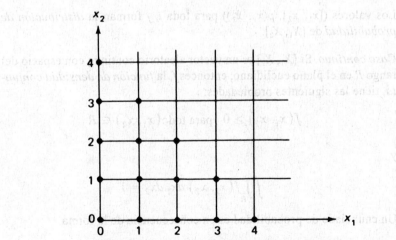

**Figura 5.3**   El espacio del rango de $[X_1, X_2]$, donde $X_1$ es el número de defectos menores y $X_2$ es el número de defectos mayores. El espacio del rango se indica por medio de puntos gruesos.

Al presentar las distribuciones conjuntas en la definición que sigue y a lo largo de las secciones restante de este capítulo, donde no se presenta ambigüedad, simplificaremos la notación omitiendo el subíndice en los símbolos utilizados para especificar estas distribuciones conjuntas. De tal modo, si $X = [X_1, X_2]$, $p_X(x_1, x_2) = p(x_1, x_2)$, y $f_X(x_1, x_2) = f(x_1, x_2)$.

## Definición

Funciones de probabilidad bivariadas:

1. *Caso discreto.* Para cada resultado $[x_{1_i}, x_{2_j}]$ de $[X_1, X_2]$, asociamos un número

$$p(x_{1_i}, x_{2_j}) = P(X_1 = x_{1_i} \text{ y } X_2 = x_{2_j})$$

donde

$$p(x_{1_i}, x_{2_j}) \geq 0 \qquad \text{para todo } i, j$$

y

$$\sum_{\text{todo } j} \sum_{\text{todo } i} p(x_{1_i}, x_{2_j}) = 1 \tag{5-1}$$

Los valores $([x_{1_i}, x_{2_j}], p(x_{1_i}, x_{2_j}))$ para toda $i, j$ forman la *distribución de probabilidad* de $[X_1, X_2]$.

2. *Caso continuo.* Si $[X_1, X_2]$ es un vector aleatorio continuo con espacio del rango $R$ en el plano euclidiano, entonces $f$, la *función de densidad conjunta*, tiene las siguientes propiedades:

$$f(x_1, x_2) \geq 0 \quad \text{para todo} (x_1, x_2) \in R$$

y

$$\int\int_R f(x_1, x_2)\, dx_1\, dx_2 = 1$$

Un enunciado de probabilidad es en consecuencia de la forma

$$P(a_1 \leq X_1 \leq b_1, a_2 \leq X_2 \leq b_2) = \int_{a_2}^{b_2}\int_{a_1}^{b_1} f(x_1, x_2)\, dx_1\, dx_2$$

Véase la figura 5.4.

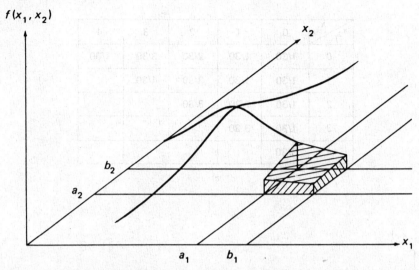

**Figura 5.4** Una función de densidad bivariada, donde $P(a_1 \leq X_1 \leq b_1, a_2 \leq X_2 \leq b_2)$ está dada por el volumen sombreado.

Debe notarse otra vez que $f(x_1, x_2)$ no representa la probabilidad de nada y la convención de que $f(x_1, x_2) = 0$ para $(x_1, x_2) \notin R$ se empleará de modo que la segunda propiedad pueda escribirse

$$\int_{-\infty}^{\infty} \int_{-\infty}^{\infty} f(x_1, x_2)\, dx_1\, dx_2 = 1$$

En el caso en que $[X_1, X_2]$ sea discreta, podríamos presentar la distribución de probabilidad de $[X_1, X_2]$ en forma tabular gráfica o, en algunos casos, matemática. En el caso donde $[X_1, X_2]$ sea continua, solemos emplear una relación matemática para presentar la distribución de probabilidad; sin embargo, una representación gráfica puede en algunas ocasiones ser útil.

**Ejemplo 5.3** Una distribución de probabilidad hipotética se muestra tanto en forma tabular como gráfica en la figura 5.5 para las variables aleatorias definidas en el ejemplo 5.2.

**Ejemplo 5.4** En el caso de los diámetros de soldadura representados por $X_1$ y la resistencia a la tensión representada por $X_2$, podríamos tener una distribución uniforme como la siguiente:

$$f(x_1, x_2) = \frac{1}{500} \qquad 0 \leq x_1 < .25, 0 \leq x_2 \leq 2000$$

$$= 0 \qquad \text{en otro caso}$$

| $x_{2_j}$ \ $x_{1_i}$ | 0 | 1 | 2 | 3 | 4 |
|---|---|---|---|---|---|
| 0 | 1/30 | 1/30 | 2/30 | 3/30 | 1/30 |
| 1 | 1/30 | 1/30 | 3/30 | 4/30 | |
| 2 | 1/30 | 2/30 | 3/30 | | |
| 3 | 1/30 | 3/30 | | | |
| 4 | 3/30 | | | | |

a)

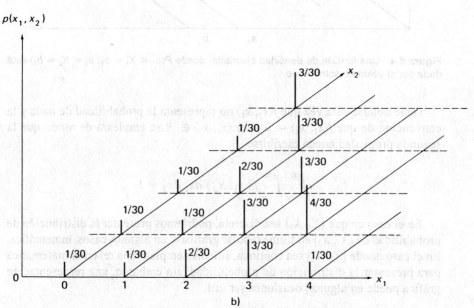

b)

**Figura 5.5** Presentación gráfica y tabular de una distribución de probabilidad bivariada. *a)* Los valores tabulados son $p(x_1, x_2)$. *b)* Presentación gráfica de la distribución bivariada discreta.

El espacio del rango se mostró en la figura 5.2, y si añadimos otra dimensión para presentar en forma gráfica $y = f(x_1, x_2)$, la distribución aparecería entonces como en la figura 5.6. En el caso univariado, el área corresponde a la probabilidad; en el caso bivariado, el volumen bajo la superficie representa la probabilidad.

Por ejemplo, supóngase que deseamos encontrar $P(.1 \leq X_1 \leq .2, 100 \leq X_2 \leq 200)$. Esta probabilidad se determinaría integrando $f(x_1, x_2)$ sobre la región $.1 \leq x_1 \leq .2, 100 \leq x_2 \leq 200$. Esto es,

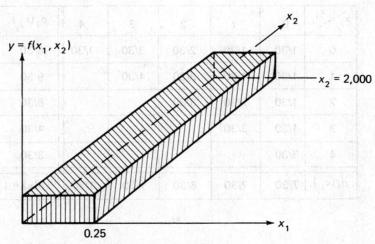

**Figura 5.6** Una densidad uniforme bivariada.

$$\int_{100}^{200} \int_{.1}^{.2} \frac{1}{500}\, dx_1\, dx_2 = \frac{1}{50}$$

## 5-3 Distribuciones marginales

Habiendo definido la distribución de probabilidad bivariada, llamada algunas veces la *distribución de probabilidad conjunta* (o en el caso continuo la *densidad conjunta*), surge una pregunta natural en cuanto a la distribución sola de $X_1$ o $X_2$. Estas distribuciones se llaman *distribuciones marginales*. En el caso discreto, la distribución marginal de $X_1$ es

$$p_1(x_{1_i}) = \sum_{\text{todo } j} p(x_{1_i}, x_{2_j}) \qquad i = 1, 2, \ldots \tag{5-2}$$

y la distribución marginal de $X_2$ es

$$p_2(x_{2_j}) = \sum_{\text{todo } i} p(x_{1_i}, x_{2_j}) \qquad j = 1, 2, \ldots \tag{5-3}$$

**Ejemplo 5.5** En el ejemplo 5.2 consideramos la distribución discreta conjunta mostrada en la figura 4.5. Las distribuciones marginales se muestran en la figura 5.7. Vemos que $[x_1, p_1(x_1)]$ es una distribución univariada y es la distribución de $X_1$ (el número de defectos menores) sola. De igual modo $[x_2, p_2(x_2)]$ es una distribución univariada y es la distribución de $x_2$ (el número de defectos menores) sola.

| $x_{2_j}$ \ $x_{1_i}$ | 0 | 1 | 2 | 3 | 4 | $p_2(x_{2_j})$ |
|---|---|---|---|---|---|---|
| 0 | 1/30 | 1/30 | 2/30 | 3/30 | 1/30 | 8/30 |
| 1 | 1/30 | 1/30 | 3/30 | 4/30 |  | 9/30 |
| 2 | 1/30 | 2/30 | 3/30 |  |  | 6/30 |
| 3 | 1/30 | 3/30 |  |  |  | 4/30 |
| 4 | 3/30 |  |  |  |  | 3/30 |
| $p_1(x_{1_i})$ | 7/30 | 7/30 | 8/30 | 7/30 | 1/30 | $\Sigma p(x) = 1$ |

a)

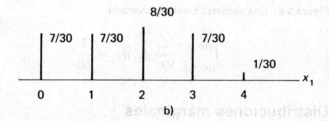

b)

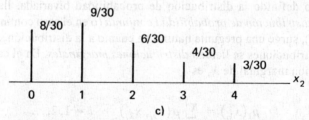

c)

**Figura 5.7** Distribuciones marginales para $[X_1, X_2]$ discretos. *a)* Distribuciones marginales —forma tabular. *b)* Distribución marginal $(x_1, p_1(x_1))$. *c)* Distribución marginal $(x_2, p_2(x_2))$.

Si $[X_1, X_2]$ es un vector aleatorio continuo, la distribución marginal de $X_1$ es

$$f_1(x_1) = \int_{-\infty}^{\infty} f(x_1, x_2)\, dx_2 \tag{5-4}$$

y la distribución marginal de $X_2$ es

$$f_2(x_2) = \int_{-\infty}^{\infty} f(x_1, x_2)\, dx_1 \tag{5-5}$$

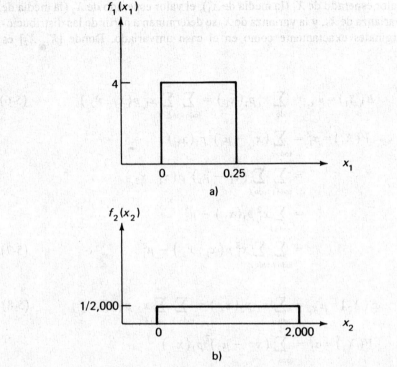

**Figura 5.8** Distribuciones marginales para un vector uniforme bivariado $[X_1, X_2]$. *a)* Distribución marginal de $X_1$. *b)* Distribución marginal de $X_2$.

La función de $f_1$ es la función de densidad para $X_1$ sola, y la función $f_2$ es la función de densidad para $X_2$ sola.

**Ejemplo 5.6** En el ejemplo 5.4, la densidad conjunta de $[X_1, X_2]$ fue dada como

$$f(x_1, x_2) = \frac{1}{500} \qquad 0 \le x_1 < .25, 0 \le x_2 \le 2000$$

$$= 0 \qquad \text{en otro caso}$$

Las distribuciones marginales de $X_1$ y $X_2$ son

$$f_1(x_1) = \int_0^{2000} \frac{1}{500} \, dx_2 = 4 \qquad 0 \le x_1 < .25$$

$$= 0 \qquad \text{en otro caso}$$

y

$$f_2(x_2) = \int_0^{.25} \frac{1}{500} \, dx_1 = \frac{1}{2000} \qquad 0 \le x_2 \le 2000$$

$$= 0 \qquad \text{en otro caso}$$

Éstas se muestran en forma gráfica en la figura 5.8.

El valor esperado de $X_1$ (la media de $X_1$), el valor esperado de $X_2$ (la media de $X_2$), la varianza de $X_1$, y la varianza de $X_2$ se determinan a partir de las distribuciones marginales exactamente como en el caso univariado. Donde $[X_1, X_2]$ es *discreta*,

$$E(X_1) = \mu_{X_1} = \sum_{\text{todo } i} x_{1_i} p_1(x_{1_i}) = \sum_{\text{todo } i} \sum_{\text{todo } j} x_{1_i} p(x_{1_i}, x_{2_j}) \qquad (5\text{-}6)$$

$$V(X_1) = \sigma_1^2 = \sum_{\text{todo } i} (x_{1_i} - \mu_1)^2 p_1(x_{1_i})$$

$$= \sum_{\text{todo } i} \sum_{\text{todo } j} (x_{1_i} - \mu_1)^2 p(x_{1_i}, x_{2_j})$$

$$= \sum_{\text{todo } i} x_{1_i}^2 p_1(x_{1_i}) - \mu_1^2$$

$$= \sum_{\text{todo } i} \sum_{\text{todo } j} x_{1_i}^2 p(x_{1_i}, x_{2_j}) - \mu_1^2 \qquad (5\text{-}7)$$

y

$$E(X_2) = \mu_{X_2} = \sum_{\text{todo } j} x_{2_j} p_2(x_{2_j}) = \sum_{\text{todo } j} \sum_{\text{todo } i} x_{2_j} p(x_{1_i}, x_{2_j}) \qquad (5\text{-}8)$$

$$V(X_2) = \sigma_2^2 = \sum_{\text{todo } j} (x_{2_j} - \mu_2)^2 p_2(x_{2_j})$$

$$= \sum_{\text{todo } j} \sum_{\text{todo } i} (x_{2_j} - \mu_2)^2 p(x_{1_i}, x_{2_j})$$

$$= \sum_{\text{todo } j} x_{2_j}^2 p_2(x_{2_j}) - \mu_2^2$$

$$= \sum_{\text{todo } j} \sum_{\text{todo } i} x_{2_j}^2 p(x_{1_i}, x_{2_j}) - \mu_2^2 \qquad (5\text{-}9)$$

**Ejemplo 5.7** En el ejemplo 5.5 y la figura 5.7 se trataron y presentaron distribuciones marginales para $X_1$ y $X_2$. Al trabajar con la distribución marginal de $X_1$ mostrada en la figura 5.7*b*, podemos calcular:

$$E(X_1) = \mu_{X_1} = 0 \cdot \frac{7}{30} + 1 \cdot \frac{7}{30} + 2 \cdot \frac{8}{30} + 3 \cdot \frac{7}{30} + 4 \cdot \frac{1}{30} = \frac{8}{5}$$

y

$$V(X_1) = \sigma_1^2 = \left[ 0^2 \cdot \frac{7}{30} + 1^2 \cdot \frac{7}{30} + 2^2 \cdot \frac{8}{30} + 3^2 \cdot \frac{7}{30} + 4^2 \cdot \frac{1}{30} \right] - \left[ \frac{8}{5} \right]^2$$

$$= \frac{103}{75}$$

La media y la varianza de $X_2$ podrían determinarse también empleando la distribución marginal de $X_2$.

Las ecuaciones 5-6 a la 5-9 muestran que la media y la varianza de $X_1$ y $X_2$, respectivamente, pueden determinarse a partir de las distribuciones marginales o directamente de la distribución conjunta. En la práctica, si ya ha determinado la distribución marginal, suele ser más sencillo utilizarla.

En el caso donde $[X_1, X_2]$ es *continuo*, entonces

$$E(X_1) = \mu_{X_1} = \int_{-\infty}^{\infty} x_1 f_1(x_1)\, dx_1 = \int_{-\infty}^{\infty} \int_{-\infty}^{\infty} x_1 f(x_1, x_2)\, dx_2\, dx_1 \quad (5\text{-}10)$$

$$V(X_1) = \sigma_1^2 = \int_{-\infty}^{\infty} (x_1 - \mu_1)^2 f_1(x_1)\, dx_1$$

$$= \int_{-\infty}^{\infty} \int_{-\infty}^{\infty} (x_1 - \mu_1)^2 f(x_1, x_2)\, dx_2\, dx_1$$

$$= \int_{-\infty}^{\infty} x_1^2 f_1(x_1)\, dx_1 - \mu_1^2$$

$$= \int_{-\infty}^{\infty} \int_{-\infty}^{\infty} x_1^2 f(x_1, x_2)\, dx_2\, dx_1 - \mu_1^2 \quad (5\text{-}11)$$

y

$$E(X_2) = \mu_{X_2} = \int_{-\infty}^{\infty} x_2 f_2(x_2)\, dx_2 = \int_{-\infty}^{\infty} \int_{-\infty}^{\infty} x_2 f(x_1, x_2)\, dx_1\, dx_2 \quad (5\text{-}12)$$

$$V(X_2) = \sigma_2^2 = \int_{-\infty}^{\infty} (x_2 - \mu_2)^2 f_2(x_2)\, dx_2$$

$$= \int_{-\infty}^{\infty} \int_{s-\infty}^{\infty} (x_2 - \mu_2)^2 f(x_1, x_2)\, dx_1\, dx_2$$

$$= \int_{-\infty}^{\infty} x_2^2 f_2(x_2)\, dx_2 - \mu_2^2$$

$$= \int_{-\infty}^{\infty} \int_{-\infty}^{\infty} x_2^2 f(x_1, x_2)\, dx_1\, dx_2 - \mu_2^2$$

En las ecuaciones 5-10 a la 5-13 observamos también que podemos emplear las densidades marginales o la densidad conjunta en los cálculos.

**Ejemplo 5.8** En el ejemplo 5.4, la densidad conjunta de los diámetros de soldadura, $X_1$, y la resistencia al corte, $X_2$, fueron dados como

$$f(x_1, x_2) = \frac{1}{500} \qquad 0 \le x_1 < .25, 0 \le x_2 \le 2000$$

$$= 0 \qquad \text{en otro caso}$$

y las densidades marginales para $X_1$ y $X_2$ estuvieron dadas en el ejemplo 5.6 como

$$f_1(x_1) = 4 \qquad 0 \le x_1 < .25$$
$$= 0 \qquad \text{en otro caso}$$

y

$$f_2(x_2) = \frac{1}{2000} \qquad 0 \le x_2 \le 2000$$
$$= 0 \qquad \text{en otro caso}$$

Al trabajar con las densidades marginales, la media y la varianza de $X_1$ son entonces

$$E(X_1) = \mu_1 = \int_0^{.25} x_1 \cdot 4 \, dx_1 = 2(.25)^2 = .125$$

y

$$V(X_1) = \sigma_1^2 = \int_0^{.25} x_1^2 \cdot 4 \, dx_1 - (.125)^2 = \frac{4}{3}(.25)^3 - (.125)^2 \approx 5.21 \times 10^{-6}$$

## 5-4   Distribuciones condicionales

Cuando se trabaja con dos variables aleatorias distribuidas conjuntamente puede resultar de interés encontrar la distribución de una de estas variables, dado un valor particular de la otra. Esto es, es posible que deseemos determinar la distribución de $X_1$ dado que $X_2 = x_2$. Esta distribución de probabilidad sería llamada la distribución *condicional* de $X_1$ dado que $X_2 = x_2$.

Supóngase que el vector aleatorio $[X_1, X_2]$ es discreto. De la definición de probabilidad condicional, se ve fácilmente que las distribuciones de probabilidad condicional son

$$p_{X_2|x_{1_i}}(x_{2_j}) = \frac{p(x_{1_i}, x_{2_j})}{p_1(x_{1_i})} \qquad i = 1, 2, \ldots; \; j = 1, 2, \ldots \qquad (5\text{-}14)$$

y

$$p_{X_1|x_{2_j}}(x_{1_i}) = \frac{p(x_{1_i}, x_{2_j})}{p_2(x_{2_j})} \qquad i = 1, 2, \ldots; \; j = 1, 2, \ldots \qquad (5\text{-}15)$$

donde $p_1(x_{1_i}) > 0$ y $p_2(x_{2_j}) > 0$.

Debe notarse que hay tantas distribuciones condicionales de $X_2$ para una $X_1$ dada como valores $x_1$ con $p_1(x_{1_i}) > 0$, y hay tantas distribuciones condicionales de $X_1$ para una $X_2$ dada como valores $x_{2_j}$ con $p_2(x_{2_j}) > 0$.

**Ejemplo 5.9**   Considérese el conteo de defectos menores y mayores de las pequeñas bombas en el ejemplo 5.2. Serán cinco distribuciones condicionales de

$X_2$, una para cada valor de $X_1$. Ellas se muestran en la figura 5.9a. La distribución $p_{X_2|0}(x_2)$, para $X_1 = 0$, se indica en la figura 5.9a. La figura 5.9b muestra la distribución $p_{X_2|1}(x_2)$. Otras distribuciones condicionales podrían determinarse del mismo modo para $X_1 = 2$, 3 y 4, respectivamente. La distribución de $X_1$ para $X_2 = 3$ es

$$p_{X_1|3}(0) = \frac{1/30}{4/30} = \frac{1}{4}$$

$$p_{X_1|3}(1) = \frac{3/30}{4/30} = \frac{3}{4}$$

$$p_{X_1|3}(x_{1_j}) = 0 \quad \text{en otro caso}$$

Si $[X_1, X_2]$ es un vector continuo aleatorio, las densidades condicionales son

$$f_{X_2|x_1}(x_2) = \frac{f(x_1, x_2)}{f_1(x_1)} \tag{5-16}$$

y

$$f_{X_1|x_2}(x_1) = \frac{f(x_1, x_2)}{f_2(x_2)} \tag{5-17}$$

| $x_{2_j}$ | 0 | 1 | 2 | 3 | 4 |
|---|---|---|---|---|---|
| $p_{X_2\mid 0}(x_{2_j}) = p(0, x_{2_j})/p_1(0)$ | $\dfrac{p(0, 0)}{p_1(0)}$ | $\dfrac{p(0, 1)}{p_1(0)}$ | $\dfrac{p(0, 2)}{p_1(0)}$ | $\dfrac{p(0, 3)}{p_1(0)}$ | $\dfrac{p(0, 4)}{p_1(0)}$ |
| Cociente | $\dfrac{1/30}{7/30} = \dfrac{1}{7}$ | $\dfrac{1/30}{7/30} = \dfrac{1}{7}$ | $\dfrac{1/30}{7/30} = \dfrac{1}{7}$ | $\dfrac{1/30}{7/30} = \dfrac{1}{7}$ | $\dfrac{3/30}{7/30} = \dfrac{3}{7}$ |

a)

| $x_{2_j}$ | 0 | 1 | 2 | 3 | 4 |
|---|---|---|---|---|---|
| $p_{X_2\mid 1}(x_{2_j}) = p(1, x_{2_j})/p_1(1)$ | $\dfrac{p(1, 0)}{p_1(1)}$ | $\dfrac{p(1, 1)}{p_1(1)}$ | $\dfrac{p(1, 2)}{p_1(1)}$ | $\dfrac{p(1, 3)}{p_1(1)}$ | $\dfrac{p(1, 4)}{p_1(1)}$ |
| Cociente | $\dfrac{1/30}{7/30} = \dfrac{1}{7}$ | $\dfrac{1/30}{7/30} = \dfrac{1}{7}$ | $\dfrac{2/30}{7/30} = \dfrac{2}{7}$ | $\dfrac{3/30}{7/30} = \dfrac{3}{7}$ | $\dfrac{0}{7/30} = 0$ |

b)

**Figura 5.9** Algunos ejemplos de distribuciones condicionales.

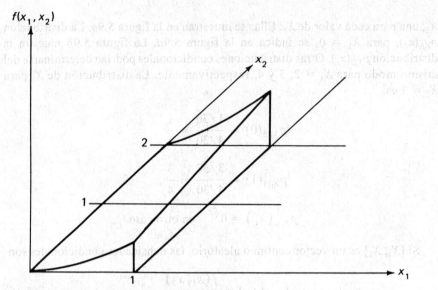

**Figura 5.10**   Función de densidad bivariada.

donde $f_1(x_1) > 0$ y $f_2(x_2) > 0$.

**Ejemplo 5.10**   Suponga que la densidad conjunta de $[X_1, X_2]$ es la función $f$ presentada aquí y que se muestra en la figura 5.10:

$$f(x_1, x_2) = x_1^2 + \frac{x_1 x_2}{3} \qquad 0 < x_1 \le 1, 0 \le x_2 \le 2$$

$$= 0 \qquad\qquad \text{en otro caso}$$

Las densidades marginales son $f_1(x_1)$ y $f_2(x_2)$. Éstas se obtienen como

$$f_1(x_1) = \int_0^2 \left( x_1^2 + \frac{x_1 x_2}{3} \right) dx_2 = 2x_1^2 + \frac{2}{3}x_1 \qquad 0 < x_1 \le 1$$

$$= 0 \qquad\qquad \text{en otro caso}$$

y

$$f_2(x_2) = \int_0^1 \left( x_1^2 + \frac{x_1 x_2}{3} \right) dx_1 = \frac{1}{3} + \frac{x_2}{6} \qquad 0 \le x_2 \le 2$$

$$= 0 \qquad\qquad \text{en otro caso}$$

Las densidades marginales se muestran en la figura 5.11.

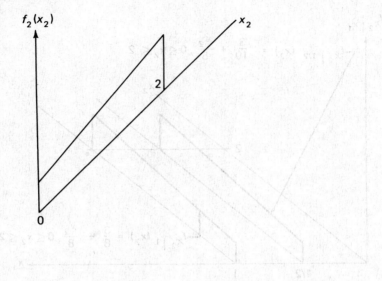

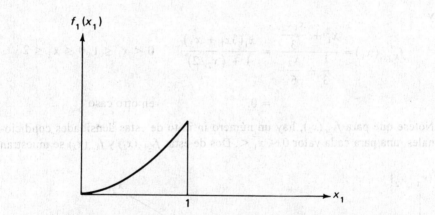

Figura 5.11 Las densidades marginales para el ejemplo 5.10.

Las densidades condicionales pueden determinarse utilizando las ecuaciones 5-16 y 5-17 como

$$f_{X_2|x_1}(x_2) = \frac{x_1^2 + \dfrac{x_1 x_2}{3}}{2x_1^2 + \dfrac{2}{3}x_1} = \frac{1}{2} \cdot \frac{[x_1 + (x_2/3)]}{x_1 + (1/3)} \qquad 0 \le x_2 \le 2, \, 0 < x_1 \le 1$$

$$= 0 \qquad \qquad \text{en otro caso}$$

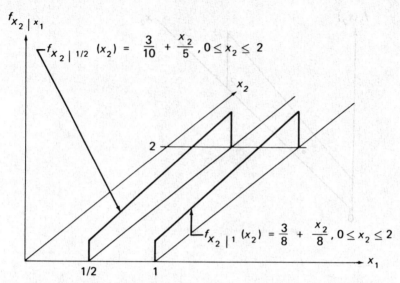

**Figura 5.12**   Dos densidades condicionales $f_{x_2|1/2}$ y $f_{x_2|1}$, ejemplo 5.10.

y

$$f_{X_1|x_2}(x_1) = \frac{x_1^2 + \dfrac{x_1 x_2}{3}}{\dfrac{1}{3} + \dfrac{x_2}{6}} = \frac{x_1(3x_1 + x_2)}{1 + (x_2/2)} \qquad 0 < x_1 \le 1, 0 \le x_2 \le 2$$

$$= 0, \qquad\qquad \text{en otro caso}$$

Nótese que para $f_{X_2|x_1}(x_2)$, hay un número infinito de estas densidades condicionales, una para cada valor $0 < x_1 <$. Dos de éstas $f_{X_2|1/2}(x_2)$ y $f_{X_2|1}(x_2)$ se muestran

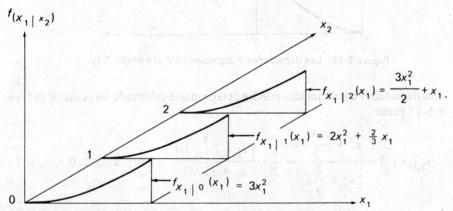

**Figura 5.13**   Tres densidades condicionales $f_{x_1|0}$, $f_{x_1|1}$, y $f_{x_1|2}$, ejemplo 5.10.

en la figura 5.12. Además para $f_{X_1|x_2}(x_1)$, hay un número infinito de estas densidades condicionales, una para cada valor $0 \le x_2 \le 2$. Tres de éstas se muestran en la figura 5.13.

## 5-5 Esperanza condicional

Si $[X_1, X_2]$ es un vector aleatorio discreto, las *esperanzas condicionales* son

$$E\left(X_1|x_{2_j}\right) = \sum_{\text{todo } i} x_{1_i} p_{X_1|x_{2_j}}(x_{1_i}) \tag{5-18}$$

y

$$E\left(X_2|x_{1_i}\right) = \sum_{\text{todo } j} x_{2_j} p_{X_2|x_{1_i}}(x_{2_j}) \tag{5-19}$$

Obsérvese que habrá una $E(X_1|x_2)$ para cada valor de $x_2$. El valor de cada $E(X_1|x_2)$ dependerá del valor de $x_2$, que, a su vez, está gobernado por la función de probabilidad. De modo similar, habrá tantos valores de $E(X_2|x_1)$ como valores $x_{1_i}$ y el valor de $E(X_2|x_1)$ dependerá del valor de $x_{1_i}$ determinado por la función de probabilidad.

**Ejemplo 5.11** Considérese la distribución de probabilidad del vector aleatorio discreto $[X_1, X_2]$, donde $X_1$ representa el número de órdenes de compra de una gran turbina en julio y $X_2$ representa el número de órdenes en agosto. La distribución conjunta, así como las distribuciones marginales se presentan en la figura 5.14. Consideraremos las tres distribuciones condicionales, $p_{X_2|0}$, $p_{X_2|1}$, y $p_{X_2|2}$, y los valores esperados condicionales de cada una:

| | | |
|---|---|---|
| $p_{X_2|0}(x_{2_j}) = \dfrac{1}{6}, \quad x_{2_j} = 0$ | $p_{X_2|1}(x_{2_j}) = \dfrac{1}{10}, \quad x_{2_j} = 0$ | $p_{X_2|2}(x_{2_j}) = \dfrac{1}{2}, \quad x_{2_j} = 0$ |
| $= \dfrac{2}{6}, \quad x_{2_j} = 1$ | $= \dfrac{5}{10}, \quad x_{2_j} = 1$ | $= \dfrac{1}{4} \quad x_{2_j} = 1$ |
| $= \dfrac{2}{6}, \quad x_{2_j} = 2$ | $= \dfrac{3}{10}, \quad x_{2_j} = 2$ | $= \dfrac{1}{4}, \quad x_{2_j} = 2$ |
| $= \dfrac{1}{6}, \quad x_{2_j} = 3$ | $= \dfrac{1}{10}, \quad x_{2_j} = 3$ | $= 0, \quad x_{2_j} = 3$ |
| $= 0, \quad$ en otro caso | $= 0, \quad$ en otro caso | $= 0, \quad$ en otro caso |
| $E(X_2|0) = 0 \cdot \dfrac{1}{6} + 1 \cdot \dfrac{2}{6}$ | $E(X_2|1) = 0 \cdot \dfrac{1}{10} + 1 \cdot \dfrac{5}{10}$ | $E(X_2|2) = 0 \cdot \dfrac{1}{2} + 1 \cdot \dfrac{1}{4}$ |
| $+ 2 \cdot \dfrac{2}{6} + 3 \cdot \dfrac{1}{6} = 1.5$ | $+ 2 \cdot \dfrac{3}{10} + 3 \cdot \dfrac{1}{10} = 1.4$ | $+ 2 \cdot \dfrac{1}{4} + 3 \cdot 0 = .75$ |

| $x_{2_j}$ \ $x_{1_i}$ | 0 | 1 | 2 | $p_2(x_{2_j})$ |
|---|---|---|---|---|
| 0 | 0.05 | 0.05 | 0.10 | 0.2 |
| 1 | 0.10 | 0.25 | 0.05 | 0.4 |
| 2 | 0.10 | 0.15 | 0.05 | 0.3 |
| 3 | 0.05 | 0.05 | 0.00 | 0.1 |
| $p_1(x_{1_i})$ | 0.3 | 0.5 | 0.2 | |

**Figura 5.14**  Distribuciones conjunta y marginal de $[X_1, X_2]$. Los valores en el cuerpo de la tabla son $p(x_1, x_2)$.

Si $[X_1, X_2]$ es un vector aleatorio continuo, las *esperanzas condicionales* son

$$E(X_1|x_2) = \int_{-\infty}^{\infty} x_1 \cdot f_{X_1|x_2}(x_1)\, dx_1 \tag{5-20}$$

y

$$E(X_2|x_1) = \int_{-\infty}^{\infty} x_2 \cdot f_{X_2|x_1}(x_2)\, dx_2 \tag{5-21}$$

y en cada caso habrá un número infinito de valores que el valor esperado puede tomar. En la ecuación 5-20 habrá un valor de $E(X_1|x_2)$ para cada valor $x_2$, y en la ecuación 5-21 habrá un valor de $E(X_2|x_1)$ para cada valor $x_1$.

**Ejemplo 5.12**  En el ejemplo 5.10, consideramos una densidad conjunta $f$, donde

$$f(x_1, x_2) = x_1^2 + \frac{x_1 x_2}{3} \qquad 0 < x_1 \le 1, 0 \le x_2 \le 2$$

$$= 0 \qquad \text{en otro caso}$$

Las densidades condicionales fueron

$$f_{X_2|x_1}(x_2) = \frac{1}{2} \cdot \frac{x_1 + (x_2/3)}{x_1 + (1/3)} \qquad 0 \le x_2 \le 2, 0 < x_1 \le 1$$

y

$$f_{X_1|x_2}(x_1) = \frac{x_1(3x_1 + x_2)}{1 + (x_2/2)} \qquad 0 < x_1 \le 1, 0 \le x_2 \le 2$$

Luego, empleando la ecuación 5-21, la $E(X_2|x_1)$ se determina como

$$E(X_2|x_1) = \int_0^2 x_2 \cdot \frac{1}{2} \cdot \frac{x_1 + (x_2/3)}{x_1 + (1/3)} \, dx_2$$

$$= \frac{9x_1 + 4}{9x_1 + 3}$$

Debe notarse que ésta es una función de $x_1$. En las dos densidades condicionales mostradas en la figura 5.12, donde $x_1 = \frac{1}{2}$ y $x_1 = 1$, los valores esperados correspondientes son $E(X_2|\frac{1}{2}) = \frac{17}{15}$ y $E(X_2|1) = \frac{13}{12}$.

Puesto que $E(X_2|x_1)$ es una función de $x_1$, y $x_1$ es un valor de la variable aleatoria $X_1$, $E(X_2|X_1)$ es una variable aleatoria, y podemos considerar el valor esperado de $E(X_2|X_1)$, esto es, $E[E(X_2|X_1)]$. El operador interior es la esperanza de $X_2$ dada $X_1 = x_1$, y la esperanza exterior es con respecto a la densidad marginal de $X_1$; por tanto

$$E[E(X_2|X_1)] = E(X_2) = \mu_2 \tag{5-22}$$

y

$$E[E(X_1|X_2)] = E(X_1) = \mu_1 \tag{5-23}$$

**Ejemplo 5.13**  En el ejemplo 5.12, encontramos $E(X_2|X_1) = (9x_1 + 4)/(9x_1 + 3)$. Por consiguiente

$$E[E(X_2|X_1)] = \int_0^1 \left[ \frac{9x_1 + 4}{9x_1 + 3} \right] \cdot \left( 2x_1^2 + \frac{2}{3}x_1 \right) dx_1 = \frac{10}{9}$$

Nótese que esto es también $E(X_2)$, ya que

$$E(X_2) = \int_\infty^\infty x_2 f_2(x_2) \, dx_2 = \int_0^2 x_2 \cdot \left( \frac{1}{3} + \frac{x_2}{6} \right) dx_1 = \frac{10}{9}$$

El *operador varianza* puede aplicarse a las distribuciones condicionales exactamente como en el caso univariado.

## 5-6  Regresión de la media

Se ha observado previamente que $E(X_2|x_1)$ es un valor de $E(X_2|X_1)$ para una $X_1 = x_1$ particular, y es una función de $x_1$, La gráfica de esta función se llama la re- gresión de $X_2$ sobre $X_1$. De modo alternativo, la función $E(X_1|x_2)$ se llamaría la regresión de $X_1$ sobre $X_2$. Esto se demuestra en la figura 5.15.

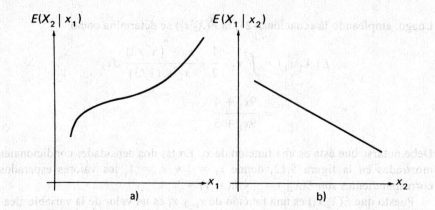

**Figura 5.15** Algunas curvas de regresión. *a*) Regresión de $X_2$ sobre $X_1$. *b*) Regresión de $X_1$ sobre $X_2$.

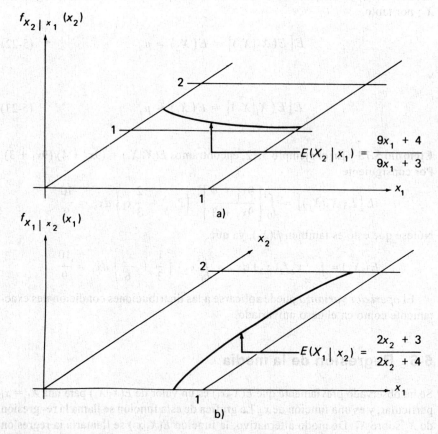

**Figura 5.16** *a*) Regresión de $X_2$ sobre $X_1$. *b*) Regresión de $X_1$ sobre $X_2$.

**Ejemplo 5.14**  En el ejemplo 5.12 encontramos $E(X_2|x_1)$ para la densidad bivariada del ejemplo 5.10, esto es

$$f(x_1, x_2) = x_1^2 + \frac{x_1 x_2}{3} \qquad 0 < x_1 \le 1, 0 \le x_2 \le 2$$

$$= 0 \qquad\qquad \text{en otro caso}$$

El resultante fue

$$E(X_2|x_1) = \frac{9x_1 + 4}{9x_1 + 3}$$

De manera similar, podemos obtener

$$E(X_1|x_2) = \int_0^1 x_1 \cdot \left[ \frac{3x_1^2 + x_1 x_2}{1 + (x_2/2)} \right] dx_1$$

$$= \frac{2x_2 + 3}{2x_2 + 4}$$

Estas curvas de regresión se muestran en la figura 5.16.

La regresión se estudiará otra vez en los capítulos 14 y 15.

## 5-7  Independencia de variables aleatorias

Las nociones de independencia, y de variables aleatorias independiente, son conceptos estadísticos muy útiles e importantes. En el capítulo 2 se introdujo la idea de eventos independientes y se dio una definición formal de este concepto. Ahora estamos interesados en la definición de *variables aleatorias independientes*. Cuando el resultado de una variable, digamos $X_1$, no afecta el resultado de $X_2$, y viceversa, afirmamos que las variables $X_1$ y $X_2$ son independientes.

## Definición

1.  Si $[X_1, X_2]$ es un vector aleatorio discreto, decimos entonces que $X_1$ y $X_2$ son independientes si y sólo si

$$p(x_{1_i}, x_{2_j}) = p_1(x_{1_i}) \cdot p_2(x_{2_j}) \qquad (5\text{-}24)$$

para todo $i$ y $j$.

2. Si $[X_1, X_2]$ es un vector aleatorio continuo, decimos entonces que $X_1$ y $X_2$ son independientes si y sólo si

$$f(x_1, x_2) = f_1(x_1) \cdot f_2(x_2) \qquad (5\text{-}25)$$

para todo $x_1$ y $x_2$.

Al utilizar esta definición, y las propiedades de las distribuciones condicionales, podemos entender el concepto de independencia a un teorema.

## Teorema 5-1

1. Sea $[X_1, X_2]$ un vector aleatorio discreto. Entonces

$$p_{X_2|x_{1_i}}(x_{2_j}) = p_2(x_{2_j})$$

y

$$p_{X_1|x_{2_j}}(x_{1_i}) = p_1(x_{1_i})$$

para todo $i$ y $j$ si y sólo si $X_1$ y $X_2$ son independientes.
2. Sea $X_1, X_2$ un vector aleatorio continuo. Entonces

$$f_{X_2|x_1}(x_2) = f_2(x_2)$$

y

$$f_{X_1|x_2}(x_1) = f_1(x_1)$$

para todo $x_1$ y $x_2$ si y sólo si $X_1$ y $X_2$ son independientes.

| $x_{2_j}$ \ $x_{1_i}$ | 0 | 1 | 2 | 3 | 4 | $p_2(x_{2_j})$ |
|---|---|---|---|---|---|---|
| 0 | 0.02 | 0.04 | 0.06 | 0.04 | 0.04 | 0.2 |
| 1 | 0.02 | 0.04 | 0.06 | 0.04 | 0.04 | 0.2 |
| 2 | 0.01 | 0.02 | 0.03 | 0.02 | 0.02 | 0.1 |
| 3 | 0.04 | 0.08 | 0.12 | 0.08 | 0.08 | 0.4 |
| 4 | 0.01 | 0.02 | 0.03 | 0.02 | 0.02 | 0.1 |
| $p_1(x_{1_i})$ | 0.1 | 0.2 | 0.3 | 0.2 | 0.2 | |

**Figura 5.17**   Probabilidades conjuntas para solicitudes de grúa.

**Prueba**   Refiérase al ejercicio 5-16.

Nótese que el requisito para que la distribución conjunta sea factorizable en las distribuciones marginales respectivas es un poco similar al requerimiento relativo de que, para eventos independientes, la probabilidad de la intersección de eventos es igual al producto de las probabilidades de los eventos.

**Ejemplo 5.15**   Un servicio de tránsito citadino recibe llamadas de autobuses descompuestos y la cuadrilla de carros grúa debe arrastrar los autobuses al taller de reparaciones. La distribución conjunta del número de llamadas recibidas los lunes y los martes se da en la figura 5.17, junto con las distribuciones marginales. La variable $X_1$ representa el número de llamadas los lunes y $X_2$, el número de llamadas recibidas los martes. Una inspección rápida indicará que $X_1$ y $X_2$ son independientes, puesto que las probabilidades conjuntas son el producto de las probabilidades marginales.

## 5-8   Covarianza y correlación

Hemos notado que $E(X_1) = \mu_1$ y $V(X_1) = \sigma_1^2$ son la media y la varianza de $X_1$, pueden determinarse a partir de la distribución marginal de $X_1$. De manera similar, $\mu_2$ y $\sigma_2^2$ son la media y la varianza de $X_2$. Dos medidas que se utilizan para describir el *grado de asociación* entre $X_1$ y $X_2$ son la *covarianza* de $[X_1, X_2]$ y el *coeficiente de correlación*.

## Definición

Si $[X_1, X_2]$ es una variable aleatoria bidimensional, la *covarianza*, denotada por $\sigma_{12}$, es

$$\text{Cov}(X_1, X_2) = \sigma_{12} = E\big[(X_1 - E(X_1))(X_2 - E(X_2))\big] \qquad (5\text{-}26)$$

y el *coeficiente de correlación*, denotado por $\rho$, es

$$\rho = \frac{\text{Cov}(X_1, X_2)}{\sqrt{V(X_1)} \cdot \sqrt{V(X_2)}} = \frac{\sigma_{12}}{\sigma_1 \cdot \sigma_2} \qquad (5\text{-}27)$$

El coeficiente de correlación es una cantidad adimensional que mide la asociación lineal entre dos variables aleatorias. Al efectuar las operaciones de multiplicación en la ecuación 5-26 antes de distribuir el operador exterior del valor esperado entre las cantidades resultantes, obtenemos una forma alternativa para la covarianza del siguiente modo:

$$\text{Cov}(X_1, X_2) = E(X_1 \cdot X_2) - \big[E(X_1) \cdot E(X_2)\big] \qquad (5\text{-}28)$$

## Teorema 5-2

Si $X_1$ y $X_2$ son independientes, entonces $\rho = 0$.

**Prueba**  Si $X_1$ y $X_2$ son independiente,

$$
\begin{aligned}
E(X_1 \cdot X_2) &= \int_{-\infty}^{\infty} \int_{-\infty}^{\infty} x_1 x_2 \cdot f(x_1, x_2)\, dx_1\, dx_2 \\
&= \int_{-\infty}^{\infty} \int_{-\infty}^{\infty} x_1 f_1(x_1) \cdot x_2 f_2(x_2)\, dx_1\, dx_2 \\
&= \left[ \int_{-\infty}^{\infty} x_1 f_1(x_1)\, dx_1 \right] \cdot \left[ \int_{-\infty}^{\infty} x_2 f_2(x_2)\, dx_2 \right] \\
&= E(X_1) \cdot E(X_2)
\end{aligned}
$$

De este modo $\mathrm{Cov}(X_1, X_2) = 0$ de la ecuación 5-28, y $\rho = 0$ de la ecuación 5-27. Se utilizaría un argumento similar para $[X_1, X_2]$ discreta.

El inverso del teorema no necesariamente es cierto, y podemos tener $\rho = 0$ sin que las variables sean *independientes*. En este caso se afirma que ellas *no están correlacionadas*.

## Teorema 5-3

El valor de $\rho$ estará en el intervalo $[-1, +1]$, esto es

$$-1 \le \rho \le +1$$

**Prueba**  Considérese la función $Q$ definida a continuación e ilustrada en la figura 5.18.

$$Q(t) = E\left[(X_1 - E(X_1)) + t(X_2 - E(X_2))\right]^2$$

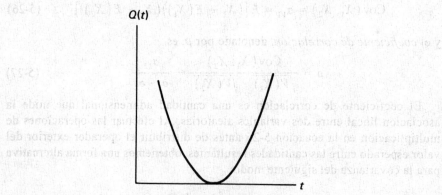

**Figura 5.18**  La $Q(t)$ cuadrática.

$$= E[X_1 - E(X_1)]^2 = 2tE[(X_1 - E(X_1))(X_2 - E(X_2))]$$
$$+ t^2 E[X_2 - E(X_2)]^2$$

Puesto que $Q(t) \geq 0$, el discriminante de $Q(t)$ debe ser $\leq 0$, por lo que

$$\{2E[(X_1 - E(X_1))(X_2 - E(X_2))]\}^2 - 4E[X_2 - E(X_2)]^2 E[X_1 - E(X_1)]^2 \leq 0$$

Resulta que

$$4[\mathrm{Cov}(X_1, X_2)]^2 - 4V(X_2) \cdot V(X_1) \leq 0$$

de modo que

$$\frac{[\mathrm{Cov}(X_1, X_2)]^2}{V(X_1)V(X_2)} \leq 1$$

y

$$-1 \leq \rho \leq +1 \qquad (5\text{-}29)$$

**Ejemplo 5.16** Un vector aleatorio continuo $[X_1, X_2]$ tiene una función de densidad como la siguiente:

$$f(x_1, x_2) = 1 \qquad -x_2 < x_1 < +x_2, 0 < x_2 < 1$$
$$= 0 \qquad \text{en otro caso}$$

Esta función se muestra en la figura 5.19.

Las densidades marginales son

$$f_1(x_1) = 1 - x_1 \quad \text{para } 0 < x_1 < 1$$
$$= 1 + x_1 \quad \text{para } -1 < x_1 < 0$$
$$= 0 \qquad \text{en otro caso}$$

y

$$f_2(x_2) = 2x_2 \qquad 0 < x_2 < 1$$
$$= 0 \qquad \text{en otro caso}$$

Puesto que $f(x_1, x_2) \neq f_1(x_1) \cdot f_2(x_2)$, las variables *no son independientes*. Si calculamos la covarianza, obtenemos

$$\mathrm{Cov}(X_1, X_2) = \int_0^1 \int_{-x_2}^{x_2} x_1 \cdot x_2 \cdot 1 \, dx_1 \, dx_2 - 0 = 0$$

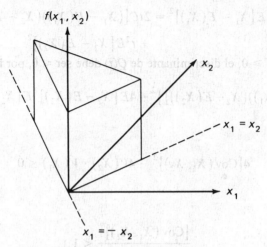

**Figura 5.19**  Una densidad conjunta.

y en consecuencia $\rho = 0$, así que las variables *no están correlacionadas* aunque no son independientes.

Por último, se observa que si $X_2$ se relaciona linealmente con $X_1$, esto es $X_2 = A + BX_1$, entonces $\rho^2 = 1$. Si $B > 0$, $\rho = +1$; y si $B < 0$, $\pi = -1$. De tal modo, como se observó antes, el coeficiente de correlación es una medida de la asociación lineal entre dos variables aleatorias.

## 5-9  Función de distribución para variables aleatorias bidimensionales

La función de distribución del vector aleatorio $[X_1, X_2]$ es $F$, donde

$$F(x_1, x_2) = P(X_1 \le x_1, X_2 \le x_2) \tag{5-30}$$

Ésta es la probabilidad sobre la región sombreada en la figura 5.20.

Si $[X_1, X_2]$ es discreta, entonces

$$F(x_1, x_2) = \sum_{t_2 = -\infty}^{x_2} \sum_{t_1 = -\infty}^{x_1} p(t_1, t_2) \tag{5-31}$$

y si $[X_1, X_2]$ es continua, entonces

$$F(x_1, x_2) = \int_{-\infty}^{x_2} \int_{-\infty}^{x_1} f(t_1, t_2)\, dt_1\, dt_2 \tag{5-32}$$

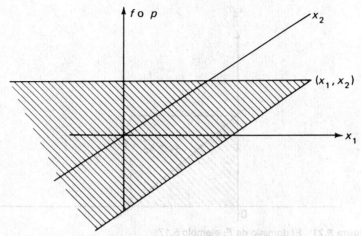

**Figura 5.20** Dominio de integración o suma para $F(x_1, x_2)$.

Debe tenerse cuidado al definir $F$ para todo el plano euclidiano. También en este caso si la claridad lo requiere, puede utilizarse un subíndice $x$ en la función $F$ como $F_x(x_1, x_2)$.

**Ejemplo 5.17** Supóngase que $X_1$ y $X_2$ tienen la siguiente densidad:

$$f(x_1, x_2) = 24x_1x_2 \qquad x_1 > 0, \ x_2 > 0, \ x_1 + x_2 < 1$$
$$= 0 \qquad \text{en otro caso}$$

Al mirar el plano euclidiano que se muestra en la figura 5.21 vemos varios casos que deben considerarse:

a)  $x_1 \le 0$, $F(x_1, x_2) = 0$
b)  $x_2 \le 0$, $F(x_1, x_2) = 0$
c)  $0 < x_1 < 1$ y $x_1 + x_2 < 1$,

$$F(x_1, x_2) = \int_0^{x_2} \int_0^{x_1} 24t_1t_2 \, dt_1 \, dt_2$$
$$= 6x_1^2 \cdot x_2^2$$

d)  $0 < x_1 < 1$ y $1 - x_1 \le x_2 \le 1$,

$$F(x_1, x_2) = \int_0^{x_2} \int_0^{1-t_2} 24t_1t_2 \, dt_1 \, dt_2 + \int_0^{1-x_1} \int_0^{1-t_2} 24t_1t_2 \, dt_1 \, dt_2$$

$$= 6x_2^2 - 8x_2^3 + 3x_2^4 + 3(1-x_1)^4 - 8(1-x_1)^3$$
$$+ 6(1-x_1)^2(1-x_1^2)$$

$$f(x_1, x_2) = 24x_1x_2 \qquad x_1 > 0, \ x_2 > 0, \ x_1 + x_2 < 1$$
$$= 0 \qquad \text{en otro caso}$$

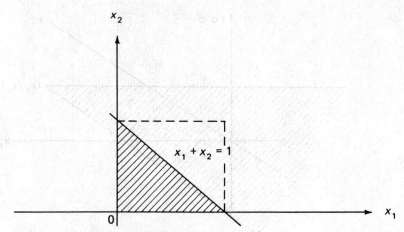

**Figura 5.21** El dominio de $F$, ejemplo 5.17.

e) $0 < x_1 < 1$ y $x_2 > 1$,

$$F(x_1, x_2) = \int_0^{x_1} \int_0^{1-t_1} 24t_1 t_2 \, dt_2 \, dt_1$$

$$= 6x_1^2 - 8x_1^3 + 3x_1^4$$

f) $0 \le x_2 \le 1$ y $x_1 \ge 1$,

$$F(x_1, x_2) = 6x_2^2 - 8x_2^3 + 3x_2^4$$

g) $x_1 \ge 1$ y $x_2 \ge 1$,

$$F(x_1, x_2) = 1$$

La función $F$ tiene propiedades análogas a las estudiadas en el caso unidimensional. Vemos que cuando $X_1$ y $X_2$ son continuas,

$$\frac{\partial^2 F(x_1, x_2)}{\partial x_1 \, \partial x_2} = f(x_1, x_2)$$

si existen las derivadas.

## 5-10 Funciones de dos variables aleatorias

A menudo estaremos interesados en funciones con varias variables aleatorias; sin embargo, por ahora, esta sección se concentrará en funciones de dos variables, por ejemplo $Y = H(X_1, X_2)$. Puesto que $X_1 = X_1(e)$ y $X_2 = X_2(e)$, $Y = H[X_1(e), X_2(e)]$ depende sin ninguna duda del resultado del experimento original y, por ello, $Y$ es una variable aleatoria con espacio del rango $R_Y$.

El problema de encontrar la distribución de $Y$ es un poco más complicado que en el caso de funciones de una variable; sin embargo, si $[X_1, X_2]$ es discreta, el procedimiento es directo si $X_1$ y $X_2$ toman un número relativamente pequeño de valores.

**Ejemplo 5.18**  Si $X_1$ representa el número de unidades defectuosas producidas por la máquina 1 en una hora y $X_2$ representa el número de unidades defectuosas producidas por la máquina 2 en la misma hora, la distribución conjunta podría presentarse como en la figura 5.22. Además, supóngase que la variable aleatoria $Y = H(X_1, X_2)$, donde $H(x_1, x_2) = 2x_1 + x_2$. Se deduce que $R_Y = \{0, 1, 2, 3, 4, 5, 6, 7, 8, 9\}$. Para determinar, digamos, $P(Y = 0) = p_Y(0)$ notamos que $Y = 0$ si y sólo si $X_1 = 0$ y $X_2 = 0$; en consecuencia $p_Y(0) = .02$.

Notamos que $Y = 1$ si y sólo si $X_1 = 0$ y $X_2 = 1$; por tanto, $p_Y(1) = .06$. Vemos también que $Y = 2$ si y sólo si $y$ sea $X_1 = 0$, $X_2 = 2$ o $X_1 = 1$, $X_2 = 0$; por lo que $p_Y(2) = .10 + .03 = .13$. Mediante una lógica similar, obtenemos el resto de la distribución, como sigue.

| $y_i$ | $p_Y(y_i)$ |
|---|---|
| 0 | .02 |
| 1 | .06 |
| 2 | .13 |
| 3 | .11 |
| 4 | .19 |
| 5 | .15 |
| 6 | .21 |
| 7 | .07 |
| 8 | .05 |
| 9 | .01 |
| en otro caso | 0 |

| $x_{1_i}$ / $x_{2_j}$ | 0 | 1 | 2 | 3 | $p_2(x_{2_j})$ |
|---|---|---|---|---|---|
| 0 | 0.02 | 0.03 | 0.04 | 0.01 | 0.1 |
| 1 | 0.06 | 0.09 | 0.12 | 0.03 | 0.3 |
| 2 | 0.10 | 0.15 | 0.20 | 0.05 | 0.5 |
| 3 | 0.02 | 0.03 | 0.04 | 0.01 | 0.1 |
| $p_1(x_{1_i})$ | 0.2 | 0.3 | 0.4 | 0.1 | |

**Figura 5.22**  Distribución conjunta de defectos producidos en dos máquinas $p(x_1, x_2)$.

En el caso donde el vector aleatorio es continuo y $H(x_1, x_2)$ es continua, entonces $Y = H(X_1, X_2)$ es una variable aleatoria unidimensional continua. El procedimiento general para la determinación de la función de densidad de $Y$ se describe en seguida.

1.  Estamos dando $Y = H_1(X_1, X_2)$.
2.  Se introduce una segunda variable aleatoria $Z = H_2(X_1, X_2)$. Se selecciona por conveniencia la función $H_2$, pero deseamos poder resolver $y = H_1(x_1, x_2)$ y $z = H_2(x_1, x_2)$ para $x_1$ y $x_2$ en términos de $y$ y $z$.
3.  Se encuentra $x_1 = G_1(y, z)$, y $x_2 = G_2(y, z)$.
4.  Se encuentran las siguientes derivadas parciales (suponemos que existen y que son continuas):

$$\frac{\partial x_1}{\partial y} \qquad \frac{\partial x_1}{\partial z} \qquad \frac{\partial x_2}{\partial y} \qquad \frac{\partial x_2}{\partial z}$$

5.  La densidad conjunta de $[Y, Z]$, denotada por $\ell(y, z)$, se obtiene de la siguiente forma:

$$\ell(y, z) = f\left[G_1(y, z), G_2(y, z)\right] \cdot |J(y, z)| \qquad (5\text{-}34)$$

donde $J(y, z)$, llamado el *jacobiano* de la transformación, está dado por el siguiente determinante:

$$J(y, z) = \begin{vmatrix} \partial x_1/\partial y & \partial x_1/\partial z \\ \partial x_2/\partial y & \partial x_2/\partial z \end{vmatrix} \qquad (5\text{-}35)$$

6.  La densidad de $Y$, digamos $g_Y$, se obtiene como

$$g_Y(y) = \int_{-\infty}^{\infty} \ell(y, z)\, dz \qquad (5\text{-}36)$$

**Ejemplo 5.19**  Considérese el vector aleatorio continuo $[X_1, X_2]$ con la densidad siguiente:

$$f(x_1, x_2) = 4e^{-2(x_1 + x_2)} \qquad x_1 > 0,\ x_2 > 0$$

$$= 0 \qquad\qquad \text{en otro caso}$$

Supóngase que nos interesa la distribución de $Y = X_1/X_2$. Dejamos que $y = x_1/x_2$ y elegimos $z = x_1 + x_2$ de modo que $x_1 = yz/(1 + y)$ y $x_2 = z/(1 + y)$. Resulta que

$$\partial x_1/\partial y = z\left[\frac{1}{(1 + y)^2}\right] \qquad \text{y} \qquad \partial x_1/\partial z = \left[\frac{y}{(1 + y)}\right]$$

$$\partial x_2 / \partial y = z \left[ \frac{-1}{(1+y)^2} \right] \qquad y \qquad \partial x_2 / \partial z = \left[ \frac{1}{(1+y)} \right]$$

Por consiguiente,

$$J(y, z) = \begin{vmatrix} \dfrac{z}{(1+y)^2} & \dfrac{y}{(1+y)} \\ -\dfrac{z}{(1+y)^2} & \dfrac{1}{(1+y)} \end{vmatrix} = \frac{z}{(1+y)^3} + \frac{zy}{(1+y)^3} = \frac{z}{(1+y)^2}$$

y

$$f\left[ G_1(y, z), G_2(y, z) \right] = 4e^{-2\{[yz/(1+y)] + [z/(1+y)]\}}$$

$$= 4e^{-2z}$$

En consecuencia,

$$\ell(y, z) = [4e^{-2z}] \cdot \frac{z}{(1+y)^2}$$

y

$$g_Y(y) = \int_0^\infty 4e^{-2z} \left[ z/(1+y)^2 \right] dz$$

$$= \frac{1}{(1+y)^2} \qquad y > 0$$

$$= 0 \qquad \text{en otro caso}$$

## 5-11   Distribuciones conjuntas de dimensión $n > 2$

En caso de que tengamos tres o más variables aleatorias, el vector aleatorio se denotará como $[X_1, X_2, \ldots, X_n]$, y las extensiones se desprenden del caso bidimensional. Supongamos que las variables son continuas; no obstante, los resultados pueden extenderse de inmediato al caso discreto sustituyendo las operaciones de suma apropiadas por integrales. Suponemos la existencia de una densidad conjunta $f$ tal que

$$f(x_1, x_2, \ldots, x_n) \ge 0 \tag{5-37}$$

y

$$\int_{-\infty}^\infty \int_{-\infty}^\infty \cdots \int_{-\infty}^\infty f(x_1, x_2, \ldots, x_n) \, dx_n \cdots dx_2 \, dx_1 = 1$$

En consecuencia

$$P(a_1 \leq X_1 \leq b_1, a_2 \leq X_2 \leq b_2, \ldots, a_n \leq X_n \leq b_n)$$

$$= \int_{a_1}^{b_1} \int_{a_2}^{b_2} \cdots \int_{a_n}^{b_n} f(x_1, x_2, \ldots, x_n) \, dx_n \cdots dx_2 \, dx_1 \qquad (5\text{-}38)$$

Las densidades marginales se determinan del modo siguiente:

$$f_1(x_1) = \int_{-\infty}^{\infty} \int_{-\infty}^{\infty} \cdots \int_{-\infty}^{\infty} f(x_1, x_2, \ldots, x_n) \, dx_n \cdots dx_2$$

$$f_2(x_2) = \int_{-\infty}^{\infty} \int_{-\infty}^{\infty} \cdots \int_{-\infty}^{\infty} f(x_1, x_2, \ldots, x_n) \, dx_n \cdots dx_3 \, dx_1$$

$$f_n(x_n) = \int_{-\infty}^{\infty} \int_{-\infty}^{\infty} \cdots \int_{-\infty}^{\infty} f(x_1 x_2, \ldots, x_n) \, dx_{n-1} \cdots dx_2 \, dx_1$$

La integración es sobre todas las variables que tienen un subíndice diferente al de aquella para la cual se requiere la densidad marginal.

## Definición

Las variables $[X_1, \ldots, X_n]$ son variables aleatorias independientes si y sólo si para toda $[x_1, x_2, \ldots, x_n]$

$$f(x_1, x_2, \ldots, x_n) = f_1(x_1) \cdot f_2(x_2) \cdot \cdots \cdot f_n(x_n) \qquad (5\text{-}39)$$

El valor esperado de, por ejemplo $X_1$, es

$$E(X_1) = \int_{-\infty}^{\infty} \int_{-\infty}^{\infty} \cdots \int_{-\infty}^{\infty} x_1 \cdot f(x_1, x_2, \ldots, x_n) \, dx_1 \, dx_2 \cdots dx_n \quad (5\text{-}40)$$

y la varianza es

$$V(X_1) = \int_{-\infty}^{\infty} \int_{-\infty}^{\infty} \cdots \int_{-\infty}^{\infty} (x_1 - \mu_1)^2 \cdot f(x_1, x_2, \ldots, x_n) \, dx_1 \, dx_2 \cdots dx_n$$
$$(5\text{-}41)$$

Reconocemos éstas como la media y la varianza respectivamente, de la distribución marginal de $X_1$.

En el caso bidimensional considerado antes, fueron instructivas las interpretaciones geométricas; no obstante, al tratar con vectores aleatorios $n$-dimensionales, el espacio del rango es el espacio euclidiano $n$, y por ello no son posibles las representaciones gráficas. A pesar de ello, las distribuciones marginales están en una dimensión y la distribución condicional para una variable dados los valores correspondientes a las otras variables está en una dimensión. La distribución condicional de $X_1$ dados los valores $(x_2, x_3, \ldots, x_n)$ se denota por

$$f_{X_1|x_2,\ldots,x_n}(x_1) = \frac{f(x_1, x_2, \ldots, x_n)}{\displaystyle\int_{-\infty}^{\infty} f(x_1, x_2, \ldots, x_n)\, dx_1} \qquad (5\text{-}42)$$

y el valor esperado de $X_1$ para las $(x_2, \ldots, x_n)$ dadas es

$$E(X_1|x_2, x_3, \ldots, x_n) = \int_{-\infty}^{\infty} x_1 \cdot f_{X_1|x_2,\ldots,x_n}(x_1)\, dx_1 \qquad (5\text{-}43)$$

La gráfica hipotéticas de $E(X_1|x_2, \ldots, x_n)$ como una función del vector $[x_2, \ldots, x_n]$ se llama la *regresión de $X_1$ sobre $(X_2, \ldots, X_n)$*.

## 5-12 Combinaciones lineales

Las combinaciones de funciones generales de variables aleatorias como $X_1$, $X_2$, $\ldots, X_n$, está más allá del alcance de este libro. Sin embargo, hay una función particular de la forma $Y = H(X_1, \ldots, X_n)$, donde

$$H(X_1, X_2, \ldots, X_n) = a_0 + a_1 X_1 + \cdots + a_n X_n \qquad (5\text{-}44)$$

que es de interés. Las $a_i$ son constantes reales para $i = 0, 1, 2, \ldots, n$. Ésta recibe el nombre de *combinación lineal* de las variables $X_1$, $X_2$, $\ldots, X_n$. Ocurre una situación especial cuando $a_0 = 0$ y $a_1 = a_2 = \ldots = a_n = 1$, en cuyo caso tenemos una *suma* $Y = X_1 + X_2 + \ldots + X_n$.

**Ejemplo 5.20** Cuatro resistores se conectan en serie como se muestra en la figura 5.23. Cada resistor tiene una resistencia que es una variable aleatoria. La resistencia del arreglo puede denotarse con la letra $Y$, donde $Y = X_1 + X_2 + X_3 + X_4$.

**Ejemplo 5.21** Dos piezas se ensamblarán como se muestra en la figura 5.24. El espacio libre puede expresarse como $Y = X_1 - X_2$ o $Y = (1)X_1 + (-1)X_2$. Desde luego, un espacio libre negativo significará interferencia. Ésta es una combinación lineal con $a_0 = 0$, $a_1 = 1$, y $a_2 = -1$.

**Ejemplo 5.22** Una muestra de 10 artículos se seleccionan al azar de la salida de un proceso que fabrica pequeños ejes utilizados en motores de ventiladores

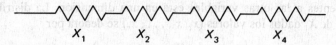

**Figura 5.23**   Resistencias en serie.

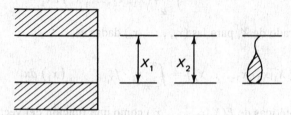

**Figura 5.24**   Ensamble simple.

eléctricos, y se va a medir el diámetro con un valor denominado la medida de la
muestra que se calcula de la manera siguiente:

$$\overline{X} = \frac{1}{10}(X_1 + X_2 + \cdots + X_{10})$$

El valor $\overline{X} = \frac{1}{10}X_1 + \frac{1}{10}X_2 + \ldots + \frac{1}{10}X_{10}$ es una combinación lineal con $a_0 = 0$ y
$a_1 = a_2 = \ldots = a_{10} = \frac{1}{10}$.

Consideraremos a continuación cómo determinar la media y la varianza de
combinaciones lineales. Considérese la suma de dos variables aleatorias,

$$Y = X_1 + X_2 \qquad (5\text{-}45)$$

La media de $Y$ o $\mu_Y = E(Y)$ está dada como

$$E(Y) = E(X_1) + E(X_2) \qquad (5\text{-}46)$$

sin embargo, el cálculo de la varianza no es tan obvio.

$$V(Y) = E[Y - E(Y)]^2 = E(Y^2) - [E(Y)]^2$$

$$= E[(X_1 + X_2)^2] - [E(X_1 + X_2)]^2$$

$$= E[X_1^2 + 2X_1X_2 + X_2^2] - [E(X_1) + E(X_2)]^2$$

$$= E(X_1^2) + 2E(X_1X_2) + E(X_2^2) - [E(X_1)]^2$$

$$- 2E(X_1) \cdot E(X_2) - [E(X_2)]^2$$

$$= \left\{ E(X_1^2) - [E(X_1)]^2 \right\} + \left\{ E(X_2^2) - [E(X_2)]^2 \right\}$$

$$+ 2[E(X_1 X_2) - E(X_1) \cdot E(X_2)]$$

$$V(Y) = V(X_1) + V(X_2) + 2\operatorname{Cov}(X_1, X_2)$$

o

$$\sigma_Y^2 = \sigma_1^2 + \sigma_2^2 + 2\sigma_{12} \tag{5-47}$$

Estos resultados se generalizan a cualquier combinación lineal

$$Y = a_0 + a_1 X_1 + a_2 X_2 + \cdots + a_n X_n \tag{5-48}$$

como sigue:

$$E(Y) = a_0 + \sum_{i=1}^{n} a_i E(X_i)$$

$$= a_0 + \sum_{i=1}^{n} a_i \mu_i \tag{5-49}$$

donde $E(X_i) = \mu_i$, y

$$V(Y) = \sum_{i=1}^{n} a_i^2 V(X_i) + \sum_{i=1}^{n} \sum_{\substack{j=1 \\ i \neq j}}^{n} a_i a_j \operatorname{Cov}(X_i, X_j) \tag{5-50}$$

o

$$\sigma_Y^2 = \sum_{i=1}^{n} a_i^2 \sigma_i^2 + \sum_{i=1}^{n} \sum_{\substack{j=1 \\ i \neq j}}^{n} a_i a_j \sigma_{ij}$$

Si las *variables son independientes*, la expresión para la varianza de $Y$ se simplifica de modo considerable, puesto que todos los términos de la covarianza son cero. En esta situación la varianza de $Y$ es simplemente:

$$V(Y) = \sum_{i=1}^{n} a_i^2 \cdot V(X_i) \tag{5-51}$$

o

$$\sigma_Y^2 = a_1^2 \sigma_1^2 + a_2^2 \sigma_2^2 + \cdots + a_n^2 \sigma_n^2$$

**Ejemplo 5.23** En el ejemplo 5.20 se conectaron cuatro resistores en serie de modo que $Y = X_1 + X_2 + X_3 + X_4$ fue la resistencia del arreglo, y $X_1$ fue la resistencia del primer resistor, y así sucesivamente. La media y la varianza de $Y$ en términos de las medias y las varianzas de las componentes pueden calcularse con facilidad. Si los resistores se eligen al azar para el arreglo, es razonable suponer que $X_1, X_2, X_3$, y $X_4$ son independientes, por lo que

$$\mu_Y = \mu_1 + \mu_2 + \mu_3 + \mu_4$$

y

$$\sigma_Y^2 = \sigma_1^2 + \sigma_2^2 + \sigma_3^2 + \sigma_4^2$$

No hemos afirmado aún nada acerca de la distribución de $Y$; sin embargo, dadas la media y la varianza de $X_1$, $X_2$, $X_3$ y $X_4$, podemos calcular sin dificultades la media y la varianza de $Y$ puesto que las variables son independientes.

**Ejemplo 5.24**  En el ejemplo 5.21 donde se ensamblaron dos componentes, supóngase que la distribución $[X_1, X_2]$ es

$$f(x_1, x_2) = 8e^{-(2x_1 + 4x_2)} \qquad x_1 \geq 0, \ x_2 \geq 0$$
$$= 0 \qquad\qquad\qquad \text{en otro caso}$$

Puesto que $f(x_1, x_2)$ puede factorizarse con facilidad como

$$f(x_1, x_2) = [2e^{-2x_1}] \cdot [4e^{-4x_2}]$$
$$= f_1(x_1) \cdot f_2(x_2)$$

$X_1$ y $X_2$ son independientes. Además, $E(X_1) = \mu_1 = \frac{1}{2}$, y $E(X_2) = \mu_2 = \frac{1}{4}$. Es posible calcular las varianzas.

$$V(X_1) = \sigma_1^2 = \int_0^\infty x_1^2 \cdot 2e^{-2x_1} \, dx_1 - \left(\frac{1}{2}\right)^2 = \frac{1}{4}$$

y

$$V(X_2) = \sigma_2^2 = \int_0^\infty x_2^2 \cdot 4e^{-4x_2} \, dx_2 - \left(\frac{1}{4}\right)^2 = \frac{1}{16}$$

Denotamos el espacio libre $Y = X_1 - X_2$ o $Y = (1)X_1 + (-1)X_2$ en el ejemplo, de modo que $E(Y) = \mu_1 - \mu_2 = \frac{1}{2} = \frac{1}{4} = \frac{1}{4}$ y $V(Y) = (1)^2 \cdot \sigma_1^2 + (-1)^2 \cdot \sigma_2^2 = \frac{1}{4} + \frac{1}{16} = \frac{5}{16}$.

**Ejemplo 5.25**  En el ejemplo 5.22, podríamos esperar que las variables aleatorias $X_1, \ldots, X_{10}$ fueran independientes debido al proceso de muestreo aleatorio. Además, la distribución para cada variable $X_i$ es idéntica. Esto se muestra en la

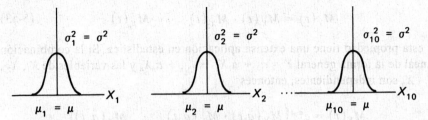

**Figura 5.25**  Algunas distribuciones idénticas.

figura 5.25. En el ejemplo anterior, la combinación lineal de interés fue la *media de la muestra*

$$\bar{X} = \frac{1}{10}X_1 + \cdots + \frac{1}{10}X_{10}$$

En consecuencia

$$E(\bar{X}) = \mu_{\bar{X}} = \frac{1}{10} \cdot E(X_1) + \frac{1}{10} \cdot E(X_2) + \cdots + \frac{1}{10} \cdot E(X_{10})$$

$$= \frac{1}{10}\mu + \frac{1}{10}\mu + \cdots + \frac{1}{10}\mu$$

$$= \mu$$

Además,

$$V(\bar{X}) = \sigma_{\bar{X}}^2 = \left(\frac{1}{10}\right)^2 \cdot V(X_1) + \left(\frac{1}{10}\right)^2 \cdot V(X_2) + \cdots + \left(\frac{1}{10}\right)^2 \cdot V(X_{10})$$

$$= \left(\frac{1}{10}\right)^2 \cdot \sigma^2 + \left(\frac{1}{10}\right)^2 \cdot \sigma^2 + \cdots + \left(\frac{1}{10}\right)^2 \cdot \sigma^2$$

$$= \frac{\sigma^2}{10}$$

## 5-13  Funciones generadoras de momentos y combinaciones lineales

En el caso en el que $Y = aX$, entonces

$$M_Y(t) = M_X(at) \tag{5-52}$$

Para sumas de *variables aleatorias independientes*, $Y = X_1 + X_2 + \ldots + X_n$, entonces

$$M_Y(t) = M_{X_1}(t) \cdot M_{X_2}(t) \cdot \cdots \cdot M_{X_n}(t) \tag{5-53}$$

y esta propiedad tiene una extensa aplicación en estadística. Si la combinación lineal de la forma general $Y = a_0 + a_1 X_1 + \ldots + a_n X_n$ y las variables de $X_1, X_2 \ldots, X_n$ son independientes, entonces

$$M_Y(t) = e^{a_0 t} \left[ M_{X_1}(a_1 t) \cdot M_{X_2}(a_2 t) \cdot \cdots \cdot M_{X_n}(a_n t) \right]$$

Las combinaciones lineales serán de particular importancia en los últimos capítulos, y las estudiaremos otra vez con mayor detalle.

## 5-14 Ley de los grandes números

Un caso especial se presenta cuando se tratan sumas de variables aleatorias independientes en las que cada variable puede tomar sólo dos valores, 0 y 1. Considérese la siguiente formulación. Un experimento $\mathscr{E}$ consiste en $n$ experimentos independientes (ensayos) $\mathscr{E}_j, j = 1, 2, \ldots, n$. Sólo hay dos resultados, éxito, $\{S\}$, y fracaso $\{F\}$, para cada ensayo, por lo que $\mathscr{S}_j = \{S, F\}$. Las probabilidades

$$P\{S\} = p$$

y

$$P\{F\} = 1 - p = q$$

permanece constante para $j = 1, 2, \ldots, n$. Sea

$$X_j = \begin{cases} 0, & \text{si el ensayo } j\text{ésimo resulta en fracaso} \\ 0, & \text{si el ensayo } j\text{ésimo resulta en éxito} \end{cases}$$

y

$$Y = X_1 + X_2 + X_3 + \cdots + X_n$$

De tal modo $Y$ representa el número de éxitos en $n$ ensayos; y $Y/n$ es una aproximación (o estimador) para la probabilidad desconocida $p$. Por conveniencia, dejamos que $\hat{p} = Y/n$. Nótese que este valor corresponde al término $f_A$ utilizado en la definición de la frecuencia relativa del capítulo 2.

La ley de los grandes números establece que

$$P[|\hat{p} - p| < \epsilon] \geq 1 - \frac{p(1 - p)}{n\epsilon^2} \tag{5-54}$$

o en forma equivalente

$$P[|\hat{p} - p| \geq \epsilon] \leq \frac{p(1 - p)}{n\epsilon^2} \qquad (5\text{-}55)$$

Para efectuar la demostración, notamos que

$$E(Y) = n \cdot E(X_j) = n[(0 \cdot q) + (1 \cdot p)] = np$$

y

$$V(Y) = nV(X_j) = n\left[(0^2 \cdot q) + (1^2 \cdot p) - (p)^2\right] = np(1 - p)$$

Puesto que $\hat{p} = (1/n)Y$, tenemos

$$E(\hat{p}) = \frac{1}{n} \cdot E(Y) = p \qquad (5\text{-}56)$$

y

$$V(\hat{p}) = \left[\frac{1}{n}\right]^2 \cdot V(Y) = \frac{p(1 - p)}{n}$$

Al emplear la desigualdad de Chebyshev,

$$P\left[|\hat{p} - p| < k\sqrt{\frac{p(1 - p)}{n}}\right] \geq 1 - \frac{1}{k^2} \qquad (5\text{-}57)$$

por lo que si

$$\epsilon = k\sqrt{\frac{p(1 - p)}{n}}$$

entonces

$$P[|\hat{p} - p| < \epsilon] \geq 1 - \frac{p(1 - p)}{n\epsilon^2}$$

De modo que para $\epsilon > 0$ arbitrario, como $n \to \infty$

$$P[|\hat{p} - p| < \epsilon] \to 1$$

La ecuación 5-54 puede reescribirse, con una notación obvia como

$$P[|\hat{p} - p| < \epsilon] \leq 1 - \alpha \qquad (5\text{-}58)$$

Después de esto podemos fijar tanto $\epsilon$ como $\alpha$ en la ecuación 5-58 y determinar el valor de $n$ requerido para satisfacer el enunciado de probabilidad como

$$n \geq \frac{p(1-p)}{\epsilon^2 \alpha} \tag{5-59}$$

**Ejemplo 5.26** Un proceso de manufactura funciona de manera que hay una probabilidad $p$ de que cada artículo producido es defectuoso, y $p$ se desconoce. Una muestra aleatoria de $n$ artículos se seleccionará para estimar $p$. El estimador que se utilizará es $\hat{p} = Y/n$, donde

$$X_j = \begin{cases} 0, & \text{si el artículo } j\text{ésimo está en buen estado} \\ 1, & \text{si el artículo } j\text{ésimo está defectuoso} \end{cases}$$

y

$$Y = X_1 + X_2 + \cdots + X_n$$

Se desea que la probabilidad sea al menos .95 y que el error, $|\hat{p} - p|$, no exceda de .01. Para determinar el valor requerido de $n$, notamos que $\epsilon = .01$, y $\alpha = .05$; sin embargo, $p$ se desconoce. La ecuación 5-59 indica que

$$n \geq \frac{p(1-p)}{(.01)^2 \cdot (.05)}$$

Puesto que p se desconoce, debe suponerse el peor caso posible [nótese que $p(1-p)$ es máximo cuando $p = \frac{1}{2}$]. Esto da como resultado

$$n \geq \frac{(.5)(.5)}{(.01)^2(.05)} = 50,000$$

un número efectivamente muy grande

El ejemplo 5.26 muestra por qué la ley de los grandes números no se emplea con frecuencia. El requisito de que $\epsilon = .01$ y $\alpha = .05$ para que haya una probabilidad de .95 de que la desviación $|\hat{p} - p|$ sea menor que .01 parece razonable; sin embargo, el tamaño que resulta de la muestra es demasiado grande. Para resolver problemas de esta naturaleza debemos conocer la distribución de las variables aleatorias involucradas ($p$ en este caso). Los siguientes tres capítulos considerarán en detalle varias de las distribuciones que se encuentran con mayor frecuencia.

## 5-15  Resumen

Este capítulo ha presentado diversos temas relacionados con variables aleatorias distribuidas conjuntamente y con funciones de variables distribuidas conjuntamente. Los ejemplos presentados ilustraron estos temas, y los ejercicios que siguen permitirán al estudiante reforzar estos conceptos.

Una gran cantidad de situaciones encontradas en la ingeniería, la ciencia y la administración implican situaciones en las que variables aleatorias relacionadas se refieren en forma simultánea a la respuesta que se está observando. El enfoque que se presentó en este capítulo proporciona la estructura para tratar diversos aspectos de tales problemas.

## 5-16  Ejercicios

**5-1**  Un fabricante de refrigeradores somete sus productos terminados a una inspección final. Hay dos tipos de defectos que interesan: raspaduras o grietas en el acabado de porcelana, y defectos mecánicos. El número de cada tipo de defectos es una variable aleatoria. El resultado de la inspección de 50 refrigeradores se muestra en la siguiente tabla, donde $X$ representa la ocurrencia de defectos de terminado y $Y$ representa la ocurrencia de defectos mecánicos.

  *a*)  Encuentre las distribuciones marginales de $X$ y $Y$.

  *b*)  Determine la distribución de probabilidad de defectos mecánicos, dado que no hay defectos de acabado.

| Y \ X | 0 | 1 | 2 | 3 | 4 | 5 |
|---|---|---|---|---|---|---|
| 0 | 11 / 50 | 4 / 50 | 2 / 50 | 1 / 50 | 1 / 50 | 1 / 50 |
| 1 | 8 / 50 | 3 / 50 | 2 / 50 | 1 / 50 | 1 / 50 | |
| 2 | 4 / 50 | 3 / 50 | 2 / 50 | 1. / 50 | | |
| 3 | 3 / 50 | 1 / 50 | | | | |
| 4 | 1 / 50 | | | | | |

  *c*)  Obtenga la distribución de probabilidad de defectos de acabado, dado que no hay defectos mecánicos.

**5-2**  Una administradora de inventarios ha acumulado registros de demanda de los productores de su compañía durante los últimos 100 días. La variable aleatoria $X$ representa el número de órdenes recibidas por día y la variable aleatoria $Y$ representa el número de unidades por orden. Los datos se muestran en la siguiente tabla:

| X \ Y | 1 | 2 | 3 | 4 | 5 | 6 | 7 | 8 | 9 |
|---|---|---|---|---|---|---|---|---|---|
| 1 | 10 / 100 | 6 / 100 | 3 / 100 | 2 / 100 | 1 / 100 | 1 / 100 | 1 / 100 | 1 / 100 | 1 / 100 |
| 2 | 8 / 100 | 5 / 100 | 3 / 100 | 2 / 100 | 1 / 100 | 1 / 100 | 1 / 100 | | |
| 3 | 8 / 100 | 5 / 100 | 2 / 100 | 1 / 100 | 1 / 100 | | | | |
| 4 | 7 / 100 | 4 / 100 | 2 / 100 | 1 / 100 | 1 / 100 | | | | |
| 5 | 6 / 100 | 3 / 100 | 1 / 100 | 1 / 00 | | | | | |
| 6 | 5 / 100 | 3 / 100 | 1 / 100 | 1 / 100 | | | | | |

a)  Determine las distribuciones marginales de $X$ y $Y$.
b)  Encuentre todas las distribuciones condicionales para $Y$ teniendo $X$.

**5-3**   Sean $X_1$ y $X_2$ las clasificaciones relativas a una prueba general de inteligencia y de un test de preferencia ocupacional, respectivamente. La función de densidad de probabilidad de las variables aleatorias $[X_1, X_2]$ está dada por

$$f(x_1, x_2) = \frac{k}{1000} \qquad 0 \le x_1 \le 100, 0 \le x_2 \le 10$$
$$= 0 \qquad \text{en otro caso}$$

a)  Encuentre el valor apropiado de $k$.
b)  Encuentre las densidades marginales de $X_1$ y $X_2$.
c)  Encuentre una expresión para la función de distribución acumulativa $F(x_1, x_2)$,

**5-4**   Considere una situación en la que se miden la tensión superficial y la acidez de un producto químico. Estas variables se codifican de modo tal que la tensión superficial se mide en una escala $0 \le X_1 \le 2$, y la acidez se mide en escala $2 \le X_2 \le 4$. La función de densidad de probabilidad de $[X_1, X_2]$ es

$$f(x_1, x_2) = k(6 - x_1 - x_2) \qquad 0 \le x_1 \le 2, 2 \le x_2 \le 4$$
$$= 0 \qquad \text{en otro caso}$$

a)  Encuentre el valor apropiado de $k$.
b)  Calcule la probabilidad de que $X_1 < 1, X_2 < 3$.
c)  Calcule la probabilidad de que $X_1 + X_2 \le 4$.
d)  Encuentre la probabilidad de que $X_1 < 1.5$.
e)  Encuentre las densidades marginales tanto de $X_1$ como de $X_2$.

**5-5**   Dada la función de densidad

$$f(w, x, y, z) = 16wxyz \qquad 0 \le w \le 1, 0 \le x \le 1, 0 \le y \le 1, 0 \le z \le 1$$
$$= 0 \qquad \text{en otro caso}$$

a)  Calcule la probabilidad de que $W \le \frac{2}{3}$ y $Y \le \frac{1}{2}$.
b)  Calcule la probabilidad de que $X \le \frac{1}{2}$ y $Z \le \frac{1}{4}$.
c)  Encuentre la densidad marginal de $W$.

**5-6** Suponga que la densidad conjunta de [X, Y] es

$$f(x, y) = \frac{1}{8}(6 - x - y) \quad 0 \le x \le 2, 2 \le y \le 4$$

$$= 0 \quad \text{en otro caso}$$

Encuentre las densidades condicionales $f_{X|y}(x)$ y $f_{Y|x}(y)$.

**5-7** Con respecto a los datos en el ejercicio 5-2 determine el número esperado de unidades por orden. En el caso en que haya tres órdenes por día.

**5-8** Considere la distribución de probabilidad del vector aleatorio discreto $[X_1, X_2]$, donde $X_1$ representa el número de pedidos de aspirina en agosto en la farmacia del vecindario y $X_2$ representa el número de pedidos en septiembre. La distribución conjunta se muestra en la siguiente tabla:

| $X_2$ \ $X_1$ | 51 | 52 | 53 | 54 | 55 |
|---|---|---|---|---|---|
| 51 | 0.06 | 0.05 | 0.05 | 0.01 | 0.01 |
| 52 | 0.07 | 0.05 | 0.01 | 0.01 | 0.01 |
| 53 | 0.05 | 0.10 | 0.10 | 0.05 | 0.05 |
| 54 | 0.05 | 0.02 | 0.01 | 0.01 | 0.03 |
| 55 | 0.05 | 0.06 | 0.05 | 0.01 | 0.03 |

*a*) Encuentre las distribuciones marginales.
*b*) Determine las ventas esperadas en septiembre, dado que las ventas en agosto fueron 51, 52, 53, 54, o 55, respectivamente.

**5-9** Suponga que $X_1$ y $X_2$ son calificaciones codificadas en dos pruebas de inteligencia, y la función de densidad de probabilidad está dada por

$$f(x_1, x_2) = 6x_1^2 x_2 \quad 0 \le x_1 \le 1, 0 \le x_2 \le 1$$

$$= 0 \quad \text{en otro caso}$$

Encuentre el valor esperado de la calificación de la prueba número 2 dada la calificación de la prueba número 1. Además, obtenga el valor esperado de la calificación de la prueba número 1 dada la calificación de la prueba número 2.

**5-10** Sea

$$f(x_1, x_2) = 4x_1 x_2 e^{-(x_1^2 + x_2^2)} \quad 0 \le x_1 < \infty, 0 \le x_2 < \infty$$

$$= 0 \quad \text{en otro caso}$$

*a*) Encuentre las distribuciones marginales de $X_1$, $X_2$.
*b*) Encuentre las distribuciones de probabilidad condicional de $X_1$ y $X_2$.
*c*) Encuentre una expresión de las esperanzas condiciones de $X_1$ y $X_2$.

**5-11** Suponga que $[X, Y]$ es un vector aleatorio continuo y que $X$ y $Y$ son independientes de modo que $f(x, y) = g(x)h(y)$. Defina una nueva variable aleatoria $Z = XY$. Demuestre que la función de densidad de probabilidad de $Z$, $\ell_z(z)$, está dada por

$$\ell_Z(z) = \int_{-\infty}^{\infty} g(t)\,h\left(\frac{z}{t}\right)\left|\frac{1}{t}\right|\,dt$$

*Sugerencia*: Sea $Z = XY$ y $T = X$ y obtenga el jacobiano para la transformación con respecto a la función de densidad de probabilidad conjunta de $Z$ y $T$, digamos $r(z, t)$. Integre después $r(z, t)$ con respecto de $t$.

**5-12** Emplee el resultado del problema previo para obtener la función de densidad de probabilidad del área de un rectángulo, $A = S_1S_2$, donde los lados son de longitud aleatoria. Específicamente, los lados son variables aleatorias independientes tales que

$$g_{S_1}(s_1) = 2s_1 \qquad 0 \le s_1 \le 1$$

$$= 0 \qquad \text{en otro caso}$$

y

$$h_{S_2}(s_2) = \frac{1}{8}s_2 \qquad 0 \le s_2 \le 4$$

$$= 0 \qquad \text{en otro caso}$$

Debe tenerse cierto cuidado al determinar los límites de integración debido a que la variable de integración no puede tener valores negativos.

**5-13** Suponga que $[X, Y]$ es un vector aleatorio continuo y que $X$ y $Y$ son independientes de manera que $f(x, y) = g(x)h(y)$. Defina una nueva variable aleatoria $Z = X/Y$. Demuestre que la función de densidad de probabilidad de $Z$, $\ell_z(z)$, está dada por

$$\ell_Z(z) = \int_{-\infty}^{\infty} g_{s_1}(uz)\,h_{s_2}(u)\,|u|\,du$$

*Sugerencia*: Sea $Z = X/Y$ y $U = Y$, y encuentre el jacobiano para la transformación a la función de densidad de probabilidad conjunta de $Z$ y $U$, digamos $r(z, u)$. Después integre $r(z, u)$ con respecto de $u$.

**5-14** Suponga que tenemos un circuito eléctrico simple en el cual se cumple la ley de Ohm; $V = IR$. Deseamos encontrar la distribución de probabilidad de la resistencia dado que se saben las distribuciones de probabilidad del voltaje ($V$) y la corriente ($I$) son:

$$g_V(v) = e^{-v} \qquad v \ge 0$$

$$= 0 \qquad \text{en otro caso}$$

$$h_I(i) = 3e^{-3i} \qquad i \ge 0$$

$$= 0 \qquad \text{en otro caso}$$

Emplee los resultados del problema anterior, suponiendo que $V$ e $I$ son variables aleatorias independientes.

**5-15** La demanda para cierto producto es una variable aleatoria que tiene una media de 20 unidades por día y una varianza de 9. Definimos el tiempo de envío como el que transcurre entre la colocación del pedido y su entrega. El tiempo de envío para el producto se fija en cuatro días. Obtenga el valor esperado y la varianza del *tiempo de envío de demanda*, suponiendo que las demandas se distribuyen en forma independiente.

**5-16** Demuestre con detalle las partes *a*) y *b*) del teorema 5-1 (página 146).

**5-17** Sean $X_1$ y $X_2$ variables aleatorias tales que $X_2 = A + BX_1$. Muestre que $\rho^2 = 1$, y que $\rho = -1$ si $B < 0$ y $\rho = +1$ si $B > 0$.

**5-18** Sean $X_1$ y $X_2$ variable aleatorias tales que $X_2 = A + BX_1$. Muestre que la función generatriz de momentos para $X_2$ es

$$M_{X_2}(t) = e^{At}M_{X_1}(Bt)$$

**5-19** Suponga que $X_1$ y $X_2$ se distribuyen de acuerdo con

$$f(x_1, x_2) = 2 \quad 0 \le x_1 \le x_2 \le 1$$
$$= 0 \quad \text{en otro caso}$$

Encuentre el coeficiente de correlación entre $X_1$ y $X_2$.

**5-20** Sean $X_1$ y $X_2$ variables aleatorias con coeficiente de correlación $\rho_{X_1, X_2}$. Suponga que definimos dos nuevas variables aleatorias $U = A + BX_1$ y $V = C + DX_2$, donde $A$, $B$, $C$ y $D$ son constantes. Muestre que $\rho_{UV} = (BD/|BD|)\rho_{X_1, X_2}$.

**5-21** Considere los datos que se muestran en el ejercicio 5-1. ¿Son $X$ y $Y$ independientes? Calcule el coeficiente de correlación.

**5-22** Una pareja desea vender su casa. El precio mínimo que pueden pagar es una variable aleatoria, que llamaremos $X$, en donde $s_1 \le X \le s_2$. Una población de compradores está interesada en la casa. Sea $Y$, donde $p_1 \le Y \le p_2$, denote el precio máximo que ellos están dispuestos a pagar. $Y$ es también una variable aleatoria. Suponga que la distribución conjunta de $[X, Y]$ es $f(x, y)$.
*a*)  ¿En qué circunstancias se producirá una venta?
*b*)  Escriba una expresión para la probabilidad de que una venta se realice.
*c*)  Escriba una expresión para el precio esperado de la transacción.

**5-23** Suponga que $[X, Y]$ se distribuye de manera uniforme sobre el semicírculo en el siguiente diagrama. De tal modo $f(x, y) = 2/\pi$ si $[x, y]$ está en el semicírculo.
*a*)  Encuentre las distribuciones marginales de $X$ y $Y$.
*b*)  Encuentre las distribuciones de probabilidad condicional.
*c*)  Encuentre las esperanzas condicionales.

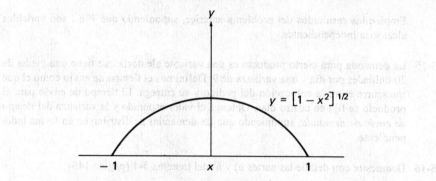

**5-24** Sean $X$ y $Y$ variables aleatorias independientes. Muestre que $E(X|Y) = E(X)$ y que $E(Y|X) = E(Y)$.

**5-25** Muestre que en el caso continuo,

$$E[E(X|Y)] = E(X)$$
$$E[E(Y|X)] = E(Y)$$

**5-26** Considere las dos variables aleatorias independientes, $S$ y $D$, cuyas distribuciones de probabilidad se muestran a continuación:

$$f_S(s) = \frac{1}{30} \qquad 10 \le s \le 40$$

$$= 0 \qquad \text{en otro caso}$$

$$g_D(d) = \frac{1}{20} \qquad 10 \le d \le 30$$

$$= 0 \qquad \text{en otro caso}$$

Obtenga la distribución de probabilidad de la nueva variable aleatoria

$$W = S + D$$

**5-27** Si

$$f(x, y) = x + y \qquad 0 < x < 1, 0 < y < 1$$

$$= 0 \qquad \text{en otro caso}$$

obtenga lo siguiente:

a) $E[X|y]$
b) $E[X]$
c) $E[Y]$

**5-28** Para la distribución multivariada

$$f(x, y) = \frac{k(1 + x + y)}{(1 + x)^4(1 + y)^4} \qquad 0 \le x < \infty, 0 \le y < \infty$$

$$= 0 \qquad \text{en otro caso}$$

    *a)*   Evalúe la constante $k$.

    *b)*   Encuentre la distribución marginal de $X$.

**5-29** Para la distribución multivariada

$$f(x, y) = \frac{k}{(1 + x + y)^n} \qquad x \geq 0,\ y \geq 0,\ n > 2$$

$$= 0 \qquad\qquad \text{en otro caso}$$

    *a)*   Evalúe la constante $k$.

    *b)*   Obtenga $F(x, y)$.

**5-30** El gerente de un pequeño banco desea determinar la proporción del tiempo que un cajero particular está ocupado. Decide observar al cajero a intervalos espaciados $n$ al azar. El estimador del grado de ocupación remunerada será $Y/n$, donde

$$X_i = \begin{cases} 0, & \text{si en la observación } i\text{ésima, el cajero está desocupado} \\ 1, & \text{si en la observación } i\text{ésima, el cajero está ocupado} \end{cases}$$

y $Y = \Sigma_{i=1}^{n} X_i$. Se desea estimar $p$ de manera que el error de la estimación no exceda .05 con probabilidad .95. Determine el valor necesario de $n$.

**5-31** Dadas las siguientes distribuciones conjuntas determine si $X$ y $Y$ son independientes.

    *a)*  $g(x, y) = 4xye^{-(x^2+y^2)}$       $x \geq 0,\ y \geq 0$

    *b)*  $f(x, y) = 3x^2y^{-3}$            $0 \leq x \leq y \leq 1$

    *c)*  $f(x, y) = 6(1 + x + y)^{-4}$   $x \geq 0,\ y \geq 0$

**5-32** Sea $f(x, y, z) = h(x)h(y)h(z),\ x \geq 0,\ y \geq 0,\ z \geq 0$. Determine la probabilidad de que un punto dibujado al azar tenga una coordenada $(x, y, z)$ que no satisface $x > y > z$ ni $x < y < z$.

**5-33** Suponga que $X$ y $Y$ son variables aleatorias que denotan, respectivamente, la fracción de un día en que ocurre una solicitud de mercancías y que se produce la recepción de un envío. La función de densidad de probabilidad conjunta es

$$f(x, y) = 1 \qquad 0 \leq x \leq 1, 0 \leq y \leq 1$$

$$= 0 \qquad \text{en otro caso}$$

    *a)*   ¿Cuál es la probabilidad de que la solicitud de la mercancía y la recepción de un pedido ocurra durante la primera mitad del día?

    *b)*   ¿Cuál es la probabilidad de que la solicitud de la mercancía ocurra después de su cobranza? ¿Antes de su cobranza?

**5-34** Suponga que en el problema 5-33 la mercancía es altamente perecedera y que debe solicitarse durante el intervalo de $\frac{1}{4}$ de día después de que llega. ¿Cuál es la probabilidad de que la mercancía no se eche a perder?

**5-35** Deje que la $X$ sea una variable aleatoria continua con función de densidad de probabilidad $f(x)$. encuentre una expresión general para la nueva variable aleatoria $Z$, donde

    *a)*  $Z = a + bX$

    *b)*  $Z = 1/X$

    *c)*  $Z = \log_e X$

    *d)*  $Z = e^x$

# Capítulo 6

## Algunas distribuciones discretas importantes

## 6-1 Introducción

En este capítulo presentamos varias distribuciones de probabilidad discretas, desarrollando su forma analítica a partir de ciertas suposiciones básicas acerca de los fenómenos del mundo real. Se incluyen también algunos ejemplos de su aplicación. Las distribuciones consideradas han encontrado una amplia aplicación en la ingeniería, la investigación de operaciones y la ciencia administrativa. Cuatro de las distribuciones, la *binomial*, la *geométrica*, la *de Pascal* y la *binomial negativa*, provienen de un *proceso aleatorio* conformado a partir de *ensayos de Bernoulli* secuenciales. La *distribución hipergeométrica*, la *multinomial* y la *de Poisson* se presentan también en este capítulo.

Cuando tratamos con una variable aleatoria y no hay ambigüedad, el símbolo para la variable aleatoria se omitirá otra vez en la especificación de las distribuciones de probabilidad y de la función de distribución acumulativa; de tal modo, $p_X(x) = p(x)$ y $F_X(x) = F(x)$. Esta práctica se seguirá a lo largo del texto.

## 6-2 Ensayos y distribución de Bernoulli

Hay muchos problemas en los cuales el experimento consta de $n$ ensayos o subexperimentos. Aquí estamos interesados con un ensayo individual que tiene como sus dos resultados posibles: *éxito*, $\{S\}$, o *fracaso*, $\{F\}$. En cada ensayo debemos tener:

$\mathcal{E}_j$: Realización de un experimento (el *j*ésimo) y observación del resultado.
$\mathcal{S}_j$: $\{S, F\}$.

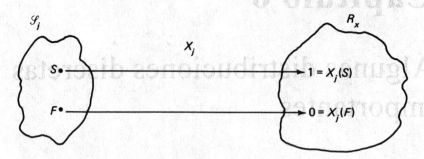

**Figura 6.1**   Ensayo de Bernoulli.

Por conveniencia, definiremos la variable aleatoria $X_j = 1$ si $\mathscr{E}_j$ resulta en $\{S\}$ y $X_j = 0$ si $\mathscr{E}_j$ resulta en $F$. Véase la figura 6.1.

Los $n$ ensayos de Bernoulli $\mathscr{E}_1, \mathscr{E}_2, \ldots, \mathscr{E}_n$ reciben el nombre de proceso de Bernoulli si los mismos son independientes, cada uno con sólo dos resultados posibles, digamos $\{S\}$ o $\{F\}$, y la probabilidad de éxito permanece constante de ensayo a ensayo. Esto es,

$$p(x_1, x_2, \ldots, x_n) = p_1(x_1) \cdot p_2(x_2) \cdot \cdots \cdot p_n(x_n)$$

y

$$p_j(x_j) = p(x_j) = \begin{cases} p & x_j = 1, \; j = 1, 2, \ldots, n \\ (1 - p) = q & x_j = 0, \; j = 1, 2, \ldots, n \\ 0 & \text{en otro caso} \end{cases} \quad (6\text{-}1)$$

Para un ensayo, la distribución dada en la ecuación 6-1 y la figura 6.2 se denomina la distribución de Bernoulli.

La media y la varianza son

$$E(X_j) = (0 \cdot q) + (1 \cdot p) = p$$

y

$$V(X_j) = \left[ (0^2 \cdot q) + (1^2 \cdot p) \right] - p^2 = p(1 - p) \quad (6\text{-}2)$$

Puede demostrarse que la función generatriz de momentos es

$$M_{X_j}(t) = q + pe^t \quad (6\text{-}3)$$

**Ejemplo 6.1**   Supóngase que consideramos un proceso de manufactura en el cual una máquina automática produce una pequeña pieza de acero. Además, cada pieza en una tanda de producción de 1,000 piezas puede clasificarse como defectuosa

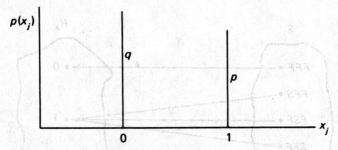

**Figura 6.2** Distribución de Bernoulli.

o buena cuando se inspecciona. Podemos pensar la producción de una pieza como un ensayo simple que da como resultado éxito (digamos un defecto) o fracaso (digamos un artículo bueno). Si tenemos razón para creer que existe la misma probabilidad de que la máquina produzca una pieza defectuosa en una tanda que en otra, y si la producción de una pieza defectuosa en una tanda no es ni más ni menos probable debido a los resultados de las tandas anteriores, entonces sería bastante razonable que la tanda de producción es un proceso de Bernoulli con 1,000 ensayos. La probabilidad, $p$, de un defecto en un ensayo se llama el *defecto fraccionario promedio del proceso*.

Nótese que en el ejemplo anterior la suposición de que un proceso de Bernoulli es una *idealización matemática* de la situación del mundo real. No se consideran efectos del desgaste de la herramienta, el ajuste de la máquina y problemas de instrumentación. El mundo real se aproximó mediante un modelo que no considera todos los factores, pero a pesar de ello, la aproximación es bastante buena para obtener resultados útiles.

Estaremos interesados primero en una serie de ensayos de Bernoulli. En este caso el experimento $\mathscr{E}$ se denota como $\{(\mathscr{E}_1, \mathscr{E}_2, \ldots, \mathscr{E}_n): \mathscr{E}_j$ son ensayos de Bernoulli independientes, $j = 1, 2, \ldots, n\}$. El espacio muestral es

$$\mathscr{S} = \left\{ (x_1, \ldots, x_n): x_i = S \quad \text{o} \quad F, i = 1, \ldots, n \right\}$$

**Ejemplo 6.2** Supóngase un experimento compuesto por tres ensayos de Bernoulli y que la probabilidad de éxito es $p$ en cada ensayo (véase la figura 6.3). La variable aleatoria $X$ está dada por $X = \sum_{j=1}^{3} X_j$. La distribución de $X$ puede determinarse de modo siguiente:

| $x$ | $p(x)$ |
|---|---|
| 0 | $P\{FFF\} = q \cdot q \cdot q = q^3$ |
| 1 | $P\{FFS\} + P\{FSF\} + P\{SFF\} = 3pq^2$ |
| 2 | $P\{FSS\} + P\{SFS\} + P\{SSF\} = 3p^2q$ |
| 3 | $P\{SSS\} = p^3$ |

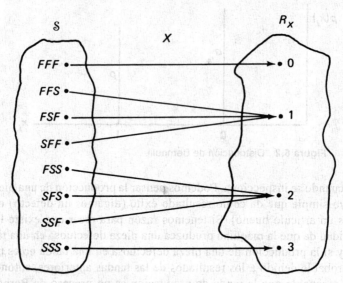

**Figura 6.3**   Tres ensayos de Bernoulli.

## 6-3   Distribución binomial

La variable aleatoria $X$ que denota *el número de éxitos en n ensayos de Bernoulli tiene una distribución binomial* dada por $p(x)$, donde

$$p(x) = \binom{n}{x} p^x (1 - p)^{n-x} \qquad x = 0, 1, 2, \ldots, n$$

$$= 0 \qquad\qquad\qquad\qquad \text{en otro caso} \qquad (6\text{-}4)$$

El ejemplo 6.2 ilustra una distribución binomial con $n = 3$. Los parámetros de la distribución binomial son $n$ y $p$, donde $n$ es un entero positivo, y $0 \leqslant p \leqslant 1$. Una descripción simple se describe a continuación. Sea

$$p(x) = P\{\text{ ``x éxitos en n ensayos''}\}$$

La probabilidad del *resultado particular* en $\mathscr{S}$ con $S$s para los primeros $x$ ensayos y $F$s para los últimos $n - x$ ensayos es

$$P\left( \overbrace{SSS \ldots SS}^{x} \; \overbrace{FF \ldots FF}^{n-x} \right) = p^x q^{n-x}$$

(donde $q = 1 - p$) debido a la independencia de los ensayos. Hay $\binom{n}{x} = \dfrac{n!}{x!(n-x)!}$ resultados que tienen exactamente $x$ $S$s y $(n-x)$ $F$s; por consiguiente,

$$p(x) = \binom{n}{x} p^x q^{n-x} \qquad x = 0, 1, 2, \ldots, n$$

$$= 0 \qquad \text{en otro caso}$$

Puesto que $q = 1 - p$, esta última distribución es la binomial.

### 6-3.1 Media y varianza de la distribución binomial

La media de la distribución binomial puede determinarse como

$$E(X) = \sum_{x=0}^{n} x \cdot \frac{n!}{x!(n-x)!} p^x q^{n-x}$$

$$= np \sum_{x=1}^{n} \frac{(n-1)!}{(x-1)!(n-x)!} p^{x-1} q^{n-x}$$

y dejando $y = x - 1$

$$E(X) = np \sum_{y=0}^{n-1} \frac{(n-1)!}{y!(n-1-y)!} p^y q^{n-1-y}$$

por lo que

$$E(X) = np \tag{6-5}$$

Al emplear un enfoque similar encontramos la varianza como

$$V(X) = \sum_{x=0}^{n} \frac{x^2 n!}{x!(n-x)!} p^x q^{n-x} - (np)^2$$

$$= n(n-1) p^2 \sum_{x=0}^{n-2} \frac{(n-2)!}{y!(n-2-y)!} p^y q^{n-2-y} + np - (np)^2$$

de manera que

$$V(X) = npq \tag{6-6}$$

Un enfoque más fácil para encontrar la media y la varianza es considerar $X$ como una suma de $n$ variables aleatorias independientes, cada una con media $p$ y varianza $pq$, por lo que $X = X_1 + X_2 + \cdots + X_n$, además

$$E(X) = p + p + \cdots + p = np$$

y

$$V(X) = pq + pq + \cdots + pq = npq$$

La función generatriz de momentos para la distribución binomial es

$$M_X(t) = \left( pe^t + q \right)^n \tag{6-7}$$

**Ejemplo 6.3**   Un proceso de producción representado en forma esquemática en la figura 6.4 tiene una productividad de miles de piezas diarias. En promedio, 1 por ciento de las piezas son defectuosas y dicho promedio no cambia con el tiempo. Cada hora, una muestra aleatoria de 100 piezas se selecciona de una banda transportadora y se observan y miden varias características; sin embargo, el inspector clasifica la pieza como buena o defectuosa. Si consideramos el muestreo como $n = 100$ ensayos de Bernoulli con $p = .01$, el número total de defectos en la muestra, $X$, tendría una distribución binomial.

$$p(x) = \binom{100}{x}(.01)^x(.99)^{100-x} \qquad x = 0, 1, 2, \ldots, 100$$

$$= 0 \qquad\qquad\qquad \text{en otro caso}$$

Supóngase que el inspector tiene instrucciones de parar el proceso si la muestra tiene más de dos piezas defectuosas. Entonces, la $P(X \le 2) = 1 - P(X \le 2)$, y podemos calcular

$$P(X \le 2) = \sum_{x=0}^{2} \binom{100}{x}(.01)^x(.99)^{100-x}$$

$$= (.99)^{100} + 100(.01)^1(.99)^{99} + 4950(.01)^2(.99)^{98}$$

$$\approx .92$$

En consecuencia, la probabilidad de que el inspector pare el proceso es aproximadamente $1 - (.92) = .08$. El número medio de piezas defectuosas que se encontrarían es $E(X) = np = 100(.01) = 1$, y la varianza es $V(X) = npq = .99$.

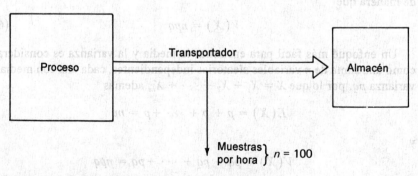

**Figura 6.4**   Caso de muestreo con medición de atributos.

## 6-3.2 Distribución binomial acumulativa

La distribución binomial acumulativa o la función de distribución, $F$, es

$$F(x) = \sum_{k=0}^{x} \binom{n}{k} p^k (1 - p)^{n-k} \tag{6-8}$$

Esta función se ha tabulado en forma extensiva. Por ejemplo, véanse las *tablas binomiales 50-100* de Romig (1953) y la *Distribución de probabilidad binomial acumulativa* (1955).

## 6-3.3 Una aplicación de la distribución binomial

Otra variable aleatoria, observada primero en la ley de los grandes números, es a menudo de interés. Se trata de la proporción de éxitos y se denota por medio de

$$\hat{p} = X/n \tag{6-9}$$

donde $X$ tiene una distribución binomial con parámetros $n$ y $p$. La media, la varianza y la función generatriz de momentos se dan a continuación:

$$E(\hat{p}) = \frac{1}{n} \cdot E(X) = \frac{1}{n} np = p \tag{6-10}$$

$$V(\hat{p}) = \left(\frac{1}{n}\right)^2 \cdot V(X) = \frac{1}{n^2} \cdot npq = \frac{pq}{n} \tag{6-11}$$

$$M(t) = M_X\left(\frac{t}{n}\right) = \left(pe^{t/n} + q\right)^n \tag{6-12}$$

Para evaluar, digamos $P(\hat{p} \leq p_0)$, donde $p_0$ es algún número entre 0 y 1, notamos que

$$P(\hat{p} \leq p_0) = P\left(\frac{X}{n} \leq p_0\right) = P(X \leq np_0)$$

Puesto que $np_0$ posiblemente no es un entero,

$$P(\hat{p} \leq p_0) = P(X \leq np_0) = \sum_{x=0}^{[[np_0]]} \binom{n}{x} p^x q^{n-x} \tag{6-13}$$

donde [[ ]] indica el "entero más grande contenido en" la función.

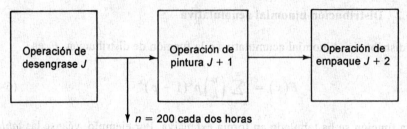

**Figura 6.5** Operaciones de producción secuenciales.

**Ejemplo 6.4** De un flujo de productos en una banda transportadora entre las operaciones de producción $J$ y $J + 1$, se toma una muestra aleatoria de 200 unidades cada dos horas (véase la figura 6.5).

La experiencia pasada ha indicado que si la unidad no se desengrasa en forma apropiada, la operación de pintura no será exitosa y, además, en promedio 5 por ciento de las unidades no se desengrasan de manera apropiada. El gerente de manufactura se ha habituado a aceptar el 5 por ciento, pero está totalmente convencido de que el 6 por ciento es un desempeño malo y que el 7 por ciento es por completo inaceptable. Decide, entonces, graficar la fracción de unidades defectuosas en la muestra, esto es, $\hat{p}$. Si el promedio del proceso se mantiene en 5 por ciento, él sabría que $E(\hat{p}) = .05$. Al conocer suficiente acerca de la probabilidad para comprender que $\hat{p}$ variará, pide al departamento de control de calidad que se determine $P(\hat{p} > .07 | p = .05)$. Esto se efectúa como sigue:

$$P(\hat{p} > .07 | p = .05) = 1 - P(\hat{p} \leq .07 | p = .05)$$
$$= 1 - P(X \leq 200(.07) | p = .05)$$
$$= 1 - \sum_{k=0}^{14} \binom{200}{k}(.05)^k(.95)^{200-k}$$
$$= 1 - .917 = .083$$

**Ejemplo 6.5** Un ingeniero industrial se interesa en el excesivo "retraso evitable" de tiempo que el operador de una máquina parece tener. El ingeniero considera dos actividades como "tiempo de retraso evitable" y "tiempo de retraso inevitable". Identifica una variable dependiente del tiempo del modo siguiente:

$$X(t) = 1 \qquad \text{retraso evitable}$$
$$= 0 \qquad \text{en otro caso}$$

Una conversión particular de $X(t)$ para dos días (960 minutos) se muestra en la figura 6.6.

En lugar de hacer que un técnico de estudios de tiempo analice en forma continua esta operación, el ingeniero prefiere utilizar un "muestreo de trabajo", y selecciona al azar $n$ puntos en el periodo de 960 minutos y estima la fracción

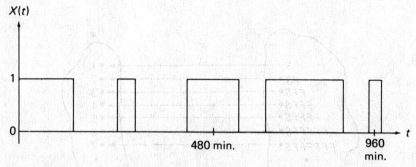

**Figura 6.6**   Una conversión de $X(t)$, ejemplo 6.5.

de tiempo en que la categoría de "retraso evitable" existe. Supone que $X_i = 1$ si $X(t) = 1$ en el momento de la $i$ésima observación y $X_i = 0$ si $X(t) = 0$ para la observación $i$ésima. La estadística

$$\hat{p} = \frac{\sum\limits_{i=1}^{n} X_i}{n}$$

se va a evaluar. Sin embargo, $\hat{p}$ es una variable aleatoria que tiene una media igual a $p$, varianza igual a $pq/n$, y desviación estándar igual a $\sqrt{pq/n}$. El procedimiento descrito no es la mejor manera de efectuar un estudio de tales características, pero ilustra una utilización de la variable aleatoria $\hat{p}$.

En resumen, los analistas deben asegurarse de que el fenómeno que están estudiando pueda considerarse de modo razonable como una serie de ensayos de Bernoulli con el propósito de usar la distribución binomial para describir $X$, el número de éxitos en $n$ ensayos. A menudo es útil visualizar la presentación gráfica de la distribución binomial, como se muestra en la figura 6.7. Los valores $p(x)$ aumentan hasta un punto y después decrecen. De manera más precisa, $p(x) >$

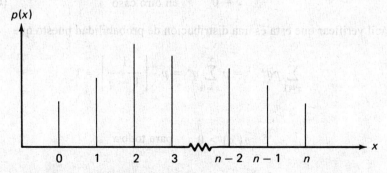

**Figura 6.7**   La distribución binomial.

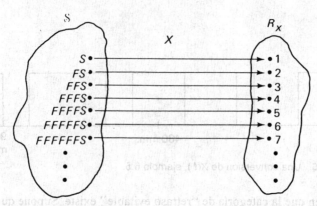

**Figura 6.8**   Espacio muestral y espacio del rango para X.

$p(x-1)$ para $x < (n+1)p$, y $p(x) < p(x-1)$ para $x > (n+1)p$. Si $(n+1)p$ es un entero, digamos $m$, entonces $p(m) = p(m-1)$. Sólo hay un entero tal que

$$(n+1)p - 1 < m \leq (n+1)p$$

## 6-4   Distribución geométrica

La distribución geométrica se relaciona también con una secuencia de ensayos de Bernoulli con la diferencia de que el número de ensayos no es fijo y, de hecho, la variable aleatoria de interés, denotada por $X$, se define como el número de ensayos requeridos para alcanzar el primer éxito. El espacio muestral y el espacio del rango para $X$ se ilustran en la figura 6.8. El espacio del rango para $X$ es $R_X = \{1, 2, 3, \ldots\}$, y la distribución de $X$ está dada por

$$p(x) = q^{x-1}p \qquad x = 1, 2, \ldots$$

$$= 0 \qquad \text{en otro caso} \tag{6-14}$$

Es fácil verificar que esta es una distribución de probabilidad puesto que

$$\sum_{x=1}^{\infty} pq^{x-1} = p \sum_{k=0}^{\infty} q^k = p \cdot \left[ \frac{1}{1-q} \right] = 1$$

y

$$p(x) \geq 0 \qquad \text{para todo } x$$

## Media y varianza de la distribución geométrica

La media y la varianza de la distribución geométrica se encuentran fácilmente del modo siguiente:

$$\mu = E(X) = \sum_{x=1}^{\infty} x \cdot p \cdot q^{x-1} = p \cdot \frac{d}{dq} \sum_{x=1}^{\infty} q^x$$

o

$$\mu = p \frac{d}{dq} \left[ \frac{q}{1-q} \right] = \frac{1}{p} \tag{6-15}$$

$$\sigma^2 = V(X) = \sum_{x=1}^{\infty} x^2 \cdot pq^{x-1} - \left( \frac{1}{p} \right)^2 = p \sum_{x=1}^{\infty} x^2 q^{x-1} - \frac{1}{p^2}$$

o

$$\sigma^2 = q/p^2 \tag{6-16}$$

La función generatriz de momentos es

$$M_X(t) = \frac{pe^t}{1 - qe^t} \tag{6-17}$$

**Ejemplo 6.6** Se va a realizar cierto experimento hasta que se obtenga un resultado exitoso. Los ensayos son independientes y el costo de efectuar el experimento es de \$25,000 dólares; sin embargo, si se produce una falla, cuesta \$5000 dólares "iniciar" el siguiente ensayo. Al experimentador le gustaría determinar el costo esperado del proyecto. Si $X$ es el número de ensayos que se requieren para obtener un experimento exitoso, entonces la función del costo sería

$$C(X) = \$25,000 X + \$5000(X - 1)$$
$$= (30,000) X + (-5000)$$

En consecuencia

$$E[C(X)] = \$30,000 \cdot E(X) - E(\$5000)$$
$$= \left[ 30,000 \cdot \frac{1}{p} \right] - 5000$$

Si la probabilidad del éxito en un solo ensayo es, por ejemplo, .25, entonces la $E[C(X)] = \$30,000/.25 - \$5000 = \$115,000$. Este puede ser o no aceptable para el experimentador. Debe también reconocerse que es posible continuar indefinidamente sin que se logre un experimento exitoso. Supóngase que el experimentador tiene un máximo de $500,000. Puede desear obtener la probabilidad de que el trabajo experimental costaría más de esta cantidad, esto es,

$$P(C(X) > \$500,000) = P(\$30,000X - \$5000 > \$500,000)$$

$$= P\left( X > \frac{505,000}{30,000} \right)$$

$$= P(X > 16.833)$$

$$= 1 - P(X \leq 16)$$

$$= 1 - \sum_{x=1}^{16} .25(.75)^{x-1}$$

$$= 1 - .25 \sum_{x=1}^{16} (.75)^{x-1}$$

$$\simeq .01$$

El experimentador puede no estar dispuesto a correr el riesgo (probabilidad .01) de gastar $500,000 disponibles sin obtener un resultado exitoso.

La distribución geométrica decrece, esto es, $p(x) < p(x - 1)$ para $x = 2, \ldots$ . Esto se muestra gráficamente en la figura 6.9.

Una propiedad interesante y útil de la distribución geométrica es que no tiene memoria, esto es

$$P(X > x + s | X > s) = P(X > x) \tag{6-18}$$

La distribución geométrica es la única distribución discreta que tiene esta propiedad de falta de memoria.

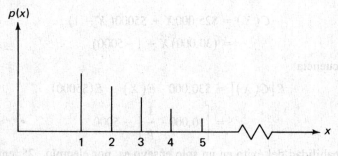

**Figura 6.9**   La distribución geométrica.

## 6-5 Distribución de Pascal

La distribución de Pascal tiene también sus bases en los ensayos de Bernoulli. Esta es una extensión lógica de la distribución geométrica. En este caso, la variable aleatoria $X$ denota el ensayo en el que ocurre el $r$ésimo éxito, donde $r$ es un entero. La distribución de $X$ es

$$p(x) = \binom{x-1}{r-1} p^r q^{x-r} \quad x = r, r+1, r+2, \ldots$$

$$= 0 \qquad \text{en otro caso} \qquad (6\text{-}19)$$

El término $p^r q^{x-r}$ surge de la probabilidad asociada con exactamente un resultado en $\mathcal{S}$ que tiene $(x - r)$ $Fs$ (fallas) y $r$ $Ss$ (éxitos). Para que este resultado ocurra, debe haber $r - 1$ éxitos en $x - 1$ repeticiones antes del último resultado, el cual es siempre un éxito. Por consiguiente, hay $\binom{x-1}{r-1}$ arreglos que satisfacen esta condición, y por ello la distribución es como se muestra en la ecuación 6-19.

El desarrollo hasta ahora ha sido para valores enteros de $r$. Si tenemos $r > 0$ y $0 < p < 1$ arbitrarios, la distribución de la ecuación 6-19 se conoce como la *distribución binomial negativa*.

### Media y varianza de la distribución de Pascal

Si $X$ tiene una distribución de Pascal, como se ilustra en la figura 6.10, la media, la varianza y la función generatriz de momentos están dadas de la manera siguiente:

$$\mu = r/p \qquad (6\text{-}20)$$

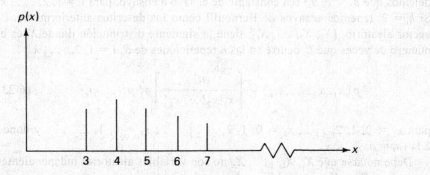

**Figura 6.10** Un ejemplo de la distribución de Pascal.

$$\sigma^2 = rq/p^2 \qquad (6\text{-}21)$$

y

$$M_X(t) = \left(\frac{pe^t}{1 - qe^t}\right)^r \qquad (6\text{-}22)$$

**Ejemplo 6.7**  El presidente de una gran corporación toma decisiones lanzando dardos sobre un tablero. La sección central está marcada con "sí" y representa un éxito. La probabilidad de que su disparo sea un "sí" es .6, y esta probabilidad permanece constante de lanzamiento a lanzamiento. El presidente continúa sus lanzamientos hasta que logra tres "blancos". Denotamos con $X$ el número del ensayo en el cual logra el tercer blanco. La media es $3/.6 = 5$, lo que significa que en promedio se requerirán cinco lanzamientos. La regla de decisión del presidente es simple. Si consigue tres blancos en o antes del quinto lanzamiento, decide a favor de la decisión en cuestión. La probabilidad de que él decidirá en favor es en consecuencia

$$P(X \le 5) = p(3) + p(4) + p(5)$$

$$= \binom{2}{2}(.6)^3(.4)^0 + \binom{3}{2}(.6)^3(.4)^1 + \binom{4}{2}(.6)^3(.4)^2$$

$$= .6636$$

## 6-6  Distribución multinomial

Una importante y útil variable aleatoria de mayor dimensión tiene una distribución conocida como *distribución multinomial*. Supóngase que un experimento $\mathcal{E}$ con espacio muestral $\mathcal{S}$ se particiona en $k$ eventos mutuamente excluyentes, digamos $B_1 B_2, \ldots, B_k$. Consideramos $n$ repeticiones independientes de $\mathcal{E}$ y dejemos que $p_i = P(B_i)$ sea constante de ensayo a ensayo, para $i = 1, 2, \ldots, k$. Si $k = 2$, tenemos ensayos de Bernoulli como los descritos anteriormente. El vector aleatorio, $[X_1, X_2, \ldots, X_k]$, tiene la siguiente distribución donde $X_i$ es el número de veces que $B_i$ ocurre en las $n$ repeticiones de $\mathcal{E}$, $i = 1, 2, \ldots, k$.

$$p(x_1, x_2, \ldots, x_k) = \left[\frac{n!}{x_1! x_2! \ldots x_k!}\right] p_1^{x_1} p_2^{x_2} \cdots p_k^{x_k} \qquad (6\text{-}23)$$

para $x_1 = 0, 1, 2, \ldots$; $x_2 = 0, 1, 2, \ldots$; $\ldots$; $x_k = 0, 1, 2, \ldots$; y donde $\sum_{i=1}^{k} x_i = n$.

Debe notarse que $X_1, X_2, \ldots, X_K$ no son variables aleatorias independientes puesto que $\sum_{i=1}^{k} X_i$ para cualesquier $n$ repeticiones.

La media y la varianza de $X_i$, una componente particular, son

$$E(X_i) = np_i \tag{6-24}$$

y

$$V(X_i) = np_i(1 - p_i) \tag{6-25}$$

**Ejemplo 6.8** Se fabrican lápices mecánicos por medio de un proceso que implica una gran cantidad de mano de obra en las operaciones de ensamble. Éste es un trabajo altamente repetitivo y hay un pago de incentivo. La inspección final ha revelado que el 85 por ciento del producto es bueno, el 10 por ciento defectuoso pero que puede reelaborarse, y el 5 por ciento es defectuoso y se desecha. Estos porcentajes se mantienen constantes en el tiempo. Se selecciona una muestra aleatoria de 20 artículos, y si designamos

$X_1$ = número de artículos buenos
$X_2$ = número de artículos defectuosos que pueden reelaborarse
$X_3$ = número de artículos que se desechan

entonces

$$p(x_1, x_2, x_3) = \frac{(20)!}{x_1! x_2! x_3!} (.85)^{x_1} (.10)^{x_2} (.05)^{x_3}$$

Supóngase que deseamos evaluar esta función de probabilidad para $x_1 = 18$, $x_2 = 2$ y $x_3 = 0$ (debemos tener $x_1 + x_2 + x_3 = 20$); por tanto

$$p(18, 2, 0) = \frac{(20)!}{(18)! 2! 0!} (.85)^{18} (.10)^2 (.05)^0$$

$$= 190(.85)^{18}(.01)$$

$$\simeq .105$$

## 6-7 Distribución hipergeométrica

En una sección anterior se presentó un ejemplo en que se introducía la distribución hipergeométrica. Desarrollaremos ahora de manera formal esta distribución e ilustraremos con mayor detalle su aplicación. Supóngase que existe cierta población finita con $N$ artículos. Cierto número $D(D \leq N)$ de los artículos entra en una categoría de interés. La categoría o clase particular dependerá, desde luego, de la situación considerada. Podrían ser defectos (contra no defectos) en el caso de un lote de producción, o personas con ojos azules (contra ojos no azules) en un salón de clases con $N$ estudiantes. Se selecciona una muestra aleatoria de tamaño $n$ sin reemplazo, y la variable aleatoria de interés, $X$, es el número de artículos en la muestra que pertenece a la clase de interés. La distribución de $X$ es:

$$p(x) = \frac{\binom{D}{x}\binom{N - D}{n - x}}{\binom{N}{n}} \qquad x = 0, 1, 2, \ldots, \min(n, D)$$

$$= 0 \qquad\qquad\qquad \text{en otro caso} \qquad\qquad (6\text{-}26)$$

## Media y varianza de la distribución hipergeométrica

La media y la varianza de la distribución hipergeométrica son

$$E(X) = n \cdot \left[\frac{D}{N}\right] \qquad\qquad (6\text{-}27)$$

y

$$V(X) = n \cdot \left[\frac{D}{N}\right] \cdot \left[1 - \frac{D}{N}\right] \cdot \left[\frac{N - n}{N - 1}\right] \qquad\qquad (6\text{-}28)$$

Se presentan tablas extensas de la distribución en Lieberman y Owen (1961).

**Ejemplo 6.9**   En un departamento de inspección de envíos, se reciben en forma periódica lotes de ejes de bombas. Los lotes contienen 100 unidades y el siguiente *plan de muestreo de aceptación* se utiliza. Se selecciona una muestra aleatoria de 10 unidades sin reemplazo. El lote se acepta si la muestra no tiene más de un artículo defectuoso. Supóngase que se recibe un lote que es $p'(100)$ por ciento defectuoso. ¿Cuál es la probabilidad de que sea aceptado?

$$P(\text{lote aceptado}) = P(X \le 1) = \frac{\sum\limits_{x=0}^{1} \binom{100p'}{x}\binom{100[1 - p']}{10 - x}}{\binom{100}{10}}$$

$$= \frac{\binom{100p'}{0}\binom{100[1 - p']}{10} + \binom{100p'}{1}\binom{100[1 - p']}{9}}{\binom{100}{10}}$$

Es evidente que la probabilidad de aceptar el lote es una función de la calidad del lote, $p'$.

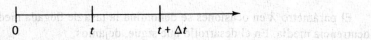

**Figura 6.11** El eje del tiempo.

Si $p' = .05$, entonces

$$P(\text{lote aceptado}) = \frac{\binom{5}{0}\binom{95}{10} + \binom{5}{1}\binom{95}{9}}{\binom{100}{10}} = .923$$

# 6-8  Distribución de Poisson

Una de las distribuciones discretas más útiles es la de Poisson. La distribución de Poisson puede desarrollarse de dos maneras, y ambas son instructivas en lo que respecta a qué indican las circunstancias en las que esta variable aleatoria puede esperarse que se aplique en la práctica. El primer desarrollo implica la definición de un *proceso de Poisson*. El segundo desarrollo muestra la distribución de Poisson como una *forma límite de la distribución binomial*.

### 6-8.1  Desarrollo a partir del proceso de Poisson

Al definir el proceso de Poisson, consideramos inicialmente una colección de ocurrencias relativas al tiempo, denominadas a menudo "llegadas" o "nacimientos" (véase la figura 6.11). La variable aleatoria de interés, digamos $X_t$, es el número de llegadas que ocurren en el intervalo 0, $t$. El espacio del rango $R_{X_t} = \{0, 1, 2, \dots\}$. En el desarrollo de la distribución de $X_t$ es necesario hacer algunas suposiciones, cuya admisibilidad está sustentada por una evidencia empírica considerable.

La primera suposición es que el número de llegadas durante intervalos de tiempo que no se traslapen son variables aleatorias independientes. Segundo, hacemos la suposición de que existe una cantidad positiva $\lambda$ tal que para cualquier intervalo pequeño de tiempo, $\Delta t$, se cumplen los siguientes *postulados*:

1. *La probabilidad de que ocurrirá con exactitud una llegada en un intervalo con duración $\Delta t$, es aproximadamente $\lambda \cdot \Delta t$. La aproximación es en el sentido de que la probabilidad es $(\lambda \cdot \Delta t) + o_1(\Delta t)$ y $[o_1(\Delta t)/\Delta t] \to 0$ cuando $\Delta t \to 0$.*

2. *La probabilidad de que ocurrirán exactamente cero llegadas en el intervalo es aproximadamente $1 - (\lambda \cdot \Delta t)$. Otra vez lo anterior es en el sentido de que es igual a $1 - [\lambda \cdot \Delta t] + o_2(\Delta t)$ y $[o_2(\Delta t)/\Delta t] \to 0$ cuando $\Delta t \to 0$.*

3. *La probabilidad de que ocurran dos o más llegadas en el intervalo es igual a una cantidad $o_3(\Delta t)$, donde $[o_3(\Delta t)/\Delta t] \to 0$ cuando $\Delta t \to 0$.*

El parámetro $\lambda$ en ocasiones se denomina la tasa de llegada media o tasa de ocurrencia media. En el desarrollo que sigue, dejamos

$$p(x) = P(X_t = x) = p_x(t) \qquad x = 0, 1, 2, \ldots \qquad (6\text{-}29)$$

De tal modo fijamos el tiempo en $t$ y obtenemos

$$p_0(t + \Delta t) \simeq [1 - \lambda \cdot \Delta t] \cdot p_0(t)$$

por lo que

$$\frac{p_0(t + \Delta t) - p_0(t)}{\Delta t} \simeq -\lambda p_0(t)$$

y

$$\lim_{\Delta t \to 0} \left[ \frac{p_0(t + \Delta t) - p_0(t)}{\Delta t} \right] = p_0'(t) = -\lambda p_0(t) \qquad (6\text{-}30)$$

Para $x > 0$

$$p_x(t + \Delta t) \simeq \lambda \cdot \Delta t p_{x-1}(t) + [1 - \lambda \cdot \Delta t] \cdot p_x(t)$$

por lo que

$$\frac{p_x(t + \Delta t) - p_x(t)}{\Delta t} \simeq \lambda \cdot p_{x-1}(t) - \lambda \cdot p_x(t)$$

y

$$\lim_{\Delta t \to 0} \left[ \frac{p_x(t + \Delta t) - p_x(t)}{\Delta t} \right] = p_x'(t) = \lambda p_{x-1}(t) - \lambda p_x(t) \qquad (6\text{-}31)$$

Resumiendo, tenemos un sistema de ecuaciones diferenciales:

$$p_0'(t) = -\lambda p_0(t) \qquad (6\text{-}32a)$$

y

$$p_x'(t) = \lambda p_{x-1}(t) - \lambda p_x(t) \qquad x = 1, 2, \ldots \qquad (6\text{-}32b)$$

La solución de estas ecuaciones es

$$p_x(t) = (\lambda t)^x e^{-(\lambda t)} / x! \qquad x = 0, 1, 2, \ldots \qquad (6\text{-}33)$$

De manera que para $t$ fija hacemos $c = \lambda t$ y obtenemos la distribución de Poisson como

$$p(x) = \frac{c^x e^{-c}}{x!} \qquad x = 0, 1, 2, \ldots$$

$$= 0 \qquad \text{en otro caso} \tag{6-34}$$

Nótese que esta distribución se desarrolló como una consecuencia de ciertas suposiciones; por consiguiente, cuando las suposiciones se cumplen o se satisfacen en forma aproximada, la distribución de Poisson es un modelo apropiado. Hay muchos fenómenos en el mundo real para los cuales resulta adecuado el modelo de Poisson.

### 6-8.2  Desarrollo de la distribución de Poisson a partir de la binomial

Para mostrar cómo puede desarrollarse la distribución de Poisson como una forma límite de la distribución de Poisson con $c = np$, regresamos a la distribución binomial

$$p(x) = \frac{n!}{x!(n-x)!} p^x (1-p)^{n-x} \qquad x = 0, 1, 2, \ldots, n$$

Si hacemos $np = c$, por lo que $p = c/n$ y $1 - p = 1 - c/n = (n-c)/n$, y si reemplazamos después a los términos que involucran $p$ por los términos correspondientes que involucran a $c$, obtenemos:

$$p(x) = \frac{n(n-1)(n-2) \cdots (n-x+1)}{x!} \left[ \frac{c}{n} \right]^x \left[ \frac{n-c}{n} \right]^{n-x}$$

$$= \frac{c^x}{x!} \left[ (1)\left(1 - \frac{1}{n}\right)\left(1 - \frac{2}{n}\right) \cdots \left(1 - \frac{x-1}{n}\right) \right] \left(1 - \frac{c}{n}\right)^n \left(1 - \frac{c}{n}\right)^x \tag{6-35}$$

Al dejar que $n \to \infty$ y $p \to 0$ de manera tal que $np = c$ permanezca fijo, los términos $\left(1 - \frac{1}{n}\right), \left(1 - \frac{2}{n}\right) \cdots \left(1 - \frac{x-1}{n}\right)$ todos se aproximan a 1 como lo hace $\left(1 - \frac{c}{n}\right)^{-x}$. Sabemos ahora que $\left(1 - \frac{c}{n}\right)^n \to e^c$ cuando $n \to \infty$; por consiguiente, la forma límite de la ecuación 6-35 es $p(x) = (c^x/x!) \cdot e^{-c}$, que es la distribución de Poisson.

### 6-8.3  Media y varianza de la distribución de Poisson

La *media* de la distribución de Poisson es $c$ y la varianza es también $c$, como se verá en seguida.

$$E(X) = \sum_{x=0}^{\infty} \frac{xe^{-c}c^x}{x!} = \sum_{x=1}^{\infty} \frac{e^{-c}c^x}{(x-1)!}$$

$$= ce^{-c}\left[1 + \frac{c}{1!} + \frac{c^2}{2!} + \cdots\right]$$

$$= ce^{-c} \cdot e^c$$

$$= c \tag{6-36}$$

De modo similar,

$$E(X^2) = \sum_{x=0}^{\infty} \frac{x^2 \cdot e^{-c}c^x}{x!} = c^2 + c$$

por lo que

$$V(X) = E(X^2) - [E(X)]^2$$

$$= c \tag{6-37}$$

La función generatriz de momentos es

$$M_X(t) = e^{c(e^t - 1)} \tag{6-38}$$

La utilidad de esta función generatriz se ilustra en la prueba del siguiente teorema.

## Teorema 6-1

Si $X_1, X_2, \ldots, X_k$ son variables aleatorias distribuidas independientemente, teniendo cada cual una distribución de Poisson con parámetro $c_i$, $i = 1, 2, \ldots, k$ y $Y = X_1 + X_2 + \cdots + X_k$, entonces $Y$ tiene una distribución de Poisson con parámetro

$$c = c_1 + c_2 + \cdots + c_k$$

**Prueba** La función generatriz de momentos de $X_i$ es

$$M_{X_i}(t) = e^{c_i(e^t - 1)}.$$

y, puesto que $M_Y(t) = M_{X_1}(t) M_{X_2}(t) \cdots M_{X_k}(t)$, entonces

$$M_Y(t) = e^{(c_1 + c_2 + \cdots + c_k)(e^t - 1)}$$

que se reconoce como la función generatriz de momentos de una variable aleatoria de Poisson con parámetro $c = c_1 + c_2 + \cdots + c_k$.

Esta propiedad reproductiva de la distribución de Poisson es de suma utilidad. Simplemente, establece que las sumas de variables aleatorias independientes de Poisson se distribuyen de acuerdo con la distribución de Poisson.

En Molina (1942) se encuentran tablas extensas para la distribución de Poisson. Una breve tabulación se incluye en la tabla I del Apéndice.

**Ejemplo 6.10** Supóngase que un comerciante en pequeño determina que el número de pedidos para cierto aparato doméstico en un periodo particular tiene una distribución de Poisson con parámetro $c$. A él le gustaría determinar el nivel de existencias $K$ para el principio del periodo de manera que haya una probabilidad de al menos .95 de surtir a todos los clientes que pidan el aparato durante el periodo, pues no desea devolver pedidos ni volver a surtir del almacén durante ese periodo. Si $X$ representa el número de pedidos, el comerciante desea determinar $K$ de forma tal que

$$P(X \le K) \ge .95$$

o

$$P(X > K) \le .05$$

por lo que

$$\sum_{x=K+1}^{\infty} e^{-c}(c)^x/x! \le .05$$

La solución puede determinarse directamente de las tablas de la distribución de Poisson.

**Ejemplo 6.11** La sensibilidad que pueden alcanzar los amplificadores y aparatos electrónicos está limitada por el ruido o las fluctuaciones espontáneas de corriente. En tubos de vacío, una fuente de ruido es el ruido de disparo debido a la emisión aleatoria de electrones desde un cátodo caliente. Si la diferencia de potencial entre el ánodo y el cátodo es tan grande que todos los electrones emitidos por el cátodo tienen una velocidad tan alta que no se produce una descarga (acumulación de electrones entre cátodo y ánodo), y si un evento, ocurrencia o llegada se considera como una emisión de un electrón, desde el cátodo, entonces, como Davenport y Root (1958) han demostrado, el número de electrones, $X$, emitidos desde el cátodo en el tiempo $t$ tiene una distribución de Poisson dada por:

$$p(x) = (\lambda t)^x e^{-(\lambda t)}/x! \qquad x = 0, 1, 2, \ldots$$
$$= 0 \qquad \text{en otro caso}$$

El parámetro $\lambda$ es la tasa media de emisión de electrones desde el cátodo.

## 6-9   Algunas aproximaciones

A menudo es útil aproximar una distribución con otra, en particular cuando la aproximación se puede manejar con más facilidad. Las dos aproximaciones consideradas en esta sección son

1. La aproximación binomial a la distribución hipergeométrica.
2. La aproximación de Poisson a la distribución binomial.

Para la distribución hipergeométrica, si la fracción de muestreo $n/N$ es pequeña, digamos menor que .1, entonces la distribución binomial con $p = D/N$, y $n$ proporcionan una buena aproximación. Cuanto más pequeña sea la razón $n/D$, tanto mejor sería la aproximación.

**Ejemplo 6.12**   Un lote de producción de 200 unidades tiene 8 defectuosas. Se selecciona una muestra aleatoria de 10 unidades, y deseamos encontrar la probabilidad de que una muestra contenga exactamente 1 unidad defectuosa.

$$P(X = .1) = \frac{\binom{8}{1}\binom{192}{9}}{\binom{200}{10}}$$

Puesto que $n/N = \frac{10}{200} = .05$ es pequeño, sea $p = \frac{8}{200} = .04$ y al emplear la aproximación binomial

$$p(1) \simeq \binom{10}{1}(.04)^1(.96)^9 \simeq .28$$

En el caso de la aproximación de Poisson a la binomial, ya se indicó que para $n$ grande y $p$ pequeño, la aproximación es satisfactoria. Utilizando esta aproximación sea $c = np$. En general, $p$ debe ser menor que .1 para aplicar la aproximación. Cuanto menor sea $p$ y mayor $n$, tanto mejor la aproximación.

**Ejemplo 6.13**   La probabilidad de que un remache particular en la superficie del ala de un avión nuevo esté defectuoso es .001. Hay 4000 remaches en el ala. ¿Cuál es la probabilidad de que se instalen no más de 6 remaches defectuosos?

$$P(X \le 6) = \sum_{x=0}^{6} \binom{4000}{x}(.001)^x(.999)^{4000-x}$$

Al emplear la aproximación de Poisson,

$$c = 4000(.001) = 4$$

y

$$P(X \leq 6) = \sum_{x=0}^{6} e^{-4}(4)^x/x! = .889$$

## 6-10   Generación de conversiones

Existen esquemas para utilizar números aleatorios, como se describió en la sección 4-6, con el fin de generar conversiones de las variables aleatorias más comunes.

Con los ensayos de Bernoulli, podríamos generar primero un valor $u_i$ como la $i$ésima conversión de $U$, donde

$$f(u) = 1; 0 \leq u \leq 1$$
$$= 0; \text{ en otro caso}$$

y se mantiene la independencia entre la secuencia $U_i$. Entonces si $U_i \leqslant p$, dejamos $X_i = 1$ y si $U_i > p, X_i = 0$. De manera que si $Y = \sum_1^n X_i$, $Y$ seguirá una distribución binomial con parámetros $n$ y $p$, y todo este proceso podrá repetirse para producir una serie de valores de $Y$, llamados conversiones, a partir de la distribución binomial con parámetros $n$ y $p$.

De modo similar, podríamos producir variables geométricas generando en forma secuencial valores de $u$ y contando el número de ensayos hasta $u_i \leqslant p$. En el punto en el que esta condición se alcanza, el número de ensayo se asigna a la variable aleatoria, $X$, y el proceso completo se repite para producir una serie de conversiones de una variable aleatoria.

Asimismo, puede emplearse un esquema similar para las conversiones de variables aleatorias de Pascal donde hemos probado $u_i \leqslant p$ hasta que esta condición se ha satisfecho $r$ veces, en cuyo punto el número del ensayo se asigna a $X$, y una vez más, se repite el proceso completo para obtener conversiones subsecuentes.

Las conversiones a partir de una distribución de Poisson con parámetro $\lambda t = c$ puede obtenerse empleando una técnica basada en el método de convolución. El planteamiento es generar en forma secuencial valores $u_i$ como se describe arriba hasta que el producto $u_1 \cdot u_2 \cdots u_{k+1} < e^{-c}$, en cuyo punto asignamos: $X \leftarrow k$, y nuevamente, este proceso se repite para obtener una secuencia de conversiones.

## 6-11   Resumen

Las distribuciones presentadas en este capítulo tienen un gran uso en las aplicaciones en ingeniería, ciencias y administración. La selección de una distribución

**TABLA 6-1** Resumen de distribuciones discretas

| Distribución | Parámetros | Función de probabilidad: $p(x)$ | Media | Varianza | Función generatriz de momentos |
|---|---|---|---|---|---|
| Bernoulli | $0 \le p \le 1$ | $p(x) = p^x \cdot q^{1-x}$   $x = 0,1$<br>$= 0$   en otro caso | $p$ | $pq$ | $pe^t + q$ |
| Binomial | $n = 1,2,\ldots,N$<br>$0 \le p \le 1$ | $p(x) = \binom{n}{x} p^x q^{n-x}$   $x = 0,1,2,\ldots,n$<br>$= 0$   en otro caso | $np$ | $npq$ | $(pe^t + q)^n$ |
| Geométrica | $0 < p < 1$ | $p(x) = pq^{x-1}$   $x = 1,2,\ldots$<br>$= 0$   en otro caso | $1/p$ | $q/p^2$ | $pe^t/(1 - qe^t)$ |
| Pascal (Binomial neg.) | $0 < p < 1$<br>$r = 1,2,\ldots$<br>$(r > 0)$ | $p(x) = \binom{x-1}{r-1} p^r q^{x-r}$   $x = r, r+1,$   $r+2,\ldots$<br>$= 0$   en otro caso | $r/p$ | $rq/p^2$ | $\left[\dfrac{pe^t}{1 - qe^t}\right]^r$ |
| Hipergeométrica | $N = 1,2,\ldots,N$<br>$n = 1,2,\ldots,N$<br>$D = 1,2,\ldots,N$ | $p(x) = \dfrac{\binom{D}{x}\binom{N-D}{n-x}}{\binom{N}{n}}$   $x = 0,1,2,\ldots$   $\min(n,D)$<br>$= 0$   en otro caso | $n\left[\dfrac{D}{N}\right]$ | $n\left[\dfrac{D}{N}\right]\left[1 - \dfrac{D}{N}\right]\left[\dfrac{N-n}{N-1}\right]$ | Véase Kendall y Stuart (1963) |
| Poisson | $c > 0$ | $p(x) = e^{-c}(c)^x / x!$   $x = 0,1,2,\ldots$<br>$= 0$   en otro caso | $c$ | $c$ | $e^c(e^t - 1)$ |

discreta específica dependerá del grado en que el fenómeno que se va a modelar cumpla con las suposiciones relativas a la distribución. Las distribuciones que se presentaron aquí se seleccionaron por su amplia aplicabilidad.

Un resumen de estas distribuciones se presenta en la tabla 6.1.

## 6-12   Ejercicios

**6-1**   Un experimento consta de cuatro ensayos de Bernoulli independientes con probabilidad de éxito $p$ en cada uno de ellos. La variable aleatoria $X$ es el número de éxitos. Enumere la distribución de probabilidad de $X$.

**6-2**   Se planean seis misiones espaciales independientes a la luna. La probabilidad estimada de éxito de cada misión es .95. ¿Cuál es la probabilidad de que al menos cinco de las misiones planeadas tengan éxito?

**6-3**   La Compañía $XYZ$ ha planeado presentaciones de ventas a una docena de clientes importantes. La probabilidad de recibir un pedido como un resultado de tal presentación se estima en .5. ¿Cuál es la probabilidad de recibir cuatro o más pedidos como resultado de las reuniones?

**6-4**   Un corredor de bolsa llama a sus 20 más importantes clientes cada mañana. Si la probabilidad de que efectúe una transacción como resultado de dichas llamadas es de uno a tres, ¿cuáles son las posibilidades de que maneje 10 o más transacciones?

**6-5**   Un proceso de producción que manufactura transistores genera, en promedio, una fracción de 2 por ciento de piezas defectuosas. Cada dos horas se toma del proceso una muestra aleatoria de tamaño 50. Si la muestra contiene más de dos piezas defectuosas el proceso debe interrumpirse. Determine la probabilidad de que el proceso será interrumpido por medio del esquema de muestreo indicado.

**6-6**   Encuentre la media y la varianza de la distribución binomial empleando la función generatriz de momentos; véase la ecuación 6-7.

**6-7**   Se sabe que el proceso de producción de luces de un tablero de automóvil de indicador giratorio produce uno por ciento de luces defectuosas. Si este valor permanece invariable, y se selecciona al azar una muestra de 100 luces, encuentre $P(\hat{p} \leq .03)$, donde $\hat{p}$ es la fracción de defectos de la muestra.

**6-8**   Suponga que una muestra aleatoria de tamaño 200 se toma de un proceso que tiene una fracción de defectos de .07. ¿Cuál es la probabilidad de que $\hat{p}$ exceda la fracción verdadera de defectos en una desviación estándar? ¿En dos desviaciones estándar? ¿En tres desviaciones estándar?

**6-9**   Una compañía aeroespacial ha construido cinco misiles. La probabilidad de un disparo exitoso es, en cualquier prueba, .95. Suponiendo lanzamientos independientes, ¿cuál es la probabilidad de que la primera falla ocurra en el quinto disparo?

**6-10**   Un agente de bienes raíces estima que la probabilidad de vender una casa es .10. El día de hoy tiene que ver cuatro clientes. Si tiene éxito en las primeras tres visitas ¿cuál es la probabilidad de que su cuarta visita no sea exitosa?

**6-11**   Suponga que se van a realizar cinco experimentos de laboratorio idénticos independientes. Cada experimento es en extremo sensible a las condiciones ambientales, y sólo hay una probabilidad $p$ de que se terminará con éxito. Grafique, como una función de $p$, la probabilidad de que el quinto experimento sea el primero que falle. Obtenga matemáticamente el valor de $p$ que maximice la probabilidad de que el quinto ensayo sea el primer experimento no exitoso.

**6-12**   La compañía *XYZ* planea visitar clientes potenciales hasta que se realice una venta considerable. Cada presentación de venta cuesta $1000 dólares. Cuesta $4000 viajar para visitar al siguiente cliente y realizar una nueva presentación.
*a)*   ¿Cuál es el costo esperado de la realización de una venta si la probabilidad de hacer una venta después de cualquier presentación es .10?
*b)*   Si la ganancia esperada en cada venta es $15,000, ¿deben efectuarse los viajes?
*c)*   Si el presupuesto para publicidad es sólo de $100,000, ¿cuál es la probabilidad de que esta suma sea gastada sin que se logre ningún pedido?

**6-13**   Obtenga la media y la varianza de la distribución geométrica utilizando la función generatriz de momentos.

**6-14**   La probabilidad de que un submarino hunda un barco enemigo con un disparo de sus torpedos es .8. Si los disparos son independientes, determine la probabilidad de un hundimiento dentro de los primeros dos disparos, y dentro de los primeros tres.

**6-15**   En Atlanta la probabilidad de que ocurra una tormenta en cualquier día durante la primavera es .050. Suponiendo independencia, ¿cuál es la probabilidad de que la primera tormenta ocurra el cinco de abril? Suponga que la primavera empieza el 1 de marzo.

**6-16**   Un cliente potencial entra a una agencia de automóviles cada hora. La probabilidad de que una vendedora cierre una transacción es .10. Si ella está determinada a continuar trabajando hasta que venda tres carros, ¿cuál es la probabilidad de que tenga que trabajar exactamente ocho horas? ¿Y más de ocho horas?

**6-17**   Un gerente de personal está entrevistando a empleados potenciales con el fin de cubrir dos vacantes. La probabilidad de que el entrevistado tenga las cualidades necesarias y acepte un ofrecimiento es .8. ¿Cuál es la probabilidad de que exactamente cuatro personas deban entrevistarse? ¿Cuál es la probabilidad de que menos de cuatro personas deban entrevistarse?

**6-18**   Muestre que la función generatriz de momentos de la variable aleatoria de Pascal está dada como indica la ecuación 6-22. Emplee ésta para determinar la media y la varianza de la distribución de Pascal.

**6-19** La probabilidad de que un experimento tenga un resultado exitoso es .89. El experimento se repetirá hasta que ocurran cinco resultados exitosos. ¿Cuál es el número esperado de repeticiones necesarias? ¿Cuál es la varianza?

**6-20** Un comandante del ejército desea destruir un puente enemigo. Cada vuelo de aviones que él envía tiene una probabilidad de .8 de conseguir un impacto directo sobre el puente. Para destruir éste por completo se requieren cuatro impactos directos. Si él puede preparar siete asaltos antes de que el puente pierda importancia desde el punto de vista táctico, ¿cuál es la probabilidad de que el puente sea destruido?

**6-21** Tres compañías $X$, $Y$ y $Z$ tienen probabilidades de obtener un pedido de un tipo particular de mercancía de .4, .3 y .3, respectivamente. Tres pedidos se van a asignar en forma independiente. ¿Cuál es la probabilidad de que una compañía reciba los tres pedidos?

**6-22** Cuatro compañías están entrevistando a cinco estudiantes universitarios para ofrecerles trabajo después de que se gradúen. Si se supone que los cinco reciben ofertas de cada compañía, y que las probabilidades de que las compañías los contraten son iguales, ¿cuál es la probabilidad de que una compañía los emplee a los cinco? ¿A ninguno de ellos?

**6-23** Estamos interesados en el peso de costales de forraje. Específicamente, necesitamos saber si alguno de los cuatro eventos siguientes ha ocurrido:

$$T_1 = (x \leq 10) \qquad p(T_1) = .2$$

$$T_2 = (10 < x \leq 11) \qquad p(T_2) = .2$$

$$T_3 = (11 < x \leq 11.5) \qquad p(T_3) = .2$$

$$T_4 = (11.5 < x) \qquad p(T_4) = .4$$

Si los costales se seleccionan al azar, ¿cuál es la probabilidad de que 4 sean menores o iguales a 10 libras, de que 1 sea mayor que 10 libras pero menor o igual a 11 libras, y que 2 sean más grandes que 11.5 libras?

**6-24** En el problema 6.23, ¿cuál es la probabilidad de que los 10 costales pesen más de 11.5 libras? ¿Cuál es la probabilidad de que 5 costales pesen más de 11.5 libras y los otros 5, menos de 10 libras?

**6-25** Un lote de 25 cinescopios de televisión a color se somete a un procedimiento de pruebas de aceptación. El procedimiento consiste en extraer cinco tubos al azar, sin reemplazo, y probarlos. Si dos o menos tubos fallan, los restantes se aceptan. De otro modo el lote se rechaza. Suponga que el lote contiene cuatro tubos defectuosos.

*a)* ¿Cuál es la probabilidad exacta de que el lote se acepte?

b)   ¿Cuál es la probabilidad de la aceptación del lote calculada a partir de la distribución binomial con $p = \frac{4}{25}$?

**6-26**   Suponga que en el ejercicio 6-25 el tamaño del lote ha sido 100. ¿Será satisfactoria la aproximación binomial en este caso?

**6-27**   Una compradora recibe lotes pequeños ($N = 25$) de un dispositivo de alta precisión. Pretende rechazar el lote el 95 por ciento de las veces si contienen hasta siete unidades defectuosas. Suponga que la compradora decide que la presencia de una unidad defectuosa en la muestra, es suficiente para provocar el rechazo. ¿Qué tan grande debe ser el tamaño de su muestra?

**6-28**   Demuestre que la función generatriz de momentos de la variable aleatoria de Poisson es como indica la ecuación 6-38.

**6-29**   Se estima que el número de automóviles que pasa por un cruce particular por hora es de 25. Obtenga la probabilidad de que menos de 10 vehículos crucen durante cualquier intervalo de una hora. Suponga que el número de vehículos sigue una distribución de Poisson.

**6-30**   Las llamadas llegan a un tablero de control telefónico de modo tal que el número de llamadas por hora sigue una distribución de Poisson con media 10. El equipo disponible puede manejar hasta 20 llamadas sin que se sobrecargue. ¿Cuál es la probabilidad de que ocurra dicha sobrecarga?

**6-31**   El número de células de sangre por unidad cuadrada visible bajo el microscopio sigue una distribución de Poisson con media 4. Encuentre la probabilidad de que más de 5 de tales células de sangre sean visibles para el observador.

**6-32**   Sea $X_t$ el número de vehículos que pasan por una intersección durante un intervalo de tiempo $t$. La variable aleatoria $X_t$ sigue la distribución de Poisson con un parámetro $\lambda t$. Suponga que se ha instalado un contador automático para contar el número de vehículos que pasan. Sin embargo, este contador no está funcionando de manera apropiada, y cada vehículo que pasa tiene una probabilidad $p$ de no ser contado. Sea $Y_t$ el número de vehículos contados durante $t$. Determine la distribución de probabilidad de $Y_t$.

**6-33**   Una compañía grande de seguros ha descubierto que .2 por ciento de la población de Estados Unidos está lesionada como resultado de algún tipo de accidente particular. Esta compañía tiene 15,000 asegurados que están protegidos contra tal accidente. ¿Cuál es la probabilidad de que tres o menos reclamos se entablen en relación con esas pólizas de seguro durante el siguiente año? ¿Cinco o más reclamos?

**6-34**   Cuadrillas de mantenimiento llegan a un almacén de herramientas solicitando una pieza de repuesto particular de acuerdo con una distribución de Poisson con parámetro $\lambda = 2$. Tres de estas piezas de repuesto por lo general se tienen disponibles. Si ocurren más de tres solicitudes, las cuadrillas deben desplazarse a una distancia considerable hasta los almacenes centrales.

a) En un día cualquiera, ¿cuál es la probabilidad de que se realice un viaje a los almacenes centrales?

b) ¿Cuál es la demanda diaria esperada para piezas de repuesto?

c) ¿Cuántas piezas de repuesto deben transportarse si el almacén de herramientas tiene que dar servicio a las cuadrillas que llegan el 90 por ciento de las veces?

d) ¿Cuál es el número esperado de cuadrillas atendidas diariamente en el almacén de herramientas?

e) ¿Cuál es el número esperado de cuadrillas que realizarán el viaje a los almacenes generales?

**6-35** Un telar experimenta una rotura aproximadamente cada 10 horas. Se está produciendo un estilo particular de tela que requiere 25 horas de trabajo. Si con tres o más roturas el producto no es satisfactorio, encuentre la probabilidad de que la tela se termine con calidad aceptable.

**6-36** El número de personas que abordan un autobús en cada parada sigue una distribución de Poisson con parámetro $\lambda$. La compañía de autobuses está realizando estudios con propósitos de planificación, y ha instalado un contador automático en cada autobús. Sin embargo, si más de 10 personas abordan en cualquier parada el contador no puede registrar el exceso y sólo registra 10. Si $X$ es el número de *pasajeros* registrados, determine la distribución de probabilidad de $X$.

**6-37** Un libro de texto de matemáticas tiene 200 páginas en las que pueden ocurrir errores tipográficos en las ecuaciones. Si hay cinco errores dispersos de manera aleatoria entre las 200 hojas, ¿cuál es la probabilidad de que en una muestra aleatoria de 50 páginas contenga al menos un error? ¿Qué tan grande debe ser la muestra aleatoria para asegurar que al menos tres errores se encontrarán con probabilidad de 90 por ciento?

**6-38** La probabilidad de que un vehículo tenga un accidente en un cruce en particular es .0001. Suponga que 10,000 vehículos circulan diariamente por este cruce. ¿Cuál es la probabilidad de que no ocurran accidentes? ¿Cuál es la probabilidad de ocurrencia de dos o más accidentes?

**6-39** Si la probabilidad de que un automóvil esté implicado en un accidente es .01 durante cualquier año, ¿cuál es la probabilidad de tener dos o más accidentes durante cualquier periodo de manejo de 10 años?

**6-40** Suponga que el número de accidentes relativo a empleados que trabajan con granadas altamente explosivas durante un periodo de tiempo (por ejemplo, cinco semanas) se considera que sigue la distribución de Poisson con parámetro $\lambda = 2$.

a) Encuentre la probabilidad de 1, 2, 3, 4 ó 5 accidentes.

b) La distribución de Poisson se ha aplicado libremente en el área de los accidentes industriales. Sin embargo, proporciona a menudo un "ajuste" pobre para los datos históricos reales. ¿Por qué esto podría ser cierto? *Sugerencia:* Véase Kendall y Stuart (1963), p. 128-30.

**6-41**  Utilice una subrutina de computadora o los enteros aleatorios de la tabla XV y escale
después multiplicando por $10^{-5}$ para obtener conversiones de números aleatorios, y

a)   Produzca 5 conversiones de una variable aleatoria binomial con $n = 8$, $p = .5$.

b)   Produzca 10 conversiones de una distribución geométrica con $p = 0.4$.

c)   Produzca 5 conversiones de una variable aleatoria de Poisson con $c = .15$.

**6-42**  Si $Y = X^{1.3}$ y $X$ siguen una distribución geométrica con media 6, emplee conversiones
de números aleatorios, y produzca 5 conversiones de $Y$.

**6-43**  Utilice su computadora para resolver el problema 6-42, y a) produzca 500 conversiones de $Y$, b) calcule $\overline{y} = \dfrac{1}{500} (y_1 + y_2 + \cdots + y_{500})$, la media de esta muestra.

# Capítulo 7

# Algunas distribuciones continuas importantes

## 7-1  Introducción

Estudiaremos ahora varias distribuciones de probabilidad continuas importantes. Ellas son las distribuciones uniforme, exponencias, gamma y de Weibull. En el capítulo 8 se presentará la distribución normal y otras distribuciones de probabilidad relacionadas con la misma. La distribución normal es quizá la más importante de todas las distribuciones continuas. La razón por la que se pospone su estudio es que la distribución normal es lo bastante importante como para dedicarle un capítulo por separado.

Se ha observado que el espacio del rango para una variable aleatoria continua $X$ consta de un intervalo o de un conjunto de intervalos. Esto se ilustró en un capítulo anterior, y se vio que está involucrada una idealización. Por ejemplo, si estamos midiendo el tiempo de falla para un componente electrónico o el tiempo para procesar un pedido a través de un sistema de información, los dispositivos de medición utilizados son tales que sólo hay un número finito de resultados posibles; sin embargo, idealizaremos y supondremos que el tiempo puede tomar cualquier valor en algún intervalo. También en este caso simplificaremos la notación donde no haya ambigüedad, y dejaremos $f_X(x) = f(x)$ y $F_X(x) = F(x)$.

## 7-2  Distribución uniforme

La función de densidad uniforme se define como

$$f(x) = \frac{1}{\beta - \alpha} \qquad \alpha \leq x \leq \beta$$

$$= 0 \qquad \text{en otro caso} \qquad (7\text{-}1)$$

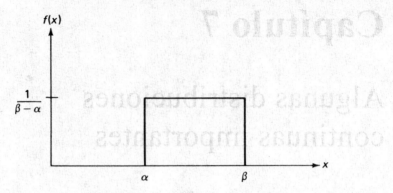

**Figura 7.1** Densidad uniforme.

donde $\alpha$ y $\beta$ son constantes reales con $\alpha < \beta$. La función de densidad se muestra en la figura 7.1. Puesto que una variable aleatoria distribuida uniformemente tiene una función de densidad de probabilidad que es constante sobre algún intervalo de definición, la constante debe ser el recíproco de la longitud del intervalo para satisfacer el requerimiento de que

$$\int_{-\infty}^{\infty} f(x)\, dx = 1$$

Una variable aleatoria distribuida uniforme representa la analogía continua con los resultados igualmente probables en el sentido de que para cualquier subintervalo $[a, b]$, donde $\alpha \le a < b \le \beta$, la $P(a \le X \le b)$ es la misma para todos los subintervalos de la misma longitud.

$$P(a \le X \le b) = \int_a^b \frac{dx}{\beta - \alpha} = \frac{(b - a)}{(\beta - \alpha)}$$

El enunciado relativo a que *elegimos un punto al azar* en $[\alpha, \beta]$ significa simplemente que el valor elegido, digamos $Y$, está distribuido de manera uniforme en $[\alpha, \beta]$.

**Media y varianza de la distribución uniforme**

La *media* y la *varianza* de la distribución uniforme son

$$E(X) = \int_\alpha^\beta \frac{x\, dx}{\beta - \alpha} = \frac{1}{2(\beta - \alpha)} x^2 \Big|_\alpha^\beta = \frac{(\beta + \alpha)}{2} \tag{7-2}$$

y

$$V(X) = \int_\alpha^\beta \frac{x^2 \, dx}{\beta - \alpha} - \left[ \frac{(\beta + \alpha)}{2} \right]^2$$

$$= \frac{(\beta - \alpha)^2}{12} \qquad (7\text{-}3)$$

La función generatriz de momentos $M_X(t)$ se encuentra del modo siguiente:

$$M_X(t) = E(e^{tX}) = \int_\alpha^\beta e^{tx} \cdot \frac{1}{\beta - \alpha} \, dx = \frac{1}{t(\beta - \alpha)} e^{tx} \Big|_\alpha^\beta$$

$$= \frac{e^{t\beta} - e^{t\alpha}}{t(\beta - \alpha)} \qquad \text{for } t \neq 0 \qquad (7\text{-}4)$$

Para una variable aleatoria distribuida uniformemente, la función de distribución $F(x) = P(X \leq x)$ está dada por la ecuación 7-5, y su gráfica se muestra en la figura 7.2.

$$F(x) = 0 \qquad\qquad\qquad\qquad x < \alpha$$

$$= \int_\alpha^x \frac{dx}{\beta - \alpha} = \frac{x - \alpha}{\beta - \alpha} \qquad \alpha \leq x < \beta$$

$$= 1 \qquad\qquad\qquad\qquad x \geq \beta \qquad (7\text{-}5)$$

**Ejemplo 7.1**  Se elige un punto al azar en el intervalo [0, 10]. Supóngase que deseamos encontrar la probabilidad de que el punto esté entre $\frac{3}{2}$ y $\frac{7}{2}$. La densidad de la variable aleatoria $X$ es $f(x) = \frac{1}{10}$, $0 \leq x \leq 10$; y $f(x) = 0$, en otro caso. En consecuencia, $P(\frac{3}{2} \leq X \leq \frac{7}{2}) = \frac{2}{10}$.

**Ejemplo 7.2**  Se "redondean" números de la forma $NN.N$ hasta el entero más cercano. El procedimiento de redondeo es tal que si la parte decimal es menor que .5, el redondeo es "hacia abajo" reduciendo simplemente la parte decimal; sin embargo, si la parte decimal es mayor que .5, el redondeo es "hacia arriba", esto es, el nuevo número es $[[NN.N]] + 1$, donde $[[\quad]]$ es el "entero más grande

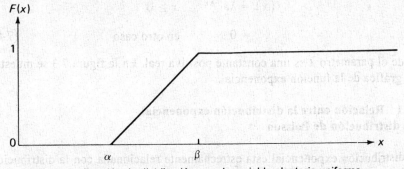

**Figura 7.2**  Función de distribución para la variable aleatoria uniforme.

contenido en" la función. Si la parte decimal es exactamente .5, se lanza una moneda para determinar de qué manera redondear. El error de redondeo, $X$, se define como la diferencia entre el número redondeado antes y el número redondeado después. Estos errores se distribuyen por lo común de acuerdo con la distribución uniforme en el intervalo [–5, + 5]. Esto es,

$$f(x) = 1 \quad - .5 \leq x \leq + .5$$
$$= 0 \quad \text{en otro caso}$$

**Ejemplo 7.3**  Un conocido lenguaje de simulación de computadora es el GPSS (General-Purpose System Simulator, Simulador de sistemas de propósito general). Una de las características especiales de este lenguaje es un simple procedimiento automático para utilizar la distribución uniforme. El usuario declara una media y un modificador (por ejemplo, 500, 100). El compilador crea de inmediato una rutina para producir conversiones de una variable aleatoria $X$ distribuida uniformemente en [400, 600]. En este lenguaje, la distribución uniforme se emplea con frecuencia como una aproximación a muchas otras distribuciones, las formas exactas pueden ser desconocidas para el usuario.

En el caso especial en el que $\alpha = 0$, $\beta = 1$, se dice que la variable uniforme será uniforme en [0, 1] y a menudo se utiliza un símbolo $U$ para describir esta variable especial. Al usar los resultados de las ecuaciones 7-2 y 7-3, notamos que $E(U) = \frac{1}{2}$ y $V(U) = \frac{1}{12}$. Si $U_1, U_2, \ldots, U_k$ es una secuencia de tales variables donde estas mismas son mutuamente independientes, los valores $U_1, U_2, \ldots, U_k$ se llaman números aleatorios y una conversión $u_1, u_2, \ldots, u_k$ se llama con toda propiedad una *conversión de número aleatorio*; sin embargo, en la práctica común el término "número aleatorio" es dado a menudo a las conversiones.

## 7-3  Distribución exponencial

La distribución exponencial tiene función de densidad

$$f(x) = \lambda e^{-\lambda x} \quad x \geq 0$$

$$= 0 \qquad \text{en otro caso} \qquad (7\text{-}6)$$

donde el parámetro $\lambda$ es una constante positiva real. En la figura 7.3 se muestra una gráfica de la función exponencial.

### 7-3.1  Relación entre la distribución exponencial y la distribución de Poisson

La distribución exponencial está estrechamente relacionada con la distribución de Poisson, y una explicación de esta relación debe ayudar al lector a desarrollar

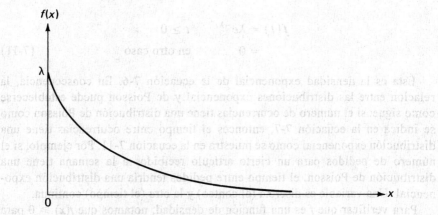

**Figura 7.3** Función de densidad exponencial.

un entendimiento de los tipos de situaciones para los cuales la densidad exponencial es apropiada.

Al desarrollar la distribución de Poisson a partir de los postulados y el proceso de Poisson, fijamos el tiempo en algún valor $t$, y desarrollamos la distribución del número de ocurrencias en el intervalo $[0, t]$. Indicamos esta variable como $X$, y la distribución que

$$p(x) = e^{-\lambda t}(\lambda t)^x/x! \qquad x = 0, 1, 2, \ldots$$
$$= 0 \qquad \text{en otro caso} \qquad (7\text{-}7)$$

Consideramos ahora $p(0)$, que es la probabilidad de ninguna ocurrencia en $[0, t]$. Está dada por

$$p(0) = e^{-\lambda t} \qquad (7\text{-}8)$$

Recuérdese que en principio fijamos el tiempo en $t$. Otra interpretación de $p(0)$ = es $e^{-\lambda t}$ es que ésta es la probabilidad de que el tiempo para la primera ocurrencia sea mayor que $t$. Al considerar este tiempo como una variable aleatoria $T$, notamos que

$$p(0) = P(T > t) = e^{-\lambda t} \qquad t \geq 0 \qquad (7\text{-}9)$$

Por consiguiente, si dejamos ahora que el tiempo varíe y consideramos la variable aleatoria $T$ como el tiempo para la ocurrencia, entonces

$$F(t) = P(T \leq t) = 1 - e^{-\lambda t} \qquad t \geq 0 \qquad (7\text{-}10)$$

Y, puesto que $f(t) = F'(t)$, vemos que la densidad es

$$f(t) = \lambda e^{-\lambda t} \qquad t \geq 0$$

$$\qquad\quad = 0 \qquad\qquad \text{en otro caso} \qquad\qquad (7\text{-}11)$$

Ésta es la densidad exponencial de la ecuación 7-6. En consecuencia, la relación entre las distribuciones exponencial y de Poisson puede establecerse como sigue: si el número de ocurrencias tiene una distribución de Poisson como se indica en la ecuación 7-7, entonces el tiempo entre ocurrencias tiene una distribución exponencial como se muestra en la ecuación 7-11. Por ejemplo, si el número de pedidos para un cierto artículo recibidos a la semana tiene una distribución de Poisson, el tiempo entre pedidos tendría una distribución exponencial. Una variable es discreta (el conteo) y la otra (el tiempo) continua.

Para verificar que $f$ es una función de densidad, notamos que $f(x) \geq 0$ para toda $x$ y

$$\int_0^{\infty} \lambda e^{-\lambda x}\, dx = -e^{-\lambda x}\big|_0^{\infty} = 1$$

### 7-3.2  Media y varianza de la distribución exponencial

La *media* y la *varianza* de la distribución exponencial son

$$E(X) = \int_0^{\infty} x\lambda e^{-\lambda x}\, dx = -xe^{-\lambda x}\big|_0^{\infty} + \int_0^{\infty} e^{-\lambda x}\, dx = 1/\lambda \qquad (7\text{-}12)$$

y

$$V(X) = \int_0^{\infty} x^2 \lambda e^{-\lambda x}\, dx - (1/\lambda)^2$$

$$= \left[ -x^2 e^{-\lambda x}\big|_0^{\infty} + 2\int_0^{\infty} xe^{-\lambda x}\, dx \right] - (1/\lambda)^2 = 1/\lambda^2 \qquad (7\text{-}13)$$

La desviación estándar es $1/\lambda$ y, en consecuencia, la media y la desviación estándar son iguales.

La función generatriz de momento es

$$M_X(t) = \left(1 - \frac{t}{\lambda}\right)^{-1} \qquad\qquad (7\text{-}14)$$

siempre que $t < \lambda$.

La función de distribución $F$ puede obtenerse integrando la ecuación 7-7 del modo siguiente:

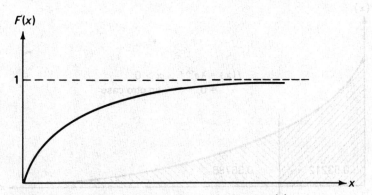

**Figura 7.4** Función de distribución para la exponencial.

$$F(x) = 0 \qquad\qquad\qquad x < 0$$
$$= \int_0^x \lambda e^{-\lambda t}\, dt = 1 - e^{-\lambda x} \quad x \geq 0 \qquad (7\text{-}15)$$

La figura 7.4 describe la función de distribución de la ecuación 7-15.

**Ejemplo 7.4** Se sabe que un componente electrónico tiene una vida útil representada por una densidad exponencial con tasa de falla de $10^{-5}$ fallas por hora (esto es, $\lambda = 10^{-5}$). El tiempo medio de falla, $E(X)$ es, por tanto, $10^5$ horas. Supóngase que deseamos determinar la fracción de tales componentes que podrían fallar antes de la vida media o vida esperada

$$P\left(T \leq \frac{1}{\lambda}\right) = \int_0^{1/\lambda} \lambda e^{-\lambda x}\, dx = -e^{-\lambda x}\big|_0^{1/\lambda} = 1 - e^{-1}$$
$$= .63212$$

Este resultado se cumple para cualquier valor de $\lambda$ mayor que cero. En nuestro ejemplo, 63.212 por ciento de los artículos fallarían antes de $10^5$ horas (véase la figura 7.5).

**Ejemplo 7.5** Supóngase que un diseñador decidirá entre dos procesos de manufacturas para fabricar cierto componente. El proceso $A$ cuesta $C$ dólares por unidad para manufacturar un componente. El proceso $B$ cuesta $k \cdot C$ dólares por unidad para manufacturar un componente, donde $k > 1$. Los componentes tienen un tiempo exponencial de densidad de falla con tasa de $200^{-1}$ fallas por hora para el proceso $A$, en $t$ tanto que los componentes del proceso $B$ tienen una tasa de $300^{-1}$ fallas por hora. Las vidas medias son, en consecuencia, 200 y 300 horas, respectivamente, para los dos procesos. Debido a una cláusula de garantía, si un

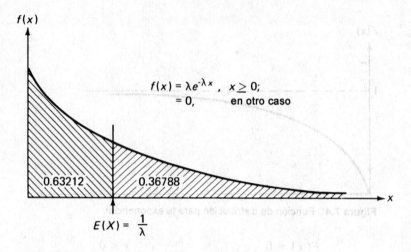

**Figura 7.5** La media de una distribución exponencial.

componente dura menos de 400 horas, el fabricante debe pagar una multa de $K$ dólares. Sea $X$ el tiempo de falla de cada componente. En consecuencia

$$C_A = C \qquad\qquad \text{si } X \geq 400$$
$$= C + K \qquad \text{si } X < 400$$

y

$$C_B = kC \qquad\qquad \text{si } X \geq 400$$
$$= kC + K \qquad \text{si } X < 400$$

Los costos esperados son

$$E(C_A) = (C + K)\int_0^{400} 200^{-1}e^{-200^{-1}x}\, dx + C\int_{400}^{\infty} 200^{-1}e^{-200^{-1}x}\, dx$$

$$= (C + K)\left[-e^{-200^{-1}x}\Big|_0^{400}\right] + C\left[-e^{-200^{-1}x}\Big|_{400}^{\infty}\right]$$

$$= (C + K)[1 - e^{-2}] + C[e^{-2}]$$

$$= C + K(1 - e^{-2})$$

y

$$E(C_B) = (kC + K)\int_0^{400} 300^{-1}e^{-300^{-1}x}\, dx + kC\int_{400}^{\infty} 300^{-1}e^{-300^{-1}x}\, dx$$

$$= (kC + K)[1 - e^{-4/3}] + kC[e^{-4/3}]$$

$$= kC + K(1 - e^{-4/3})$$

Por tanto, si $k < 1 - K/C(e^{-2} - e^{-4/3})$, entonces la razón $[E(C_A)/E(C_B)]$ 1, y es probable que el diseñador seleccione el proceso $B$.

### 7-3.3  Propiedad de falta de memoria de la distribución exponencial

La distribución exponencial tiene una interesante y única propiedad de falta de memoria para variables continuas, esto es,

$$P(X > x + s | X > x) = \frac{P(X > x + s)}{P(X > x)}$$

$$= \frac{e^{-\lambda(x+s)}}{e^{-\lambda x}} = e^{-\lambda s}$$

por lo que

$$P(X > x + s | X > x) = P(X > s) \tag{7-16}$$

Por ejemplo, si un tubo de rayos catódicos tiene una distribución exponencial de tiempo de falla y se advierte que al tiempo $t$ continúa funcionando, entonces la vida restante tiene la misma distribución de falla exponencial que el tubo tenía en el tiempo cero.

# 7-4  Distribución gamma

## 7-4.1  Función gamma

Una función que se utiliza en la definición de una distribución gamma es la función gamma definida por

$$\Gamma(n) = \int_0^\infty x^{n-1} e^{-x}\, dx \quad \text{para } n > 0 \tag{7-17}$$

Puede demostrarse que cuando $n > 0$,

$$\lim_{k \to \infty} \int_0^k x^{n-1} e^{-x}\, dx$$

existe. Una importante relación recurrente que con facilidad puede demostrarse integrando la ecuación 7-17 por partes es

$$\Gamma(n) = (n-1)\Gamma(n-1) \tag{7-18}$$

Si $n$ es un *entero positivo*, entonces

$$\Gamma(n) = (n-1)! \tag{7-19}$$

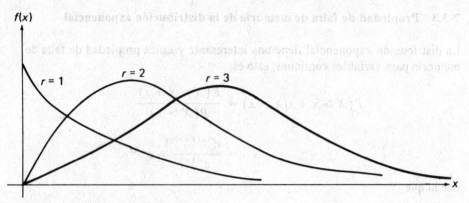

**Figura 7.6**  Distribución gamma para $\lambda = 1$.

puesto que $\Gamma(1) = \int_0^\infty e^{-x}\,dx = 1$. Así, la función gamma es una generalización del factorial. Se pide al lector en el ejercicio 7-17 verificar que

$$\Gamma\left(\frac{1}{2}\right) = \int_0^\infty x^{-1/2} e^{-x}\,dx = \sqrt{\pi} \tag{7-20}$$

### 7-4.2 Definición de la distribución gamma

Con el empleo de la función gamma, podremos ahora introducir la distribución de probabilidad gamma como

$$f(x) = \frac{\lambda}{\Gamma(r)}(\lambda x)^{r-1} e^{-\lambda x} \qquad x > 0$$

$$= 0 \qquad\qquad\qquad \text{en otro caso} \tag{7-21}$$

Los parámetros son $r > 0$ y $\lambda > 0$. El parámetro $r$ suele llamarse el *parámetro de forma*, y $\lambda$ recibe el nombre de *parámetro de escala*. La figura 7.6 muestra varias distribuciones gamma, para $\lambda = 1$ y valores distintos de $r$. Debe advertirse que $f(x) \geq 0$ para todo $x$, y

$$\int_{-\infty}^{\infty} f(x)\,dx = \int_0^\infty \frac{\lambda}{\Gamma(r)}(\lambda x)^{r-1} e^{-\lambda x}\,dx$$

$$= \frac{1}{\Gamma(r)}\int_0^\infty y^{r-1} e^{-y}\,dy = \frac{1}{\Gamma(r)} \cdot \Gamma(r) = 1$$

### 7-4.3 Relación entre la distribución gamma y la distribución exponencial

Hay una cercana relación entre la distribución exponencial y la distribución gamma. A saber: si $r = 1$ la distribución gamma se reduce a la distribución exponencial. Esto sigue de la definición general en la que señala que *si la variable aleatoria X es la suma de r variables aleatorias independientes distribuidas exponencialmente, cada una con parámetro* $\lambda$, *entonces X tiene una densidad gamma con parámetros r y* $\lambda$. Esto significa que si

$$X = X_1 + X_2 + X_3 + \cdots + X_r \qquad (7\text{-}22)$$

donde

$$g(x_j) = \lambda e^{-\lambda x_j} \qquad x_j \geq 0$$
$$= 0 \qquad \text{en otro caso}$$

y las $X_j$ son mutuamente independientes, entonces $X$ tiene la densidad en la ecuación 7-21. En muchas aplicaciones de la distribución gamma que consideraremos, $r$ será un entero positivo, y podemos aprovechar este conocimiento como una buena ventaja en el desarrollo de la función de distribución.

### 7.4-4 Media y varianza de la distribución gamma

Es posible mostrar que la *media* y la *varianza* de la distribución gamma son

$$E(X) = r/\lambda \qquad (7\text{-}23)$$

y

$$V(X) = r/\lambda^2 \qquad (7\text{-}24)$$

Las ecuaciones 7-23 y 7-24 representan la media y la varianza sin importar que $r$ sea o no un entero; sin embargo, cuando $r$ es un entero y se hace la interpretación dada en la ecuación 7-22, es evidente que

$$E(X) = \sum_{j=1}^{r} E(X_j) = r \cdot 1/\lambda = r/\lambda$$

y

$$V(X) = \sum_{j=1}^{r} V(X_j) = r \cdot 1/\lambda^2 = r/\lambda^2$$

de una aplicación directa del valor esperado y varianza a la suma de variables aleatorias independientes.

La función generatriz de momentos para la distribución gamma es

$$M_X(t) = \left(1 - \frac{t}{\lambda}\right)^{-r} \qquad (7\text{-}25)$$

Al recordar que la función generatriz de momentos para la distribución exponencial fue $[1 - (t/\lambda^{-1}]$, se esperaba este resultado, ya que

$$M_{(X_1 + X_2 + \cdots + X_r)}(t) = \prod_{j=1}^{r} M_{X_j}(t) = \left[\left(1 - \frac{t}{\lambda}\right)^{-1}\right]^r \qquad (7\text{-}26)$$

La función de distribución, $F$, es

$$F(x) = 1 - \int_x^\infty \frac{\lambda}{\Gamma(r)} (\lambda t)^{r-1} e^{-\lambda t}\, dt \qquad x > 0$$

$$= 0 \qquad\qquad\qquad x \le 0 \qquad (7\text{-}27)$$

Si $r$ es un entero positivo, entonces la ecuación 2-27 puede integrarse por partes resultando en

$$F(x) = 1 - \sum_{k=0}^{r-1} e^{-\lambda x}(\lambda x)^k/k! \qquad x > 0 \qquad (7\text{-}28)$$

que es la suma de los términos de Poisson con media $\lambda x$. De tal forma, es posible utilizar las tablas de Poisson acumulativas para evaluar la función de distribución de la gamma.

**Ejemplo 7.6**   Un sistema redundante opera como se muestra en la figura 7.7. Al principio la unidad 1 está en línea, en tanto que las unidades 2 y 3 están en espera. Cuando la unidad 1 falla el tablero de decisiones pone la unidad 2 hasta que falla y entonces activará la unidad 3. El interruptor de decisión se supone perfecto, por lo que la vida del sistema puede representarse como la suma de las vidas de los subsistemas $X = X_1 + X_2 + X_3$. Si las vidas de los subsistemas son independientes entre sí, y cada subsistema tiene una vida $X_j$, $j = 1, 2, 3$, en densidad $g(x_j) = (1/100)e^{-x_j/100}$, $x_j \ge 0$, entonces $X$ tendrá una densidad gamma con $r = 3$ y $\lambda = .01$. Esto es,

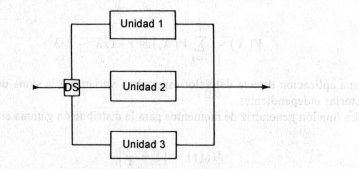

**Figura 7.7**   Sistema redundante en espera.

$$f(x) = \frac{.01}{2!}(.01x)^2 e^{-.01x} \qquad x > 0$$
$$= 0 \qquad \text{en otro caso}$$

La probabilidad que el sistema operará al menos $x$ horas se denota por $R(x)$ y se llama la *función de confiabilidad*. Aquí,

$$R(x) = 1 - F(x) = \sum_{k=0}^{2} e^{-.01x}(.01x)^k/k!$$
$$= e^{-.01x}\left[1 + (.01x) + (.01x)^2/2\right]$$

**Ejemplo 7.7** Para una distribución gamma con $\lambda = \frac{1}{2}$ y $r = \nu/2$, donde $\nu$ es un entero positivo, la *distribución ji cuadrada con $\nu$ grados de libertad* resulta:

$$f(\chi^2) = \frac{1}{2^{\nu/2}\Gamma(\nu/2)}(\chi^2)^{(\nu/2)-1}e^{-\chi^2/2} \qquad \chi^2 > 0$$
$$= 0 \qquad \text{en otro caso}$$

Esta distribución se analizará con mayor detalle en el capítulo 9.

## 7-5 Distribución de Weibull

La distribución de Weibull (1951) se aplica ampliamente en muchos fenómenos aleatorios. La principal utilidad de la distribución de Weibull es que proporciona una aproximación excelente a la ley de probabilidades de muchas variables aleatorias. Una importante área de aplicación ha sido como un modelo para el tiempo de falla en componentes y sistemas eléctricos y mecánicos. Esto se estudia en el capítulo 17. La función de densidad está dada del modo siguiente:

$$f(x) = \frac{\beta}{\delta}\left(\frac{x-\gamma}{\delta}\right)^{\beta-1}\exp\left[-\left(\frac{x-\gamma}{\delta}\right)^\beta\right] \qquad x \geq \gamma$$
$$= 0 \qquad \text{en otro caso} \qquad (7\text{-}29)$$

Sus parámetros son $\gamma$, $(-\infty < \gamma < \infty)$ el parámetro de localización, $\delta > 0$ el parámetro de escala, y $\beta > 0$, el parámetro de forma. Mediante la selección apropiada de estos parámetros, esta función de densidad se aproximará de manera muy cercana a muchos fenómenos observacionales.

La figura 7.8 muestra algunas densidades de Weibull para $\gamma = 0$, $\delta = 1$, y $\beta = 1, 2, 3, 4$. Nótese que cuando $\gamma = 0$ y $\beta = 1$, la distribución de Weibull se reduce a una densidad exponencial con $\lambda = 1/\delta$.

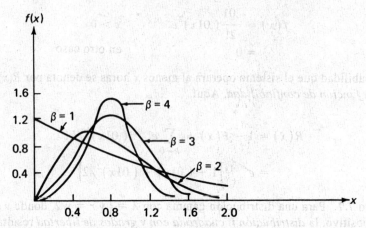

**Figura 7.8**   Densidades de Weibull para $\gamma = 0$, $\delta = 1$, y $\beta = 1, 2, 3, 4$.

## Media y varianza de la distribución de Weibull

La *media* y la *varianza* de la distribución de Weibull puede demostrarse que son

$$E(X) = \gamma + \delta\Gamma\left(1 + \frac{1}{\beta}\right) \qquad (7\text{-}30)$$

y

$$V(X) = \delta^2\left\{\Gamma\left(1 + \frac{2}{\beta}\right) - \left[\Gamma\left(1 + \frac{1}{\beta}\right)\right]^2\right\} \qquad (7\text{-}31)$$

La función de distribución tiene la forma relativamente simple

$$F(x) = 1 - \exp-\left(\frac{x - \gamma}{\delta}\right)^{\beta} \qquad x \geq \gamma \qquad (7\text{-}32)$$

**Ejemplo 7.8**   Se sabe que la distribución del tiempo de falla para subensambles electrónicos tiene una densidad de Weibull con $\gamma = 0$, $\beta = \frac{1}{2}$, y $\delta = 100$. La fracción se espera que perdure hasta, digamos, 400 horas es entonces

$$1 - F(400) = e^{-\sqrt{400/100}} = .1353$$

El tiempo medio de falla es

$$E(X) = 0 + 100(2) = 200 \text{ horas}$$

**Ejemplo 7.9** Berretoni (1964) presentó varias aplicaciones de la distribución de Weibull. Los siguientes son ejemplos de procesos naturales que tienen una ley de probabilidad que se aproxima mucho a la distribución de Weibull. La variable aleatoria se denota por medio de $X$ en los ejemplos.

a) Resistencia a la corrosión de placas de aleación de magnesio.

    *X*: Pérdida de peso por corrosión de $10^2$ mg/(cm$^2$)(día) cuando las placas de aleación de magnesio se sumergen en una solución acuosa inhibida al 20 por ciento de MgBr$_2$.

b) Artículos regresados clasificados por el número de semanas posteriores al envío.

    *X*: Duración del periodo ($10^{-1}$ semanas) hasta que el cliente regresa el producto defectuoso después del envío.

c) Número de tiempos de interrupción por turno.

    *X*: Número de tiempos de interrupción por turno por $10^{-1}$ que ocurren en una línea de ensamble automática continua y complicada.

d) Falla por fugas en baterías de celda seca.

    *X*: Envejecimiento (años) cuando se inicia la fuga.

e) Confiabilidad de capacitores.

    *X*: Vida (horas) de capacitores de tantalio sólido de 3.3 $\mu$F, 50-V, que operan a una temperatura de 125°C, donde el voltaje nominal es 33 V.

## 7-6 Generación de conversiones

La generación se conversiones de variables independientes que se distribuyen idéntica y uniformemente en [0, 1] se ha estudiado intensamente en los últimos años. Tales métodos se conocen como generadores de números aleatorios. Los primeros intentos se enfocaron a esquemas mecánicos y electrónicos. Más recientemente, métodos numéricos se han empleado para producir conversiones que se aproximan en forma considerable a las propiedades de distribución e independencia deseadas. Los números producidos con estos métodos se denominan *números pseudoaleatorios*. El método más usado hasta el presente se llama método congruencial lineal, y produce una secuencia de enteros $I_1, I_2, \ldots, I_k, \ldots$ entre 0 y $m - 1$, donde

$$I_{i+1} = (aI_i + c) \bmod m; \quad i = 0, 1, 2, \ldots \tag{7-33}$$

e $I_0$ recibe el nombre de *semilla*. Los valores $a$, $c$ y $m$ se especifican como constantes positivas de valores enteros. Entonces los números pseudoaleatorios son

$$u_i = m^{-1} \cdot I_i; \; i = 1, 2, \ldots \tag{7-34}$$

y los valores $I_0$, $a$, $c$ y $m$ se seleccionan con todo cuidado para aumentar el rendimiento de estos generadores. Algunos lenguajes de computadora tienen generadores resistentes de este tipo, y las subrutinas IMSL (1982) producen tales números pseudoaleatorios.

Si deseamos producir conversiones de una variable aleatoria uniforme en $[\alpha, \beta]$, esto se consigue simplemente como

$$x_i = \alpha + u_i(\beta - \alpha); \; i = 1, 2, \ldots \tag{7-35}$$

y si buscamos conversiones de una variable aleatoria exponencial con parámetro $\lambda$, el *método de la función inversa* produce

$$x_i = -\left(\frac{1}{\lambda}\right) \ln(u_i); \; i = 1, 2, \ldots \tag{7-36}$$

En forma similar, utilizando el mismo método, las conversiones de una variable aleatoria de Weibull con parámetros $\gamma$, $\beta$, $\delta$ se obtienen como

$$x_i = \gamma + \delta(-\ln u_i)^{1/\beta}; \; i = 1, 2, \ldots \tag{7-37}$$

La generación de conversiones de la variable gamma suele emplear una técnica conocida como el *método de aceptación-rechazo*. Cabe indicar que variedades de estos métodos han sido utilizadas. Si deseamos producir conversiones partiendo de una variable gamma con parámetros $r > 1$ y $\lambda > 0$, el procedimiento sugerido por R.C. Cheng (1977) es como sigue:

**Paso 1.** Sea $a = (2r - 1)^{1/2}$, $b = 2r - \ln 4 + 1/a$
     Dejando $i = 0$
**Paso 2.** Genérense $u_1$, $u_2$ conversiones de números aleatorios.
**Paso 3.** Sea $y = r[u_1/(1 - u_1)]^a$
**Paso 4a.** Si $y > b - \ln(u_1^2 u_2)$, rechácese y regrésese al paso 2.
**Paso 4b.** Si $y \leq b - \ln(u_1^2 u_2)$, asígnese $x_1 \leftarrow (y/\lambda)$, e $i \leftarrow 1 + 1$. Si $i \leq$ el
     número deseado de conversiones, regrésese al paso 2; en otro caso
     se concluye el proceso.

## 7-7  Resumen

Este capítulo ha presentado cuatro funciones de densidad ampliamente usadas para variables aleatorias continuas. Las distribuciones *uniforme, exponencial, gamma* y de *Weibull* se presentaron junto con sus suposiciones fundamentales y

**TABLA 7.1   Resumen de distribuciones continuas**

| Densidad | Parámetros | Función de densidad: $f(x)$ | Media | Varianza | Función generatriz de momentos |
|---|---|---|---|---|---|
| Uniforme | $\alpha, \beta$ <br> $\beta > \alpha$ | $f(x) = \dfrac{1}{\beta - \alpha}$ $\quad \alpha \leq x \leq \beta$ <br> $\quad\quad = 0 \quad$ en otro caso | $(\alpha + \beta)/2$ | $(\beta - \alpha)^2/12$ | $\dfrac{e^{t\beta} - e^{t\alpha}}{t(\beta - \alpha)}$ |
| Exponencial | $\lambda > 0$ | $f(x) = \lambda e^{-\lambda x} \quad x > 0$ <br> $\quad\quad = 0 \quad$ en otro caso | $1/\lambda$ | $1/\lambda^2$ | $(1 - t/\lambda)^{-1}$ |
| Gamma | $r > 0$ <br> $\lambda > 0$ | $f(x) = \dfrac{\lambda}{\Gamma(r)}(\lambda x)^{r-1}e^{-\lambda x} \quad x > 0$ <br> $\quad\quad = 0 \quad$ en otro caso | $r/\lambda$ | $r/\lambda^2$ | $(1 - t/\lambda)^{-r}$ |
| Weibull | $-\infty < \gamma < \infty$ <br> $\delta > 0$ <br> $\beta > 0$ | $f(x) = \dfrac{\beta}{\delta}\left(\dfrac{x-\gamma}{\delta}\right)^{\beta-1} \exp\left[-\left(\dfrac{x-\gamma}{\delta}\right)^{\beta}\right] \quad x \geq \gamma$ <br> $\quad\quad = 0 \quad$ en otro caso | $\gamma + \delta \cdot \Gamma\left(\dfrac{1}{\beta} + 1\right)$ | $\delta^2\left\{\Gamma\left(\dfrac{2}{\beta} + 1\right) - \left[\Gamma\left(\dfrac{1}{\beta} + 1\right)\right]^2\right\}$ | |

ejemplos de aplicaciones. La tabla 7.1 presenta un resumen de estas distribuciones.

## 7-8  Ejercicios

**7-1**  Se elige un punto al azar en el segmento de línea [0, 4]. ¿Cuál es la probabilidad de que el punto se encuentre entre $\frac{1}{2}$ y $1\frac{3}{4}$? y ¿entre $2\frac{1}{4}$ y $3\frac{3}{8}$?

**7-2**  El precio por inauguración de determinado tipo de mercancías se distribuye de manera uniforme en el intervalo $[35\frac{3}{4}, 44\frac{1}{4}]$. ¿Cuál es la probabilidad de que, en algún día, este precio sea menor a 40? y ¿entre 40 y 42?

**7-3**  La variable aleatoria $X$ se distribuye uniformemente en el intervalo [0, 2]. Obtenga la distribución de la variable aleatoria $Y = 5 + 2X$.

**7-4**  Un corredor de bienes raíces carga comisión fija de $50 más el 6 por ciento a las ganancias de los propietarios. Si la ganancia se distribuye de modo uniforme entre $0 y $2000, obtenga la distribución de probabilidad de las remuneraciones totales del corredor.

**7-5**  Compruebe que la función generatriz de momentos para la densidad uniforme está dada como indica la ecuación 7-4. Úsela para generar la media y la varianza.

**7-6**  Suponga que $X$ se distribuye uniformemente y que es simétrica con respecto del cero y con varianza 1. Obtenga los valores aproximados para $\alpha$ y $\beta$.

**7-7**  Muestre cómo puede utilizarse la función de densidad uniforme para generar variantes a partir de la siguiente distribución de probabilidad empírica:

| $y$ | $p(y)$ |
|---|---|
| 1 | .3 |
| 2 | .2 |
| 3 | .4 |
| 4 | .1 |

**7-8**  La variable aleatoria $X$ está uniformemente distribuida sobre el intervalo 0, 4. ¿Cuál es la probabilidad de que las raíces de $y^2 + 4Xy + X + 1 = 0$ sean reales?

**7-9**  Compruebe que la función generatriz de momentos de la distribución exponencial es como se indica en la ecuación 7-14. Utilícela para generar la media y la varianza.

**7-10**  El motor y el tren de transmisión de un automóvil nuevo están garantizados por un año. Las vidas medias de estos componentes se estiman en tres años, y el tiempo transcurrido hasta la falla tiene una exponencial. La ganancia en un auto nuevo es de $1000. Incluyendo los costos de refacciones y de mano de obra, la agencia debe pagar $250 para reparar cada falla. ¿Cuál es la utilidad esperada por automóvil?

**7-11**  Respecto a los datos en el problema 7-10, ¿qué porcentaje de automóviles tendrán fallas en el motor y el tren de transmisión durante los primeros seis meses de uso?

**7-12**  Suponga que el periodo de tiempo que una máquina operará es una variable aleatoria distribuida exponencialmente con función de densidad de probabilidad $f(t) = \theta e^{-\theta t}$, $t \geq 0$. Suponga que debe contratarse una operadora para esta máquina por un periodo de tiempo predeterminado y fijo, digamos $Y$. Se le pagan $d$ dólares por periodo de tiempo durante este intervalo. La utilidad neta por la operación de esta máquina, aparte de los costos de mano de obra, es $r$ dólares por periodo de tiempo. Obtenga el valor de $Y$ que maximiza la utilidad total obtenida.

**7-13**  Se estima que el tiempo transcurrido hasta la falla de un cinescopio de televisión se distribuye exponencialmente con media de tres años. Una compañía ofrece garantía por el primer año de uso. ¿Qué porcentaje de las pólizas tendrán que pagar una reclamación?

**7-14**  ¿Hay una densidad exponencial que cumple la siguiente condición?

$$P\{ X \leq 2 \} = \frac{2}{3} P\{ X \leq 3 \}$$

Si es así, encuentre el valor de $\lambda$.

**7-15**  Se están considerando dos procesos de manufactura. El costo por unidad para el proceso I es $C$, en tanto que para el proceso II es $3C$. Los productores de ambos procesos tienen densidades de tiempo de falla exponenciales con tasas medias de $25^{-1}$ fallas por hora y $35^{-1}$ fallas por hora, respectivamente, para los procesos I y II. Si un producto falla antes de 15 horas debe reemplazarse a un costo de $Z$ dólares. ¿Qué proceso recomendaría usted?

**7-16**  Un transistor tiene una distribución de tiempo de falla exponencial con tiempo medio de falla de 20,000 horas. El transistor ha durado 20,000 horas en una aplicación particular. ¿Cuál es la probabilidad de que el transistor falle a las 30,000 horas?

**7-17**  Demuestre que $\Gamma(\tfrac{1}{2}) = \sqrt{\pi}$.

**7-18**  Demuestre las probabilidades de la función gamma dadas por las ecuaciones 7-18 y 7-19.

**7-19**  Un transbordador lleva a sus clientes a través de un río cuando han abordado 10 automóviles. La experiencia muestra que los autos arriban al transbordador de manera independiente a una tasa media de 7 por hora. Obtenga la probabilidad de que el tiempo entre viajes consecutivo sea al menos de 1 hora.

**7-20**  Una caja de caramelos contiene 24 barras. El tiempo entre pedidos por barra se distribuye exponencialmente con media de 10 minutos. ¿Cuál es la probabilidad de que una caja abierta a las 8:00 A.M. se haya terminado al medio día?

**7-21**   Demuestre que la función generatriz de momentos de la distribución gamma está dada por la ecuación 7-25.

**7-22**   La vida de servicio de un sistema electrónico es $Y = X_1 + X_2 + X_3 + X_4$; suma de las vidas de servicio de los subsistemas componentes. Los subsistemas son independientes, teniendo cada uno densidades de falla exponenciales con tiempo medio entre fallas de 4 horas. ¿Cuál es la probabilidad de que el sistema operará por los menos 24 horas?

**7-23**   El tiempo de reabastecimiento de cierto producto cumple con la distribución gamma con media de 40 y varianza de 400. Determine la probabilidad de que un pedido se envía dentro de los 20 días posteriores a su solicitud y dentro de los primeros 60 días.

**7-24**   Suponga que una variable aleatoria con distribución gamma se define en el intervalo $u \leq X < \infty$ con función de densidad

$$f(x) = \frac{\lambda^r}{\Gamma(r)} (x - u)^{r-1} e^{-\lambda(x-u)} \qquad x \geq u, \lambda \geq 0, r > 0$$

$$= 0 \qquad\qquad\qquad \text{en otro caso}$$

Determine la media de esta distribución gamma *de tres parámetros*.

**7-25**   La distribución de probabilidad beta está definida por

$$f(x) = \frac{\Gamma(\lambda + r)}{\Gamma(\lambda)\Gamma(r)} x^{\lambda-1}(1 - x)^{r-1} \qquad 0 \leq x \leq 1, \lambda > 0, r > 0$$

$$= 0 \qquad\qquad\qquad \text{en otro caso}$$

a)   Grafique la distribución para $\lambda > 1, r > 1$.
b)   Grafique la distribución para $\lambda < 1, r < 1$.
c)   Grafique la distribución para $\lambda < 1, r \geq 1$.
d)   Grafique la distribución para $\lambda \geq 1, r < 1$.
e)   Grafique la distribución para $\lambda = r$.

**7-26**   Demuestre que cuando $\lambda = r = 1$ la distribución beta se reduce a la distribución uniforme.

**7-27**   Demuestre que cuando $\lambda = 2, r = 1$ o $\lambda = 1, r = 2$ la distribución beta se reduce a una distribución de probabilidad triangular.

**7-28**   Demuestre que si $\lambda = r = 2$ la distribución beta se reduce a una distribución de propiedad parabólica. Grafique la función de densidad.

**7-29**   Determine la media y la varianza de la distribución beta.

**7-30**   Determine la media y la varianza de la distribución de Weibull.

**7-31**   El diámetro de ejes de acero sigue la distribución de Weibull con parámetros $\gamma = 1.0$

pulgadas, $\beta = 2$, y $\delta = .5$. Encuentre la probabilidad de que un eje seleccionado al azar no excederá 1.5 pulgadas de diámetro.

**7-32** Se sabe que el tiempo de falla de cierto transistor sigue la distribución de Weibull con parámetros $\gamma = 0$, $\beta = \frac{1}{3}$, y $\delta = 400$. Obtenga la fracción esperada que durará 600 horas.

**7-33** El tiempo de falla por fugas de cierto tipo de batería de celda seca se espera que tenga una distribución de Weibull con parámetros $\gamma = 0$, $\beta = \frac{1}{2}$, y $\delta = 400$. ¿Cuál es la probabilidad de que la batería dura más de 800 horas en uso?

**7-34** Grafique la distribución de Weibull con $\gamma = 0$, $\delta = 1$, y $\beta = 1, 2, 3$ y $4$.

**7-35** La densidad del tiempo de falla correspondiente a un sistema de computadora pequeño tiene una densidad de Weibull con $\gamma = 0$, $\beta = \frac{1}{4}$, y $\delta = 200$.
  *a)* ¿Qué fracción de estas unidades durará 1000 horas?
  *b)* ¿Cuál es el tiempo medio de falla?

**7-36** Un fabricante de un monitor de televisión comercial garantiza el cinescopio o tubo de imagen por un año (8679 horas). Los monitores se utilizan en terminales de aeropuerto para programas de vuelo, y están encendidos en uso continuo. La vida media de los tubos es de 20,000 horas, y siguen una densidad de tiempo exponencial. El costo de fabricación, venta y entrega para el fabricante es de $300 y el monitor se vende en el mercado en $400. Cuesta $150 reemplazar el tubo fallado, incluyendo materiales y mano de obra. El fabricante no tiene obligación de sustituir el tubo si ya ha habido una primera sustitución. ¿Cuál es la utilidad esperada del fabricante?

**7-37** El tiempo de entrega de pedidos de diodos de cierto fabricante cumple con la distribución gamma con una media de 20 días y una desviación estándar de 10 días. Determine la probabilidad de enviar una orden dentro de los 15 días posteriores a la solicitud.

**7-38** Utilice números aleatorios generados a partir de su subrutina de compilador o del escalamiento de los enteros aleatorios en la tabla XV multiplicando por $10^{-5}$, y
  *a)* Produzca 10 conversiones de una variable que es uniforme en [10, 20]
  *b)* Produzca 5 conversiones de una variable aleatoria exponencial con parámetro $\lambda = 2 \times 10^{-5}$.
  *c)* Produzca 5 conversiones de una variable gamma con $r = 2$ y $\lambda = 4$.
  *d)* Produzca 10 conversiones de una variable de Weibull con $\gamma = 0$, $\beta = 1/2$, $\delta = 100$.

**7-39** Utilice el esquema de generación de números aleatorios sugerido en el problema 7-38, y
  *a)* Produzca 10 conversiones de $Y = 2X^3$, donde $X$ sigue una distribución exponencial con media 10.
  *b)* Produzca 10 conversiones de $Y = \sqrt{X_1}/\sqrt{X_2}$, donde $X_1$ es una variable gamma con $r = 2$, $\lambda = 4$, y $X_2$ es uniforme en $[0^+, 1]$.

# Capítulo 8

# Distribución normal

## 8-1 Introducción

En este capítulo consideraremos la distribución normal. Esta distribución es muy importante tanto en la teoría como en las aplicaciones de la estadística. Estudiaremos también las distribuciones lognormal y normal bivariada.

La distribución normal se estudió primero en el siglo XVIII cuando se observó que los patrones en los errores en las mediciones seguían una distribución simétrica en forma de campana. DeMoivre la presentó primero en forma matemática en 1733 al derivarla como una forma límite de la distribución binomial. Laplace también tuvo conocimiento de ella en fecha no posterior a 1775. Debido a un error en la historia, se le ha atribuido a Gauss, cuya primera referencia publicada con respecto a la misma apareció en 1809, y el término *distribución gaussiana* se emplea con frecuencia. Durante los siglos XVIII y XIX se hicieron varios intentos para establecer esta distribución como la ley de probabilidad básica para todas las variables continuas aleatorias; de tal modo, se aplicó el nombre de *normal*.

## 8-2 Distribución normal

La distribución normal es en muchos aspectos la piedra angular de la estadística. Se afirma que una variable aleatoria $X$ tiene una distribución normal con media $\mu$ ($-\infty < \mu < \infty$) y varianza $\sigma^2 > 0$ si tiene la función de densidad

$$f(x) = \frac{1}{\sigma\sqrt{2\pi}} e^{-(1/2)[(x-\mu)/\sigma]^2} \qquad -\infty < x < \infty \qquad (8\text{-}1)$$

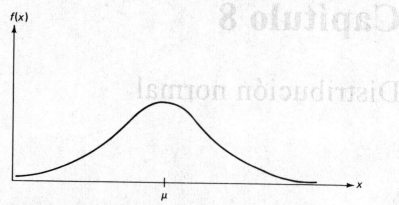

**Figura 8.1** Distribución normal.

Esta distribución se ilustra en forma gráfica en la figura 8.1. La distribución normal se emplea de manera tan amplia que a menudo se recurre a la notación abreviada $X \sim N(\mu, \sigma^2)$ para indicar que la variable aleatoria $X$ se distribuye normalmente con media $\mu$ y varianza $\sigma^2$.

## 8-2.1 Propiedades de la distribución normal

La distribución normal tiene varias propiedades importantes:

1. $\int_{-\infty}^{\infty} f(x)\, dx = 1$ $\left.\vphantom{\begin{matrix}a\\b\end{matrix}}\right\}$ necesaria en todas las funciones de densidad.
2. $f(x) \geq 0$ para todo $x$
3. $\lim_{x \to \infty} f(x) = 0$     y     $\lim_{x \to -\infty} f(x) = 0$       (8-2)
4. $f[(x + \mu)] = f[-(x - \mu)]$. La densidad es simétrica alrededor de $\mu$.
5. El valor máximo de $f$ ocurre en $x = \mu$.
6. Los puntos de inflexión de $f$ están en $x = \mu \pm \sigma$.

La propiedad 1 puede demostrarse del modo siguiente. Sea $y = (x - \mu)/\sigma$ en la ecuación 8-1 y denótese la integral como $I$. Esto es,

$$I = \frac{1}{\sqrt{2\pi}} \int_{-\infty}^{\infty} e^{-(1/2)y^2}\, dy$$

Nuestra demostración de que $\int_{-\infty}^{\infty} f(x)\, dx = 1$ consistirá en mostrar que $I^2 = 1$, y concluir después que $I = 1$ puesto que $f$ debe ser positiva en todas partes. Al definir una segunda variable distribuida normalmente, $Z$, tenemos:

$$I^2 = \frac{1}{\sqrt{2\pi}} \int_{-\infty}^{\infty} e^{-(1/2)y^2}\, dy\, \frac{1}{\sqrt{2\pi}} \int_{-\infty}^{\infty} e^{-(1/2)z^2}\, dz$$

$$= \frac{1}{2\pi} \int_{-\infty}^{\infty} \int_{-\infty}^{\infty} e^{-(1/2)(y^2 + z^2)} \, dy \, dz$$

Al cambiar a coordenadas polares con la transformación de variables $y = r$ sen $\theta$ y $z = r \cos \theta$, la integral se vuelve

$$I^2 = \frac{1}{2\pi} \int_0^{\infty} \int_0^{2\pi} r e^{-(1/2)r^2} \, d\theta \, dr$$

$$= \int_0^{\infty} r e^{-(1/2)r^2} \, dr = 1$$

lo que completa la demostración.

### 8-2.2 Media y varianza de la distribución normal

La media de la distribución normal puede determinarse con facilidad. Puesto que

$$E(X) = \int_{-\infty}^{\infty} \frac{x}{\sigma\sqrt{2\pi}} e^{-(1/2)[(x-\mu)/\sigma]^2} \, dx$$

y si hacemos $z = (x - \mu)/\sigma$, obtenemos

$$E(X) = \int_{-\infty}^{\infty} \frac{1}{\sqrt{2\pi}} (\mu + \sigma z) e^{-z^2/2} \, dz$$

$$= \mu \int_{-\infty}^{\infty} \frac{1}{\sqrt{2\pi}} e^{-z^2/2} \, dz + \sigma \int_{-\infty}^{\infty} \frac{1}{\sqrt{2\pi}} z e^{-z^2/2} \, dz$$

Puesto que el integrando de esta primera integral es el de una densidad normal con $\mu = 0$ y $\sigma^2 = 0$, el valor de la primera integral es uno. La segunda integral vale cero, esto es,

$$\int_{-\infty}^{\infty} \frac{1}{\sqrt{2\pi}} z e^{-z^2/2} \, dz = -\frac{1}{\sqrt{2\pi}} e^{-z^2/2} \Big|_{-\infty}^{\infty} = 0$$

y en consecuencia

$$E(X) = \mu[1] + \sigma[0]$$

$$= \mu \tag{8-3}$$

Para determinar la varianza debemos evaluar

$$V(X) = E\left[(X - \mu)^2\right] = \int_{-\infty}^{\infty} (x - \mu)^2 \frac{1}{\sigma\sqrt{2\pi}} e^{-(1/2)[(x-\mu)/\sigma]^2} \, dx$$

y dejando $z = (x - \mu)/\sigma$ obtenemos

$$V(X) = \int_{-\infty}^{\infty} \sigma^2 z^2 \frac{1}{\sqrt{2\pi}} e^{-z^2/2} \, dz = \sigma^2 \left[ \int_{-\infty}^{\infty} \frac{z^2}{\sqrt{2\pi}} e^{-z^2/2} \, dz \right]$$

$$= \sigma^2 \left[ \frac{-ze^{-z^2/2}}{\sqrt{2\pi}} \Bigg|_{-\infty}^{\infty} + \int_{-\infty}^{\infty} \frac{1}{\sqrt{2\pi}} e^{-z^2/2} \, dz \right]$$

$$= \sigma^2 [0 + 1]$$

por lo que

$$V(X) = \sigma^2 \tag{8-4}$$

En resumen la media y la varianza de la densidad normal dadas en la ecuación 8-1 son $\mu$ y $\sigma^2$, respectivamente.

La *función generatriz de momentos* para la distribución normal será

$$M_X(t) = e^{(t\mu + \sigma^2 t^2/2)} \tag{8-5}$$

Para el desarrollo de la ecuación 8-5, véase el ejercicio 8-10.

## 8-2.3  Distribución normal acumulativa

La función de distribución $F$ es

$$F(x) = P(X \le x) = \int_{-\infty}^{x} \frac{1}{\sigma\sqrt{2\pi}} e^{-(1/2)[(u-\mu)/\sigma]^2} \, du \tag{8-6}$$

Es imposible evaluar esta integral sin recurrir a los métodos numéricos e incluso en ese caso la evaluación tendría que llevarse a cabo para cada par $(\mu, \sigma^2)$. Sin embargo, una simple transformación de variables $z = (x - \mu)/\sigma$, permite que la evelución sea independiente de $\mu$ y $\sigma$. Esto es,

$$F(x) = P(X \le x) = P\left( Z \le \frac{x - \mu}{\sigma} \right) = \int_{-\infty}^{(x-\mu)/\sigma} \frac{1}{\sqrt{2\pi}} e^{-z^2/2} \, dz$$

$$= \int_{-\infty}^{(x-\mu)/\sigma} \varphi(z) \, dz = \Phi\left( \frac{x - \mu}{\sigma} \right) \tag{8-7}$$

## 8-2.4  Distribución normal estándar

La distribución de probabilidad en la ecuación 8-7 anterior,

$$\varphi(z) = \frac{1}{\sqrt{2\pi}} e^{-z^2/2} \qquad -\infty < z < \infty$$

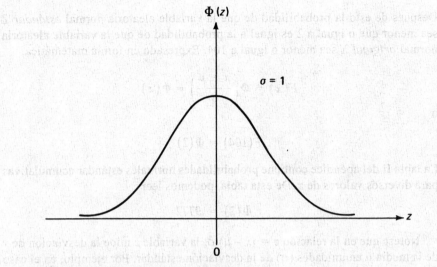

**Figura 8.2** Distribución normal estándar.

es una distribución normal con media 0 y varianza 1; esto es $Z \sim N(0, 1)$, y afirmamos que $Z$ es una *distribución normal estándar*. Una gráfica de la función de densidad de probabilidad se muestra en la figura 8.2. La función de distribución correspondiente es $\Phi$, donde

$$\Phi(z) = \int_{-\infty}^{z} \frac{1}{\sqrt{2\pi}} e^{-u^2/2} \, du \qquad (8\text{-}8)$$

una función bien tabulada. Una tabla de la integral en la ecuación 8-8 se incluye en la tabla II del apéndice.

### 8-2.5 Procedimiento para la solución de problemas

El procedimiento en la solución de problemas prácticos que implican la evaluación de probabilidades normales acumulativas es en realidad muy simple. Por ejemplo, supóngase que $X \sim N(100, 4)$, y deseamos encontrar la probabilidad de que $X$ sea menor o igual que 104; esto es, $P(X \leq 104) = F(104)$. Puesto que la variable aleatoria normal estándar es

$$Z = \frac{X - \mu}{\sigma}$$

podemos *estandarizar* el punto de interés $x = 104$ para obtener

$$z = \frac{x - \mu}{\sigma} = \frac{104 - 100}{2} = 2$$

Después de esto la probabilidad de que la variable aleatoria normal *estándar Z* sea menor que o igual a 2 es igual a la probabilidad de que la variable aleatoria normal *original X* sea menor o igual a 104. Expresado en forma matemática,

$$F(x) = \Phi\left(\frac{x - \mu}{\sigma}\right) = \Phi(z)$$

o

$$F(104) = \Phi(2)$$

La tabla II del apéndice contiene probabilidades normales estándar acumulativas para diversos valores de $z$. De esta tabla, podemos leer

$$\Phi(2) = .9772$$

Nótese que en la relación $z = (x - \mu)/\sigma$, la variable $z$ mide la desviación de $x$ de la media $\mu$ en unidades ($\sigma$) de la desviación estándar. Por ejemplo, en el caso que acaba de considerarse, $F(104) = \Phi(2)$, lo cual indica que 104 corresponde a dos desviaciones estándar ($\sigma = 2$) sobre la media. En general, $x = \mu + \sigma z$. En la solución de problemas, en ocasiones necesitamos utilizar la propiedad de simetría de $\varphi$ además de las tablas. Resulta útil efectuar un bosquejo si hay alguna confusión en la determinación exacta de las probabilidades que se requieren, ya que el área bajo la curva y sobre el intervalo de interés es la probabilidad de que la variable aleatoria se encontrará en el intervalo de interés.

**Ejemplo 8.1**  La resistencia al rompimiento (en newtons) de una tela sintética, denotada por $X$, se distribuye en $N(800, 144)$. El comprador de la tela requiere que ésta tenga una resistencia de por lo menos 772 $N$. Se selecciona al azar y se prueba una muestra de tela. Para encontrar $P(X \geq 772)$, calculamos primero

$$P(X < 772) = P\left(\frac{X - \mu}{\sigma} < \frac{772 - 800}{12}\right)$$

$$= P(Z < -2.33)$$

$$= \Phi(-2.33) = .01$$

Por consiguiente, la probabilidad deseada, $P(X \geq 772)$, es igual a .99. La figura

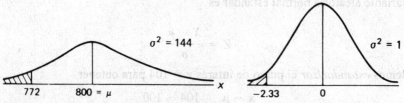

**Figura 8.3**   $P(X < 772)$ donde $X \sim N(800, 144)$.

8.3 muestra la probabilidad calculada relativa tanto a $X$ como a $Z$. Hemos elegido trabajar con la variable aleatoria $Z$ porque su función de distribución está tabulada.

**Ejemplo 8.2** El tiempo requerido para reparar una máquina automática de carga en una operación compleja de empaque de alimentos de un proceso de producción es $X$ minutos. Se ha mostrado en unos estudios que la aproximación $X \sim N(120, 16)$ es bastante buena. En la figura 8.4 se presenta un dibujo. Si el proceso se interrumpe por más de 125 minutos, todo el equipo debe limpiarse, con la pérdida de todos los productos en el proceso. El costo total de la pérdida del producto y la limpieza asociada con el prolongado tiempo de interrupción es de $10,000 dólares. Para determinar la probabilidad de esta ocurrencia, procedemos como sigue:

$$P(X > 125) = P\left(Z > \frac{125 - 120}{4}\right) = P(Z > 1.25)$$
$$= 1 - \Phi(1.25)$$
$$= 1 - .8944$$
$$= .1056$$

Así, dado un paro de la máquina de empaque, el costo esperado es $E(C) = .1056(10,000 + C_{R_1}) + .8944(C_{R_1})$, donde $C$ es el costo total y $C_{R_1}$ es el costo de reparación. En forma simplificada, $E(C) = C_{R_1} + 1056$. Supóngase que la administración puede reducir la media de la distribución del tiempo de servicio a 115 minutos añadiendo más personal de mantenimiento. El nuevo costo de reparación será $C_{R_2} > C_{R_1}$; sin embargo,

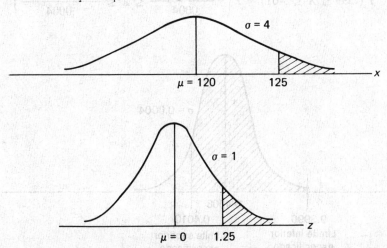

**Figura 8.4** $P(X > 125)$ donde $X \sim N(120, 16)$.

$$P(X > 125) = P\left(Z > \frac{125 - 115}{4}\right) = P(Z > 2.5)$$

$$= 1 - \Phi(2.5)$$

$$= 1 - .9938$$

$$= .0062$$

por lo que el nuevo costo esperado sería $C_{R_2} + 62$; y lógicamente se tomaría la decisión de añadir la cuadrilla de mantenimiento si

$$C_{R_2} + 62 < C_{R_1} + 1056$$

o

$$\left(C_{R_2} - C_{R_1}\right) < \$994$$

Se supone que la frecuencia de las interrupciones permanece invariable.

**Ejemplo 8.3** El diámetro de paso de la cuerda en un herraje se distribuye normalmente con media de .4008 centímetros y desviación estándar de .0004 centímetros. Las especificaciones de diseño son .4000 ± .0010 centímetros. Esto se ilustra en la figura 8.5. Nótese que el proceso está operando con una media diferente a las especificaciones nominales. Deseamos determinar la fracción del producto que está dentro de la tolerancia. Al utilizar el planteamiento empleado antes,

$$P(.399 \le X \le .401) = P\left(\frac{.399 - .4008}{.0004} \le Z \le \frac{.4010 - .4008}{.0004}\right)$$

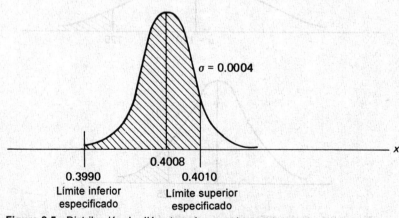

**Figura 8.5** Distribución de diámetros de paso de cuerda.

$$= P(-4.5 \le Z \le .5)$$
$$= \Phi(.5) - \Phi(-4.5)$$
$$= .6915 - .0000$$
$$= .6915$$

Cuando los ingenieros de proceso estudian los resultados de tales cálculos, deciden reemplazar una herramienta de corte gastada y ajustar la máquina produciendo los herrajes para que la media caiga directamente en el valor nominal de .4000. De tal modo,

$$P(.3990 \le X \le .4010) = P\left( \frac{.3990 - .4}{.0004} \le Z \le \frac{.4010 - .4}{.0004} \right)$$
$$= P(-2.5 \le Z \le +2.5)$$
$$= \Phi(2.5) - \Phi(-2.5)$$
$$= .9938 - .0062$$
$$= .9876$$

Vemos que con los ajustes, 98.76 por ciento de los herrajes estarán dentro de la tolerancia. La distribución de los diámetros de paso de máquina ajustados se muestra en la figura 8.6.

Este ejemplo ilustra un importante concepto de ingeniería de calidad. Operar un proceso en la dimensión nominal es por lo general mejor que operar el proceso a otro nivel, si hay límites de especificación de dos extremos.

**Ejemplo 8.4** Algunas veces surge otro tipo de problemas relacionado con el uso de las tablas de la distribución normal. Considérese, por ejemplo, que $X \sim N(50, 4)$. Además supóngase que deseamos determinar un valor de $X$, digamos $x$, tal que $P(X > x) = .025$. Entonces,

$$P(X > x) = P\left( Z > \frac{x - 50}{2} \right) = .025$$

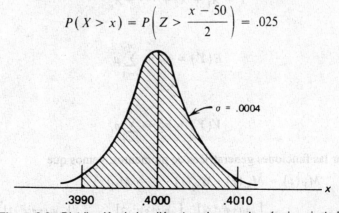

**Figura 8.6** Distribución de los diámetros de paso de máquina ajustados.

o

$$P\left(Z \le \frac{x - 50}{2}\right) = .975$$

por lo que

$$\frac{x - 50}{2} = 1.96$$

y

$$x = 50 + 2(1.96) = 53.92$$

Hay varios intervalos simétricos que se presentan con frecuencia. Sus probabilidades son:

$$P(\mu - 1.00\sigma \le X \le \mu + 1.00\sigma) = .6826$$
$$P(\mu - 1.645\sigma \le X \le \mu + 1.645\sigma) = .90$$
$$P(\mu - 1.96\sigma \le X \le \mu + 1.96\sigma) = .95$$
$$P(\mu - 2.57\sigma \le X \le \mu + 2.57\sigma) = .99$$
$$P(\mu - 3.00\sigma \le X \le \mu + 3.00\sigma) = .9978 \qquad (8\text{-}9)$$

## 8-3  Probabilidad reproductiva de la distribución normal

Supóngase que tenemos $n$ variables aleatorias normales e independientes $X_1, X_2, \ldots, X_n$, donde $X_i \sim N(\mu_i, \sigma_i^2)$, para $i = 1, 2, \ldots, n$. Se demostró antes que si

$$Y = X_1 + X_2 + \cdots + X_n \qquad (8\text{-}10)$$

entonces

$$E(Y) = \mu_Y = \sum_{i=1}^{n} \mu_i \qquad (8\text{-}11)$$

y

$$V(Y) = \sigma_Y^2 = \sum_{i=1}^{n} \sigma_i^2$$

Al utilizar las funciones generatrices de momentos, vemos que

$$M_Y(t) = M_{X_1}(t) \cdot M_{X_2}(t) \cdot \ldots \cdot M_{X_n}(t)$$

$$= \left[e^{\mu_1 t + \sigma_1^2 t^2/2}\right] \cdot \left[e^{\mu_2 t + \sigma_2^2 t^2/2}\right] \cdot \ldots \cdot \left[e^{\mu_n t + \sigma_n^2 t^2/2}\right] \qquad (8\text{-}12)$$

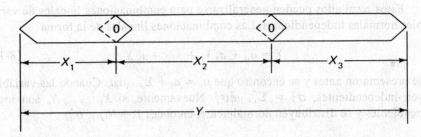

**Figura 8.7** Ensamble de enlaces.

Por tanto,

$$M_Y(t) = e^{[(\mu_1 + \mu_2 + \cdots + \mu_n)t + (\sigma_1^2 + \sigma_2^2 + \cdots + \sigma_n^2)t^2/2]}$$ (8-13)

que es la función generatriz de momentos de una variable aleatoria normalmente distribuida con media $\mu_1 + \mu_2 + \cdots + \mu_n$ y varianza $\sigma_1^2 + \sigma_2^2 + \cdots + \sigma_n^2$. Por consiguiente, por la propiedad de unicidad de la función generatriz de momentos, vemos que $Y$ es normal con media $\mu_Y$ y varianza $\sigma_Y^2$.

**Ejemplo 8.5** Un ensamble consta de tres componentes de enlace como se muestra en la figura 8.7. Las propiedades $X_1$, $X_2$ y $X_3$ se dan a continuación con medidas en centímetros y varianzas en centímetros cuadrados

$$X_1 \sim N(12, .02)$$

$$X_2 \sim N(24, .03)$$

$$X_3 \sim N(18, .04)$$

Los enlaces son producidos por máquinas y operadores diferentes, por lo que tenemos razón de supones que $X_1$, $X_2$ y $X_3$ son independientes. Considérese que deseamos determinar $P(53.8 \le Y \le 54.2)$. Puesto que $Y = X_1 + X_2 + X_3$, $Y$ se distribuye normalmente con media $\mu_Y = 12 + 24 + 18 = 54$ y varianza $\sigma^2 = \sigma_1^2 + \sigma_2^2 + \sigma_3^2 = .02 + .03 + .04 = .09$. En consecuencia,

$$P(53.8 \le Y \le 54.2) = P\left(\frac{53.8 - 54}{.3} \le Z \le \frac{54.2 - 54}{.3}\right)$$

$$= P\left(-\frac{2}{3} \le Z \le +\frac{2}{3}\right)$$

$$= \Phi(.67) - \Phi(-.67)$$

$$= .749 - .251$$

$$= .498$$

Estos resultados pueden generalizarse para combinaciones lineales de variables normales independientes. Las combinaciones lineales de la forma

$$Y = a_0 + a_1 X_1 + \cdots + a_n X_n \qquad (8\text{-}14)$$

se presentaron antes y se encontró que $\mu_Y = a_0 + \Sigma_{i=1}^{n} a_i \mu_i$. Cuando las variables son independientes, $\sigma_Y^2 = \Sigma_{i=1}^{n} a_i^2 \sigma_i^2$. Nuevamente, si $X_1, \ldots, X_n$ son independientes y se distribuyen normalmente, entonces $Y \sim N(\mu_Y, \sigma_Y^2)$.

**Ejemplo 8.6**   Un eje se ensambla dentro de un cojinete como se indica en la figura 8.8. El espacio libre es $Y = X_1 - X_2$. Supóngase que

$$X_1 \sim N(1.500, .0016)$$

y

$$X_2 \sim N(1.480, .0009)$$

Por consiguiente,

$$\mu_Y = a_1 \mu_1 + a_2 \mu_2$$
$$= (1)(1.500) + (-1)(1.480)$$
$$= .02$$

y

$$\sigma_Y^2 = a_1^2 \sigma_1^2 + a_2^2 \sigma_2^2$$
$$= (1)^2(.0016) + (-1)^2(.0009)$$
$$= .0025$$

por lo que

$$\sigma_Y = .05$$

Cuando se ensamblan las partes, habrá interferencia si $Y < 0$, así que

$$P(\text{interferencia}) = P(Y < 0) = P\left( Z < \frac{0 - .02}{.05} \right)$$
$$= \Phi(-.4) = .3446$$

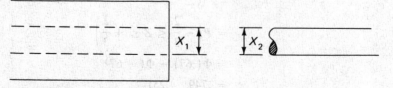

**Figura 8.8**   Ensamble.

Esto indica que 34.46 por ciento de los intentos de ensamblaje tendrán falla. Si el diseñador considera que el *espacio libre nominal* $\mu_Y = .02$ es tan grande como puede hacerse para el ensamble, entonces la única manera de reducir la cifra de 34.46 por ciento es disminuir la varianza de las distribuciones. En muchos casos, esto puede conseguirse reacondicionando el equipo de producción, mejorando el adiestramiento de los operadores, etcétera.

## 8-4   Teorema central del límite

Si una variable aleatoria $Y$ es la *suma de n variables aleatorias independientes* que satisfacen ciertas condiciones generales, entonces para $n$ suficientemente grande, $Y$ se encuentra aproximadamente distribuida en forma normal. Enunciamos esto como un teorema.

### Teorema 8-1   Teorema central del límite

Si $X_1, X_2, \ldots, X_n$ es una secuencia de $n$ variables independientes con $E(X_i) = \mu_i$ y $V(X_i) = \sigma_i^2$ (ambas finitas) y $Y = X_1 + X_2 + \cdots + X_n$, entonces, bajo ciertas condiciones generales

$$Z_n = \frac{Y - \sum_{i=1}^{n} \mu_i}{\sqrt{\sum_{i=1}^{n} \sigma_i^2}} \tag{8-15}$$

tiene una distribución $N(0, 1)$ aproximada conforme $n$ se aproxima a infinito. Si $F_n$ es la función de distribución de $Z_n$, entonces

$$\lim_{n \to \infty} \frac{F_n(z)}{\Phi(z)} = 1 \tag{8-16}$$

Las "condiciones generales" mencionadas en el teorema se resumen de manera informal como sigue: Los términos $X_i$, tomados de modo individual, contribuyen con una cantidad insignificante a la varianza de la suma, y no es probable que un solo término contribuya de manera considerable a la suma.

La prueba de este teorema, así como un análisis riguroso de las suposiciones necesarias, está más allá del alcance de esta presentación. Hay sin embargo varias observaciones que deben hacerse. El hecho de que $Y$ esté aproximadamente distribuida en forma normal cuando los términos $X_i$ pueden tener en esencia cualquier distribución es la razón de soporte básico de la importancia de la distribución normal. En numerosas aplicaciones, la variable aleatoria que se está considerando puede representarse como la suma de $n$ variables aleatorias inde-pendientes, algunas de las cuales pueden ser errores de medición, otras deberse a consideraciones físicas, etc., y por ello la distribución normal ofrece una buena aproximación.

Un caso especial del teorema central del límite surge cuando cada una de las componentes tienen la misma distribución.

## Teorema 8-2

Si $X_1, X_2, \ldots, X_n$ es una secuencia de $n$ variables aleatorias independientes y distribuidas idénticamente con $E(X_i) = \mu$ y $V(X_i) = \sigma^2$, y $Y = X_1 + X_2 + \ldots + X_n$, entonces

$$Z_n = \frac{Y - n\mu}{\sigma\sqrt{n}} \qquad (8\text{-}17)$$

tiene una distribución aproximada $N(0, 1)$ en el sentido de que si $F_n$ es la función de distribución de $Z_n$, entonces

$$\lim_{n \to \infty} \frac{F_n(z)}{\Phi(z)} = 1$$

Bajo la restricción de que $M_X(t)$ existe para $t$ real, puede presentarse una prueba directa para esta forma del teorema central del límite. Muchos textos de estadís-tica matemática presentan esta prueba.

La pregunta que se presenta de inmediato en la práctica es: "¿Qué tan grande debe ser $n$ para obtener resultados razonables utilizando la distribución normal para aproximar la distribución de $Y$?" No es una pregunta fácil de responder puesto que la respuesta depende de las características de la distribución de los términos $X_i$, así como del significado de "resultados razonables". Desde un punto de vista práctico, algunas reglas empíricas imperfectas pueden darse en el caso en el que la distribución de los términos $X_i$ entra en uno de los tres grupos siguientes seleccionados de manera arbitraria:

1. Buen comportamiento. La distribución de $X_i$ no se desvía en forma radical de la distribución normal. Hay una densidad en forma de campana que es casi simétrica. En este caso los profesionales del control de calidad y otras áreas de aplicación han encontrado que $n$ debe ser al menos 4. Esto es, $n \geq 4$.

2. Comportamiento moderado. La distribución de $X_i$ no tiene un modo prominente, y se parece mucho a una densidad uniforme. En este caso, $n \geq 12$ es una regla general.

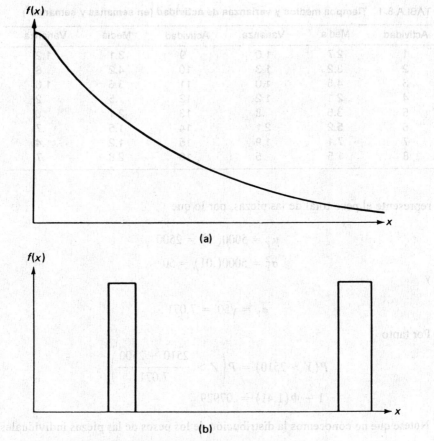

**Figura 8.9** Distribuciones de comportamiento nocivo.

3. **Comportamiento nocivo.** La distribución tiene la mayor parte de su medida en los extremos, como en la figura 8.9. En este caso, es más difícil hacer una afirmación; sin embargo, en muchas aplicaciones prácticas, $n \geq 100$ debe ser satisfactorio.

**Ejemplo 8.7** Se empacan 250 piezas pequeñas en una caja. Los pesos de las piezas son variables aleatorias independientes con media de .5 libras y desviación estándar de .10 libras. Se cargan 20 piezas en una tarima. Supóngase que deseamos encontrar la probabilidad de que las piezas en la tarima excedan 2510 libras de peso. (Despréciese tanto el peso de la tarima como el de la caja.) Dejemos que

$$Y = X_1 + X_2 + \cdots + X_{5000}$$

TABLA 8.1  **Tiempos medios y varianzas de actividad (en semanas y semanas$^2$)**

| Actividad | Media | Varianza | Actividad | Media | Varianza |
|-----------|-------|----------|-----------|-------|----------|
| 1 | 2.7 | 1.0 | 9 | 3.1 | 1.2 |
| 2 | 3.2 | 1.3 | 10 | 4.2 | .8 |
| 3 | 4.6 | 1.0 | 11 | 3.6 | 1.6 |
| 4 | 2.1 | 1.2 | 12 | .5 | .2 |
| 5 | 3.6 | .8 | 13 | 2.1 | .6 |
| 6 | 5.2 | 2.1 | 14 | 1.5 | .7 |
| 7 | 7.1 | 1.9 | 15 | 1.2 | .4 |
| 8 | 1.5 | .5 | 16 | 2.8 | .7 |

represente el peso total de las piezas, por lo que

$$\mu_Y = 5000(.5) = 2500$$
$$\sigma_Y^2 = 5000(.01) = 50$$

y

$$\sigma_Y = \sqrt{50} = 7.071$$

Por tanto

$$P(Y > 2510) = P\left( Z > \frac{2510 - 2500}{7.071} \right)$$
$$1 - \Phi(1.41) = .07929$$

Nótese que no conocemos la distribución de los pesos de las piezas individuales.

**Ejemplo 8.8**  En un proyecto de construcción, se ha elaborado una red de actividades principales para servir como la base para la planificación y la programación. En una trayectoria crítica hay 16 actividades. Las medias y las varianzas se dan en la tabla 8.1.

Los tiempos de las actividades pueden considerarse independientes y el tiempo del proyecto es la suma de los tiempos de las actividades en la trayectoria crítica, esto es, $Y = X_1 + X_2 + \cdots + X_{16}$, donde $Y$ es el tiempo del proyecto y $X_1$ es el tiempo correspondiente a la actividad $i$ésima. Aunque se desconocen las actividades de $X_i$, las distribuciones son de comportamiento moderado a bueno. Al contratista le gustaría saber (1) el tiempo de terminación esperado, y (2) un proyecto del tiempo correspondiente a una probabilidad de .90 de tener el proyecto terminado. Al calcular $\mu_Y$ y $\sigma_Y^2$, obtenemos

$$\mu_Y = 49 \text{ semanas}$$

$$\sigma_Y^2 = 16 \text{ semanas}^2$$

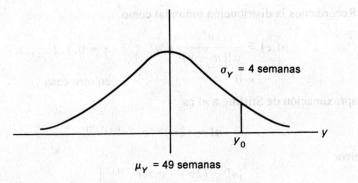

**Figura 8.10**  Distribución de tiempos de proyecto.

El tiempo de terminación esperado para el proyecto es en consecuencia de 49 semanas. Al determinar el tiempo $y_0$ tal que la probabilidad de terminar el proyecto para ese tiempo sea .9, la figura 8.10 puede ser útil.

Podemos calcular

$$P(Y \leq y_0) = .90$$

o

$$P\left(Z \leq \frac{y_0 - 49}{4}\right) = .90$$

por lo que

$$\frac{y_0 - 49}{4} = 1.282$$

y

$$y_0 = 49 + 1.282(4)$$
$$= 54.128 \text{ semanas}$$

## 8-5  Aproximación normal a la distribución binomial

En el capítulo 6, la aproximación a la distribución hipergeométrica se presentó como la aproximación de Poisson a la distribución binomial. En esta sección consideraremos la aproximación normal a la distribución binomial. Puesto que la binomial es una distribución de probabilidad discreta, esto puede parecer contrario a la intuición; sin embargo, está involucrado un proceso de límite, manteniendo fija la $p$ de la binomial y dejando $n \rightarrow \infty$. La aproximación se conoce como la aproximación de DeMoivre-Laplace.

Recordamos la distribución binomial como

$$p(x) = \frac{n!}{x!(n-x)!} p^x q^{n-x} \qquad x = 0, 1, 2, \ldots, n$$

$$= 0 \qquad\qquad \text{en otro caso}$$

La aproximación de Stirling a $n!$ es

$$n! \simeq (2\pi)^{1/2} e^{-n} n^{n+(1/2)} \qquad\qquad\qquad (8\text{-}18)$$

El error

$$\frac{|n! - (2\pi)^{1/2} e^{-n} n^{n+(1/2)}|}{n!} \to 0 \qquad\qquad (8\text{-}19)$$

cuando $n \to \infty$. Al utilizar la fórmula de Stirling para aproximar los términos que involucran $n!$ en el modelo binomial, encontramos que, para $n$ grande,

$$P(X = x) \simeq \frac{1}{\left(\sqrt{np(1-p)}\right)\sqrt{2\pi}} e^{(1/2)[(x-np)/\sqrt{np(1-p)}]^2} \qquad (8\text{-}20)$$

por lo que

$$P(X \le x) \simeq \Phi\left(\frac{x - np}{\sqrt{npq}}\right) = \int_{-\infty}^{(x-np)/\sqrt{npq}} \frac{1}{\sqrt{2\pi}} e^{-z^2/2}\, dz \qquad (8\text{-}21)$$

De tal modo, la cantidad $(X - np)/\sqrt{npq}$ tiene *aproximadamente* una distribución $N(0, 1)$. Si $p$ se acerca a $\frac{1}{2}$ y $n > 10$, la aproximación es bastante buena; sin embargo, para otros valores de $p$, el valor de $n$ debe ser más grande. En general, la experiencia indica que la aproximación es bastante buena siempre que $np > 5$ para $p \le \frac{1}{2}$ o cuando $nq > 5$ en el caso de que $p > \frac{1}{2}$.

**Ejemplo 8.9**   En el muestreo de un proceso de producción que produce artículos de los cuales 20 por ciento son defectuosos, se selecciona una muestra de azar de 100 artículos cada hora de cada turno de producción. El número de defectos en una muestra se denota por $X$. Para encontrar, por ejemplo, $P(X \le 15)$ es posible utilizar la aproximación normal de la manera siguiente:

$$P(X \le 15) = P\left(Z \le \frac{15 - 100 \cdot (2)}{\sqrt{100(.2)(.8)}}\right)$$

$$= P(Z \le -1.25) = \Phi(-1.25) = .1056$$

Puesto que la distribución binomial es discreta y la distribución normal es continua, es práctica común emplear la *corrección de medio intervalo* o la *corrección de continuidad*. En efecto, esto es una necesidad al calcular $P(X = x)$.

TABLA 8-2  **Correcciones de continuidad**

| Cantidad deseada a partir de la distribución binomial | Con corrección de continuidad | El términos de la función de distribución $\Phi$ |
|---|---|---|
| $P(X = x)$ | $P(x - \frac{1}{2} \leq X \leq x + \frac{1}{2})$ | $\Phi\left(\dfrac{x + \frac{1}{2} - np}{\sqrt{npq}}\right) - \Phi\left(\dfrac{x - \frac{1}{2} - np}{\sqrt{npq}}\right)$ |
| $P(X \leq x)$ | $P(X \leq x + \frac{1}{2})$ | $\Phi\left(\dfrac{x + \frac{1}{2} - np}{\sqrt{npq}}\right)$ |
| $P(X < x)$ | | |
| $= P(X \leq x - 1)$ | $P(X \leq x - 1 + \frac{1}{2})$ | $\Phi\left(\dfrac{x - \frac{1}{2} - np}{\sqrt{npq}}\right)$ |
| $P(X \geq -x)$ | $P(X \geq x - \frac{1}{2})$ | $1 - \Phi\left(\dfrac{x - \frac{1}{2} - np}{\sqrt{npq}}\right)$ |
| $P(X > x)$ | | |
| $= P(X \geq x + 1)$ | $P(X \geq x + 1 - \frac{1}{2})$ | $1 - \Phi\left(\dfrac{x + \frac{1}{2} - np}{\sqrt{npq}}\right)$ |
| $P(a \leq X \leq b)$ | $P(a - \frac{1}{2} \leq X \leq b + \frac{1}{2})$ | $\Phi\left(\dfrac{b + \frac{1}{2} - np}{\sqrt{npq}}\right) - \Phi\left(\dfrac{a - \frac{1}{2} - np}{\sqrt{npq}}\right)$ |

Un procedimiento usual es moverse media unidad a cualquier lado del entero $x$, dependiendo del intervalo de interés. En la tabla 8.2 se muestran varios casos.

**Ejemplo 8.10**  Mediante los datos del ejemplo 8.9, donde tuvimos $n = 100$ y $p = .2$, evaluamos $P(X = 15)$, $p(X \leq 15)$, $P(X < 18)$, $P(X \geq 22)$ y $P(18 < X < 21)$.

$a)$ $P(X = 15) = P(14.5 \leq X \leq 15.5) = \Phi\left(\dfrac{15.5 - 20}{4}\right) - \Phi\left(\dfrac{14.5 - 20}{4}\right)$

$\qquad\qquad\qquad\qquad\qquad = \Phi(-1.13) - \Phi(-1.38)$

$\qquad\qquad\qquad\qquad\qquad \simeq .045$

$b)$ $P(X \leq 15) = \Phi\left(\dfrac{15.5 - 20}{4}\right) \simeq .1292$

$c)$ $P(X < 18) = P(X \leq 17) = \Phi\left(\dfrac{17.5 - 20}{4}\right) \simeq .266$

$d)$ $P(X \geq 22) = 1 - \Phi\left(\dfrac{21.5 - 20}{4}\right) \simeq .3541$

$e)$ $P(18 < X < 21) = P(19 \leq X \leq 20)$

$\qquad\qquad\qquad = \Phi\left(\dfrac{20.5 - 20}{4}\right) - \Phi\left(\dfrac{18.5 - 20}{4}\right)$

$\qquad\qquad\qquad \simeq .5517 - .3520 = .1997$

Como se analizó en el capítulo 6, la variable $\hat{p} = X/n$ suele ser de interés en el caso en el que $X$ tiene una distribución binomial con parámetros $p$ y $n$. El interés en esta cantidad surge principalmente de las aplicaciones de muestreo, donde una muestra aleatoria de $n$ observaciones se lleva a cabo, clasificándose cada observación como éxito o fracaso, y $X$ es el número de éxitos en la muestra. La cantidad $\hat{p}$ es simplemente la fracción de éxitos en la muestra. Recuérdese que se demostró que

$$E(\hat{p}) = p \tag{8-22}$$

y

$$V(\hat{p}) = \frac{pq}{n}$$

Además de la aproximación DeMoivre-Laplace, nótese que la cantidad

$$Z = \left( \frac{\hat{p} - p}{\sqrt{\dfrac{pq}{n}}} \right) \tag{8-23}$$

tiene una distribución $N(0, 1)$ aproximada. Este resultado ha demostrado su utilidad en muchas aplicaciones entre las que se incluyen las de las áreas de control de calidad, mediciones, ingeniería de confiabilidad y economía. Los resultados son mucho más útiles que los de la ley de los grandes números.

**Ejemplo 8.11**  En lugar de medir el tiempo de la actividad de un mecánico de mantenimiento durante el periodo de una semana para determinar la fracción de tiempo que requiere en una clasificación de actividades denominada "secundaria pero necesaria", un técnico elige emplear un estudio de muestreo de trabajo, escogiendo al azar 400 puntos de tiempo durante la semana, tomando una observación rápida en cada uno de ellos, y clasificando la actividad del mecánico de mantenimiento. El valor $X$ representará el número de veces que el mecánico estuvo involucrado en una actividad "secundaria pero necesaria" y $\hat{p} = X/400$. Si la fracción real de tiempo en que él está involucrado es .2, determinamos la probabilidad de que $\hat{p}$, la fracción estimada, esté entre .1 y .3. Esto es,

$$P(.1 \leq \hat{p} \leq .3) = \Phi\left( \frac{.3 - .2}{\sqrt{\dfrac{.16}{400}}} \right) - \Phi\left( \frac{.1 - .2}{\sqrt{\dfrac{.16}{400}}} \right)$$

$$= \Phi(5) - \Phi(-5)$$

$$\simeq 1.0000$$

# 8-6   Distribución lognormal[1]

La distribución lognormal es la distribución de una variable aleatoria cuyo logaritmo sigue la distribución normal. Algunos profesionales sostienen que la distribución lognormal es tan fundamental como la distribución normal. Ella surge de la combinación de términos aleatorios mediante un proceso multiplicativo.

La distribución lognormal se ha aplicado en una amplia variedad de campos entre los que se incluyen las ciencias físicas, las biológicas, las sociales y la ingeniería. En las aplicaciones en esta última, la distribución lognormal se ha utilizado para describir el "tiempo de falla" en la ingeniería de confiabilidad y el "tiempo de reparación" en la ingeniería de mantenimiento.

## 8-6.1   Función de densidad

Consideramos una variable aleatoria $X$ con espacio del rango $R_X = \{x: 0 < x < \infty\}$, donde $Y = \ln X$ se distribuye normalmente con media $\mu_Y$ y varianza $\sigma_Y^2$, esto es,

$$E(Y) = \mu_Y \quad \text{y} \quad V(Y) = \sigma_Y^2$$

La función de densidad de $X$, digamos $f$, es

$$f(x) = \frac{1}{x\sigma_Y\sqrt{2\pi}} e^{-(1/2)[(\ln x - \mu_Y)/\sigma_Y]^2} \qquad x > 0$$

$$= 0 \qquad\qquad\qquad \text{en otro caso} \qquad (8\text{-}24)$$

La distribución lognormal se muestra en la figura 8.11. Nótese que, en general, la distribución es asimétrica con una larga cola hacia la derecha.

## 8-6.2   Media y varianza de la distribución lognormal

La media y la varianza de la distribución lognormal son

$$E(X) = \mu_X = e^{\mu_Y + (1/2)\sigma_Y^2} \qquad\qquad (8\text{-}25)$$

y

$$V(X) = \sigma_X^2 = e^{2\mu_Y + \sigma_Y^2}\left(e^{\sigma_Y^2} - 1\right) \qquad\qquad (8\text{-}26)$$

---

[1]La sección 8-6 puede omitirse sin romper la continuidad de esta presentación.

En algunas aplicaciones de la distribución lognormal, es importante conocer los valores de la mediana y el modo. La mediana, que es el valor de $\tilde{x}$ tal que $P(X \leqslant \tilde{x}) = .5$, es

$$\tilde{x} = e^{\mu_Y} \tag{8-27}$$

El modo es el valor de $x$ para el cual $f(x)$ es máxima, y para la distribución lognormal, el modo es

$$\mathrm{MO} = e^{\mu_Y - \sigma_Y^2} \tag{8-28}$$

La figura 8.11 muestra la posición relativa de la media, la mediana y el modo para la distribución lognormal. Puesto que la distribución tiene asimetría derecha, por lo general encontraremos que modo < mediana < media.

### 8-6.3  Otros momentos

En general, el momento del origen $k$ésimo de la distribución lognormal está dado por

$$\mu'_k = e^{k\mu_Y + (1/2)k^2\sigma_Y^2} \tag{8-29}$$

Los momentos tercero y cuarto alrededor de la media son

$$\mu_3 = (\mu_X)^3(c^6 + 3c^4) \tag{8-30}$$

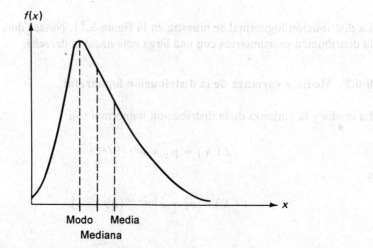

**Figura 8.11**  Distribución lognormal.

y

$$\mu_4 = (\mu_X)^4(c^{12} + 6c^{10} + 15c^8 + 3c^4) \tag{8-31}$$

donde $c = (e^{\sigma_Y^2} - 1)$. Estos momentos se aplican en dos medidas descriptivas. Estas medidas son el *coeficiente de asimetría*, $\zeta_1$, y el *coeficiente de curtosis*, $\zeta_2$ definidas como

$$\zeta_1 = \frac{\mu_3}{\sigma_X^3} \tag{8-32}$$

y

$$\zeta_2 = \frac{\mu_4}{\sigma_X^4} - 3 \tag{8-33}$$

El coeficiente de asimetría mide la desviación con respecto a la simetría, y el coeficiente de curtosis mide la desviación de la agudeza presentada por la densidad normal. Para la distribución lognormal

$$\zeta_1 = c^3 + 3c \tag{8-34}$$

y

$$\zeta_2 = c^8 + 6c^6 + 15c^4 + 16c^2 \tag{8-35}$$

Es claro que $\zeta_1 > 0$ indica asimetría positiva, lo cual es evidente de la gráfica que se muestra en la figura 8.11. Las distribuciones gamma y exponencial presentadas en el capítulo anterior también tienen asimetría positiva. La curtosis más grande para la distribución lognormal ($\zeta_2 > 0$) indica la mayor agudeza que ocurre con la distribución normal.

### 8-6.4 Propiedades de la distribución lognormal

En tanto que la distribución normal tiene propiedades reproductivas aditivas, la distribución lognormal tiene propiedades reproductivas multiplicativas. Los resultados de estas propiedades son como sigue:

1. Si $X$ es una distribución lognormal con parámetros $\mu_Y$ y $\sigma_Y^2$ y $a$, $b$ y $d$ son constantes tales que $b = e^d$, entonces $W = bX^a$ tiene distribución lognormal con parámetros $(d + a\mu_Y)$ y $(a\sigma_Y)^2$.
2. Si $X_1$ y $X_2$ son variables lognormal independientes, con parámetros $(\mu_{Y_1}, \sigma_{Y_1}^2)$ y $(\mu_{Y_2}, \sigma_{Y_2}^2)$, respectivamente, entonces $W = X_1 \cdot X_2$ tiene una distribución lognormal con parámetros $[(\mu_{Y_1} + \mu_{Y_2}), (\sigma_{Y_1}^2 + \sigma_{Y_2}^2)]$.
3. Si $X_1, X_2, \ldots, X_n$ es una secuencia de $n$ variables lognormales independientes, con parámetros $(\mu_{Y_j}, \sigma_{Y_j}^2)$, $j = 1, 2, \ldots, n$, respectivamente, y $\{a_j\}$ es una secuencia de constantes en tanto que $b = e^d$ es una sola constante, y si $\sum_{j=1}^{n} a_j \mu_{Y_j}$ y $\sum_{j=1}^{n} a_j^2 \sigma_{Y_j}^2$ convergen, entonces el producto

$$W = b \prod_{j=1}^{n} X_j^{a_j}$$

tiene una distribución lognormal con parámetros

$$\left( d + \sum_{j=1}^{n} a_j \mu_{Y_j} \right) \qquad y \qquad \left( \sum_{j=1}^{n} a_j^2 \sigma_{Y_j}^2 \right)$$

respectivamente.

4. Si $X_j$ ($j = 1, 2, \ldots, n$) son variables lognormales independientes, cada una con los mismos parámetros ($\mu_Y$, $\sigma_Y^2$), entonces la media geométrica

$$\left( \prod_{j=1}^{n} X_j \right)^{1/n}$$

tiene una distribución lognormal con parámetros $\mu_Y$ y $\sigma_Y^2/n$.

**Ejemplo 8.12**  La variable aleatoria $Y = \ln X$ tiene una distribución $N(10, 4)$ de modo que $X$ tiene una distribución lognormal con media y varianza de

$$E(X) = e^{10 + (1/2)4} = e^{12} \simeq 162{,}754.79$$

y

$$\begin{aligned} V(X) &= e^{[2(10) + 4]}(e^4 - 1) \\ &= e^{24}(e^4 - 1) \simeq 54.598 e^{24} \end{aligned}$$

respectivamente. El modo y la mediana son

$$\text{modo} = e^6 \simeq 403.43$$

y

$$\text{mediana} = e^{10} \simeq 22{,}026$$

Para determinar una probabilidad específica, por ejemplo $P(X \le 1000)$, utilizamos la transformada y determinamos $P(\ln_e X \le \ln_e 1000) = P(Y \le \ln_e 1000)$. Los resultados son:

$$\begin{aligned} P(Y \le \ln_e 1000) &= P\left( Z \le \frac{\ln_e 1000 - 10}{2} \right) \\ &= \Phi(-1.55) = .0606 \end{aligned}$$

**Ejemplo 8.13**  Supóngase

$$\begin{aligned} Y_1 &= \ln_e X_1 \sim N(4, 1) \\ Y_2 &= \ln_e X_2 \sim N(3, .5) \\ Y_3 &= \ln_e X_3 \sim N(2, .4) \\ Y_4 &= \ln_e X_4 \sim N(1, .01) \end{aligned}$$

y supóngase también que $X_1$, $X_2$, $X_3$ y $X_4$ son variables aleatorias independientes. La variable aleatoria $W$ definida del modo siguiente representa una variable de funcionamiento crítica en un sistema de telemetría:

$$W = e^{1.5}\left[ X_1^{2.5} X_2^{.2} X_3^{.7} X_4^{3.1}\right]$$

Por la propiedad reproductiva 3, $W$ tendrá una distribución lognormal con parámetros

$$1.5 + (2.5 \cdot 4 + .2 \cdot 3 + .7 \cdot 2 + 3.1 \cdot 1) = 16.6$$

y

$$\left[(2.5)^2 \cdot 1 + (.2)^2 \cdot .5 + (.7)^2 \cdot 4 + (3.1)^2 \cdot (.01)\right] = 6.562$$

respectivamente. En otras palabras, $\ln_e W \sim N(16.6, 6.562)$. Si las especificaciones en $W$ son, por ejemplo, 20,000 a 600,000, podríamos determinar la propiedad de que esté dentro de las especificaciones del modo siguiente:

$$P(20,000 \leq W \leq 600 \cdot 10^3)$$
$$= P\left[\ln_e (20,000) \leq \ln_e W \leq \ln_e (600 \cdot 10^3)\right]$$
$$= \Phi\left(\frac{\ln_e 600 \cdot 10^3 - 16.6}{\sqrt{6.526}}\right) - \Phi\left(\frac{\ln_e 20,000 - 16.6}{\sqrt{6.526}}\right)$$
$$\simeq \Phi(.51) - \Phi(-2.69) = .6950 - .0036$$
$$= .6914$$

## 8-7 Distribución normal bivariada

Hasta este punto, todas las variables aleatorias continuas han sido de una dimensión. Una probabilidad muy importante bidimensional que es una generalización de la ley de probabilidad normal unidimensional se llama la distribución normal bivariada. Si $[X_1, X_2]$ es un vector aleatorio normal bivariado, entonces la función de densidad conjunta de $[X_1, X_2]$ es

$$f(x_1, x_2) = \frac{1}{2\pi\sigma_1\sigma_2\sqrt{1-\rho^2}} \exp\left\{-\frac{1}{2(1-\rho^2)}\left[\left(\frac{x_1 - \mu_1}{\sigma_1}\right)^2\right.\right.$$
$$\left.\left. -2\rho\left(\frac{x_1 - \mu_1}{\sigma_1}\right)\left(\frac{x_2 - \mu_2}{\sigma_2}\right) + \left(\frac{x_2 - \mu_2}{\sigma_2}\right)^2\right]\right\} \quad (8\text{-}36)$$

para $-\infty < x_1 < \infty$ y $-\infty < x_2 < \infty$.

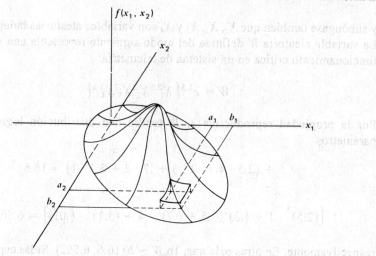

**Figura 8.12**  Densidad normal bivariada.

La probabilidad conjunta $P(a_1 \leq X_1 \leq b_1, a_2 \leq X_2 \leq b_2)$ se define como

$$\int_{a_2}^{b_2} \int_{a_1}^{b_1} f(x_1, x_2)\, dx_1\, dx_2 \tag{8-37}$$

y se representa por el volumen bajo la superficie y sobre la región $\{(x_1, x_2): a \leq x_1 \leq b_1, a_2 \leq x_2 \leq b_2\}$ como se muestra en la figura 8.12. Owen (1962) ha proporcionado una tabla de probabilidades. La densidad normal bivariada tiene cinco parámetros. Estos son $\mu_1$, $\mu_2$, $\sigma_1$, $\sigma_2$ y $\rho$, el coeficiente de correlación entre $X_1$ y $X_2$, tal que $-\infty < \mu_1 < \infty$, $-\infty < \mu_2 < \infty$, $\sigma_1 > 0$, $\sigma_2 > 0$ y $-1 < \rho < 1$.

Las densidades marginales $f_1$ y $f_2$ están dadas respectivamente como

$$f_1(x_1) = \int_{-\infty}^{\infty} f(x_1, x_2)\, dx_2 = \frac{1}{\sigma_1 \sqrt{2\pi}} e^{-(1/2)[(x_1 - \mu_1)/\sigma_1]^2} \tag{8-38}$$

para $-\infty < x_1 < \infty$ y

$$f_2(x_2) = \int_{-\infty}^{\infty} f(x_1, x_2)\, dx_1 = \frac{1}{\sigma_2 \sqrt{2\pi}} e^{-(1/2)[(x_2 - \mu_2)/\sigma_2]^2} \tag{8-39}$$

para $-\infty < x_2 < \infty$

Notamos que estas densidades marginales son normales, esto es

$$X_1 \sim N(\mu_1, \sigma_1^2) \tag{8-40}$$

y

$$X_2 \sim N(\mu_2, \sigma_2^2)$$

por lo que

$$E(X_1) = \mu_1$$
$$E(X_2) = \mu_2$$
$$V(X_1) = \sigma_1^2$$
$$V(X_2) = \sigma_2^2 \qquad (8\text{-}41)$$

El coeficiente de correlación $\rho$ es la razón de la covarianza a $[\sigma_1 \cdot \sigma_2]$. La covarianza es

$$\sigma_{12} = \int_{-\infty}^{\infty} \int_{-\infty}^{\infty} (x_1 - \mu_1)(x_2 - \mu_2) f(x_1, x_2) \, dx_1 \, dx_2$$

De tal modo

$$\rho = \frac{\sigma_{12}}{[\sigma_1 \cdot \sigma_2]} \qquad (8\text{-}42)$$

Las distribuciones condicionales $f_{X_2|x_1}(x_2)$ y $f_{X_1|x_2}(x_1)$ también son importantes. Estas densidades condicionales son normales, como se muestra aquí:

$$f_{X_2|x_1} = \frac{f(x_1, x_2)}{f_1(x_1)}$$

$$= \frac{1}{\sigma_2\sqrt{2\pi}\sqrt{1-\rho^2}} \exp^{-(1/2)\{x_2 - [\mu_2 + \rho(\sigma_2/\sigma_1)(x_1 - \mu_1)]/\sigma_2\sqrt{1-\rho^2}\}^2} \qquad (8\text{-}43)$$

para $-\infty < x_2 < \infty$ y

$$f_{X_1|x_2}(x_1) = \frac{f(x_1, x_2)}{f_2(x_2)}$$

$$= \frac{1}{\sigma_1\sqrt{2\pi}\sqrt{1-\rho^2}} \exp^{-(1/2)\{x_1 - [\mu_1 + \rho(\sigma_1/\sigma_2)(x_2 - \mu_2)]/\sigma_1\sqrt{1-\rho^2}\}^2} \qquad (8\text{-}44)$$

para $-\infty < x_1 < \infty$. La figura 8.13 ilustra algunas de estas densidades condicionales. Consideramos primero la distribución $f_{X_2|x_1}$. La media y la varianza son

$$E(X_2|x_1) = \mu_2 + \rho(\sigma_2/\sigma_1)(x_1 - \mu_1) \qquad (8\text{-}45)$$

y

$$V(X_2|x_1) = \sigma_2^2(1 - \rho^2) \qquad (8\text{-}46)$$

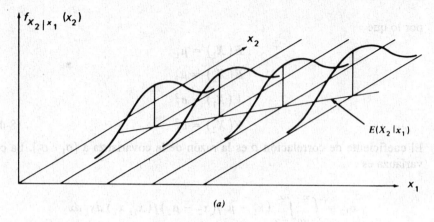

(a)

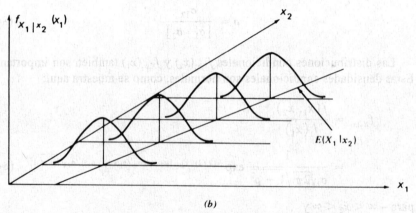

(b)

**Figura 8.13** Algunas distribuciones condicionales típicas. a) Ejemplo de distribuciones condicionales de $X_2$ para unos cuantos valores de $x_1$. b) Ejemplo de distribuciones condicionales $X_1$ para unos cuantos valores de $x_2$.

Además $f_{X_2|x_1}$ es normal, esto es,

$$X_2|x_1 \sim N\left[\mu_2 + \rho(\sigma_2/\sigma_1)(x_1 - \mu_1), \sigma_2^2(1 - \rho^2)\right] \qquad (8\text{-}47)$$

El lugar geométrico de los valores esperados de $X_2$ para $x_1$ dada como se muestra en la ecuación 8-45 se llama *regresión de $X_2$ sobre $X_1$*, y es lineal. Además, la *varianza en las distribuciones condicionales es constante* para toda $x_1$.

En el caso de la distribución $f_{X_1|x_2}$, los resultados son similares. Esto es,

$$E(X_1|x_2) = \mu_1 + \rho(\sigma_1/\sigma_2)(x_2 - \mu_2) \qquad (8\text{-}48)$$

$$V(X_1|x_2) = \sigma_1^2(1 - \rho^2) \qquad (8\text{-}49)$$

y

$$X_1|x_2 \sim N\left[\mu_1 + \rho(\sigma_1/\sigma_2)(x_2 - \mu_2), \sigma_1^2(1 - \rho^2)\right] \qquad (8\text{-}50)$$

En la distribución normal bivariada observamos que si $\rho = 0$, la densidad conjunta puede factorizarse en el producto de las densidades marginales y, por ello, $X_1$ y $X_2$ son independientes. En consecuencia, en una densidad normal bivariada, correlación cero e independencia son equivalentes. Si se hacen pasar planos paralelos al plano $x_1, x_2$ a través de la superficie que se muestra en la figura 8.12, los contornos que se cortan a partir de la superficie normal bivariada son elipses. Es posible que el estudiante desee demostrar esta propiedad.

**Ejemplo 8.14** Con la intención de sustituir un procedimiento de prueba no destructivo por una prueba destructiva, se realizó un amplio estudio de la resistencia al corte, $X_2$, y el diámetro de soldadura, $X_1$, de soldaduras de punto, con los siguientes resultados.

(a) $[X_1, X_2] \sim$ normal bivariada

(b) $\mu_1 = .20$ pulgada

$\mu_2 = 1100$ libras

$\sigma_1^2 = .02$ pulgada$^2$

$\sigma_2^2 = 525$ libras$^2$

$\rho = .9$

La regresión de $X_2$ sobre $X_1$ es entonces

$$E(X_2|x_1) = \mu_2 + \rho(\sigma_2/\sigma_1)(x_1 - \mu_1)$$

$$= 1100 + .9\left(\frac{\sqrt{525}}{\sqrt{.02}}\right)(x_1 - .2)$$

$$= (146.7)x_1 + 1070.65$$

y la varianza es

$$V(X_2|x_1) = \sigma_2^2(1 - \rho^2)$$

$$= 525(.19) = 99.75$$

Al estudiar estos resultados, el gerente de manufactura nota que puesto que $\rho = .9$, esto es, cercano a 1, el diámetro de soldadura está altamente correlacionado con la resistencia al corte. La especificación de la resistencia al corte estipula un valor mayor de 1080. Si la soldadura tiene .18 de diámetro, el gerente pregunta: "¿Cuál es la probabilidad de que se cumpla la especificación de la resistencia al corte?" El ingeniero de proceso advierte que $E(X_2|.18) = 1097.05$; por tanto,

$$P(X_2 \geq 1080) = P\left(Z \geq \frac{1080 - 1097.05}{\sqrt{99.75}}\right)$$

$$= 1 - \Phi(-1.71) = .9564$$

y él recomienda la política de que si el diámetro de soldadura no es menor de .18, está última puede clasificarse como satisfactoria.

**Ejemplo 8.15**  Al elaborar la política de admisión en una gran universidad, la oficina de prueba y evaluación de estudiantes ha notado que $X_1$, las calificaciones combinadas en los exámenes del consejo universitario, y $X_2$, el promedio de puntuación por grado estudiantil al final del primer año universitario, tienen una distribución normal bivariada. Una puntuación de grado de 4.0 corresponde a $A$. Un estudio indica que

$$\mu_1 = 1300$$
$$\mu_2 = 2.3$$
$$\sigma_1^2 = 6400$$
$$\sigma_2^2 = .25$$
$$\rho = .6$$

Todo estudiante con un promedio de calificación menor de 1.5 reprueba automáticamente al final del primer año universitario; sin embargo, un promedio de 2.0 se considera satisfactorio.

Un solicitante realiza los exámenes del consejo universitario, obtiene una clasificación combinada de 900, y no es aceptado. El furioso padre argumenta que el estudiante tendrá un desempeño satisfactorio y, específicamente, que tendrá una promedio de calificaciones mejor de 2.0 al final del primer año universitario. Considerando sólo los aspectos probabilísticos del problema, el director de admisiones desea determinar $P(X_2 \geq 2.0|x_1 = 900)$. Notando que

$$E( X_2|900) = 2.3 - (.06)\left( \frac{.5}{80} \right)(900 - 1300)$$
$$= .8$$

y

$$V( X_2|900) = .16$$

el director calcula

$$1 - \Phi\left( \frac{2.0 - .8}{.4} \right) = .0013$$

lo cual predice que sólo hay una ligera esperanza de que la demanda del padre sea válida.

## 8-8  Generación de conversiones normales

Consideraremos tanto los métodos directos como los aproximados para generar conversiones de una variable normal estándar $Z$, donde $Z \sim N(0, 1)$. Recuérdese que $X = \mu + \sigma z$, por lo que las conversiones de $X \sim N(\mu, \sigma^2)$ se obtienen fácilmente como $x = \mu + \sigma z$.

El método directo requiere generar conversiones de números aleatorios en pares: $u_1$ y $u_2$. Entonces

$$z_1 = (-2 \ln u_1)^{1/2} \cdot \cos(2\pi u_2)$$

$$z_2 = (-2 \ln u_1)^{1/2} \operatorname{sen}(2\pi u_2) \qquad (8\text{-}51)$$

son conversiones de variables $N(0, 1)$ independientes. Los valores $x = \mu + \sigma z$ se obtienen directamente, y el proceso se repite hasta obtener el número deseado de conversiones de $X$.

Un método aproximado que utiliza el teorema central del límite es como sigue:

$$z = \sum_{i=1}^{12} u_i - 6 \qquad (8\text{-}52)$$

Con este procedimiento, empezaríamos generando 12 conversiones de números aleatorios, sumándolos y restando 6. Este proceso se repite hasta que se obtiene el número deseado de conversiones.

Aunque el método directo es exacto y a menudo preferible, los valores aproximados son aceptables algunas veces.

## 8-9 Resumen

Este capítulo ha presentado la distribución normal con diversos ejemplos de aplicaciones. La distribución *normal*, la *normal estándar* relacionada, y la *lognormal* son univariadas, en tanto que la *normal bivariada* presenta la densidad conjunta de dos variables aleatorias normales relacionadas.

La distribución normal forma la base sobre la cual descansa una gran cantidad del trabajo en la inferencia estadística. La amplia aplicación de la distribución normal la hace particularmente importante.

## 8-10 Ejercicios

**8-1**   Sea $Z$ una variable aleatoria normal estándar y calcule las siguientes probabilidades, empleando gráficas donde sea apropiado:
   *a*)   $P_Z(0 \le Z \le 2)$
   *b*)   $P_Z(-1 \le Z \le +1)$
   *c*)   $P_Z(Z \le 1.65)$
   *d*)   $P_Z(Z \ge -1.96)$

*e*)   $P_Z(|Z| > 1.5)$

*f*)   $P_Z(-1.9 \leq Z \leq 2)$

*g*)   $P_Z(Z \leq 1.37)$

*h*)   $P_Z(|Z| \leq 2.57)$

**8-2**   Sea $X \sim N(10, 9)$. Determine $P_X(X \leq 8)$, $P_X(X \geq 12)$, $P_X(2 \leq X \leq 10)$.

**8-3**   En cada uno de los casos siguientes, determine el valor de $c$ que hace verdadero el enunciado de probabilidad.

*a*)   $\Phi(c) = 0.94062$

*b*)   $P_Z(|Z| \leq c) = 0.95$

*c*)   $P_Z(|Z| \leq c) = 0.99$

*d*)   $P_Z(Z \leq c) = 0.05$

**8-4**   Si $P_Z(Z \geq Z_\alpha) = \alpha$, determine $Z_\alpha$ para $\alpha = .025$, $\alpha = .005$, $\alpha = .05$ y $\alpha = .0014$.

**8-5**   Si $X \sim N(80, 10^2)$, calcule

*a*)   $P_X(X \leq 100)$

*b*)   $P_X(X \leq 80)$

*c*)   $P_X(75 \leq X \leq 100)$

*d*)   $P_X(75 \leq X)$

*e*)   $P_X(|X - 80| \leq 19.6)$

**8-6**   La vida de servicio de un tipo particular de batería de celda seca se distribuye normalmente con media de 600 días y desviación estándar de 60 días. ¿Qué fracción de estas baterías se esperaría que dure más allá de 680 días? ¿Qué fracción se esperaría que fallara antes de 550 días?

**8-7**   El gerente de personal de una gran compañía requiere que los solicitantes a un puesto efectúen cierta prueba y alcancen una calificación de 500. Si las calificaciones de la prueba se distribuyen normalmente con media de 485 y desviación estándar de 30, ¿qué porcentaje de los solicitantes pasará la prueba?

**8-8**   La experiencia indica que el tiempo de revelado para un papel de impresión fotográfica se distribuye como $X \sim N(30 \text{ segundos}, 1.21 \text{ segundos}^2)$. Determine: *a*) la probabilidad de que $X$ sea al menos 28.5 segundos, *b*) la probabilidad de que $X$ sea a lo más 31 segundos, *c*) la probabilidad de que $X$ difiera de su valor esperado en más de 2 segundos.

**8-9**   Se sabe que cierta bombilla eléctrica tiene una salida que se distribuye normalmente con media de 2500 pie-candela y desviación estándar de 75 pie-candela. Determine un límite de especificación inferior tal que sólo 5 por ciento de las bombillas fabricadas serán defectuosas.

**8-10**   Demuestre que la función generatriz de momentos para la distribución normal está dada por la ecuación 8-5. Utilícela para generar la media y la varianza.

**8-11** Si $X \sim N(\mu, \sigma^2)$, muestre que $Y = aX + b$, donde $a$ y $b$ son constantes reales y $b > 0$, se distribuye también normalmente. Emplee los métodos descritos en el capítulo 4.

**8-12** El diámetro interior de un anillo de pistón se distribuye normalmente con media de 12 centímetros y desviación estándar de .02 centímetros.

    *a)* ¿Qué fracción de los anillos de pistón tendrán diámetros que excederán 12.05 centímetros?

    *b)* ¿Qué valor de diámetro interior $c$ tiene una probabilidad de ser excedido de .90?

    *c)* ¿Cuál es la probabilidad de que el diámetro interior se encuentre entre 11.95 y 12.05?

**8-13** Un gerente de planta ordena interrumpir un proceso y efectuar un ajuste de lecturas siempre que el pH del producto final sea mayor de 7.20 o menor de 6.80. El pH de muestra se distribuye normalmente con $\mu$ desconocida y desviación estándar $\sigma = .10$. Determine las siguientes probabilidades.

    *a)* De que se realice el reajuste cuando el proceso opere como se propuso con $\mu = 7.0$.

    *b)* De que se realice el reajuste cuando el proceso se desvíe ligeramente de lo planeado con el pH medio de 7.05.

    *c)* De que falle el reajuste cuando el proceso sea demasiado alcalino y el pH medio sea $\mu = 7.25$.

    *d)* De que falle al reajuste cuando el proceso sea demasiado ácido y el pH medio sea $\mu = 6.75$.

**8-14** El precio que se pide por cierto seguro se distribuye normalmente con media de $50.00 y desviación estándar de $5.00. Los compradores están dispuesto a apagar una cantidad que también se distribuye normalmente con media de $45.00 y desviación estándar de $2.50. ¿Cuál es la probabilidad de que la transacción se lleve a cabo?

**8-15** Las especificaciones para un capacitor indican que la vida de servicio del mismo debe estar entre 1000 y 5000 horas. Se sabe que la vida de servicio se distribuye normalmente con media de 3000 horas. El ingreso aceptado por cada capacitor es de $9.00; sin embargo, una unidad fallada debe reemplazarse a costo de $3.00 para la compañía. Dos procesos de manufactura pueden producir capacitores que tengan vidas de servicio medias satisfactorias. La desviación estándar para el proceso $A$ es de 1000 horas y para el proceso $B$, de 500 horas. Sin embargo, los costos de manufactura del proceso $A$ son sólo la mitad de los del proceso $B$ ¿Qué valor del costo del proceso de manufactura es crítico, al grado de imponer el uso del proceso $A$ o el $B$?

**8-16** El diámetro de un cojinete de bola es una variable aleatoria distribuida normalmente con media $\mu$ y desviación estándar 1. Las especificaciones para el diámetro son $6 \leq X \leq 8$, y un cojinete de bola dentro de estos límites produce una utilidad de $C$ dólares. Sin embargo, si $X < 6$ la utilidad es $-R_1$ dólares o si $X > 8$ la utilidad es $-R_2$ dólares. Obtenga el valor de $\mu$ que maximice la utilidad esperada.

**8-17** En el ejercicio anterior, encuentre el valor óptimo de $\mu$ si $R_1 = R_2 = R$.

**8-18** Emplee los resultados del ejercicio 8-16 con $C = \$8.00$, $R_1 = \$2.00$, y $R_2 = \$4.00$. ¿Cuál es el valor de $\mu$ que maximiza la utilidad esperada?

**8-19** La dureza de Rockwell de una aleación particular se distribuye normalmente con media de 70 y desviación estándar de 4.

    *a)*   Si un espécimen se acepta sólo si su dureza está entre 62 y 72, ¿cuál es la probabilidad que un espécimen elegido al azar tenga una dureza aceptable?

    *b)*   Si el intervalo aceptable de dureza fue $(70 - c, 70 + c)$, para qué valor de $c$ el 95% de los especímenes tendrían una dureza aceptable?

    *c)*   En el caso de que el intervalo aceptable sea el indicado en *a)* y la dureza de cada uno de 9 especímenes seleccionados al azar se determine en forma independiente, ¿cuál es el número esperado de especímenes aceptables de entre los 9?

**8-20** Demuestre que $E(Z_n) = 0$ y $V(Z_n) = 1$, donde $Z_n$ se define en el teorema 8-2.

**8-21** Deje que $X_i(i = 1, 2, \ldots, n)$ sean variables aleatorias distribuidas independiente e idénticamente con media $\mu$ y varianza $\sigma^2$. La cantidad

$$\overline{X} = \frac{1}{n}( X_1 + X_2 + \cdots + X_n) = \frac{1}{n}\sum_{i=1}^{n} X_i$$

se distribuye normalmente con media $\mu$ y varianza $\sigma^2/n$. Demuestre que $E(\overline{X}) = \mu$ y $V(\overline{X}) = \sigma^2/n$.

**8-22** Un eje con diámetro exterior de $\sim N(1.20, .0016)$ se inserta en un cojinete de manguito que tiene un diámetro interior (*DI*), con $N(1.25, .0009)$. Determine la probabilidad de interferencia.

**8-23** Un ensamble consta de tres componentes colocados uno al lado del otro. La longitud de cada componente distribuye normalmente con media de 2 pulgadas y desviación estándar de .2 pulgadas. Las especificaciones requieren que todos los ensambles estén entre 5.7 y 6.3 pulgadas de longitud. ¿Cuántos ensambles cumplirán con estos requerimientos?

**8-24** Obtenga la media y la varianza de la combinación lineal

$$Y = X_1 + 2X_2 + X_3 + X_4$$

donde $X_1 \sim N(4, 3)$, $X_2 \sim N(4, 4)$, $X_3 \sim N(2, 4)$ y $X_4 \sim N(3, 2)$. ¿Cuál es la probabilidad de que $15 \leqslant Y \leqslant 20$?

**8-25** Un error de redondeo tiene una distribución uniforme en $[-0.5, +0.5]$ y los errores de redondeo son independientes. Se calcula una suma de 50 números, donde cada uno es de la forma XXX.D, redondeado a XXX antes de la suma. ¿Cuál es la probabilidad de que el error total no sea mayor que 5?

**8-26** Un ciento de pequeños tornillos se empacan en una caja. Cada tornillo pesa 1 onza con desviación estándar de .01 onzas. Encuentre la probabilidad de que la caja pese más de 102 onzas.

**8-27** Una máquina automática se emplea para llenar cajas con jabón en polvo. Las especificaciones requieren que las cajas pesen entre 11.8 y 12.2 onzas. Los únicos datos disponibles acerca del rendimiento de la máquina se refieren al contenido promedio de grupos de 9 cajas. Se sabe que el contenido promedio es de 11.9 onzas con desviación estándar de .05 onzas. ¿Qué fracción de las cajas producidas son defectuosas? ¿Dónde debe localizarse la media para minimizar esta fracción defectuosa? Suponga que el peso se distribuye normalmente.

**8-28** Un autobús viaja entre dos ciudades, pero visita ocho ciudades intermedias en su ruta. La media y la desviación estándar de los tiempos de viaje son como sigue:

| Pares de ciudades | Tiempo medio (horas) | Desviación estándar (horas) |
|---|---|---|
| 1 – 2 | 3 | 0.4 |
| 2 – 3 | 4 | 0.6 |
| 3 – 4 | 3 | 0.3 |
| 4 – 5 | 5 | 1.2 |
| 5 – 6 | 7 | 0.9 |
| 6 – 7 | 5 | 0.4 |
| 7 – 8 | 3 | 0.4 |

¿Cuál es la probabilidad de que el autobús complete su jornada en 32 horas?

**8-29** Un proceso de producción fabrica artículos, de los cuales el 8 por ciento son defectuosos. Se selecciona una muestra al azar de 200 artículos cada día y se cuenta el número de artículos defectuosos. Con el empleo de la aproximación normal a la binomial encuentre lo siguiente:

a) $P(X \leq 16)$
b) $P(X = 15)$
c) $P(12 \leq X \leq 20)$
d) $P(X = 14)$

**8-30** En un estudio de muestreo de trabajo a menudo se desea determinar el número de observaciones necesarias. Dado que $p = .1$, obtenga la $n$ necesaria tal que $P(.05 \leq \hat{p} \leq 1.5) = .95$.

**8-31** Utilice números aleatorios generados a partir de una subrutina de compilador o del escalamiento de los enteros aleatorios en la tabla XV multiplicando por $10^{-5}$ y genere 6 conversiones de una variable $N(100, 4)$, empleando a) el método directo y b) el método aproximado.

**8-32**  Considere una combinación lineal $Y = 3X_1 - 2X_2$, donde $X_1$ es $N(10, 3)$, y $X_2$ se distribuye uniformemente en $[0, 20]$. Genere 6 conversiones de la variable aleatoria $Y$, donde $X_1$ y $X_2$ son independientes.

**8-33**  Si $Z \sim N(0, 1)$, genere 5 conversiones de $Z^2$.

**8-34**  Si $Y = \ln X$, y $Y \sim N(\mu_Y, \sigma_Y^2)$, desarrolle un procedimiento para generar conversiones de $X$.

**8-35**  Si $Y = X_1^{1/2}/X_2^2$ donde $X_1 \sim N(\mu_1, \sigma_1^2)$ y $X_2 \sim N(\mu_2, \sigma_2^2)$ y $X_1$ y $X_2$ son independientes, desarrolle un generador para producir conversiones de $Y$.

**8-36**  La brillantez de bombillas eléctricas se distribuye normalmente con media de 2500 pie-candela y desviación estándar de 50 pie-candela. Se prueban los bulbos y todos los que tienen una brillantez superior a 2600 pie-candela se colocan en un lote especial de alta calidad. ¿Cuál es la distribución de probabilidad de las bombillas restantes? ¿Cuál es su brillantez esperada?

**8-37**  La variable aleatoria $Y = \ln X$ tiene una distribución $N(50, 25)$. Encuentre la media, la varianza, el modo y la mediana de $X$.

**8-38**  Suponga que las variables aleatorias independientes $Y_1$, $Y_2$, $Y_3$ son tales que

$$Y_1 = \ln_e X_1 \sim N(4, 1)$$

$$Y_2 = \ln_e X_2 \sim N(3, 1)$$

$$Y_3 = \ln_e X_3 \sim N(2, .5)$$

Encuentre la media y la varianza de $W = e^2 X_1^2 X_2^{1.5} X_3^{1.28}$. Determine un conjunto de especificaciones $L$ y $R$, tales que

$$P(L \leq W \leq R) = .90$$

**8-39**  Demuestre que la función de densidad para una variable aleatoria $X$ distribuida normalmente está dada por

$$f(x) = \frac{1}{\sigma x \sqrt{2\pi}} \exp\left[ -\frac{1}{2\sigma^2}(\ln_e x - \mu)^2 \right] \qquad x > 0, \sigma > 0, -\infty < \mu < \infty$$

$$= 0 \qquad \text{en otro caso}$$

donde $Y = \ln_e X \sim N(\mu, \sigma^2)$.

**8-40**  Considere la densidad normal bivariada

$$f(x_1, x_2) = \Delta \exp - \left\{ \frac{1}{2(1 - \rho^2)} \left[ \frac{x_1^2}{\sigma_1^2} - \frac{2\rho x_1 x_2}{\sigma_1 \sigma_2} + \frac{x_2^2}{\sigma_2^2} \right] \right\}$$

$$-\infty < x_1 < \infty, -\infty < x_2 < \infty$$

donde $\Delta$ se elige de manera que $f$ sea una distribución de probabilidad. ¿Las variables aleatorias $X_1$ y $X_2$ son independientes? Defina dos nuevas variables aleatorias:

$$Y_1 = \frac{1}{\left(1 - \rho^2\right)^{1/2}} \left( \frac{X_1}{\sigma_1} - \frac{\rho X_2}{\sigma_2} \right)$$

$$Y_2 = \frac{X_2}{\sigma_2}$$

Demuestre que las dos nuevas variables aleatorias son independientes.

**8-41** La vida de servicio de un bulbo ($X_1$) y el diámetro del filamento ($X_2$) se distribuye como una normal bivariada con los siguientes parámetros:

$$\mu_1 = 2000 \text{ horas}$$

$$\mu_2 = .10 \text{ pulgada}$$

$$\sigma_1^2 = 2500 \text{ horas}^2$$

$$\sigma_2^2 = .01 \text{ pulgada}^2$$

$$\rho = .87$$

El gerente de control de calidad desea determinar la vida de servicio de cada bulbo midiendo el diámetro del filamento. Si el diámetro de un filamento es .098, ¿cuál es la probabilidad de que el bulbo dure 1950 horas?

**8-42** Un profesor universitario ha notado que las calificaciones en cada uno de dos exámenes tienen una distribución normal bivariada con los siguientes parámetros:

$$\mu_1 = 75$$

$$\mu_2 = 83$$

$$\sigma_1^2 = 25$$

$$\sigma_2^2 = 16$$

$$\rho = .8$$

Si un estudiante recibe una calificación de 80 en el primer examen, ¿cuál es la probabilidad de que obtenga mejor calificación en el segundo? ¿Cómo se afecta la respuesta haciendo $\rho = -.8$?

**8-43** Considere la superficie $y = f(x_1, x_2)$, donde $f$ es la función de densidad normal bivariada.

*a)* Demuestre que $y = $ constante corta la superficie de una elipse.

*b)* Demuestre que $y = $ constante con $\rho = 0$ y $\sigma_1^2 = \sigma_2^2$ corta la superficie como un círculo.

**8-44** Sean $X_1$ y $X_2$ variables aleatorias independientes que siguen una densidad normal con media cero y varianza $\sigma^2$. Determine la distribución de

$$R = \sqrt{X_1^2 + X_2^2}$$

La distribución resultante se conoce como la distribución de *Rayleigh* y se utiliza con frecuencia para modelar la distribución de errores radiales en un plano. *Sugerencia*: Deje $x_1 = r \cos \theta$ y $x_2 = r \sin \theta$. Obtenga la distribución de probabilidad conjunta de $R$ y $\theta$, y después integre dejando constante $\theta$.

**8-45**  Mediante el empleo de un método similar al del ejercicio 8-44, obtenga la distribución de

$$R = \sqrt{X_1^2 + X_2^2 + \cdots + X_n^2}$$

donde $X_i \sim N(0, \sigma^2)$ e independiente.

**8-46**  Sean las variables aleatorias independientes $X_i \sim N(0, \sigma^2)$ para $i = 1, 2$. Encuentre la distribución de probabilidad de

$$C = \frac{X_1}{X_2}$$

$C$ sigue la distribución de *Cauchy*. Intente calcular $E(C)$.

**8-47**  Sean $X \sim N(0, 1)$. Determine la distribución de probabilidad de $Y = X^2$. Se afirma que $Y$ sigue la distribución *ji cuadrada* con un grado de libertad. Ésta es una distribución importante en la metodología estadística.

**8-48**  Sean las variables aleatorias independientes $X_i \sim N(0, 1)$ para $i = 1, 2, \ldots, n$. Demuestre que $Y = \Sigma_{i=1}^{n} X_i^2$ sigue una distribución ji cuadrada con $n$ grados de libertad.

**8-49**  Sea $X \sim N(0, 1)$. Defina una nueva variable aleatoria $Y = |X|$. Después, encuentre la distribución de probabilidad de $Y$. Ésta se llama a menudo la distribución *normal mitad*.

# Capítulo 9

# Muestras aleatorias y distribuciones de muestreo

En este capítulo, empezaremos nuestro estudio de la deducción estadística. Recuérdese que la estadística es la ciencia de extraer conclusiones acerca de una población con base en un análisis de un muestrario de datos a partir de dicha población. Hay muchas maneras de tomar una muestra de una población. Además, las conclusiones que pueden extraerse acerca de la población dependen a menudo de cómo se seleccionó la muestra. Por lo general, deseamos que la muestra sea *representativa* de la población. Un método importante para la selección de muestras es el *muestreo aleatorio*. La mayor parate de las técnicas estadísticas que presentamos en el libro suponen que la muestra es aleatoria. En este capítulo definiremos una muestra aleatoria y presentaremos varias distribuciones de probabilidad útiles en el análisis de la información de datos muestreados.

## 9-1  Muestras aleatorias

Para definir una muestra aleatoria, supongamos que $X$ sea una variable aleatoria con distribución de probabilidad $f(x)$. Entonces el conjunto de $n$ observaciones $X_1, X_2, \ldots, X_n$, tomadas en la variable aleatoria $X$, y con resultados numéricos $x_1$, $x_2, \ldots, x_n$, se llama una *muestra aleatoria* si las observaciones se obtienen observando $X$ de manera independiente bajo condiciones invariables por $n$ veces. Nótese que las observaciones $X_1, X_2, \ldots, X_n$ en una muestra aleatoria son variables aleatorias independientes con la misma distribución de probabilidad $f(x)$. Esto es, las distribuciones marginales de $X_1, X_2, \ldots, X_n$ son $f(x_1), f(x_2), \ldots, f(x_n)$, respectivamente, y por independencia la distribución de probabilidad conjunta es

$$g(x_1, x_2, \ldots, x_n) = f(x_1) \cdot f(x_2) \cdot \cdots \cdot f(x_n) \tag{9-1}$$

## Definición

$X_1, X_2, \ldots, X_n$ es una *muestra aleatoria* de tamaño $n$ si $a$) las $X$ son variables aleatorias independientes, y $b$) cada observación $X_i$ tiene la misma distribución de probabilidad.

Para ilustrar esta definición, supóngase que estamos investigando la resistencia al rompimiento de botellas de refresco de vidrio de un litro, y que dicha resistencia en la población de las botellas se distribuye normalmente. Espera-ríamos entonces que cada una de las observaciones de resistencia al rompimiento $X_1, X_2, \ldots, X_n$ en una muestra aleatoria de $n$ botellas fuera una variable aleatoria independiente con exactamente la misma distribución normal.

No siempre es fácil obtener una muestra aleatoria. Algunas veces podemos utilizar tablas de números aleatorios uniformes. Para emplear este enfoque para una población finita, asígnese un número a cada elemento de la población y después elíjase la muestra aleatoria como aquellos elementos que corresponden a las entradas seleccionadas en la tabla de números aleatorios. Este método es en particular útil cuando el tamaño de la población es pequeño. En otras ocasiones, el ingeniero o el científico no pueden utilizar fácilmente procedimientos formales para ayudar a asegurar la aleatoriedad y deben confiar en otros métodos de selección. Una muestra de juicio es aquella que se elige a partir de la población mediante el juicio objetivo de un individuo. Puesto que la precisión y el comportamiento estadístico de las muestras de juicio no pueden describirse, deben evitarse.

**Ejemplo 9.1** Supóngase que deseamos tomar una muestra aleatoria de 5 lotes de material sin procesar de 25 lotes disponibles. Podemos numerar los lotes con los enteros del 1 al 25. Después de esto se elige arbitrariamente de la tabla XV del apéndice un renglón y una columna como punto de partida. Se lee hacia abajo la columna elegida, la cual debe tener 2 dígitos hasta que se encuentran 5 números aceptables (un número aceptable se encuentra entre 1 y 25). Como ejemplo, considérese que el proceso anterior brinda una secuencia de números que se lee, 37, 48, 55, **02**, **17**, 61, 70, 43, **21**, 82, 73, **13**, 60, **25**. Los números en negritas especifican qué lotes del material sin procesar se van a elegir como la muestra aleatoria.

## 9-2   Estadísticas y distribuciones de muestreo

Una estadística es cualquier función de las observaciones en una muestra aleatoria que no depende de parámetros desconocidos. Por ejemplo, si $X_1, X_2, \ldots, X_n$ es una muestra aleatoria de tamaño $n$, entonces la media de la muestra $\bar{X}$, la varianza de muestra $S^2$, y la desviación estándar $S$ son estadísticas. Nótese que puesto que una estadística es una función de los datos a partir de una muestra aleatoria, ella misma es también una variable aleatoria. Esto es, si tomamos dos muestras aleatorias diferentes de una población y calculamos la media de la muestra, debemos esperar que sean diferentes los valores observados de las medias de muestra $\bar{x}_1$ y $\bar{x}_2$.

El proceso de extraer conclusiones en torno a poblaciones con base en datos de muestras utiliza en forma considerable las estadísticas. Los procedimientos requieren que entendamos el comportamiento probabilístico de ciertas estadísticas. En general, llamamos *distribución de muestreo* a la distribución de proba-bilidad de una estadística. Hay varias distribuciones de muestreo importantes que se utilizarán de manera extensiva en capítulos subsecuentes. En esta sección, definimos e ilustramos brevemente estas distribuciones de muestreo.

Considérese la determinación de la distribución de muestreo de la media de muestra $\bar{X}$. Supóngase que una muestra aleatoria de tamaño $n$ se toma de una población normal con media $\mu$ y varianza $\sigma^2$. Cada observación en esta muestra aleatoria es una variable aleatoria distribuida normal e independientemente con media $\mu$ y varianza $\sigma^2$. En consecuencia, la propiedad reproductiva de la distri-bución normal (ver sección 8-3) implica que la distribución muestral de $\bar{X}$ sea normal, con media $\mu$ y varianza $\sigma^2/n$. Además, si la población de la distribución es desconocida, el teorema central del límite (sección 8-4) implica que para muestras de moderadas a grandes, la distribución muestral de $\bar{X}$, es aproximada-mente normal, con media $\mu$ y varianza $\sigma^2/n$. Por tanto, se concluye que si $\bar{X}$ es la media de una muestra aleatoria de tamaño $n$ tomada de una población con media $\mu$ y varianza $\sigma^2$, entonces la distribución muestral de $\bar{X}$ es normal con media $\mu$ y varianza $\sigma^2/n$, si la población está distribuida normalmente. La distribución de $\bar{X}$ será aproximadamente normal aun si la población tiene una distribución no normal, si las condiciones del teorema central del límite se cumplen.

## Definición

El *error estándar* de una estadística es la desviación estándar de su distribución muestral. Si el error estándar involucra parámetros desconocidos cuyos valores pueden evaluarse, la sustitución de éstos, en el error estándar se convierte en un *error estándar estimado*. Para ilustrar esta definición, supóngase que se está muestreando de una distribución normal, con media $\mu$ y varianza $\sigma^2$. Ahora, si la distribución $\bar{X}$ es normal con media $\mu$ y varianza $\sigma^2/n$, entonces el *error estándar* de $\bar{X}$ es

$$\frac{\sigma}{\sqrt{n}}$$

Si no se conoce $\sigma$, pero se sustituye la desviación estándar $S$ en la ecuación anterior, entonces el *error estándar estimado* de $\bar{X}$ es

$$\frac{S}{\sqrt{n}}$$

**Ejemplo 9.2**   En su libro *Design and Analysis of Experiments*, 2a. edición (John Wiley & Sons, 1982), D. C. Montgomery presenta datos sobre la resistencia de la cohesión por tensión de un mortero de cemento portland modificado. Las diez observaciones son como sigue:

$$16.85, 16.40, 17.21, 16.35, 16.52, 17.04, 16.96, 17.15, 16.59, 16.57$$

donde la resistencia de la cohesión por tensión se mide en unidades de kgf/cm². Montgomery supone que la resistencia de la cohesión por tensión se describe de manera adecuada por la distribución normal. El promedio de la muestra es

$$\bar{x} = 16.76 \text{ kgf/cm}^2$$

Supóngase que sabemos (o que estamos dispuestos a suponer) que la desviación estándar de la resistencia de la cohesión por tensión es $\sigma = .25$ kgf/cm². Entonces, el *error estándar* del promedio de la muestra es

$$\sigma/\sqrt{n} = 0.25/\sqrt{10} = 0.079 \text{ kgf/cm}^2$$

Si no estamos dispuestos a suponer que $\sigma = .25$ kgf/cm², podríamos utilizar la *desviación estándar de la muestra* $s = .316$ kgf/cm² para obtener el error estándar estimado como sigue:

$$s/\sqrt{n} = 0.316/\sqrt{10} = 0.0999 \text{ kgf/cm}^2$$

## 9-3   Distribución ji cuadrada

Muchas otras distribuciones útiles de muestreo pueden definirse en términos de variables aleatorias normales. La distribución ji cuadrada se define a continuación.

## Teorema 9-1

Sea $Z_1, Z_2, \ldots, Z_k$ variables aleatorias distribuidas normal e independientemente, con media $\mu = 0$ o varianza $\sigma^2 = 1$. Entonces la variable aleatoria

$$\chi^2 = Z_1^2 + Z_2^2 + \cdots + Z_k^2$$

tiene la función de densidad de probabilidad

$$f_{\chi^2}(u) = \frac{1}{2^{k/2}\Gamma\left(\dfrac{k}{2}\right)} u^{(k/2)-1} e^{-u/2} \qquad u > 0$$

$$= 0 \qquad\qquad \text{en otro caso} \qquad (9\text{-}2)$$

y se dice que sigue la distribución ji cuadrada con $k$ grados de libertad, en forma abreviada $\chi_k^2$

Para la prueba del teorema 9-1, véanse los ejercicios 8-47 y 8-48.

La media y la varianza de la distribución $\chi_k^2$ son

$$\mu = k \qquad\qquad (9\text{-}3)$$

y

$$\sigma^2 = 2k \qquad\qquad (9\text{-}4)$$

En la figura 9.1 se muestran varias distribuciones ji cuadrada. Nótese que la variable aleatoria ji cuadrada es no negativa, y que la distribución de probabilidad es asimétrica hacia la derecha. Sin embargo, a medida que $k$ aumenta, la dis-

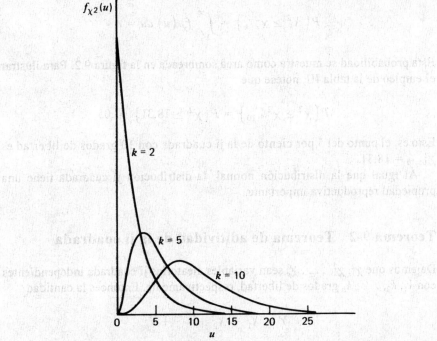

**Figura 9.1** Varias distribuciones $\chi^2$.

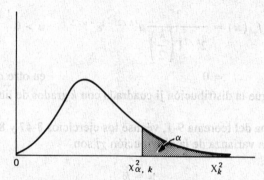

**Figura 9.2**   Punto porcentual $\chi^2_{\alpha,k}$ de la distribución ji cuadrada.

tribución se vuelve más simétrica. Cuando $k \to \infty$, la forma límite de la distribución ji cuadrada es la distribución normal.

Los puntos porcentuales de la distribución $\chi^2_k$ se dan en la tabla III del apéndice. Defínase $\chi^2_{\alpha,k}$ como el punto porcentual o valor de la variable aleatoria ji cuadrada con $k$ grados de libertad tal que la probabilidad de que $\chi^2_k$ exceda a este valor es $\alpha$. Esto es,

$$P\left\{ X^2_k \geq \chi^2_{\alpha,k} \right\} = \int_{\chi^2_{\alpha,k}}^{\infty} f_{\chi^2}(u)\, du = \alpha$$

Esta probabilidad se muestra como área sombreada en la figura 9.2. Para ilustrar el empleo de la tabla III, nótese que

$$P\left\{ \chi^2 \geq \chi^2_{.05,10} \right\} = P\left\{ \chi^2 \geq 18.31 \right\} = .05$$

Esto es, el punto del 5 por ciento de la ji cuadrada con 10 grados de libertad es $\chi^2_{.05,10} = 18.31$.

Al igual que la distribución normal, la distribución ji cuadrada tiene una propiedad reproductiva importante.

## Teorema 9-2   Teorema de aditividad de la ji cuadrada

Dejemos que $\chi^2_1, \chi^2_2, \ldots, \chi^2_p$ sean variables aleatorias ji cuadrada independientes con $k_1, k_2, \ldots, k_p$ grados de libertad, respectivamente. Entonces la cantidad

$$Y = X^2_1 + X^2_2 + \cdots + X^2_p$$

sigue la distribución ji cuadrada con grados de libertad iguales a

$$k = \sum_{i=1}^{p} k_i$$

**Prueba** Nótese que cada variable aleatoria ji cuadrada $\chi_i^2$ puede describirse como la suma de los cuadrados de $k_i$ variables aleatorias normales estándar, digamos

$$\chi_i^2 = \sum_{j=1}^{k_i} Z_{ij}^2 \qquad i = 1, 2, \ldots, p$$

Por tanto,

$$Y = \sum_{i=1}^{p} \chi_i^2 = \sum_{i=1}^{p} \sum_{j=1}^{k_i} Z_{ij}^2$$

y puesto que todas las variables aleatorias $Z_{ij}$ son independientes por que las $\chi_i^2$ son independientes $Y$ es justamente la suma de los cuadrados de $K = \sum_{i=1}^{p} k_i$ variables aleatorias normales estándar. Del teorema 9-1, resulta que $Y$ es una variable aleatoria ji cuadrada con $k$ grados de libertad.

**Ejemplo 9.3** Como ejemplo de una estadística que sigue la distribución ji cuadrada, supóngase que $X_1, X_2, \ldots, X_n$ es una muestra aleatoria de una población normal, con media $\mu$ y varianza $\sigma^2$. La función de la varianza de la muestra

$$\frac{(n-1)S^2}{\sigma^2}$$

se distribuye como $\chi_{n-1}^2$. Utilizaremos esta estadística en los capítulos 10 y 11. Veremos en esos capítulos que debido a que la distribución del muestreo de esta estadística es ji cuadrada, podemos construir estimaciones de intervalos de confianza e hipótesis estadísticas de prueba alrededor de la varianza de una población normal.

Para ilustrar eurísticamente *por qué* la distribución de muestreo de la estadística en el ejemplo 9.3, $(n-1)S^2/\sigma^2$, es ji cuadrada, nótese que

$$\frac{(n-1)S^2}{\sigma^2} = \frac{\sum_{i=1}^{n}(X_i - \bar{X})^2}{\sigma^2} \qquad (9\text{-}5)$$

Si se reemplazara $\bar{X}$ en la ecuación 9-5 por $\mu$, entonces la distribución de

$$\frac{\sum_{i=1}^{n}(X_i - \mu)^2}{\sigma^2}$$

es $\chi_n^2$, debido a que cada término $(X_i - \mu)/\sigma$ es una variable aleatoria normal estándar independiente. Considérese ahora

$$\sum_{i=1}^{n} (X_i - \mu)^2 = \sum_{i=1}^{n} \left[ (X_i - \overline{X}) + (\overline{X} - \mu) \right]^2$$

$$= \sum_{i=1}^{n} (X_i - \overline{X})^2 + \sum_{i=1}^{n} (\overline{X} - \mu)^2 + 2(\overline{X} - \mu) \sum_{i=1}^{n} (X_i - \overline{X})$$

$$= \sum_{i=1}^{n} (X_i - \overline{X})^2 + n(\overline{X} - \mu)^2$$

Por tanto,

$$\frac{\sum_{i=1}^{n} (X_i - \mu)^2}{\sigma^2} = \frac{\sum_{i=1}^{n} (X_i - \overline{X})^2}{\sigma^2} + \frac{(\overline{X} - \mu)^2}{\sigma^2/n}$$

o

$$\frac{\sum_{i=1}^{n} (X_i - \mu)^2}{\sigma^2} = \frac{(n-1)S^2}{\sigma^2} + \frac{(\overline{X} - \mu)^2}{\sigma^2/n} \tag{9-6}$$

Puesto que $\overline{X}$ está normalmente distribuida con media $\mu$ y varianza $\sigma^2/n$, la cantidad $(\overline{X} - \mu)^2/(\sigma^2/n)$ está distribuida como $\chi_1^2$. Además, puede demostrarse que las variables aleatorias $\overline{X}$ y $S^2$ son independientes. Por tanto, puesto que $\Sigma_{i=1}^{n}(X_i - \mu)^2/\sigma^2$ está distribuida como $\chi_n^2$, parece lógico utilizar la propiedad de aditividad de la ji cuadrada (teorema 9-2), y concluir que la distribución de $(n-1)S^2/\sigma^2$ es $\chi_{n-1}^2$.

## 9-4   Distribución $t$

Otra distribución de muestreo importante es la distribución $t$.

## Teorema 9-3

Sean $Z \sim N(0, 1)$ y $V$ una variable aleatoria ji cuadrada con $k$ grados de libertad. Si $Z$ y $V$ son independientes, entonces la variable aleatoria

$$T = \frac{Z}{\sqrt{V/k}}$$

tiene la función de densidad de probabilidad

$$f(t) = \frac{\Gamma[(k+1)/2]}{\sqrt{\pi k}\,\Gamma(k/2)} \cdot \frac{1}{[(t^2/k)+1]^{(k+1)/2}} \qquad -\infty < t < \infty \qquad (9\text{-}7)$$

y se afirma que sigue la distribución $t$ con $k$ grados de libertad, lo que se abrevia $t_k$.

**Prueba**  Puesto que $Z$ y $V$ son independientes su función de densidad conjunta es

$$f(z,v) = \frac{(v)^{(k/2)-1}}{\sqrt{2\pi}\,2^{k/2}\Gamma\left(\dfrac{k}{2}\right)} e^{-(z^2+v)/2} \qquad -\infty < z < \infty,\, 0 < v < \infty$$

Al emplear el método de la sección 5-10 definimos una nueva variable aleatoria $U = V$. De tal modo, las soluciones inversas de

$$t = \frac{z}{\sqrt{v/k}}$$

y

$$u = v$$

son

$$z = t\sqrt{\frac{u}{k}}$$

y

$$v = u$$

El jacobiano es

$$J = \begin{vmatrix} \sqrt{\dfrac{u}{k}} & \dfrac{t}{2\sqrt{uk}} \\ 0 & 1 \end{vmatrix} = \sqrt{\frac{u}{k}}$$

Por consiguiente,

$$|J| = \sqrt{\frac{u}{k}}$$

y

$$g(t,u) = \frac{\sqrt{u}}{\sqrt{2\pi k}\,2^{k/2}\Gamma\left(\dfrac{k}{2}\right)} u^{(k/2)-1} e^{-[(u/k)t^2+u]/2} \qquad (9\text{-}8)$$

Luego, puesto que $V > 0$ debemos requerir que $U > 0$, y como $-\infty < Z < \infty$, entonces $-\infty < t < \infty$. Al rearreglar la ecuación 9-8, tenemos

$$g(t, u) = \frac{1}{\sqrt{2\pi k}\, 2^{k/2}\Gamma\left(\dfrac{k}{2}\right)} u^{(k-1)/2} e^{-(u/2)[(t^2/k)+1]} \qquad 0 < u < \infty,\; -\infty < t < \infty$$

y como $f(t) = \int_0^\infty g(t, u)\,du$, obtenemos

$$f(t) = \frac{1}{\sqrt{2\pi k}\, 2^{k/2}\Gamma\left(\dfrac{k}{2}\right)} \int_0^\infty u^{(k-1)/2} e^{-(u/2)[(t^2/k)+1]}\, du$$

$$= \frac{\Gamma[(k+1)/2]}{\sqrt{\pi k}\,\Gamma\left(\dfrac{k}{2}\right)} \cdot \frac{1}{[(t^2/k)+1]^{(k+1)/2}} \qquad -\infty < t < \infty$$

Debido principalmente a la costumbre histórica, muchos autores no distinguen entre la variable aleatoria $T$ y $t$. La media y la varianza de la distribución $t$ son $\mu = 0$ y $\sigma^2 = k/(k-2)$ para $k > 2$, respectivamente. En la figura 9.3 se presentan varias distribuciones $t$. La apariencia general de la distribución $t$ es similar a la distribución normal estándar, en que ambas distribuciones son simétricas y unimodales, y el valor de la ordenada máxima se alcanza cuando $\mu = 0$. Sin embargo, la distribución $t$ tiene colas más pesadas que la normal; esto es, tiene mayor probabilidad hacia afuera. Cuando el número de grados de libertad $k \to \infty$, la forma límite de la distribución $t$ es la distribución normal estándar. Al visualizar la distribución $t$ a veces es útil saber que la ordenada de la densidad en la media $\mu = 0$ es aproximadamente 4 ó 5 veces más grande que la ordenada en los percentiles quinto y noventa y cincoavo. Por ejemplo, con 10 grados de

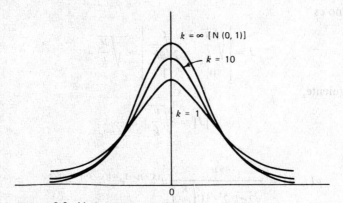

**Figura 9.3** Varias distribuciones $t$.

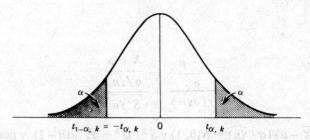

**Figura 9.4** Puntos porcentuales de la distribución $t$.

libertad para $t$ esta razón es 4.8, con 20 grados de libertad este factor es 4.3, y con 30 grados de libertad este factor es 4.1. En comparación, para la distribución normal, este factor es 3.9.

Los puntos de porcentaje de la distribución $t$ están dados en la tabla IV del apéndice. Sea $t_{\alpha, k}$ el punto porcentual o valor de la variable $t$ con $k$ grados de libertad tal que

$$P\{t \geq t_{\alpha, k}\} = \int_{t_{\alpha, k}}^{\infty} f(t)\, dt = \alpha$$

Este punto porcentual se ilustra en la figura 9.4. Nótese que puesto que la distribución $t$ es simétrica con respecto a cero, podemos encontrar que $t_{4-\alpha, k} = -t_{\alpha, k}$. Esta relación es útil, puesto que la tabla IV brinda sólo los puntos porcentuales de la *cola superior*; esto es, valores de $t_{\alpha, k}$ para $\alpha \leq .50$. Para ilustrar el empleo de la tabla, nótese que

$$P\{t \geq t_{.05, 10}\} = P\{t \geq 1.813\} = .05$$

Esto es, el punto porcentual 5 superior de la distribución $t$ con 10 grados de libertad es $t_{.05, 10} = 1.813$. De modo similar, el punto de la cola inferior $t_{.95, 10} = -t_{.05, 10} = -1.813$.

**Ejemplo 9.4**  Como un ejemplo de una variable aleatoria que sigue la distribución $t$, supóngase que $X_1, X_2, \ldots, X_n$ es una muestra aleatoria de una distribución normal con media $\mu$ y varianza $\sigma^2$, y sean $\overline{X}$ y $S^2$ la media y la varianza de la muestra. Considérese la estadística

$$\frac{\overline{X} - \mu}{S/\sqrt{n}} \tag{9-9}$$

Dividiendo tanto el numerador como el denominador de la ecuación 9-9 entre $\sigma$, obtenemos

$$\frac{\dfrac{\overline{X} - \mu}{\sigma}}{S/(\sigma\sqrt{n})} = \frac{\dfrac{\overline{X} - \mu}{\sigma/\sqrt{n}}}{\sqrt{S^2/\sigma^2}}$$

Puesto que $(\overline{X} - \mu)/(\sigma / \sqrt{n}) \sim N(0, 1)$ y $S^2 / \sigma^2 \sim \chi_{n-1}^2/(n-1)$, y puesto que $\overline{X}$ y $S^2$ son independientes, vemos del teorema 9-3 que

$$t = \frac{\overline{X} - \mu}{S/\sqrt{n}} \qquad (9\text{-}10)$$

tiene una distribución $t$ con $v = n - 1$ grados de libertad. Utilizaremos la estadística en la ecuación 9-10 en los capítulos 10 y 11 para construir intervalos de confianza e hipótesis de prueba con respecto de la media de una distribución normal.

## 9-5   Distribución F

Una distribución de muestreo muy útil es la distribución $F$.

## Teorema 9-4

Sean $W$ y $Y$ variables aleatorias ji cuadrada independientes con $u$ y $v$ grados de libertad respectivamente. Entonces el cociente

$$F = \frac{W/u}{Y/v}$$

tiene la función de densidad de probabilidad

$$h(f) = \frac{\Gamma\left(\dfrac{u+v}{2}\right)\left(\dfrac{u}{v}\right)^{u/2} f^{(u/2)-1}}{\Gamma\left(\dfrac{u}{2}\right)\Gamma\left(\dfrac{v}{2}\right)\left[\left(\dfrac{u}{v}\right)f+1\right]^{(u+v)/2}} \qquad 0 < f < \infty \qquad (9\text{-}11)$$

y se afirma que sigue la distribución $F$ con $u$ grados de libertad en el numerador y $v$ grados de libertad en el denominador. Suele abreviarse como $F_{u,v}$.

**Prueba** Puesto que $W$ y $Y$ son independientes

$$f(w, y) = \frac{(w)^{(u/2)-1}(y)^{(v/2)-1}}{2^{u/2}\Gamma\left(\dfrac{u}{2}\right)2^{v/2}\Gamma\left(\dfrac{v}{2}\right)} e^{-(w+y)/2} \qquad 0 < w, y < \infty$$

Procediendo como en la sección 5-10, definimos la nueva variable aleatoria $M = Y$. Las soluciones inversas de $f = (w/u)(y/v)$ y $m = y$ son

$$w = \frac{umf}{v}$$

y

$$y = m$$

Por tanto el jacobiano

$$J = \begin{vmatrix} \dfrac{um}{v} & \dfrac{uf}{v} \\ 0 & 1 \end{vmatrix} = \frac{u}{v}m$$

En consecuencia,

$$g(f, m) = \frac{\dfrac{u}{v}\left(\dfrac{u}{v}fm\right)^{(u/2)-1} m^{(v/2)-1}}{2^{u/2}\Gamma\left(\dfrac{u}{2}\right)2^{v/2}\Gamma\left(\dfrac{v}{2}\right)} e^{-(m/2)((u/v)f+1)} \qquad 0 < f, m < \infty$$

y puesto que $h(f) = \int_0^\infty g(f, m)\, dm$, obtenemos

$$h(f) = \frac{(u/v)^{u/2} f^{(u/2)-1} \Gamma\left(\dfrac{u+v}{2}\right)}{2^{(u+v)/2}\Gamma\left(\dfrac{u}{2}\right)\Gamma\left(\dfrac{v}{2}\right)\left[\dfrac{\left(\dfrac{u}{v}\right)f+1}{2}\right]^{(u+v)/2}} \qquad 0 < f < \infty$$

la que al simplificarse dará la ecuación 9-11, concluyendo la prueba.

La media y la varianza de la distribución $F$ son $\mu = v/(v-2)$ para $v > 2$, y

$$\sigma^2 = \frac{2v^2(u+v-2)}{u(v-2)^2(v-4)} \qquad v > 4$$

Varias distribuciones $F$ se muestran en la figura 9.5. La variable aleatoria $F$ es no negativa y la distribución es asimétrica hacia la derecha. La distribución $F$ se asemeja mucho a la distribución ji cuadrada en la figura 9.1; sin embargo, está

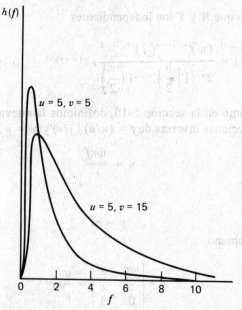

**Figura 9.5**  La distribución $F$.

centrada alrededor de 1 y los dos parámetros $u$ y $v$ le proporcionan mayor flexibilidad en cuanto a la forma.

Los puntos porcentuales de la distribución $F$ se dan en la tabla V del apéndice. Sea $F_{\alpha, u, v}$ el punto porcentual de la distribución $F$, con $u$ y $v$ grados de libertad, tal que la probabilidad de que la variable aleatoria $F$ exceda este valor es

$$P\{F \geq F_{\alpha, u, v}\} = \int_{F_{\alpha, u, v}}^{\infty} h(f)\, df = \alpha$$

Esto se ilustra en la figura 9.6. Por ejemplo, si $u = 5$ y $v = 10$, encontramos de

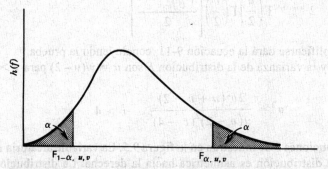

**Figura 9.6**  Puntos porcentuales superior e inferior de la distribución $F$.

la tabla V del apéndice que

$$P\{F \geq F_{.05,5,10}\} = P\{F \geq 3.33\} = .05$$

Esto es, el punto porcentual 5 superior de $F_{5,10}$ es $F_{.05,5,10} = 3.33$. La tabla V contiene sólo puntos porcentuales de cola superior (valores de $F_{\alpha,u,v}$ para $\alpha \leq .50$). Los puntos porcentuales de cola inferior $F_{1-\alpha,u,v}$ pueden encontrarse como sigue:

$$F_{1-\alpha,u,v} = \frac{1}{F_{\alpha,v,u}} \tag{9-12}$$

Por ejemplo, para encontrar el punto porcentual de la cola inferior $F_{.95,5,10}$, notamos que

$$F_{.95,5,10} = \frac{1}{F_{.05,10,5}} = \frac{1}{4.74} = .211$$

**Ejemplo 9.5** Como ejemplo de una estadística que sigue la distribución $F$, supóngase que tenemos dos poblaciones normales con varianza $\sigma_1^2$ y $\sigma_2^2$. Considérese que se toman muestras aleatorias independientes de tamaño $n_1$ y $n_2$ de las poblaciones 1 y 2, respectivamente, y que $S_1^2$ y $S_2^2$ son las varianzas de muestra. Entonces la razón

$$F = \frac{S_1^2/\sigma_1^2}{S_2^2/\sigma_2^2} \tag{9-13}$$

tiene una distribución $F$ con $n_1 - 1$ grados de libertad del numerador y $n_2 - 1$ grados de libertad del denominador. Esto resulta directamente del hecho de que $(n_1 - 1)S_1^2/\sigma_1^2 \sim \chi_{n_1-1}^2$ y $(n_2-1)S_2^2/\sigma_2^2 \sim \chi_{n_2-1}^2$ y del teorema 9-4. La estadística en la ecuación 9-13 desempeña un papel importante en los capítulos 10 y 11, donde nos avocamos a los problemas de la estimación de intervalos de confianza y la prueba de hipótesis en torno a las varianzas de dos poblaciones normales independientes.

## 9-6 Resumen

Este capítulo ha presentado el concepto de muestreo aleatorio y las distribuciones de muestreo. En el muestreo repetido a partir de una población, las estadísticas de muestra del tipo analizado en el capítulo 2 varían de una muestra a otra, y la distribución de probabilidad de tales estadísticas (o funciones de las estadísticas) se llaman distribuciones de muestreo. Las distribuciones normal, ji cuadrada, $t$ de

Student y $F$ que han sido presentadas en este capítulo, se emplearán ampliamente en capítulos posteriores para describir la varianza de los muestreos.

## 9-7 Ejercicios

9-1 Suponga que una variable aleatoria se distribuye normalmente con media $\mu$ y varianza $\sigma^2$. Extraiga una muestra aleatoria de cinco observaciones. ¿Cuál es la función de densidad conjunta de la muestra?

9-2 Los transistores tienen una vida de servicios que se distribuye exponencialmente con parámetro $\lambda$. Se toma una muestra aleatoria de $n$ transistores. ¿Cuál es la función de densidad conjunta de la muestra?

9-3 Suponga que $X$ se distribuye uniformemente en el intervalo de 0 a 1. Considere una muestra aleatoria de tamaño 4 de $X$. ¿Cuál es la función de densidad de conjunto de la muestra?

9-4 Un lote consiste en $N$ transistores, y de éstos $M(M \leqslant N)$ están defectuosos. Se seleccionan al azar dos transistores sin reemplazo de este lote y se determina si están o no defectuosos. La variable aleatoria

$$X_i = \begin{cases} 1, & \text{si el transistor } i\text{ésimo no está defectuoso} \\ 0, & \text{si el transistor } i\text{ésimo defectuoso} \end{cases} \quad i = 1, 2$$

Determine la función de probabilidad conjunta para $X_1$ y $X_2$. ¿Cuáles son las funciones de probabilidad marginales para $X_1$ y $X_2$? ¿Son $X_1$ y $X_2$ variables aleatorias independientes?

9-5 Una población de fuentes de energía para una computadora personal tiene un voltaje de salida que se distribuye normalmente con media de 5.00 V y desviación estándar de .10 V. Se selecciona una muestra aleatoria de 8 fuentes de energía. Especifique la distribución de muestreo de $\bar{X}$.

9-6 Considere el problema de las fuentes de energía descrito en el ejercicio 9-5. Suponga que se desconoce la desviación estándar de la población. ¿Cómo obtendría usted el error estándar estimado?

9-7 Considere el problema de las fuentes de poder descrito en el ejercicio 9-5. ¿Cuál es el error estándar de $\bar{X}$?

9-8 Un especialista en adquisiciones ha comprado 25 resistores al vendedor 1 y 30 resistores al vendedor 2. Sea $X_{11}, X_{12}, \ldots, X_{1, 25}$ las resistencias observadas del vendedor 1 que se supone se distribuyen normal e independientemente con media de 100 $\Omega$ y desviación estándar de 1.5 $\Omega$. De modo similar, considere que $X_{21}, X_{22}, \ldots,$ $X_{2, 30}$ representa las resistencias observadas del vendedor 2, cuya distribución se supone normal e independiente con media de $105\ \Omega$ y desviación estándar de $2.0\ \Omega$. ¿Cuál es la distribución de muestreo de $\bar{X}_1 - \bar{X}_2$ ?

**9-9** Considere el problema de los resistores en el ejercicio 9-8. Encuentre el error estándar de $\bar{X}_1 - \bar{X}_2$ .

**9-10.** Considere el problema de los resistores en el ejercicio 9-8. Si no pudiéramos suponer que la resistencia se distribuye normalmente, ¿qué podría decirse acerca de la distribución de muestreo de $\bar{X}_1 - \bar{X}_2$ ?

**9-11** Suponga que se toman dos muestras aleatorias independientes de tamaño $n_1$ y $n_2$ de dos poblaciones normales con medias $\mu_1$ y $\mu_2$ y varianzas $\sigma_1^2$ y $\sigma_2^2$, respectivamente. Si $\bar{X}_1$ y $\bar{X}_2$ son las medias de muestra, encuentre la distribución de muestreo de la estadística

$$\frac{\bar{X}_1 - \bar{X}_2 - (\mu_1 - \mu_2)}{\sqrt{(\sigma_1^2/n_1) + (\sigma_2^2/n_2)}}$$

**9-12** Un fabricante de dispositivos semiconductores toma una muestra aleatoria de 100 chips, y los prueba y clasifica como defectuosos o no defectuosos. Considere $X_i = 0$ si no es defectuoso. La fracción defectuosa de la muestra es

$$\hat{p} = \frac{X_1 + X_2 + \cdots + X_{100}}{n}$$

¿Cuál es la distribución de muestreo de $\hat{p}$?

**9-13** En el problema de semiconductores en el ejercicio 9-12, encuentre el error estándar de $\hat{p}$. Obtenga además el error estándar estimado de $\hat{p}$.

**9-14** Desarrolle la función generatriz de momentos de la distribución ji cuadrada.

**9-15** Obtenga la media y la varianza de la variable aleatoria ji cuadrada con $u$ grados de libertad.

**9-16** Obtenga la media y la varianza de la distribución $t$.

**9-17** Obtenga la media y la varianza de la distribución $F$.

**9-18 Estadísticas de orden.** Sea $X_1, X_2, \ldots, X_n$ una muestra aleatoria de tamaño $n$ tomada de $X$, una variable aleatoria que tiene la función de distribución $F(x)$. Clasifique los elementos en orden de magnitud numérica creciente, resultando en $X_{(1)}, X_{(2)}, \ldots, X_{(n)}$, donde $X_{(1)}$ es el elemento de la muestra más pequeño $(X_{(1)} = \text{mín } \{X_1, X_2, \ldots, X_n\})$ y $X_{(n)}$ el elemento de la muestra más grande $(X_{(n)} = \text{máx } \{X_1, X_2, \ldots, X_n\})$. $X_{(i)}$ se denomina la estadística de orden $i$ésimo. A menudo, la distribución de algunas de las estadísticas de orden es de interés, en particular los valores de muestra mínimo y máximo, $X_{(1)}$ y $X_{(n)}$, respectivamente. Demuestre que las funciones de distribución de $X_{(1)}$ y $X_{(n)}$, denotadas respectivamente por $F_{X_{(1)}}(t)$ y $F_{X_{(n)}}(t)$, son

$$F_{X_{(1)}}(t) = 1 - [1 - F(t)]^n$$

$$F_{X_{(n)}}(t) = [F(t)]^n$$

Demuestre que si $X$ es continua con distribución de probabilidad $f(x)$, entonces las distribuciones de probabilidad de $X_{(1)}$ y $X_{(n)}$ son

$$f_{X_{(1)}}(t) = n[1 - F(t)]^{n-1}f(t)$$

$$f_{X_{(n)}}(t) = n[F(t)]^{n-1}f(t)$$

**9-19 Continuación del ejercicio 9-18.** Sea $X_1, X_2, \ldots, X_n$ una muestra aleatoria de una variable aleatoria de Bernoulli con parámetro $p$. Muestre que

$$P(X_{(n)} = 1) = 1 - (1 - p)^n$$

$$P(X_{(1)} = 0) = 1 - p^n$$

Use los resultados del ejercicio 9-18.

**9-20 Continuación del ejercicio 9-18.** Sea $X_1, X_2, \ldots, X_n$ una muestra aleatoria de una variable aleatoria normal con media $\mu$ y varianza $\sigma^2$. Al emplear los resultados del ejercicio 9-18, obtenga las funciones de densidad de $X_{(1)}$ y $X_{(n)}$.

**9-21 Continuación del ejercicio 9-18.** Sea $X_1, X_2, X_3$ una muestra aleatoria de una variable aleatoria exponencial con parámetro $\lambda$. Obtenga las funciones de distribución y las distribuciones de probabilidad para $X_{(1)}$ y $X_{(n)}$. Emplee los resultados del ejercicio 9-18.

**9-22** Sea $X_1, X_2, \ldots, X_n$ una muestra aleatoria de una variable aleatoria continua. Encuentre

$$E[F(X_{(n)})]$$

y

$$E[F(X_{(1)})]$$

**9-23** Encuentre los siguientes valores utilizando la tabla III del apéndice.

a) $\chi^2_{.95,8}$
b) $\chi^2_{.50,12}$

c) $\chi^2_{.025, 20}$

d) $\chi^2_\alpha$, tal que $P\{\chi^2_{10} \le \chi^2_{\alpha, 10}\} = .975$

**9-24** Encuentre los siguientes valores empleando la tabla IV del apéndice.

a) $t_{.025, 10}$

b) $t_{.25, 20}$

c) $t_{\alpha, 10}$, tal que $P\{t_{10} \le t_{\alpha, 10}\} = .95$

**9-25** Obtenga los siguientes valores empleando la tabla V del apéndice

a) $F_{.25, 4, 9}$

b) $F_{.05, 15, 10}$

c) $F_{.95, 6, 8}$

d) $F_{.90, 24, 24}$

**9-26** Sea $F_{1-\alpha, u, v}$ el punto de cola mínimo ($\alpha \le .50$) de la distribución $F_{u, v}$. Demuestre que $F_{1-\alpha, u, v} = 1/F_{\alpha, u, v}$.

# Capítulo 10

# Estimación de parámetros

La *inferencia estadística* es el proceso mediante el cual se utiliza la información de los datos de una muestra para extraer conclusiones acerca de la población de la que se seleccionó la muestra. Las técnicas de la inferencia estadística pueden dividirse en dos áreas principales: *estimación de parámetros* y *prueba de hipótesis*. Este capítulo trata la estimación de parámetros; la prueba de hipótesis se presenta en el capítulo 11.

Como un ejemplo del problema de la estimación de parámetros, supóngase que ingenieros civiles están analizando la resistencia a la compresión de concreto. Hay una variabilidad natural en la resistencia de cada espécimen de concreto individual. En consecuencia, los ingenieros están interesados en estimar la resistencia promedio para la población compuesta por este tipo de concreto. Es posible que les interese también estimar la variabilidad de la resistencia a la compresión en esta población. Presentamos métodos para obtener estimaciones puntuales de parámetros tales como la media y la varianza de poblaciones y además analizamos métodos para obtener ciertos tipos de estimaciones de intervalo de parámetros llamados intervalos de confianza.

## 10-1  Estimación por puntos

La estimación por puntos de un parámetro de población es un solo valor numérico de una estadística que corresponde a ese parámetro. Esto es, la estimación puntual es una selección única para el valor de un parámetro desconocido. En forma más precisa, si $x$ es una variable aleatoria con distribución de probabilidad $f(x)$, caracterizada por el parámetro desconocido $\theta$, y si $X_1, X_2, \ldots, X_n$ es una muestra aleatoria de tamaño $n$ de $x$, entonces la estadística $\hat{\theta} = h(X_1, X_2, \ldots, X_n)$ correspondiente a $\theta$ se llama *estimador* de $\theta$. Nótese que la estimación $\hat{\theta}$ es una variable aleatoria, porque es una función de los datos de muestreo. Después de que la muestra se ha seleccionado, $\hat{\theta}$ toma un valor numérico particular llamado estimación por puntos o puntual de $\theta$.

Como ejemplo, supóngase que la variable aleatoria $X$ está normalmente distribuida con media $\mu$ desconocida y varianza conocida $\sigma^2$. La media de la muestra $\overline{X}$ es un estimador puntual de la media desconocida $\mu$, de la población. Esto es, $\hat{\mu} = \overline{X}$. Después de que se ha seleccionado la muestra, el valor numérico $\overline{x}$ es la estimación puntual de $\mu$. Así, si $x_1 = 2.5$, $x_2 = 3.1$, $x_3 = 2.8$, y $x_4 = 3.0$, entonces la estimación puntual de $\mu$ es

$$\overline{x} = \frac{2.5 + 3.1 + 2.8 + 3.0}{4} = 2.85$$

De modo similar, si la varianza de la población $\sigma^2$, también se desconoce, un estimador puntual para $\sigma^2$ es la varianza $S^2$ de la muestra, y el valor numérico $s^2 = .07$ calculado a partir de los datos de la muestra es la estimación puntual de $\sigma^2$.

Los problemas de estimación ocurren con frecuencia en ingeniería. A menudo necesitamos estimar

- la media $\mu$ de una sola población
- la varianza $\sigma^2$ (o desviación estándar de $\sigma$) de una sola población
- la proporción $p$ de artículos en una población que pertenecen a la clase de interés
- la diferencia en las medias de dos poblaciones, $\mu_1 - \mu_2$
- la diferencia en dos proporciones de población, $p_1 - p_2$

Estimaciones puntuales razonables de estos parámetros son las siguientes:

- para $\mu$, la estimación es $\hat{\mu} = \overline{X}$, la media de la muestra
- para $\sigma^2$, la estimación es $\hat{\sigma}^2 = S^2$, la varianza de la muestra
- para $p$, la estimación es $\hat{p} = X/n$, la proporción de la muestra, donde $X$ es el número de objetos en una muestra aleatoria de tamaño $n$ que pertenece a la clase de interés
- para $\mu_1 - \mu_2$, la estimación es $\hat{\mu}_1 - \hat{\mu}_2 = \overline{X}_1 - \overline{X}_2$ , la diferencia entre las medias de las muestra de dos muestras aleatorias independientes
- para $p_1 - p_2$, la estimación es $\hat{p}_1 - \hat{p}_2$, la diferencia entre dos proporciones de muestra calculadas a partir de dos muestras aleatorias independientes

Puede haber varios estimadores puntuales potenciales diferentes para un parámetro. Por ejemplo, si deseamos estimar la media de una variable aleatoria, podríamos considerar la media de la muestra, la mediana de la muestra, o quizá el promedio de las observaciones extremas más pequeña y más grande en la muestra como estimadores puntuales. Para decidir cuál es el mejor estimador puntual que puede usarse de un parámetro particular, necesitamos examinar sus propiedades estadísticas y desarrollar algunos criterios para estimadores comparativos.

## 10-1.1   Propiedades de los estimadores

Una propiedad deseable de un estimador es que debe estar "cerca" en cierto sentido al valor verdadero del parámetro desconocido. Formalmente decimos que $\hat{\theta}$ es un estimador *neutral* del parámetro $\theta$ si

$$E(\hat{\theta}) = \theta \qquad (10\text{-}1)$$

Esto es, $\hat{\theta}$ es un estimador neutral de $\theta$ si "en promedio" sus valores son iguales a $\theta$. Nótese que esto equivale a requerir que la media de la distribución de la muestra de $\hat{\theta}$ sea igual a $\theta$.

**Ejemplo 10.1**   Supóngase que $X$ es una variable aleatoria con media $\mu$ y varianza $\sigma^2$. Sea $X_1, X_2, \ldots, X_n$ una muestra aleatoria de tamaño $n$ de $X$. Demuéstrese que la media de muestra $\overline{X}$ y la varianza de muestra $S^2$ son estimadores neutrales de $\mu$ y $\sigma^2$, respectivamente. Considérese

$$E(\overline{X}) = E\left(\frac{\sum\limits_{i=1}^{n} X_i}{n}\right)$$

$$= \frac{1}{n} E \sum_{i=1}^{n} X_i$$

$$= \frac{1}{n} \sum_{i=1}^{n} E(X_i)$$

y puesto que $E(X_i) = \mu$, para toda $i = 1, 2, \ldots, n$,

$$E(\overline{X}) = \frac{1}{n} \sum_{i=1}^{n} \mu = \mu$$

En consecuencia, la media de la muestra $\overline{X}$ es un estimador neutral de la media de la población $\mu$. Considérese ahora

$$E(S^2) = E\left[\frac{\sum\limits_{i=1}^{n} (X_i - \overline{X})^2}{n-1}\right]$$

$$= \frac{1}{n-1} E \sum_{i=1}^{n} \left( X_i - \overline{X} \right)^2$$

$$= \frac{1}{n-1} E \sum_{i=1}^{n} \left( X_i^2 + \overline{X}^2 - 2\overline{X}X_i \right)$$

$$= \frac{1}{n-1} E \left( \sum_{i=1}^{n} X_i^2 - n\overline{X}^2 \right)$$

$$= \frac{1}{n-1} \left[ \sum_{i=1}^{n} E(X_i^2) - nE(\overline{X}^2) \right]$$

Sin embargo, puesto que $E(X_i^2) = \mu^2 + \sigma^2$ y $E(\overline{X}^2) = \mu^2 + \sigma^2/n$, tenemos

$$E(S^2) = \frac{1}{n-1} \left[ \sum_{i=1}^{n} (\mu^2 + \sigma^2) - n(\mu^2 + \sigma^2/n) \right]$$

$$= \frac{1}{n-1} (n\mu^2 + n\sigma^2 - n\mu^2 - \sigma^2)$$

$$= \sigma^2$$

Por tanto, la varianza de la muestra $S^2$ es un estimador neutral de la varianza de la población $\sigma^2$. Sin embargo, la desviación estándar $S$ de la muestra es un estimador sesgado de la desviación estándar $\sigma$ de la población. En el caso de muestras grandes este sesgo es despreciable.

El error cuadrático medio de un estimador $\hat{\theta}$ se define como

$$\text{ECM}(\hat{\theta}) = E(\hat{\theta} - \theta)^2 \tag{10-2}$$

El error cuadrático medio puede reescribirse como sigue:

$$\text{ECM}(\hat{\theta}) = E\left[\hat{\theta} - E(\hat{\theta})\right]^2 + \left[\theta - E(\hat{\theta})\right]^2$$

$$= V(\hat{\theta}) + (\text{sesgo})^2 \tag{10-3}$$

Esto es, el error cuadrático medio de $\hat{\theta}$ es igual a la varianza del estimador más el sesgo al cuadrado. Si $\hat{\theta}$ es un estimador neutral de $\theta$, el error cuadrático medio de $\hat{\theta}$ es igual a la varianza de $\hat{\theta}$.

El error cuadrático medio es un criterio importante para comparar dos estimadores. Sean $\hat{\theta}_1$ y $\hat{\theta}_2$ dos estimadores del parámetro $\theta$, y $ECM(\hat{\theta}_1)$ y $ECM(\hat{\theta}_2)$ los errores cuadráticos medios de $\hat{\theta}_1$ y $\hat{\theta}_2$. Entonces la eficiencia relativa de $\hat{\theta}_2$ a $\hat{\theta}_1$ se define como

$$\frac{ECM(\hat{\theta}_1)}{ECM(\hat{\theta}_2)}$$

Si esta eficiencia relativa es menor que uno, concluiríamos que $\hat{\theta}_1$ es un estimador más eficiente de $\theta$ que $\hat{\theta}_2$, en el sentido de que tiene un error cuadrático medio más pequeño. Por ejemplo, supóngase que deseamos estimar la media $\mu$ de una población. Tenemos una muestra aleatoria de $n$ observaciones $X_1, X_2, \ldots, X_n$, y deseamos comparar dos estimadores posibles para $\mu$: la media de la muestra $\overline{X}$ y una sola observación de la muestra, digamos $X_i$. Adviértase que tanto $\overline{X}$ como $X_i$ son estimadores neutrales de $\mu$; en consecuencia, el error cuadrático medio de ambos estimadores es simplemente la varianza. Para la media de la muestra, tenemos $ECM(\overline{X}) = V(\overline{X}) = \sigma^2/n$, donde $\sigma^2$ es la varianza de la población; en una observación individual, tenemos $ECM(X_i) = V(X_i) = \sigma^2$. Por tanto, la eficiencia relativa de $X_i$ a $\overline{X}$ es

$$\frac{ECM(\overline{X})}{ECM(X_i)} = \frac{\sigma^2/n}{\sigma^2} = \frac{1}{n}$$

Puesto que $(1/n) < 1$ para tamaños de muestra $n \geq 2$, concluiríamos que la media de la muestra es un mejor estimador de $\mu$ que una sola observación $X_i$.

Observamos que si el estimador $\hat{\theta}$ es neutral para $\theta$, el error cuadrático medio se reduce a la varianza del estimador $\hat{\theta}$. Dentro de la clase de estimadores neutrales, nos gustaría encontrar el estimador que tiene la varianza más pequeña. Éste se llama estimador neutral de varianza mínima. La figura 10.1 muestra la distribución de probabilidad de dos estimadores neutrales $\hat{\theta}_1$ y $\hat{\theta}_2$, teniendo $\hat{\theta}_1$ una varianza más pequeña que $\hat{\theta}_2$. El estimador $\hat{\theta}_1$ producirá con mayor probabilidad que $\hat{\theta}_2$ una estimación más cercana al valor verdadero del parámetro desconocido $\theta$.

Es posible obtener una cota inferior en la varianza de todos los estimadores neutrales $\theta$. Sea $\hat{\theta}$ un estimador neutral del parámetro $\theta$, basado en una muestra aleatoria de $n$ observaciones y considérese que $f(x, \theta)$ denota la distribución de probabilidad de la variable aleatoria $X$. Entonces una cota inferior en la varianza

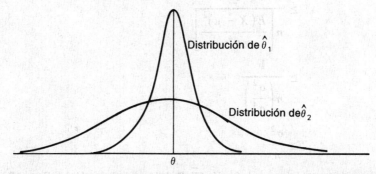

**Figura 10.1** Distribución de probabilidad de dos estimadores neutrales $\hat{\theta}_1$ y $\hat{\theta}_2$.

de $\hat{\theta}$ es[1]

$$V(\hat{\theta}) \geq \frac{1}{nE\left[\dfrac{d}{d\theta}\ln f(X,\theta)\right]^2} \tag{10-4}$$

Esta desigualdad se denomina cota inferior de Cramér-Rao. Si un estimador neutral $\hat{\theta}$ satisface la ecuación 10-4 con desigualdad, se tratará del estimador neutral de varianza mínima de $\theta$.

**Ejemplo 10.2**  Demostraremos que la media de la muestra $\overline{X}$ es el estimador neutral de varianza mínima de la media de una distribución normal con varianza conocida. Del ejemplo 10.1 observamos que $\overline{X}$ es un estimador neutral de $\mu$. Adviértase que

$$\ln f(X,\mu) = \ln\left(\sigma\sqrt{2\pi}\right)^{-1}\exp\left[-\frac{1}{2}\left(\frac{X-\mu}{\sigma}\right)^2\right]$$

$$= -\ln\left(\sigma\sqrt{2\pi}\right) - \frac{1}{2}\left(\frac{X-\mu}{\sigma}\right)^2$$

Al sustituir en la ecuación 10-4 obtenemos

$$V(\overline{X}) \geq \frac{1}{nE\left\{\dfrac{d}{d\mu}\left[-\ln\left(\sigma\sqrt{2\pi}\right) - \dfrac{1}{2}\left(\dfrac{X-\mu}{\sigma}\right)^2\right]\right\}^2}$$

$$\geq \frac{1}{nE\left[\dfrac{(X-\mu)}{\sigma^2}\right]^2}$$

$$\geq \frac{1}{n\left[\dfrac{E(X-\mu)^2}{\sigma^4}\right]}$$

$$\geq \frac{1}{n\left(\dfrac{\sigma^2}{\sigma^4}\right)}$$

$$\geq \frac{\sigma^2}{n}$$

----

[1] Se requieren ciertas condiciones en la función $f(X,\theta)$ al obtener la desigualdad de Cramér-Rao [por ejemplo, véase Tucker (1962)]. La mayor parte de las distribuciones de probabilidad estándar satisfacen estas condiciones.

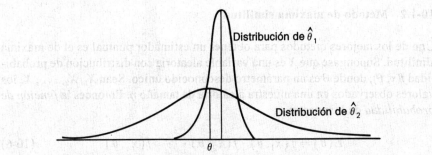

**Figura 10.2** Estimador sesgado $\hat{\theta}_1$ que tiene varianza menor que un estimador neutral $\hat{\theta}_2$.

Puesto que sabemos que, de manera general, la varianza de la media de la muestra es $V(\overline{X}) = \sigma^2/n$, vemos que $V(\overline{X})$ satisface la cota inferior de Cramér-Rao con una igualdad. En consecuencia $\overline{X}$ es el estimador neutral de varianza mínima de $\mu$ para la distribución normal donde $\sigma^2$ se conoce.

Encontramos algunas veces que los estimadores sesgados son preferibles a los neutrales porque ellos tienen un error cuadrático medio más pequeño. Esto es, podemos reducir la varianza del estimador de manera considerable introduciendo una cantidad relativamente pequeña de sesgo. En tanto que la reducción en la varianza sea mayor que el sesgo al cuadrado, se obtendrá un estimador mejorado en el sentido de error cuadrático medio. Por ejemplo, la figura 10.2 muestra la distribución de probabilidad de un estimador sesgado $\hat{\theta}_1$ con varianza menor que el estimador neutral $\hat{\theta}_2$. Sería más probable que una estimación basada en $\hat{\theta}_1$ estuviera más cerca del valor verdadero de $\theta$ que una basada en $\hat{\theta}_2$. Veremos una aplicación de la estimación sesgada en el capítulo 15.

Un estimador $\hat{\theta}*$ que tiene un error cuadrático medio que es menor o igual al error cuadrático medio de cualquier otro estimador $\hat{\theta}$, para todos los valores del parámetro $\theta$, se llama estimador *óptimo* de $\theta$.

Otra manera de definir la cercanía de un estimador $\hat{\theta}$ a un parámetro $\theta$ se da en términos de la *consistencia*. Si $\hat{\theta}_n$ es un estimador de $\theta$ basado en una muestra aleatoria de tamaño $n$, decimos que $\hat{\theta}_n$ es consistente para $\theta$ si

$$\lim_{n \to \infty} P\left(|\hat{\theta}_n - \theta| < \epsilon\right) = 1 \qquad (10\text{-}5)$$

La consistencia es una propiedad de muestras grandes, puesto que describe el comportamiento en el límite del estimador $\hat{\theta}$ conforme el tamaño de la muestra tiende a infinito. Suele ser difícil demostrar que un estimador es consistente usando la definición de la ecuación 10-5. Sin embargo, los estimadores cuyo error cuadrático medio (o varianza, si el estimador es insesgado) tiende a cero cuando el tamaño de muestra se acerca a infinito, son consistentes. Por ejemplo, $\overline{X}$ es un estimador consistente de la media de una distribución normal, puesto que $\overline{X}$ es neutral y $\lim_{n \to \infty} V(\overline{X}) = \lim_{n \to \infty} (\sigma^2/n) = 0$.

## 10-1.2   Método de máxima similitud

Uno de los mejores métodos para obtener un estimador puntual es el de máxima similitud. Supóngase que $X$ es una variable aleatoria con distribución de probabilidad $f(x, \theta)$, donde $\theta$ es un parámetro desconocido único. Sean $X_1, X_2, \ldots, X_n$ los valores observados en una muestra aleatoria de tamaño $n$. Entonces la *función de probabilidad* de la muestra es

$$L(\theta) = f(x_1, \theta) \cdot f(x_2, \theta) \cdot \cdots \cdot f(x_n, \theta) \tag{10-6}$$

Nótese que la función de probabilidad es ahora función únicamente del parámetro desconocido $\theta$. El *estimador de máxima similitud* de $\theta$ es el valor de $\theta$ que maximiza la función de probabilidad $L(\theta)$. En esencia, el estimador de máxima similitud es el valor de $\theta$ que maximiza la probabilidad de ocurrencia de los resultados de la muestra.

**Ejemplo 10.3**   Sea $X$ una variable aleatoria de Bernoulli. La función de probabilidad es

$$p(x) = p^x(1 - p)^{1-x} \qquad x = 0, 1$$
$$= 0 \qquad\qquad \text{en otro caso}$$

donde $p$ es el parámetro que se va a estimar. La función de probabilidad de una muestra de tamaño $n$ sería

$$L(p) = \prod_{i=1}^{n} p^{x_i}(1 - p)^{1-x_i} = p^{\sum x_i}(1 - p)^{n - \sum x_i}$$

Observamos que si $\hat{p}$ maximiza $L(p)$ entonces $\hat{p}$ también maximiza $L(p)$. En consecuencia,

$$\ln L(p) = \sum_{i=1}^{n} x_i \ln p + \left(n - \sum_{i=1}^{n} x_i\right) \ln(1 - p)$$

Luego

$$\frac{d \ln L(p)}{dp} = \frac{\displaystyle\sum_{i=1}^{n} x_i}{p} - \frac{\left(n - \displaystyle\sum_{i=1}^{n} x_i\right)}{(1 - p)}$$

Al igualar esto a cero y resolver con respecto de $p$ se obtiene el estimador de máxima similitud, $\hat{p}$, como

$$\hat{p} = \frac{1}{n} \sum_{i=1}^{n} X_i$$

**Ejemplo 10.4**  Sea $X$ distribuida normalmente con media $\mu$ desconocida y varianza $\sigma^2$ conocida. La función de probabilidad de una muestra de tamaño $n$ es

$$L(\mu) = \prod_{i=1}^{n} \frac{1}{\sigma\sqrt{2\pi}} e^{-(x_i - \mu)^2/2\sigma^2}$$

$$= \frac{1}{(2\pi\sigma^2)^{n/2}} e^{-(1/2\sigma^2)\sum_{i=1}^{n}(x_i - \mu)^2}$$

Luego

$$\ln L(\mu) = -(n/2)\ln(2\pi\sigma^2) - (2\sigma^2)^{-1} \sum_{i=1}^{n} (x_i - \mu)^2$$

y

$$\frac{d \ln L(\mu)}{d\mu} = (\sigma^2)^{-1} \sum_{i=1}^{n} (x_i - \mu)$$

Al igualar a cero este último resultado y resolver para $\mu$ se obtiene

$$\hat{\mu} = \frac{\sum_{i=1}^{n} X_i}{n} = \overline{X}$$

como el estimador de máxima similitud de $\mu$.

Puede suceder que no siempre sea posible utilizar métodos del cálculo para determinar el máximo de $L(\theta)$. Esto se ilustra en el siguiente ejemplo.

**Ejemplo 10.5**  Considérese que $X$ se distribuye uniformemente en el intervalo de 0 a $a$. La función de probabilidad de una muestra aleatoria de tamaño $n$ es

$$L(a) = \prod_{i=1}^{n} \frac{1}{a} = \frac{1}{a^n}.$$

Nótese que la pendiente de esta función no es cero en todas partes, por lo que no podemos utilizar métodos de cálculo para encontrar el estimador de máxima similitud $\hat{a}$. Sin embargo, nótese que la función de probabilidad aumenta cuando $a$ disminuye. Por tanto, maximizaríamos $L(a)$ fijando $\hat{a}$ como el valor más pequeño que podría suponerse en forma razonable. Por supuesto, $a$ no puede ser más pequeña que el valor más grande de la muestra, de modo que usaríamos la observación más grande como $\hat{a}$.

El método de máxima similitud puede emplearse en situaciones en las que se requiere estimar varios parámetros desconocidos, por ejemplo $\theta_1, \theta_2, \ldots, \theta_k$. En tales casos, la función de probabilidad es una función de los $k$ parámetros desconocidos $\theta_1, \theta_2, \ldots, \theta_k$ y los estimadores de máxima similitud $\{\hat{\theta}_i\}$ se encontrarían igualando a cero las primeras $k$ derivadas parciales $\partial L(\theta_1, \theta_2, \ldots, \theta_k)/\partial\theta_i$, $i = 1, 2, \ldots k$ y resolviendo el sistema de ecuaciones resultante.

**Ejemplo 10.6**  Considérese que $X$ se distribuye normalmente con media $\mu$ y varianza $\sigma^2$, donde tanto $\mu$ como $\sigma^2$ se desconocen. Encuéntrense los estimadores de máxima similitud de $\mu$ y $\sigma^2$. La función de probabilidad para una muestra aleatoria de tamaño $n$ es

$$L(\mu, \sigma^2) = \prod_{i=1}^{n} \frac{1}{\sigma\sqrt{2\pi}} e^{-(x_i-\mu)^2/2\sigma^2}$$

$$= \frac{1}{(2\pi\sigma^2)^{n/2}} e^{-(1/2\sigma^2)\sum_{i=1}^{n}(x_i-\mu)^2}$$

y

$$\ln L(\mu, \sigma^2) = -\frac{n}{2}\ln(2\pi\sigma^2) - \frac{1}{2\sigma^2}\sum_{i=1}^{n}(x_i - \mu)^2$$

Luego

$$\frac{\partial \ln L(\mu, \sigma^2)}{\partial \mu} = \frac{1}{\sigma^2} \cdot \sum_{i=1}^{n}(x_i - \mu) = 0$$

$$\frac{\partial \ln L(\mu, \sigma^2)}{\partial(\sigma^2)} = \frac{-n}{2\sigma^2} + \frac{1}{2\sigma^4}\sum_{i=1}^{n}(x_i - \mu)^2 = 0$$

Las soluciones de las ecuaciones anteriores producen los estimadores de máxima similitud

$$\hat{\mu} = \frac{1}{n}\sum_{i=1}^{n} X_i = \overline{X}$$

y

$$\hat{\sigma}^2 = \frac{1}{n}\sum_{i=1}^{n}(X_i - \overline{X})^2$$

Los estimadores de máxima similitud no son necesariamente insesgados (véase el estimador de máxima similitud de $\sigma^2$ en el ejemplo 10.6), pero es usual que puedan modificarse con facilidad para hacerlos insesgados. El sesgo se aproxima a cero en muestras grandes. En general, los estimadores de máxima similitud tienen buenas propiedades de muestra grande llamadas *asintóticas*. Específicamente, se distribuyen en forma asintótica, son insesgados y tienen una varianza que se aproxima a la cota inferior de Cramér-Rao para $n$ grande. De modo más preciso, decimos que si $\hat{\theta}$ es el estimador de máxima similitud para $\theta$, entonces $\sqrt{n}\,(\hat{\theta} - \theta)$ se distribuye normalmente con media cero y varianza

$$V\left[\sqrt{n}\,(\hat{\theta}-\theta)\right] = V(\sqrt{n}\,\hat{\theta}) = \dfrac{1}{E\left[\dfrac{d}{d\theta}\ln f(X,\theta)\right]^2}$$

para $n$ grande. Los estimadores de máxima similitud también son consistentes. Además, tienen la propiedad de invarianza; esto es, si $\hat{\theta}$ es el estimador de máxima similitud de $\theta$ y $u(\theta)$ es una función de $\theta$ que tiene un inverso de un valor único, entonces el estimador de máxima similitud de $u(\theta)$ es $u(\hat{\theta})$.

### 10-1.3 Método de momentos

Supóngase que $X$ es una variable aleatoria continua con densidad de probabilidad $f(x; \theta_1, \theta_2, \ldots, \theta_k)$ o una variable aleatoria discreta con distribución $p(x; \theta_1, \theta_2, \ldots, \theta_k)$ caracterizada por $k$ parámetros desconocidos. Sea $X_1, X_2, \ldots, X_n$ una muestra aleatoria de tamaño $n$ de $X$, y defínanse los primeros $k$ momentos de muestra con respecto al origen como

$$m_t' = \dfrac{\displaystyle\sum_{i=1}^{n} X_i^t}{n} \qquad t = 1, 2, \ldots, k \tag{10-7}$$

Los primeros $k$ momentos de la población en torno al origen son

$$\mu_t' = E(X^t) = \int_{-\infty}^{\infty} x^t f(x; \theta_1, \theta_2, \ldots, \theta_k)\, dx$$

$$t = 1, 2, \ldots, k \qquad X \text{ continua}$$

$$= \sum_{x \in R_X} x^t p(x; \theta_1, \theta_2, \ldots, \theta_k)$$

$$t = 1, 2, \ldots, k, \qquad X \text{ discreta} \tag{10-8}$$

Los momentos $\{\mu_t'\}$ de la población serán, en general, funciones de los $k$ parámetros desconocidos $\{\theta_i\}$. Al igualar los momentos de muestra y los momentos de población se producirán $k$ ecuaciones simultáneas en $k$ incógnitas (los $\{\theta_i\}$); esto es,

$$\mu_t' = m_t' \qquad t = 1, 2, \ldots, k \tag{10-9}$$

La solución de la ecuación 10-9, denota $\hat{\theta}_1, \hat{\theta}_2, \ldots, \hat{\theta}_k$ produce los estimadores de momento de $\theta_1, \theta_2, \ldots, \theta_k$.

**Ejemplo 10.7** Sea $X \sim N(\mu, \sigma^2)$ donde $\mu$ y $\sigma^2$ se desconocen. Para obtener estimadores para $\mu$ y $\sigma^2$ por el método de momentos, recuérdese que para la distribución normal

$$\mu'_1 = \mu$$

$$\mu'_2 = \sigma^2 + \mu^2$$

Los momentos de la muestra son $m'_1 = (1/n)\sum_{i=1}^{n}X_i$ y $m'_2 = (1/n)\sum_{i=1}^{n}X_i^2$. De la ecuación 10-9 obtenemos

$$\mu = \frac{1}{n}\sum_{i=1}^{n}X_i$$

$$\sigma^2 + \mu^2 = \frac{1}{n}\sum_{i=1}^{n}X_i^2$$

la cual tiene la solución

$$\hat{\mu} = \frac{1}{n}\sum_{i=1}^{n}X_i = \overline{X}$$

$$\hat{\sigma}^2 = \frac{1}{n}\left(\sum_{i=1}^{n}X_i^2 - n\overline{X}^2\right) = \frac{1}{n}\sum_{i=1}^{n}\left(X_i - \overline{X}\right)^2$$

**Ejemplo 10.8**   Considérese que $X$ se distribuye uniformemente en el intervalo $(0, a)$. Para encontrar un estimador de $a$ por el método de momentos, nótese que el primer momento de población alrededor de cero es

$$\int_0^a x\frac{1}{a}\,dx = \frac{a}{2}$$

El primer momento de muestra es justamente $\overline{X}$. Por consiguiente,

$$\hat{a} = 2\overline{X}$$

o el estimador del momento de $a$ es exactamente el doble de la media de la muestra.

El método de momentos suele producir estimadores que son razonablemente buenos. En el ejemplo 10.7, por mencionar un caso, los estimadores de momento son idénticos a los estimadores de máxima probabilidad. En general, los estimadores de momento se distribuyen (en modo aproximado) en forma normal y asintótica y son consistentes. Sin embargo, su varianza puede ser mayor que la varianza de los estimadores obtenidos por otros métodos, tales como el método de máxima similitud. En ocasiones, el método de momentos produce estimadores que son muy pobres, como en el ejemplo 10.8. El estimador en ese ejemplo no siempre genera una estimación que es compatible con nuestro conocimiento de la situación. Por ejemplo, si nuestras observaciones de la muestra fueran $x_1 = 60$, $x_2 = 10$ y $x_3 = 5$, entonces $\hat{a} = 50$, que no es razonable puesto que sabemos que $a \geq 60$.

### 10-1.4  Precisión de la estimación: el error estándar

Cuando presentamos el valor de una estimación puntual, suele ser necesario dar alguna idea de su precisión. El *error estándar* es la medida usual de precisión que se emplea. Si $\hat{\theta}$ es un estimador de $\theta$, entonces el *error estándar de* $\hat{\theta}$ es justamente la desviación estándar de $\hat{\theta}$, o

$$\sigma_{\hat{\theta}} = \sqrt{V(\hat{\theta})} \qquad (10\text{-}10)$$

Si $\sigma_{\hat{\theta}}$ involucra cualesquiera parámetros desconocidos, entonces si sustituimos estimaciones de estos parámetros en la ecuación 10-10, obtenemos el *error estándar estimado de* $\hat{\theta}$, digamos $\hat{\sigma}_{\hat{\theta}}$. Un error estándar pequeño implica que se ha presentado una estimación relativamente precisa.

**Ejemplo 10.9**  Un artículo en el *Journal of Heat Transfer* (Trans. ASME, Ses. C, 96, 1974, p. 59) describe un nuevo método para medir la conductividad térmica de hierro Armco. Al emplear una temperatura de 100°F y una entrada de potencia de 550 W, se obtuvieron las siguientes 10 mediciones de conductividad térmica (en Btu/hr – pie – °F):

$$41.60, 41.48, 42.34, 41.95, 41.86$$
$$42.18, 41.72, 42.26, 41.81, 42.04$$

Una estimación por puntos de la conductividad térmica media a 100°F y 550 W es la media de la muestra o

$$\bar{x} = 41.924 \text{ Btu/hr} - \text{ft} - °F$$

El error estándar de la media de la muestra es $\sigma_{\bar{x}} = \sigma/\sqrt{n}$, y puesto que $\sigma$ se desconoce, podemos sustituirla por la desviación estándar de la muestra para obtener el error estándar estimado de $\bar{x}$ como

$$\hat{\sigma}_{\bar{x}} = \frac{s}{\sqrt{n}} = \frac{0.284}{\sqrt{10}} = 0.0898$$

Adviértase que el error estándar es de cerca de .2 por ciento de la media de muestra, lo que implica que hemos obtenido una estimación puntual relativamente precisa de la conductividad térmica.

## 10-2 Estimación del intervalo de confianza

En muchas situaciones, una estimación puntual no proporciona suficiente información acerca del parámetro de interés. Por ejemplo, si nos interesa estimar la resistencia media a la compresión de concreto, un solo número puede no tener mucho significado. Una estimación de intervalo de la forma $L \leq \mu \leq U$ podría resultar más útil. Los puntos extremos de este intervalo serán variables aleatorias, puesto que son funciones de datos de muestra.

En general, para construir un estimador de intervalo del parámetro desconocido $\theta$, debemos encontrar dos estadísticas $L$ y $U$ tales que

$$P\{L \leq \theta \leq U\} = 1 - \alpha \qquad (10\text{-}11)$$

El intervalo resultante

$$L \leq \theta \leq U \qquad (10\text{-}12)$$

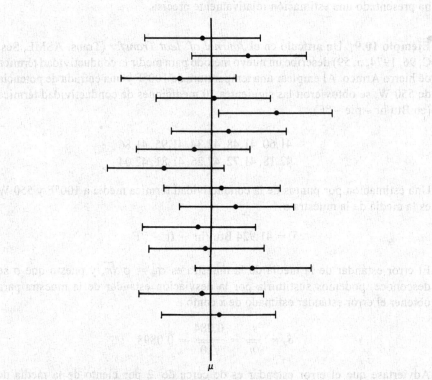

**Figura 10.3** Construcción repetida de un intervalo de confianza para $\mu$.

se llama *intervalo de confianza* del $100(1 - \alpha)$ por ciento para el parámetro desconocido $\theta$. A $L$ y $U$ se les denomina *límites de confianza* inferior y superior, respectivamente, y $1 - \alpha$ recibe el nombre de *coeficiente de confianza*. La interpretación del intervalo de confianza es que si se coleccionan muchas muestras aleatorias y se calcula un intervalo de confianza del $100(1 - \alpha)$ por ciento en $\theta$ de cada muestra, entonces $100(1 - \alpha)$ por ciento de estos intervalos contendrán el valor verdadero de $\theta$. La situación se ilustra en la figura 10.3, la cual muestra varios intervalos de confianza del $100(1 - \alpha)$ por ciento para la media $\mu$ de una distribución. Los puntos en el centro de cada intervalo indican la estimación puntual de $\mu$ (en este caso, $\overline{X}$). Nótese que uno de los 15 intervalos no contiene el valor verdadero de $\mu$. Si este fuera un intervalo de confianza del 95 por ciento, a la larga, sólo 5 por ciento de los intervalos no contendrían $\mu$.

Ahora bien, en la práctica obtenemos sólo una muestra aleatoria y calculamos un intervalo de confianza. Puesto que este intervalo contendrá o no el valor verdadero de $\theta$, no es razonable atribuir un nivel de probabilidad a este evento específico. El enunciado apropiado sería que $\theta$ se encuentra en el intervalo observado $[L, U]$ con confianza de $100(1 - \alpha)$. Este enunciado tiene una interpretación de frecuencia; esto es, no sabemos si el enunciado es verdadero para esta muestra específica, pero el método utilizado para obtener el intervalo $[L, U]$ produce enunciados correctos el $100(1 - \alpha)$ por ciento de las veces.

El intervalo de confianza en la ecuación 10-12 podría llamarse con mayor propiedad un *intervalo de confianza de dos lados*, en cuanto a que especifica tanto un límite inferior como uno superior en $\theta$. En ocasiones, un intervalo de confianza de un lado podría ser más apropiado. Un intervalo de confianza inferior de $100(1 - \alpha)$ por ciento de un lado en $\theta$ está dado por el intervalo

$$L \leq \theta \qquad (10\text{-}13)$$

donde el límite de confianza inferior $L$ se elige de modo que

$$P\{L \leq \theta\} = 1 - \alpha \qquad (10\text{-}14)$$

De manera similar, un intervalo de confianza superior de $100(1 - \alpha)$ por ciento de un lado en $\theta$ está dado por el intervalo

$$\theta \leq U \qquad (10\text{-}15)$$

donde el límite de confianza superior $U$ se elige de manera que

$$P\{\theta \leq U\} = 1 - \alpha \qquad (10\text{-}16)$$

La longitud de un intervalo de confianza observado es una medida importante de la calidad de la información obtenida de la muestra. La longitud de medio intervalo $\theta - L$ o $U - \theta$ se denomina la *precisión* del estimador. Cuanto mayor sea el intervalo de confianza, tanto mayor confianza tendremos de que el intervalo contiene en realidad el verdadero valor de $\theta$. Por otra parte, cuanto mayor sea el intervalo, tanto menor es la información que tenemos en torno al valor verdadero de $\theta$. En una situación ideal, obtenemos un intervalo relativamente corto con una confianza elevada.

## 10-2.1   Intervalo de confianza sobre la media, conocida la varianza

Sea $X$ una variable aleatoria con media desconocida $\mu$ y varianza conocida $\sigma^2$, y supóngase que se toma una muestra aleatoria de tamaño $n$, $X_1, X_2, \ldots, X_n$. Puede obtenerse un intervalo de confianza de $100(1 - \alpha)$ por ciento en $\mu$ considerando la distribución de muestreo de $X$ de la media de muestra $\overline{X}$. En la sección 9-3 notamos que la distribución de muestreo de $\overline{X}$ es normal si $X$ es normal y aproximadamente normal si las condiciones del teorema central del límite se cumplen. La media de $\overline{X}$ es $\mu$ y la varianza es $\sigma^2/n$. Por tanto, la distribución de la estadística

$$Z = \frac{\overline{X} - \mu}{\sigma/\sqrt{n}}$$

se toma como una distribución normal estándar.

La distribución de $Z = (\overline{X} - \mu)/(\sigma/\sqrt{n})$ se muestra en la figura 10.4. Del examen de esta figura vemos que

$$P\left\{ -Z_{\alpha/2} \leq Z \leq Z_{\alpha/2} \right\} = 1 - \alpha$$

o

$$P\left\{ -Z_{\alpha/2} \leq \frac{\overline{X} - \mu}{\sigma/\sqrt{n}} \leq Z_{\alpha/2} \right\} = 1 - \alpha$$

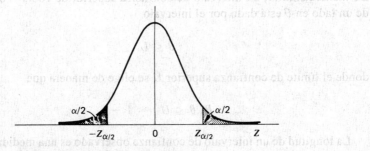

**Figura 10.4**   La distribución de $Z$.

Esto puede reacomodarse como

$$P\left\{ \bar{X} - Z_{\alpha/2}\sigma/\sqrt{n} \leq \mu \leq \bar{X} + Z_{\alpha/2}\sigma/\sqrt{n} \right\} = 1 - \alpha \qquad (10\text{-}17)$$

Al comparar las ecuaciones 10-17 y 10-11, vemos que el intervalo de confianza de dos lados de $100(1 - \alpha)$ por ciento en $\mu$ es

$$\bar{X} - Z_{\alpha/2}\sigma/\sqrt{n} \leq \mu \leq \bar{X} + Z_{\alpha/2}\sigma/\sqrt{n} \qquad (10\text{-}18)$$

**Ejemplo 10.10** Considérense los datos de conductividad térmica en el ejemplo 10.9. Supóngase que deseamos encontrar un intervalo de confianza de 95 por ciento en la conductividad térmica media de hierro Armco. Supóngase que conocemos que la desviación estándar de la conductividad térmica a 100°F y 550 W es $\sigma = .10$ Btu/hr $-$ pie $-$ °F. Si suponemos que la conductividad térmica se distribuye normalmente (o que las condiciones del teorema central del límite se cumplen), entonces podemos utilizar la ecuación 10-18 para construir el intervalo de confianza. Un intervalo de 95 por ciento implica que $1 - \alpha = .95$, así que $\alpha = .05$, y de la tabla II en el apéndice $Z_{\alpha/2} = Z_{.05/2} = Z_{.025} = 1.96$. El límite de confianza inferior es

$$L = \bar{x} - Z_{\alpha/2}\sigma/\sqrt{n}$$
$$= 41.924 - 1.96(0.10)/\sqrt{10}$$
$$= 41.924 - 0.062$$
$$= 41.862$$

y el límite de confianza superior,

$$U = \bar{x} + Z_{\alpha/2}\sigma/\sqrt{n}$$
$$= 41.924 + 1.96(0.10)/\sqrt{10}$$
$$= 41.924 + 0.062$$
$$= 41.986$$

Por consiguiente el límite de confianza de dos lados del 95 por ciento es

$$41.862 \leq \mu \leq 41.986$$

Éste es nuestro intervalo de valores razonables para la conductividad térmica media con una confianza de 95 por ciento.

**Nivel de confianza y precisión de la estimación** Nótese en el ejemplo previo que nuestra elección del 95 por ciento del nivel de confianza fue en esencia arbitraria. ¿Qué habría sucedido si hubiéramos elegido un nivel de confianza más alto, digamos del 99 por ciento? De hecho, ¿no es razonable desear un nivel de confianza más alto? Para $\alpha = .01$, encontramos $Z_{\alpha/2} = Z_{.01/2} = Z_{.005} = 2.58$, en tanto que para $\alpha = .05$, $Z_{.025} = 1.96$. En consecuencia, la longitud del intervalo de confianza del 95 por ciento es

$$2(1.96\sigma/\sqrt{n}) = 3.92\sigma/\sqrt{n}$$

en tanto que la longitud del intervalo de confianza del 99 por ciento es

$$2(2.58\sigma/\sqrt{n}) = 5.15\sigma/\sqrt{n}$$

El intervalo de confianza del 99 por ciento es más largo que el intervalo de confianza del 95 por ciento. Esto es porque tenemos un nivel más alto de confianza en el intervalo de confianza del 99 por ciento. En general, para una muestra fija de tamaño $n$ y una desviación estándar $\sigma$, cuanto más alto es el nivel de confianza, tanto más largo el intervalo de confianza resultante.

Puesto que la *longitud* del intervalo de confianza mide la *precisión* de la estimación, vemos que la precisión se relaciona inversamente con el nivel de confianza. Como se notó antes, es muy deseable obtener un intervalo de confianza lo suficientemente corto para propósitos de toma de decisiones y que a la vez brinde una confianza adecuada. Una manera de lograr esto es eligiendo el tamaño de muestra $n$ lo bastante grande para brindar un intervalo de confianza de longitud especificada con una confianza preestablecida.

**Elección del tamaño de la muestra**   La precisión del intervalo de confianza en la ecuación 10-18 es $Z_{\alpha/2}\sigma/\sqrt{n}$. Esto significa que al usar $\bar{x}$ para estimar $\mu$, el error $E = |\bar{x} - \mu|$ es menor que $Z_{\alpha/2}\sigma/\sqrt{n}$ con confianza de $100(1 - \alpha)$. Esto se muestra gráficamente en la figura 10.5. En situaciones donde el tamaño de muestra puede controlarse, podemos elegir $n$ como $100(1 - \alpha)$ por ciento confiable de que el error al estimar $\mu$ sea menor que un error especificado $E$. El tamaño de muestra apropiado es

$$n = \left( \frac{Z_{\alpha/2}\sigma}{E} \right)^2 \tag{10-19}$$

Si el lado derecho de la ecuación 10-19 no es un entero, debe redondearse hacia arriba. Adviértase que $2E$ es la longitud del intervalo de confianza resultante.

Para ilustrar el empleo de este procedimiento, supóngase que deseamos que el error en la estimación de la conductividad térmica media de hierro Armco en el ejemplo 10.10 sea menor a .05 Btu/hr – pie – °F, con confianza del 95 por ciento. Puesto que $\sigma = .10$ y $Z_{.025} = 1.96$, podemos encontrar el tamaño de muestra requerido a partir de la ecuación 10-19 como

$$n = \left( \frac{Z_{\alpha/2}\sigma}{E} \right)^2 = \left[ \frac{(1.96)0.10}{0.05} \right]^2 = 15.37 = 16$$

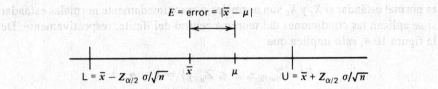

**Figura 10.5** Error al estimar $\mu$ con $\bar{x}$.

Nótese cómo, en general, el tamaño de muestra se comporta como una función de la longitud del intervalo de confianza $2E$, el nivel de confianza del $100(1 - \alpha)$ por ciento, y la desviación estándar $\sigma$:

- cuando la longitud deseada del intervalo $2E$ se reduce, el tamaño de muestra requerida $n$ aumenta para un valor fijo de $\sigma$ y una confianza especificada;
- cuando $\sigma$ aumenta, el tamaño de muestra requerida $n$ aumenta para una longitud fija $2E$ y una confianza especificada;
- cuando el nivel de confianza aumenta, el tamaño de muestra $n$ requerida se incrementa para una longitud fija $2E$ y desviación estándar $\sigma$.

**Intervalos de confianza de un lado** También es posible obtener intervalos de confianza de un lado para $\mu$ ajustando $L = -\infty$ o $U = \infty$ y reemplazando $Z_{\alpha/2}$ por $Z_{\alpha}$. El intervalo de confianza superior de $100(1 - \alpha)$ por ciento para $\mu$ es

$$\mu \leq \bar{X} + Z_{\alpha}\sigma/\sqrt{n} \tag{10-20}$$

y el intervalo de confianza inferior del $100(1 - \alpha)$ por ciento para $\mu$ es

$$\bar{X} - Z_{\alpha}\sigma/\sqrt{n} \leq \mu \tag{10-21}$$

### 10-2.2 Intervalo de confianza sobre la diferencia en dos medias, conocida la varianza

Considérense dos variables aleatorias independientes $X_1$ con media $\mu_1$ desconocida y varianza $\sigma_1^2$ conocida y $X_2$ con media $\mu_2$ y varianza $\sigma_2^2$ desconocidas. Deseamos encontrar un intervalo de confianza del $100(1 - \alpha)$ por ciento en la diferencia de las medias $\mu_1 - \mu_2$. Sea $X_{11}, X_{12}, \ldots, X_{1n_1}$ una muestra aleatoria de $n_1$ observaciones de $X_1$; y $X_{21}, X_{22}, \ldots, X_{2n_2}$ una muestra aleatoria de $n_2$ observaciones de $X_2$. Si $\bar{X}_1$ y $\bar{X}_2$ son las medias de las muestras, la estadística

$$Z = \frac{\bar{X}_1 - \bar{X}_2 - (\mu_1 - \mu_2)}{\sqrt{\dfrac{\sigma_1^2}{n_1} + \dfrac{\sigma_2^2}{n_2}}}$$

es normal estándar si $X_1$ y $X_2$ son normales o aproximadamente normales estándar si se aplican las condiciones del teorema central del límite, respectivamente. De la figura 10.4, esto implica que

$$P\left\{-Z_{\alpha/2} \leq Z \leq Z_{\alpha/2}\right\} = 1 - \alpha$$

o

$$P\left\{-Z_{\alpha/2} \leq \frac{\overline{X}_1 - \overline{X}_2 - (\mu_1 - \mu_2)}{\sqrt{\dfrac{\sigma_1^2}{n_1} + \dfrac{\sigma_2^2}{n_2}}} \leq Z_{\alpha/2}\right\} = 1 - \alpha$$

Esto puede rearreglarse como

$$P\left\{\overline{X}_1 - \overline{X}_2 - Z_{\alpha/2}\sqrt{\frac{\sigma_1^2}{n_1} + \frac{\sigma_2^2}{n_2}} \leq \mu_1 - \mu_2\right.$$

$$\left. \leq \overline{X}_1 - \overline{X}_2 + Z_{\alpha/2}\sqrt{\frac{\sigma_1^2}{n_1} + \frac{\sigma_2^2}{n_2}}\right\} = 1 - \alpha \qquad (10\text{-}22)$$

Al comparar las ecuaciones 10-22 y 10-11, notamos que el intervalo de confianza del $100(1 - \alpha)$ por ciento para $\mu_1 - \mu_2$ es

$$\overline{X}_1 - \overline{X}_2 - Z_{\alpha/2}\sqrt{\frac{\sigma_1^2}{n_1} + \frac{\sigma_2^2}{n_2}} \leq \mu_1 - \mu_2 \leq \overline{X}_1 - \overline{X}_2 + Z_{\alpha/2}\sqrt{\frac{\sigma_1^2}{n_1} + \frac{\sigma_2^2}{n_2}}$$

$$(10\text{-}23)$$

Es posible obtener también los intervalos de confianza de un lado en $\mu_1 - \mu_2$. Un intervalo de confianza superior del $100(1 - \alpha)$ por ciento en $\mu_1 - \mu_2$ es

$$\mu_1 - \mu_2 \leq \overline{X}_1 - \overline{X}_2 + Z_\alpha\sqrt{\frac{\sigma_1^2}{n_1} + \frac{\sigma_2^2}{n_2}} \qquad (10\text{-}24)$$

y un intervalo de confianza inferior del $100(1 - \alpha)$ por ciento es

$$\overline{X}_1 - \overline{X}_2 - Z_\alpha\sqrt{\frac{\sigma_1^2}{n_1} + \frac{\sigma_2^2}{n_2}} \leq \mu_1 - \mu_2 \qquad (10\text{-}25)$$

**Ejemplo 10.11**   Se efectuaron pruebas de resistencia a la tensión en dos clases diferentes de largueros de aluminio empleados en la manufactura del ala de un avión de transporte comercial. De la experiencia pasada con el proceso de

TABLA 10.1  **Resultados de prueba de resistencia a la tensión para largueros de aluminio**

| Clase de larguero | Tamaño de muestra | Resistencia a la tensión media de muestra (kg/mm$^2$) | Desviación estándar (kg/mm$^2$) |
|---|---|---|---|
| 1 | $n_1 = 10$ | $\bar{x}_1 = 87.6$ | $\sigma_1 = 1.0$ |
| 2 | $n_2 = 12$ | $\bar{x}_2 = 74.5$ | $\sigma_2 = 1.5$ |

manufactura de los largueros y el procedimiento de prueba, se suponen conocidas las desviaciones estándar de las resistencias a las tensiones. Los datos obtenidos se muestran en la tabla 10.1.

Si $\mu_1$ y $\mu_2$ denotan las verdaderas resistencias medias a la tensión para las dos clases de largueros, entonces podemos determinar un intervalo de confianza del 90 por ciento en la diferencia en las resistencias medias $\mu_1 - \mu_2$ como sigue:

$$L = \bar{x}_1 - \bar{x}_2 - Z_{\alpha/2} \sqrt{\frac{\sigma_1^2}{n_1} + \frac{\sigma_2^2}{n_2}}$$

$$= 87.6 - 74.5 - 1.645 \sqrt{\frac{(1.0)^2}{10} + \frac{(1.5)^2}{12}}$$

$$= 13.1 - 0.88$$

$$= 12.22 \text{ kg/mm}^2$$

$$U = \bar{x}_1 - \bar{x}_2 + Z_{\alpha/2} \sqrt{\frac{\sigma_1^2}{n_1} + \frac{\sigma_2^2}{n_2}}$$

$$= 87.6 - 74.5 + 1.645 \sqrt{\frac{(1.0)^2}{10} + \frac{(1.5)^2}{12}}$$

$$= 13.1 + 0.88$$

$$= 13.98 \text{ kg/mm}^2$$

En consecuencia el intervalo de confianza del 90 por ciento en la diferencia en la resistencia media es

$$12.22 \text{ kg/mm}^2 \le \mu_1 - \mu_2 \le 13.98 \text{ kg/mm}^2$$

Tenemos una confianza del 90 por ciento de que la resistencia a la tensión media del aluminio de grado 1 excede a la del aluminio de grado 2 entre 12.22 y 13.98 kg/mm$^2$.

Si se conocen las desviaciones estándar $\sigma_1$ y $\sigma_2$ (por lo menos en forma aproximada), y los dos tamaños de muestra $n_1$ y $n_2$ son iguales ($n_1 = n_2 = n$, por ejemplo), entonces podemos determinar el tamaño de muestra requerido para que el error en la estimación de $\mu_1 - \mu_2$ por $\overline{X}_1 - \overline{X}_2$ sea menor que $E$ en un intervalo de confianza del $100(1 - \alpha)$ por ciento. El tamaño de muestra requerido de cada población es

$$n = \left( \frac{Z_{\alpha/2}}{E} \right)\left( \sigma_1^2 + \sigma_2^2 \right) \tag{10-26}$$

Recuérdese redondear hacia arriba si $n$ no es un entero.

## 10-2.3   Intervalo de confianza sobre la media de una distribución normal con varianza desconocida

Supóngase que deseamos determinar un intervalo de confianza o la media de una distribución, pero se desconoce la varianza. Específicamente, se dispone de una muestra aleatoria de tamaño $n$, $X_1 X_2, \ldots, X_n$, y $\overline{X}$ y $S^2$ son la media y la varianza de la muestra, respectivamente. Una posibilidad sería reemplazar $\sigma$ en las fórmulas del intervalo de confianza para $\mu$ con varianza conocida (ecuaciones 10-18, 10-20 y 10-21) con la desviación estándar $s$ de la muestra. Si el tamaño de muestra, $n$, es relativamente grande, digamos $n > 30$, entonces éste es un procedimiento aceptable. En consecuencia, llamamos a menudo a los intervalos de confianza en las secciones 10-2.1 y 10-2.2 *intervalos de confianza de muestra grande*, debido a que son aproximadamente válidos incluso si las varianzas de población desconocidas se reemplazan por las varianzas de muestra correspondientes. Nótese que en el problema de dos muestras (sección 10-2.2), *tanto $n_1$ como $n_2$* deben exceder 30.

Cuando los tamaños de muestra son pequeños, este enfoque no funciona, y debemos utilizar otro procedimiento. Para producir un intervalo de confianza válido, debemos hacer una suposición más fuerte relativa a la población base. La suposición usual es que la población de base se distribuye *normalmente*. Esto conduce a intervalos de confianza basados en la distribución $t$. Específicamente, sea $X_1, X_2, \ldots, X_n$ una muestra aleatoria de una distribución normal con media $\mu$ y varianza $\sigma^2$ desconocidas. En la sección 9-4 notamos que la distribución de muestra de la estadística

$$t = \frac{\overline{X} - \mu}{S/\sqrt{n}}$$

es la distribución $t$ con $n - 1$ grados de libertad. Mostraremos ahora cómo se obtiene el intervalo de confianza en $\mu$.

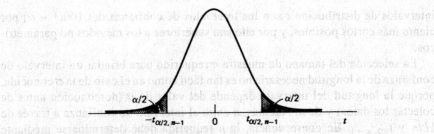

**Figura 10.6**  La distribución *t*.

La distribución de $t = (\overline{X} - \mu)/(S/\sqrt{n})$ se muestra en la figura 10.6. Al dejar que $t_{\alpha/2, \, n-1}$ sea el punto porcentual superior $\alpha/2$ de la distribución $t$ con $n - 1$ grados de libertad, observamos de la figura 10.6 que

$$P\left\{ -t_{\alpha/2, \, n-1} \leq t \leq t_{\alpha/2, \, n-1} \right\} = 1 - \alpha$$

o

$$P\left\{ -t_{\alpha/2, \, n-1} \leq \frac{\overline{X} - \mu}{S/\sqrt{n}} \leq t_{\alpha/2, \, n-1} \right\} = 1 - \alpha$$

Al reacomodar esta última ecuación se obtiene

$$P\left\{ \overline{X} - t_{\alpha/2, \, n-1}S/\sqrt{n} \leq \mu \leq \overline{X} + t_{\alpha/2, \, n-1}S/\sqrt{n} \right\} = 1 - \alpha \quad (10\text{-}27)$$

Al comparar las ecuaciones 10-27 y 10-12, vemos que el intervalo de confianza de dos lados del $100(1 - \alpha)$ por ciento en $\mu$ es

$$\overline{X} - t_{\alpha/2, \, n-1}S/\sqrt{n} \leq \mu \leq \overline{X} + t_{\alpha/2, \, n-1}S/\sqrt{n} \quad (10\text{-}28)$$

Un intervalo de confianza inferior del $100(1 - \alpha)$ por ciento en $\mu$ está dado por

$$\overline{X} - t_{\alpha, \, n-1}S/\sqrt{n} \leq \mu \quad (10\text{-}29)$$

y un intervalo de confianza superior del $100(1 - \alpha)$ por ciento es

$$\mu \leq \overline{X} + t_{\alpha, \, n-1}S/\sqrt{n} \quad (10\text{-}30)$$

Recuérdese que estos procedimientos suponen que estamos realizando el muestreo en una población normal. Esta suposición es importante para muestras pequeñas. Por fortuna, la suposición de normalidad se cumple en muchas situaciones prácticas. Cuando ese no es el caso, debemos utilizar intervalos de confianza de *distribución libre* o *no paramétricos*. Los métodos no paramétricos se estudian en el capítulo 16. Sin embargo, cuando la población es normal, los intervalos de distribución $t$ son los intervalos de confianza del $100(1 - \alpha)$ por ciento más cortos posibles, y por ello son superiores a los métodos no paramétricos.

La selección del tamaño de muestra $n$ requerido para brindar un intervalo de confianza de la longitud necesaria no es tan fácil como en el caso de la $\sigma$ conocida, porque la longitud del intervalo depende del valor de $\sigma$ (desconocido antes de colectar los datos) y de $n$. Además, $n$ entra al intervalo de confianza a través de $1/\sqrt{n}$ y $t_{\alpha/2, \, n-1}$. En consecuencia, la $n$ requerida debe determinarse mediante ensayo y error.

**Ejemplo 10.12**  Un artículo en el *Journal of Testing and Evaluation* (Vol. 10, Núm. 4, 1982, p. 133) presenta las siguientes 20 mediciones del tiempo residual de flama (en segundos) en muestras tratadas de ropa de dormir para niños:

$$9.85, \quad 9.93, \quad 9.75, \quad 9.77, \quad 9.67$$
$$9.87, \quad 9.67, \quad 9.94, \quad 9.85, \quad 9.75$$
$$9.83, \quad 9.92, \quad 9.74, \quad 9.99, \quad 9.88$$
$$9.95, \quad 9.95, \quad 9.93, \quad 9.92, \quad 9.89$$

Deseamos encontrar un intervalo de confianza del 95 por ciento respecto al tiempo residual de flama media. La media y la desviación estándar de la muestra son

$$\bar{x} = 9.8475$$
$$s = 0.0954$$

De la tabla IV del apéndice encontramos que $t_{.025, \, 19} = 2.093$. Los límites de confianza inferior y superior del 95 por ciento son

$$L = \bar{x} - t_{\alpha/2, \, n-1} s/\sqrt{n}$$
$$= 9.8475 - 2.093(0.0954)/\sqrt{20}$$
$$= 9.8029 \text{ seg}$$

y

$$U = \bar{x} + t_{\alpha/2, \, n-1} s/\sqrt{n}$$
$$= 9.8475 + 2.093(0.0954)/\sqrt{20}$$
$$= 9.8921 \text{ seg}$$

Por tanto, el intervalo de confianza del 95 por ciento es

$$9.8029 \text{ seg} \leq \mu \leq 9.8921 \text{ seg}$$

Tenemos una confianza del 95 por ciento de que el tiempo residual de flama media está entre 9.8025 y 9.8921 segundos.

### 10-2.4 Intervalos de confianza sobre la diferencia en medias de dos distribuciones normales, desconocidas las varianzas

Extenderemos ahora los resultados de la sección 10-2.3 al caso de dos poblaciones con medias y varianzas desconocidas, y deseamos encontrar los intervalos de confianza relativos a la diferencia en las medias $\mu_1 - \mu_2$. Como se indicó en la sección 10-2.3, si los tamaños de muestra $n_1$ y $n_2$ exceden 30, entonces los intervalos de la distribución normal en la sección 10-2.2 podrían utilizarse. Sin embargo, cuando se toman muestras pequeñas, debemos suponer que las poblaciones de base se distribuyen normalmente y sustentar los intervalos de confianza en la distribución $t$.

Considérense dos variables aleatorias normales e independientes, digamos $X_1$ con media $\mu_1$ y varianza $\sigma_1^2$, y $X_2$ con media $\mu_2$ y varianza $\sigma_2^2$. Se desconocen ambas medias y ambas varianzas. Sin embargo, es razonable suponer que las dos varianzas son iguales; esto es, $\sigma_1^2 = \sigma_2^2 = \sigma^2$. Deseamos encontrar un intervalo de confianza de $100(1 - \alpha)$ por ciento respecto a la diferencia en las medias $\mu_1 - \mu_2$.

Se toman muestras aleatorias de tamaño $n_1$ y $n_2$ de $X_1$ y $X_2$, respectivamente; denótense con $\overline{X}_1$ y $\overline{X}_2$ las medias de muestra y con $S_1^2$ y $S_2^2$ las varianzas de muestra. Puesto que $S_1^2$ y $S_2^2$ son estimaciones de la varianza común $\sigma^2$, podemos obtener un estimador combinado (o "amalgamado") de $\sigma^2$ como

$$S_p^2 = \frac{(n_1 - 1)S_1^2 + (n_2 - 1)S_2^2}{n_1 + n_2 - 2} \tag{10-31}$$

Para desarrollar el intervalo de confianza para $\mu_1 - \mu_2$, nótese que la distribución de la estadística

$$t = \frac{\overline{X}_1 - \overline{X}_2 - (\mu_1 - \mu_2)}{S_p\sqrt{\dfrac{1}{n_1} + \dfrac{1}{n_2}}}$$

es la distribución $t$ con $n_1 + n_2 - 2$ grados de libertad. Por consiguiente,

$$P\left\{-t_{\alpha/2,\, n_1 + n_2 - 2} \le t \le t_{\alpha/2,\, n_1 + n_2 - 2}\right\} = 1 - \alpha$$

o

$$P\left\{-t_{\alpha/2,\, n_1 + n_2 - 2} \le \frac{\overline{X}_1 + \overline{X}_2 - (\mu_1 - \mu_2)}{S_p\sqrt{\dfrac{1}{n_1} + \dfrac{1}{n_2}}} \le t_{\alpha/2,\, n_1 + n_2 - 2}\right\} = 1 - \alpha$$

Esto puede arreglarse como

$$P\Bigg\{ \overline{X}_1 - \overline{X}_2 - t_{\alpha/2, \, n_1 + n_2 - 2} S_p \sqrt{\frac{1}{n_1} + \frac{1}{n_2}} \le \mu_1 - \mu_2$$

$$\le \overline{X}_1 - \overline{X}_2 + t_{\alpha/2, \, n_1 + n_2 - 2} S_p \sqrt{\frac{1}{n_1} + \frac{1}{n_2}} \Bigg\} = 1 - \alpha \quad (10\text{-}32)$$

Por tanto, un intervalo de confianza de dos lados del $100(1 - \alpha)$ por ciento relativo a las diferencias en las medias $\mu_1 - \mu_2$ es

$$\overline{X}_1 - \overline{X}_2 - t_{\alpha/2, \, n_1 + n_2 - 2} S_p \sqrt{\frac{1}{n_1} + \frac{1}{n_2}}$$

$$\le \mu_1 - \mu_2 \le \overline{X}_1 - \overline{X}_2 + t_{\alpha/2, \, n_1 + n_2 - 2} S_p \sqrt{\frac{1}{n_1} + \frac{1}{n_2}} \quad (10\text{-}33)$$

Un intervalo de confianza inferior de un lado del $100(1 - \alpha)$ por ciento en $\mu_1 - \mu_2$ es

$$\overline{X}_1 - \overline{X}_2 - t_{\alpha, \, n_1 + n_2 - 2} S_p \sqrt{\frac{1}{n_1} + \frac{1}{n_2}} \le \mu_1 - \mu_2 \quad (10\text{-}34)$$

y un intervalo de confianza superior de un lado del $100(1 - \alpha)$ por ciento en $\mu_1 - \mu_2$ es

$$\mu_1 - \mu_2 \le \overline{X}_1 - \overline{X}_2 + t_{\alpha, \, n_1 + n_2 - 2} S_p \sqrt{\frac{1}{n_1} + \frac{1}{n_2}} \quad (10\text{-}35)$$

**Ejemplo 10.13**  En un proceso de baño químico utilizado para grabar tarjetas de circuito impreso, se están comparado dos diferentes catalizadores para determinar si requieren diferentes tiempos de inmersión para remover cantidades idénticas de material fotorresistente. Se efectuaron 12 baños con el catalizador 1, resultando un tiempo de inmersión medio de muestra de $\overline{x}_1 = 24.6$ minutos y una desviación estándar de $s_1 = .85$ minutos. Con el catalizador 2 se efectuaron 15 baños, siendo el tiempo de inmersión medio de $\overline{x}_2 = 22.1$ minutos y una desviación estándar de $s_2 = .98$ minutos. Deseamos determinar un intervalo de confianza del 95 por ciento en la diferencia en las medias $\mu_1 - \mu_2$, suponiendo que las desviaciones estándar (o varianzas) de las dos poblaciones son iguales. La estimación combinada de la varianza común se encuentra empleando la ecuación 10-31 como sigue:

$$s_p^2 = \frac{(n_1 - 1)s_1^2 + (n_2 - 1)s_2^2}{n_1 + n_2 - 2}$$

$$= \frac{11(0.85)^2 + 14(0.98)^2}{12 + 15 - 2}$$

$$= 0.8557$$

La desviación estándar combinada es $s_p = \sqrt{.8557} = .925$. Puesto que $t_{\alpha/2, n_1 + n_2 - 2} = t_{.025, 25} = 2.060$, podemos calcular los límites de confianza inferior y superior del 95 por ciento como

$$L = \bar{x}_1 - \bar{x}_2 - t_{\alpha/2, n_1 + n_2 - 2}s_p\sqrt{\frac{1}{n_1} + \frac{1}{n_2}}$$

$$= 24.6 - 22.1 - 2.060\,(0.925)\sqrt{\frac{1}{12} + \frac{1}{15}}$$

y $\qquad = 1.76$ min

$$U = \bar{x}_1 - \bar{x}_2 + t_{\alpha/2, n_1 + n_2 - 2}s_p\sqrt{\frac{1}{n_1} + \frac{1}{n_2}}$$

$$= 24.6 - 22.1 + 2.060\,(0.925)\sqrt{\frac{1}{12} + \frac{1}{15}}$$

$$= 3.24$$ min

Esto es, el intervalo de confianza del 95 por ciento en la diferencia en los tiempos medios de inmersión es

$$1.76 \text{ min} \leq \mu_1 - \mu_2 \leq 3.24 \text{ min}$$

Estamos 95 por ciento seguros de que el catalizador 1 requiere un tiempo de inmersión que está entre 1.76 minutos y 3.24 minutos más largo que el requerido por el catalizador 2.

En muchas situaciones no es razonable suponer que $\sigma_1^2 = \sigma_2^2$. Cuando esta suposición es injustificada, aún sería posible encontrar un intervalo de confianza de $100(1 - \alpha)$ por ciento en $\mu_1 - \mu_2$ empleando el hecho de que la estadística

$$t^* = \frac{\bar{X}_1 - \bar{X}_2 - (\mu_1 - \mu_2)}{\sqrt{S_1^2/n_1 + S_2^2/n_2}}$$

se distribuye aproximadamente como $t$ con grados de libertad dados por

$$\nu = \frac{\left(S_1^2/n_1 + S_2^2/n_2\right)^2}{\dfrac{\left(S_1^2/n_1\right)^2}{n_1 + 1} + \dfrac{\left(S_2^2/n_2\right)^2}{n_2 + 1}} - 2 \qquad (10\text{-}36)$$

En consecuencia, un intervalo de confianza de dos lados de $100(1 - \alpha)$ por ciento aproximado en $\mu_1 - \mu_2$, cuando $\sigma_1^2 \neq \sigma_2^2$, es

$$\overline{X}_1 - \overline{X}_2 - t_{\alpha/2,\,\nu} \sqrt{\frac{S_1^2}{n_1} + \frac{S_2^2}{n_2}} \leq \mu_1 - \mu_2 \leq \overline{X}_1 - \overline{X}_2 + t_{\alpha/2,\,\nu} \sqrt{\frac{S_1^2}{n_1} + \frac{S_2^2}{n_2}}$$

$$(10\text{-}37)$$

Los límites de confianza de un lado superior (inferior) pueden encontrarse reemplazando el límite de confianza inferior (superior) con $-\infty(\infty)$ y cambiando $\alpha/2$ por $\alpha$.

## 10-2.5   Intervalo de confianza sobre $\mu_1 - \mu_2$ para observaciones en pares

En las secciones 10-2.2 y 10-2.4 desarrollamos intervalos de confianza para la diferencia en las medias en el caso en el que se seleccionaban dos muestras aleatorias independientes de las dos poblaciones de interés. Esto es, $n_1$ observaciones se seleccionaron al azar de la primera población y una muestra por completo independiente de $n_2$ observaciones se seleccionó al azar de la segunda población. Son numerosas las situaciones experimentales donde sólo hay $n$ *unidades experimentales* diferentes y los datos se colectan en *pares*; esto es, se hacen dos observaciones en cada unidad.

Por ejemplo, la revista Human Factors (1962, p. 375-380) informa sobre un estudio en el que a 14 sujetos se les pidió que estacionaran dos automóviles teniendo distancias entre ejes y radios de giro bastante diferentes. Se registró el tiempo en segundos para cada auto y sujeto, y los datos resultantes se presentan en la tabla 10.2. Adviértase que cada sujeto es la "unidad experimental" que se mencionó antes. Deseamos obtener un intervalo de confianza respecto a la diferencia en el tiempo medio $\mu_1 - \mu_2$ para estacionar los dos autos.

En general, supóngase que los datos constan de $n$ pares $(X_{11}, X_{21})$, $(X_{12}, X_{22})$, . . . , $(X_{1n}, X_{2n})$. Se supone que tanto $X_1$ como $X_2$ se distribuyen normalmente con media $\mu_1$ y $\mu_2$, respectivamente,

Las variables aleatorias dentro de *pares diferentes* son *independientes*. Sin embargo, debido a que hay dos mediciones en la misma unidad experimental, las dos mediciones *dentro del mismo par* pueden no ser independientes. Considérense las $n$ diferencias $D_1 = X_{11} - X_{21}$, $D_2 = X_{12} - X_{22}$, . . . , $D_n = X_{1n} - X_{2n}$. En estas condiciones la media de las diferencias $D$, digamos $\mu_D$, es

$$\mu_D = E(D) = E(X_1 - X_2) = E(X_1) - E(X_2) = \mu_1 - \mu_2$$

debido a que el valor esperado de $X_1 - X_2$ es la diferencia en los valores esperados sin importar que $X_1$ y $X_2$ sean independientes. En consecuencia, podemos construir un intervalo de confianza en $\mu_1 - \mu_2$ con sólo encontrar un intervalo de confianza

TABLA 10.2 Tiempo en segundos para estacionar en paralelo dos automóviles

| | Automóvil | | |
| Sujeto | 1 | 2 | Diferencia |
|---|---|---|---|
| 1 | 37.0 | 17.8 | 19.2 |
| 2 | 25.8 | 20.2 | 5.6 |
| 3 | 16.2 | 16.8 | −0.6 |
| 4 | 24.2 | 41.4 | −17.2 |
| 5 | 22.0 | 21.4 | 0.6 |
| 6 | 33.4 | 38.4 | −5.0 |
| 7 | 23.8 | 16.8 | 7.0 |
| 8 | 58.2 | 32.2 | 26.0 |
| 9 | 33.6 | 27.8 | 5.8 |
| 10 | 24.4 | 23.2 | 1.2 |
| 11 | 23.4 | 29.6 | −6.2 |
| 12 | 21.2 | 20.6 | 0.6 |
| 13 | 36.2 | 32.2 | 4.0 |
| 14 | 29.8 | 53.8 | −24.0 |

en $\mu_D$. Puesto que las diferencias $D_i$ se distribuyen normal e independientemente, podemos utilizar el procedimiento de la distribución $t$ descrito en la sección 10-2.3 para encontrar el intervalo de confianza en $\mu_0$. Por analogía con la ecuación 10-28, el intervalo de confianza del $100(1 - \alpha)$ por ciento en $\mu_0 = \mu_1 - \mu_2$ es

$$\overline{D} - t_{\alpha/2,\, n-1}S_D/\sqrt{n} \leq \mu_D \leq \overline{D} + t_{\alpha/2,\, n-1}S_D/\sqrt{n} \qquad (10\text{-}38)$$

donde $\overline{D}$ y $S_D$ son la media y la desviación estándar de muestra de las diferencias $D_i$, respectivamente. Este intervalo de confianza es válido para el caso en que $\sigma_1^2 \neq \sigma_2^2$, debido a que $S_D^2$ estima $\sigma_D^2 = V(X_1 - X_2)$. Además, en muestras grandes (por ejemplo $n \geq 30$ pares), la suposición de normalidad es innecesaria.

**Ejemplo 10.14** Regresamos ahora a los datos en la tabla 10.2 concerniente al tiempo para que $n = 14$ sujetos estacionen dos automóviles en paralelo. De la columna de las diferencias observadas $d_i$ calculamos $\overline{d} = 1.21$ y $s_d = 12.68$. El intervalo de confianza de 90 por ciento para $\mu_D = \mu_1 - \mu_2$ se encuentra de la ecuación 10-38 como sigue:

$$\overline{d} - t_{.05,13}s_d/\sqrt{n} \leq \mu_D \leq \overline{d} + t_{.05,13}s_d/\sqrt{n}$$

$$1.21 - 1.771(12.68)/\sqrt{14} \leq \mu_D \leq 1.21 + 1.771(12.68)/\sqrt{14}$$

$$-4.79 \leq \mu_D \leq 7.21$$

Nótese que el intervalo de confianza en $\mu_D$ incluye el cero. Esto implica que, en el nivel de confianza del 90 por ciento, los datos no soportan la solicitud de que

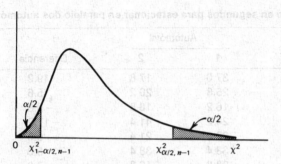

**Figura 10.7**   La distribución $\chi^2_{n-1}$.

dos automóviles tengan diferentes tiempos de estacionamiento medios $\mu_1$ y $\mu_2$. Esto es, el valor $\mu_D = \mu_1 - \mu_2 = 0$ no es inconsistente con los datos observados.

### 10-2.6   Intervalo de confianza sobre la varianza de una distribución normal

Supóngase que $X$ se distribuye normalmente con media $\mu$ desconocida y varianza $\sigma^2$ desconocida. Sea $X_1, X_2, \ldots, X_n$ una muestra aleatoria de tamaño $n$, y $S^2$ la varianza de muestra. Se mostró en la sección 9-3 que la distribución de muestreo de

$$\chi^2 = \frac{(n-1)S^2}{\sigma^2}$$

es ji cuadrada con $n-1$ grados de libertad. Esta distribución se ilustra en la figura 10.7.

Para desarrollar el intervalo de confianza, notamos de la figura 10.7 que

$$P\left\{\chi^2_{1-\alpha/2,\,n-1} \leq \chi^2 \leq \chi^2_{\alpha/2,\,n-1}\right\} = 1 - \alpha$$

o

$$P\left\{\chi^2_{1-\alpha/2,\,n-1} \leq \frac{(n-1)S^2}{\sigma^2} \leq \chi^2_{\alpha/2,\,n-1}\right\} = 1 - \alpha.$$

Esta última ecuación puede rearreglarse para producir

$$P\left\{\frac{(n-1)S^2}{\chi^2_{\alpha/2,\,n-1}} \leq \sigma^2 \leq \frac{(n-1)S^2}{\chi^2_{1-\alpha/2,\,n-1}}\right\} = 1 - \alpha \qquad (10\text{-}39)$$

Al comparar las ecuaciones 10-39 y 10-11, vemos que el intervalo de confianza de dos lados del $100(1 - \alpha)$ por ciento en $\sigma^2$ es

$$\frac{(n-1)S^2}{\chi^2_{\alpha/2,\,n-1}} \leq \sigma^2 \leq \frac{(n-1)S^2}{\chi^2_{1-\alpha/2,\,n-1}} \qquad (10\text{-}40)$$

Para determinar un intervalo de confianza inferior del $100(1 - \alpha)$ por ciento en $\sigma^2$, hágase $U = \infty$ y sustitúyase $\chi^2_{\alpha 2,\,n-1}$ con $\chi^2_{\alpha,\,n-1}$, lo que resulta en

$$\frac{(n-1)S^2}{\chi^2_{\alpha,\,n-1}} \leq \sigma^2 \qquad (10\text{-}41)$$

El intervalo de confianza superior del $100(1 - \alpha)$ por ciento se encuentra dejando $L = 0$ y sustituyendo $\chi^2_{1-\alpha/2,\,n-1}$ con $\chi^2_{1-\alpha,\,n-1}$, con lo que se obtiene

$$\sigma^2 \leq \frac{(n-1)S^2}{\chi^2_{1-\alpha,\,n-1}} \qquad (10\text{-}42)$$

**Ejemplo 10.15** Un productor de refrescos está interesado en el funcionamiento uniforme de la máquina que se utiliza para llenar latas. En particular, está interesado en que la desviación estándar $\sigma$ del proceso de llenado sea menor de .2 onzas líquidas; en otro caso, habrá un porcentaje más alto que el tolerable de latas que no estarán completamente llenas. Supondremos que el volumen de llenado se distribuye aproximadamente en forma normal. Una muestra aleatoria de 20 latas resulta en una varianza de muestra de $s^2 = .0225$ (onzas líquidas)$^2$. Un intervalo de confianza superior del 95 por ciento se encuentra a partir de la ecuación 10-42 del siguiente modo:

$$\sigma^2 \leq \frac{(n-1)s^2}{\chi^2_{95,19}}$$

o

$$\sigma^2 \leq \frac{(19).0225}{10.117} = .0423 \text{ (onzas líquidas)}^2$$

Este último enunciado puede convertirse en un intervalo de confianza en la desviación estándar $\sigma$ tomando la raíz cuadrada en ambos lados, lo que resulta en

$$\sigma \leq 0.21 \text{ onzas líquidas}$$

Por tanto, en el nivel de confianza del 95 por ciento, los datos no soportan el requerimiento de que la desviación estándar del proceso sea menor de .20 onzas líquidas.

## 10-2.7　Intervalo de confianza sobre la razón de varianzas de dos distribuciones normales

Supóngase que $X_1$ y $X_2$ son variables aleatorias normales con medias $\mu_1$ y $\mu_2$ desconocidas y varianzas $\sigma_1^2$ y $\sigma_2^2$ desconocidas, respectivamente. Deseamos encontrar un intervalo de confianza del $100(1 - \alpha)$ por ciento respecto al cociente $\sigma_1^2 / \sigma_2^2$. Sean dos muestras aleatorias de tamaños $n_1$ y $n_2$ tomadas de $X_1$ y $X_2$, y sea que $S_1^2$ y $S_2^2$ denoten las varianzas de las muestras. Para determinar el intervalo de confianza, notamos que la distribución de muestreo de

$$F = \frac{S_2^2 / \sigma_2^2}{S_1^2 / \sigma_1^2}$$

es $F$ con $n_2 - 1$ y $n_1 - 1$ grados de libertad. Esta distribución se muestra en la figura 10.8.

De la figura 10.8, advertimos que

$$P\left\{ F_{1-\alpha/2,\, n_2-1,\, n_1-1} \le F \le F_{\alpha/2,\, n_2-1,\, n_1-1} \right\} = 1 - \alpha$$

o

$$P\left\{ F_{1-\alpha/2,\, n_2-1,\, n_1-1} \le \frac{S_2^2 / \sigma_2^2}{S_1^2 / \sigma_1^2} \le F_{\alpha/2,\, n_2-1,\, n_1-1} \right\} = 1 - \alpha$$

Por consiguiente

$$P\left\{ \frac{S_1^2}{S_2^2} F_{1-\alpha/2,\, n_2-1,\, n_1-1} \le \frac{\sigma_1^2}{\sigma_2^2} \le \frac{S_1^2}{S_2^2} F_{\alpha/2,\, n_2-1,\, n_1-1} \right\} = 1 - \alpha \quad (10\text{-}43)$$

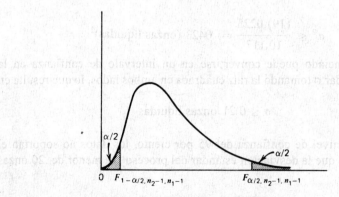

**Figura 10.8**　La distribución de $F_{n_2-1,\, n_1-1}$

Al comparar las ecuaciones 10-43 y 10-11, vemos que el intervalo de confianza de dos lados del $100(1 - \alpha)$ por ciento en $\sigma_1^2/\sigma_2^2$ es

$$\frac{S_1^2}{S_2^2} F_{1-\alpha/2,\, n_2-1,\, n_1-1} \leq \frac{\sigma_1^2}{\sigma_2^2} \leq \frac{S_1^2}{S_2^2} F_{\alpha/2,\, n_2-1,\, n_1-1} \qquad (10\text{-}44)$$

donde el punto de la cola inferior $1 - \alpha/2$ de la distribución $F_{n_2-1,\, n_1-1}$ está dado por

$$F_{1-\alpha/2,\, n_2-1,\, n_1-1} = \frac{1}{F_{\alpha/2,\, n_1-1,\, n_2-1}} \qquad (10\text{-}45)$$

También podemos construir intervalos de confianza de un lado. Un límite de confianza inferior del $100(1 - \alpha)$ por ciento en $\sigma_1^2/\sigma_2^2$ es

$$\frac{S_1^2}{S_2^2} F_{1-\alpha,\, n_2-1,\, n_1-1} \leq \frac{\sigma_1^2}{\sigma_2^2} \qquad (10\text{-}46)$$

en tanto que un intervalo de confianza superior del $100(1 - \alpha)$ por ciento en $\sigma_1^2/\sigma_2^2$ es

$$\frac{\sigma_1^2}{\sigma_2^2} \leq \frac{S_1^2}{S_2^2} F_{\alpha,\, n_2-1,\, n_1-1} \qquad (10\text{-}47)$$

**Ejemplo 10.16** Considérese el proceso de grabado por baño químico descrito en el ejemplo 10.13. Recuérdese que se están comparando los dos catalizadores para medir su eficacia en la reducción de los tiempos de inmersión para tarjetas de circuito impreso. $n_1 = 12$ baños se efectuaron con el catalizador 1 y $n_2 = 15$ baños se realizaron con el catalizador 2, resultando $s_1 = .85$ minutos y $s_2 = .98$ minutos. Determinaremos un intervalo de confianza de 90 por ciento respecto al cociente de varianza $\sigma_1^2/\sigma_2^2$. De la ecuación 10-44, encontramos que

$$\frac{s_1^2}{s_2^2} F_{.95,\,14,\,11} \leq \frac{\sigma_1^2}{\sigma_2^2} \leq \frac{s_1^2}{s_2^2} F_{.05,\,14,\,11}$$

$$\frac{(0.85)^2}{(0.98)^2} 0.39 \leq \frac{\sigma_1^2}{\sigma_2^2} \leq \frac{(0.85)^2}{(0.98)^2} 2.74$$

o

$$0.29 \leq \frac{\sigma_1^2}{\sigma_2^2} \leq 2.06$$

Al emplear el hecho de que $F_{.95,\,14,\,11} = 1/F_{.05,\,11,\,14} = 1/2.58 = .39$. Puesto que este intervalo de confianza incluye la unidad, podríamos no requerir que las desviaciones estándar de los tiempos de inmersión para los dos catalizadores sean diferentes en el nivel de confianza del 90 por ciento.

## 10-2.8 Intervalo de confianza sobre una proporción

A menudo es necesario construir un intervalo de confianza del $100(1 - \alpha)$ por ciento en una proporción. Por ejemplo, supóngase que se ha tomado una muestra aleatoria de tamaño $n$ de una gran población (posiblemente infinita), y que $X(\leq n)$ observaciones en esta muestra pertenecen a la clase de interés. Entonces $\hat{p} = X/n$ es el estimador puntual de la proporción de la población que pertenece a esta clase. Nótese que $n$ y $p$ son los parámetros de la distribución binomial. Además, en la sección 8-5 vimos que la distribución de muestreo de $\hat{p}$ es aproximadamente normal con media $p$ y varianza $p(1 - p)/n$, si $p$ no está demasiado cerca de 0 ó 1, y si $n$ es relativamente grande. De tal modo, la distribución de

$$Z = \frac{\hat{p} - p}{\sqrt{\dfrac{p(1 - p)}{n}}}$$

es aproximadamente normal estándar.

Para construir el intervalo de confianza en $p$, nótese que

$$P\left\{ -Z_{\alpha/2} \leq Z \leq Z_{\alpha/2} \right\} \simeq 1 - \alpha$$

o

$$P\left\{ -Z_{\alpha/2} \leq \frac{\hat{p} - p}{\sqrt{\dfrac{p(1 - p)}{n}}} \leq Z_{\alpha/2} \right\} \simeq 1 - \alpha$$

Esta expresión puede rearreglarse como

$$P\left\{ \hat{p} - Z_{\alpha/2} \sqrt{\frac{p(1 - p)}{n}} \leq p \leq \hat{p} + Z_{\alpha/2} \sqrt{\frac{p(1 - p)}{n}} \right\} \simeq 1 - \alpha \quad (10\text{-}48)$$

Reconocemos la cantidad $p(1 - p)/n$ como el error estándar del estimador puntual $\hat{p}$. Desafortunadamente, los límites superior e inferior del intervalo de confianza obtenido a partir de la ecuación 10-48 contendrían el parámetro desconocido $p$. Sin embargo, una solución satisfactoria es sustituir $p$ por $\hat{p}$ en el error estándar, lo que resulta en un *error estándar estimado*. Por tanto,

$$P\left\{ \hat{p} - Z_{\alpha/2} \sqrt{\frac{\hat{p}(1 - \hat{p})}{n}} \leq p \leq \hat{p} + Z_{\alpha/2} \sqrt{\frac{\hat{p}(1 - \hat{p})}{n}} \right\} \simeq 1 - \alpha \quad (10\text{-}49)$$

y el intervalo de confianza de dos lados del $100(1 - \alpha)$ por ciento aproximado en $p$ es

$$\hat{p} - Z_{\alpha/2} \sqrt{\frac{\hat{p}(1 - \hat{p})}{n}} \leq p \leq \hat{p} + Z_{\alpha/2} \sqrt{\frac{\hat{p}(1 - \hat{p})}{n}} \qquad (10\text{-}50)$$

Un intervalo de confianza inferior del $100(1 - \alpha)$ por ciento aproximado es

$$\hat{p} - Z_{\alpha} \sqrt{\frac{\hat{p}(1 - \hat{p})}{n}} \leq p \qquad (10\text{-}51)$$

y un intervalo de confianza superior del $100(1 - \alpha)$ por ciento aproximado es

$$p \leq \hat{p} + Z_{\alpha} \sqrt{\frac{\hat{p}(1 - \hat{p})}{n}} \qquad (10\text{-}52)$$

**Ejemplo 10.17**  En una muestra aleatoria de 75 ejes de árbol, 12 tienen un acabado superficial que es más rugoso que lo permitido por las especificaciones. Por tanto, una estimación puntual de la proporción de los ejes en la población que excede las especificaciones de rugosidad $p$ es $\hat{p} = x/n = 12/75 = .16$. Un intervalo de confianza del 95 por ciento de dos lados para $p$ se calcula a partir de la ecuación 10-50 como

$$\hat{p} - Z_{.025} \sqrt{\frac{\hat{p}(1 - \hat{p})}{n}} \leq p \leq \hat{p} + Z_{.025} \sqrt{\frac{\hat{p}(1 - \hat{p})}{n}}$$

o

$$.16 - 1.96 \sqrt{\frac{.16(.84)}{75}} \leq p \leq .16 + 1.96 \sqrt{\frac{.16(.84)}{75}}$$

la cual se simplifica a

$$.08 \leq p \leq .24$$

Defínase el error en estimar $p$ por medio de $\hat{p}$ como $E = |p - \hat{p}|$. Nótese que tenemos una confianza de aproximadamente $100(1 - \alpha)$ por ciento de que este error es menor que $Z_{\alpha/2} \sqrt{p(1 - p)/n}$. Por lo tanto, en situaciones en las que puede seleccionarse el tamaño de la muestra, podemos elegir $n$ de manera que exista una confianza del $100(1 - \alpha)$ por ciento de que el error sea menor que algún valor especificado $E$. El tamaño de muestra apropiado es

$$n = \left( \frac{Z_{\alpha/2}}{E} \right)^2 p(1 - p) \qquad (10\text{-}53)$$

Esta función es relativamente plana de $p = .3$ a $p = .7$. Se requiere una estimación de $p$ para utilizar la ecuación 10-53. Si se dispone una estimación $\hat{p}$ de una muestra previa, ella podría ser sustituida por $p$ en la ecuación 10-53, o quizá sería posible realizar una estimación subjetiva. Si estas alternativas no son satisfactorias, podría tomarse una muestra preliminar, calcularse $\hat{p}$ y emplearse luego la ecuación 10-53 para determinar cuántas observaciones adicionales se requieren para estimar $p$ con la precisión deseada. El tamaño de muestra a partir de la ecuación 10-53 siempre será un máximo para $p = .5$ [esto es, $p(1 - p) = .25$], y esto puede utilizarse para obtener una cota superior en $n$. En otras palabras, tenemos *al menos* una confianza de $100(1 - \alpha)$ por ciento de que el error al estimar $p$ por medio de $\hat{p}$ es menor que $E$ si el tamaño de muestra es

$$n = \left( \frac{Z_{\alpha/2}}{E} \right)^2 (.25)$$

**Ejemplo 10.18**   Considérense los datos en el ejemplo 10.17. ¿Qué tan grande se requiere la muestra si deseamos tener una confianza de 95 por ciento de que el error al emplear $\hat{p}$ para estimar $p$ es menor que $.05$? Al usar $\hat{p} = .16$ como una estimación inicial de $p$, encontramos de la ecuación 10-53 que el tamaño de muestra requerido es

$$\left( \frac{Z_{.025}}{E} \right)^2 \hat{p}(1 - \hat{p}) = \left( \frac{1.96}{.05} \right)^2 .16(.84) = 207$$

Advertimos que el procedimiento desarrollado en esta sección depende de la aproximación normal a la binomial. En situaciones en las que esta aproximación es inapropiada, particularmente en casos donde $n$ es pequeña, deben utilizarse otros métodos. Podrían utilizarse tablas de la distribución binomial para obtener un intervalo de confianza para $p$. Si $n$ es grande pero $p$ es pequeña, entonces la aproximación de Poisson a la binomial podría emplearse para construir intervalos de confianza. Duncan (1974) ilustra estos procedimientos.

## 10-2.9   Intervalo de confianza sobre la diferencia en dos proporciones

Si hay dos proporciones de interés, digamos $p_1$ y $p_2$, es posible obtener un intervalo de confianza de $100(1 - \alpha)$ por ciento respecto a su diferencia. Si dos muestras independientes de tamaño $n_1$ y $n_2$ se toman de poblaciones infinitas de manera que $X_1$ y $X_2$ son variables aleatorias binomiales independientes con parámetros $(n_1, p_1)$ y $(n_2, p_2)$, respectivamente, donde $X_1$ representa el número de observaciones de muestra de la primera población que pertenece a una clase de interés y $X_2$ representa el número de observaciones de muestra de la segunda población que pertenece a una clase de interés, entonces $\hat{p}_1 = X_1/n_1$ y $\hat{p}_2 = X_2/n_2$ son estimadores independientes de $p_1$ y $p_2$, respectivamente. Además, bajo la suposición de que se aplica la aproximación normal a la binomial, la estadística

$$Z = \frac{\hat{p}_1 - \hat{p}_2 - (p_1 - p_2)}{\sqrt{\dfrac{p_1(1 - p_1)}{n_1} + \dfrac{p_2(1 - p_2)}{n_2}}}$$

se distribuye aproximadamente en forma normal estándar. Al emplear un planteamiento análogo al de la sección previa, resulta que un intervalo de confianza de dos lados del $100(1 - \alpha)$ por ciento aproximado para $p_1 - p_2$ es

$$\hat{p}_1 - \hat{p}_2 - Z_{\alpha/2} \sqrt{\frac{\hat{p}_1(1 - \hat{p}_1)}{n_1} + \frac{\hat{p}_2(1 - \hat{p}_2)}{n_2}}$$

$$\leq p_1 - p_2 \leq \hat{p}_1 - \hat{p}_2 + Z_{\alpha/2} \sqrt{\frac{\hat{p}_1(1 - \hat{p}_1)}{n_1} + \frac{\hat{p}_2(1 - \hat{p}_2)}{n_2}} \quad (10\text{-}54)$$

Un intervalo de confianza inferior del $100(1 - \alpha)$ por ciento para $p_1 - p_2$ es

$$\hat{p}_1 - \hat{p}_2 - Z_\alpha \sqrt{\frac{\hat{p}_1(1 - \hat{p}_1)}{n_1} + \frac{\hat{p}_2(1 - \hat{p}_2)}{n_2}} \leq p_1 - p_2 \quad (10\text{-}55)$$

y un intervalo de confianza superior del $100(1 - \alpha)$ por ciento aproximado para $p_1 - p_2$ es

$$p_1 - p_2 \leq \hat{p}_1 - \hat{p}_2 + Z_\alpha \sqrt{\frac{\hat{p}_1(1 - \hat{p}_1)}{n_1} + \frac{\hat{p}_2(1 - \hat{p}_2)}{n_2}} \quad (10\text{-}56)$$

**Ejemplo 10.19** Considérense los datos en el ejemplo 10.17. Supóngase que se efectúa una modificación en el proceso de acabado de la superficie y que subsecuentemente se obtiene una segunda muestra aleatoria de 85 ejes de árbol. El número de ejes defectuosos en esta segunda muestra es 10. Por tanto, puesto que $n_1 = 75$, $\hat{p}_1 = .16$, $n_2 = 85$, y $\hat{p}_2 = 10/85 = .12$, podemos obtener un intervalo de confianza aproximado del 95 por ciento en la diferencia de la proporción de defectos producidos bajo los dos procesos a partir de la ecuación 10-54 como

$$\hat{p}_1 - \hat{p}_2 - Z_{.025} \sqrt{\frac{\hat{p}_1(1 - \hat{p}_1)}{n_1} + \frac{\hat{p}_2(1 - \hat{p}_2)}{n_2}}$$

$$\leq p_1 - p_2 \leq \hat{p}_1 - \hat{p}_2 + Z_{.025} \sqrt{\frac{\hat{p}_1(1 - \hat{p}_1)}{n_1} + \frac{\hat{p}_2(1 - \hat{p}_2)}{n_2}}$$

o

$$.16 - .12 - 1.96\sqrt{\frac{.16(.84)}{75} + \frac{.12(.88)}{85}}$$

$$\leq p_1 - p_2 \leq .16 - .12 + 1.96\sqrt{\frac{.16(84)}{75} + \frac{.12(.88)}{85}}$$

Esto se simplifica a

$$- .07 \leq p_1 - p_2 \leq .15$$

Este intervalo incluye el cero, de modo que, con base en los datos de la muestra, parece poco probable que los cambios realizados en el proceso de acabado de la superficie hayan reducido la proporción de los ejes de árbol defectuosos que se están produciendo.

## 10-2.10   Intervalos de confianza aproximados en la estimación de máxima similitud

Si se utiliza el método de máxima similitud para la estimación de parámetros, pueden emplearse las propiedades asintóticas de estos estimadores para obtener intervalos de confianza aproximados. Sea $\hat{\theta}$ el estimador de máxima similitud de $\theta$. En muestras grandes $\hat{\theta}$ se distribuye aproximadamente de manera normal con media $\theta$ y varianza $V(\hat{\theta})$ dada por la cota inferior de Cramér-Rao (ecuación 10-4). Por consiguiente, un intervalo de confianza aproximado del $100(1 - \alpha)$ por ciento para $\theta$ es

$$\hat{\theta} - Z_{\alpha/2}\left[V(\hat{\theta})\right]^{1/2} \leq \theta \leq \hat{\theta} + Z_{\alpha/2}\left[V(\hat{\theta})\right]^{1/2} \qquad (10\text{-}57)$$

Usualmente, la $V(\hat{\theta})$ es una función del parámetro conocido $\theta$. En estos casos, sustitúyase $\theta$ por $\hat{\theta}$.

**Ejemplo 10.20**  Recuérdese el ejemplo 10.3, donde se mostró que el estimador de máxima similitud del parámetro $p$ de una distribución de Bernoulli es $\hat{p} = (1/n)\Sigma_{i=1}^{n} X_i = \overline{X}$. Al emplear la cota inferior de Cramér-Rao, podemos comprobar que la cota inferior para la varianza de $\hat{p}$ es

$$V(\hat{p}) \geq \frac{1}{nE\left[\dfrac{d}{dp} \ln p^X(1 - p)^{1 - X}\right]^2}$$

$$\geq \frac{1}{nE\left[\dfrac{X}{p} - \dfrac{(1-X)}{(1-p)}\right]^2}$$

$$\geq \frac{1}{nE\left[\dfrac{X^2}{p^2} + \dfrac{(1-X)^2}{(1-p)^2} - 2\dfrac{X(1-X)}{p(1-p)}\right]}$$

Para la distribución de Bernoulli, observamos que $E(X) = p$ y $E(X^2) = p$. Por tanto, esta última expresión se simplifica a

$$V(\hat{p}) = \frac{1}{n\left[\dfrac{1}{p} + \dfrac{1}{(1-p)}\right]} = \frac{p(1-p)}{n}$$

En consecuencia, sustituyendo $p$ en $V(\hat{p})$ por $\hat{p}$, el intervalo de confianza aproximado del $100(1 - \alpha)$ por ciento para $p$ se encuentra a partir de la ecuación 10-57 como

$$\hat{p} - Z_{\alpha/2}\sqrt{\frac{\hat{p}(1-\hat{p})}{n}} \leq p \leq \hat{p} + Z_{\alpha/2}\sqrt{\frac{\hat{p}(1-\hat{p})}{n}}$$

### 10-2.11  Intervalos de confianza simultáneos

En ocasiones es necesario construir varios intervalos de confianza respecto a más de un parámetro, y deseamos que haya una probabilidad de $(1 - \alpha)$ de que la *totalidad* de tales intervalos de confianza produzcan en forma simultánea enunciados correctos. Por ejemplo, supóngase que estamos tomando una muestra de una población normal con media y varianza desconocidas, y que deseamos construir intervalos de confianza para $\mu$ y $\sigma^2$ tales que la probabilidad de que ambos intervalos produzcan simultáneamente conclusiones correctas sea $(1 - \alpha)$. Puesto que $\overline{X}$ y $S^2$ son independientes, podríamos asegurar este resultado construyendo intervalos de confianza del $100(1 - \alpha)^{1/2}$ por ciento para cada parámetro por separado, y ambos intervalos producirían en forma simultánea conclusiones correctas con probabilidad $(1 - \alpha)^{1/2}(1 - \alpha)^{1/2} = (1 - \alpha)$.

Si las estadísticas de la muestra en las cuales se basan los intervalos de confianza no son variables aleatorias independientes, entonces los intervalos de confianza no son independientes, y deben emplearse otros métodos. En general, supóngase que se requieren $m$ intervalos de confianza. La desigualdad de Bonferroni establece que

TABLA 10.3 Resumen de procedimientos de intervalo de confianza

| Tipo de problema | Estimador por puntos | Intervalo de confianza de dos lados del 100(1 − α) por ciento |
|---|---|---|
| Media $\mu$, varianza $\sigma^2$ conocida | $\bar{X}$ | $\bar{X} - Z_{\alpha/2}\sigma/\sqrt{n} \leq \mu \leq \bar{X} + Z_{\alpha/2}\sigma/\sqrt{n}$ |
| Diferencia en dos medias $\mu_1$ y $\mu_2$, varianzas $\sigma_1^2$ y $\sigma_2^2$ conocidas | $\bar{X}_1 - \bar{X}_2$ | $\bar{X}_1 - \bar{X}_2 - Z_{\alpha/2}\sqrt{\dfrac{\sigma_1^2}{n_1} + \dfrac{\sigma_2^2}{n_2}} \leq \mu_1 - \mu_2 \leq \bar{X}_1 - \bar{X}_2 + Z_{\alpha/2}\sqrt{\dfrac{\sigma_1^2}{n_1} + \dfrac{\sigma_2^2}{n_2}}$ |
| Media $\mu$ de una distribución normal, varianza $\sigma^2$ desconocida | $\bar{X}$ | $\bar{X} - t_{\alpha/2, n-1}S/\sqrt{n} \leq \mu \leq \bar{X} + t_{\alpha/2, n-1}S/\sqrt{n}$ |
| Diferencia en las medias de dos distribuciones normales $\mu_1 - \mu_2$, varianza $\sigma_1^2 = \sigma_2^2$ desconocida | $\bar{X}_1 - \bar{X}_2$ | $\bar{X}_1 - \bar{X}_2 - t_{\alpha/2, n_1+n_2-2}S_P\sqrt{\dfrac{1}{n_1} + \dfrac{1}{n_2}} \leq \mu_1 - \mu_2 \leq \bar{X}_1 - \bar{X}_2 + t_{\alpha/2, n_1+n_2-2}S_P\sqrt{\dfrac{1}{n_1} + \dfrac{1}{n_2}}$ donde $S_P = \sqrt{\dfrac{(n_1-1)S_1^2 + (n_2-1)S_2^2}{n_1 + n_2 - 2}}$ |

| | Estimador | Intervalo de confianza |
|---|---|---|
| Diferencia en las medias de dos distribuciones normales para muestras en pares $\mu_0 = \mu_1 - \mu_2$ | $\bar{D}$ | $\bar{D} - t_{\alpha/2,\,n-1}S_D/\sqrt{n} \leq \mu_D \leq \bar{D} + t_{\alpha/2,\,n-1}S_D/\sqrt{n}$ |
| Varianza $\sigma^2$ de una distribución normal | $S^2$ | $\dfrac{(n-1)S^2}{\chi^2_{\alpha/2,\,n-1}} \leq \sigma^2 \leq \dfrac{(n-1)S^2}{\chi^2_{1-\alpha/2,\,n-1}}$ |
| Cociente de dos varianzas $\sigma_1^2/\sigma_2^2$ de dos distribuciones normales | $\dfrac{S_1^2}{S_2^2}$ | $\dfrac{S_1^2}{S_2^2} F_{1-\alpha/2,\,n_2-1,\,n_1-1} \leq \dfrac{\sigma_1^2}{\sigma_2^2} \leq \dfrac{S_1^2}{S_2^2} F_{\alpha/2,\,n_2-1,\,n_1-1}$ |
| Proporción o parámetro de una distribución binomial $p$ | $\hat{p}$ | $\hat{p} - Z_{\alpha/2}\sqrt{\dfrac{\hat{p}(1-\hat{p})}{n}} \leq p \leq \hat{p} + Z_{\alpha/2}\sqrt{\dfrac{\hat{p}(1-\hat{p})}{n}}$ |
| Diferencia en dos proporciones o dos parámetros binomiales $p_1 - p_2$ | $\hat{p}_1 - \hat{p}_2$ | $\hat{p}_1 - \hat{p}_2 - Z_{\alpha/2}\sqrt{\dfrac{\hat{p}_1(1-\hat{p}_1)}{n_1} + \dfrac{\hat{p}_2(1-\hat{p}_2)}{n_2}} \leq p_1 - p_2 \leq \hat{p}_1 - \hat{p}_2 + Z_{\alpha/2}\sqrt{\dfrac{\hat{p}_1(1-\hat{p}_1)}{n_1} + \dfrac{\hat{p}_2(1-\hat{p}_2)}{n_2}}$ |

$P$ { todos los enunciados $m$ son

$$\text{simultáneamente correctos}\} \equiv 1 - \alpha \geq 1 - \left( \sum_{i=1}^{m} \alpha_i \right) \quad (10\text{-}58)$$

donde $1 - \alpha_1$ es el nivel de confianza utilizado en el intervalo de confianza $i$ésimo. En la práctica, seleccionamos un valor para el nivel de confianza simultáneo $1 - \alpha$, y después elegimos la $\alpha_i$ individual tal que $\Sigma_{i=1}^{m} \alpha_i = \alpha$. Usualmente, hacemos $\alpha_i = \alpha/m$. Como ejemplo, supóngase que deseamos construir dos intervalos de confianza respecto a las medias de dos distribuciones normales tal que tengamos el 90 por ciento de confianza de que ambos enunciados son simultáneamente correctos. Por tanto, puesto que $1 - \alpha = .90$, tenemos $\alpha = .10$, y puesto que se requieren dos intervalos de confianza, cada uno de éstos debe construirse con $\alpha_i = \alpha/2 = .10/2 = .05$, $i = 1, 2$. Esto es, dos intervalos de confianza individuales del 95 por ciento en $\mu_1$ y $\mu_2$ conducirán *simultáneamente* a enunciados correctos con probabilidad al menos de .90.

## 10-3  Resumen

Este capítulo ha presentado las estimaciones por puntos y de intervalo de parámetros desconocidos. Se estudiaron dos métodos para obtener estimadores puntuales: el método de máxima similitud y el método de momentos. El método de máxima similitud suele llevar a estimadores que tienen buenas propiedades estadísticas. Se obtuvieron intervalos de confianza para una diversidad de problemas de estimación de parámetros. Estos intervalos tienen una interpretación de frecuencia. Los intervalos de confianza de dos lados desarrollados en la sección 10-2 se resumen en la tabla 10-3. En algunos casos, los intervalos de confianza de un lado pueden ser apropiados. Éstos pueden obtenerse dejando un límite de confianza en el intervalo de confianza de dos lados igual al límite inferior (o superior) de una región factible para el parámetro, y empleando $\alpha$ en lugar de $\alpha/2$ como el nivel de probabilidad en el límite de confianza superior (o inferior) restante. Se presentaron también de manera breve los intervalos de confianza aproximados en la estimación de máxima similitud y los intervalos de confianza simultáneos.

## 10-4  Ejercicios

**10-1** Supóngase que tenemos una muestra aleatoria de tamaño $2n$ de una población denotada por $X$, y $E(X) = \mu$ y $V(X) = \sigma^2$. Sean

$$\overline{X}_1 = \frac{1}{2n} \sum_{i=1}^{2n} X_i \qquad \text{y} \qquad \overline{X}_2 = \frac{1}{n} \sum_{i=1}^{n} X_i$$

dos estimadores de $\mu$. ¿Cuál es el mejor estimador de $\mu$? Explique su elección.

**10-2** Deje que $X_1, X_2, \ldots, X_7$ denote una muestra aleatoria de una población que tiene media $\mu$ y varianza $\sigma^2$. Considere los siguientes estimadores de $\mu$:

$$\hat{\theta}_1 = \frac{X_1 + X_2 + \cdots + X_7}{7}$$

$$\hat{\theta}_2 = \frac{2X_1 - X_6 + X_4}{2}$$

¿Alguno de los estimadores es insesgado? ¿Cuál de los estimadores es el "mejor"? ¿En qué sentido es el mejor?

**10-3** Supóngase que $\hat{\theta}_1$ y $\hat{\theta}_2$ son estimadores del parámetro $\theta$. Sabemos que $E(\hat{\theta}_1) = \theta$, $E(\hat{\theta}_2) = \theta/2$, $V(\hat{\theta}_1) = 10$, y $V(\hat{\theta}_2) = 4$. ¿Cuál estimador es el "mejor"? ¿En qué sentido es el mejor?

**10-4** Supóngase que $\hat{\theta}_1$, $\hat{\theta}_2$ y $\hat{\theta}_3$ son estimadores de $\theta$. Sabemos que $E(\hat{\theta}_1) = E(\hat{\theta}_2) = \theta$, $E(\hat{\theta}_3) \neq \theta$, $V(\hat{\theta}_1) = 12$, $V(\hat{\theta}_2) = 10$, y $E(\hat{\theta}_3 - \theta)^2 = 6$. Compare estos tres estimadores. ¿Cuál prefiere usted? ¿Por qué?

**10-5** Considere que se toman tres muestras aleatorias de tamaños $n_1 = 10$, $n_2 = 8$ y $n_3 = 6$ de una población con media $\mu$ y varianza $\sigma^2$. Sean $S_1^2, S_2^2$ y $S_3^2$ las varianzas de muestra. Demuestre que

$$S^2 = \frac{10S_1^2 + 8S_2^2 + 6S_3^2}{24}$$

es un estimador insesgado de $\sigma^2$.

**10-6 Los mejores estimadores insesgados lineales.** Un estimador $\hat{\theta}$ recibe el nombre de estimador lineal si es una combinación lineal de las observaciones en la muestra. $\hat{\theta}$ se llama el mejor estimador insesgado si, de todas las funciones lineales de las observaciones, él es insesgado y tiene varianza mínima. Demuestre que la media de la muestra $\overline{X}$ es el mejor estimador insesgado lineal de la media de la población $\mu$.

**10-7** Encuentre el estimador de máxima similitud del parámetro $c$ de la distribución de Poisson, basado en una muestra aleatoria de tamaño $n$.

**10-8** Determine el estimador de $c$ en la distribución de Poisson por el método de momentos, basado en una muestra aleatoria de tamaño $n$.

**10-9** Determine el estimador de máxima similitud del parámetro $\lambda$ en la distribución exponencial, con base en una muestra aleatoria de tamaño $n$.

**10-10** Encuentre el estimador de $\lambda$ en la distribución exponencial por el método de momentos, con base en una muestra aleatoria de tamaño $n$.

**10-11** Determine estimadores de momento de los parámetros $r$ y $\lambda$ de la distribución gamma, con base en una muestra aleatoria de tamaño $n$.

**10-12** Sea $X$ una variable aleatoria geométrica con parámetro $p$. Encuentre un estimador de $p$ por medio del método de momentos, con base en una muestra aleatoria de tamaño $n$.

**10-13** Sea $X$ una variable aleatoria geométrica con parámetro $p$. Determine el estimador de máxima similitud de $p$ con base en una muestra aleatoria de tamaño $n$.

**10-14** Sea $X$ una variable aleatoria de Bernoulli con parámetro $p$. Encuentre un estimador de $p$ por el método de momentos, con base en una muestra aleatoria de tamaño $n$.

**10-15** Sea $X$ una variable aleatoria binomial con parámetros $n$ (conocido) y $p$. Obtenga un estimador de $p$ por el método de momentos, con base en una muestra aleatoria de tamaño $N$.

**10-16** Sea $X$ una variable aleatoria binomial con parámetros $n$ y $p$, ambos desconocidos. Determine estimadores de $n$ y $p$ por el método de momentos, con base en una muestra aleatoria de tamaño $N$.

**10-17** Sea $X$ una variable aleatoria binomial con parámetros $n$ (desconocido) y $p$. Obtenga el estimador de máxima similitud de $p$, con base en una muestra aleatoria de tamaño $N$.

**10-18** Establezca la función de probabilidad para una muestra aleatoria de tamaño $n$ a partir de la distribución de Weibull. ¿Qué dificultades se encontrarían al obtener los estimadores de máxima similitud de los tres parámetros de la distribución de Weibull?

**10-19** Demuestre que si $\hat{\theta}$ es un estimador insesgado de $\theta$, y si $\lim_{n \to \infty} V(\hat{\theta}) = 0$, entonces $\hat{\theta}$ es un estimador consistente de $\theta$.

**10-20** Sea $X$ una variable aleatoria con media $\mu$ y varianza $\sigma^2$. Dadas dos muestras aleatorias de tamaño $n_1$ y $n_2$ con medias de muestra $\overline{X}_1$ y $\overline{X}_2$, respectivamente, demuestre que

$$\overline{X} = a\overline{X}_1 + (1 - a)\overline{X}_2 \qquad 0 < a < 1$$

es un estimador neutral de $\mu$. Suponiendo que $\overline{X}_1$ y $\overline{X}_2$ son independientes, encuentre un valor de $a$ que minimice la varianza de $\overline{X}$.

**10-21** Supóngase que la variable aleatoria $X$ tiene la distribución de probabilidad

$$f(x) = (\gamma + 1)X^\gamma \qquad 0 < X < 1$$
$$= 0 \qquad \text{en otro caso}$$

Sea $X_1, X_2, \ldots, X_n$ una muestra aleatoria de tamaño $n$. Obtenga el estimador de máxima similitud de $\gamma$.

**10-22** Considere que $X$ tiene la distribución exponencial truncada (a la izquierda en $X_1$)

$$f(X) = \lambda e^{-\lambda(X-X_I)} \qquad X > X_I > 0$$
$$= 0 \qquad\qquad \text{en otro caso}$$

Sea $X_1, X_2, \ldots, X_n$ una muestra aleatoria de tamaño $n$. Encuentre el estimador de máxima similitud de $\lambda$.

**10-23** Suponga que se conoce $\lambda$ en el ejercicio previo pero que $X_1$ se desconoce. Obtenga el estimador de máxima similitud de $X_1$.

**10-24** Sea $X$ una variable aleatoria con media $\mu$ y varianza $\sigma^2$, y $X_1, X_2, \ldots, X_n$ una muestra aleatoria de tamaño $n$ de $X$. Demuestre que el estimador $G = K \sum_{i=1}^{n-1} (X_{i+1} - X_i)^2$ es insesgado para una elección apropiada de $K$. Determine el valor apropiado para $K$.

**10-25** Considere el intervalo de confianza para $\mu$ con desviación estándar $\sigma$ conocida:

$$\overline{X} - Z_{\alpha_2}\sigma/\sqrt{n} \le \mu \le \overline{X} + Z_{\alpha_1}\alpha/\sqrt{n}$$

donde $\alpha_1 + \alpha_2 = \alpha$. Sea $\alpha = .05$ y obtenga el intervalo para $\alpha_1 = \alpha_2 = \alpha/2 = .025$. Después determine el intervalo para el caso $\alpha_1 = .01$ y $\alpha_2 = .04$. ¿Cuál intervalo es el más corto? ¿Hay alguna ventaja para un intervalo de confianza "simétrico"?

**10-26** Cuando $X_1, X_2, \ldots, X_n$ son variables de Poisson independientes, cada una con parámetro $\lambda$, y cuando $n$ es relativamente grande, la media de muestra $\overline{X}$ es aproximadamente normal con media $\lambda$ y varianza $\lambda/n$.

a) ¿Cuál es la distribución de la estadística?

$$\frac{\overline{X} - \lambda}{\sqrt{\lambda/n}}$$

b) Emplee los resultados de $a$) para encontrar un intervalo de confianza del $100(1 - \alpha)$ por ciento para $\lambda$.

**10-27** Un fabricante produce anillos de pistón para un motor de automóvil. Se sabe que el diámetro de los anillos se distribuye aproximadamente en forma normal y con una desviación estándar $\sigma = .001$ mm. Una muestra aleatoria de 15 anillos tiene un diámetro medio de $\overline{x} = 74.036$ mm.

a) Construya un intervalo de confianza de dos lados del 99 por ciento con respecto al diámetro medio de los anillos de pistón.

b) Construya un límite de confianza inferior del 95 por ciento respecto al diámetro medio de los anillos de pistón.

**10-28** Se sabe que la vida en horas de una bombilla eléctrica de 75 watts se distribuye aproximadamente en forma normal, con desviación estándar $\sigma = 25$ horas. Una muestra aleatoria de 20 bombillas tiene una vida media de $\overline{x} = 1014$ horas.

*a)*   Construya un intervalo de confianza de dos lados del 95 por ciento respecto a la vida media.

*b)*   Construya un intervalo de confianza inferior del 95 por ciento respecto a la vida media.

**10-29** Un ingeniero civil analiza la resistencia a la compresión de concreto. Ésta se distribuye aproximadamente en forma normal con varianza $\sigma^2 = 1000$ (psi)$^2$. Una muestra aleatoria de 12 especímenes tiene una resistencia media a la compresión de $\bar{x} = 3250$ psi.

*a)*   Construya un intervalo de confianza de dos lados del 95 por ciento con respecto a la resistencia media a la compresión.

*b)*   Construya un intervalo de confianza de dos lados del 99 por ciento respecto a la resistencia media a la compresión. Compare el ancho de este intervalo de confianza con el ancho del encontrado en la parte *a)*.

**10-30** Supóngase que en el ejercicio 10-28 deseamos tener una confianza del 95 por ciento de que el error en la estimación de la vida media fuera menor que cinco horas. ¿Qué tamaño de muestra debe usarse?

**10-31** Supóngase que en el ejercicio 10-28 deseamos que el ancho total del intervalo de confianza respecto a la vida media sea de ocho horas. ¿Qué tamaño de muestra debe utilizarse?

**10-32** Supóngase que en el ejercicio 10-29 se desea estimar la resistencia a la compresión con un error que sea menor que 15 psi. ¿Qué tamaño de muestra se requiere?

**10-33** Se emplean dos máquinas para llenar botellas de plástico con detergente para lavar platos. Se tienen como datos que las desviaciones estándar del volumen de llenado son $\sigma_1 = .15$ onzas de líquido y $\sigma_2 = .18$ onzas líquidas para las dos máquinas, respectivamente. Se seleccionan dos muestras aleatorias de $n_1$ botellas de la máquina 1 y $n_2 = 10$ botellas de la máquina 2, y las media de muestra de los volúmenes de llenado son $\bar{x}_1 = 30.87$ onzas líquidas y $\bar{x}_2 = 30.68$ onzas líquidas.

*a)*   Construya un intervalo de confianza de dos lados del 90 por ciento respecto a la diferencia de medias del volumen de llenado.

*b)*   Construya un intervalo de confianza de dos lados del 95 por ciento respecto a la diferencia de medias del volumen de llenado. Compare el ancho de este intervalo con el del intervalo de la parte *a)*.

*c)*   Construya un intervalo de confianza superior del 95 por ciento respecto a la diferencia de medias del volumen de llenado.

**10-34** Se están estudiando las tasas de quemado de dos diferentes propulsantes de cohete de combustible sólido. Se sabe que ambos propulsantes tienen aproximadamente la misma desviación estándar de tasa de quemado; esto es, $\sigma_1 = \alpha_2 = 3$ cm/s. Se prueban dos muestras aleatorias de $n_1 = 20$ y $n_2 = 20$ especímenes, y las tasas de quemado medias de muestra son $\bar{x}_1 = 18$ cm/s y $\bar{x}_2 = 24$ cm/s. Construya un intervalo con 99 por ciento de confianza respecto a la diferencia de medias de la tasa de quemado.

**10-35** Dos formulaciones diferentes de gasolina sin plomo se están probando para estudiar sus números de octanaje. La varianza del número de octanaje para la formulación 1 es $\sigma_1^2 = 1.5$ y para la formulación 2, $\sigma_2^2 = 1.2$. Se prueban dos muestras aleatorias de tamaño $n_1 = 15$ y $n_2 = 20$, y los números de octanaje medios son $\bar{x}_1 = 89.6$ y $\bar{x}_2 = 92.5$. Construya un intervalo de confianza de dos lados del 95 por ciento respecto a la diferencia en las medias de los números de octanaje.

**10-36** Un ingeniero civil está probando la resistencia compresiva de concreto. Realiza la prueba con 16 especímenes, y obtiene los siguientes datos:

| | | | |
|---|---|---|---|
| 2216 | 2237 | 2249 | 2204 |
| 2225 | 2301 | 2281 | 2263 |
| 2318 | 2255 | 2275 | 2295 |
| 2250 | 2238 | 2300 | 2217 |

*a)* Construya un intervalo de confianza de dos lados del 95 por ciento respecto a la resistencia media.

*b)* Construya un intervalo de confianza inferior del 95 por ciento respecto a la resistencia media.

*c)* Construya un intervalo de confianza de dos lados del 95 por ciento respecto a la resistencia media suponiendo que $\alpha = 36$. Compare este intervalo con el de la parte *a)*.

**10-37** Una máquina produce barras metálicas que se usan en el sistema de suspensión de un automóvil. Se selecciona un muestra aleatoria de 15 barras y se mide el diámetro. Los datos resultantes se muestran a continuación. Suponga que el diámetro de las barras se distribuye normalmente. Construya un intervalo de confianza de dos lados del 95 por ciento respecto al diámetro de barra medio.

| | | |
|---|---|---|
| 8.24 mm | 8.23 mm | 8.20 mm |
| 8.21 | 8.20 | 8.28 |
| 8.23 | 8.26 | 8.24 |
| 8.25 | 8.19 | 8.25 |
| 8.26 | 8.23 | 8.24 |

**10-38** Un ingeniero de control de calidad midió el espesor de la pared de 25 botellas de vidrio de dos litros. La media de la muestra fue $\bar{x} = 4.05$ mm y la desviación estándar de la muestra $s = .08$ mm. Determine un intervalo de confianza inferior del 90 por ciento respecto al espesor de pared medio.

**10-39** Un ingeniero industrial está interesado en estimar el tiempo medio requerido para ensamblar una tarjeta de circuito impreso. ¿Qué tan grande debe ser la muestra si el ingeniero desea tener una confianza del 95 por ciento de que el error en la estimación de la media es menor que .25 minutos? La desviación estándar del tiempo de ensamble es .45 minutos.

**10-40** Una muestra aleatoria de tamaño 15 de una población normal tiene media $\bar{x} = 550$ y varianza $s^2 = 49$. Determine lo siguiente:

a) Un intervalo de confianza de dos lados del 95 por ciento respecto a $\mu$.
b) Un intervalo de confianza inferior del 95 por ciento respecto a $\mu$.
c) Un intervalo de confianza superior del 95 por ciento respecto a $\mu$.

**10-41** Una máquina de bebidas preparadas se ajusta para que agregue cierta cantidad de jarabe en una cámara donde éste se mezcla con agua carbonatada. Se encuentra que una muestra aleatoria de 20 bebidas tiene un contenido de jarabe medio de $\bar{x} = 1.10$ onzas líquidas y una desviación estándar de $s = .025$ onzas líquidas. Obtenga un intervalo de confianza de dos lados del 90 por ciento respecto a la cantidad media de jarabe mezclado con cada bebida.

**10-42** Dos muestras aleatorias independientes de tamaños $n_1 = 18$ y $n_2 = 20$ se toman de dos poblaciones normales. Las medias de las muestras son $\bar{x}_1 = 200$ y $\bar{x}_2 = 190$. Sabemos que las varianzas son $\sigma_1^2 = 15$ y $\sigma_2^2 = 12$. Encuentre lo siguiente:
a) Un intervalo de confianza de dos lados del 95 por ciento respecto a $\mu_1 - \mu_2$.
b) Un intervalo de confianza inferior del 95 por ciento en $\mu_1 - \mu_2$.
c) Un intervalo de confianza superior del 95 por ciento en $\mu_1 - \mu_2$.

**10-43** El voltaje de salida de dos tipos diferentes de transformadores se está investigando. Diez transformadores de cada tipo se seleccionan al azar y se mide el voltaje. Las medias de muestra son $\bar{x}_1 = 12.13$ volts y $\bar{x}_2 = 12.05$ volts. Sabemos que las varianzas del voltaje de salida para los dos tipos de transformadores son $\sigma_1^2 = .7$ y $\sigma_2^2 = .8$, respectivamente. Construya un intervalo de confianza de dos lados del 95 por ciento respecto a la diferencia en el voltaje medio.

**10-44** Se tomaron muestras aleatorias de tamaño 20 de dos poblaciones normales independientes. Las medias y las desviaciones estándar de las muestras fueron $\bar{x}_1 = 22.0$, $s_1 = 1.8$, $\bar{x}_2 = 21.5$ y $s_2 = 1.5$. Suponiendo que $\sigma_1^2 = \sigma_2^2$, obtenga lo siguiente:
a) Un intervalo de confianza de dos lados del 95 por ciento respecto a $\mu_1 - \mu_2$.
b) Un intervalo de confianza superior del 95 por ciento respecto a $\mu_1 - \mu_2$.
c) Un intervalo de confianza inferior del 95 por ciento respecto a $\mu_1 - \mu_2$.

**10-45** Se está investigando el diámetro de barras de acero manufacturadas en diferentes máquinas de extrusión. Se seleccionan dos muestras aleatorias de tamaños $n_1 = 15$ y $n_2 = 18$, y las medias y varianzas de muestra son $\bar{x}_1 = 8.73$, $s_1^2 = .30$, $\bar{x}_2 = 8.68$ y $s_2^2 = .34$, respectivamente. Suponiendo que $\sigma_1^2 = \sigma_2^2$, construya un intervalo de confianza de dos lados del 95 por ciento respecto a la diferencia en los diámetros de barra medios.

**10-46** Se extraen muestras aleatorias de tamaños $n_1 = 15$ y $n_2 = 10$ de dos poblaciones normales independientes. Las medias y varianzas de las muestras son $\bar{x}_1 = 300$, $s_1^2 = 16$, $\bar{x}_2 = 325$, $s_2^2 = 49$. Suponiendo que $\sigma_1^2 \neq \sigma_2^2$, construya un intervalo de confianza de dos lados del 95 por ciento en $\mu_1 - \mu_2$.

**10-47** Considere los datos en el ejercicio 10-36. Construya lo siguiente:

    *a)*   Un intervalo de confianza de dos lados del 95 por ciento en $\sigma^2$.

    *b)*   Un intervalo de confianza inferior del 95 por ciento en $\sigma^2$.

    *c)*   Un intervalo de confianza superior del 95 por ciento en $\sigma^2$.

**10-48** Considere los datos en el ejercicio 10.37. Construya lo siguiente:
    *a)*   Un intervalo de confianza de dos lados del 99 por ciento en $\sigma^2$.
    *b)*   Un intervalo de confianza inferior del 99 por ciento en $\sigma^2$.
    *c)*   Un intervalo de confianza superior del 99 por ciento en $\sigma^2$.

**10-49** Construya un intervalo de confianza de dos lados del 95 por ciento respecto a la varianza de los datos del espesor de pared en el ejercicio 10-38.

**10-50** En una muestra aleatoria de 100 bombillas eléctricas, se encontró que la desviación estándar de muestra de la vida de las mismas era de 12.6 horas. Calcule un intervalo de confianza superior del 90 por ciento respecto a la varianza de la vida de las bombillas.

**10-51** Considere los datos en el ejercicio 10-44. Construya un intervalo de confianza de dos lados del 95 por ciento respecto al cociente de las varianzas de población $\sigma_1^2/\sigma_2^2$.

**10-52** Considere los datos en el ejercicio 10-45. Construya lo siguiente:
    *a)*   Un intervalo de confianza de dos lados del 90 por ciento en $\sigma_1^2/\sigma_2^2$.
    *b)*   Un intervalo de confianza de dos lados del 95 por ciento en $\sigma_1^2/\sigma_2^2$. Compare el ancho de este intervalo con el ancho del intervalo en la parte *a)*.
    *c)*   Un intervalo de confianza inferior del 90 por ciento en $\sigma_1^2/\sigma_2^2$.
    *d)*   Un intervalo de confianza superior del 90 por ciento en $\sigma_1^2/\sigma_2^2$.

**10-53** Construya un intervalo de confianza de dos lados del 95 por ciento respecto al cociente de las varianzas $\sigma_1^2/\sigma_2^2$ utilizando los datos en el ejercicio 10-46.

**10-54** De 1000 casos seleccionados al azar de cáncer en el pulmón, 823 terminaron en muerte. Construya un intervalo de confianza de dos lados del 95 por ciento respecto a la tasa de mortalidad de cáncer en el pulmón.

**10-55** ¿Qué tan grande debe ser una muestra en el ejercicio 10-54 para tener una confianza del 95 por ciento de que el error en la estimación de la tasa de mortalidad de cáncer en el pulmón sea menor que .03?

**10-56** Un fabricante de calculadoras electrónicas está interesado en estimar la fracción de unidades defectuosas que se producen. Una muestra aleatoria de 800 calculadoras incluye 18 defectuosas. Calcule un intervalo de confianza superior del 99 por ciento respecto a la fracción de unidades defectuosas.

**10-57** Se lleva a cabo un estudio para determinar el porcentaje de propietarios de casa que poseen al menos dos aparatos de televisión. ¿Qué tan grande debe ser la muestra si se desea tener una confianza del 99 por ciento de que el error al estimar está cantidad sea menor que .01?

**10-58** Se está realizando un estudio para determinar la eficacia de una vacuna contra el moquillo de cerdo. Se aplicó la vacuna a una muestra aleatoria de 3000 sujetos, y de este grupo 130 contrajeron la enfermedad. Un grupo de control de 2500 sujetos seleccionados al azar no fue vacunado, y de este grupo 170 contrajeron la enfermedad. Construya un intervalo de confianza del 95 por ciento respecto a la diferencia en las proporciones $p_1 - p_2$.

**10-59** La fracción de productos defectuosos producidos por dos líneas de producción se está analizando. Una muestra aleatoria de 1000 unidades de la línea 1 tiene 10 defectuosas, en tanto que una muestra aleatoria de 1200 unidades de la línea 2 tiene 25 defectuosas. Encuentre un intervalo de confianza del 99 por ciento respecto a la diferencia de unidades defectuosas producidas por las dos líneas.

**10-60** Un científico en computadoras está investigando la utilidad de dos lenguajes de diseño diferentes en el mejoramiento de tareas de programación. A 12 programadores expertos, familiarizados con ambos lenguajes, se les pide que codifiquen una función estándar en ambos lenguajes, y se registra el tiempo en minutos. Los datos se muestran en seguida:

| | Tiempo | |
|---|---|---|
| Programador | Lenguaje de diseño 1 | Lenguaje de diseño 2 |
| 1 | 17 | 18 |
| 2 | 16 | 14 |
| 3 | 21 | 19 |
| 4 | 14 | 11 |
| 5 | 18 | 23 |
| 6 | 24 | 21 |
| 7 | 16 | 10 |
| 8 | 14 | 13 |
| 9 | 21 | 19 |
| 10 | 23 | 24 |
| 11 | 13 | 15 |
| 12 | 18 | 20 |

Encuentre un intervalo de confianza del 95 por ciento respecto a la diferencia en los tiempos de codificación medios. ¿Hay alguna indicación de que uno de los lenguajes de diseño sea preferible?

**10-61** El gerente de una flotilla de automóviles está probando dos marcas de llantas radiales. Asigna al azar una llanta de cada marca a las dos ruedas traseras de 8 autos y corre estos mismos hasta que las llantas se desgastan. Los datos se muestran a continuación (en kilómetros):

| Auto | Marca 1 | Marca 2 |
|------|---------|---------|
| 1 | 36,925 | 34,318 |
| 2 | 45,300 | 42,280 |
| 3 | 36,240 | 35,500 |
| 4 | 32,100 | 31,950 |
| 5 | 37,210 | 38,015 |
| 6 | 48,360 | 47,800 |
| 7 | 38,200 | 37,810 |
| 8 | 33,500 | 33,215 |

Encuentre un intervalo de confianza del 95 por ciento respecto a la diferencia en el millaje medio. ¿Cuál marca prefiere usted?

**10-62** Considere los datos en el ejercicio 10-38. Encuentre intervalos de confianza respecto a $\mu$ y $\sigma^2$ tales que tengamos al menos una confianza del 90 por ciento de que ambos intervalos conducen en forma simultánea a conclusiones correctas.

**10-63** Considere los datos en el ejercicio 10-44. Supóngase que una muestra aleatoria de tamaño $n_3 = 15$ se obtiene de una tercera población normal, con $\bar{x}_3 = 20.5$ y $s_3 = 1.2$. Encuentre dos intervalos de confianza de dos lados respecto a $\mu_1 - \mu_2$, $\mu_1 - \mu_3$, y $\mu_2 - \mu_3$ tales que haya al menos una probabilidad de .95 de que los tres intervalos conduzcan simultáneamente a conclusiones correctas.

# Capítulo 11

# Pruebas de hipótesis

Muchos problemas requieren decidir si se acepta o rechaza un enunciado acerca de algún parámetro. El enunciado suele llamarse hipótesis, y el procedimiento de toma de decisiones en torno a la hipótesis recibe el nombre de prueba de hipótesis. Éste es uno de los aspectos más útiles de la inferencia estadística, puesto que muchos tipos de problemas de decisión pueden formularse como problemas de prueba de hipótesis. En este capítulo se desarrollarán procedimientos de prueba de hipótesis para varias situaciones importantes.

## 11-1  Introducción

### 11-1.1  Hipótesis estadísticas

Una hipótesis estadística es un enunciado acerca de la distribución de probabilidad de una variable aleatoria. Las hipótesis estadísticas a menudo involucran uno o más parámetros de esta distribución. Por ejemplo, supóngase que estamos interesados en la resistencia compresiva media de un tipo particular de concreto. Específicamente, estamos interesados en decidir si la resistencia compresiva media (digamos $\mu$) es o no de 2500 psi. Podemos expresar esto de manera formal como

$$H_0: \mu = 2500 \text{ psi}$$
$$H_1: \mu \neq 2500 \text{ psi} \tag{11-1}$$

Al enunciado $H_0: \mu = 2500$ psi de la ecuación 11-1 se le llama *hipótesis nula*, y al enunciado $H_1: \mu \neq 2500$ psi, *hipótesis alternativa*. Puesto que la hipótesis alternativa especifica valores de $\mu$ que podrían ser o más grandes o más pequeños que 2500 psi, se le llama *hipótesis alternativa de dos lados*. En algunas situaciones, podemos estar interesados en formular una *hipótesis alternativa de un lado*, como en

$$H_0: \mu = 2500 \text{ psi}$$
$$H_1: \mu > 2500 \text{ psi}$$

$$(11\text{-}2)$$

Es importante recordar que las hipótesis son siempre enunciados relativos a la población o distribución bajo estudio, no enunciados en torno a la muestra. El valor del parámetro de la población especificado en la hipótesis nula (2500 psi en el ejemplo anterior) suele determinarse en una de tres maneras. Primero, puede resultar de la experiencia o conocimiento pasado del proceso, o incluso de experimentación previa. El objetivo de la prueba de hipótesis suele ser entonces determinar si la situación experimental ha cambiado. Segundo, este valor puede determinarse a partir de alguna teoría o modelo con respecto al objeto que se estudia. Aquí el objetivo de la prueba de hipótesis es verificar la teoría o modelo. Una tercera situación surge cuando el valor del parámetro de la población es resultado de consideraciones experimentales, tales como especificaciones de diseño o ingeniería, o de obligaciones contractuales. En esta situación, el objetivo usual de la prueba de hipótesis es la prueba de conformidad.

Estamos interesados en tomar una decisión en torno a la veracidad o falsedad de una hipótesis. Un procedimiento que conduce a tal decisión se llama *prueba de una hipótesis*. Los procedimientos de la prueba de hipótesis dependen del uso de la información en una muestra aleatoria de la población de interés. Si esta información es consistente con la hipótesis, entonces concluiríamos que la hipótesis es verdadera; sin embargo, si esta información es inconsistente con la hipótesis, concluiríamos que ésta es falsa.

Para probar una hipótesis, debemos tomar una muestra al azar, calcular una estadística de prueba apropiada a partir de los datos de la muestra, y después utilizar la información contenida en esta estadística de prueba para tomar una decisión. Por ejemplo, al probar la hipótesis nula relativa a la resistencia compresiva media de concreto en la ecuación 11-1, supóngase que se prueba una muestra aleatoria de 10 tipos de concreto y que se utiliza la media de la muestra $\bar{x}$ como una estadística de prueba. Si $\bar{x} > 2550$ psi o si $\bar{x} < 2450$ psi, consideraremos que la resistencia compresiva media de este tipo particular de concreto será diferente de 2500 psi. Esto es, *rechazaríamos* la hipótesis nula $H_0: \mu = 2500$. El rechazo de $H_0$ implica que la hipótesis alternativa es verdadera. Al conjunto de todos los valores posibles de $\bar{x}$ que son más grandes que 2550 psi o menores que 2450 psi se les llama la *región crítica* o *región de rechazo* para la prueba. De modo alternativo, si $2450 \text{ psi} \leq \bar{x} \leq 2550 \text{ psi}$, entonces *aceptaríamos* la hipótesis nula $H_0: \mu = 2500$. De tal modo, el intervalo [2450 psi, 2550 psi] se llama la *región de aceptación* para la prueba. Nótese que las fronteras de la región crítica, 2450 psi y 2550 psi (llamados a menudo *valores críticos* de la estadística de prueba),

TABLA 11.1    Decisiones en la prueba de hipótesis

|                    | $H_0$ es verdadera | $H_0$ es falsa   |
| ------------------ | ------------------ | ---------------- |
| Aceptación de $H_0$ | Ningún error       | Error del tipo II |
| Rechazo de $H_0$    | Error del tipo I   | Ningún error     |

se han determinado un poco arbitrariamente. En las secciones siguientes mostraremos cómo construir una estadística de prueba apropiada para determinar la región crítica para diversas situaciones de prueba de hipótesis.

## 11-1.2    Errores de tipo I y tipo II

La decisión para aceptar o rechazar la hipótesis nula se basa en una estadística de prueba calculada a partir de los datos en una muestra aleatoria. Cuando se toma una decisión utilizando la información en una muestra aleatoria, esta decisión está sujeta a error. Pueden producirse dos tipos de errores cuando se prueban hipótesis. Si la hipótesis nula se rechaza cuando es verdadera, entonces se ha cometido un error del tipo I. Si la hipótesis nula se acepta cuando es falsa, entonces el error cometido es del tipo II. Ésta situación se describe en la tabla 11.1.

Las probabilidades de ocurrencia de los errores de tipo I y de tipo II tienen símbolos especiales:

$$\alpha = P \{\text{error tipo I}\} = P \{\text{rechazar } H_0 | H_0 \text{ es verdadera}\} \qquad (11\text{-}3)$$

$$\beta = P \{\text{error tipo I}\} = P \{\text{aceptar } H_0 | H_0 \text{ es falsa}\} \qquad (11\text{-}4)$$

Algunas veces es más conveniente trabajar con la *potencia* de la prueba, donde

$$\text{Potencia} = 1 - \beta = P \{\text{rechazar } H_0 | H_0 \text{ es falsa}\} \qquad (11\text{-}5)$$

Adviértase que la potencia de la prueba es la probabilidad de que una hipótesis nula falsa se rechace correctamente. Debido a que los resultados de un prueba de hipótesis están sujetos a error, no podemos "probar" o "desaprobar" una hipótesis estadística. Sin embargo, es posible designar procedimientos de prueba que controlen las probabilidades de error $\alpha$ y $\beta$ a valores adecuadamente pequeños.

La probabilidad $\alpha$ del error de tipo I a menudo se llama *nivel* o *tamaño de significación* de la prueba. En el ejemplo de la prueba de concreto, podría ocurrir un error de tipo I si definimos que la media de la muestra $\overline{x} > 2550$ psi o si $\overline{x} < 2450$ psi, cuando de hecho la resistencia compresiva media verdadera es $\mu = 2500$ psi. En general, la probabilidad del error de tipo I está controlada por la localización de la región crítica. Por consiguiente, suele ser sencillo en la práctica para el analista fijar la probabilidad del error de tipo I en (o cerca de) cualquier valor deseado. Puesto que la probabilidad de rechazar en forma errónea $H_0$ está controlada directamente por el que toma las decisiones, el rechazo de $H_0$ siempre es una *conclusión fuerte*. Supóngase ahora que la hipótesis nula $H_0$: $\mu =$ 2550 psi es falsa. Esto es, la resistencia compresiva media verdadera $\mu$ es algún otro valor diferente a 2500 psi. La probabilidad del error de tipo II no es constante sino que depende de la resistencia compresiva media verdadera del concreto. Si $\mu$ denota la verdadera resistencia compresiva media, entonces $\beta(\mu)$ denota la probabilidad del error de tipo II correspondiente a $\mu$. La función $\beta(\mu)$ se evalúa encontrando la probabilidad de que la estadística de prueba (en este caso $\overline{x}$) caiga en la región de aceptación dado un valor particular de $\mu$. Definimos la *curva característica de operación* (o curva CO) de una prueba como la gráfica de $\beta(\mu)$ contra $\mu$. Un ejemplo de una curva característica de operación para el ejemplo de la prueba de concreto se presenta en la figura 11.1. A partir de esta curva, vemos que la probabilidad del error de tipo II depende del grado al cual $H_0$: $\mu = 2500$ psi es falsa. Por ejemplo, nótese que $\beta(2700) < \beta(2600)$. De tal modo podemos considerar a la probabilidad del error de tipo II como una medida de la capacidad de un procedimiento de prueba para detectar una desviación particular respecto de la hipótesis nula $H_0$. Las desviaciones pequeñas son más difíciles de detectar que las grandes. Observamos también que, puesto que ésta es una hipótesis alternativa de dos lados, la curva característica de operación es simétrica; esto es, $\beta(2400) = \beta(2600)$. Además, cuando $\mu = 2500$ la probabilidad del error de tipo II $\beta = 1 - \alpha$.

La probabilidad del error de tipo II es también una función del tamaño de la muestra, como se ilustra en la figura 11.2. De esta figura, vemos que para un valor dado de la probabilidad $\alpha$ del error de tipo I y un valor dado de la resistencia compresiva media, la probabilidad del error de tipo II disminuye conforme aumenta el tamaño $n$ de la muestra. Esto es, una desviación especificada de la

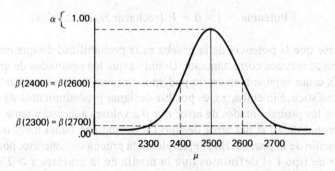

**Figura 11.1**  Curva característica de operación para el ejemplo de la prueba del concreto.

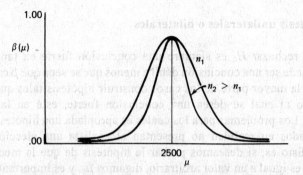

**Figura 11.2** Efecto del tamaño de muestra de la curva característica de operación.

media verdadera respecto al valor especificado en la hipótesis nula es más fácil de detectar para tamaños grandes de muestras que para pequeños. El efecto de la probabilidad $\alpha$ del error de tipo I sobre la probabilidad $\beta$ del error de tipo II para un tamaño dado de muestra $n$ se ilustra en la figura 11.3. La disminución de $\alpha$ provoca que $\beta$ aumente, y el incremento de $\alpha$ ocasiona que $\beta$ disminuya.

Debido a que la probabilidad $\beta$ del error de tipo II es una función tanto del tamaño de muestra como del grado al que es falsa la hipótesis nula $H_0$, es común considerar a la decisión de aceptar $H_0$ como una *conclusión débil*, a menos que sepamos que $\beta$ es aceptablemente pequeña. Por tanto, en vez de decir que "aceptamos $H_0$", preferimos la terminología *"no se rechaza $H_0$"*. El no rechazar $H_0$ implica que no hemos encontrado la evidencia suficiente para rechazarla, esto es, para hacer un enunciado fuerte. De tal modo, no rechazar $H_0$ no necesariamente significa que hay una alta probabilidad de que sea verdadera. Esto puede implicar que se requieran más datos para llegar a una conclusión fuerte. Lo anterior puede tener importantes implicaciones para la formulación de hipótesis.

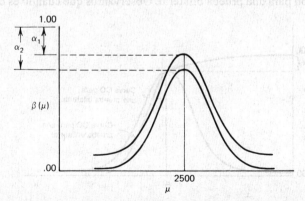

**Figura 11.3** Efecto del error de tipo I en la curva característica de operación.

### 11-1.3   Hipótesis unilaterales o bilaterales

Debido a que rechazar $H_0$ es siempre una conclusión fuerte en tanto que no rechazar $H_0$ puede ser una conclusión débil a menos que se sepa que $\beta$ es pequeña, preferimos en la mayor parte de los casos construir hipótesis tales que el enunciado en torno al cual se desea una conclusión fuerte, esté en la hipótesis alternativa $H_1$. Los problemas para los cuales es apropiada una hipótesis alternativa de dos lados en realidad no presentan al analista una elección para la formulación. Esto es, si deseamos probar la hipótesis de que la media de una distribución $\mu$ es igual a un valor arbitrario, digamos $\mu_0$, y es importante detectar valores de la media verdadera $\mu$ que podrían ser más grandes o más pequeños que $\mu_0$, entonces debe utilizarse la alternativa de dos lados en

$$H_0: \mu = \mu_0$$
$$H_1: \mu \neq \mu_0$$

Muchos problemas de pruebas de hipótesis involucran de manera natural las hipótesis alternativas de un lado. Por ejemplo, supóngase que deseamos rechazar $H_0$ sólo cuando el valor verdadero de la media supera a $\mu_0$. Las hipótesis serían

$$H_0: \mu = \mu_0$$
$$H_1: \mu > \mu_0 \tag{11-6}$$

Esto implicaría que la región crítica se localiza en la cola superior de la distribución de la estadística de prueba. Esto es, si la decisión se basara en el valor de la media de muestra $\bar{x}$, entonces rechazaríamos $H_0$ en la ecuación 11-6 si $\bar{x}$ es demasiado grande. La curva característica de operación para la prueba correspondiente a esta hipótesis se muestra en la figura 11.4, junto con la curva característica de operación para una prueba bilateral. Observamos que cuando es cierto que

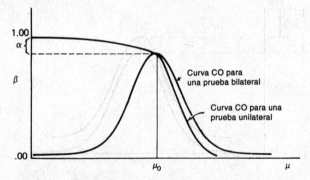

**Figura 11.4**   Curvas características de operación para las pruebas bilaterales y unilaterales.

la media verdadera $\mu$ supera $\mu_0$ (esto es, la hipótesis alternativa $H_1$: $\mu > \mu_0$), la prueba unilateral es superior a la prueba bilateral en el sentido de que tiene una curva característica de operación con pendiente más pronunciada. Cuando la media verdadera $\mu = \mu_0$, las pruebas unilaterales y bilaterales son equivalentes. Sin embargo, cuando la media verdadera $\mu$ es menor que $\mu_0$, las dos curvas características de operación difieren. Si $\mu < \mu_0$, la prueba bilateral tiene una mayor probabilidad de detectar esta desviación respecto a $\mu_0$, que la prueba unilateral. Esto es intuitivamente atrayente, ya que la prueba unilateral está diseñada suponiendo que $\mu$ no puede ser menor que $\mu_0$ o bien que, si es menor que $\mu_0$, sería deseable aceptar la hipótesis nula.

De hecho hay dos modelos diferentes que pueden emplearse para la hipótesis alternativa unilateral. En el caso en el que la hipótesis alternativa es $H_1$: $\mu > \mu_0$, estos dos modelos son

$$H_0: \mu = \mu_0$$
$$H_1: \mu > \mu_0 \tag{11-7}$$

y

$$H_0: \mu \leq \mu_0$$
$$H_1: \mu > \mu_0 \tag{11-8}$$

En la ecuación 11-1, estamos suponiendo que $\mu$ no puede ser menor que $\mu_0$, y la curva característica de operación no está definida para valores de $\mu < \mu_0$. En la ecuación 11-8, suponemos que $\mu$ puede ser menor que $\mu_0$ y que en una situación tal sería deseable aceptar $H_0$. De modo que para la ecuación 11-8, la curva característica de operación se define para todos los valores de $\mu \leq \mu_0$. Específicamente, si $\mu \leq \mu_0$, tenemos $\beta(\mu) = 1 - \alpha(\mu)$, donde $\alpha(\mu)$ es el nivel de significación como una función de $\mu$. En situaciones en las que el modelo de la ecuación 11-8 es apropiado, definimos el nivel de significación de una prueba como el valor máximo de la probabilidad $\alpha$ del error de tipo I; esto es, el valor de $\alpha$ en $\mu = \mu_0$. En situaciones en las que sea apropiada la hipótesis alternativa unilateral, escribiremos usualmente la hipótesis nula con la igualdad; por ejemplo, $H_0$: $\mu = \mu_0$. Esto se interpretará como la inclusión de los casos $H_0$: $\mu \leq \mu_0$ o $H_0$: $\mu \geq \mu_0$, cuando sea apropiado.

En los problemas en que se indican procedimientos de prueba unilateral, los analistas en ocasiones tienen dificultades para la elección de una formulación apropiada de la hipótesis alternativa. Por ejemplo, supóngase que un embotellador de refrescos compra botellas no retornables de 10 onzas a una compañía vidriera. El embotellador desea tener la certeza de que las botellas superarán la especificación relativa a la presión interna media o resistencia al rompimiento, que para las botellas de 10 onzas es de 200 psi. El embotellador ha decidido formular el procedimiento de decisión para un lote específico de botellas como un problema de hipótesis. Hay dos formulaciones posibles para este problema.

$$H_0: \mu \leq 200 \text{ psi}$$
$$H_1: \mu > 200 \text{ psi} \tag{11-9}$$

o

$$H_0: \mu \geq 200 \text{ psi}$$
$$H_1: \mu < 200 \text{ psi} \tag{11-10}$$

Considérese la formulación de la ecuación 11-9. Si se rechaza la hipótesis nula, las botellas serán juzgadas satisfactorias; en tanto que si $H_0$ no se rechaza, la implicación es que las botellas no se apegan a las especificaciones y no serán utilizadas. Debido a que el rechazo de $H_0$ es una conclusión fuerte, esta formulación obliga a que el fabricante de las botellas "demuestre" que la resistencia media al rompimiento de las botellas supera la especificación. Considérese ahora la formulación de la ecuación 11-10. En esta situación, las botellas se juzgarán satisfactorias *a menos* que $H_0$ se rechace. Esto es, concluiríamos que las botellas son satisfactorias a menos que haya una evidencia fuerte de lo contrario.

¿Cuál de las formulaciones es correcta, la de la ecuación 11-9 o la correspondiente a la ecuación 11-10? La respuesta es "depende". Para la ecuación 11-9, hay cierta probabilidad de que $H_0$ sea aceptada (esto es, decidiríamos que las botellas no son satisfactorias), aun cuando la media verdadera sea ligeramente mayor que 200 psi. Esta formulación implica que deseamos que el fabricante de las botellas *demuestre* que el producto cumple o supera nuestras especificaciones. Una formulación de tales características podría ser apropiada si el fabricante ha enfrentado dificultades para cumplir las especificaciones en el pasado, o si las consideraciones de seguridad del producto nos obligan a mantener estrictamente la especificación de 200 psi. Por otra parte, en lo que respecta a la formulación de la ecuación 11-10 hay cierta probabilidad de que $H_0$ se aceptará y de que se juzgarán satisfactorias las botellas, aun cuando la media verdadera sea ligeramente menor que 200 psi. Concluiríamos que las botellas no son satisfactorias sólo cuando haya una fuerte evidencia de que la media no supera 200 psi; esto es, cuando $H_0: \mu \geq 200$ psi se rechace. Esta formulación supone que estamos relativamente contentos con el rendimiento pasado del fabricante de botellas y que las pequeñas desviaciones respecto a la especificación de $\mu \geq 200$ psi no son perjudiciales.

Al formular hipótesis alternativas de un lado, debemos recordar que el rechazo de $H_0$ es siempre una conclusión fuerte, y que, en consecuencia, debemos enunciar su importancia al hacer una conclusión fuerte en la hipótesis alternativa. A menudo esto dependerá de nuestro punto de vista y experiencia con la situación.

## 11-2  Pruebas de hipótesis sobre la media, con varianza conocida

### 11-2.1  Análisis estadístico

Supóngase que la variable aleatoria $X$ representa algún proceso o población de interés. Suponemos que la distribución de $X$ es normal o que, si no lo es, se cumplen las condiciones del teorema central del límite. Además, consideramos que se desconoce la media $\mu$ pero que se conoce la varianza $\sigma^2$. Estamos interesados en probar la hipótesis

$$H_0: \mu = \mu_0$$
$$H_1: \mu \neq \mu_0 \tag{11-11}$$

donde $\mu_0$ es una constante especificada.

Se dispone de una muestra aleatoria de tamaño $n$, $X_1, X_2, \ldots, X_n$. Cada observación de esta muestra tiene una media $\mu$ desconocida y una varianza $\sigma^2$ conocida. El procedimiento de prueba para $H_0: \mu = \mu_0$ utiliza la estadística de prueba

$$Z_0 = \frac{\overline{X} - \mu_0}{\sigma/\sqrt{n}} \tag{11-12}$$

Si la hipótesis nula $H_0: \mu = \mu_0$, es cierta, entonces $E(\overline{X}) = \mu_0$, y resulta que la distribución de $Z_0$ es $N(0, 1)$. En consecuencia, si $H_0: \mu = \mu_0$ es verdadera, la probabilidad de que un valor de la estadística de prueba $Z_0$ caiga entre $-Z_{\alpha/2}$ y $Z_{\alpha/2}$ es $1 - \alpha$, donde $Z_{\alpha/2}$ es el punto porcentual de la distribución normal estándar tal que $P\{Z \geq Z_{\alpha/2}\} = \alpha/2$ (esto es, $Z_{\alpha/2}$ es el punto del $100\ \alpha/2$ por ciento de la distribución normal estándar). La situación se ilustra en la figura 11.5. Nótese que $\alpha$ es la probabilidad de que un valor de la estadística de prueba $Z_0$ caería en la región $Z_0 > Z_{\alpha/2}$ o $Z_0 < -Z_{\alpha/2}$ cuando $H_0: \mu = \mu_0$ es verdadera. Es claro que

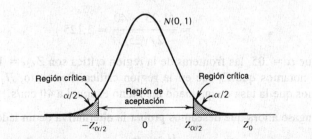

**Figura 11.5**  La distribución de $Z_0$, cuando $H_0: \mu = \mu_0$ es verdadera.

sería inusual una muestra que produzca un valor de la estadística de prueba que cae en las colas de la distribución de $Z_0$ si $H_0$: $\mu = \mu_0$ es verdadera; esto también es una indicación de que $H_0$ es falsa. De tal modo, debemos rechazar $H_0$ si

$$Z_0 > Z_{\alpha/2} \qquad (11\text{-}13a)$$

o

$$Z_0 < -Z_{\alpha/2} \qquad (11\text{-}13b)$$

y no rechazar $H_0$ si

$$-Z_{\alpha/2} \leq Z_0 \leq Z_{\alpha/2} \qquad (11\text{-}14)$$

La ecuación 11-14 define la *región de aceptación* para $H_0$ y la ecuación 11-13 define la *región crítica* o *región de rechazo*. La probabilidad del error de tipo I para este procedimiento de prueba es $\alpha$.

**Ejemplo 11.1**   Se está estudiando la tasa de quemado de un propulsor a chorro. Las especificaciones requieren que la tasa media de quemado sea 40 cm/s. Además, supóngase que sabemos que la desviación estándar de la tasa de quemado es aproximadamente de 2 cm/s. El experimentador decide especificar una probabilidad de error de tipo I $\alpha = .05$, y él basará la prueba en una muestra aleatoria de tamaño $n = 25$. Las hipótesis que deseamos probar son

$$H_0: \mu = 40 \text{ cm/s}$$
$$H_1: \mu \neq 40 \text{ cm/s}$$

Se prueban veinticinco especímenes, y la tasa de quemado media de muestra que se obtiene es $\bar{x} = 41.25$ cm/s. El valor de la estadística de prueba en la ecuación 11-12 es

$$Z_0 = \frac{\bar{x} - \mu_0}{\sigma/\sqrt{n}}$$

$$= \frac{41.25 - 40}{2/\sqrt{25}} = 3.125$$

Puesto que $\alpha = .05$, las fronteras de la región crítica son $Z_{.025} = 1.96$ y $-Z_{.025} = -1.96$, y notamos que $Z_0$ cae en la región crítica. Por tanto, $H_0$ se rechaza, y concluimos que la tasa de quemado media no es igual a 40 cm/s.

Supóngase ahora que deseamos probar la alternativa de un lado, digamos

$$H_0: \mu = \mu_0$$
$$H_1: \mu > \mu_0 \qquad (11\text{-}15)$$

(Adviértase que también podríamos escribir $H_0$: $\mu \le \mu_0$). Al definir la región crítica para esta prueba, observamos que un valor negativo de la estadística de prueba $Z_0$ nunca nos conduciría a concluir que $H_0$: $\mu = \mu_0$ es falsa. Por tanto, colocaríamos la región crítica en la cola superior de la distribución $N(0, 1)$ y rechazaríamos $H_0$ en valores de $Z_0$ que son demasiado grandes. Esto es, rechazaríamos $H_0$ si

$$Z_0 > Z_\alpha \tag{11-16}$$

De modo similar, para probar

$$H_0: \mu = \mu_0$$
$$H_1: \mu < \mu_0 \tag{11-17}$$

calcularíamos la estadística de prueba $Z_0$ y rechazaríamos $H_0$ en valores de $Z_0$ que son demasiado pequeños. Esto es, la región crítica está en la cola inferior de la distribución $N(0, 1)$, y rechazamos $H_0$ si

$$Z_0 < -Z_\alpha \tag{11-18}$$

### 11-2.2  Elección del tamaño de la muestra

Al probar las hipótesis de las ecuaciones 11-1, 11-15 y 11-17, el analista selecciona directamente la probabilidad $\alpha$ del error de tipo I. Sin embargo, la probabilidad $\beta$ del error de tipo II depende de la elección del tamaño de muestra. En esta sección, mostraremos cómo seleccionar el tamaño de muestra para llegar a un valor especificado de $\beta$.

Considérense las hipótesis de dos lados

$$H_0: \mu = \mu_0$$
$$\mu_1: \mu \ne \mu_0$$

Supóngase que la hipótesis nula es falsa y que el valor verdadero de la media es $\mu = \mu_0 + \delta$, por ejemplo, donde $\delta > 0$. Ahora bien, puesto que $H_1$ es verdadera, la distribución de la estadística de prueba $Z_0$ es

$$Z_0 \sim N\left(\frac{\delta\sqrt{n}}{\sigma}, 1\right) \tag{11-19}$$

La distribución de la estadística de prueba $Z_0$ respecto tanto a hipótesis nula $H_0$ como a la alternativa $H_1$ se muestra en la figura 11.6. Del examen de esta figura, notamos que si $H_1$ es verdadera, se presentará un error del tipo II sólo si $-Z_{\alpha/2} \le Z_0 \le Z_{\alpha/2}$, donde $Z_0 \sim N(\delta\sqrt{n}/\sigma, 1)$. Esto es, la probabilidad $\beta$ del error

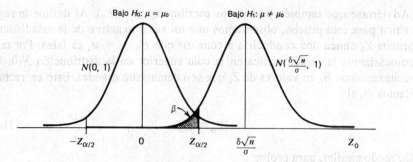

**Figura 11.6**  Distribución de $Z_0$ bajo $H_0$ y $H_1$.

de tipo II es la probabilidad de que $Z_0$ caiga entre $-Z_{\alpha/2}$ y $Z_{\alpha/2}$ *dado que* $H_1$ *es verdadera*. Esta probabilidad se muestra como la porción sombreada en la figura 11.6. Expresada en forma matemática, esta probabilidad es

$$\beta = \Phi\left( Z_{\alpha/2} - \frac{\delta\sqrt{n}}{\sigma} \right) - \Phi\left( -Z_{\alpha/2} - \frac{\delta\sqrt{n}}{\sigma} \right) \qquad (11\text{-}20)$$

donde $\Phi(z)$ denota la probabilidad a la izquierda de $z$ en la distribución normal estándar. Nótese que la ecuación 11-20 se obtuvo evaluando la probabilidad de que $Z_0$ caiga en el intervalo $[-Z_{\alpha/2}, Z_{\alpha/2}]$ en la distribución de $Z_0$ cuando $H_1$ es verdadera. Estos dos puntos se estandarizaron para producir la ecuación 11-20. Además, nótese que la ecuación 11-20 se cumple también si $\delta < 0$, debido a la simetría de la distribución normal.

Si bien la ecuación 11-20 podría emplearse para evaluar el error de tipo II, es más conveniente utilizar las curvas características de operación en los diagramas VI*a* y VI*b* del apéndice. En estas curvas se grafica $\beta$ de acuerdo a como se calcula con la ecuación 11-20 contra un parámetro $d$ para diversos ejemplos de tamaños $n$. Se incluyen curvas tanto para $\alpha = .05$ como para $\alpha = .01$. El parámetro $d$ se define como

$$d = \frac{|\mu - \mu_0|}{\sigma} = \frac{|\delta|}{\sigma} \qquad (11\text{-}21)$$

Hemos elegido $d$ de manera que un conjunto de curvas características de operación puede emplearse en todos los problemas independientemente del valor de $\mu_0$ y $\sigma$. Del examen de las curvas características de operación o la ecuación 11-20 y la figura 11.6 notamos que

1.  Cuanto más lejano esté el valor verdadero de la media $\mu$ de $\mu_0$, tanto menor será la probabilidad $\beta$ del error de tipo II para $n$ y $\alpha$ dados. Esto es, vemos

que para un tamaño de muestra y $\alpha$ especificados, las diferencias más grandes en la media son más fáciles de detectar que las más pequeñas.

2. Para $\delta$ y $\alpha$ dadas, la probabilidad $\beta$ del error de tipo II disminuye cuando $n$ aumenta. Esto es, para detectar una diferencia especificada en la media $\delta$, podemos hacer más eficaz la prueba aumentando el tamaño de muestra.

**Ejemplo 11.2**   Considérese el problema del propulsor a chorro en el ejemplo 11.1. Supóngase que el analista está interesado en la probabilidad del error de tipo II si la verdadera tasa media de quemado es $\mu = 41$ cm/s. Podemos utilizar las curvas características de operación para encontrar $\beta$. Nótese que $\delta = 41 - 40 = 1$, $n = 25$, $\sigma = 2$ y $\alpha = .05$. Entonces

$$d = \frac{|\mu - \mu_0|}{\sigma} = \frac{|\delta|}{\sigma} = \frac{1}{2}$$

y del diagrama VI$a$ del apéndice, con $n = 25$, encontramos que $\beta = .30$. Esto es, si la verdadera tasa de quemado media es $\mu = 41$ cm/s, entonces hay un 30% de posibilidad de que esto no sea detectado en la prueba con $n = 25$.

**Ejemplo 11.3**   Considérese de nuevo el problema del propulsor a chorro en el ejemplo 11.1. Supóngase que al analista le gustaría diseñar la prueba de modo que si la verdadera tasa media de quemado difiere de 40 cm/s en tanto como 1 cm/s, la prueba detectará esto (es decir, se rechaza $H_0$: $\mu = 40$) con una alta probabilidad, por ejemplo .90. Las curvas características de operación pueden utilizarse para determinar el tamaño de muestra que nos dará tal prueba. Puesto que $d = |\mu - \mu_0|/\sigma = 1/2$, $\alpha = .05$ y $\beta = .10$, encontramos del diagrama VI$a$ del apéndice que el tamaño de muestra requerido es $n = 40$, aproximadamente.

En general, las curvas características de operación involucran tres parámetros: $\beta$, $\delta$ y $n$. Dados cualesquiera dos de ellos, el valor del tercero puede determinarse. Hay dos aplicaciones comunes de estas curvas:

1. Para $n$ y $\delta$ dadas, obténgase $\beta$. Lo anterior se ilustró en el ejemplo 11.2. Este tipo de problema se encuentra a menudo cuando al analista le interesa la sensibilidad de un experimento que ya se ha efectuado, o cuando el tamaño de muestra se restringe por economía u otros factores.

2. Para $\beta$ y $\delta$ dadas, determínese $n$. Esto se ilustró en el ejemplo 11.3. Este tipo de problema suele encontrarse cuando el analista tiene la oportunidad de seleccionar el tamaño de muestra en el inicio del experimento.

En los diagramas VI$c$ y VI$d$ del apéndice se presentan las curvas características de operación para las alternativas de un lado. Si la hipótesis alternativa es

$H_1$: $\mu > \mu_0$, entonces la escala de la abscisa en estos diagramas es

$$d = \frac{\mu - \mu_0}{\sigma} \tag{11-22}$$

Cuando la hipótesis alternativa es $H_1$: $\mu < \mu_0$, la escala de las abscisas correspondiente es

$$d = \frac{\mu_0 - \mu}{\sigma} \tag{11-23}$$

También es posible deducir fórmulas para determinar el tamaño de muestra apropiado que debe usarse para obtener un valor particular de $\beta$ respecto a $\delta$ y $\alpha$ dadas. Estas fórmulas son alternativas relativas al empleo de curvas características de operación. Para las hipótesis alternativas de dos lados, sabemos de la ecuación 10-20 que

$$\beta = \Phi\left(Z_{\alpha/2} - \frac{\delta\sqrt{n}}{\sigma}\right) - \Phi\left(-Z_{\alpha/2} - \frac{\delta\sqrt{n}}{\sigma}\right),$$

o si $\delta > 0$,

$$\beta \simeq \Phi\left(Z_{\alpha/2} - \frac{\delta\sqrt{n}}{\sigma}\right) \tag{11-24}$$

puesto que $\Phi(-Z_{\alpha/2} - \delta\sqrt{n}/\sigma) \simeq 0$ cuando $\delta$ es positiva. De la ecuación 11-24, tenemos

$$-Z_\beta \simeq Z_{\alpha/2} - \frac{\delta\sqrt{n}}{\sigma}$$

o

$$n \simeq \frac{(Z_{\alpha/2} + Z_\beta)^2\sigma^2}{\delta^2} \tag{11-25}$$

Ésta es una buena aproximación cuando $\Phi(-Z_{\alpha/2} - \delta\sqrt{n}/\sigma)$ es pequeña comparada con $\beta$. Para cualquiera de las hipótesis alternativas de un lado en la ecuación 11-15 o en la 11-17, el tamaño de muestra que se requiere para producir un error del tipo II especificado con probabilidad $\beta$ dada $\delta$ es

$$n = \frac{(Z_\alpha + Z_\beta)^2\sigma^2}{\delta^2} \tag{11-26}$$

**Ejemplo 11.4**   Al regresar al problema del propulsor a chorro del ejemplo 11.3, notamos que $\sigma = 2$, $\delta = 41 - 40 = 1$, $\alpha = .05$ y $\beta = .10$. Puesto que $Z_{\alpha/2} = Z_{.025} = 1.96$ y $Z_\beta = Z_{.10} = 1.28$, el tamaño de muestra requerido para detectar esta desviación con respecto a $H_0$: $\mu = 40$ se encuentra en la ecuación 11-25 como

$$n \simeq \frac{(Z_{\alpha/2} + Z_\beta)^2 \sigma^2}{\delta^2} = \frac{(1.96 + 1.28)^2 2^2}{(1)^2} = 42$$

que guarda una cercana concordancia con el valor determinado a partir de la curva característica de operación. Obsérvese que la aproximación es buena, puesto que $\Phi(Z_{\alpha/2} - \delta\sqrt{n}/\sigma) = \Phi(1.96 - (1)\sqrt{42}/2) = \Phi(-5.20) \simeq 0$, que es pequeño en relación con $\beta$.

### 11-2.3    Relación entre la prueba de hipótesis y los intervalos de confianza

Hay una estrecha relación entre la prueba de hipótesis en torno a un parámetro $\theta$ y su intervalo de confianza. Si $[L, U]$ representa un intervalo de confianza del $100(1 - \alpha)\%$ para el parámetro, entonces la prueba de tamaño $\alpha$ de la hipótesis

$$H_0: \theta = \theta_0$$
$$H_1: \theta \neq \theta_0$$

conducirá al rechazo de $H_0$ si y sólo si $\theta_0$ no está en el intervalo $[L, U]$. A modo ilustrativo, considérese el problema del propulsor a chorro en el ejemplo 11.1. La hipótesis nula $H_0$: $\mu = 40$ se rechazó, empleando $\alpha = .05$. El intervalo de confianza de dos lados del 95% en $\mu$ para estos datos puede computarse de la ecuación 10-18 como $40.47 \leq \mu \leq 42.03$. Esto es, el intervalo $[L, U]$ es $[40.47, 42.03]$, y puesto que $\mu_0 = 40$ no está incluido en este intervalo, la hipótesis nula $H_0$: $\mu = 40$ se rechaza.

### 11-2.4    Prueba de muestras grandes con varianza desconocida

Aunque hemos desarrollado el procedimiento de prueba para la hipótesis nula $H_0$: $\mu = \mu_0$ suponiendo que se conoce $\sigma^2$, en muchas situaciones prácticas $\sigma^2$ se desconocerá. En general, si $n \geq 30$, la varianza $S^2$ de la muestra puede sustituirse por $\sigma^2$ en los procedimientos de prueba con un efecto poco perjudicial. De tal modo, en tanto contemos con una prueba para la $\sigma^2$ conocida, ésta puede convertirse con facilidad en un procedimiento de prueba de *muestra grande* para la $\sigma^2$ desconocida. El tratamiento exacto del caso en el que $\sigma^2$ se desconoce y $n$ es pequeña implica el uso de la distribución $t$ y se pospondrá hasta la sección 11-4.

### 11-2.5    Valores de $P$

Los paquetes de programas de computadora se emplean con frecuencia para la prueba de hipótesis estadística. La mayor parte de estos programas calculan y

presentan la probabilidad de que la estadística de prueba tomará un valor al menos
tan extremo como el valor observado en ella cuando $H_0$ es verdadera. Esta probabilidad suele llamarse el *valor de P*. Éste representa el nivel de significación
más pequeño que conduciría al rechazo de $H_0$. En consecuencia, si $P = .04$ se
presenta en la salida de computadora, la hipótesis nula se rechazaría en el nivel
$\alpha = .05$ pero no en el $\alpha = .01$. En general, si $P$ es menor o igual que $\alpha$,
rechazaríamos $H_0$, en tanto que si $P$ supera a $\alpha$ no rechazaríamos $H_0$.

Se acostumbra llamar a la estadística de prueba (y a los datos) significativa
cuando se rechaza la hipótesis nula, por lo que podemos considerar el valor de $P$
como el nivel $\alpha$ más pequeño en el que los datos son significativos. Una vez que
se conoce el valor de $P$, el que toma las decisiones puede determinar por sí mismo
qué tan significativos son los datos sin que el analista de estos últimos imponga
formalmente un nivel de significación preseleccionado.

No siempre es fácil calcular el valor exacto de $P$ de una prueba. Sin embargo,
para las pruebas de las distribuciones normales anteriores (y en la sección 11-3)
es relativamente simple. Si $Z_0$ es el valor calculado de la estadística de prueba $Z$,
entonces el valor de $P$ es

$$P = \begin{cases} 2[1 - \Phi(|Z_0|)] & \text{para una prueba de dos colas} \\ 1 - \Phi(Z_0) & \text{para una prueba de cola superior} \\ \Phi(Z_0) & \text{para una prueba de cola inferior} \end{cases}$$

A modo ilustrativo, considérese el problema del propulsor a chorro en el ejemplo
11.1. El valor calculado de la estadística de prueba es $Z_0 = 3.125$ y puesto que la
hipótesis alternativa es de dos colas, el valor de $P$ es

$$P = 2[1 - \Phi(3.125)] = .0018$$

Por consiguiente, $H_0$: $\mu = 40$ se rechazaría en cualquier nivel de significación
$\alpha \geq P = .0018$. Por ejemplo, $H_0$ se rechazaría si $\alpha = .01$, pero eso no ocurriría
si $\alpha = .001$.

## 11-3  Pruebas de hipótesis sobre la igualdad de dos medias, con varianzas conocidas

### 11-3.1  Análisis estadístico

Supóngase que hay dos poblaciones de interés, $X_1$ y $X_2$. Suponemos que $X_1$ tiene
media desconocida $\mu_1$ y varianza conocida $\sigma_1^2$, y que $X_2$ tiene media desconocida
$\mu_2$ y varianza conocida $\sigma_2^2$. Estaremos interesados en la prueba de la hipótesis de
que las medias $\mu_1$ y $\mu_2$ sean iguales. Se considera que las variables aleatorias $X_1$

y $X_2$ se distribuyen normalmente o que si no lo hacen de esa forma se aplican las condiciones del teorema central del límite.

Considérense primero las hipótesis alternativas de dos lados

$$H_0: \mu_1 = \mu_2$$
$$H_1: \mu_1 \neq \mu_2$$

$(11\text{-}27)$

Supóngase que una muestra aleatoria de tamaño $n_1$ se toma de $X_1$, digamos $X_{11}$, $X_{12}, \ldots, X_{1n_1}$, y que se toma una segunda muestra aleatoria de tamaño $n_2$ de $X_2$, digamos $X_{21}, X_{22}, \ldots, X_{2n_2}$. Se supone que las $\{X_{1j}\}$ se distribuyen independientemente con media $\mu_1$ y varianza $\sigma_2^2$, que las $\{X_{2j}\}$ se distribuyen de manera independiente con media $\mu_2$ y varianza $\sigma_2^2$, y que las dos muestras $\{X_{1j}\}$ y $\{X_{2j}\}$ son independientes. El procedimiento de prueba se basa en la distribución de la diferencia de las medias de muestra, $\overline{X}_1 - \overline{X}_2$. En general, sabemos que

$$\overline{X}_1 - \overline{X}_2 \sim N\left(\mu_1 - \mu_2, \frac{\sigma_1^2}{n_1} + \frac{\sigma_2^2}{n_2}\right)$$

Por tanto, si la hipótesis nula $H_0: \mu_1 = \mu_2$ es verdadera, la estadística de prueba

$$Z_0 = \frac{\overline{X}_1 - \overline{X}_2}{\sqrt{\dfrac{\sigma_1^2}{n_1} + \dfrac{\sigma_2^2}{n_2}}}$$

$(11\text{-}28)$

sigue la distribución $N(0, 1)$. En consecuencia, el procedimiento para probar $H_0$: $\mu_1 = \mu_2$ es calcular la estadística de prueba $Z_0$ en la ecuación 11-28 y rechazar la hipótesis nula si

$$Z_0 > Z_{\alpha/2}$$

$(11\text{-}29a)$

o

$$Z_0 < -Z_{\alpha/2}$$

$(11\text{-}29b)$

Las hipótesis alternativas de un lado se analizan de manera similar. Para probar

$$H_0: \mu_1 = \mu_2$$
$$H_1: \mu_1 > \mu_2$$

$(11\text{-}30)$

se calcula la estadística de prueba $Z_0$ en la ecuación 11-28, y se rechaza $H_0: \mu_1 = \mu_2$ si

$$Z_0 > Z_\alpha$$

$(11\text{-}31)$

Para probar las otras hipótesis alternativas de un lado

$$H_0: \mu_1 = \mu_2$$
$$H_1: \mu_1 < \mu_2 \qquad (11\text{-}32)$$

se utiliza la estadística de prueba $Z_0$ en la ecuación 11-28 y se rechaza $H_0: \mu_1 = \mu_2$ si

$$Z_0 < -Z_\alpha \qquad (11\text{-}33)$$

**Ejemplo 11.5** La gerente de planta de una fábrica enlatadora de jugo de naranja está interesada en comparar el rendimiento de dos diferentes líneas de producción. Como la línea número 1 es relativamente nueva, sospecha que el número de cajas que se producen al día es mayor que el correspondiente a la vieja línea 2. Se toman datos al azar durante diez días para cada línea, encontrándose que $\bar{x}_1 = 824.9$ cajas por día y $\bar{x}_2 = 818.6$ cajas por día. De la experiencia con la operación de este tipo de equipo se sabe que $\sigma_1^2 = 40$ y $\sigma_2^2 = 50$. Deseamos probar

$$H_0: \mu_1 = \mu_2$$
$$H_1: \mu_1 > \mu_2$$

El valor de la estadística de prueba es

$$Z_0 = \frac{\bar{x}_1 - \bar{x}_2}{\sqrt{\dfrac{\sigma_1^2}{n_1} + \dfrac{\sigma_2^2}{n_2}}} = \frac{824.9 - 818.6}{\sqrt{\dfrac{40}{10} + \dfrac{50}{10}}} = 2.10$$

Al emplear $\alpha = .05$ encontramos que $Z_{.05} = 1.645$, y puesto que $Z_0 > Z_{.05}$, rechazaríamos $H_0$ y concluiríamos que el número medio de cajas producidas diariamente por la nueva línea de producción es mayor que el número medio de cajas producidas por la vieja línea.

### 11-3.2 Elección del tamaño de la muestra

Las curvas características de operación en los diagrama VI$a$, VI$b$, VI$c$ y VI$d$ del apéndice pueden utilizarse para evaluar la probabilidad del error de tipo II para las hipótesis en las ecuaciones 11-27, 11-30 y 11-32. Estas curvas también son útiles en la determinación del tamaño de la muestra. Se presentan las curvas para $\alpha = .05$ y $\alpha = .01$. Para la hipótesis alternativa de dos lados en la ecuación 11-27, la escala de abscisas de la curva característica de operación en los diagramas VI$a$ y VI$b$ es $d$, donde

$$d = \frac{|\mu_1 - \mu_2|}{\sqrt{\sigma_1^2 + \sigma_2^2}} = \frac{|\delta|}{\sqrt{\sigma_1^2 + \sigma_2^2}} \qquad (11\text{-}34)$$

y debemos elegir tamaños de muestra iguales, digamos $n = n_1 = n_2$. La hipótesis alternativa de un lado requiere el empleo de los diagramas VI$c$ y VI$d$. Para la alternativa de un lado $H_1$: $\mu_1 > \mu_2$ en la ecuación 11-30, la escala de abscisas es

$$d = \frac{\mu_1 - \mu_2}{\sqrt{\sigma_1^2 + \sigma_2^2}} = \frac{\delta}{\sqrt{\sigma_1^2 + \sigma_2^2}} \qquad (11\text{-}35)$$

con $n = n_1 = n_2$. La otra hipótesis alternativa de un lado, $H_1$: $\mu_1 < \mu_2$, requiere que $d$ se defina como

$$d = \frac{\mu_2 - \mu_1}{\sqrt{\sigma_1^2 + \sigma_2^2}} = \frac{\delta}{\sqrt{\sigma_1^2 + \sigma_2^2}} \qquad (11\text{-}36)$$

y $n = n_1 = n_2$.

No es raro encontrar problemas donde los costos de obtención de datos difieren en forma sustancial entre dos poblaciones, o donde una varianza de población sea mucho más grande que la otra. En esos casos, a menudo se utilizan tamaños de muestra desiguales. Si $n_1 \neq n_2$, las curvas características de operación pueden presentarse con un valor *equivalente* de $n$ calculado de

$$n = \frac{\sigma_1^2 + \sigma_2^2}{\sigma_1^2/n_1 + \sigma_2^2/n_2} \qquad (11\text{-}37)$$

Si $n_1 \neq n_2$, y sus valores se fijan de antemano, entonces se emplea la ecuación directamente para calcular $n$, y las curvas características de operación se presentan con una $d$ especificada para obtener $\beta$. Si estamos dando $d$ y es necesario determinar $n_1$ y $n_2$ para obtener una $\beta$ especificada, por ejemplo $\beta^*$, se suponen entonces valores triviales de $n_1$ y $n_2$, se calcula $n$ en la ecuación 11-37, y se presentan las curvas con el valor especificado de $d$ y se determina $\beta$. Si $\beta = \beta^*$, entonces los valores triviales de $n_1$ y $n_2$ son satisfactorios. Si $\beta \neq \beta^*$, se hacen ajustes a $n_1$ y $n_2$ y se repite el proceso.

**Ejemplo 11.6** Considérese el problema de la línea de producción de jugo de naranja del ejemplo 11.5. Si la verdadera diferencia en las tasas medias de producción fuera de 10 cajas diarias, encuéntrense los tamaños de muestra requeridos para detectar esta diferencia con probabilidad de .90. El valor apropiado del parámetro de la abscisa es

$$d = \frac{\mu_1 - \mu_2}{\sqrt{\sigma_1^2 + \sigma_2^2}} = \frac{10}{\sqrt{40 + 50}} = 1.05$$

y puesto que $\alpha = .05$, encontramos del diagrama VI$c$ que $n = n_1 = n_2 = 8$.

También es posible deducir fórmulas para obtener el tamaño de muestra requerido para determinar una $\beta$ especificada para $\delta$ y $\alpha$ dadas. Estas fórmulas son en ocasiones complementos útiles para las curvas características de operación. Para la hipótesis alternativa de dos lados, el tamaño de muestra $n_1 = n_2 = n$ es

$$n \simeq \frac{(Z_{\alpha/2} + Z_\beta)^2(\sigma_1^2 + \sigma_2^2)}{\delta^2} \tag{11-38}$$

Esta aproximación es válida cuando $\Phi(-Z_{\alpha/2} - \delta\sqrt{n}/\sqrt{\sigma_1^2 + \sigma_2^2})$ es pequeña comparada con $\beta$. Para la alternativa de un lado, tenemos $n_1 = n_2 = n$, donde

$$n = \frac{(Z_\alpha + Z_\beta)^2(\sigma_1^2 + \sigma_2^2)}{\delta^2} \tag{11-39}$$

Las derivaciones de las ecuaciones 11-38 y 11-39 siguen exactamente el caso de una sola muestra en la sección 11-2.2. Para ilustrar el empleo de estas ecuaciones, considérese la situación en el ejemplo 11.6. Tenemos una alternativa de un lado con $\alpha = .05$, $\delta = 10$, $\sigma_1^2 = 40$, $\sigma_2^2 = 50$ y $\beta = .10$. De modo que $Z_{.05} = 1.645$, $Z_\beta = 1.28$, y el tamaño de muestra requerido se encuentra de la ecuación 11-39 como

$$n = \frac{(Z_\alpha + Z_\beta)^2(\sigma_1^2 + \sigma_2^2)}{\delta^2} = \frac{(1.645 + 1.28)^2(40 + 50)}{(10)^2} = 8$$

que concuerda con los resultados obtenidos en el ejemplo 11.6.

## 11-4 Pruebas de hipótesis sobre la media de una distribución normal, con varianza desconocida

Al probarse hipótesis en relación con la media $\mu$ de una población cuando $\sigma^2$ se desconoce, podemos utilizar los procedimientos de prueba de la sección 11-2 siempre que el tamaño de muestra sea grande ($n \geq 30$, por ejemplo). Estos procedimientos son aproximadamente válidos independientemente de que la población de base sea o no normal. Sin embargo, cuando el tamaño de muestra es pequeño y se desconoce $\sigma^2$, debemos hacer una suposición en torno a la forma de la distribución de base para obtener un procedimiento de prueba. Una suposición razonable en muchos casos es que la distribución de base es normal.

Muchas poblaciones encontradas en la práctica se aproximan de manera bastante adecuada con la distribución normal, por lo que esta suposición conducirá a un procedimiento de prueba de amplia aplicabilidad. En efecto, la moderada desviación respecto a la normalidad tendrá un pequeño efecto sobre la validez de la prueba. Cuando la suposición no es razonable, podemos especificar otra distribución (exponencial, Weibull, etc.) y emplear algún método general de construcción de la prueba para obtener un procedimiento válido, o podríamos emplear una de las pruebas no paramétricas que son válidas para cualquier distribución de base (véase el capítulo 16).

### 11-4.1  Análisis estadístico

Supóngase que $X$ es una variable aleatoria distribuida normalmente con media $\mu$ y varianza $\sigma^2$ desconocidas. Deseamos probar la hipótesis de que $\mu$ es igual a una constante $\mu_0$. Nótese que esta situación es similar a la que se trató en la sección 11-2, excepto en que ahora *tanto $\mu$ como $\sigma^2$ son* desconocidas. Supóngase que se dispone de una variable aleatoria de tamaño $n$, $X_1, X_2, \ldots, X_n$, y sean $\overline{X}$ y $S^2$ la media y la varianza de la muestra, respectivamente.

Considérese que deseamos probar la alternativa de dos lados

$$H_0: \mu = \mu_0$$
$$H_1: \mu \neq \mu_0 \tag{11-40}$$

El procedimiento de prueba se basa en la estadística

$$t_0 = \frac{\overline{X} - \mu_0}{S/\sqrt{n}} \tag{11-41}$$

que sigue la distribución $t$ con $n - 1$ grados de libertad si la hipótesis nula $H_0$: $\mu = \mu_0$ es verdadera. Para probar $H_0: \mu = \mu_0$ en la ecuación 11-40, se calcula la estadística de prueba $t_0$ en la ecuación 11-41, y $H_0$ se rechaza si

$$t_0 > t_{\alpha/2, n-1} \tag{11-42a}$$

o si

$$t_0 < -t_{\alpha/2, n-1} \tag{11-42b}$$

donde $t_{\alpha/2, n-1}$ y $-t_{\alpha/2, n-1}$ son los puntos porcentuales $\alpha/2$ superior e inferior de la distribución $t$ con $n - 1$ grados de libertad.

Para la hipótesis alternativa de un lado

$$H_0: \mu = \mu_0$$
$$H_1: \mu > \mu_0 \tag{11-43}$$

calculamos la estadística de prueba $t_0$ de la ecuación 11-41 y rechazamos $H_0$ si

$$t_0 > t_{\alpha, n-1} \tag{11-44}$$

Para la otra alternativa de un lado

$$H_0: \mu = \mu_0$$
$$H_1: \mu < \mu_0$$

(11-45)

se rechazaría $H_0$ si

$$t_0 < -t_{\alpha, n-1}$$

(11-46)

**Ejemplo 11.7**   La resistencia al rompimiento de una fibra textil es una variable aleatoria distribuida normalmente. Las especificaciones requieren que la resistencia media al rompimiento deba igualar el valor de 150 psi. Al fabricante le gustaría detectar cualquier desviación significativa respecto a este valor. En consecuencia, él desea probar

$$H_0: \mu = 150 \text{ psi}$$
$$H_1: \mu \neq 150 \text{ psi}$$

Una muestra aleatoria de 15 especímenes de prueba se selecciona y se determinan sus resistencias al rompimiento. La media y la varianza de la muestra se calculan a partir de los datos de la misma como $\bar{x} = 152.18$ y $s^2 = 16.63$. Por tanto, la estadística de prueba es

$$t_0 = \frac{\bar{x} - \mu_0}{s/\sqrt{n}} = \frac{152.18 - 150}{\sqrt{16.63/15}} = 2.07$$

El error de tipo I se especifica como $\alpha = .05$. De manera que $t_{.025, 14} = 2.145$ y $-t_{.025, 14} = -2.145$, y concluiríamos que no hay evidencia suficiente para rechazar la hipótesis de que $\mu = 150$ psi.

### 11-4.2   Elección del tamaño de la muestra

La probabilidad del error de tipo II para pruebas en la media de una distribución normal con varianza desconocida depende de la distribución de la estadística de prueba en la ecuación 11-41 cuando la hipótesis nula $H_0: \mu = \mu_0$ es falsa. Cuando el valor verdadero de la media es $\mu = \mu_0 + \delta$, nótese que la estadística de prueba puede escribirse como

$$t_0 = \frac{\bar{X} - \mu_0}{S/\sqrt{n}}$$

$$= \frac{\dfrac{\left[\bar{X} - (\mu_0 + \delta)\right]\sqrt{n}}{\sigma} + \dfrac{\delta\sqrt{n}}{\sigma}}{S/\sigma}$$

$$= \frac{Z + \dfrac{\delta\sqrt{n}}{\sigma}}{W} \qquad (11\text{-}47)$$

La distribución de $Z$ y $W$ en las ecuaciones 11-47 son $N(0, 1)$ y $\sqrt{\chi^2_{n-1}/n-1}$, respectivamente, y $Z$ y $W$ son variables aleatorias independientes. Sin embargo, $\delta\sqrt{n}/\sigma$ es una constante diferente de cero, por lo que el numerador en la ecuación 11-47 es una variable aleatoria $N(\delta\sqrt{n}/\sigma, 1)$. La distribución resultante se denomina distribución $t$ *no central* con $n-1$ grados de libertad y parámetro de no centralidad $\delta\sqrt{n}/\sigma$. Nótese que si $\delta = 0$, entonces la distribución $t$ no central se reduce a la usual o distribución central $t$. Por tanto, el error de tipo II de la alternativa de dos lados (por ejemplo) sería

$$\beta = P\left\{ -t_{\alpha/2,\, n-1} \le t_0 \le t_{\alpha/2,\, n-1} | \delta \ne 0 \right\}$$

$$= P\left\{ -t_{\alpha/2,\, n-1} \le t'_0 \le t_{\alpha/2,\, n-1} \right\}$$

donde $t'_0$ denota la variable aleatoria $t$ no central. La determinación del error de tipo II para la prueba de $t$ implica encontrar la probabilidad contenida entre dos puntos en la distribución $t$ no central.

Las curvas características de operación en los diagramas VI$e$, VI$f$, VI$g$ y VI$h$ del apéndice grafican $\beta$ contra un parámetro $d$ para diversos tamaños de muestra $n$. Se brindan las curvas tanto para las alternativas bilaterales como para las unilaterales y para $\alpha = .05$ o $\alpha = .01$. Para la alternativa de dos lados en la ecuación 11-40, el factor de la escala de las abscisas $d$ en los diagramas VI$e$ y VI$f$ se define como

$$d = \frac{|\mu - \mu_0|}{\sigma} = \frac{|\delta|}{\sigma} \qquad (11\text{-}48)$$

Para las alternativas de un lado, si se desea el rechazo, $\mu > \mu_0$ como en la ecuación 11-43, utilizamos los diagramas VI$g$ y VI$h$ con

$$d = \frac{\mu - \mu_0}{\sigma} = \frac{\delta}{\sigma} \qquad (11\text{-}49)$$

en tanto que si se desea el rechazo cuando $\mu < \mu_0$, como en la ecuación 11-45

$$d = \frac{\mu_0 - \mu}{\sigma} = \frac{\delta}{\sigma} \qquad (11\text{-}50)$$

Notamos que $d$ depende del parámetro desconocido $\sigma^2$. Son varias las maneras para evitar esta dificultad. En algunos casos, podemos utilizar los resultados de un experimento previo o información anterior para hacer una estimación inicial aproximada de $\sigma^2$. Si estamos interesados en examinar la curva característica de operación después de que se han colectado los datos, podríamos emplear la varianza de la muestra $s^2$ para estimar $\sigma^2$. Si los analistas no tienen ninguna experiencia previa para extraer una estimación de $\sigma^2$, pueden definir la diferencia en la media $\delta$ que ellos desean detectar relativa a $\sigma$. Por ejemplo, si se desea detectar una pequeña diferencia en la media, es posible emplear un valor de $d = |\delta| / \sigma \leq 1$ (por ejemplo), en tanto que si uno está interesado en detectar sólo diferencias moderadamente grandes en la media, puede seleccionarse $d = |\delta| / \delta = 2$ (por ejemplo). Esto es, el valor del cociente $|\delta| / \sigma$ es el que resulta importante en la determinación del tamaño de la muestra, y si es posible especificar el tamaño relativo de la diferencia en las medias que nos interesa detectar, entonces puede ser usual elegir un valor apropiado de $d$.

**Ejemplo 11.8**   Considérese el problema de la prueba de fibras en el ejemplo 11.7. Si la diferencia al rompimiento de esta fibra difiere de 150 psi en 2.5 psi, el analista podría rechazar la hipótesis nula $H_0$: $\mu = 150$ psi con probabilidad de por lo menos .90. ¿El tamaño de muestra $n = 15$ es adecuado para asegurar que la prueba es así de sensible? Si empleamos la desviación estándar de muestra $s = \sqrt{16.68} = 4.08$ para estimar $\sigma$, entonces $d = |\delta| / \sigma = 2.5/4.08 = .61$. Al referirnos a las curvas características de operación en el diagrama VI$e$, con $d = .61$ y $n = 15$, encontramos $\beta \simeq .45$. De tal modo, la probabilidad de rechazar $H_0$: $\mu = 150$ psi si la media verdadera difiere de este valor en $\pm 2.5$ psi es $1 - \beta = 1 - .45 = .55$, aproximadamente, y concluiríamos que un tamaño de muestra de $n = 15$ no es adecuado. Con el fin de encontrar el tamaño de muestra requerido para brindar el grado deseado de protección, considérense las curvas características de operación en el diagrama VI$e$ con $d = .61$ y $\beta = .10$, y léase el tamaño de muestra correspondiente como $n = 35$, aproximadamente.

## 11-5   Pruebas de hipótesis sobre las medias de dos distribuciones normales, con varianzas desconocidas

Consideraremos ahora pruebas de hipótesis respecto a la igualdad de las medias $\mu_1$ y $\mu_2$ de dos distribuciones normales donde no se conocen las varianzas $\sigma_1^2$ y $\sigma_2^2$. Se empleará una estadística $t$ para probar estas hipótesis. Como se notó en la sección 11-4.1, se requiere la suposición de normalidad para desarrollar el procedimiento de prueba, pero las desviaciones moderadas de la normalidad no afectan de manera adversa el procedimiento. Hay dos situaciones diferentes que deben tratarse. En el primer caso, suponemos que las varianzas de las dos distribuciones normales no se conocen pero son iguales; esto es, $\sigma_1^2 = \sigma_2^2 = \sigma^2$. En el segundo, suponemos que $\sigma_1^2$ y $\sigma_2^2$ se desconocen y no son necesariamente iguales.

## 11-5.1   Caso 1: $\sigma_1^2 = \sigma_2^2 = \sigma^2$

Sean $X_1$ y $X_2$ dos poblaciones normales independientes con medias desconocidas $\mu_1$ y $\mu_2$, y varianzas desconocidas pero iguales, $\sigma_1^2 = \sigma_2^2 = \sigma^2$. Deseamos probar

$$H_0: \mu_1 = \mu_2$$
$$H_1: \mu_1 \neq \mu_2 \qquad (11\text{-}51)$$

Supóngase que $X_{11}, X_{12}, \ldots, X_{1n_1}$ es una muestra aleatoria de $n_1$ observaciones de $X_1$, y que $X_{21}, X_{22}, \ldots, X_{2n_2}$, es una muestra aleatoria de $n_2$ observaciones de $X_2$. Sean $\overline{X}_1, \overline{X}_2, S_1^2$ y $S_2^2$ las medias y las varianzas de las muestras, respectivamente. Puesto que tanto $S_1^2$ como $S_2^2$ estiman la varianza común $\sigma^2$, podemos combinarlas para producir una sola estimación, digamos

$$S_p^2 = \frac{(n_1 - 1)S_1^2 + (n_2 - 1)S_2^2}{n_1 + n_2 - 2} \qquad (11\text{-}52)$$

Este estimador combinado o "mezclado" se presentó en la sección 10-2.4. Para probar $H_0: \mu_1 = \mu_2$ en la ecuación 11-51, calcúlese la estadística de prueba

$$t_0 = \frac{\overline{X}_1 - \overline{X}_2}{S_p\sqrt{\dfrac{1}{n_1} + \dfrac{1}{n_2}}} \qquad (11\text{-}53)$$

Si $H_0: \mu_1 = \mu_2$ es verdadera, $t_0$ se distribuye como $t_{n_1 + n_2 - 2}$. En consecuencia, si

$$t_0 > t_{\alpha/2,\, n_1 + n_2 - 2} \qquad (11\text{-}54a)$$

o si

$$t_0 < -t_{\alpha/2,\, n_1 + n_2 - 2} \qquad (11\text{-}54b)$$

rechazamos $H_0: \mu_1 = \mu_2$.

Las alternativas de un lado se tratan de modo similar. Para probar

$$H_0: \mu_1 = \mu_2$$
$$H_1: \mu_1 > \mu_2 \qquad (11\text{-}55)$$

calcúlese la estadística de prueba $t_0$ en la ecuación 11-53 y rechácese $H_0: \mu_1 = \mu_2$ si

$$t_0 > t_{\alpha,\, n_1 + n_2 - 2} \qquad (11\text{-}56)$$

Para la otra alternativa de un lado,

$$H_0: \mu_1 = \mu_2$$
$$H_1: \mu_1 < \mu_2 \tag{11-57}$$

calcúlese la estadística de prueba $t_0$ y rechácese $H_0: \mu_1 = \mu_2$ si

$$t_0 < -t_{\alpha, \, n_1 + n_2 - 2} \tag{11-58}$$

La prueba de $t$ de dos muestras dada en esta sección a menudo se denomina la prueba de $t$ *mezclada*, debido a que las varianzas de muestra se combinan o mezclan para estimar la varianza común. Se conoce también como la prueba de $t$ independiente, porque las dos poblaciones normales se supone que son independientes.

**Ejemplo 11.9**   Se están analizando dos catalizadores para determinar cómo afectan la producción media de un proceso químico. Específicamente, se está empleando el catalizador 1, pero el catalizador 2 es aceptable. Puesto que el catalizador 2 es más barato, si no cambia la producción del proceso, debe adoptarse. Supóngase que deseamos probar las hipótesis

$$H_0: \mu_1 = \mu_2$$
$$H_1: \mu_1 \neq \mu_2$$

Los datos de la planta piloto producen $n_1 = 8$, $\bar{x}_1 = 91.73$, $s_1^2 = 3.89$, $n_2 = 8$, $\bar{x}_2 = 93.75$ y $s_2^2 = 4.02$. De la ecuación 11-52, encontramos

$$s_p^2 = \frac{(n_1 - 1)s_1^2 + (n_2 - 1)s_2^2}{n_1 + n_2 - 2} = \frac{(7)3.89 + 7(4.02)}{8 + 8 - 2} = 3.96$$

La estadística de prueba es

$$t_0 = \frac{\bar{x}_1 - \bar{x}_2}{s_p \sqrt{\dfrac{1}{n_1} + \dfrac{1}{n_2}}} = \frac{91.73 - 93.75}{1.99 \sqrt{\dfrac{1}{8} + \dfrac{1}{8}}} = -2.03$$

Al emplear $\alpha = .05$ encontramos que $t_{.025, \, 14} = 2.145$ y $-t_{.025, \, 14} = -2.145$, y, en consecuencia, $H_0: \mu_1 = \mu_2$ no puede rechazarse. Esto es, no tenemos la suficiente evidencia para concluir que el catalizador 2 resulta en una producción media que difiere de la producción media cuando se emplea el catalizador 1.

### 11.5.2   Caso 2: $\sigma_1^2 \pm \sigma_2^2$

En algunas situaciones, no podemos suponer razonablemente que las varianzas desconocidas $\sigma_1^2$ y $\sigma_2^2$ son iguales. No hay una estadística $t$ exacta disponible para probar $H_0$: $\mu_1 = \mu_2$ en este caso. Sin embargo, la estadística

$$t_0^* \doteq \frac{\bar{X}_1 - \bar{X}_2}{\sqrt{\dfrac{\bar{S}_1^2}{n_2} + \dfrac{S_2^2}{n_2}}} \tag{11-59}$$

se distribuye aproximadamente como $t$ con grados de libertad dados por

$$\nu = \frac{\left(\dfrac{S_1^2}{n_1} + \dfrac{S_2^2}{n_2}\right)^2}{\dfrac{\left(S_1^2/n_1\right)^2}{n_1 + 1} + \dfrac{\left(S_2^2/n_2\right)^2}{n_2 + 1}} - 2 \tag{11-60}$$

si la hipótesis nula $H_0$: $\mu_1 = \mu_2$ es cierta. Por tanto, si $\sigma_1^2 \neq \sigma_2^2$, las hipótesis de las ecuaciones 11-51, 11-55 y 11-57 se prueban como en la sección 11-5.1, excepto en que se emplean $t_0^*$ como la estadística de prueba y $n_1 + n_2 - 2$ se sustituye por $\nu$ en la determinación de los grados de libertad para la prueba. Este problema general a menudo se llama el problema de Behrens-Fisher.

**Ejemplo 11.10** Un fabricante de unidades de pantallas de video prueba dos diseños de microcircuitos para determinar si ellos producen flujos de corriente equivalentes. La ingeniería de desarrollo ha obtenido los siguientes datos:

| | | | |
|---|---|---|---|
| Diseño 1 | $n_1 = 15$ | $\bar{x}_1 = 24.2$ | $s_1^2 = 10$ |
| Diseño 2 | $n_2 = 10$ | $\bar{x}_2 = 23.9$ | $s_2^2 = 20$ |

Deseamos probar

$$H_0: \mu_1 = \mu_2$$
$$H_1: \mu_1 \neq \mu_2$$

donde se supone que ambas poblaciones son normales, pero no estamos dispuestos a considerar que las varianzas desconocidas $\sigma_1^2$ y $\sigma_2^2$ son iguales. La estadística de prueba es

$$t_0^* = \frac{\bar{x}_1 - \bar{x}_2}{\sqrt{\dfrac{s_1^2}{n_1} + \dfrac{s_2^2}{n_2}}} = \frac{24.2 - 23.9}{\sqrt{\dfrac{10}{15} + \dfrac{20}{10}}} = 0.18$$

Los grados de libertad en $t_0^*$ se encuentran de la ecuación 11-60 como

$$v = \frac{\left(\dfrac{s_1^2}{n_1} + \dfrac{s_2^2}{n_2}\right)^2}{\dfrac{\left(s_1^2/n_1\right)^2}{n_1+1} + \dfrac{\left(s_2^2/n_2^2\right)}{n_2+1}} - 2 = \frac{\left(\dfrac{10}{15} + \dfrac{20}{10}\right)^2}{\dfrac{(10/15)^2}{16} + \dfrac{(20/10)^2}{11}} - 2 = 16$$

Puesto que $t_0^* \not< -t_{.05,\,16}$, no podemos rechazar $H_0: \mu_1 = \mu_2$.

### 11-5.3   Elección del tamaño de la muestra

Las curvas de operación características en los diagramas VI$e$, VI$f$, VI$g$ y VI$h$ del apéndice se emplean para evaluar el error de tipo II para el caso donde $\sigma_1^2 = \sigma_2^2 = \sigma^2$. Desafortunadamente, cuando $\sigma_1^2 \neq \sigma_2^2$ la distribución de $t_0^*$ se desconoce si la hipótesis nula es falsa, y no se dispone de curvas características de operación para este caso.

Para la alternativa de dos lados en la ecuación 11-51, cuando $\sigma_1^2 = \sigma_2^2 = \sigma^2$ y $n_1 = n_2 = n$, se emplean los diagramas VI$e$ y VI$f$ con

$$d = \frac{|\mu_1 - \mu_2|}{2\sigma} = \frac{|\delta|}{2\sigma} \tag{11-61}$$

Para usar estas curvas, las mismas deben considerarse con el tamaño de muestra $n^* = 2n - 1$. En lo que respecta a la hipótesis alternativa de un lado de la ecuación 11-55, utilizamos los diagramas VI$g$ y VI$h$ y definimos

$$d = \frac{\mu_1 - \mu_2}{2\sigma} = \frac{\delta}{2\sigma} \tag{11-62}$$

en tanto que para la hipótesis alternativa de la ecuación 11-57, utilizamos

$$d = \frac{\mu_2 - \mu_1}{2\sigma} = \frac{\delta}{2\sigma} \tag{11-63}$$

Se observa que el parámetro $d$ es una función de $\sigma$, la cual se desconoce. Como en la prueba de $t$ de una sola muestra (sección 11-4), era posible atenernos a una estimación previa de $\sigma$, o emplear una estimación subjetiva. De modo alternativo, podríamos definir las diferencias en la media que deseamos detectar relativas a $\sigma$.

**Ejemplo 11.11**   Considérese el experimento del catalizador en el ejemplo 11.9. Supóngase que si el catalizador da lugar a una producción que difiere de la producción 1 en 3.0 por ciento, nos gustaría rechazar la hipótesis nula con probabilidad por lo menos .85. ¿Qué tamaño de muestra se requiere? Al emplear

$s_p = 1.99$ como una estimación aproximada de la desviación común estándar $\sigma$, tenemos $d = |\delta|/2\sigma = |3.00|/(2)(1.99) = .75$. Del diagrama VI*e* del apéndice con $d = .75$ y $\beta = .15$, encontramos $n^* = 20$, aproximadamente. Por consiguiente, puesto que $n^* = 2n - 1$,

$$n = \frac{n^* + 1}{2} = \frac{20 + 1}{2} = 10.5 \approx 11 \text{ (por ejemplo)}$$

y emplearíamos tamaños de muestra de $n_1 = n_2 = n = 11$.

## 11-6   Prueba *t* por pares

Un caso especial de las pruebas *t* de dos muestras de la sección 11-5 ocurre cuando las observaciones en las dos poblaciones de interés se recaban en pares. Cada par de observaciones, digamos $(X_{1j}, X_{2j})$, se toman en condiciones homogéneas, aunque estas condiciones pueden cambiar de un par a otro. Por ejemplo, considérese que estamos interesados en comparar dos tipos diferentes de boquillas para una máquina de prueba de dureza. Esta máquina presiona la boquilla contra un espécimen metálico con una fuerza conocida. Al medir la profundidad de la depresión ocasionada por la boquilla, puede determinarse la dureza del espécimen. Si se seleccionaron varios especímenes al azar, la mitad probados con la boquilla 1, la mitad con la boquilla 2, y se aplica la prueba *t* mezclada o independiente de la sección 11-5, los resultados de la prueba podrían invalidarse. Esto es, los especímenes metálicos podrían haberse cortado de lotes de barras que se produjeron con diferentes calentamientos, o podrían no ser homogéneos en alguna otra forma que podría afectar la dureza, entonces la diferencia observada entre los registros de dureza media para los dos tipos de boquillas incluyen también diferencias de dureza entre los especímenes.

El procedimiento experimental correcto es recabar los datos en pares; es decir, hacer dos lecturas de dureza en cada espécimen, uno con cada boquilla. El procedimiento de prueba consistiría entonces en analizar las *diferencias* entre las lecturas de dureza en cada espécimen. Si no hay diferencia entre las boquillas, entonces la media de las diferencias debe ser cero. Este procedimiento de prueba se llama *prueba t por pares*.

Sea $(X_{11}, X_{21})$, $(X_{12}, X_{22})$, . . . , $(X_{1n}, X_{2n})$ un conjunto de $n$ observaciones en pares, donde suponemos que $X_1 \sim N(\mu_1, \sigma_1^2)$ y $X_2 \sim N(\mu_2, \sigma_2^2)$. Defínanse las diferencias entre cada par de observaciones como $D_j = X_{1j} - X_{2j}, j = 1, 2, \ldots, n$.

Las $D_j$ se distribuyen normalmente con media

$$\mu_D = E(X_1 - X_2) = E(X_1) - E(X_2) = \mu_1 - \mu_2$$

por lo que las hipótesis de prueba en torno a la igualdad de $\mu_1$ y $\mu_2$ pueden realizarse efectuando una prueba $t$ de una muestra en $\mu_D$. Específicamente, probar $H_0: \mu_1 = \mu_2$ contra $H_1: \mu_1 \neq \mu_2$ es equivalente a probar

$$H_0: \mu_D = 0$$
$$H_1: \mu_D \neq 0 \tag{11-64}$$

La estadística de prueba apropiada para la ecuación 11-64 es

$$t_0 = \frac{\overline{D}}{S_D/\sqrt{n}} \tag{11-65}$$

donde

$$\overline{D} = \frac{\sum\limits_{j=1}^{n} D_j}{n} \tag{11-66}$$

y

$$S_D^2 = \frac{\sum\limits_{j=1}^{n} D_j^2 - \left[\left(\sum\limits_{j=1}^{n} D_j\right)^2 \bigg/ n\right]}{n-1} \tag{11-67}$$

son la media y la varianza de muestra de las diferencias. Rechazaríamos $H_0: \mu_D = 0$ (lo que implica que $\mu_1 \neq \mu_2$) si $t_0 > t_{\alpha/2,\, n-1}$ o si $t_0 < -t_{\alpha/2,\, n-1}$. Las alternativas de un lado se tratarían de manera similar.

**Ejemplo 11.12** Un artículo en el *Journal of Strain Analysis* (Vol. 18, Núm. 2, 1983) compara varios métodos para predecir la resistencia al corte de vigas de placa de acero. Los datos para dos de estos métodos, los procedimientos de Karlsruhe y Lehigh, cuando se aplican a nueve vigas específicas, se muestran en la tabla 11.2. Deseamos determinar si hay alguna diferencia (en promedio) entre los dos métodos.

El promedio de muestra y la desviación estándar de las diferencias $d_j$ son $\overline{d} = .2736$ y $s_d = .1356$, por lo que la estadística de prueba es

$$t_0 = \frac{\overline{d}}{s_d/\sqrt{n}} = \frac{0.2736}{0.1356/\sqrt{9}} = 6.05$$

Para la alternativa de dos lados $H_1: \mu_0 \neq 0$ y $\alpha = .1$, no se rechazaría sólo si $|t_0| < t_{.05,\, 8} = 1.86$.

Puesto que $t_0 > t_{.05,\, 8}$, concluiríamos que los dos métodos de predicción de resistencia producen resultados diferentes. Específicamente, el método de Karlsruhe produce, en promedio, predicciones de resistencia más altas que el método de Lehigh.

TABLA 11.2   **Predicciones de resistencia para nueve vigas de placa de acero (carga predicha / carga observada)**

| Viga | Método de Karlsruhe | Método de Lehigh | Diferencia $d_j$ |
|------|---------------------|------------------|------------------|
| S1 / 1 | 1.186 | 1.061 | 0.119 |
| S2 / 1 | 1.151 | 0.992 | 0.159 |
| S3 / 1 | 1.322 | 1.063 | 0.259 |
| S4 / 1 | 1.339 | 1.062 | 0.277 |
| S5 / 1 | 1.200 | 1.065 | 0.138 |
| S2 / 1 | 1.402 | 1.178 | 0.224 |
| S2 / 2 | 1.365 | 1.037 | 0.328 |
| S2 / 3 | 1.537 | 1.086 | 0.451 |
| S2 / 4 | 1.559 | 1.052 | 0.507 |

**Comparaciones pares contra no pares.**   En ocasiones al llevar a cabo un experimento comparativo, el investigador puede elegir entre el análisis en pares y la prueba *t* de dos muestras (no pares). Si se van a efectuar *n* mediciones en cada población, la estadística *t* de dos muestras es

$$t_0 = \frac{\overline{X}_1 - \overline{X}_2}{S_p \sqrt{\dfrac{1}{n} + \dfrac{1}{n}}}$$

que podría referirse a $t_{\alpha/2,\, 2n-2}$, y desde luego, la estadística *t* pares es

$$t_0 = \frac{\overline{D}}{S_D/\sqrt{n}}$$

que se refiere a $t_{\alpha/2,\, n-1}$. Nótese que puesto que

$$\overline{D} = \sum_{j=1}^{n} \frac{D_j}{n} = \sum_{j=1}^{n} \frac{(X_{1j} - X_{2j})}{n} = \sum_{j=1}^{n} \frac{X_{1j}}{n} - \sum_{j=1}^{n} \frac{X_{2j}}{n}$$

$$= \overline{X}_1 - \overline{X}_2$$

los numeradores de ambas estadísticas son idénticos. Sin embargo, el denominador de la prueba *t* de dos muestras se basa en la suposición de que $X_1$ y $X_2$ son *independientes*. En muchos experimentos por pares, hay una fuerte correlación positiva entre $X_1$ y $X_2$. Esto es,

$$V(\overline{D}) = V(\overline{X}_1 - \overline{X}_2)$$

$$= V(\overline{X}_1) + V(\overline{X}_2) - 2\,\text{Cov}(\overline{X}_1, \overline{X}_2)$$

$$= \frac{2\sigma^2(1-\rho)}{n}$$

suponiendo que ambas poblaciones $X_1$ y $X_2$ tienen varianzas idénticas y que, $S_D^2/n$ estima la varianza $D$. Ahora bien, siempre que hay una correlación positiva dentro de los pares, el denominador para la prueba $t$ por pares será más pequeño que el denominador de la prueba $t$ de dos muestras. Esto puede causar que la prueba $t$ de dos muestras subestime de manera considerable la importancia de los datos si se aplica incorrectamente a muestras por pares.

Aunque el apareamiento conduce a menudo a un valor más pequeño de la varianza de $\overline{X}_1 - \overline{X}_2$, ello no es una desventaja. Es decir, la prueba $t$ por pares origina una pérdida de $n - 1$ grados de libertad en comparación con la prueba $t$ de dos muestras. En general, sabemos que el aumento de los grados de libertad de una prueba incrementa la potencia contra cualesquiera valores alternativos fijos del parámetro.

Así que, ¿cómo decidiremos conducir el experimento, es decir, debemos efectuar las observaciones por pares o no? Aunque no hay una respuesta general a esta pregunta, podemos dar algunas guías con base en la decisión anterior. Éstas son:

1. Si las unidades experimentales son relativamente homogéneas ($\sigma$ pequeña) y la correlación entre pares es pequeña, la ganancia en precisión debida al apareamiento se compensará por la pérdida de grados de libertad, de modo que debe emplearse un experimento de muestras independientes.

2. Si las unidades experimentales son relativamente heterogéneas ($\sigma$ grande) y hay una gran correlación positiva entre pares, recúrrase al experimento por pares.

Las reglas requieren todavía juicio en su implementación, debido a que $\sigma$ y $\rho$ suelen no conocerse con precisión. Además, si el número de grados de libertad es grande (digamos 40 ó 50), entonces la pérdida de $n - 1$ de ellos por el apareamiento puede no ser seria. Sin embargo, si el número de grados de libertad es pequeño (10 ó 20), la pérdida de la mitad de ellos es potencialmente seria si no se compensa con el aumento en la precisión del apareamiento.

## 11-7   Pruebas de hipótesis sobre la varianza

Hay ocasiones en las que se necesitan pruebas relativas a la varianza o la desviación estándar de una población. En esta sección presentamos dos procedimientos, uno basado en la suposición de normalidad, y el otro en la prueba de una muestra grande.

## 11-7.1 Procedimientos de prueba para una población normal

Supóngase que deseamos probar la hipótesis de que la varianza de una distribución normal $\sigma^2$ es igual a un valor especificado, por ejemplo $\sigma_0^2$. Sea $X \sim N(\mu, \sigma^2)$, donde $\mu$ y $\sigma^2$ se desconocen, y sea $X_1, X_2, \ldots, X_n$ una muestra aleatoria de $n$ observaciones de esta población. Para probar

$$H_0: \sigma^2 = \sigma_0^2$$

$$H_1: \sigma^2 \neq \sigma_0^2 \tag{11-68}$$

empleamos la estadística de prueba

$$\chi_0^2 = \frac{(n-1)S^2}{\sigma_0^2} \tag{11-69}$$

donde $S^2$ es la varianza de la muestra. Ahora bien si $H_0: \sigma^2 = \sigma_0^2$ es cierta, entonces la estadística de prueba $\chi_0^2$ sigue la distribución ji cuadrada con $n-1$ grados de libertad. En consecuencia, $H_0: \sigma^2 = \sigma_0^2$ se rechazaría si

$$\chi_0^2 > \chi_{\alpha/2, n-1}^2 \tag{11-70a}$$

o si

$$\chi_0^2 < \chi_{1-\alpha/2, n-1}^2 \tag{11-70b}$$

donde $\chi_{\alpha/2, n-1}^2$ y $\chi_{1-\alpha/2, n-1}^2$ son los puntos porcentuales $\alpha/2$ superior e inferior de la distribución ji cuadrada con $n-1$ grados de libertad.

La misma estadística de prueba se emplea para las alternativas de un lado. Para la hipótesis de un lado

$$H_0: \sigma^2 = \sigma_0^2$$

$$H_1: \sigma^2 > \sigma_0^2 \tag{11-71}$$

rechazaríamos $H_0$ si

$$\chi_0^2 > \chi_{\alpha, n-1}^2 \tag{11-72}$$

Para la otra hipótesis unilateral

$$H_0: \sigma^2 = \sigma_0^2$$

$$H_1: \sigma^2 < \sigma_0^2 \tag{11-73}$$

rechazaríamos $H_0$ si

$$\chi_0^2 < \chi_{1-\alpha, n-1}^2 \tag{11-74}$$

**Ejemplo 11.13**   Considérese la máquina descrita en el ejemplo 10.12, la cual se utiliza para llenar latas de refresco. Si la varianza del volumen de llenado excede .02 (onzas líquidas)$^2$, entonces un gran porcentaje inaceptable de latas no se llenarán lo suficiente. El embotellador está interesado en probar la hipótesis

$$H_0: \sigma^2 = .02$$

$$H_1: \sigma^2 > .02$$

Una muestra aleatoria de $n = 20$ latas produce una varianza de muestra de $s^2 = .0225$. De tal modo, la estadística de prueba es

$$\chi_0^2 = \frac{(n-1)s^2}{\sigma_0^2} = \frac{(19).0225}{.02} = 21.38$$

Si elegimos $\alpha = .05$, encontramos que $\chi_{.05,19}^2 = 30.14$, y concluiríamos que hay suficiente evidencia de que la varianza de llenado excede .02 (onzas líquidas)$^2$.

## 11-7.2   Elección del tamaño de la muestra

Las curvas características de operación para las pruebas $\chi^2$ en la sección 11-7.1 se presentan en los diagramas del VI$i$ al VI$g$ del apéndice para $\alpha = .05$ y $\alpha = .01$. Para la hipótesis alternativa de dos lados de la ecuación 11-68, los diagramas VI$i$ y VI$j$ grafican $\beta$ contra un parámetro de abscisas

$$\lambda = \frac{\sigma}{\sigma_0} \qquad (11\text{-}75)$$

para diversos tamaños de muestra $n$, donde $\sigma$ denota el valor verdadero de la desviación estándar. Los diagramas VI$k$ y VI$l$ corresponden a la alternativa $H_1$: $\sigma^2 > \sigma_0^2$, en tanto que los diagramas VI$m$ y VI$n$ son para la otra alternativa de un lado $H_1$: $\sigma^2 < \sigma_0^2$. Al emplear estos valores, consideramos a $\sigma$ como el valor de la desviación estándar que deseamos detectar.

**Ejemplo 11.14**   En el ejemplo 11.13, determínese la probabilidad de rechazar $H_0$: $\sigma^2 = .02$ si la varianza verdadera es tan grande como $\sigma^2 = .03$ Puesto que $\sigma = \sqrt{.03} = .1732$ y $\sigma_0 = \sqrt{.02} = .1414$, el parámetro de abscisa es

$$\lambda = \frac{\sigma}{\sigma_0} = \frac{.1732}{.1414} = 1.23$$

Del diagrama VI$k$, con $\lambda = 1.23$ y $n = 20$, encontramos que $\beta \simeq .60$. Esto es, sólo hay un 40% de posibilidades de que $H_0$: $\sigma^2 = .02$ se rechace si la varianza es realmente tan grande como $\sigma^2 = .03$. Para reducir $\beta$, debe emplearse un tamaño de muestra más grande. De la curva característica de operación, notamos que para reducir $\beta$ a .20 es necesario un tamaño de muestra de 75.

### 11-7.3 Procedimiento de prueba de una muestra grande

El procedimiento de prueba ji cuadrada prescrito en la sección 11-7 es bastante sensible a la suposición de normalidad. En consecuencia, sería deseable desarrollar un procedimiento que no requiera esta suposición. Cuando la población de base no es necesariamente normal pero $n$ es grande ($n \geq 35$ ó 40), entonces podemos utilizar el siguiente resultado: si $X_1, X_2, \ldots, X_n$ es una muestra aleatoria de una población con varianza $\sigma^2$, la desviación estándar $S$ de la muestra tiene una distribución aproximadamente normal con media $E(S) \simeq \sigma$ y varianza $V(S) \simeq \sigma^2/2n$, si $n$ es grande. Entonces la distribución de

$$Z_0 = \frac{S - \sigma}{\sigma/\sqrt{2n}} \tag{11-76}$$

es aproximadamente normal estándar.

Para probar

$$
\begin{aligned}
H_0: \sigma^2 &= \sigma_0^2 \\
H_1: \sigma^2 &\neq \sigma_0^2
\end{aligned}
\tag{11-77}
$$

sustitúyase $\sigma_0$ por $\sigma$ en la ecuación 11-76. En consecuencia, la estadística de prueba es

$$Z_0 = \frac{S - \sigma_0}{\sigma_0/\sqrt{2n}} \tag{11-78}$$

y rechazaríamos $H_0$ si $Z_0 > Z_{\alpha/2}$ o si $Z_0 < Z_{\alpha/2}$. Se emplearía la misma estadística de prueba en las alternativas de un lado. Si estamos probando

$$
\begin{aligned}
H_0: \sigma^2 &= \sigma_0^2 \\
H_1: \sigma^2 &> \sigma_0^2
\end{aligned}
\tag{11-79}
$$

rechazaríamos $H_0$ si $Z_0 > Z_{\alpha}$, en tanto que si lo que probamos es

$$
\begin{aligned}
H_0: \sigma^2 &= \sigma_0^2 \\
H_1: \sigma^2 &< \sigma_0^2
\end{aligned}
\tag{11-80}
$$

rechazaríamos $H_0$ si $Z_0 < -Z_{\alpha}$.

**Ejemplo 11.15** Una pieza de plástico de inyección moldeada se emplea en una impresora gráfica. Antes de acordar un contrato a largo plazo, el fabricante de impresoras desea asegurarse empleando $\alpha = .01$ de que el proveedor puede producir piezas con una desviación estándar de la longitud de cuando mucho .025. Las hipótesis que se probarán son

$$H_0: \sigma^2 = 6.25 \times 10^4$$
$$H_1: \sigma^2 < 6.25 \times 10^4$$

puesto que $(.025)^2 = .000625$. Se obtiene una muestra aleatoria de $n = 50$ piezas, y la desviación estándar de la muestra es $s = .021$. La estadística de prueba es

$$Z_0 = \frac{s - \sigma_0}{\sigma_0\sqrt{2n}} = \frac{0.021 - 0.025}{0.025/\sqrt{100}} = -1.60$$

Como $-Z_{01} = -2.33$ y el valor observado de $Z$ no es más pequeño que este valor crítico, no se rechaza $H_0$. Esto es, la evidencia a partir del proceso del proveedor no es lo suficiente fuerte para justificar un contrato a largo plazo.

## 11-8 Pruebas para la igualdad de dos varianzas

Presentaremos ahora pruebas para comparar dos varianzas. Siguiendo el planteamiento en la sección 11-7, presentamos pruebas para poblaciones normales y pruebas de muestras grandes que pueden aplicarse a poblaciones no normales.

### 11-8.1 Procedimiento de prueba para poblaciones normales

Supóngase que son dos las poblaciones de interés, por ejemplo $X_1 \sim N(\mu_1, \sigma_1^2)$ y $X_2 \sim N(\mu_2, \sigma_2^2)$, donde $\mu_1$, $\sigma_1^2$, $\mu_2$ y $\sigma_2^2$ se desconocen. Deseamos probar hipótesis relativas a la igualdad de las dos varianzas, $H_0: \sigma_1^2 = \sigma_2^2$. Considérese que se disponen dos muestras aleatorias de tamaño $n_1$ de la población 1 y de tamaño $n_2$ de la población 2, y sean $S_1^2$ y $S_2^2$ las varianzas de muestra. Para probar la alternativa de dos lados

$$H_0: \sigma_1^2 = \sigma_2^2$$
$$H_1: \sigma_1^2 \neq \sigma_2^2 \tag{11-81}$$

utilizamos el hecho de que la estadística

$$F_0 = \frac{S_1^2}{S_2^2} \tag{11-82}$$

se distribuye como $F$, con $n_1 - 1$ y $n_2 - 1$ grados de libertad, si la hipótesis nula

$H_0$: $\sigma_1^2 = \sigma_2^2$ es verdadera. Por tanto, rechazaríamos $H_0$ si

$$F_0 > F_{\alpha/2,\, n_1 - 1,\, n_2 - 1} \qquad (11\text{-}83a)$$

o si

$$F_0 < F_{1 - \alpha/2,\, n_1 - 1,\, n_2 - 1} \qquad (11\text{-}83b)$$

donde $F_{\alpha/2,\, n_1 - 1,\, n_2 - 1}$ y $F_{1 - \alpha/2,\, n_1 - 1,\, n_2 - 1}$ son los puntos porcentuales $\alpha/2$ superior e inferior de la distribución $F$ con $n_1 - 1$ y $n_2 - 1$ grados de libertad. La tabla V del apéndice proporciona sólo los puntos de la cola superior de $F$, por lo que para determinar $F_{1 - \alpha/2,\, n_1 - 1,\, n_2 - 1}$ debemos emplear

$$F_{1 - \alpha/2,\, n_1 - 1,\, n_2 - 1} = \frac{1}{F_{\alpha/2,\, n_2 - 1,\, n_1 - 1}} \qquad (11\text{-}84)$$

La misma estadística de prueba puede utilizarse para probar hipótesis alternativas de un lado. Puesto que la notación $X_1$ y $X_2$ es arbitraria, déjese que $X_1$ denote la población que puede tener la varianza más grande. Por consiguiente, la hipótesis alternativa de un lado es

$$\begin{aligned} H_0&: \sigma_1^2 = \sigma_2^2 \\ H_1&: \sigma_1^2 > \sigma_2^2 \end{aligned} \qquad (11\text{-}85)$$

Si

$$F_0 > F_{\alpha,\, n_1 - 1,\, n_2 - 1} \qquad (11\text{-}86)$$

rechazaríamos $H_0$: $\sigma_1^2 = \sigma_2^2$.

**Ejemplo 11.16.** Se emplea el grabado químico para remover cobre de tarjetas de circuito impreso. $X_1$ y $X_2$ representan las producciones del proceso cuando se utilizan dos concentraciones diferentes. Supóngase que deseamos probar

$$\begin{aligned} H_0&: \sigma_1^2 = \sigma_2^2 \\ H_1&: \sigma_1^2 \neq \sigma_2^2 \end{aligned}$$

Dos muestras de tamaños $n_1 = n_2 = 8$ producen $s_1^2 = 3.89$ y $s_2^2 = 4.02$.

$$F_0 = \frac{s_1^2}{s_2^2} = \frac{3.89}{4.02} \doteq .97$$

Si $\alpha = .05$, tenemos que $F_{.025,\, 7,\, 7} = 4.99$ y $F_{.975,\, 7,\, 7} = (F_{.025,\, 7,\, 7})^{-1} = (4.99)^{-1} = .20$.

Por tanto, no podemos rechazar $H_0$: $\sigma_1^2 = \sigma_2^2$, y concluimos que no hay suficiente evidencia de que la concentración afecta la varianza de la producción.

## 11-8.2  Elección del tamaño de la muestra

Los diagramas VI*o*, VI*p*, VI*q* y VI*r* del apéndice proporcionan las curvas características de operación para la prueba de $F$ dada en la sección 11-8.1, para $\alpha =$ .05 y $\alpha = .01$, suponiendo que $n_1 = n_2 = n$. Los diagramas VI*o* y VI*p* se emplean con la alternativa de dos lados de la ecuación 11-81. Ellos grafican $\beta$ contra el parámetro de abscisa

$$\lambda = \frac{\sigma_1}{\sigma_2} \tag{11-87}$$

para diversas $n_1 = n_2 = n$. Los diagramas VI*q* y VI*r* se emplean para la alternativa de un lado de la ecuación 11-85.

**Ejemplo 11.17.**  Para el problema del análisis de la producción del proceso químico en el ejemplo 11.16, supóngase que si una de las concentraciones afectó la varianza de la producción de manera que una varianza fue cuatro veces la otra, deseamos detectar ésta con probabilidad de por lo menos .80. ¿Qué tamaño de muestra debe utilizarse? Nótese que si una varianza es cuatro veces la otra,

$$\lambda = \frac{\sigma_1}{\sigma_2} = 2$$

Al referirnos al diagrama VI*o*, con $\beta = .20$ y $\lambda = 2$, encontramos que es necesario un tamaño de muestra $n_1 = n_2 = 20$, aproximadamente.

## 11-8.3  Procedimiento de prueba de una muestra grande

Cuando ambos tamaños de muestra $n_1$ y $n_2$ son grandes, puede desarrollarse un procedimiento de prueba que no requiere la suposición de normalidad. La prueba se basa en el resultado de que las desviaciones estándar $S_1$ y $S_2$ de muestra tienen de modo aproximado distribuciones normales con media $\sigma_1$ y $\sigma_2$, respectivamente, y varianzas $\sigma_1^2/2n_1$ y $\sigma_2^2/2n_2$, respectivamente. Para probar

$$H_0: \sigma_1^2 = \sigma_2^2$$
$$H_1: \sigma_1^2 \neq \sigma_2^2 \tag{11-88}$$

emplearíamos la estadística de prueba

$$Z_0 = \frac{S_1 - S_2}{S_p\sqrt{\dfrac{1}{2n_1} + \dfrac{1}{2n_2}}} \tag{11-89}$$

donde $S_p$ es el estimador mezclado de la desviación estándar común $\sigma$. Esta estadística tiene una distribución normal estándar aproximada cuando $\sigma_1^2 = \sigma_1^2$. Rechazaríamos $H_0$ si $Z_0 > Z_{\alpha/2}$ o si $Z_0 < -Z_{\alpha/2}$. Las regiones de rechazo para las alternativas de un lado tienen la misma forma que en otras pruebas normales de dos muestras.

## 11-9 Pruebas de hipótesis sobre una proporción

### 11-9.1 Análisis estadístico

En muchos problemas de ingeniería y administrativos nos interesa una variable aleatoria que siga la distribución binomial. Por ejemplo, considérese un proceso de producción en el que se manufacturan artículos que se clasifican como aceptables o defectuosos. Suele ser razonable modelar la ocurrencia de defectos con la distribución binomial, donde el parámetro binomial $p$ representa la proporción de artículos defectuosos producidos.

Consideraremos probar

$$\begin{aligned} H_0&: p = p_0 \\ H_1&: p \neq p_0 \end{aligned} \tag{11-90}$$

Se brindará una prueba aproximada que se basa en la aproximación normal a la binomial. Este procedimiento aproximado será válido siempre y cuando $p$ no sea en extremo cercano a cero o a 1, y si el tamaño de muestra es relativamente grande. Sea $X$ el número de observaciones en una muestra aleatoria de tamaño $n$ que pertenecen a la clase asociada con $p$. Entonces, si la hipótesis nula $H_0: p = p_0$ es cierta, tenemos $X \sim N(np_0, np_0(1 - p_0))$, aproximadamente. Para probar $H_0: p = p_0$ calcúlese la estadística de prueba

$$Z_0 = \frac{X - np_0}{\sqrt{np_0(1 - p_0)}} \tag{11-91}$$

y rechácese $H_0: p = p_0$ si

$$Z_0 > Z_{\alpha/2} \quad \text{o} \quad Z_0 < -Z_{\alpha/2} \tag{11-92}$$

Las regiones críticas para las hipótesis alternativas se localizarían de la manera usual.

**Ejemplo 11.18**   Una firma de semiconductores produce dispositivos lógicos. El contrato con su cliente estipula una fracción de defectos no mayor de .05. Se desea probar

$$H_0: p = .05$$
$$H_1: p > .05$$

Una muestra aleatoria de 200 dispositivos produce seis defectuosos. La estadística de prueba es

$$Z_0 = \frac{x - np_0}{\sqrt{np_0(1 - p_0)}} = \frac{6 - 200(.05)}{\sqrt{200(.05)(.95)}} = -1.30$$

Al emplear $\alpha = .05$, encontramos que $Z_{.05.} = 1.645$, y de ese modo no podemos rechazar la hipótesis nula $p = .05$.

## 11-9.2   Elección del tamaño de la muestra

Es posible obtener ecuaciones de forma cerrada correspondientes al error $\beta$ para las pruebas en la sección 11-9.1. El error $\beta$ para la alternativa de dos lados $H_1$: $p \neq p_0$ es

$$\beta = \Phi\left(\frac{p_0 - p + Z_{\alpha/2}\sqrt{p_0(1 - p_0)/n}}{\sqrt{p(1 - p)/n}}\right)$$

$$- \Phi\left(\frac{p_0 - p - Z_{\alpha/2}\sqrt{p_0(1 - p_0)/n}}{\sqrt{p(1 - p)/n}}\right) \qquad (11\text{-}93)$$

Si la alternativa es $H_1$: $p < p_0$, entonces

$$\beta = 1 - \Phi\left(\frac{p_0 - p + Z_{\alpha}\sqrt{p_0(1 - p_0)/n}}{\sqrt{p(1 - p)/n}}\right) \qquad (11\text{-}94)$$

en tanto que si la alternativa es $H_1$: $p > p_0$, entonces

$$\beta = \Phi\left(\frac{p_0 - p + Z_{\alpha}\sqrt{p_0(1 - p_0)/n}}{\sqrt{p(1 - p)/n}}\right) \qquad (11\text{-}95)$$

Estas ecuaciones pueden resolverse para encontrar el tamaño de muestra $n$ que proporciona una prueba de nivel $\alpha$ que tiene un riesgo especificado $\beta$. Las ecuaciones del tamaño de muestra son

$$n = \left( \frac{Z_{\alpha/2}\sqrt{p_0(1-p_0)} + Z_\beta\sqrt{p(1-p)}}{p - p_0} \right)^2 \qquad (11\text{-}96)$$

para la alternativa de dos lados y

$$n = \left( \frac{Z_\alpha\sqrt{p_0(1-p_0)} + Z_\beta\sqrt{p(1-p)}}{p - p_0} \right)^2 \qquad (11\text{-}97)$$

para las alternativas de un lado.

**Ejemplo 11.19**  En la situación descrita en el ejemplo 11.18, supóngase que deseamos encontrar el error $\beta$ de la prueba si $p = .07$. Al emplear la ecuación 11-95, el error es

$$\beta = \Phi\left( \frac{.05 - .07 + 1.645\sqrt{(.05)(.95)/200}}{\sqrt{(.07)(.93)/200}} \right)$$

$$= \Phi(0.30)$$

$$= .6179$$

Esta probabilidad de error del tipo II no es tan pequeña como podría parecer, aunque $n = 200$ no es en particular grande y .07 no está muy alejado del valor nulo $p_0 = .05$. Supóngase que deseamos tener un error $\beta$ no mayor que .10 si el valor verdadero de la fracción defectuosa es tan grande como $p = .07$. El tamaño de muestra requerido se encontraría de la ecuación 11-97 como

$$n = \left( \frac{1.645\sqrt{(.05)(.95)} + 1.28\sqrt{(0.07)(.93)}}{0.07 - 0.05} \right)^2$$

$$= 1174$$

que es un tamaño de muestra sumamente grande. Sin embargo, nótese que estamos tratando de detectar una desviación muy pequeña respecto al valor nulo $p_0 = .05$.

## 11-10  Pruebas de hipótesis sobre dos proporciones

Las pruebas en la sección 11-9 pueden extenderse al caso en el que hay dos parámetros binomiales de interés, por ejemplo $p_1$ y $p_2$, y deseamos probar que ellos son iguales. Esto es, tratamos de probar

$$H_0: p_1 = p_2$$
$$H_1: p_1 \neq p_2 \tag{11-98}$$

Presentaremos un procedimiento de muestra grande basado en la aproximación a la binomial y describiremos después un posible planteamiento para tamaños de muestra pequeños.

### 11-10.1   Una prueba de muestra grande para $H_0: p_1 = p_2$

Considérese que se toman dos muestras aleatorias de tamaño $n_1$ y $n_2$ de dos poblaciones, y sea $X_1$ y $X_2$ el número de observaciones que pertenecen a la clase de interés en la muestra 1 y 2, respectivamente. Supóngase además que la aproximación normal a la binomial se aplica a cada población, por lo que los estimadores de las proporciones de población $\hat{p}_1 = X_1/n_1$ y $\hat{p}_2 = X_2/n_2$ tienen distribuciones normales aproximadas. Luego, si la hipótesis nula $H_0: p_1 = p_2$ es verdadera, empleando entonces el hecho de que $p_1 = p_2 = p$, la variable aleatoria

$$Z = \frac{\hat{p}_1 - \hat{p}_2}{\sqrt{p(1-p)\left[\dfrac{1}{n_1} + \dfrac{1}{n_2}\right]}}$$

se distribuye aproximadamente como $N(0, 1)$. Una estimación del parámetro común $p$ es

$$\hat{p} = \frac{X_1 + X_2}{n_1 + n_2}$$

La estadística de prueba para $H_0: p_1 = p_2$ es entonces

$$Z_0 = \frac{\hat{p}_1 - \hat{p}_2}{\sqrt{\hat{p}(1-\hat{p})\left[\dfrac{1}{n_1} + \dfrac{1}{n_2}\right]}} \tag{11-99}$$

Si

$$Z_0 > Z_{\alpha/2} \quad \text{o} \quad Z_0 < -Z_{\alpha/2} \tag{11-100}$$

la hipótesis nula se rechaza.

**Ejemplo 11.20.**   Se están considerando dos tipos diferentes de computadoras de control de disparo que se utilizarán en baterías de 6 cañones de 105 mm del ejército de los Estados Unidos. Los dos sistemas de computadoras se someten a una prueba operacional en la cual se cuenta el número total de impactos en el blanco. El sistema de computadora 1 produce 250 impactos de 300 descargas, en tanto que el sistema 2 consigue 178 impactos de 260 descargas. ¿Hay alguna razón para pensar que los dos sistemas de computadora difieren? Para responder esta pregunta, probamos

$$H_0: p_1 = p_2$$

$$H_1: p_1 \neq p_2$$

Nótese que $\hat{p}_1 = 250/300 = .8333$, $\hat{p}_2 = 178/260 = .6846$, y

$$\hat{p} = \frac{x_1 + x_2}{n_1 + n_2} = \frac{250 + 178}{300 + 260} = .7643$$

El valor de la estadística de prueba es

$$Z = \frac{\hat{p}_1 - \hat{p}_2}{\sqrt{\hat{p}(1 - \hat{p})\left[\dfrac{1}{n_1} + \dfrac{1}{n_2}\right]}} = \frac{.8333 - .6846}{\sqrt{.7643(.2357)\left[\dfrac{1}{300} + \dfrac{1}{260}\right]}} = 4.13$$

Si utilizamos $\alpha = .05$, entonces $Z_{.025} = 1.96$ y $-Z_{.025} = -1.96$, y rechazaríamos $H_0$, concluyendo que hay una diferencia significativa en los dos sistemas de computadora.

### 11-10.2 Elección del tamaño de la muestra

El cálculo del error $\beta$ para la prueba precedente está un poco más involucrado que en el caso de una sola muestra. El problema es que el denominador de $Z$ es una estimación de la desviación estándar de $\hat{p}_1 - \hat{p}_2$ ante la suposición de que $p_1 = p_2 = p$. Cuando $H_0: p_1 = p_2$ es falsa, la desviación estándar de $\hat{p}_1 - \hat{p}_2$ es

$$\sigma_{\hat{p}_1 - \hat{p}_2} = \sqrt{\frac{\hat{p}_1(1 - \hat{p}_1)}{n_1} + \frac{\hat{p}_2(1 - \hat{p}_2)}{n_2}} \tag{11-101}$$

Si la hipótesis alternativa es de dos lados, el riesgo $\beta$ es

$$\beta = \Phi\left(\frac{Z_{\alpha/2}\sqrt{\bar{p}\bar{q}(1/n_1 + 1/n_2)} - (p_1 - p_2)}{\sigma_{\hat{p}_1 - \hat{p}_2}}\right)$$

$$- \Phi\left(\frac{-Z_{\alpha/2}\sqrt{\bar{p}\bar{q}(1/n_1 + 1/n_2)} - (p_1 - p_2)}{\sigma_{\hat{p}_1 - \hat{p}_2}}\right) \tag{11-102}$$

donde

$$\bar{p} = \frac{n_1 p_1 + n_2 p_2}{n_1 + n_2}$$

$$\bar{q} = \frac{n_1(1 - p_1) + n_2(1 - p_2)}{n_1 + n_2}$$

y $\sigma_{\hat{p}_1 - \hat{p}_2}$ está dada por la ecuación 11-101. Si la hipótesis alternativa es $H_1: p_1 > p_2$, entonces

$$\beta = \Phi\left( \frac{Z_\alpha\sqrt{\bar{p}\bar{q}(1/n_1 + 1/n_2)} - (p_1 - p_2)}{\sigma_{\hat{p}_1 - \hat{p}_2}} \right) \qquad (11\text{-}103)$$

y si la hipótesis alternativa es $H_1: p_1 < p_2$, entonces

$$\beta = 1 - \phi\left( \frac{-Z_\alpha\sqrt{\bar{p}\bar{q}(1/n_1 + 1/n_2)} - (p_1 - p_2)}{\sigma_{\hat{p}_1 - \hat{p}_2}} \right) \qquad (11\text{-}104)$$

Para un par de valores específicos $p_1$ y $p_2$ podemos encontrar los tamaños de muestra $n_1 = n_2 = n$ requeridos para brindar la prueba de tamaño $\alpha$ que ha especificado el error $\beta$ del tipo II. Para la alternativa de dos lados el tamaño de muestra común es

$$n = \frac{\left( Z_{\alpha/2}\sqrt{(p_1 + p_2)(q_1 + q_2)/2} + Z_\beta\sqrt{p_1 q_1 + p_2 q_2} \right)^2}{(p_1 - p_2)^2} \qquad (11\text{-}105)$$

donde $q_1 = 1 - p_1$ y $p_2 = 1 - p_2$. Para las alternativas de un lado, sustitúyase $Z_{\alpha/2}$ en la ecuación 11-105 por $Z_\alpha$.

## 11-10.3   Una prueba de muestra pequeña para $H_0: p_1 = p_2$

La mayor parte de los problemas que involucran la comparación de proporciones $p_1$ y $p_2$ tienen tamaños de muestra relativamente grandes, por lo que el procedimiento basado en la aproximación normal a la binomial se emplea ampliamente en la práctica. Sin embargo, en ocasiones, se encuentra un problema de tamaño de muestra pequeño. En tales casos, las pruebas de $Z$ son inapropiadas y se requiere un procedimiento alternativo. En esta sección, describimos un procedimiento que se basa en la distribución hipergeométrica.

Supóngase que $X_1$ y $X_2$ son los números de éxitos en muestras aleatorias de tamaño $n_1$ y $n_2$, respectivamente. El procedimiento de prueba requiere que observemos el número total de éxitos como fijo en el valor $X_1 + X_2 = Y$. Consideremos ahora la hipótesis

$$H_0: p_1 = p_2$$

$$H_1: p_1 > p_2$$

Dado que $X_1 + X_2 = Y$, valores grandes de $X_1$ sustentan $H_1$, en tanto que valores pequeños o moderados de $X_1$ sustentan $H_0$. En consecuencia, rechazaremos $H_0$ siempre y cuando $X_1$ sea suficientemente grande.

Puesto que la muestra combinada de $n_1 + n_2$ observaciones contiene un total de $X_1 + X_2 = Y$ de éxitos, si $H_0$: $p_1 = p_2$ no es probable que los éxitos estén más concentrados en la primera muestra que en la segunda. Esto es, todas las formas en las que las $n_1 + n_2$ respuestas pueden dividirse en una muestra de $n_1$ respuestas y en una segunda muestra de $n_2$ respuestas son igualmente probables. El número de maneras de seleccionar $X_1$ éxitos para la primera muestra dejando $Y - X_1$ éxitos para la segunda es

$$\binom{Y}{X_1}\binom{n_1 + n_2 - Y}{n_1 - X_1}$$

Debido a que los resultados son igualmente probables, la probabilidad de exactamente $X_1$ éxitos en la muestra 1 es la razón del número de resultados de la muestra 1 que tiene $X_1$ éxitos al número total de resultados, o

$$P(X_1 = x_1 \mid Y \text{ éxitos en } n_1 + n_2 \text{ respuestas})$$

$$= \frac{\binom{Y}{x_1}\binom{n_1 + n_2 - Y}{n_1 - x_1}}{\binom{n_1 + n_2}{n_1}} \tag{11-106}$$

dado que $H_0$: $p_1 = p_2$ es verdadera. Reconocemos la ecuación 11-106 como la distribución hipergeométrica.

Para utilizar la ecuación 11-106 en la prueba de hipótesis, calcularíamos la probabilidad de determinar un valor de $X_1$ al menos tan extremo como el valor observado de $X_1$. Nótese que esta probabilidad es un valor de $P$. Si este valor de $P$ es lo suficiente pequeño, entonces se rechaza la hipótesis nula. Este planteamiento podría también aplicarse en las alternativas de cola inferior y de dos colas.

**Ejemplo 11.21.** Tela aislante que se utiliza en tarjetas de circuito impreso se manufactura en grandes rollos. El fabricante está tratando de mejorar la producción del proceso, esto es, el número de rollos producidos libres de defectos. Una muestra de 10 rollos contiene exactamente 4 de ellos libres de defectos. Del análisis del tipo de defectos, ingeniería de manufactura sugiere varios cambios en el proceso. Después de la implantación de estos cambios, otra muestra de 10 rollos da como resultado 8 rollos libres de defectos. ¿Los datos sostienen la exigencia de que el nuevo proceso es mejor que el antiguo, empleando $\alpha = .10$?

Para responder esta pregunta, calculamos el valor de $P$. En nuestro ejemplo, $n_1 = n_2 = 10$, $y = 8 + 4 = 12$, y el valor observado de $x_1 = 8$. Los valores de $x_1$ que son más extremos que 8 son 9 y 10. Por tanto,

$$P( X_1 = 8|12 \text{ éxitos} ) = \frac{\binom{12}{8}\binom{2}{2}}{\binom{20}{10}} = .0750$$

$$P( X_1 = 9|12 \text{ éxitos} ) = \frac{\binom{12}{9}\binom{8}{1}}{\binom{20}{10}} = .0095$$

$$P( X_1 = 10|12 \text{ éxitos} ) = \frac{\binom{12}{10}\binom{8}{0}}{\binom{20}{10}} = .0003$$

El valor de $P$ es $P = .0750 + .0095 + .0003$. De tal modo, en el nivel $\alpha = .10$, la hipótesis nula se rechaza y concluimos que los cambios de ingeniería han mejorado la producción del proceso.

Este procedimiento de prueba en ocasiones recibe el nombre de prueba Fisher-Irwin. Debido a que la prueba depende de la suposición de que $X_1 + X_2$ se fija en algún valor, algunos estadísticos han argumentado en contra del uso de la prueba cuando $X_1 + X_2$ no es en realidad fijo. Es claro que $X_1 + X_2$ no se fija por medio del procedimiento de muestreo en nuestro ejemplo. Sin embargo, debido a que no hay otros procedimientos mejores que compitan, la prueba de Fisher-Irwin a menudo se utiliza si $X_1 + X_2$ en realidad se fija o no en principio.

## 11-11   Prueba de bondad de ajuste

Los procedimientos de prueba de hipótesis que se han estudiado en las secciones previas son para problemas en los que la forma de la función de densidad de la variable aleatoria se conoce, y la hipótesis involucra los parámetros de la distribución. Otro tipo de hipótesis se encuentra con frecuencia: no conocemos la distribución de probabilidad de la variable aleatoria bajo estudio, digamos $X$, y deseamos probar la hipótesis de que $X$ sigue una distribución de probabilidad particular. Por ejemplo, podría interesarnos probar la hipótesis de que $X$ sigue la distribución normal.

En esta sección, describimos un procedimiento de prueba formal de bondad de ajuste que se basa en la distribución ji cuadrada. Describimos también una técnica gráfica muy útil llamada graficación de la probabilidad. Por último, brindamos algunas guías útiles en la selección de la forma de la distribución de la población.

## 11-11.1 Prueba de bondad de ajuste de la ji cuadrada

El procedimiento de prueba requiere una muestra aleatoria de tamaño $n$ de la variable aleatoria $X$, cuya función de densidad de probabilidad se desconoce. Estas $n$ observaciones se arreglan en un histograma de frecuencias, teniendo $k$ intervalos de clase. Sea $O_1$ la frecuencia observada en el intervalo de la clase $i$ésimo. De la distribución de probabilidad hipotética, calculamos la frecuencia esperada en el intervalo de clase $i$ésimo, denotada $E_i$. La estadística de prueba es

$$\chi_0^2 = \sum_{i=1}^{k} \frac{(O_i - E_i)^2}{E_i} \qquad (11\text{-}107)$$

Puede demostrarse que $\chi_0^2$ sigue aproximadamente la distribución ji cuadrada con $k - p - 1$ grados de libertad, donde $p$ representa el número de parámetros de la distribución hipotética estimada por medio de estadísticas de muestra. Esta aproximación se mejora cuando $n$ aumenta. Rechazaríamos la hipótesis de que $X$ se ajusta a la distribución hipotética si $\chi_0^2 > \chi_{\alpha, k-p-1}^2$.

Un punto que debe advertirse en la aplicación de este procedimiento de prueba se refiere a la magnitud de las frecuencias esperadas. Si estas frecuencias esperadas son demasiado pequeñas, entonces $\chi_0^2$ no reflejará la desviación de las observadas respecto a las esperadas, sino sólo las más pequeñas de las frecuencias esperadas. No hay un acuerdo general en relación con el valor mínimo de las frecuencias esperadas, aunque los valores de 3, 4 y 5 se utilizan ampliamente como mínimos. Si la frecuencia esperada es demasiado pequeña, puede combinarse con la frecuencia esperada en un intervalo de clase adyacente. Las frecuencias observadas correspondientes se combinarían también en ese caso, y $k$ se reduciría en 1. No se requiere que los intervalos de clase sean de igual ancho.

A continuación brindaremos tres ejemplos del procedimiento de prueba.

**Ejemplo 11.22 Una distribución completamente especificada** Un científico de computadoras ha desarrollado un algoritmo para generar enteros pseudoaleatorios sobre el intervalo 0-9. Codifica el algoritmo y genera 1000 dígitos pseudoaleatorios. Los datos se muestran en la tabla 11-3. ¿Existe evidencia de que el generador de números aleatorios está trabajando correctamente?

Si está trabajando de manera correcta, entonces los valores 0-9 deben seguir la distribución *uniforme discreta*, la cual implica que cada uno de los enteros debe ocurrir exactamente 100 veces. Esto es, las frecuencias esperadas $E_1 = 100$, para $i = 0, 1, \ldots, 9$. Puesto que estas frecuencias esperadas pueden estimarse sin que sea necesario estimar ningún parámetro a partir de los datos de muestra, la prueba resultante de bondad de ajuste de la ji cuadrada tendrá $k - p - 1 = 10 - 0 - 1 = 9$ grados de libertad.

TABLA 11.3   **Datos para el ejemplo 11.22**

|  | 0 | 1 | 2 | 3 | 4 | 5 | 6 | 7 | 8 | 9 | Total $n$ |
|---|---|---|---|---|---|---|---|---|---|---|---|
| Frecuencias observadas $O_i$ | 94 | 93 | 112 | 101 | 104 | 95 | 100 | 99 | 108 | 94 | 1000 |
| Frecuencias esperadas $E_i$ | 100 | 100 | 100 | 100 | 100 | 100 | 100 | 100 | 100 | 100 | 1000 |

El valor observado de la estadística de prueba es

$$\chi_0^2 = \sum_{i=1}^{k} \frac{(O_i - E_i)^2}{E_i}$$

$$= \frac{(94 - 100)^2}{100} + \frac{(93 - 100)^2}{100} + \cdots + \frac{(94 - 100)^2}{100}$$

$$= 3.72$$

Puesto que $\chi_{.05,9}^2 = 16.92$ no somos capaces de rechazar la hipótesis de que los datos provienen de una distribución uniforme discreta. En consecuencia, el generador de números aleatorios parece estar trabajando en forma satisfactoria.

**Ejemplo 11.23   Una distribución discreta**   Se considera en forma hipotética que el número de defectos en tarjetas de circuito impreso sigue una distribución de Poisson. Una muestra aleatoria de $n$ y 60 tarjetas impresas se ha colectado, y observado el número de defectos. Se obtienen los siguientes datos:

| Número de defectos | Frecuencia observada |
|---|---|
| 0 | 32 |
| 1 | 15 |
| 2 | 9 |
| 3 | 4 |

La media de la supuesta distribución de Poisson en este ejemplo se desconoce y puede estimarse a partir de los datos de muestra. La estimación del número medio de defectos por tarjeta es el promedio de la muestra; esto es, $(32 \cdot 0 + 15 \cdot 1 + 9 \cdot 2 + 4 \cdot 3)60 = .75$. De la distribución de Poisson acumulativa con parámetro .75 podemos calcular las frecuencias esperadas como $E_1 = np_i$, donde $p_i$ es la probabilidad hipotética teórica asociada con el intervalo de clase $i$ésimo, y $n$ es el número total de observaciones. Las hipótesis apropiadas son

$$H_0: p(x) = \frac{e^{-.75}(.75)^x}{x!} \qquad x = 0, 1, 2, \ldots$$

$$H_1: p(x) \text{ no es de Poisson con } \lambda = .75$$

Podemos calcular las frecuencias esperadas del modo siguiente:

| Número de fallas | Probabilidad | Frecuencia esperada |
|---|---|---|
| 0 | .472 | 28.32 |
| 1 | .354 | 21.24 |
| 2 | .133 | 7.98 |
| 3 | .033 | 1.98 |

Las frecuencias esperadas se obtienen multiplicando el tamaño de muestra por las probabilidades respectivas. Puesto que la frecuencia esperada en la última celda es menor que 3, combinamos las últimas dos celdas:

| Número de fallas | Frecuencia observada | Frecuencia esperada |
|---|---|---|
| 0 | 32 | 28.32 |
| 1 | 15 | 21.24 |
| 2 | 13 | 9.96 |

La estadística de prueba (que tendrá $k - p - 1 = 3 - 1 - 1$ grados de libertad) se vuelve

$$\chi_0^2 = \frac{(32 - 28.32)^2}{28.32} + \frac{(15 - 21.24)^2}{21.24} + \frac{(13 - 9.96)^2}{9.96} = 3.24$$

y puesto que $\chi_{.05,1}^2 = 3.84$, no podemos rechazar la hipótesis de que la ocurrencia de defectos sigue una distribución de Poisson con media de .75 defectos por tarjeta.

**Ejemplo 11.24  Una distribución continua**  Un ingeniero de manufactura está probando una fuente de poder utilizada en una estación de trabajo de procesamiento de textos. Él desea determinar si una distribución normal describe en forma adecuada el voltaje de salida. De una muestra aleatoria de $n = 100$ unidades, el ingeniero obtiene estimaciones de la media y de la desviación estándar de la muestra $\bar{x} = 12.04$ V y $s = 0.08$ v.

Una práctica común en la construcción de los intervalos de clase para la distribución de frecuencia utilizada en la prueba de bondad de ajuste de la ji cuadrada es elegir las fronteras de celda de modo que las frecuencias esperadas $E_i = np_i$ sean iguales para todas las celdas. Para emplear este método, deseamos elegir las fronteras de celda $a_0, a_1, \ldots, a_k$ para las $k$ celdas de manera que todas las probabilidades

$$p_i = P(a_{i-1} \leq X \leq a_i) = \int_{a_{i-1}}^{a_i} f(x)\, dx$$

sean iguales. Supóngase que decidimos emplear $k = 8$ celdas. Para la distribución normal estándar los intervalos que dividen la escala en ocho segmentos igualmente probables son $[0, .32), [.32, .675), [.675, 1.15), [1.15, \infty)$ y sus cuatro intervalos de "imagen espejo" en el otro lado de cero. En cada intervalo $P_i = 1/8 = .125$, por lo que las frecuencias de celda esperadas son $E_i = np_i = 100(.125) = 12.5$. La tabla completa de frecuencias observadas y esperadas se muestra a continuación:

| Intervalo de clase | Frecuencia observada $O_i$ | Frecuencia esperada $E_i$ |
|---|---|---|
| $x < 11.948$ | 10 | 12.5 |
| $11.948 \leq x < 11.986$ | 14 | 12.5 |
| $11.986 \leq x < 12.014$ | 12 | 12.5 |
| $12.014 \leq x < 12.040$ | 13 | 12.5 |
| $12.040 \leq x < 12.066$ | 11 | 12.5 |
| $12.066 \leq x < 12.094$ | 12 | 12.5 |
| $12.094 \leq x < 12.132$ | 14 | 12.5 |
| $12.132 \leq x$ | 14 | 12.5 |
| | 100 | 100 |

El valor calculado de la estadística ji cuadrada es

$$\chi_0^2 = \sum_{i=1}^{8} \frac{(O_i - E_i)^2}{E_i}$$

$$= \frac{(10 - 12.5)^2}{12.5} + \frac{(14 - 12.5)^2}{12.5} + \cdots + \frac{(14 - 12.5)^2}{12.5}$$

$$= 1.12$$

Puesto que se han estimado dos parámetros en la distribución normal, referiríamos $\chi_0^2 = 1.12$ como una distribución ji cuadrada con $k - p - 1 = 8 - 2 - 1 = 5$ grados de libertad. Luego $\chi_{.1,5}^2 = 13.26$, y de este modo concluiríamos que no hay razón para creer que el voltaje de salida se distribuye normalmente.

## 11-11.2 Gráfica de la probabilidad

Los métodos gráficos también son útiles cuando se selecciona una distribución de probabilidad para describir datos. La graficación de probabilidad es un método gráfico para determinar si los datos se ajustan a una distribución hipotética basada en un examen visual subjetivo de los datos. El procedimiento general es muy simple y puede efectuarse con rapidez. La graficación de la probabilidad requiere papel gráfico especial, conocido como papel de *probabilidad*, que se ha diseñado para la distribución hipotética. Se dispone ampliamente de papel de probabilidad para las distribuciones normal, lognormal, de Weibull y diversas distribuciones ji cuadrada y gamma. Para construir una gráfica de probabilidad, se clasifican primero las observaciones en la muestra de la más pequeña a la más grande. Esto es, la muestra $X_1, X_2, \ldots, X_n$ se arregla como $X_{(1)}, X_{(2)}, \ldots, X_{(n)}$, donde $X_{(j)} \leq X_{(j+1)}$. Las observaciones ordenadas $X_{(j)}$ se grafican después contra su frecuencia acumulativa observada $(j - .5)/n$ en papel de probabilidad apropiado. Si la distribución hipotética describe de manera adecuada los datos, los puntos graficados caerán aproximadamente sobre una línea recta; si los puntos graficados se desvían de modo significativo de una línea recta, entonces el modelo hipotético no es apropiado. Usualmente, la determinación de si los datos se grafican o no como una línea recta es subjetiva.

**Ejemplo 11.25** Para ilustrar la graficación de la probabilidad, considérense los siguientes datos:

$$-.314, 1.080, .863, -.179, -1.390, -.563, 1.436, 1.153, .504, -.801$$

Consideramos la hipótesis de que una distribución normal modela de manera adecuada estos datos. Las observaciones se arreglan en orden ascendente y sus frecuencias acumulativas $(j - .5)/n$ se calculan del modo siguiente:

| $j$ | $X_{(j)}$ | $(j - .5)/n$ |
|---|---|---|
| 1 | −1.390 | .05 |
| 2 | −.801 | .15 |
| 3 | −.563 | .25 |
| 4 | −.314 | .35 |
| 5 | −.179 | .45 |
| 6 | .504 | .55 |
| 7 | .863 | .65 |
| 8 | 1.080 | .75 |
| 9 | 1.153 | .85 |
| 10 | 1.436 | .95 |

Los pares de valores de $X_{(j)}$ y $(j - .5)/n$ se grafican luego sobre papel de probabilidad normal. Esta gráfica se muestra en la figura 11.7. La mayor parte

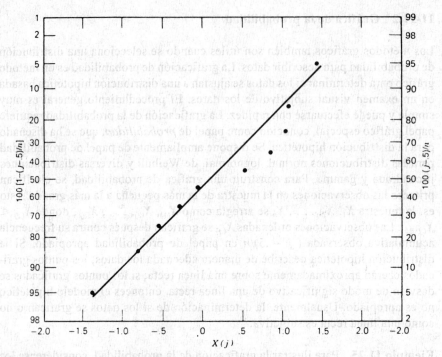

**Figura 11.7** Gráfica de probabilidad normal.

del papel de probabilidad normal gráfica $100(j - .5)/n$ en la escala vertical derecha y $100[1 - (j - .5)/n]$ en la escala vertical izquierda, con el valor variable graficado sobre la escala horizontal. Hemos elegido graficar $X_{(j)}$ contra $100(j - .5)/n$ sobre la vertical derecha en la figura 11.7. Una línea recta, elegida en forma subjetiva, se ha dibujado a partir de los puntos graficados. Al dibujar la línea recta, no debe haber mayor influencia de los puntos cercanos a la mitad que de los puntos extremos. Puesto que los puntos caen por lo general cerca de la línea, concluimos que una distribución normal describe los datos.

Podemos obtener una estimación de la media y de la desviación estándar directamente de la gráfica de la probabilidad normal. La media se estima como el 50° percentil de la muestra, o $\hat{\mu} = .10$ aproximadamente, y la desviación estándar se estima como la diferencia entre los percentiles 84° y 50° o $\hat{\sigma} = .95 - .10 = .85$, aproximadamente.

Una gráfica de probabilidad normal puede construirse también sobre papel gráfico ordinario graficando los conteos normales estandarizados $Z_j$ contra $X_{(j)}$, donde los conteos normales estandarizados satisfacen

$$\frac{j - .5}{n} = P(Z \le Z_j) = \Phi(Z_j)$$

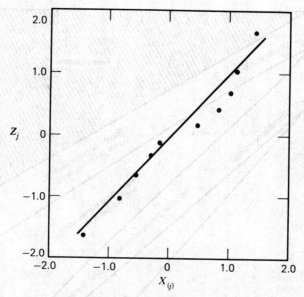

**Figura 11.8** Gráfica de probabilidad normal.

Por ejemplo, si $(j - .5)/n = .05$, entonces $\Phi(Z_j) = .05$ implica que $Z_j = 1.64$. Como ejemplo, considérense los datos del ejemplo 11.25. En la tabla siguiente mostramos los conteos normales estandarizados en la última columna:

| $j$ | $X_{(j)}$ | $(j - .5)/n$ | $Z_j$ |
|----|---------|-----------|-------|
| 1 | $-1.390$ | .05 | $-1.64$ |
| 2 | $-.8801$ | .15 | $-1.04$ |
| 3 | $-.563$ | .25 | $-0.67$ |
| 4 | $-.314$ | .35 | $-0.39$ |
| 5 | $-.179$ | .45 | $-0.13$ |
| 6 | .504 | .55 | 0.13 |
| 7 | .863 | .65 | 0.39 |
| 8 | 1.080 | .75 | 0.67 |
| 9 | 1.153 | .85 | 1.04 |
| 10 | 1.436 | .95 | 1.64 |

La figura 11.8 presenta la gráfica de $Z_j$ contra $X_{(j)}$. Esta gráfica de probabilidad normal es equivalente a la de la figura 11.7

### 11-11.3 Selección de la forma de una distribución

La elección de la distribución hipotética para ajustar los datos es importante. Algunas veces los analistas pueden utilizar su conocimiento del fenómeno físico

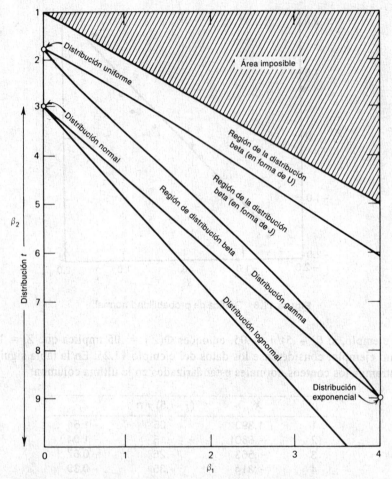

**Figura 11.9**   Regiones en el plano $\beta_1$, $\beta_2$ para diversas distribuciones estándar (Adaptada de G. J. Hahn y S. S. Shapiro, *Statistical Models in Engineering*, John Wiley & Sons, Nueva york, 1967; utilizada con autorización del editor y profesor E. S. Pearson, Universidad de Londres.)

para elegir una distribución que modele los datos. Por ejemplo, al estudiar los datos de defectos de tarjetas de circuito en el ejemplo 11.23 se consideró de manera hipotética una distribución de Poisson para describirlos, debido a que las fallas son fenómenos de "eventos unitarios", y tales fenómenos a menudo son mejor modelados por una distribución de Poisson. En ocasiones la experiencia previa puede sugerir la elección de la distribución.

En situaciones en las que no hay experiencia previa o alguna teoría para sugerir una distribución que describa los datos, el analista debe confiar en otros métodos. La inspección de un histograma de frecuencias puede sugerir a menudo una distribución apropiada. También es posible usar la disposición en la figura 11.9 para ayudar en la selección de una distribución que describa los datos. Esta figura muestra las regiones en el plano $\beta_1$, $\beta_2$ para diversas distribuciones de probabilidad estándar donde

$$\sqrt{\beta_1} = \frac{E(X - \mu)^3}{(\sigma^2)^{3/2}}$$

es una medida estandarizada de la asimetría y

$$\beta_2 = \frac{E(X - \mu)^4}{\sigma^4}$$

es una medida de la curtosis (o puntiagudez). Para utilizar la figura 11.9, se calculan las estimaciones de muestra de $\beta_1$ y $\beta_2$, por ejemplo

$$\sqrt{\hat{\beta}_1} = \frac{M_3}{(M_2)^{3/2}}$$

y

$$\hat{\beta}_2 = \frac{M_4}{M_2^2}$$

donde

$$M_j = \frac{\sum\limits_{i=1}^{n}(X_i - \bar{X})^j}{n} \qquad j = 1, 2, 3, 4$$

y se grafica el punto $\hat{\beta}_1$, $\hat{\beta}_2$ en la figura 11.9. Si este punto cae razonablemente cerca de un punto, línea o área que corresponda a uno de las distribuciones dadas en la figura, entonces esta distribución es un candidato lógico para modelar los datos.

De la inspección de la figura 11.9 notamos que todas las distribuciones normales se representan mediante el punto $\beta_1 = 0$ y $\beta_2 = 3$. Esto es razonable, puesto que todas las distribuciones normales tienen la misma forma. De manera similar las distribuciones exponencial y uniforme se representan por medio de un solo punto en el plano $\beta_1$, $\beta_2$. Las distribuciones gamma y lognormal se representan mediante líneas, porque sus formas dependen en sus valores de parámetro. Nótese que estas líneas están muy próximas entre sí, lo que puede explicar por qué algunos conjuntos de datos se modelan igualmente bien por cualquier distribución. Observamos también que hay regiones del plano $\beta_1$, $\beta_2$ para las cuales ninguna de las distribuciones en la figura 11.9 son apropiadas. Otras distribuciones más generales, tales como las familias de distribuciones de Johnson o Pearson, pueden requerirse en estos casos. Los procedimientos para ajustar estas familias de distribuciones y las figuras similares a la 11.9 se presentan en Hahn y Shapiro (1967).

## 11-12   Pruebas de tablas de contingencias

En muchas ocasiones, los $n$ elementos de una muestra de una población pueden clasificarse de acuerdo con dos criterios diferentes. Por ello interesa conocer si los dos métodos de clasificación son estadísticamente independientes; por ejemplo, podemos considerar la población de ingenieros graduados y tal vez deseemos determinar si el salario inicial es independiente de las disciplinas académicas. Supóngase que el primer método de clasificación tiene $r$ niveles y que el segundo método de clasificación tiene $c$ niveles. Sea $O_{ij}$ la frecuencia observada para el nivel $i$ del primer método de clasificación y el nivel $j$ del segundo método de clasificación. Los datos aparecerían, en general, como en la tabla 11.4. Una tabla de tales características se llama comúnmente *tabla de contingencia* $r \times c$.

Estamos interesados en probar la hipótesis de que los métodos de clasificación de renglón y de columna son independientes. Si rechazamos esta hipótesis, concluimos que hay cierta *interacción* entre los dos criterios de clasificación. Los procedimientos de prueba exactos son difíciles de obtener, pero una estadística de prueba aproximada es válida para $n$ grande. Supónganse las $O_{ij}$ como variables aleatorias multinomiales y $p_{ij}$ como la probabilidad de que un elemento elegido al azar cae en la celda $ij$ésima, dado que las dos clasificaciones son independientes. Entonces $p_{ij} = u_i v_j$, donde $u_i$ es la probabilidad de que un elemento elegido al azar caiga en el renglón de clase $i$ y $v_j$ es la probabilidad de que un elemento seleccionado en forma aleatoria caiga en la columna de clase $j$. Luego, suponiendo independencia, los estimadores de máxima probabilidad de $u_i$ y $v_j$ son

$$\hat{u}_i = \frac{1}{n} \sum_{j=1}^{c} O_{ij}$$

$$\hat{v}_j = \frac{1}{n} \sum_{i=1}^{r} O_{ij} \qquad (11\text{-}108)$$

TABLA 11.4   **Una tabla de contingencia $r \times c$**

|  |  | Columnas | | |
|---|---|---|---|---|
|  |  | 1 | 2 | $\cdots$ | $c$ |
| Renglones | 1 | $O_{11}$ | $O_{12}$ | $\cdots$ | $O_{1c}$ |
|  | 2 | $O_{21}$ | $O_{22}$ | $\cdots$ | $O_{2c}$ |
|  | $\vdots$ | $\vdots$ | $\vdots$ | $\vdots$ | $\vdots$ |
|  | $r$ | $O_{r1}$ | $O_{r2}$ | $\cdots$ | $O_{rc}$ |

En consecuencia, el número esperado de cada celda es

$$E_{ij} = n\hat{u}_i\hat{v}_j = \frac{1}{n} \sum_{j=1}^{c} O_{ij} \sum_{i=1}^{r} O_{ij} \qquad (11\text{-}109)$$

Entonces, para $n$ grande, la estadística

$$\chi_0^2 = \sum_{i=1}^{r} \sum_{j=1}^{c} \frac{\left(O_{ij} - E_{ij}\right)^2}{E_{ij}} \sim \chi_{(r-1)(c-1)}^2 \qquad (11\text{-}110)$$

aproximadamente, y rechazaríamos la hipótesis de independencia si $\chi_0^2 > \chi_{\alpha,\,(r-1)(c-1)}^2$.

**Ejemplo 11.26.** Una compañía tiene que escoger entre tres planes de pensión. La administración desea conocer si la preferencia por algún plan es independiente de la clasificación del empleo. Las opiniones de una muestra aleatoria de 500 empleados se muestran en la tabla 11.5. Podemos calcular $\hat{u} = (340/500) = .68$, $\hat{u}_2 = (160/500) = .32$, $\hat{v}_1 = (200/500) = .40$, $\hat{v}_2 = (200/500) = .40$ y $\hat{v}_3 = (100/500) = .20$. Las frecuencias esperadas pueden calcularse a partir de la ecuación 11-109. Por ejemplo, el número esperado de trabajadores asalariados que favorecen el plan 1 es

$$E_{11} = n\hat{u}_1\hat{v}_1 = 500(.68)(.40) = 136$$

TABLA 11.5   **Datos observados para el ejemplo 11.26**

| | Plan de pensión | | | |
|---|---|---|---|---|
| | 1 | 2 | 3 | Total |
| Trabajadores asalariados | 160 | 140 | 40 | 340 |
| Trabajadores por hora | 40 | 60 | 60 | !60 |
| Totales | 200 | 200 | 100 | 500 |

TABLA 11.6   **Frecuencias esperadas para el ejemplo 11.26**

| | Plan de pensión | | | |
|---|---|---|---|---|
| | 1 | 2 | 3 | Total |
| Trabajadores asalariados | 136 | 136 | 68 | 340 |
| Trabajadores por hora | 64 | 64 | 32 | 160 |
| Totales | 200 | 200 | 100 | 500 |

TABLA 11.7  Resumen de procedimientos de prueba de hipótesis en medias y varianzas

| Hipótesis nula | Estadística de prueba | Hipótesis alternativa | Criterio de rechazo | Parámetro de la curva CO |
|---|---|---|---|---|
| $H_0: \mu = \mu_0$ $\sigma^2$ conocida | $Z_0 = \dfrac{\bar{X} - \mu_0}{\sigma/\sqrt{n}}$ | $H_1: \mu \neq \mu_0$ $H_1: \mu > \mu_0$ $H_1: \mu < \mu_0$ | $Z_0 > Z_{\alpha/2}$ $Z_0 > Z_\alpha$ $Z_0 < -Z_\alpha$ | $d = \lvert \mu - \mu_0 \rvert / \sigma$ $d = (\mu - \mu_0)/\sigma$ $d = (\mu_0 - \mu)/\sigma$ |
| $H_0: \mu = \mu_0$ $\sigma^2$ desconocida | $t_0 = \dfrac{\bar{X} - \mu_0}{S/\sqrt{n}}$ | $H_1: \mu \neq \mu_0$ $H_1: \mu > \mu_0$ $H_1: \mu < \mu_0$ | $\lvert t_0 \rvert > t_{\alpha/2,\,n-1}$ $t_0 > t_{\alpha,\,n-1}$ $t_0 < -t_{\alpha,\,n-1}$ | $d = \lvert \mu - \mu_0 \rvert / \sigma$ $d = (\mu - \mu_0)/\sigma$ $d = (\mu_0 - \mu)/\sigma$ |
| $H_0: \mu_1 = \mu_2$ $\sigma_1^2$ y $\sigma_2^2$ conocidas | $Z_0 = \dfrac{\bar{X}_1 - \bar{X}_2}{\sqrt{\dfrac{\sigma_1^2}{n_1} + \dfrac{\sigma_2^2}{n_2}}}$ | $H_1: \mu_1 \neq \mu_2$ $H_1: \mu_1 > \mu_2$ $H_1: \mu_1 < \mu_2$ | $Z_0 > Z_{\alpha/2}$ $Z_0 > Z_\alpha$ $Z_0 < -Z_\alpha$ | $d = \lvert \mu_1 - \mu_2 \rvert / \sqrt{\sigma_1^2 + \sigma_2^2}$ $d = (\mu_1 - \mu_2)/\sqrt{\sigma_1^2 + \sigma_2^2}$ $d = (\mu_2 - \mu_1)/\sqrt{\sigma_1^2 + \sigma_2^2}$ |
| $H_0: \mu_1 = \mu_2$ $\sigma_1^2 = \sigma_2^2 = \sigma^2$ desconocidas | $t_0 = \dfrac{\bar{X}_1 - \bar{X}_2}{S_p\sqrt{\dfrac{1}{n_1} + \dfrac{1}{n_2}}}$ | $H_1: \mu_1 \neq \mu_2$ $H_1: \mu_1 > \mu_2$ $H_1: \mu_1 < \mu_2$ | $\lvert t_0 \rvert > t_{\alpha/2,\,n_1+n_2-2}$ $t_0 > t_{\alpha,\,n_1+n_2-2}$ $t_0 < -t_{\alpha,\,n_1+n_2-2}$ | $d = \lvert \mu_1 - \mu_2 \rvert / 2\sigma$ $d = (\mu_1 - \mu_2)/2\sigma$ $d = (\mu_2 - \mu_1)/2\sigma$ |

| | | | |
|---|---|---|---|
| $H_0: \mu_1 = \mu_2$ <br> $\sigma_1^2 \neq \sigma_2^2$ desconocida | $t_0 = \dfrac{\bar{X}_1 - \bar{X}_2}{\sqrt{\dfrac{S_1^2}{n_1} + \dfrac{S_2^2}{n_2}}}$ <br><br> $v = \dfrac{\left(\dfrac{S_1^2}{n_1} + \dfrac{S_2^2}{n_2}\right)^2}{\dfrac{(S_1^2/n_1)^2}{n_1 + 1} + \dfrac{(S_2^2/n_2)^2}{n_2 + 1}} - 2$ | $H_1: \mu_1 \neq \mu_2$ <br> $H_1: \mu_1 > \mu_2$ <br> $H_1: \mu_1 < \mu_2$ | $\lvert t_0 \rvert > t_{\alpha/2,v}$ <br> $t_0 > t_{\alpha,v}$ <br> $t_0 < -t_{\alpha,v}$ | — <br> — <br> — |
| $H_0: \sigma^2 = \sigma_0^2$ | $\chi_0^2 = \dfrac{(n-1)S^2}{\sigma_0^2}$ | $H_1: \sigma^2 \neq \sigma_0^2$ <br><br> $H_1: \sigma^2 > \sigma_0^2$ <br> $H_1: \sigma^2 < \sigma_0^2$ | $\chi_0^2 > \chi_{\alpha/2,n-1}^2$ <br> or <br> $\chi_0^2 < \chi_{1-\alpha/2,n-1}^2$ <br> $\chi_0^2 > \chi_{\alpha,n-1}^2$ <br> $\chi_0^2 < \chi_{1-\alpha,n-1}^2$ | $\lambda = \sigma/\sigma_0$ <br><br> $\lambda = \sigma/\sigma_0$ <br> $\lambda = \sigma/\sigma_0$ |
| $H_0: \sigma_1^2 = \sigma_2^2$ | $F_0 = S_1^2 / S_2^2$ | $H_1: \sigma_1^2 \neq \sigma_2^2$ <br><br> $H_1: \sigma_1^2 > \sigma_2^2$ | $F_0 > F_{\alpha/2,n_1-1,n_2-1}$ <br> or <br> $F_0 < F_{1-\alpha/2,n_1-1,n_2-1}$ <br> $F_0 > F_{\alpha,n_1-1,n_2-1}$ | $\lambda = \sigma_1/\sigma_2$ <br><br> $\lambda = \sigma_1/\sigma_2$ |

Las frecuencias esperadas se muestran en la tabla 11.6. La estadística de prueba se calcula de la ecuación 11-110 como sigue:

$$\chi_0^2 = \sum_{i=1}^{2} \sum_{j=1}^{3} \frac{(O_{ij} - E_{ij})^2}{E_{ij}}$$

$$= \frac{(160 - 136)^2}{136} + \frac{(140 - 136)^2}{136} + \frac{(40 - 68)^2}{68} + \frac{(40 - 64)^2}{64}$$

$$+ \frac{(60 - 64)^2}{64} + \frac{(60 - 32)^2}{32} = 49.63$$

Puesto que $\chi_{.05,2}^2 = 5.99$, rechazamos la hipótesis de independencia y concluimos que la preferencia para los planes de pensión no es independiente de la clasificación de empleos.

El uso de la tabla de contingencia de dos vías para probar la independencia entre dos variables de clasificación en una muestra a partir de una sola población de interés, no es la única aplicación de los métodos de las tablas de contingencia. Otra situación común ocurre cuando hay $r$ poblaciones de interés, y cada una de ellas se divide en las mismas $c$ categorías. Una muestra se toma luego de la población $i$ésima y los conteos se anotan en las columnas apropiadas del renglón $i$ésimo. En esta situación deseamos investigar si las proporciones en las $c$ categorías son las mismas para todas las poblaciones o no. La hipótesis nula en este problema establece que las poblaciones son *homogéneas* con respecto a las categorías. Por ejemplo, cuando sólo hay dos categorías, tales como éxito y fracaso, defectuoso o no defectuoso etc., la prueba para la homogeneidad es en realidad una prueba de la igualdad de los $r$ parámetros binomiales. El cálculo de las frecuencias esperadas, la determinación de los grados de libertad y el cálculo de la estadística de la ji cuadrada para la prueba de homogeneidad son idénticas a la prueba para la independencia.

## 11-13  Resumen

Este capítulo ha presentado la prueba de hipótesis. Los procedimientos para probar hipótesis en medias y varianzas se resumen en la tabla 11.7. La bondad de ajuste de la ji cuadrada se presentó para probar la hipótesis de que una distribución empírica sigue una ley de probabilidad particular. Los métodos gráficos también son útiles en la prueba de la bondad del ajuste, en particular cuando los tamaños de muestra son pequeños. Además, se presentaron las tablas de contingencia de dos vías para probar la hipótesis de que dos métodos de clasificación de una muestra son independientes. Se estudió también el empleo de las tablas de contingencia en la prueba de la homogeneidad de varias poblaciones.

# 11-14   Ejercicios

**11-1**   Se requiere que la resistencia al rompimiento de una fibra utilizada en la fabricación de ropa no sea menor que 160 psi. La experiencia pasada indica que la desviación estándar de la resistencia al rompimiento es de 3 psi. Se prueba una muestra aleatoria de cuatro especímenes y se encuentra que la resistencia promedio al rompimiento es de 158 psi.

    *a)*   ¿Debe considerarse aceptable la fibra con $\alpha = .05$?

    *b)*   ¿Cuál es la probabilidad de aceptar $H_0$: $\mu \leq 160$ si la fibra tiene una resistencia al rompimiento verdadera de 165 psi?

**11-2**   Se está estudiando el rendimiento de un proceso químico. De la experiencia previa se sabe que la varianza del rendimiento con este proceso es 5 (unidades de $\sigma^2 =$ porcentaje$^2$). Los últimos cinco días de operación de la planta han dado como resultado los siguientes rendimientos (en porcentajes): 91.6, 88.75, 90.8, 89.95, 91.3.

    *a)*   ¿Hay razón para creer que el rendimiento es menor al 90%?

    *b)*   ¿Qué tamaño de muestra se requeriría para detectar un rendimiento medio verdadero de 85% con probabilidad de .95?

**11-3**   Se sabe que los diámetros de tornillos tienen una desviación estándar de .0001 plg. Una muestra aleatoria de 10 tornillos produce un diámetro promedio de .2546 plg.

    *a)*   Pruebe la hipótesis de que el diámetro medio real de los tornillos es igual a .255 plg, empleando $\alpha = .05$.

    *b)*   ¿Qué tamaño de muestra se necesitaría para detectar un diámetro de tornillo medio real de .2552 plg con probabilidad de por lo menos .90?

**11-4.**   Considere los datos en el ejercicio 10-27.

    *a)*   Pruebe la hipótesis de que el diámetro medio de un anillo de pistón es 74.035 mm. Utilice $\alpha = .01$.

    *b)*   ¿Qué tamaño de muestra se requiere para detectar un diámetro medio real de 74.030 con probabilidad de por lo menos .95?

**11-5**   Considere los datos en el ejercicio 10-28. Pruebe la hipótesis de que la vida media de las bombillas eléctricas es de 1000 horas. Use $\alpha = .05$.

**11-6**   Considere los datos en el ejercicio 10-29. Pruebe la hipótesis de que la resistencia compresiva media es igual a 3500 psi. Utilice $\alpha = .01$.

**11-7**   Se emplean dos máquinas para llenar botellas de plástico con un volumen neto de 16.0 onzas. El proceso de llenado puede suponerse normal, con desviaciones estándar de $\sigma_1 = .015$ y $\sigma_2, = .018$. Ingeniería de calidad sospecha que ambas máquinas llenan hasta el mismo volumen neto, sin importar que este volumen sea o no de 16.0 onzas. Se toma una muestra aleatoria de la salida de cada máquina.

| Máquina 1 | | Máquina 2 | |
|---|---|---|---|
| 16.03 | 16.01 | 16.02 | 16.03 |
| 16.04 | 15.96 | 15.97 | 16.04 |
| 16.05 | 15.98 | 15.96 | 16.02 |
| 16.05 | 16.02 | 16.01 | 16.01 |
| 16.02 | 15.99 | 15.99 | 16.00 |

a) ¿Piensa usted que ingeniería de calidad está en lo correcto? Utilice $\alpha = .05$.

b) Suponiendo tamaños de muestra iguales, qué tamaño de muestra se utilizaría para asegurar que $\beta = .05$ si la diferencia en medias reales es .075. Suponiendo que $\alpha = 0.5$.

c) ¿Cuál es la capacidad de la prueba en a) para una diferencia en medias real de .075?

**11-8** Dos tipos de plásticos son apropiados para que los utilice un fabricante de componentes electrónicos. La resistencia al rompimiento de estos plásticos es importante. Se sabe que $\sigma_1 = \sigma_2 = 1.0$ psi. De una muestra aleatoria de tamaño $n_1 = 10$ y $n_2 = 12$ obtenemos $\bar{x}_1 = 162.5$ y $\bar{x}_2 = 155.0$. La compañía no adoptará el plástico 1 a menos que su resistencia al rompimiento exceda la del plástico 2 al menos por 10 psi. De acuerdo con la información de la muestra, ¿debe utilizarse el plástico 1?

**11-9** Considérense los datos en el ejercicio 10-33. Pruebe la hipótesis de que ambas máquinas llenan hasta el mismo volumen. Emplee $\alpha = .10$.

**11-10** Considere los datos en el ejercicio 10-34. Pruebe $H_0$: $\mu_1 = \mu_2$ contra $H_1$: $\mu_1 > \mu_2$, empleando $\alpha = .05$.

**11-11** Considere los datos del número de octanaje de gasolina en el ejercicio 10-35. Al fabricante le gustaría detectar que la fórmula 2 produce un número de octanaje más alto que la formula 1. Formule y pruebe una hipótesis apropiada, empleando $\alpha = .05$.

**11-12** Un fabricante de propulsores está investigando la desviación lateral en yardas de cierto tipo de proyectil de mortero . Se han observado los siguientes datos.

| Etapa | Desviación | Etapa | Desviación |
|---|---|---|---|
| 1 | 11.28 | 6 | − 9.48 |
| 2 | − 10.42 | 7 | 6.25 |
| 3 | − 8.51 | 8 | 10.11 |
| 4 | 1.95 | 9 | − 8.65 |
| 5 | 6.47 | 10 | − .68 |

Pruebe la hipótesis de que la desviación lateral media de estos proyectiles de mortero es cero. Suponga que la desviación lateral se distribuye normalmente.

**11-13** La vida de almacenamiento de un película fotográfica es de interés para el fabricante. Éste observa los siguientes datos de vida de almacenamiento para ocho unidades elegidas al azar de la producción actual. Suponga que la vida de almacenamiento se distribuye normalmente.

| | |
|---|---|
| 108 días | 128 días |
| 134 | 163 |
| 124 | 159 |
| 116 | 134 |

a) ¿Hay alguna evidencia relativa a que la vida de almacenamiento media es mayor o igual que 125 días?

b) Si es importante detectar una razón $\delta/\sigma$ de 1.0 con probabilidad de .90, ¿el tamaño de muestra es suficiente?

**11-14** El contenido de titanio de una aleación se está estudiando con la esperanza de incrementar finalmente la resistencia a la tensión. Un análisis de seis calentamientos recientes elegidos al azar produce los siguientes contenidos de titanio.

| | |
|---|---|
| 8.0% | 7.7% |
| 9.9 | 11.6 |
| 9.9 | 14.6 |

¿Hay alguna evidencia de que el contenido medio de titanio sea mayor que 9.5%?

**11-15** El tiempo para reparar un instrumento electrónico es una variable aleatoria medida en horas que se distribuye normalmente. Los tiempos de reparación para 16 de tales instrumentos, elegidos al azar, son como sigue.

| Horas | | | |
|---|---|---|---|
| 159 | 280 | 101 | 212 |
| 224 | 379 | 179 | 264 |
| 222 | 362 | 168 | 250 |
| 149 | 260 | 485 | 170 |

¿Parece razonable que el tiempo medio real de reparación sea mayor que 250 horas?

**11-16** Se considera hipotéticamente que la rebaba producida en una operación de acabado metálico es menor que 7.5%. Se eligieron varios días al azar y se calcularon los porcentajes de rebaba.

| | |
|---|---|
| 5.51% | 7.32% |
| 6.49 | 8.81 |
| 6.46 | 8.56 |
| 5.37 | 7.46 |

a) En su opinión, ¿la proporción real de rebaba es menor que 7.5%?

b) Si es importante detectar una razón de $\delta/\sigma$ de 1.5 con probabilidad de por lo menos .90, ¿cuál es el tamaño mínimo de muestra que puede utilizarse?

c) Para $\delta/\sigma$ de 2.0, ¿cuál es la capacidad de la prueba anterior?

**11-17** Suponga que debe probarse la hipótesis

$$H_0 : \mu \geq 15$$
$$H_1 : \mu < 15$$

donde se sabe que $\sigma^2 = 2.5$. Si $\alpha = .05$ y la media real es 12, ¿qué tamaño de muestra es necesario para asegurar un error de tipo II de 5%?

**11-18** Un ingeniero desea probar la hipótesis de que el punto de fusión de una aleación es 1000°C. Si el punto de fusión real difiere de éste en más de 20°, él debe cambiar la composición de la aleación. Si suponemos que el punto de fusión es una variable aleatoria que se distribuye normalmente, $\alpha = .05$, y $\sigma = 10°C$, ¿cuántas observaciones deben efectuarse?

**11-19** Se están investigando dos métodos para producir gasolina a partir de petróleo crudo. Se supone que el rendimiento de ambos procesos se distribuye normalmente. Los siguientes datos de rendimiento se han obtenido de la planta piloto.

| Proceso | Rendimientos (%) | | | | | |
|---------|------|------|------|------|------|------|
| 1 | 24.2 | 26.6 | 25.7 | 24.8 | 25.9 | 26.5 |
| 2 | 21.0 | 22.1 | 21.8 | 20.9 | 22.4 | 22.0 |

a)   ¿Hay alguna razón para creer que el proceso 1 tiene un rendimiento medio mayor?

b)   Suponiendo que para adoptar el proceso 1 debe producirse un rendimiento medio que es al menos 5% mayor que el del proceso 2, ¿cuáles son sus recomendaciones?

c)   Encuentre la capacidad de la prueba en la parte a) si el rendimiento medio del proceso 1 es 5% mayor que el del proceso 2.

d)   ¿Qué tamaño de muestra se requiere para la prueba en la parte a) para asegurar que la hipótesis nula se rechazará con probabilidad .90 si el rendimiento medio del proceso 1 excede el rendimiento del proceso 2 en 5%?

**11-20** Se está investigando la resistencia de dos alambres, con la siguiente información de muestra.

| Alambre | Resistencia (ohms) | | | | | |
|---------|------|------|------|------|------|------|
| 1 | .140 | .141 | .139 | .140 | .138 | .144 |
| 2 | .135 | .138 | .140 | .139 | — | — |

Suponiendo que las dos varianzas son iguales, ¿qué conclusiones pueden extraerse respecto a la resistencia media de los alambres?

**11-21** Los siguientes son tiempos de quemado (en minutos) de señales luminosas de dos tipos diferentes.

| Tipo 1 | | Tipo 2 | |
| --- | --- | --- | --- |
| 63 | 82 | 64 | 56 |
| 81 | 68 | 72 | 63 |
| 57 | 59 | 83 | 74 |
| 66 | 75 | 59 | 82 |
| 82 | 73 | 65 | 82 |

a) Pruebe la hipótesis de que las dos varianzas sean iguales. Use $\alpha = .05$.

b) Al emplear los resultados de a), pruebe la hipótesis de que los tiempos medios de quemado sean iguales.

**11-22** Un nuevo dispositivo de filtrado se instala en una unidad química. Antes de su instalación, una muestra aleatoria produce la siguiente información acerca del porcentaje de impurezas: $\bar{x}_1 = 12.5$, $s_1^2 = 101.17$ y $n_1 = 8$. Después de la instalación, una muestra aleatoria produce $\bar{x}_2 = 10.2$, $s_2^2 = 94.73$, $n_2 = 9$.

a) ¿Puede usted concluir que las dos varianzas son iguales?

b) ¿El dispositivo de filtrado ha reducido en forma significativa el porcentaje de impurezas?

**11-23** Suponga que dos muestras aleatorias se extraen de poblaciones normales con varianzas iguales. Los datos de la muestra producen $\bar{x}_1 = 20.0$, $n_1 = 10$, $\Sigma(x_{1_i} - \bar{x}_1)^2 = 1480$, $\bar{x}_2 = 15.8$, $n_2 = 10$, y $\Sigma(x_{2_i} - \bar{X}^2)^2 = 1425$.

a) Pruebe la hipótesis de que las dos medias son iguales. Emplee $\alpha = .01$.

b) Encuentre la probabilidad de que la hipótesis nula en a) se rechazará si la diferencia real en las medias es 10.

c) ¿Qué tamaño de muestra se requiere para detectar una diferencia real en las medias de 5 con probabilidad al menos de .80 si se sabe al inicio del experimento que una estimación aproximada de la varianza común es 150?

**11-24** Considere los datos en el ejercicio 10-44.

a) Pruebe la hipótesis de que las medias de las dos distribuciones normales son iguales. Emplee $\alpha = .05$ y suponga que $\sigma_1^2 = \sigma_2^2$.

b) ¿Qué tamaño de muestra se requiere para detectar una diferencia en las medias de 2.0 con probabilidad de por lo menos .85?

c) Pruebe la hipótesis de que las varianzas de dos distribuciones son iguales. Emplee $\alpha = .05$.

d) Encuentre la potencia de la prueba en c) si la varianza de una población es cuatro veces la de la otra.

**11-25** Considere los datos en el ejercicio 10-45. Suponiendo que $\sigma_1^2 = \sigma_2^2$, pruebe la hipótesis de que el diámetro medio de las barras producidas en los dos tipos diferentes de máquinas no difieren. Emplee $\alpha = .05$.

**11-26** Una compañía química produce cierta droga cuyo peso tiene una desviación estándar de 4 miligramos. Se ha propuesto un nuevo método de producción de esta droga, aunque están involucrados costos adicionales. La administración autorizará un cambio en la técnica de producción sólo si la desviación estándar del peso en el nuevo proceso es menor que 4 miligramos. Si la desviación estándar del peso en el nuevo proceso es tan pequeña como 3 miligramos, a la compañía le gustaría cambiar los métodos de producción con una probabilidad de por lo menos .90. Suponiendo que el peso se distribuye normalmente y que $\alpha = .05$, ¿cuántas observaciones deben efectuarse? Supóngase que los investigadores eligen $n = 10$ y obtienen los siguientes datos. ¿Es ésta una buena elección para $n$? ¿Cuál debe ser su decisión?

| | |
|---|---|
| 16.628 gramos | 16.630 gramos |
| 16.622 | 16.631 |
| 16.627 | 16.624 |
| 16.623 | 16.622 |
| 16.618 | 16.626 |

**11-27** Un fabricante de instrumentos de mediciones de precisión afirma que la desviación estándar en el uso del instrumento es .00002 plg. Un analista, que no tiene conocimiento de esta afirmación, utiliza el instrumento 8 veces y obtiene una desviación estándar de muestra de .00005 plg.

a)  Al emplear $\alpha = .01$, ¿se justifica la afirmación?
b)  Calcule un intervalo de confianza del 99% para la varianza real.
c)  ¿Cuál es la capacidad de la prueba si la desviación estándar real es igual a .00004?
d)  ¿Cuál es el tamaño de muestra más pequeño que puede utilizarse para detectar una desviación estándar real de .00004 con probabilidad de por lo menos .95? Emplee $\alpha = .01$.

**11-28** Se supone que la desviación estándar de las mediciones que realiza un termopar especial es .005 grados. Si la desviación estándar es tan grande como .010 deseamos detectarla con probabilidad de por lo menos .90. Emplee $\alpha = .01$. ¿Qué tamaño de muestra debe emplearse? Si se emplea este tamaño de muestra y la desviación estándar $s = .007$, ¿cuál es su conclusión, empleando $\alpha = .01$? Construya un intervalo de confianza superior del 95% para la varianza.

**11-29** El fabricante de una fuente de poder está interesado en la variabilidad del voltaje de salida. Ha probado 12 unidades, elegidas al azar, con los siguientes resultados:

| | | |
|---|---|---|
| 5.34 | 5.65 | 4.76 |
| 5.00 | 5.55 | 5.54 |
| 5.07 | 5.35 | 5.44 |
| 5.25 | 5.35 | 4.61 |

a)  Pruebe la hipótesis de que $\sigma^2 = .5$. Emplee $\alpha = .05$.
b)  Si el valor real de $\sigma^2 = 1.0$, ¿cuál es la probabilidad de que la hipótesis en a) será rechazada?

**11-30** En relación con los datos en el ejercicio 11-7, pruebe la hipótesis de que las dos varianzas son iguales, empleando $\alpha = .01$. ¿El resultado de esta prueba influye en la manera en la cual se conduciría una prueba respecto a las medias? ¿Qué tamaño de muestra es necesario para detectar $\sigma_1^2/\sigma_2^2 = 2.5$, con probabilidad de por lo menos .90?

**11-31** Considere las dos muestras siguientes, extraídas de dos poblaciones normales.

| Muestra 1 | Muestra 2 |
|-----------|-----------|
| 4.34 | 1.87 |
| 5.00 | 2.00 |
| 4.97 | 2.00 |
| 4.25 | 1.85 |
| 5.55 | 2.11 |
| 6.55 | 2.31 |
| 6.37 | 2.28 |
| 5.55 | 2.07 |
| 3.76 | 1.76 |
| — | 1.91 |
| — | 2.00 |

¿Hay alguna evidencia para concluir que la varianza de la población 1 es mayor que la varianza de la población 2? Use $\alpha = .01$. Encuentre la probabilidad de detectar $\sigma_1^2/\sigma_2^2 = 4.0$.

**11-32** Dos máquinas producen piezas metálicas. Interesa la varianza del peso de estas piezas. Se han colectado los siguientes datos.

| Máquina 1 | Máquina 2 |
|-----------|-----------|
| $n_1 = 25$ | $n_2 = 30$ |
| $\bar{x}_2 = .984$ | $\bar{x}_2 = .907$ |
| $s_1^2 = 13.46$ | $s_2^2 = 9.65$ |

a) Pruebe la hipótesis de que las varianzas de las dos máquinas son iguales. Emplee $\alpha = .05$.

b) Pruebe la hipótesis de que las dos máquinas producen piezas que tienen el mismo peso medio. Use $\alpha = .05$.

**11-33** En una prueba de dureza, una bola de acero se presiona contra el material que se está probando a una carga estándar. Se mide el diámetro de la hendidura, el cual se relaciona con la dureza. Se dispone de dos tipos de bolas, y su desempeño se compara en 10 especímenes. Cada espécimen se prueba dos veces, una vez con cada bola. Los resultados son los siguientes:

| Bola x | 75 | 46 | 57 | 43 | 58 | 32 | 61 | 56 | 34 | 65 |
|--------|----|----|----|----|----|----|----|----|----|----|
| Bola y | 52 | 41 | 43 | 47 | 32 | 49 | 52 | 44 | 57 | 60 |

Pruebe la hipótesis de que las dos bolas producen la misma medición de dureza. Emplee $\alpha = .05$.

**11-34** Seis individuos midieron el espesor de una tarjeta de circuito impreso, empleando dos tipos diferentes de calibradores. Los resultados (en mm) se muestran a continuación:

| Sujeto | Calibrador 1 | Calibrador 2 |
|--------|--------------|--------------|
| 1 | .265 | .264 |
| 2 | .265 | .265 |
| 3 | .266 | .264 |
| 4 | .267 | .266 |
| 5 | .267 | .267 |
| 6 | .265 | .268 |

¿Hay una diferencia significativa entre los espesores medios de las mediciones obtenidas con los dos calibradores?

**11-35** Un diseñador de aviones tiene evidencia teórica de que la pintura del avión reduce la velocidad del mismo a una potencia especificada y una colocación del alerón. Prueba seis aviones consecutivos de la línea de ensamble antes y después de pintarlos. Los resultados se muestran a continuación:

| | Velocidad máxima (mph) | |
|--------|---------|------------|
| Avión | Pintado | No pintado |
| 1 | 286 | 289 |
| 2 | 285 | 286 |
| 3 | 279 | 283 |
| 4 | 283 | 288 |
| 5 | 281 | 283 |
| 6 | 286 | 289 |

¿Sustentan los datos la teoría del diseñador? Emplee $\alpha = .05$.

**11-36** Dos tipos diferentes de cuero para zapatos se están investigando para su posible uso en zapatos para el ejército de los Estados Unidos. Puesto que uno de los cueros es bastante más barato que el otro, el ejército está interesado en las características de desgaste. Se seleccionan 16 sujetos al azar y cada uno de ellos usa un zapato de cada tipo. Después de tres meses de uso simulado, se observa el desgaste.

| Sujeto | Cuero de zapatos 1 | Cuero de zapatos 2 |
|--------|--------------------|--------------------|
| 1 | .01 | .02 |
| 2 | .02 | .04 |
| 3 | .03 | .03 |
| 4 | .01 | .01 |
| 5 | .01 | .04 |
| 6 | .01 | .06 |
| 7 | .02 | .01 |
| 8 | .04 | .01 |
| 9 | .05 | .05 |
| 10 | .03 | .01 |
| 11 | .02 | .04 |
| 12 | .01 | .03 |
| 13 | .06 | .04 |
| 14 | .01 | .06 |
| 15 | .01 | .03 |
| 16 | .04 | .01 |

¿Cuáles son sus conclusiones respecto al desgaste? Emplee $\alpha = .01$.

**11-37** Considere los datos en el ejercicio 10-54. Pruebe la hipótesis de que la tasa de mortalidad de cáncer del pulmón es del 70%. Use $\alpha = .05$.

**11-38** Considere los datos en el ejercicio 10-56. Pruebe la hipótesis de que la fracción de calculadoras defectuosas producidas es $2\frac{1}{2}$ por ciento.

**11-39** Supóngase que deseamos probar la hipótesis $H_0$: $\mu_1 = \mu_2$ contra la alternativa $H_1$: $\mu_1 \neq \mu_2$ donde ambas varianzas $\sigma_1^2$ y $\sigma_2^2$ se conocen. Un total de $n_1 + n_2 = N$ observaciones se tomaron. ¿Cómo deben distribuirse estas observaciones en las dos poblaciones para maximizar la probabilidad de que $H_0$ se rechazará si $H_1$ es real, y $\mu_1 - \mu_2 = \delta \neq 0$?

**11-40** Considere el estudio de las vacunas contra el moquillo del cerdo en el ejercicio 10-58. Pruebe la hipótesis de que la proporción de sujetos que contraen la enfermedad en el grupo vacunado no difiere de la proporción de sujetos que contraen la enfermedad en el grupo de control. Emplee $\alpha = .05$.

**11-41** Mediante el empleo de los datos en el ejercicio 10-59, ¿es razonable concluir que la línea de producción 2 produce una fracción más alta de producto defectuoso que la línea 1? Use $\alpha = .01$.

**11-42** Dos tipos diferentes de máquinas de moldeo de inyección se utilizan para formar piezas plásticas. Una parte se considera defectuosa si tiene un encogimiento excesivo o si se decolora. Se seleccionan dos muestras aleatorias, cada una de tamaño 500, y se encuentran 21 piezas defectuosas en la muestra de la máquina 2. ¿Es razonable concluir que ambas máquinas producen la misma fracción de piezas defectuosas?

**11-43** Suponga que deseamos probar $H_0: \mu_1 = \mu_2$ contra $H_1: \mu_1 \neq \mu_2$, donde $\sigma_1^2$ y $\sigma_2^2$ se conocen. El tamaño de muestra total $N$ es fijo, pero la distribución de las observaciones para las dos poblaciones tales que $n_1 + n_2 = N$ se hará con base en los costos. Si los costos del muestreo para las poblaciones 1 y 2 son $C_1$ y $C_2$, respectivamente, encuentre los tamaños de muestra de costo mínimo que proporcionan una varianza especificada para la diferencia en las medias de muestra.

**11-44** Un fabricante de una nueva pastilla analgésica desearía demostrar que su producto actúa dos veces más rápido que el producto de su competidor. Específicamente le gustaría probar

$$H_0: \mu_1 = 2\mu_2$$

$$H_1: \mu_1 > 2\mu_2$$

donde $\mu$ es el tiempo de absorción medio del producto del competidor y $\mu_2$ es el tiempo de absorción medio del nuevo producto. Suponiendo que se conocen las varianzas $\sigma_1^2$ y $\sigma_2^2$, sugiera un procedimiento para probar esta hipótesis.

**11-45** Deduzca una expresión similar a la ecuación 11-20 para el error $\beta$ correspondiente a la prueba en la varianza de una distribución normal. Suponga que se especifica la alternativa de dos lados.

**11-46** Deduzca una expresión similar a la ecuación 11-20 para el error $\beta$ correspondiente a la prueba de la igualdad de las varianzas de dos distribuciones normales. Suponga que se especifica la alternativa de dos lados.

**11-47** El número de unidades defectuosas encontradas cada día por un probador funcional de circuito en un proceso de ensamble de tarjetas de circuito impreso se muestra a continuación:

| Número de defectos por día | Veces observadas |
| :---: | :---: |
| 0 – 10 | 6 |
| 11 – 15 | 11 |
| 16 – 20 | 16 |
| 21 – 25 | 28 |
| 26 – 30 | 22 |
| 31 – 35 | 19 |
| 36 – 40 | 11 |
| 41 – 45 | 4 |

a)  ¿Es razonable concluir que estos datos provienen de una distribución normal?

b)  Grafique los datos en un papel de probabilidad normal. ¿Parece justificarse una suposición de normalidad?

**11-48** El número de automóviles que pasan con rumbo al sur a través de la intersección de North Avenue y Peach Street ha sido tabulado por estudiantes de la Escuela de Ingeniería Civil del Tecnológico de Georgia. Han obtenido los siguientes datos:

| Vehículos por minuto | Veces observadas | Vehículos por minuto | Veces observadas |
|---|---|---|---|
| 40 | 14 | 53 | 102 |
| 41 | 24 | 54 | 96 |
| 42 | 57 | 55 | 90 |
| 43 | 111 | 56 | 81 |
| 44 | 194 | 57 | 73 |
| 45 | 256 | 58 | 64 |
| 46 | 296 | 59 | 61 |
| 47 | 378 | 60 | 59 |
| 48 | 250 | 61 | 50 |
| 49 | 185 | 62 | 42 |
| 50 | 171 | 63 | 29 |
| 51 | 150 | 64 | 18 |
| 52 | 110 | 65 | 15 |

¿Parece apropiada la suposición de una distribución de Poisson como modelo de probabilidad para este proceso?

**11-49** Un generador de números pseudoaleatorios se diseña de manera que los enteros del 0 al 9 tengan igual probabilidad de ocurrencia. Los primeros 10,000 números son:

| 0 | 1 | 2 | 3 | 4 | 5 | 6 | 7 | 8 | 9 |
|---|---|---|---|---|---|---|---|---|---|
| 967 | 1008 | 975 | 1022 | 1003 | 989 | 1001 | 981 | 1043 | 1011 |

¿Trabaja este generador en forma apropiada?

**11-50** El tiempo de ciclo de una máquina automática se ha observado y registrado.

| Segundos | 2.10 | 2.11 | 2.12 | 2.13 | 2.14 | 2.15 | 2.16 | 2.17 | 2.18 | 2.19 | 2.20 |
|---|---|---|---|---|---|---|---|---|---|---|---|
| Frecuencia | 16 | 28 | 41 | 74 | 149 | 256 | 137 | 82 | 40 | 19 | 11 |

a)  ¿Es la distribución normal un modelo de probabilidad razonable para el ciclo de tiempo? Emplee la prueba de bondad de ajuste de la ji cuadrada.

b)  Grafique los datos en papel de probabilidad normal. ¿Parece razonable la suposición de normalidad?

**11-51** Un embotellador de refrescos está estudiando la resistencia a la presión interna de botellas no retornables de un litro. Se prueba una muestra aleatoria de 16 botellas y se obtiene la resistencia a la presión. Los datos se muestran adelante. Grafique estos datos en papel de probabilidad normal. ¿Es razonable concluir que la resistencia a la presión se distribuye normalmente?

| | |
|---|---|
| 226.16 psi | 211.14 psi |
| 202.20 | 203.62 |
| 219.54 | 188.12 |
| 193.73 | 224.39 |
| 208.15 | 221.31 |
| 195.45 | 204.55 |
| 193.71 | 202.21 |
| 200.81 | 201.63 |

**11-52** Una compañía opera cuatro máquinas en tres turnos diarios. A partir de los registros de producción, se colectan los siguientes datos respecto al número de interrupciones:

| | Máquinas | | | |
|---|---|---|---|---|
| Turno | A | B | C | D |
| 1 | 41 | 20 | 12 | 16 |
| 2 | 31 | 11 | 9 | 14 |
| 3 | 15 | 17 | 16 | 10 |

Pruebe la hipótesis de que las interrupciones son independientes del turno.

**11-53** Los pacientes en un hospital se clasifican como quirúrgicos o médicos. Se lleva un registro del número de veces que los pacientes requieren servicios de enfermería durante la noche y de si estos pacientes tienen o no pensión médica. Los datos son los siguientes:

| | Tipo de paciente | |
|---|---|---|
| Pensión médica | Quirúrgico | Médico |
| Sí | 46 | 52 |
| No | 36 | 43 |

Pruebe la hipótesis de que los llamados de los pacientes quirúrgicos o médicos son independientes de que reciban o no pensión médica.

**11-54** Las calificaciones en un curso de estadística y en un curso de investigación de operaciones se tomaron en forma simultánea y fueron las siguientes en un grupo de estudiantes.

| Calificación de estadística | Calificación de investigación de operaciones | | | |
|---|---|---|---|---|
| | A | B | C | Otra |
| A | 25 | 6 | 17 | 13 |
| B | 17 | 16 | 15 | 6 |
| C | 18 | 4 | 18 | 10 |
| Otra | 10 | 8 | 11 | 20 |

¿Se relacionan las calificaciones en estadística e investigación de operaciones?

**11-55** Un experimento con casquillos de artillería produjo los siguientes datos acerca de las características de las desviaciones laterales y alcances. ¿Concluiría usted que la desviación y el alcance son independientes?

| | Desviación lateral | | |
|---|---|---|---|
| Alcance (yardas) | Izquierda | Normal | Derecha |
| 0 – 1.999 | 6 | 14 | 8 |
| 2,000 – 5,999 | 9 | 11 | 4 |
| 6,000 – 11,999 | 8 | 17 | 6 |

**11-56** Se está realizando un estudio de las fallas de un componente electrónico. Hay cuatro tipos de fallas posibles y dos posiciones de montaje para el dispositivo. Se tomaron los siguientes datos:

| | Tipo de falla | | | |
|---|---|---|---|---|
| Posición de montaje | A | B | C | D |
| 1 | 22 | 46 | 18 | 9 |
| 2 | 4 | 17 | 6 | 12 |

¿Concluiría usted que el tipo de falla es independiente de la posición de montaje?

**11-57** A una muestra de estudiantes se les pregunta su opinión acerca de un cambio propuesto en la parte medular del programa de estudios. Los resultados se presentan aquí:

| | Opinión | |
|---|---|---|
| Grado | Favorable | Opuesta |
| Primer año | 120 | 80 |
| Segundo año | 70 | 130 |
| Tercer año | 60 | 70 |
| Cuarto año | 40 | 60 |

Pruebe la hipótesis de que las opiniones son independientes del agrupamiento por grados.

**11-58** Una tela se agrupa en tres clasificaciones: *A, B* y *C.* Los resultados siguientes se obtuvieron de cinco telares. ¿La clasificación de la tela es independiente del telar?

| | Número de piezas de tela en la clasificación de la misma | | |
|---|---|---|---|
| Telar | A | B | C |
| 1 | 185 | 16 | 12 |
| 2 | 190 | 24 | 21 |
| 3 | 170 | 35 | 16 |
| 4 | 158 | 22 | 7 |
| 5 | 185 | 22 | 15 |

**11-59** Un artículo en el *Journal of Marketing Research* (1970, pág. 36-42) informa de un estudio de la relación entre las condiciones de las instalaciones en gasolinerías y la agresividad de su política de venta de gasolina. Se investigó una muestra de 441 gasolinerías con los resultados obtenidos mostrados adelante. ¿Hay evidencia de que la estrategia relativa al precio de la gasolina y las condiciones de la instalación sean independientes?

| | Condición | | |
|---|---|---|---|
| Política | Subestándar | Estándar | Moderna |
| Agresiva | 24 | 52 | 58 |
| Neutra | 15 | 73 | 86 |
| No agresiva | 17 | 80 | 36 |

**11-60** Considere el proceso de moldeo por inyección descrito en el ejercicio 11-42.
  *a)*  Establezca este problema como una tabla de contingencia de $2 \times 2$ y efectúe el análisis estadístico indicado.
  *b)*  Enuncie claramente la hipótesis que se está probando. ¿Está usted probando homogeneidad o independencia?
  *c)*  ¿Es este procedimiento equivalente al procedimiento de prueba utilizado en el ejercicio 11-42?

# Capítulo 12

# Diseño y análisis de experimentos de un solo factor: el análisis de varianza

Los experimentos son una parte natural del proceso de toma de decisiones de la ingeniería y la administración. Por ejemplo, supóngase que un ingeniero civil está investigando el efecto de métodos de curado en la resistencia a la compresión media del concreto. El experimento consistiría en elaborar varios especímenes de prueba del concreto empleando cada uno de los métodos de curado propuestos y luego probar la resistencia a la compresión de cada espécimen. Los datos de este experimento se utilizarían para determinar qué método de curado debe utilizarse para brindar la resistencia a la compresión máxima.

Si sólo hay dos métodos de curado de interés, el experimento podría *designarse* y *analizarse* utilizando los métodos del capítulo 11. Esto es, el experimentador tiene un *solo factor* de interés —los métodos de curado— y éstos son únicamente dos *niveles* del factor. Si el experimentador está interesado en determinar qué método de curado produce la resistencia compresiva máxima, entonces el número de especímenes para prueba puede determinarse utilizando las curvas características de operación en el diagrama VI del apéndice, y la prueba *t* puede usarse para determinar si las dos medias difieren.

Muchos experimentos de un solo factor requieren más de dos niveles del factor que se considerará. Por ejemplo, el ingeniero civil puede tener cinco métodos de curado diferentes que investigar. En este capítulo presentaremos el análisis de varianza para tratar con más de dos niveles de un solo factor. En el capítulo 13, mostraremos cómo diseñar y analizar experimentos con varios factores.

# 12-1 Experimento de un solo factor completamente aleatorio

## 12-1.1  Un ejemplo

Un fabricante de papel que se emplea para bolsas de comestibles, se interesa en mejorar la resistencia a la tensión del producto. Ingeniería de productos considera que la resistencia a la tensión es una función de la concentración de madera dura en la pulpa, y que el intervalo de concentraciones de madera dura de interés práctico está entre 5 y 20 por ciento. Uno de los ingenieros responsables del estudio decide investigar cuatro niveles de la concentración de madera dura: 5, 10, 15 y 20 por ciento. Decide también elaborar seis especímenes de prueba en cada nivel de concentración, utilizando una planta piloto. Los 24 especímenes se prueban en un probador de tensión de laboratorio, en orden aleatorio. Los datos de este experimento se muestran en la tabla 12.1.

Éste es un ejemplo de un experimento de un solo factor completamente aleatorio con cuatro niveles del factor. Los niveles del factor en ocasiones se llaman *tratamientos*. Cada tratamiento tiene seis observaciones o *réplicas*. El papel de la aleatoriedad en este experimento es en extremo importante. Al hacer aleatorio el orden de las 24 series, el efecto de cualquier variable perjudicial que puede afectar la resistencia a la tensión observada, más o menos se equilibra. Por ejemplo, considérese que hay un efecto de calentamiento en el probador de tensión; esto es, cuanto más tiempo la máquina esté en funcionamiento tanto mayor será la resistencia a la tensión observada. Si las 24 series se efectúan en orden de concentración creciente de madera dura (esto es, todos los especímenes de 5 por ciento de concentración se prueban primero, seguidos por los seis especímenes de 10 por ciento, etc.), cualesquiera diferencias observadas en la concentración de madera dura podrían deberse también al efecto de calentamiento.

Es importante analizar en forma gráfica los datos de un experimento diseñado. La figura 12.1 presenta unas gráficas de la resistencia de las cajas a la tensión en los cuatro niveles de concentración de madera dura. Esta figura indica que el

TABLA 12.1  **Resistencia a la tensión de papel (psi)**

| Concentración de madera dura (%) | Observaciones | | | | | | Totales | Promedios |
| | 1 | 2 | 3 | 4 | 5 | 6 | | |
|---|---|---|---|---|---|---|---|---|
| 5 | 7 | 8 | 15 | 11 | 9 | 10 | 60 | 10.00 |
| 10 | 12 | 17 | 13 | 18 | 19 | 15 | 94 | 15.67 |
| 15 | 14 | 18 | 19 | 17 | 16 | 18 | 102 | 17.00 |
| 20 | 19 | 25 | 22 | 23 | 18 | 20 | 127 | 21.17 |
| | | | | | | | 383 | 15.96 |

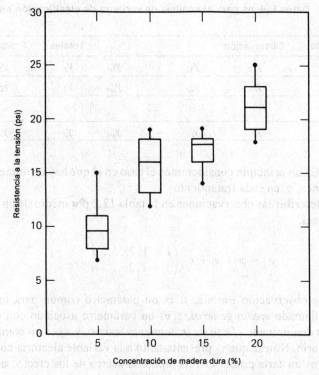

**Figura 12.1** Diagrama de caja para los datos de
concentración de madera dura.

cambio de la concentración de madera dura tiene un efecto en la resistencia a la
tensión, es decir, la mayor concentración de madera dura produce un aumento
observado en la resistencia a la tensión. Además, la distribución de la resistencia
a la tensión en un nivel particular de madera dura es razonablemente simétrico y
la variabilidad de la resistencia a la tensión no cambia en forma demasiado
considerable a medida que varía la concentración de la madera dura.

La interpretación gráfica de los datos es siempre una buena idea. Las gráficas
de caja muestran la variabilidad de las observaciones *dentro* de un tratamiento
(nivel del factor) y la variabilidad *entre* tratamientos. Mostraremos después de
esto cómo los datos de un experimento aleatorio de un solo factor pueden
analizarse estadísticamente.

## 12-1.2  Análisis de varianza

Supóngase que tenemos diferentes niveles $a$ de un solo factor (tratamientos) que
deseamos comparar. La respuesta observada para cada uno de los $a$ tratamientos
es una variable aleatoria. Los datos aparecerán como en la tabla 12.2. Un dato en
dicha tabla, por ejemplo $y_{ij}$, representa la observación *j*ésima tomada bajo el

TABLA 12.2   **Datos típicos para el análisis de varianza de clasificación en un sentido**

| Tratamiento | Observación | | | | Totales | Promedios |
|---|---|---|---|---|---|---|
| 1 | $y_{11}$ | $y_{12}$ | $\cdots$ | $y_{1n}$ | $y_{1.}$ | $\bar{y}_{1.}$ |
| 2 | $y_{21}$ | $y_{22}$ | $\cdots$ | $y_{2n}$ | $y_{2.}$ | $\bar{y}_{2.}$ |
| $\vdots$ | $\vdots$ | $\vdots$ | $\vdots$ | $\vdots$ | $\vdots$ | $\vdots$ |
| $a$ | $y_{a1}$ | $y_{a2}$ | $\cdots$ | $y_{an}$ | $y_{a.}$ | $\bar{y}_{a.}$ |

tratamiento $i$. En un principio consideramos el caso en el que hay un número igual de observaciones, $n$, en cada tratamiento.

Podemos describir las observaciones en la tabla 12.2 por medio de un modelo estadístico lineal.

$$y_{ij} = \mu + \tau_i + \epsilon_{ij} \begin{cases} i = 1, 2, \ldots, a \\ j = 1, 2, \ldots, n \end{cases} \tag{12-1}$$

donde $y_{ij}$ es la observación $ij$ésima, $\mu$ es un parámetro común para todos los tratamientos, llamado *media general*, $\tau_i$ es un parámetro asociado con el tratamiento $i$ésimo denominado *efecto de tratamiento* $i$ésimo, y $\epsilon_{ij}$ es un componente del error aleatorio. Nótese que $y_{ij}$ presenta tanto a la variable aleatoria como a su realización. Nos gustaría probar ciertas hipótesis acerca de los efectos del tratamiento y estimarlos. Mediante prueba de hipótesis, los errores del modelo se toman como variables aleatorias normal e independientemente distribuidas con media cero y varianza $\sigma^2$ [abreviado como NID($0$, $\sigma^2$)]. La varianza $\sigma^2$ se considera constante para todos los niveles del factor.

El modelo de la ecuación 12-1 recibe el nombre de análisis de varianza de *clasificación unidireccional*, debido a que sólo se investiga un factor. Además, requeriremos que las observaciones se tomen en orden aleatorio de manera que el ambiente en el que se usan los tratamientos (llamados a menudo unidades experimentales) sea lo más uniforme posible. Lo anterior se denomina diseño experimental completamente aleatorio. Hay dos maneras diferentes en que los niveles de factor $a$ en el experimento, podrían haberse elegido. Primero, los $a$ tratamientos podrían haberse seleccionado específicamente por el experimentador. En esta situación deseamos probar la hipótesis en torno a la $t_i$, y las conclusiones sólo se aplicarán a los niveles de factor considerados en el análisis. Las conclusiones no pueden extenderse a tratamientos similares que no se consideraron. Asimismo, es posible que deseemos estimar la $t_i$. Esto recibe el nombre de modelo de *efectos fijos*. De manera alternativa, los $a$ tratamientos podrían ser una muestra aleatoria de una gran población de tratamientos. En este caso nos gustaría ser capaces de extender las conclusiones (que se basan en la muestra de tratamientos) a todos los tratamientos en la población, sin que importe que se hayan o no considerado explícitamente en el análisis. Aquí las $\tau_i$ son variables aleatorias, y el conocimiento acerca de las que se investigan en particular es relativamente inútil. En vez de eso, probaremos la hipótesis acerca de la variabilidad de las $\tau_i$ y trataremos de estimar esta variabilidad. Esto recibe el nombre de modelo de *efectos aleatorios* o de *componentes de varianza*.

En esta sección desarrollaremos el análisis de varianza para la clasificación unidireccional del modelo de efectos fijos. En este modelo, los efectos de tratamiento $\tau_i$ se suelen definir como desviación de la media general, por lo que

$$\sum_{i=1}^{a} \tau_i = 0 \tag{12-2}$$

Sea $y_i$ la representación del total de las observaciones bajo el tratamiento *i*ésimo y $\bar{y}_i$ la representación del promedio de las observaciones bajo el tratamiento *i*ésimo. De modo similar, considérese que $y_{..}$ representa el gran total de todas las observaciones y $y_{..}$ la gran media de todas las observaciones. Expresado matemáticamente,

$$y_{i.} = \sum_{j=1}^{n} y_{ij} \quad \bar{y}_{i.} = y_{i.}/n \quad i = 1, 2, \ldots, a$$

$$y_{..} = \sum_{i=1}^{a} \sum_{j=1}^{n} y_{ij} \quad \bar{y}_{..} = y_{..}/N \tag{12-3}$$

donde $N = an$ es el número total de observaciones. De tal modo la notación del subíndice "punto" implica la sumatoria sobre el subíndice que él reemplaza.

Estamos interesados en probar la igualdad de los $a$ efectos de tratamiento. Al emplear la ecuación 12-2, las hipótesis apropiadas son

$$H_0: \quad \tau_1 = \tau_2 = \cdots = \tau_a = 0$$
$$H_1: \quad \tau_i \neq 0 \text{ para al menos una } i \tag{12-4}$$

Esto es, si la hipótesis nula es verdadera, entonces cada observación está integrada por la media general $\mu$ más una realización del error aleatorio $\epsilon_{ij}$.

El procedimiento de prueba para la hipótesis en la ecuación 12-4 se llama análisis de varianza. El término "análisis de varianza" resulta de partir la variabilidad total en los datos, en sus partes componentes. La suma corregida total de los cuadrados, que es una medida de la variabilidad total en los datos, puede escribirse como

$$\sum_{i=1}^{a} \sum_{j=1}^{n} (y_{ij} - \bar{y}_{..})^2 = \sum_{i=1}^{a} \sum_{j=1}^{n} \left[ (\bar{y}_{i.} - \bar{y}_{..}) + (y_{ij} - \bar{y}_{i.}) \right]^2 \tag{12-5}$$

o bien

$$\sum_{i=1}^{a} \sum_{j=1}^{n} (y_{ij} - \bar{y}_{..})^2 = n \sum_{i=1}^{a} (\bar{y}_{i.} - \bar{y}_{..})^2 + \sum_{i=1}^{a} \sum_{j=1}^{n} (y_{ij} - \bar{y}_{i.})^2$$

$$+ 2 \sum_{i=1}^{a} \sum_{j=1}^{n} (\bar{y}_{i.} - \bar{y}_{..})(y_{ij} - \bar{y}_{i.}) \qquad (12\text{-}6)$$

Nótese que el término del producto cruzado en la ecuación 12-6 es cero, puesto que

$$\sum_{j=1}^{n} (y_{ij} - \bar{y}_{i.}) = y_{i.} - n\bar{y}_{i.} = y_{i.} - n(y_{i.}/n) = 0$$

Por tanto, tenemos

$$\sum_{i=1}^{a} \sum_{j=1}^{n} (y_{ij} - \bar{y}_{..})^2 = n \sum_{i=1}^{a} (\bar{y}_{i.} - \bar{y}_{..})^2 + \sum_{i=1}^{a} \sum_{j=1}^{n} (y_{ij} - \bar{y}_{i.})^2 \qquad (12\text{-}7)$$

La ecuación 12-7 muestra que la variabilidad total en los datos, medida por la suma corregida total de los cuadrados, puede partirse en la suma de los cuadrados de diferencias entre las medias de los tratamientos, las medias grandes y una suma de cuadrados de diferencias de observaciones dentro de los tratamientos y la media del tratamiento. Las diferencias entre las medias de tratamiento observadas y la media grande miden las diferencias entre tratamientos, en tanto que las diferencias de observaciones dentro de un tratamiento a partir de la media del tratamiento puede deberse sólo a un error aleatorio. En consecuencia, escribimos la ecuación 12-7 simbólicamente como

$$SS_T = SS_{\text{tratamientos}} + SS_E$$

donde $SS_T$ es la suma total de los cuadrados, $SS_{\text{tratamientos}}$ se llama la suma de cuadrados debida a tratamiento (es decir, *entre* tratamientos), y $SS_E$ se denomina la suma de los cuadrados debida al error (esto es, *dentro* de los tratamientos). Hay $an = N$ observaciones totales; de tal modo $SS_T$ tiene $N-1$ grados de libertad. Hay $a$ niveles del factor, por lo que $SS_{\text{tratamientos}}$ tiene $a-1$ grados de libertad. Por último, dentro de cualquier tratamiento hay $n$ réplicas que proporcionan $n-1$ grados de libertad con los cuales se estima el error experimental. Puesto que hay $a$ tratamientos, tenemos $a(n-1) = an - a = N - a$ grados de libertad para el error.

Considérense ahora las propiedades distributivas de estas sumas de cuadrados. Puesto que hemos aceptado que los errores $\epsilon_{ij}$ son NID$(0, \sigma^2)$, las observaciones $y_{ij}$ son NID$(\mu + \tau_i, \sigma^2)$. De manera que $SS_T/\sigma^2$ se distribuye como ji cuadrada con $N-1$ grados de libertad, ya que $SS_T$ es una suma de cuadrados en variables aleatorias normales. También podemos mostrar que $S_{\text{tratamientos}}/\sigma^2$ es ji cuadrada con $a - 1$ grados de libertad, si $H_0$ es verdadera, y $SS_T/\sigma^2$ es ji cuadrada con $N - a$ grados de libertad. Sin embargo, las tres sumas de cuadrados no son independientes, puesto que $SS_{\text{tratamientos}}$ y $SS_E$ suman $SS_T$. El siguiente teorema, que es una forma especial de uno propuesto por Cochran, es útil en el desarrollo del procedimiento de prueba.

## Teorema 12-1 (Cochran)

Sean $Z$ NID$(0, 1)$ para $i = 1, 2, \ldots, \nu$ y

$$\sum_{i=1}^{\nu} Z_i^2 = Q_1 + Q_2 + \cdots + Q_s$$

donde $s < \nu$ y $Q_i$ tiene $\nu_i$ grados de libertad $(i = 1, 2, \ldots, s)$. Entonces $Q_1$, $Q_2$, $\ldots$, $Q_s$ son variables independientes ji cuadrada con $\nu_1$, $\nu_2$, $\ldots$, $\nu_s$ grados de libertad, respectivamente, si y sólo si

$$\nu = \nu_1 + \nu_2 + \cdots + \nu_s .$$

Al emplear este teorema, notamos que los grados de libertad para $SS_{\text{tratamientos}}$ y $SS_E$ suman $N - 1$, por lo que $SS_{\text{tratamientos}}/\sigma^2$ y $SS_E/\sigma^2$ son variables aleatorias independientes con distribución ji cuadrada. Por tanto, ante la hipótesis nula, la estadística

$$F_0 = \frac{SS_{\text{tratamiento}}/(a - 1)}{SS_E/(N - a)} = \frac{MS_{\text{tratamientos}}}{MS_E} \tag{12-8}$$

sigue la distribución $F_{a-1, N-a}$. Las cantidades $MS_{\text{tratamientos}}$ y $M_{SE}$ se llaman *medidas cuadráticas*.

Los valores esperados de las medias cuadráticas se utilizan para mostrar que $F_0$ en la ecuación 12-8 es una estadística de prueba apropiada para $H_0$: $\tau_i = 0$ y para determinar el criterio de rechazo de esta hipótesis nula. Considérese

$$E(MS_E) = E\left(\frac{SS_E}{N - a}\right) = \frac{1}{N - a} E\left[\sum_{i=1}^{a} \sum_{j=1}^{n} (y_{ij} - \bar{y}_{i.})^2\right]$$

$$= \frac{1}{N - a} E\left[\sum_{i=1}^{a} \sum_{j=1}^{n} (y_{ij}^2 - 2 y_{ij} \bar{y}_{i.} + \bar{y}_{i.}^2)\right]$$

$$= \frac{1}{N - a} E\left[\sum_{i=1}^{a} \sum_{j=1}^{n} y_{ij}^2 - 2n \sum_{i=1}^{a} \bar{y}_{i.}^2 + n \sum_{i=1}^{a} \bar{y}_{i.}^2\right]$$

$$= \frac{1}{N-a} E\left[ \sum_{i=1}^{a} \sum_{j=1}^{n} y_{ij}^2 - \frac{1}{n} \sum_{i=1}^{a} y_{i.}^2 \right]$$

Sustituyendo el modelo, la ecuación 12-1, en esta ecuación obtenemos

$$E(MS_E) = \frac{1}{N-a} E\left[ \sum_{i=1}^{a} \sum_{j=1}^{n} (\mu + \tau_i + \epsilon_{ij})^2 - \frac{1}{n} \sum_{i=1}^{a} \left( \sum_{j=1}^{n} \mu + \tau_i + \epsilon_{ij} \right)^2 \right]$$

Luego de elevar al cuadrado y tomar la esperanza de las cantidades dentro del corchete, vemos que los términos que incluyen $\epsilon_{ij}^2$ y $\Sigma_{j=1}^{n} \epsilon_{ij}^2$ son sustituidos por $\sigma^2$ y $n\sigma^2$, respectivamente, debido a que $E(\epsilon_{ij}) = 0$. Además, todos los productos cruz que involucran $\epsilon_{ij}$ tienen esperanza cero. En consecuencia, después de elevar al cuadrado y tomar la esperanza, tenemos

$$E(MS_E) = \frac{1}{N-a} \left[ N\mu^2 + n \sum_{i=1}^{a} \tau_i^2 + N\sigma^2 - N\mu^2 - n \sum_{i=1}^{a} \tau_i^2 - a\sigma^2 \right]$$

o

$$E(MS_E) = \sigma^2$$

Con el empleo de un planteamiento similar, podemos mostrar que

$$E(MS_{\text{tratamientos}}) = \sigma^2 + \frac{n \sum_{i=1}^{a} \tau_i^2}{a-1}$$

A partir de las medias cuadráticas esperadas vemos que $MS_E$ es un estimador neutral de $\sigma^2$. Además, bajo de hipótesis nula $MS_{\text{tratamientos}}$ es un estimador neutral de $\sigma^2$. Sin embargo, si la hipótesis nula es falsa, entonces el valor esperado de $MS_{\text{tratamientos}}$ es mayor que $\sigma^2$. Por tanto, ante la hipótesis alternativa el valor esperado del numerador de la estadística de prueba (ecuación 12-8) es mayor que el valor esperado del denominador. En consecuencia, debemos rechazar $H_0$ si la estadística de prueba es grande. Esto implica una región crítica de una cola superior. De tal modo, rechazaríamos $H_0$ si

$$F_0 > F_{\alpha, a-1, N-a}$$

donde $F_0$ se calcula a partir de la ecuación 12-8.

Es posible obtener eficientes fórmulas computacionales para la suma de los cuadrados, expandiendo y simplificando las definiciones de $SS_{\text{tratamientos}}$ y $SS_T$ en la ecuación 12-7. Esto produce

$$SS_T = \sum_{i=1}^{a} \sum_{j=1}^{n} y_{ij}^2 - \frac{y_{..}^2}{N} \tag{12-9}$$

TABLA 12.3 **El análisis de varianza para el modelo de efectos fijos de clasificación en un sentido**

| Fuente de variación | Suma de cuadrados | Grados de libertad | Media cuadrática | $F_0$ |
|---|---|---|---|---|
| Entre tratamientos | $SS_{\text{tratamientos}}$ | $a - 1$ | $MS_{\text{tratamientos}}$ | $F_0 = \dfrac{MS_{\text{tratamientos}}}{MS_E}$ |
| Error (dentro de los tratamientos) | $SS_E$ | $N - a$ | $MS_E$ | |
| Total | $SS_T$ | $N - 1$ | | |

y

$$SS_{\text{tratamientos}} = \sum_{i=1}^{a} \frac{y_{i.}^2}{n} - \frac{y_{..}^2}{N} \tag{12-10}$$

La suma de los cuadrados del error se obtiene mediante sustracción como

$$SS_E = SS_T - SS_{\text{tratamientos}} \tag{12-11}$$

El procedimiento de prueba se resume en la tabla 12.3. Ésta recibe el nombre de tabla de análisis de varianza.

**Ejemplo 12.1** Considérese el experimento de la concentración de madera dura descrito en la sección 12-1.1. Utilizamos el análisis de varianza para probar la hipótesis de que las diferentes concentraciones de madera no afectan la resistencia media a la tensión del papel. Las sumas de los cuadrados para el análisis de varianza se calculan de las ecuaciones 12-9, 12-10 y 12-11 como sigue:

$$SS_T = \sum_{i=1}^{4} \sum_{j=1}^{6} y_{ij}^2 - \frac{y_{..}^2}{n}$$

$$= (7)^2 + (8)^2 + \cdots + (20)^2 - \frac{(383)^2}{24} = 512.96$$

$$SS_{\text{tratamientos}} = \sum_{i=1}^{4} \frac{y_{i.}^2}{n} - \frac{y_{..}^2}{n}$$

$$= \frac{(60)^2 + (94)^2 + (102)^2 + (127)^2}{6} - \frac{(383)^2}{24} = 382.79$$

$$SS_E = SS_T - SS_{\text{tratamientos}}$$

$$= 512.96 - 382.79 = 130.17$$

TABLA 12.4  **Análisis de varianza para los datos de resistencia a la tensión**

| Fuente de variación | Suma de cuadrados | Grados de libertad | Media cuadrática | $F_0$ |
|---|---|---|---|---|
| Concentración de madera dura | 382.79 | 3 | 127.60 | $F_0 = 19.61$ |
| Error | 130.17 | 20 | 6.51 | |
| Total | 512.96 | 23 | | |

El análisis de varianza se resume en la tabla 12.4. Puesto que $F_{.01,\,3,\,20} = 4.94$, rechazamos $H_0$ y concluimos que la concentración de madera dura en la pulpa afecta de manera significativa la resistencia del papel.

## 12-1.3  Estimación de los parámetros del modelo

Es posible obtener estimadores para los parámetros en el análisis en un sentido del modelo de la varianza

$$y_{ij} = \mu + \tau_i + \epsilon_{ij}$$

Un criterio de estimación apropiado es estimar $\mu$ y $\tau_i$ tales que la suma de los cuadrados de los errores o desviaciones $\epsilon_{ij}$ sea mínima. Esta estimación de parámetros recibe el nombre de método de *mínimos cuadrados*. Al estimar $\mu$ y $\tau_i$ por mínimos cuadrados, la suposición de normalidad en los errores $\epsilon_{ij}$ no es necesaria. Para encontrar los estimadores de mínimos cuadrados de $\mu$ y $\tau_i$, formamos la suma de los cuadrados de los errores

$$L = \sum_{i=1}^{a} \sum_{j=1}^{n} \epsilon_{ij}^2 = \sum_{i=1}^{a} \sum_{j=1}^{n} \left( y_{ij} - \mu - \tau_i \right)^2 \tag{12-12}$$

y encontramos los valores de $\mu$ y $\tau_i$, digamos $\hat{\mu}$ y $\hat{\tau}_i$, que minimizan $L$. Los valores $\hat{\mu}$ y $\hat{\tau}_i$ son las soluciones a las $a + 1$ ecuaciones simultáneas

$$\left. \frac{\partial L}{\partial \mu} \right|_{\hat{\mu},\,\hat{\tau}_i} = 0$$

$$\left. \frac{\partial L}{\partial \tau_i} \right|_{\hat{\mu},\,\hat{\tau}_i} = 0 \qquad i = 1, 2, \ldots, a$$

Al diferenciar la ecuación 12-12 con respecto a $\mu$ y $\tau_i$ e igualar a cero, obtenemos

$$-2 \sum_{i=1}^{a} \sum_{j=1}^{n} \left( y_{ij} - \hat{\mu} - \hat{\tau}_i \right) = 0$$

y

$$-2 \sum_{j=1}^{n} \left( y_{ij} - \hat{\mu} - \hat{\tau}_i \right) = 0 \qquad i = 1, 2, \dots, a$$

Después de las simplificaciones estas ecuaciones se convierten en

$$
\begin{aligned}
N\hat{\mu} + n\hat{\tau}_1 + n\hat{\tau}_2 + \cdots + n\hat{\tau}_a &= y_{..} \\
n\hat{\mu} + n\hat{\tau}_1 \qquad\qquad &= y_{1.} \\
n\hat{\mu} \qquad + n\hat{\tau}_2 \qquad &= y_{2.} \\
\vdots \qquad\qquad \vdots \qquad\qquad \vdots \\
n\hat{\mu} \qquad\qquad\qquad + n\hat{\tau}_a &= y_{a.}
\end{aligned}
\tag{12-13}
$$

Las ecuaciones 12-13 se conocen como *ecuaciones normales de mínimos cuadrados*. Nótese que si sumamos las últimas $a$ ecuaciones normales obtenemos la primera ecuación normal. En consecuencia, las ecuaciones normales no son linealmente independientes, y no hay estimaciones únicas para $\mu$, $\tau_1, \dots, \tau_a$. Una forma de superar esta dificultad es imponer una restricción en la solución para las ecuaciones normales. Son muchas las maneras para elegir esta restricción. Puesto que hemos definido los efectos de tratamiento como desviaciones de la media general, parece razonable aplicar la restricción

$$\sum_{i=1}^{a} \hat{\tau}_i = 0 \tag{12-14}$$

Al emplear esta restricción, obtenemos como la solución para las ecuaciones normales

$$
\begin{aligned}
\hat{\mu} &= \bar{y}_{..} \\
\hat{\tau}_i &= \bar{y}_{i.} - \bar{y}_{..} \qquad i = 1, 2, \dots, a
\end{aligned}
\tag{12-15}
$$

Esta solución tiene una componente importante de intuición, puesto que la media general se estima por medio del gran promedio de las observaciones y la estimación de cualquier efecto de tratamiento es exactamente la diferencia entre el promedio de tratamiento y el gran promedio.

Es evidente que esta solución no es la única porque depende de la restricción (ecuación 12-14) que hemos elegido. En principio esto podría parecer desafortunado, porque dos personas diferentes podrían analizar los mismos datos y obtener diferentes resultados si aplican restricciones diferentes. Sin embargo, ciertas funciones del parámetro del modelo se estiman en forma única, sin importar la restricción. Algunos ejemplo son $\tau_i - \tau_j$, que podrían estimarse mediante $\hat{\tau}_i - \hat{\tau}_j = \bar{y}_{i.} - \bar{y}_{j.}$, y $\mu + \tau_i$, podría estimarse por medio de $\hat{\mu} + \hat{\tau}_i = \bar{y}_{i.}$.

Puesto que solemos interesarnos en diferencias entre los efectos del tratamiento en lugar de sus valores reales, ello provoca que no exista interés en relación a que $\tau_i$ no puede estimarse en forma única. En general, cualquier función de los parámetros del modelo que es una combinación lineal del lado izquierdo de las ecuaciones normales puede estimarse en forma única. Las funciones que se estiman en forma única, independientemente de la restricción que se utilice, reciben el nombre de funciones *estimables*.

Con frecuencia, nos gustaría construir un intervalo de confianza para la media de tratamientos *i*ésima. La media de tratamiento *i*ésima es

$$\mu_i = \mu + \tau_i \qquad i = 1, 2, \ldots, a$$

Un estimador puntual de $\mu_i$ sería $\hat{\mu}_i = \hat{\mu} + \hat{\tau}_i = \bar{y}_{i.}$. Luego, si suponemos que los errores se distribuyen normalmente, cada $\bar{y}_{i.}$ es NID($\mu_i$, $\sigma^2/n$). De tal modo, si se conociera $\sigma^2$, utilizaríamos la distribución normal para construir un intervalo de confianza. Al emplear $MS_E$ como un estimador de $\sigma^2$, basaríamos el intervalo de confianza en la distribución $t$. En consecuencia, un intervalo de confianza del $100(1 - \alpha)$ por ciento en la media de tratamiento *i*ésima $\mu_i$ es

$$\left[ \bar{y}_{i.} \pm t_{\alpha/2, N-a} \sqrt{MS_E/n} \right] \tag{12-16}$$

Un intervalo de confianza del $100(1 - \alpha)$ por ciento en la diferencia en cualesquiera dos medias de tratamiento, digamos $\mu_i - \mu_j$, sería

$$\left[ \bar{y}_{i.} - \bar{y}_{j.} \pm t_{\alpha/2, N-a} \sqrt{2MS_E/n} \right] \tag{12-17}$$

**Ejemplo 12.2**  Podemos utilizar los resultados dados anteriormente para estimar las resistencias medias a la tensión en diferentes niveles de concentración de madera dura para el experimento en la sección 12-1.1. Las estimaciones de la resistencia media a la tensión son

$$\hat{\mu}_{5\%} = 10.00 \text{ psi}$$
$$\hat{\mu}_{10\%} = 15.67 \text{ psi}$$
$$\hat{\mu}_{15\%} = 17.00 \text{ psi}$$
$$\hat{\mu}_{20\%} = 21.17 \text{ psi}$$

Un intervalo de confianza de 95 por ciento en la resistencia media a la tensión en madera dura al 20 por ciento se encuentra de la ecuación 12-16 como sigue:

$$\left[ \bar{y}_{i.} \pm t_{\alpha/2, N-a} \sqrt{MS_E/n} \right]$$
$$\left[ 21.17 \pm (2.086)\sqrt{6.51/6} \right]$$
$$\left[ 21.17 \pm 2.17 \right]$$

El intervalo de confianza deseado es

$$19.00 \text{ psi} \leq \mu_{20\%} \leq 23.34 \text{ psi}$$

El examen visual de los datos indica que la resistencia media a la tensión en madera dura al 10 y al 15 por ciento es similar. Un intervalo de confianza en la diferencia en las medias $\mu_{15\%} - \mu_{10\%}$ es

$$\left[ \bar{y}_{i.} - \bar{y}_{j.} \pm t_{\alpha/2,\, N-a} \sqrt{2\, MS_{E/n}} \right]$$
$$\left[ 17.00 - 15.67 \pm (2.086)\sqrt{2(6.51)/6} \right]$$
$$\left[ 17.00 - 15.67 \pm 3.07 \right]$$

En consecuencia, el intervalo de confianza en $\mu_{15\%} - \mu_{10\%}$ es

$$-1.74 \leq \mu_{15\%} - \mu_{10\%} \leq 4.40$$

Puesto que el intervalo de confianza incluye al cero, concluiríamos que no hay diferencia en la resistencia media a la tensión en estos dos niveles particulares de madera dura.

## 12-1.4   Análisis de residuo y validación del modelo

El análisis de varianza del modelo en un sentido supone que las observaciones se distribuyen normal e independientemente con la misma varianza en cada trata- miento o nivel de factor. Estas suposiciones deben verificarse examinando los residuos. Definimos un residuo como $e_{ij} = y_{ij} - \bar{y}_{i.}$; esto es, la diferencia entre una observación y su correspondiente media de tratamiento. Los residuos para el experimento del porcentaje de madera dura se muestran en la tabla 12-5.

La suposición de normalidad puede verificarse graficando los residuos de papel de probabilidad normal. Para comprobar la suposición de varianza iguales en cada nivel de factor, se grafican los residuos contra los niveles de factor y se compara la dispersión en los residuos. También es útil graficar los residuos contra $\bar{y}_{i.}$ (llamada algunas veces el *valor de ajuste*); la variabilidad en los residuos no debe depender de ningún modo del valor de $\bar{y}_{i.}$. Cuando aparece un patrón en estas gráficas, éste suele indicar la necesidad de una *transformación*, esto es, al analizar los datos en una métrica diferente. Por ejemplo, si la variabilidad en los residuos aumenta con $\bar{y}_{i.}$, entonces una transformación tal como $\log y$ o $\sqrt{y}$ debe conside- rarse. En algunos problemas la dependencia de la dispersión de los residuos en $\bar{y}_{i.}$ es una información muy importante. Puede ser deseable seleccionar el nivel de factor que resulta en la $y$ máxima; sin embargo, este nivel también puede causar mayor variación en $y$ de serie en serie.

TABLA 12.5   **Residuos para el experimento de resistencia a la tensión**

| Concentración de madera dura | Residuos | | | | | |
|---|---|---|---|---|---|---|
| 5% | −3.00 | −2.00 | 5.00 | 1.00 | 1.00 | 0.00 |
| 10% | −3.67 | 1.33 | −2.67 | 2.33 | −3.33 | 0.67 |
| 15% | −3.00 | 1.00 | 2.00 | 0.00 | −1.00 | 1.00 |
| 20% | −2.17 | 3.83 | 0.83 | 1.83 | −3.17 | −1.17 |

La suposición de independencia puede verificarse graficando los residuos contra el tiempo u orden de la serie en que se ejecutó el experimento. Un patrón en esta gráfica, tal como la secuencia de residuos positivos y negativos, puede indicar que las observaciones no son independientes. Esto sugiere que el tiempo u orden de la serie es importante, o que las variables que cambian en el tiempo son importantes y no se han incluido en el diseño del experimento.

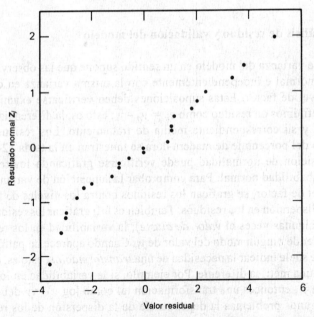

**Figura 12.2** Gráfica de probabilidad normal de los residuos correspondientes al experimento de la concentración de madera dura.

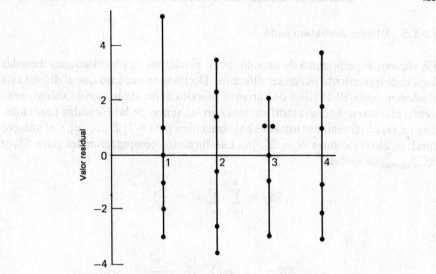

**Figura 12.3**    Gráfica de residuos contra tratamiento.

Una gráfica de probabilidad normal de los residuos del experimento de concentración de madera dura se muestra en la figura 12.2. Las figuras 12.3 y 12.4 presentan residuos contra el número de tratamiento y el valor de ajuste $\bar{y}_{i.}$. Estas gráficas no revelan ninguna inadecuación del modelo o problema inusual respecto a las suposiciones.

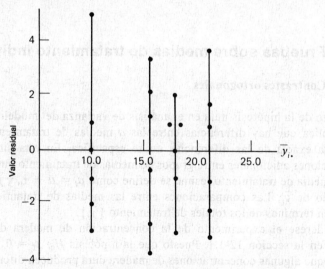

**Figura 12.4**    Gráfica de residuos contra $\bar{y}_{i.}$.

## 12-1.5  Diseño desbalanceado

En algunos experimentos de un solo factor el número de observaciones tomadas bajo cada tratamiento puede ser diferente. Decimos en ese caso que el diseño está *desbalanceado*. El análisis de varianza descrito antes sigue siendo válido, pero deben efectuarse ligeras modificaciones en las sumas de las fórmulas cuadradas. Sean $n_i$ las observaciones tomadas bajo tratamiento $i(i = 1, 2, \ldots, a)$, y el número total de observaciones $N = \Sigma_{i=1}^{a} n_i$. Las fórmulas computacionales para $SS_T$ y $SS_{\text{tratamientos}}$ se vuelve

$$SS_T = \sum_{i=1}^{a} \sum_{j=1}^{n_i} y_{ij}^2 - \frac{y_{..}^2}{N}$$

y

$$SS_{\text{tratamientos}} = \sum_{i=1}^{a} \frac{y_{i.}^2}{n_i} - \frac{y_{..}^2}{N}$$

Al resolver las ecuaciones normales, se emplea la restricción $\Sigma_{i=1}^{a} n_i \hat{\tau}_i = 0$. Ningún otro cambio se requiere en el análisis de varianza.

Hay dos ventajas importantes al elegir un diseño balanceado. Primero, la estadística de prueba es relativamente insensible a las pequeñas desviaciones de la suposición de igualdad de varianza, si los tamaños de muestra son iguales. Éste no es el caso en tamaños de muestra desiguales. Segundo, la potencia de la prueba se maximiza si las muestras son de igual tamaño.

# 12-2  Pruebas sobre medias de tratamiento individual

## 12-2.1  Contrastes ortogonales

El rechazo de la hipótesis nula en el análisis de varianza del modelo de efectos fijos implica que hay diferencias entre las $a$ medias de tratamiento, pero la naturaleza exacta de las diferencias no se especifica. En esta situación, las comparaciones adicionales entre grupos de medias de tratamiento puede resultar útil. La media de tratamiento $i$ésima se define como $\mu_i = \mu + \tau_i$, y $\mu_i$ se estima por medio de $\bar{y}_{i.}$. Las comparaciones entre las medias de tratamiento suelen hacerse en términos de los totales de tratamiento $\{\bar{y}_{i.}\}$.

Considérese el experimento de la concentración de madera dura que se presentó en la sección 12-1.1. Puesto que la hipótesis $H_0$: $\tau_i = 0$ se rechazó, sabemos que algunas concentraciones de madera dura producen diferentes resistencias a la tensión que otras, ¿pero cuáles en realidad ocasionan la diferencia? Podríamos sospechar al inicio del experimento que las concentraciones de madera dura 3 y 4 producen la misma resistencia a la tensión, lo que implica que nos gustaría probar la hipótesis

$$H_0: \mu_3 = \mu_4$$
$$H_1: \mu_3 \neq \mu_4$$

Esta hipótesis podría probarse utilizando una combinación lineal de totales de tratamiento, por ejemplo

$$y_{3.} - y_{4.} = 0$$

Si hubiéramos sospechado que el *promedio* de las concentraciones de madera dura 1 y 3 difería de las concentraciones promedio 2 y 4, entonces la hipótesis hubiera sido

$$H_0: \mu_1 + \mu_3 = \mu_2 + \mu_4$$
$$H_1: \mu_1 + \mu_3 \neq \mu_2 + \mu_4$$

lo que implica la combinación lineal de totales de tratamiento

$$y_{1.} + y_{3.} - y_{2.} - y_{4.} = 0$$

En general, la comparación de las medias de tratamiento de interés implicará una combinación lineal del total de tratamiento tal que

$$C = \sum_{i=1}^{a} c_i y_{i.}$$

con la restricción de que $\sum_{i=1}^{a} c_i = 0$. Estas combinaciones lineales se llaman *contrastes*. La suma de cuadrados para cualquier contraste es

$$SS_C = \frac{\left( \sum_{i=1}^{a} c_i y_{i.} \right)^2}{n \sum_{i=1}^{a} c_i^2} \tag{12-18}$$

y tiene un solo grado de libertad. Si el diseño está desbalanceado, la comparación de medias de tratamiento requiere que $\sum_{i=1}^{a} n_i c_i = 0$, y la ecuación 12-8 se convierte en

$$SS_C = \frac{\left( \sum_{i=1}^{a} c_i y_{i.} \right)^2}{\sum_{i=1}^{a} n_i c_i^2} \tag{12-19}$$

Un contraste se prueba comparando su suma de cuadrados con el error cuadrático medio. La estadística resultante se distribuiría como $F$, con 1 y $N - a$ grados de libertad.

Un caso especial muy importante del procedimiento anterior es el de los *contrastes ortogonales*. Dos contrastes con coeficientes $\{c_i\}$ y $\{d_i\}$ son ortogonales si

$$\sum_{i=1}^{a} c_i d_i = 0$$

o, en su diseño desbalanceado, si

$$\sum_{i=1}^{a} n_i c_i d_i = 0$$

Para $a$ tratamientos un conjunto de $a - 1$ contrastes ortogonales dividirían la suma de cuadrados debido a los tratamiento en $a - 1$ componentes independientes de un solo grado de libertad. En consecuencia, las pruebas realizadas en contrastes ortogonales son independientes.

Hay muchas maneras de elegir los coeficientes de contrastes ortogonales para un conjunto de tratamientos. Usualmente, algo en la naturaleza del experimento debe sugerir que las comparaciones serán de interés. Por ejemplo, si hay $a = 3$ tratamientos, donde el tratamiento 1 es un control y los tratamientos 2 y 3 niveles reales del factor de interés para el experimentador, entonces los contrastes ortogonales apropiados podrían ser como sigue:

| Tratamiento | Contrastes ortogonales | |
|---|---|---|
| 1 (control) | −2 | 0 |
| 2 (nivel 1) | 1 | −1 |
| 3 (nivel 2) | 1 | 1 |

Nótese que el contraste de 1 con $c_i = -2, 1, 1$ compara el efecto promedio del factor con el control, en tanto que el contraste 2 con $d_i = 0, -1, 1$ compara los dos niveles del factor de interés.

Los coeficientes de contraste deben elegirse antes de efectuar el experimento, puesto que si estas comparaciones se seleccionan después de examinar los datos, la mayoría de los experimentadores construirán pruebas que compararían grandes diferencias observadas en las medias. Estas grandes diferencias podrían deberse a la presencia de efectos reales o podrían ser el resultado de un error aleatorio. Si los experimentadores recolectan siempre las diferencias más grandes para la comparación, inflarán el error de tipo I de la prueba, puesto que es probable que en un inusual alto porcentaje de comparaciones seleccionadas, las diferencias observadas se deberán al error.

**Ejemplo 12.3**  Considérese el experimento de la concentración de madera dura. Hay cuatro niveles de concentración, y los conjuntos posibles de comparaciones entre estas medias y las comparaciones ortogonales asociadas son

$$H_0: \mu_1 + \mu_4 = \mu_2 + \mu_3 \qquad C_1 = y_1. - y_2. - y_3. + y_4.$$
$$H_0: 3\mu_1 + \mu_2 = \mu_3 + 3\mu_4 \qquad C_2 = -3y_1. - y_2. + y_3. + 3y_4$$
$$H_0: \mu_1 + 3\mu_3 = 3\mu_3 + \mu_4 \qquad C_3 = -y_1. + 3y_2. - 3y_3. + y_4.$$

Nótese que las constantes de contraste son ortogonales. Al emplear los datos de la tabla 12.1, encontramos los valores numéricos de los contrastes y las sumas de cuadrados como sigue:

$$C_1 = 60 - 94 - 102 + 127 = -9 \qquad SS_{C_1} = \frac{(-9)^2}{6(4)} = 3.38$$

$$C_2 = -3(60) - 94 + 102 + 3(127) = 209 \qquad SS_{C_2} = \frac{(209)^2}{6(20)} = 364.00$$

$$C_3 = -60 + 3(94) - 3(102) + 127 = 43 \qquad SS_{C_3} = \frac{(43)^2}{6(20)} = 15.41$$

Estas sumas de cuadrados de contraste dividen por completo la suma de cuadrados de tratamiento; esto es, $SS_{\text{tratamientos}} = SS_{C_1} + SS_{C_2} + SS_{C_3}$. Estas pruebas en los contrastes suelen incorporarse en el análisis de varianza, tal como se muestra en la tabla 12.6. De este análisis, concluimos que hay diferencias significativas entre las concentraciones de madera dura 3 y 4, y 1 y 2; pero que el promedio de 1 y 2 no difieren del promedio de 3 y 4, ni el promedio de 1 y 3 difieren del promedio de 2 y 4.

## 12-2.2  Prueba de intervalo múltiple de Duncan

Con frecuencia los analistas desconocen en principio cómo construir contrastes ortogonales apropiados, o es posible que deseen probar más de $a - 1$ comparacio-

**TABLA 12.6**  **Análisis de varianza para los datos de resistencia a la tensión**

| Fuente de variación | Suma de cuadrados | Grados de libertad | Media cuadrática | $F_0$ |
|---|---|---|---|---|
| Concentración de madera dura | 382.79 | 3 | 127.60 | 19.61 |
| $C_1$ (1, 4 vs. 2, 3) | (3.38) | (1) | 3.38 | 0.52 |
| $C_2$ (1, 2 vs. 3, 4) | (364.00) | (1) | 364.00 | 55.91 |
| $C_3$ (1, 3 vs. 2, 4) | (15.41) | (1) | 15.41 | 2.37 |
| Error | 130.17 | 20 | 6.51 | |
| Total | 512.96 | 23 | | |

nes usando los mismos datos. Por ejemplo, los analistas pueden desear probar todos los pares posibles de medias. La hipótesis nula sería entonces $H_0: \mu_i = \mu_j$, para toda $i \neq j$. Si probamos todos los pares posibles de medias empleando pruebas de $t$, la probabilidad del error de tipo I para el conjunto completo de comparaciones puede incrementarse en forma considerable. Hay varios procedimientos disponibles que evitan este problema. Entre los más populares están la prueba de Newman-Keuls [Newman (1939); Keuls (1952)], la prueba de Tukey [Tukey (1953)], y la prueba de intervalo múltiple de Duncan [Duncan (1955)]. Aquí describimos la prueba de intervalo múltiple de Duncan.

Para aplicar la prueba de intervalo múltiple de Duncan para tamaños de muestra iguales, las $a$ medias de tratamiento se arreglan en orden descendente, y el error estándar de cada media se determina como

$$ S_{\bar{y}_{i.}} = \sqrt{\frac{MS_E}{n}} \qquad (12\text{-}20) $$

De la tabla de Duncan de intervalos significativos (tabla VII del apéndice), se obtienen los valores $R_\alpha(p, f)$, para $p = 2, 3, \ldots, a$, donde $\alpha$ es el nivel de significancia y $f$ es el número de grados de libertad para el error. Conviértanse estos intervalos en un conjunto de $a - 1$ intervalos significativos menores (esto es, $R_p$), para $p = 2, 3, \ldots, a$, calculando

$$ R_p = r_\alpha(p, f) S_{\bar{y}_{i.}} \qquad \text{para } p = 2, 3, \ldots, a $$

Luego, se prueban los intervalos observados entre las medias, empezando con el más grande contra el más pequeño, lo cual se compararía con el intervalo menos significativo $R_a$. Después, el intervalo del más grande y el segundo más pequeño se calculan y comparan con el intervalo menos significativo $R_a - 1$. Estas comparaciones se continúan hasta que todas las medias hayan sido comparadas con la media más grande. El intervalo de la segunda media más grande y de la más pequeña se calculan y comparan luego contra el intervalo menos significativo $R_{a-1}$. Este proceso continúa hasta que los intervalos de todos los posibles $a(a - 1)/2$ pares de medias se han considerado. Si un intervalo observado es más grande que el intervalo significativo correspondiente más pequeño, concluimos entonces que el par de medias en cuestión es significativamente diferente. Para evitar contradicciones, no se consideran significativas las diferencias entre un par de medias si las dos involucradas caen entre otras dos medias que no difieran de manera considerable.

**Ejemplo 12.4**   Aplicaremos la prueba de intervalo múltiple de Duncan al experimento de concentración de madera dura. Recuérdese que hay $a = 4$ medias, $n = 6$, y $MS_E = 6.51$. Las medias de tratamiento presentadas en orden ascendente son

$$\bar{y}_{1.} = 10.00 \text{ psi}$$

$$\bar{y}_{2.} = 15.67 \text{ psi}$$

$$\bar{y}_{3.} = 17.00 \text{ psi}$$

$$\bar{y}_{4.} = 21.17 \text{ psi}$$

El error estándar de cada media es $S_{\bar{y}_i} = \sqrt{MS_E/n} = \sqrt{6.51/6} = 1.04$. De la tabla de intervalos significativos en la tabla VII del apéndice, para 20 grados de libertad y $\alpha = .05$, obtenemos $r_{.05}(2, 20) = 2.95$, $r_{.05}(3, 20) = 3.10$ y $r_{.05}(4, 20) = 3.18$. Por tanto, los intervalos menos significativos son

$$R_2 = r_{.05}(2, 20)S_{\bar{y}_{i.}} = (2.95)(1.04) = 3.07$$

$$R_3 = r_{.05}(3, 20)S_{\bar{y}_{i.}} = (3.10)(1.04) = \underline{3.22}$$

$$R_4 = r_{.05}(4, 20)S_{\bar{y}_{i.}} = (3.18)(1.04) = 3.31$$

Las comparaciones en las medias de tratamiento son como sigue:

$$4 \text{ vs. } 1 = 21.17 - 10.00 = 11.17 > R_4(3.31)$$

$$4 \text{ vs. } 2 = 21.17 - 15.67 = 5.50 > R_3(3.22)$$

$$4 \text{ vs. } 3 = 21.17 - 17.00 = 3.17 > R_2(3.07)$$

$$3 \text{ vs. } 1 = 17.00 - 10.00 = 7.00 > R_3(3.22)$$

$$3 \text{ vs. } 2 = 17.00 - 15.67 = 1.33 < R_2(3.07)$$

$$2 \text{ vs. } 1 = 15.67 - 10.00 = 5.67 > R_2(3.07)$$

De este análisis, vemos que hay diferencias significativas entre todos los pares de medias con excepción de 2 y 3. Esto implica que las concentraciones de madera dura de 10 y 15 por ciento producen aproximadamente la misma resistencia a la tensión, y que todos los otros niveles de concentración probados producen diferentes resistencias a la tensión. A menudo es útil dibujar una gráfica de las medias de tratamiento, tal como en la figura 12.5, subrayando las medias que *no* son diferentes. Esta gráfica revela claramente los resultados del experimento. Nótese que la madera dura al 20 por ciento produce la máxima resistencia a la tensión.

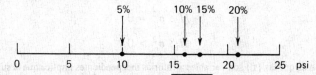

**Figura 12.5** Resultados de la prueba de intervalo múltiple de Duncan.

## 12-3   Modelo de efectos aleatorios

En muchas situaciones, el factor de interés tiene un gran número de niveles posibles. El analista está interesado en extraer conclusiones acerca de la *población* completa de niveles del factor. Si el experimentador selecciona al azar *a* de estos niveles de la población de niveles del factor, entonces afirmamos que el factor es *aleatorio*. Debido a que los niveles del factor utilizados realmente en el experimento se eligieron en forma aleatoria, las conclusiones alcanzadas serán válidas respecto a la población completa de los niveles del factor. Supondremos que la población de niveles del factor es de tamaño infinito o que es lo suficientemente grande como para considerarse infinita.

El modelo estadístico lineal es

$$y_{ij} = \mu + \tau_i + \epsilon_{ij} \begin{cases} i = 1, 2, \ldots, a \\ j = 1, 2, \ldots, n \end{cases} \tag{12-21}$$

donde $\tau_i$ y $\epsilon_{ij}$ son variables aleatorias independientes. Nótese que el modelo es idéntico en estructura al caso de efectos fijos, pero que los parámetros tienen una interpretación diferente. Si la varianza de $\tau_i$ es $\sigma_\tau^2$, entonces la varianza de cualquier observación es

$$V(y_{ij}) = \sigma_\tau^2 + \sigma^2$$

Las varianzas $\sigma_\tau^2$ y $\sigma^2$ se llaman *componentes de varianza*, y el modelo, ecuación 12-21, recibe el nombre de *componentes de varianza* o modelo de *efectos aleatorios*. Para probar la hipótesis en este modelo, requerimos que el $\{\epsilon_{ij}\}$ sea NID(0, $\sigma^2$), que el $\{\tau_i\}$ sea NID(0, $\sigma_\tau^2$), y que $\tau_i$ y $\epsilon_{ij}$ sean independientes.[1]

La identidad de la suma de cuadrados

$$SS_T = SS_{\text{tratamientos}} + SS_E \tag{12-22}$$

sigue cumpliéndose. Esto es, partimos la variabilidad total de las observaciones en una componente que mide la varianza entre tratamientos ($SS_{\text{tratamientos}}$) y una componente que mide la variación dentro de los tratamientos ($SS_E$). Sin embargo, en lugar de probar hipótesis respecto a efectos de tratamiento individuales, probamos las hipótesis

$$H_0: \sigma_\tau^2 = 0$$

$$H_1: \sigma_\tau^2 > 0$$

---

[1] La suposición de que las $\{\tau_i\}$ son variables aleatorias independientes implica que la suposición usual de que $\sum_{i=1}^{a} \tau_i = 0$ del modelo de efectos fijos no corresponde al modelo de efectos aleatorios.

Si $\sigma_\tau^2 = 0$, todos los tratamientos son idénticos; pero si $\sigma_\tau^2 > 0$, entonces hay variabilidad entre tratamientos. $SS_E/\sigma^2$ se distribuye como ji cuadrada con $N - a$ grados de libertad, y bajo la hipótesis nula $SS_{\text{tratamientos}}/\sigma^2$ se distribuye como una ji cuadrada con $a - 1$ grados de libertad. Ambas variables aleatorias son independientes. De tal modo, bajo la hipótesis nula, el cociente

$$F_0 = \frac{\dfrac{SS_{\text{tratamientos}}}{a - 1}}{\dfrac{SS_E}{N - a}} = \frac{MS_{\text{tratamientos}}}{MS_E} \tag{12-23}$$

se distribuye como $F$ con $a - 1$ y $N - a$ grados de libertad. Al examinar los cuadrados de la media esperados podemos determinar la región crítica para esta estadística.

Considérese

$$E(MS_{\text{tratamientos}})$$

$$= \frac{1}{a - 1} E(SS_{\text{tratamientos}}) = \frac{1}{a - 1} E\left[\sum_{i=1}^{a} \frac{y_{i.}^2}{n} - \frac{y_{..}^2}{N}\right]$$

$$= \frac{1}{a - 1} E\left[\frac{1}{n} \sum_{i=1}^{a} \left(\sum_{j=1}^{n} \mu + \tau_i + \epsilon_{ij}\right)^2 - \frac{1}{N} \left(\sum_{i=1}^{a} \sum_{j=1}^{n} \mu + \tau_i + \epsilon_{ij}\right)^2\right]$$

Si elevamos al cuadrado y tomamos la esperanza de las cantidades entre paréntesis, vemos que los términos que involucran $\tau_i^2$ son sustituidos por $\sigma_\tau^2$, cuando $E(\tau_i) = 0$. Además, los términos que involucran a $\sum_{j=1}^{n} \epsilon_{ij}^2$, $\sum_{i=1}^{a} \sum_{j=1}^{n} \epsilon_{ij}^2$, y $\sum_{i=1}^{a} \sum_{j=1}^{n} \tau_i^2$ se sustituyen por $n\sigma^2$, $an\sigma^2$ y $an^2 \sigma_\tau^2$ respectivamente. Por último, todos los términos del producto cruzado que involucran $\tau_i$ y $\epsilon_{ij}$ tienen esperanza cero. Esto conduce a

$$E(MS_{\text{tratamientos}}) = \frac{1}{a - 1}\left[N\mu^2 + N\sigma_\tau^2 + a\sigma^2 - N\mu^2 - n\sigma_\tau^2 - \sigma^2\right]$$

o

$$E(MS_{\text{tratamiento}}) = \sigma^2 + n\sigma_\tau^2 \tag{12-24}$$

Un planteamiento similar mostrará que

$$E(MS_E) = \sigma^2 \tag{12-25}$$

De los cuadrados medios esperados, vemos que si $H_0$ es verdadera tanto el numerador como el denominador de la estadística de prueba, ecuación 12-23, son estimadores insesgados de $\sigma^2$, en tanto que si $H_1$ es verdadera, el valor esperado del numerador es mayor que el valor esperado del denominador. Por tanto, debemos rechazar $H_0$ para valores de $F_0$ que son demasiado grandes. Esto implica una región crítica de una cola superior única, por lo que rechazamos $H_0$ si $F_0 >$ $F_{\alpha, a-1, N-a}$.

El procedimiento de cálculo y el análisis de la tabla de varianza para el modelo de efectos aleatorios son idénticos al caso de efectos fijos. Las conclusiones, sin embargo, son bastante diferentes debido a que ellos se aplican a la población completa de tratamientos.

Es usual que necesitemos estimar las componentes de varianza ($\sigma^2$ y $\sigma_\tau^2$) en el modelo. El procedimiento utilizado para estimar $\sigma^2$ y $\sigma_\tau^2$ se llama el "método del análisis de varianza", debido a que utiliza las líneas en el análisis de la tabla de varianza. No requiere la suposición de normalidad en las observaciones. El procedimiento consiste en igualar los cuadrados de la media esperados con su valor observado en el análisis de la tabla de varianza, y en resolver con respecto a las componentes de la varianza. Cuando se igualan los cuadrados de la media observados y esperados en un modelo de efectos aleatorios de clasificación en un sentido, obtenemos

$$MS_{\text{tratamiento}} = \sigma^2 + n\sigma_\tau^2$$

y

$$MS_E = \sigma^2$$

En consecuencia, los estimadores de los componentes de varianza son

$$\hat{\sigma}^2 = MS_E \tag{12-26}$$

y

$$\hat{\sigma}_\tau^2 = \frac{MS_{\text{tratamiento}} - MS_E}{n} \tag{12-27}$$

Para tamaños de muestra desiguales, se reemplaza $n$ en la ecuación 12-27 por

$$n_0 = \frac{1}{a-1} \left[ \sum_{i=1}^{a} n_i - \frac{\displaystyle\sum_{i=1}^{a} n_i^2}{\displaystyle\sum_{i=1}^{a} n_i} \right]$$

Algunas veces el análisis del método de la varianza produce una estimación negativa de un componente de la varianza. Puesto que las componentes de la varianza son por definición no negativas, una estimación negativa de éstas es inquietante. Un recurso consiste en aceptar la estimación y utilizarla como

TABLA 12.7 Datos de resistencia para el ejemplo 12.5

| Telar | Observaciones | | | | Total | Promedio |
|-------|---|---|---|---|-------|----------|
|       | 1 | 2 | 3 | 4 |       |          |
| 1     | 98 | 97 | 99 | 96 | 390 | 97.5 |
| 2     | 91 | 90 | 93 | 92 | 366 | 91.5 |
| 3     | 96 | 95 | 97 | 95 | 383 | 95.8 |
| 4     | 95 | 96 | 99 | 98 | 388 | 97.0 |
|       |    |    |    |    | 1527 | 95.4 |

evidencia de que el valor real de la componente de varianza es cero, suponiendo que la varianza del muestreo conduce a una estimación negativa. Si bien esto constituye un recurso intuitivo, perturbará las propiedades estadísticas de otras estimaciones. Otra alternativa es volver a estimar la componente negativa de la varianza con un método que siempre produce estimaciones no negativas. Otra posibilidad más es considerar la estimación negativa como evidencia de que el modelo lineal supuesto es incorrecto, lo que requiere efectuar un estudio del modelo y sus suposiciones para encontrar uno más apropiado.

**Ejemplo 12.5** En su libro *Design and Analysis of Experiments*, 2a. edición (John Wiley, 1984), D. C. Montgomery describe un experimento de un solo factor que implica un modelo de efectos aleatorios. Una compañía de manufactura textil produce una fibra en un gran número de telares. La compañía está interesada en la variabilidad de la resistencia a la tensión entre los telares. Para investigar esto, un ingeniero de manufactura selecciona cuatro telares al azar y realiza cuatro determinaciones de resistencia en muestras de fibra elegidas al azar en cada telar. Los datos se muestran en la tabla 12.7, y el análisis de varianza se resume en la tabla 12.8.

Del análisis de varianza, concluimos que los telares en la planta difieren significativamente en su capacidad para producir fibra de resistencia uniforme. Las componentes de varianza se estiman por medio de $\hat{\sigma}^2 = 1.90$ y

TABLA 12.8 Análisis de varianza para los datos de resistencia

| Fuente de variación Telares | Suma de cuadrados | Grados de libertad | Media cuadrática | $F_0$ |
|------|-------|-------|-------|-------|
| Telares | 89.19 | 3 | 29.73 | 15.68 |
| Error | 22.75 | 12 | 1.90 | |
| Total | 111.94 | 15 | | |

Por consiguiente, la varianza de la resistencia en el *proceso de manufactura* se estima mediante

$$\hat{V}(y_{ij}) = \hat{\sigma}_{\tau}^{2} + \hat{\sigma}^{2}$$
$$= 6.96 + 1.90$$
$$= 8.86$$

La mayor parte de esta variabilidad se atribuye a diferencias *entre* los telares.

Este ejemplo ilustra una aplicación importante del análisis de varianza —la separación de diferentes fuentes de variabilidad en un proceso de manufactura. Los problemas de variabilidad excesiva en parámetros o propiedades funcionales críticas, surgen con frecuencia en programas de mejoramiento de calidad. Por ejemplo, en el caso anterior de la resistencia de la fibra, la media del proceso se estima por medio de $\bar{y}_{..} = 95.45$ psi y la desviación estándar del proceso, por $\hat{\sigma}_{y} = \sqrt{\hat{V}(y_{ij})} = \sqrt{8.86} = 2.98$ psi. Si la resistencia se distribuye aproximadamente en forma normal, esto implicaría una distribución de resistencia en el producto final que se ve similar a la distribución normal en la figura 12.6a. Si el límite

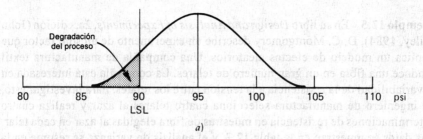

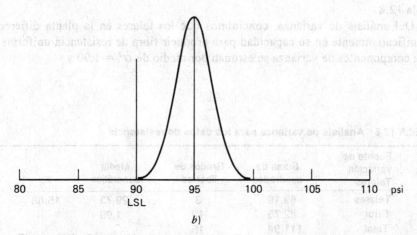

**Figura 12.6**   Distribución de resistencia de fibra. *a*) Proceso actual, *b*) proceso mejorado.

inferior de la especificación (LIE) en la resistencia está en 90 psi, entonces una proporción sustancial de los defectos del proceso se "caen"; esto es, son materiales de desecho o defectuosos que deben venderse como producto de calidad secundaria, etc. Esta producción "caída" se relaciona directamente con la variabilidad excesiva que resulta de las diferencias entre los telares. La variabilidad en el funcionamiento de los telares podría ser ocasionada, entre otras causas, por un ajuste incorrecto, mantenimiento y supervisión inadecuados u operarios sin el suficiente adiestramiento, etc. El ingeniero o gerente responsable del mejoramiento de la calidad debe identificar y eliminar estas fuentes de variabilidad del proceso. Si lo logra, la variabilidad de la resistencia se reducirá en forma considerable, quizá a un valor tan bajo como $\hat{\sigma}_y = \hat{\sigma}_\tau = \sqrt{1.90} = 1.38$ psi, como se indica en la figura 12.6b. En este proceso mejorado, la reducción de la variabilidad en la resistencia, a su vez, ha reducido en gran medida la producción defectuosa. Esto dará como resultado menores costos, mayor calidad, clientes más satisfechos y un aumento de la posición competitiva de la compañía.

## 12-4 Diseño de bloque aleatorio

### 12-4.1 Diseño y análisis estadístico

En muchos problemas experimentales es necesario diseñar el experimento de manera que la variabilidad proveniente de variables perjudiciales pueda controlarse. Como ejemplo, recuérdese la situación en el ejemplo 11.12, donde se usaron dos procedimientos diferentes para predecir la resistencia al corte de vigas de placa de acero. Debido a que cada viga tiene potencialmente una resistencia diferente, y esta variabilidad en la resistencia no era de interés directo, diseñaremos el experimento utilizando los dos métodos en cada viga y comparando la diferencia en las lecturas de resistencia promedio con cero empleando la prueba *t* en pares. Esto último es un procedimiento para comparar dos medias cuando no todas las ejecuciones experimentales pueden efectuarse en condiciones homogéneas. De tal modo, la prueba de *t* en pares reduce el ruido en el experimento bloqueando el efecto de una variable perjudicial. El diseño de bloque aleatorio es

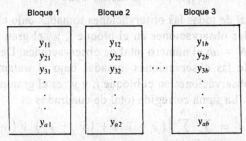

**Figura 12.7** Diseño de bloque completamente aleatorio.

una extensión de la prueba $t$ en pares para diseñar situaciones en las que el factor de interés tiene más de dos niveles.

Como ejemplo, supongamos que deseamos comparar el efecto de cuatro compuestos químicos diferentes sobre la resistencia de una fibra particular. Se sabe que el efecto de estos compuestos varía de modo considerable de un espécimen de fibra a otro. En este ejemplo, tenemos sólo un factor, el tipo de químico usado. Por consiguiente, podríamos seleccionar varios pedazos de fibra y comparar los cuatro compuestos químicos dentro de las condiciones relativamente homogéneas brindadas por cada pedazo de fibra. Esto eliminaría cualquier variación debida a ella.

El procedimiento general para un diseño de bloque completamente aleatorio consiste en seleccionar $b$ bloques y en ejecutar una réplica completa del experimento en cada bloque. Un diseño de bloque completamente aleatorizado para investigar un solo factor con $a$ niveles aparecería como en la figura 12.7. Habrá $a$ observaciones (una por nivel del factor) en cada bloque, y el orden en el cual estas observaciones se ejecutan, se asigna al azar dentro del bloque.

Describiremos ahora el análisis estadístico para un diseño de bloque aleatorio. Supóngase que es de interés un solo factor con $a$ niveles, y que el experimento se ejecuta en $b$ bloques, como se muestra en la figura 12.7. Las observaciones pueden representarse por medio de un modelo estadístico lineal.

$$y_{ij} = \mu + \tau_i + \beta_j + \epsilon_{ij} \begin{cases} i = 1, 2, \ldots, a \\ j = 1, 2, \ldots, b \end{cases} \tag{12-28}$$

donde $\mu$ es una media general, $\tau_i$ es el efecto del tratamiento $i$ésimo, $\beta_j$ es el efecto del bloque $j$ésimo, y $\epsilon_{ij}$ es el término de error aleatorio usado NID$(0, \sigma^2)$. Los tratamientos y los bloques se considerarán al inicio como factores fijos. Además los efectos de bloque y tratamiento se definen como desviaciones respecto a la media general, por lo que $\sum_{i=1}^{a} \tau_i = 0$ y $\sum_{j=1}^{b} \beta_j = 0$. Estamos interesados en probar la igualdad de los efectos del tratamiento. Esto es

$$H_0: \tau_1 = \tau_2 = \cdots = \tau_a = 0$$

$$H_1: \tau_i \neq 0 \text{ al menos una } i$$

Sean $y_{i.}$, el total de todas las observaciones tomadas bajo el tratamiento $i$, $y_{.j}$ el total de todas las observaciones en el bloque $j$, $y_{..}$ el gran total de todas las observaciones, y $N = ab$ el número total de observaciones. De modo similar, $\bar{y}_{i.}$ es el promedio de las observaciones tomadas bajo el tratamiento $i$, $\bar{y}_{.j}$ es el promedio de las observaciones en el bloque $j$, y $\bar{y}_{..}$ es el gran promedio de todas las observaciones. La suma corregida total de cuadrados es

$$\sum_{i=1}^{a} \sum_{j=1}^{b} (y_{ij} - \bar{y}_{..})^2 = \sum_{i=1}^{a} \sum_{j=1}^{b} \left[ (\bar{y}_{i.} - \bar{y}_{..}) + (\bar{y}_{.j} - \bar{y}_{..}) + (y_{ij} - \bar{y}_{i.} - \bar{y}_{.j} + \bar{y}_{..}) \right]^2$$

$$\tag{12-29}$$

TABLA 12.9  **Análisis de varianza para el diseño de bloque completamente aleatorio**

| Fuente de variación | Suma de cuadrados | Grados de libertad | Media cuadrática | $F_0$ |
|---|---|---|---|---|
| Tratamientos | $\sum\limits_{i=1}^{a} \dfrac{y_{i.}^2}{b} - \dfrac{y_{..}^2}{ab}$ | $a - 1$ | $\dfrac{SS_{tratamientos}}{a - 1}$ | $\dfrac{MS_{tratamientos}}{MS_E}$ |
| Bloques | $\sum\limits_{j=1}^{b} \dfrac{y_{.j}^2}{a} - \dfrac{y_{..}^2}{ab}$ | $b - 1$ | $\dfrac{SS_{bloques}}{b - 1}$ | |
| Error | $SS_E$ (por sustracción) | $(a - 1)(b - 1)$ | $\dfrac{SS_E}{(a - 1)(b - 1)}$ | |
| Total | $\sum\limits_{i=1}^{a}\sum\limits_{j=1}^{b} y_{ij}^2 - \dfrac{y_{..}^2}{ab}$ | $ab - 1$ | | |

El desarrollo del lado derecho de la ecuación 12-29 produce

$$\sum_{i=1}^{a}\sum_{j=1}^{b}\left(y_{ij} - \bar{y}_{..}\right)^2 = b\sum_{i=1}^{a}\left(\bar{y}_{i.} - \bar{y}_{..}\right)^2 + a\sum_{j=1}^{b}\left(\bar{y}_{.j} - \bar{y}_{..}\right)^2$$

$$+ \sum_{i=1}^{a}\sum_{j=1}^{b}\left(y_{ij} - \bar{y}_{.j} - \bar{y}_{i.} + \bar{y}_{..}\right)^2 \tag{12-30}$$

o, simbólicamente,

$$SS_T = SS_{tratamientos} + SS_{bloques} + SS_E \tag{12-31}$$

La descomposición del grado de libertad correspondiente a la ecuación 12-31 es

$$ab - 1 = (a - 1) + (b - 1) + (a - 1)(b - 1) \tag{12-32}$$

La hipótesis nula de ningún efecto de tratamiento ($H_0$: $\tau_i = 0$) se prueba mediante la razón $F$, $MS_{tratamientos}/MS_E$. El análisis de la varianza se resume en la tabla 12.9. Las fórmulas de cálculo para las sumas de cuadrados también se presentan en esta tabla. El mismo procedimiento de prueba se utiliza en casos en los que los tratamientos y/o los bloques son aleatorios.

**Ejemplo 12.6**  Se efectuó un experimento para determinar el efecto de cuatro diferentes compuestos químicos en la resistencia de una fibra. Estos compuestos se emplearon como parte del proceso de acabado de planchado permanente. Se seleccionaron cinco muestras de fibra, y un diseño de bloque aleatorio se ejecutó probando cada tipo de compuesto químico en orden aleatorio en cada muestra de fibra. Los datos aparecen, en la tabla 12.10.

TABLA 12.10   **Datos de resistencia de fibra —Diseño de bloque aleatorio**

| Tipo de compuesto químico | Muestra de fibra | | | | | Totales de renglón $y_{i.}$ | Promedios de renglón $\bar{y}_{i.}$ |
|---|---|---|---|---|---|---|---|
| | 1 | 2 | 3 | 4 | 5 | | |
| 1 | 1.3 | 1.6 | 0.5 | 1.2 | 1.1 | 5.7 | 1.14 |
| 2 | 2.2 | 2.4 | 0.4 | 2.0 | 1.8 | 8.8 | 1.76 |
| 3 | 1.8 | 1.7 | 0.6 | 1.5 | 1.3 | 6.9 | 1.38 |
| 4 | 3.9 | 4.4 | 2.0 | 4.1 | 3.4 | 17.8 | 3.56 |
| Totales de columna $y_{.j}$ | 9.2 | 10.1 | 3.5 | 8.8 | 7.6 | 39.2 | 1.96 |
| Promedios de columna $\bar{y}_{.j}$ | 2.30 | 2.53 | 0.88 | 2.20 | 1.90 | $(y_{..})$ | $(\bar{y}_{..})$ |

Las sumas de cuadrados para el análisis de la varianza se calculan como sigue:

$$SS_T = \sum_{i=1}^{4} \sum_{j=1}^{5} y_{ij}^2 - \frac{y_{..}^2}{ab}$$

$$= (1.3)^2 + (1.6)^2 + \cdots + (3.4)^2 - \frac{(39.2)^2}{20} = 25.69$$

$$SS_{\text{tratamientos}} = \sum_{i=1}^{4} \frac{y_{i.}^2}{b} - \frac{y_{..}^2}{ab}$$

$$= \frac{(5.7)^2 + (8.8)^2 + (6.9)^2 + (17.8)^2}{5} - \frac{(39.2)^2}{20} = 18.04$$

$$SS_{\text{bloques}} = \sum_{j=1}^{5} \frac{y_{.j}^2}{a} - \frac{y_{..}^2}{ab}$$

$$= \frac{(9.2)^2 + (10.1)^2 + (3.5)^2 + (8.8)^2 + (7.6)^2}{4} - \frac{(39.2)^2}{20} = 6.69$$

$$SS_E = SS_T - SS_{\text{bloques}} - SS_{\text{tratamientos}}$$

$$= 25.69 - 6.69 - 18.04 = 0.96$$

El análisis de varianza se resume en la tabla 12.11. Concluiríamos que hay una diferencia significativa en los tipos de compuesto químico en lo que se refiere a su efecto sobre la resistencia de la fibra.

Supóngase que se conduce un experimento como un diseño de bloque aleatorio, y que en realidad los bloques no eran necesarios. Hay $ab$ observaciones y $(a-1)(b-1)$ grados de libertad para el error. Si el experimento se ha ejecutado

TABLA 12.11 **Análisis de varianza para el experimento de bloque aleatorio**

| Fuente de variación | Suma de cuadrados | Grados de libertad | Media cuadrática | $F_0$ |
|---|---|---|---|---|
| Tipos de compuestos químicos (tratamientos) | 18.04 | 3 | 6.01 | 75.13 |
| Muestra de fibra (bloques) | 6.69 | 4 | 1.67 | |
| Error | 0.96 | 12 | 0.08 | |
| Total | 25.69 | 19 | | |

como un diseño de un solo factor completamente aleatorio con $b$ réplicas, hubiéramos tenido $a(b-1)$ grados de libertad para el error. Por tanto, el bloqueo tiene un costo de $a(b-1) - (a-1)(b-1) = b-1$ grados de libertad para el error. De tal modo, puesto que la pérdida de grados de libertad en el error suele ser pequeña, si hay una posibilidad razonable de que el efecto de bloque pueda ser importante, el experimentador debe emplear el diseño de bloque aleatorio.

Por ejemplo, considérese el experimento descrito en el ejemplo 12.6 como un análisis de la varianza de clasificación en un sentido. Tendríamos 16 grados de libertad para el error. En el diseño de bloque aleatorio hay 12 grados de libertad para el error. Por tanto, el bloque tiene un costo de sólo 4 grados de libertad, una pérdida muy pequeña considerando la posible ganancia en información que se lograría si los efectos de bloque son en realidad importantes. Como una regla general, en caso de duda respecto a la importancia de los efectos de bloque, quien realice el experimento debe bloquear y correr el riesgo de que los efectos de bloque existan. Si el experimentador está equivocado, la ligera pérdida en los grados de libertad para el error tendrán un efecto despreciable, a menos que el número de grados de libertad sea muy pequeño.

### 12-4.2 Pruebas sobre medias de tratamiento individual

Cuando el análisis de la varianza indica que existe una diferencia entre las medias de tratamiento, usualmente necesitamos realizar algunas pruebas de seguimiento para aislar las diferencias específicas. Cualquier método de comparación múltiple, tal como la prueba de intervalos múltiples de Duncan, podría utilizarse para hacer esto.

Con el fin de ilustrar el procedimiento de Duncan, arreglamos las cuatro medias del tipo de compuesto químico en orden

$$\bar{y}_{1.} = 1.14$$

$$\bar{y}_{3.} = 1.38$$

$$\bar{y}_{2.} = 1.76$$

$$\bar{y}_{4.} = 3.56$$

y calculamos el error estándar de una media de tratamiento

$$S_{\bar{y}_{i.}} = \sqrt{\frac{MS_E}{b}} = \sqrt{\frac{0.08}{5}} = 0.13$$

En el nivel $\alpha = .05$ con 12 grados de libertad del error, los intervalos menos significativos de Duncan se encuentran a partir de la tabla XII del apéndice como $r_{.05}(2, 12) = 3.08, r_{.05}(3, 12) = 3.23$ y $r_{.05}(4, 12) = 3.33$. De tal modo los intervalos críticos son

$$R_2 = S_{\bar{y}_{i.}} r_{.05}(2, 12) = (0.13)(3.08) = 0.40$$

$$R_3 = S_{\bar{y}_{i.}} r_{.05}(3, 12) = (0.13)(3.23) = 0.42$$

$$R_4 = S_{\bar{y}_{i.}} r_{.05}(4, 12) = (0.13)(3.33) = 0.43$$

La comparación entre las medias se muestran a continuación:

$$4 \text{ vs. } 1 = \bar{y}_{4.} - \bar{y}_{1.} = 3.56 - 1.14 = 2.42 > R_4 (0.43)$$

$$4 \text{ vs. } 3 = \bar{y}_{4.} - \bar{y}_{3.} = 3.56 - 1.38 = 2.18 > R_3 (0.42)$$

$$4 \text{ vs. } 2 = \bar{y}_{4.} - \bar{y}_{2.} = 3.56 - 1.76 = 1.80 > R_2 (0.40)$$

$$2 \text{ vs. } 1 = \bar{y}_{2.} - \bar{y}_{1.} = 1.76 - 1.14 = 0.67 > R_3 (0.42)$$

$$2 \text{ vs. } 3 = \bar{y}_{2.} - \bar{y}_{3.} = 1.76 - 1.38 = 0.38 < R_2 (0.40)$$

$$3 \text{ vs. } 1 = \bar{y}_{3.} - \bar{y}_{1.} = 1.38 - 1.14 = 0.24 < R_2 (0.40)$$

La figura 12.8 presenta los resultados en forma gráfica. Los pares de medias subrayados no son diferentes. La prueba de Duncan indica que el tipo de compuesto químico 4 produce resistencias bastante diferentes que los otros tres tipos. Los tipos de compuesto químico 2 y 3 no difieren, y lo mismo ocurre con los tipos 1 y 3. Es posible que haya una pequeña diferencia en la resistencia entre los tipos 1 y 2.

## 12-4.3   Análisis residual y verificación del modelo

En cualquier experimento diseñado, siempre es importante examinar los residuos y revisar las violaciones de las suposiciones básicas que podrían invalidar los resultados. Los residuos para el diseño de bloque aleatorio son justo la diferencia entre los valores observados y los ajustados

$$e_{ij} = y_{ij} - \hat{y}_{ij}$$

y los valores ajustados son

$$\hat{y}_{ij} = \bar{y}_{i.} + \bar{y}_{.j} - \bar{y}_{..} \tag{12-33}$$

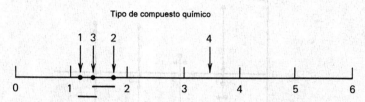

**Figura 12.8** Resultados de la prueba de intervalo múltiple de Duncan.

TABLA 12.12 **Residuos a partir del diseño de bloque aleatorio**

| Tipo de compuesto químico | Muestra de fibra | | | | |
|---|---|---|---|---|---|
| | 1 | 2 | 3 | 4 | 5 |
| 1 | −0.18 | −0.11 | 0.44 | −0.18 | 0.02 |
| 2 | 0.10 | 0.07 | −0.27 | 0.00 | 0.10 |
| 3 | 0.08 | −0.24 | 0.30 | −0.12 | −0.02 |
| 4 | 0.00 | 0.27 | −0.48 | 0.30 | −0.10 |

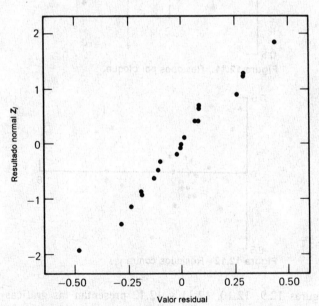

**Figura 12.9** Gráfica de probabilidad normal de residuos a partir de un diseño de bloque aleatorio.

El valor ajustado representa la estimación de la respuesta media cuando se ejecuta el tratamiento *i*ésimo en el bloque *j*ésimo. Los residuos de este experimento se muestran en la tabla 12.2.

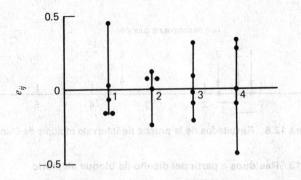

**Figura 12.10**   Residuos por tratamiento.

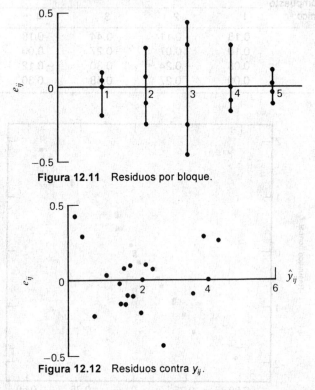

**Figura 12.11**   Residuos por bloque.

**Figura 12.12**   Residuos contra $y_{ij}$.

Las figuras 12.9, 12.10, 12.11 y 12.12 presentan las gráficas de residuos importantes para el experimento. Hay cierta indicación de que la muestra de fibra (bloque) 3 tiene mayor variabilidad en la resistencia cuando se trata con los cuatro compuestos químicos que las otras muestras. Además, el tipo de compuesto 4, que proporciona la resistencia más grande, tiene también una variabilidad un poco mayor en la resistencia. El seguimiento de experimentos pueden ser necesario para confirmar estos descubrimientos, si ellos son potencialmente importantes.

## 12-5 Determinación del tamaño de muestra en experimentos de un solo factor

En cualquier problema de diseño experimental la elección del tamaño de muestra o del número de réplicas que se utilizará es importante. Las curvas características de operación pueden emplearse para proporcionar una guía al realizar esta selección. Recuérdese que la curva característica de operación es una gráfica del error ($\beta$) del tipo II para diversos tamaños de muestra contra una media de la diferencia en las medias que es importante detectar. Por consiguiente, si el experimentador conoce qué tanta diferencia en las medias es de potencial importancia, las curvas características de operación pueden emplearse para determinar qué tantas réplicas se requieren para brindar la sensibilidad adecuada.

Consideremos primero la determinación del tamaño de muestra en un modelo de efectos fijos para el caso de tamaño de muestra igual en cada tratamiento. La capacidad ($1 - \beta$) de la prueba es

$$1 - \beta = P\{\text{Rechazar } H_0 | H_0 \text{ es falsa}\}$$
$$= P\{F_0 > F_{\alpha,\, a-1,\, N-a} | H_0 \text{ es falsa}\} \tag{12-34}$$

Para evaluar este enunciado de probabilidad, necesitamos conocer la distribución de la estadística que prueba $F_0$ si la hipótesis nula es falsa. Puede demostrarse que si $H_0$ es falsa, la estadística $F_0 = MS_{\text{tratamientos}}/MS_E$ se distribuye como una variable aleatoria $F$ no central, con $a - 1$ y $N - a$ grados de libertad y un parámetro de no centralidad $\delta$. Si $\delta = 0$ entonces la distribución $F$ no central se vuelve la usual distribución $F$ *central*.

Las curvas características de operación en el diagrama VII del apéndice se usan para calcular la capacidad de la prueba en el modelo de efectos fijos. Estas curvas grafican la probabilidad del error de tipo II ($\beta$) contra $\Phi$, donde

$$\Phi^2 = \frac{n \sum\limits_{i=1}^{a} \tau_i^2}{a\sigma^2} \tag{12-35}$$

El parámetro $\Phi^2$ se relaciona con el parámetro $\delta$ de no centralidad. Se disponen las curvas para $\alpha = .05$ y $\alpha = .01$ y para varios valores de grados de libertad respecto al numerador y el denominador. En un diseño completamente aleatorio, el símbolo $n$ en la ecuación 12-35 es el número de réplicas. En un diseño de bloques aleatorios, se sustituye $n$ por el número de bloques.

Al emplear las curvas características de operación, debemos definir la diferencia en las medias que deseamos detectar en términos de $\sum_{i=1}^{a} \tau_i^2$. Además, la varianza $\sigma^2$ del error suele desconocerse. En tales casos, debemos elegir cocientes de $\sum_{i=1}^{a} \tau_i^2/\sigma^2$ que deseemos detectar. De manera alternativa, si se cuenta con una estimación de $\sigma^2$, puede sustituirse $\sigma^2$ con esta estimación. Por ejemplo, si estuviéramos interesados en la sensibilidad de un experimento que se ha efectuado, podríamos emplear $MS_E$ como la estimación de $\sigma^2$.

**Ejemplo 12.7**   Supóngase que se están comparando cinco medias en un experimento completamente aleatorio con $\alpha = .01$. El experimentador desearía conocer cuántas réplicas ejecutar si es importante rechazar $H_0$ con probabilidad al menos de .90 en el caso de que $\Sigma_{i=1}^{5} \tau_i^2/\sigma^2 = 5.0$. El parámetro $\Phi^2$ es, en esta situación,

$$\Phi^2 = \frac{n \sum_{i=1}^{a} \tau_i^2}{a\sigma^2} = \frac{n}{5}(5) = n$$

y respecto a la curva característica de operación para $a - 1 = 5 - 1 = 4$, y $N - a = a(n-1) = 5(n-1)$ grados de libertad del error refiérase al diagrama VII del apéndice. Como una primera conjetura, inténtese $n = 4$ réplicas. Esto produce $\Phi^2 = 4$, $\Phi = 2$ y $5(3) = 15$ grados de libertad del error. En consecuencia, del diagrama VII, encontramos que $\beta \simeq .38$. Por tanto, la capacidad de la prueba es aproximadamente $1 - \beta = 1 - .38 = .62$, lo cual es menor que el requerido .90, y por ello concluimos que $n = 4$ réplicas no son suficientes. Al proceder de manera similar, podemos construir la siguiente presentación.

| $n$ | $\Phi^2$ | $\Phi$ | $a(n-1)$ | $\beta$ | Potencia$(1 - \beta)$ |
|---|---|---|---|---|---|
| 4 | 4 | 2.00 | 15 | .38 | .62 |
| 5 | 5 | 2.24 | 20 | .18 | .82 |
| 6 | 6 | 2.45 | 25 | .06 | .94 |

De este modo, al menos $n = 6$ réplicas deben ejecutarse en orden para obtener una prueba con la capacidad requerida.

La capacidad de la prueba para el modelo de efectos aleatorios es

$$1 - \beta = P\{\text{Rechazar } H_0 | H_0 \text{ es falsa}\}$$

$$= P\left\{ F_0 > F_{\alpha, a-1, N-a} | \sigma_\tau^2 > 0 \right\} \qquad (12\text{-}36)$$

También en este caso se necesita la distribución de la estadística de prueba $F_0$ bajo la hipótesis alternativa. Pueden mostrarse que si $H_1$ es verdadera $\sigma_\tau^2 > 0$) la distribución de $F_0$ es central, con $a - 1$ y $N - a$ grados de libertad.

Puesto que la capacidad del modelo de efectos aleatorios se basa en la distribución central $F$, podríamos utilizar las tablas de la distribución $F$ en el apéndice para evaluar la ecuación 12-36. Sin embargo, es mucho más fácil evaluar la potencia de la prueba utilizando las curvas características de operación en la diagrama VIII del apéndice. Estas curvas grafican la probabilidad del error de tipo II contra $\lambda$, donde

$$\lambda = \sqrt{1 + \frac{n\sigma_\tau^2}{\sigma^2}} \qquad (12\text{-}37)$$

En el diseño de bloque aleatorio, se reemplaza n por b, el número de bloques. Puesto que $\sigma^2$ suele conocerse, podemos usar una estimación previa o definir el valor de $\sigma_\tau^2$ que estamos interesados en detectar en términos del cociente $\sigma_\tau^2/\sigma^2$.

**Ejemplo 12.8** Considérese un diseño aleatorio por completo con cinco tratamientos seleccionados al azar, con seis observaciones por tratamiento y $\alpha = .05$. Deseamos determinar la capacidad de la prueba si $\sigma_\tau^2$ es igual a $\sigma^2$. Puesto que $a = 5$, $n = 6$ y $\sigma_\tau^2 = \sigma^2$, podemos calcular

$$\lambda = \sqrt{1 + 6(1)} = 2.646$$

De la curva característica de operación con $a - 1 = 4$, $N - a = 25$ grados de libertad, y $\alpha = .05$, encontramos que

$$\beta \simeq .20$$

Por tanto, la capacidad es aproximadamente .80.

## 12-6 Resumen

Este capítulo ha presentado el diseño y los métodos de análisis para experimentos con un solo factor. Se subrayó la importancia de la aleatorización de los experimentos de un solo factor. En un experimento completamente aleatorizado, todas las ejecuciones se hacen en orden aleatorio para balancear los efectos de variables perjudiciales desconocidas. Si una de estas variables puede controlarse, el bloqueo puede utilizarse como una alternativa de diseño. Se presentó el análisis de varianza de los modelos de efectos fijos y los de efectos aleatorios. La principal diferencia entre los dos modelos es el espacio de deducción. En el modelo de efectos fijos, las deducciones son válidas respecto sólo a los niveles del factor considerados de manera específica en el análisis, en tanto que en el modelo de efectos aleatorios, las conclusiones pueden extenderse a la población de los niveles del factor. Se sugirieron los contrastes ortogonales y la prueba de intervalo múltiple de Duncan para realizar comparaciones entre medias del nivel del factor en el experimento de efectos fijos. También se brindó un procedimiento para estimar las componentes de varianza en un modelo de efectos aleatorios. Se presentó el análisis del residuo para verificar las suposiciones básicas del análisis de la varianza.

## 12-7 Ejercicios

**12-1** En *Design and Analysis of Experiments*, 2a. edición (John Wiley & Sons, 1984), D. C. Montgomery describe un experimento en el cual la resistencia a la tensión de una fibra sintética es de interés al fabricante. Se sospecha que la resistencia se relaciona con el porcentaje de algodón en la fibra. Se emplean cinco niveles de porcentaje de algodón, y se ejecutan cinco réplicas en orden aleatorio, que dan como resultado los datos siguientes.

| Porcentaje de algodón | Observaciones | | | | |
|---|---|---|---|---|---|
| | 1 | 2 | 3 | 4 | 5 |
| 15 | 7 | 7 | 15 | 11 | 9 |
| 20 | 12 | 17 | 12 | 18 | 18 |
| 25 | 14 | 18 | 18 | 19 | 19 |
| 30 | 19 | 25 | 22 | 19 | 23 |
| 35 | 7 | 10 | 11 | 15 | 11 |

a) ¿El porcentaje de algodón afecta la resistencia al rompimiento? Dibuje gráficas de caja comparativas y realice un análisis de varianza.

b) Grafique la resistencia promedio a la tensión contra el porcentaje de algodón e interprete los resultados.

c) Emplee la prueba de intervalo múltiple de Duncan para investigar diferencias entre los niveles individuales de porcentaje de algodón. Interprete los resultados.

d) Determine los residuos y examínelos en relación con la insuficiencia del modelo.

**12-2** En "Orthogonal Design for Process Optimization and Its Application to Plasma Etching" (*Solid State Technology*, mayo de 1987), G. Z. Yin y D. W. Jillie describen un experimento para determinar el efecto de la tasa de flujo de $C_2F_6$ sobre la uniformidad del grabado en una oblea de silicio empleado en la manufactura de un circuito integrado. Se utilizan tres tasas de flujo en el experimento, y la uniformidad resultante (en porcentaje) para seis réplicas se muestra en seguida.

| Flujo de $C_2F_6$ (SCCM) | Observaciones | | | | | |
|---|---|---|---|---|---|---|
| | 1 | 2 | 3 | 4 | 5 | 6 |
| 125 | 2.7 | 4.6 | 2.6 | 3.0 | 3.2 | 3.8 |
| 160 | 4.9 | 4.6 | 5.0 | 4.2 | 3.6 | 4.2 |
| 200 | 4.6 | 3.4 | 2.9 | 3.5 | 4.1 | 5.1 |

a) ¿La tasa de flujo de $C_2F_6$ afecta la uniformidad del grabado? Construya gráficas de caja para comparar los niveles del factor y efectuar el análisis de varianza.

b) ¿Los residuos indican algún problema con las suposiciones básicas?

**12-3** Se está estudiando la resistencia a la compresión de concreto. Se investigan cuatro técnicas diferente de mezclado. Los datos recabados son los siguientes:

| Técnica de mezclado | Resistencia a la compresión (psi) | | | |
|---|---|---|---|---|
| 1 | 3129 | 3000 | 2865 | 2890 |
| 2 | 3200 | 3300 | 2975 | 3150 |
| 3 | 2800 | 2900 | 2985 | 3050 |
| 4 | 2600 | 2700 | 2600 | 2765 |

a) Pruebe la hipótesis de que las técnicas de mezclado afectan la resistencia del concreto. Emplee $\alpha = .05$.

b) Utilice la prueba de intervalo múltiple de Duncan para efectuar comparaciones entre pares de medias. Estime los efectos de tratamiento.

**12-4** Una fábrica de hilados tiene un gran número de telares. Se supone que cada uno de los telares proporciona la misma salida de tela por minuto. Para investigar esta suposición, se eligen cinco telares al azar y su salida se mide en diferentes tiempos. Se obtienen los siguientes datos:

| Telar | Salida (lb/min) | | | | |
|---|---|---|---|---|---|
| 1 | 4.0 | 4.1 | 4.2 | 4.0 | 4.1 |
| 2 | 3.9 | 3.8 | 3.9 | 4.0 | 4.0 |
| 3 | 4.1 | 4.2 | 4.1 | 4.0 | 3.9 |
| 4 | 3.6 | 3.8 | 4.0 | 3.9 | 3.7 |
| 5 | 3.8 | 3.6 | 3.9 | 3.8 | 4.0 |

a) ¿Es éste un experimento de efectos fijos o aleatorios? ¿Los telares son similares en la salida?

b) Estime la variabilidad entre telares.

c) Estime la varianza del error experimental.

d) ¿Cuál es la probabilidad de aceptar $H_0$ si $\sigma_{\tau}^2$ es cuatro veces la varianza del error experimental?

e) Analice los residuos de este experimento y verifique la insuficiencia del modelo.

**12-5** Se efectuó un experimento para determinar si cuatro temperaturas de cocción específicas afectan la densidad de cierto tipo de ladrillo. El experimento condujo a los siguientes datos:

| Temperatura (°F) | Densidad | | | | | | |
|---|---|---|---|---|---|---|---|
| 100 | 21.8 | 21.9 | 21.7 | 21.6 | 21.7 | 21.5 | 21.8 |
| 125 | 21.7 | 21.4 | 21.5 | 21.5 | — | — | — |
| 150 | 21.9 | 21.8 | 21.8 | 21.6 | 21.5 | — | — |
| 175 | 21.9 | 21.7 | 21.8 | 21.7 | 21.6 | 21.8 | — |

a)   ¿La temperatura de cocción afecta la densidad de los ladrillos?
b)   Estime las componentes en el modelo.
c)   Analice los residuos del experimento.

12-6  Un ingeniero en electrónica está interesado en el efecto de la conductividad de cinco diferentes tipos de recubrimiento para tubos de rayos catódicos utilizados en un dispositivo de despliegue de telecomunicaciones. Se obtuvieron los siguientes datos de conductividad:

| Tipo de recubrimiento | Conductividad | | | |
|---|---|---|---|---|
| 1 | 143 | 141 | 150 | 146 |
| 2 | 152 | 149 | 137 | 143 |
| 3 | 134 | 133 | 132 | 127 |
| 4 | 129 | 127 | 132 | 129 |
| 5 | 147 | 148 | 144 | 142 |

a)   ¿Hay alguna diferencia en la conductividad debida al tipo de recubrimiento? Emplee $\alpha = .05$.
b)   Estime la media general y los efectos de tratamiento.
c)   Calcule una estimación de intervalo del 95 por ciento del recubrimiento medio de tipo 1. Calcule una estimación de intervalo de 99 por ciento de la diferencia media entre dos tipos de recubrimiento 1 y 4.
d)   Pruebe todos los pares de medias empleando la prueba de intervalo múltiple de Duncan, con $\alpha = .05$.
e)   Suponiendo que el tipo de recubrimiento 4 es el que se está empleando, ¿qué recomendaciones haría al fabricante? Deseamos minimizar la conductividad.

12-7  Se determinó el tiempo de respuesta en milisegundos para tres tipos diferentes de circuitos utilizados en una calculadora electrónica. Los resultados se presentan a continuación:

| Tipo de circuito | Tiempo de respuesta | | | | |
|---|---|---|---|---|---|
| 1 | 19 | 22 | 20 | 18 | 25 |
| 2 | 20 | 21 | 33 | 27 | 40 |
| 3 | 16 | 15 | 18 | 26 | 17 |

a)   Pruebe la hipótesis de que los tres tipos de circuito tienen el mismo tiempo de respuesta.
b)   Emplee la prueba de intervalo múltiple de Duncan para comparar pares de medias de tratamiento.
c)   Construya un conjunto de contrastes ortogonales, suponiendo que al principio del experimento usted sospecha que el tiempo de respuesta del circuito tipo 2 será diferente de los otros dos.

*d)* ¿Cuál es la capacidad de esta prueba para detectar $\sigma_{i=1}^3 \tau_i^2 / \sigma^2 = 3.0$?

*e)* Analice los residuos de este experimento.

**12-8** En "The effect of Nozzle Design on the Stability and Performance of Turbulent Water Jets" (*Fire Safety Journal*, vol. 4, agosto 1981), C. Theobald describe un experimento en el cual se determinó un factor de forma para distintos diseños de boquillas en diferentes niveles de velocidad de flujo de chorro. El interés en este experimento se enfoca principalmente en el diseño de boquillas, y la velocidad es un factor problemático. Los datos se muestran a continuación:

| Tipo de boquilla | Velocidad de flujo de chorro (m/s) | | | | | |
|---|---|---|---|---|---|---|
| | 11.73 | 14.37 | 16.59 | 20.43 | 23.46 | 28.74 |
| 1 | .78 | .80 | .81 | .75 | .77 | .78 |
| 2 | .85 | .85 | .92 | .86 | .81 | .83 |
| 3 | .93 | .92 | .95 | .89 | .89 | .83 |
| 4 | 1.14 | .97 | .98 | .88 | .86 | .83 |
| 5 | .97 | .86 | .78 | .76 | .76 | .75 |

*a)* ¿El tipo de boquillas afecta el factor de forma? Compare las boquillas con gráficas de caja y el análisis de varianza.

*b)* Emplee la prueba de intervalo múltiple de Duncan para determinar las diferencias específicas entre las boquillas. ¿Una gráfica del factor de forma promedio (o la desviación estándar) contra el tipo de boquilla ayuda en las conclusiones?

*c)* Analice los residuos de este experimento.

**12-9** En su libro *Designs and Analysis of Experiments*, 2a. edición (John Wiley & Sons, 1984), D. C. Montgomery describe un experimento para determinar el efecto de cuatro tipos diferentes de puntas en un probador de dureza respecto a la dureza observada de una aleación metálica. Se obtienen cuatro especímenes de la aleación, y cada punta se prueba una vez en cada espécimen, produciendo los siguientes datos:

| Tipo de punta | Espécimen | | | |
|---|---|---|---|---|
| | 1 | 2 | 3 | 4 |
| 1 | 9.3 | 9.4 | 9.6 | 10.0 |
| 2 | 9.4 | 9.3 | 9.8 | 9.9 |
| 3 | 9.2 | 9.4 | 9.5 | 9.7 |
| 4 | 9.7 | 9.6 | 10.0 | 10.2 |

*a)* ¿Hay alguna diferencia en las mediciones de dureza entre las puntas?

*b)* Utilice la prueba de intervalo múltiple de Duncan para investigar diferencias específicas entre las puntas.

*c)* Analice los residuos de este experimento.

**12-10** Supóngase que cuatro poblaciones normales tienen varianza común $\sigma^2 = 25$ y medias $\mu_1 = 50$, $\mu_2 = 60$, $\mu_3 = 50$ y $\mu_4 = 60$. ¿Cuántas observaciones deben tomarse en cada población de manera que la probabilidad de rechazar la hipótesis de igualdad de medias sea al menos de .90? Emplee $\alpha = .05$.

**12-11** Supóngase que cinco poblaciones normales tienen varianza común $\sigma^2 = 100$ y medias $\mu_1 = 175$, $\mu_2 = 190$, $\mu_3 = 160$, $\mu_4 = 200$ y $\mu_5 = 215$. ¿Cuántas observaciones por población deben tomarse de modo que la probabilidad de rechazar la hipótesis de igualdad de medias sea por lo menos de .95? Emplee $\alpha = .01$.

**12-12** Considere la prueba de igualdad de las medias de dos poblaciones normales donde se desconocen las varianzas, pero se suponen iguales. El procedimiento de prueba apropiado es la prueba $t$ de dos muestras. Muestre que la prueba $t$ de dos muestras es equivalente al análisis de varianza de clasificación en un sentido.

**12-13** Demuestre que la varianza de la combinación lineal $\sum_{i=1}^{a} c_i y_i$ es $\sigma^2 \sum_{i=1}^{a} n_i c_i^2$.

**12-14** En un modelo de efectos fijos, supóngase que hay $n$ observaciones para cada uno de los cuatro tratamiento. Sean $Q_1^2$, $Q_2^2$ y $Q_3^2$ componentes de un solo grado de libertad para los contrastes ortogonales. Demuestre que $SS_{\text{tratamientos}} = Q_1^2 + Q_2^2 + Q_3^2$.

**12-15** Considere los datos que se muestran en el ejercicio 12-7.

a)  Escriba en forma completa las ecuaciones normales de mínimos cuadrados para este problema, y resuélvalas respecto a $\hat{\mu}$ y $\hat{\tau}_i$, considerando la restricción usual $(\sum_{i=1}^{3} \hat{\tau}_i = 0)$. Estime $\tau_1 - \tau_2$.

b)  Resuelva las ecuaciones en $a$) empleando la restricción $\hat{\tau}_3 = 0$. ¿Los estimadores $\hat{\tau}_i$ y $\hat{\mu}$ son los mismos que usted encontró en $a$)? ¿Por qué? Estime luego $\tau_1 - \tau_2$ y compare su respuesta con $a$). ¿Qué enunciado puede usted hacer en torno a la estimación de contrastes en la $\tau_1$?

c)  Estime $\mu + \tau_1$, $2\tau_1 - \tau_2 - \tau_3$ y $\mu + \tau_1 + \tau_2$, empleando las dos soluciones para las ecuaciones normales. Compare los resultados obtenidos en cada caso.

# Capítulo 13

# Diseño de experimentos con varios factores

Un experimento no es más que una prueba o una serie de pruebas. Los experimentos se realizan en todas las disciplinas científicas y de la ingeniería, y son una parte fundamental del proceso de descubrimiento y aprendizaje. Las conclusiones que pueden extraerse de un experimento dependerán, en parte, de cómo se condujo y por ello su *diseño* desempeña un papel principal en la solución del problema. Este capítulo presenta técnicas de diseño de experimentos útiles cuando están involucrados varios factores.

## 13-1  Ejemplos de aplicaciones del diseño de experimentos

**Ejemplo 13.1  Experimento de caracterización.** Un ingeniero de desarrollo está trabajando en un nuevo proceso para la soldadura de componentes electrónicos en tarjetas de circuito impreso. Específicamente, trabaja con un nuevo tipo de soldadura de flujo que él espera reducirá el número de uniones soldadas defectuosas. (Una máquina de soldadura de flujo precalienta las tarjetas de circuito impreso y después las pone en contacto con una onda de soldadura líquida. Esta máquina efectúa todas las conexiones eléctricas y la mayor parte de las mecánicas de los componentes en la tarjeta de circuito impreso. Los defectos de soldadura requieren retoque o volver a realizarse, lo que significa mayor costo y a menudo daña las tarjetas.) La máquina de soldadura de flujo tiene diversas variables que el ingeniero puede controlar. Ellas son

1.  Temperatura de soldadura
2.  Temperatura de precalentamiento

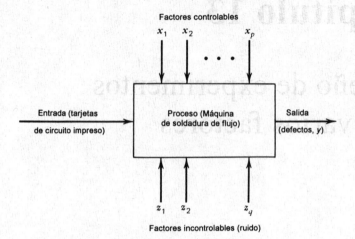

**Figura 13.1**   El experimento de la soldadura de flujo.

3. Velocidad de la banda transportadora
4. Tipo de flujo
5. Gravedad específica de flujo
6. Profundidad de la onda de soldadura
7. Ángulo de la banda transportadora

Además de estos factores controlables, hay varios factores que no pueden controlarse con facilidad después de que la máquina inicia la rutina de manufactura, entre los que se incluyen

1. El espesor de la tarjeta de circuito impreso
2. Los tipos de componentes utilizados en la tarjeta
3. La distribución de los componentes de la tarjeta
4. El operador
5. Factores ambientales
6. Tasa de producción

Con frecuencia, los factores incontrolables se denominan factores de *ruido*. Una representación esquemática del proceso se muestra en la figura 13.1.

En esta situación el ingeniero está interesado en *caracterizar* la máquina de soldadura de flujo; esto es, él se interesa en determinar qué factores (tanto controlables como incontrolables) afectan la ocurrencia de defectos en las tarjetas de circuito impreso. Para lograr esto, se puede diseñar un experimento que permitirá estimar la magnitud y dirección de los efectos del factor. En ocasiones llamaremos a un experimento de estas características experimento de *encubrimiento*. La información de este estudio de caracterización o experimento de encubrimiento puede utilizarse para identificar factores críticos, determinar la dirección de ajuste respecto a estos factores para reducir el número de defectos, y asistir en la determinación de cuáles factores deben controlarse cuidadosamente durante la manufactura para evitar altos niveles de defectos y un funcionamiento errático del proceso.

**Ejemplo 13.2   Un experimento de optimización.** En un experimento de caracterización, nos interesa determinar *cuáles* factores afectan la respuesta. Un paso lógico siguiente es determinar la región en los factores importantes que conduce a una respuesta óptima. Por ejemplo, si la respuesta es rendimiento, consideraríamos una región de rendimiento máximo, y si la respuesta es el costo, consideraríamos una región de costo mínimo.

A modo de ilustración, supóngase que el rendimiento de un proceso químico es afectado por la temperatura de operación y el tiempo de reacción. El proceso

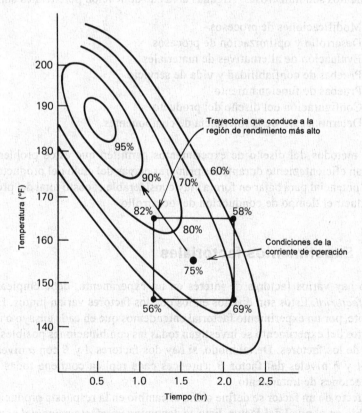

**Figura 13.2** Gráfica de contorno del rendimiento como una función del tiempo de reacción y la temperatura de reacción, ilustrando un experimento de optimización.

se está operando a 155°F y 1.7 horas de tiempo de reacción y se presenta un rendimiento de aproximadamente 75 por ciento. La figura 13.2 muestra una vista de este espacio tiempo-temperatura. En esta gráfica hemos conectado puntos de rendimiento constante con líneas. Éstas se llaman *contornos*, y se muestran los contornos a rendimientos de 60, 70, 80, 90 y 95 por ciento. Para localizar el óptimo, es necesario diseñar un experimento que varíe al mismo tiempo la presión y la temperatura. Este diseño se ilustra en la figura 13.2. Las respuestas observadas en los cuatro puntos en el experimento (145°F, 1.2 hr), (145°F, 2.2 hr), (165°F, 1.2 hr) y (165°F, 2.2 hr) indican que debemos movernos en la dirección general de aumento de temperatura y de tiempo de reacción inferior para incrementar el rendimiento. Unas cuantas ejecuciones adicionales podrían efectuarse en esta dirección para localizar la región de rendimiento máximo.

Estos ejemplos ilustran sólo dos aplicaciones potenciales de los métodos de diseño experimental. En el ámbito de la ingeniería, las aplicaciones del diseño de experimentos son numerosas. Algunas áreas de aplicación potenciales son

1. Modificaciones de procesos
2. Desarrollo y optimización de procesos
3. Evaluación de alternativas de materiales
4. Pruebas de confiabilidad y vida de servicio
5. Pruebas de funcionamiento
6. Configuración del diseño del producto
7. Determinación de la tolerancia de componentes

Los métodos del diseño de experimentos permiten que estos problemas se resuelvan eficientemente durante las primeras etapas del ciclo del producto. Esto tiene el potencial para bajar en forma muy considerable el costo total del producto y de reducir el tiempo de conducción del desarrollo.

## 13-2   Experimentos factoriales

Cuando hay varios factores de interés en un experimento, debe emplearse un *diseño factorial*. Estos son diseños en los que los factores varían juntos. Específicamente, por un experimento factorial entendemos que en cada ensayo o réplica completos del experimento se investigan todas las combinaciones posibles de los niveles de los factores. De tal modo, si hay dos factores $A$ y $B$ con $a$ niveles del factor $A$ y $b$ niveles del factor $B$, entonces cada réplica contiene todas las $ab$ combinaciones de tratamiento.

El efecto de un factor se define como el cambio en la respuesta producido por un cambio en el nivel del factor. Esto se denomina un *efecto principal* porque se refiere a los factores principales en el estudio. Por ejemplo, considérense los datos en la tabla 13.1. El efecto principal del factor $A$ es la diferencia entre la respuesta

TABLA 13.1 Experimento factorial con dos factores

| Factor A | Factor B | |
|---|---|---|
| | $B_1$ | $B_2$ |
| $A_1$ | 10 | 20 |
| $A_2$ | 30 | 40 |

promedio en el primer nivel de $A$ y la respuesta promedio en el segundo nivel de $A$, o

$$A = \frac{30 + 40}{2} - \frac{10 + 20}{2} = 20$$

Esto es, el cambio del factor $A$ del nivel 1 al nivel 2 ocasiona un incremento en la respuesta promedio de 20 unidades. De modo similar, el efecto principal de $B$ es

$$B = \frac{20 + 40}{2} - \frac{10 + 30}{2} = 10$$

En algunos experimentos, la diferencia en la respuesta entre los niveles de un factor no es la misma en todos los niveles de los otros factores. Cuando esto ocurre, hay una *interacción* entre ellos. Por ejemplo, considérense los datos en la tabla 13.2. En el primer nivel del factor $B$, el efecto de $A$ es

$$A = 30 - 10 = 20$$

y en el segundo nivel del factor $B$, es el efecto de $A$ es

$$A = 0 - 20 = -20$$

Puesto que el efecto de $A$ depende del nivel elegido para el factor $B$, hay una interacción entre $A$ y $B$.

Cuando una interacción es grande, los efectos principales correspondientes tienen poca importancia. Por ejemplo, empleando los datos de la tabla 13.2, encontramos el efecto principal de $A$ como

$$A = \frac{30 + 0}{2} - \frac{10 + 20}{2} = 0$$

TABLA 13.2 Experimento factorial con interacción

| Factor A | Factor B | |
|---|---|---|
| | $B_1$ | $B_2$ |
| $A_1$ | 10 | 20 |
| $A_2$ | 30 | 0 |

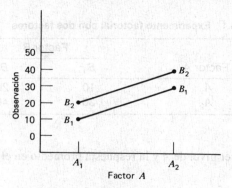

**Figura 13.3**  Experimento factorial, ninguna interacción.

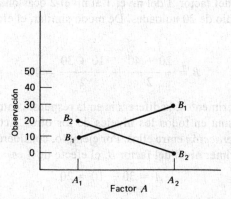

**Figura 13.4**  Experimento factorial con interacción.

y estaríamos tentados a concluir que no hay efecto de $A$. Sin embargo, cuando examinamos los efectos de $A$ en *niveles diferentes del factor B*, vimos que éste no fue el caso. El efecto del factor $A$ depende de los niveles del factor $B$. De tal modo, el conocimiento de la interacción $AB$ es más útil que el conocimiento del efecto principal. Una interacción significativa puede enmascarar la importancia de los efectos principales.

El concepto de interacción puede ilustrarse en forma gráfica. En la figura 13.3 se grafican los datos de la tabla 13.1 contra los niveles de $A$ para ambos niveles de $B$. Nótese que las líneas $B_1$ y $B_2$ son aproximadamente paralelas, lo que indica que los factores $A$ y $B$ no interactúan en forma significativa. En la figura 13.4 se grafican los datos de la tabla 13.2. En esta gráfica, las líneas $B_1$ y $B_2$ no son paralelas, señalando la interacción entre los factores $A$ y $B$. Tales despliegues gráficos a menudo son útiles en la presentación de resultados de experimentos.

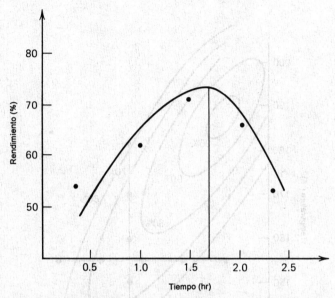

**Figura 13.5** Rendimiento contra tiempo de reacción con temperatura constante a 155°F.

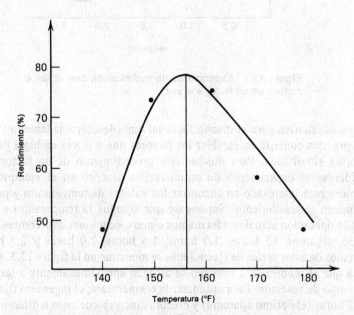

**Figura 13.6** Rendimiento contra la temperatura con el tiempo de reacción constante a 1.7 hr.

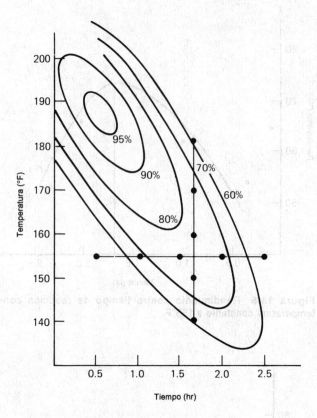

**Figura 13.7** Experimento de optimización que utiliza el método de un factor a la vez.

Una alternativa para el diseño factorial que (desafortunadamente) se emplea en la práctica consiste en cambiar los factores uno a la vez en lugar de variarlos en forma simultánea. Para ilustrar este procedimiento de un factor a la vez, considérese el experimento de optimización descrito en el ejemplo 13.2. El ingeniero está interesado en encontrar los valores de temperatura y presión que maximicen el rendimiento. Supóngase que fijamos la temperatura a 155°F (el nivel de operación actual) y efectuamos cinco ejecuciones a diferentes niveles de tiempo, digamos 0.5 horas, 1.0 horas, 1.5 horas, 2.0 horas y 2.5 horas. Los resultados de estas series de ejecuciones se muestran en la figura 13.5. Esta figura indica que el rendimiento máximo se alcanza aproximadamente a las 1.7 horas del tiempo de reacción. Para optimizar la temperatura, el ingeniero fija el tiempo en 1.7 horas (el óptimo aparente) y efectúa cinco ejecuciones a diferentes temperaturas, por ejemplo 140°F, 150°F, 160°F, 170°F y 180°F. Los resultados de este grupo de ejecuciones se grafican en la figura 13.6. El rendimiento máximo ocurre cerca de 155°F. Por tanto, concluiríamos que la ejecución del proceso a 155°F y 1.7 horas constituye el mejor grupo de condiciones de operación, resultando en un rendimiento alrededor del 75 por ciento.

La figura 13.7 presenta la gráfica de contorno del rendimiento como una función de la temperatura y el tiempo con el experimento de un factor a la vez indicado sobre el contorno. Es claro que el diseño de un factor a la vez ha fallado aquí en gran medida, dado que el óptimo real está por lo menos 20 puntos de rendimiento por encima y ocurre en tiempos de reacción mucho menores y temperaturas más altas. La falla en el descubrimiento de tiempos de reacción más cortos es en particular importante en virtud de que esto tendría un impacto importante en el volumen o la capacidad de producción, la planeación de esta última, el costo de manufactura y la productividad total.

El método de un factor a la vez ha fallado en este caso porque fracasa en la detección de la interacción entre la temperatura y el tiempo. Los experimentos factoriales son la única forma de detectar interacciones. Además, el método de un factor a la vez es ineficiente; requiere más experimentación que uno factorial y como acabamos de observar, no se tiene la certeza de que produzca resultados correctos. El experimento mostrado en la figura 13.2, de donde se produce la información que señala la región del óptimo, es un ejemplo simple de experimento factorial.

## 13-3  Experimentos factoriales de dos factores

El tipo más simple de experimento factorial involucra sólo dos factores, digamos $A$ y $B$. Hay $a$ niveles del factor $A$ y $b$ niveles del factor $B$. El factorial de dos factores se muestra en la tabla 13.3. Nótese que hay $n$ *réplicas* del experimento y que cada una de ellas contiene todas las $ab$ combinaciones de tratamiento. La observación en la celda $ij$ésima en la réplica $k$ésima se denota $y_{ijk}$. Al colectar los datos, las observaciones $abn$ correrían en orden *aleatorio*. De tal modo, como en el experimento de un solo factor estudiado en el capítulo 12, el factorial de dos factores es un *diseño completamente aleatorizado*.

Las observaciones pueden describirse por el modelo estadístico lineal

$$y_{ijk} = \mu + \tau_i + \beta_j + (\tau\beta)_{ij} + \epsilon_{ijk} \begin{cases} i = 1, 2, \ldots, a \\ j = 1, 2, \ldots, b \\ k = 1, 2, \ldots, n \end{cases} \tag{13-1}$$

donde $\mu$ es el efecto de la media general, $\tau_i$ es el efecto del nivel $i$ésimo del factor $A$, $\beta_j$ es el efecto del nivel $j$ésimo del factor $B$, $(\tau\beta)_{ij}$ es el efecto de la interacción entre $A$ y $B$ y $\epsilon_{ijk}$ es una componente de error aleatorio NID $(0, \sigma^2)$. Estamos interesados en probar la hipótesis de ningún efecto significativo del factor $A$, ningún efecto significativo del factor $B$, y ninguna interacción significativa $AB$.

TABLA 13.3   **Arreglo de datos para un diseño factorial de dos factores**

| | | Factor $B$ | | |
|---|---|---|---|---|
| | | 1 | 2 | $\cdots$ | $b$ |
| | 1 | $y_{111}, y_{112},$ $\dots, y_{11n}$ | $y_{121}, y_{122},$ $\dots, y_{12n}$ | | $y_{1b1}, y_{1b2},$ $\dots, y_{1bn}$ |
| Factor $A$ | 2 | $y_{211}, y_{212},$ $\dots, y_{21n}$ | $y_{221}, y_{222},$ $\dots, y_{22n}$ | | $y_{2b1}, y_{2b2},$ $\dots, y_{2bn}$ |
| | $\vdots$ | | | | |
| | $a$ | $y_{a11}, y_{a12},$ $\dots, y_{a1n}$ | $y_{a21}, y_{a22},$ $\dots, y_{a2n}$ | | $y_{ab1}, y_{ab2},$ $\dots, y_{abn}$ |

Como con los experimentos de un solo factor del capítulo 12, el análisis de varianza será empleado para probar estas hipótesis. Puesto que hay dos factores bajo estudio, el procedimiento que se emplea se llama análisis de varianza en dos sentidos.

### 13-3.1   Análisis estadístico del modelo de efectos fijos

Supóngase que los factores $A$ y $B$ son fijos. Esto es, los niveles $a$ del factor $A$ y los niveles $b$ del factor $B$ son elegidos en forma específica por el experimentador, y las deducciones se confinan sólo a estos niveles. En este modelo, es usual definir los efectos $\tau_i$, $\beta_j$ y $(\tau\beta)_{ij}$ como desviaciones respecto a la media, de manera que $\sum_{i=1}^{a} \tau_i = 0$, $\sum_{j=1}^{b} \beta_j = 0$, $\sum_{i=1}^{a} (\tau\beta)_{ij} = 0$ y $\sum_{j=1}^{b} (\tau\beta)_{ij} = 0$.

Sea $y_{i..}$ el total de las observaciones bajo el nivel $i$ésimo del factor $A$, $y_{.j.}$ el total de las observaciones bajo el nivel $j$ésimo del factor $B$, $y_{ij.}$ el total de las observaciones en la celda $ij$ésima de la tabla 13.3, y $y_{...}$ como el gran total de todas las observaciones. Defínase $\bar{y}_{i..}, \bar{y}_{.j.}, \bar{y}_{ij.}$ y $y_{...}$ como el renglón, la columna, la celda y los grandes promedios correspondientes. Esto es,

$$y_{i..} = \sum_{j=1}^{b} \sum_{k=1}^{n} y_{ijk} \qquad \bar{y}_{i..} = \frac{y_{i..}}{bn} \qquad i = 1, 2, \dots, a$$

$$y_{.j.} = \sum_{i=1}^{a} \sum_{k=1}^{n} y_{ijk} \qquad \bar{y}_{.j.} = \frac{y_{.j.}}{an} \qquad j = 1, 2, \dots, b$$

$$y_{ij.} = \sum_{k=1}^{n} y_{ijk} \qquad \bar{y}_{ij.} = \frac{y_{ij.}}{n} \qquad \begin{array}{l} i = 1, 2, \dots, a \\ j = 1, 2, \dots, b \end{array}$$   (13-2)

$$y_{...} = \sum_{i=1}^{a} \sum_{j=1}^{b} \sum_{k=1}^{n} y_{ijk} \qquad \bar{y}_{...} = \frac{y_{...}}{abn}$$

La suma corregida total de cuadrados puede escribirse como

$$\sum_{i=1}^{a} \sum_{j=1}^{b} \sum_{k=1}^{n} (y_{ijk} - \bar{y}...)^2$$

$$= \sum_{i=1}^{a} \sum_{j=1}^{b} \sum_{k=1}^{n} \left[ (\bar{y}_{i..} - \bar{y}...) + (\bar{y}_{.j.} - \bar{y}...) \right.$$

$$\left. + (\bar{y}_{ij.} - \bar{y}_{i..} - \bar{y}_{.j.} + \bar{y}...) + (y_{ijk} - \bar{y}_{ij.}) \right]^2$$

$$= bn \sum_{i=1}^{a} (\bar{y}_{i..} - \bar{y}...)^2 + an \sum_{j=1}^{b} (\bar{y}_{.j.} - \bar{y}...)^2$$

$$+ n \sum_{i=1}^{a} \sum_{j=1}^{b} (\bar{y}_{ij.} - \bar{y}_{i..} - \bar{y}_{.j.} + \bar{y}...)^2 + \sum_{i=1}^{a} \sum_{j=1}^{b} \sum_{k=1}^{n} (y_{ijk} - \bar{y}_{ij.})^2 \quad (13\text{-}3)$$

Por consiguiente, la suma total de cuadrados se divide en una suma de cuadrados debida a "renglones" o factor $A$ ($SS_A$), una suma de cuadrados debida a "columnas" o factor $B$ ($SS_B$), una suma de cuadrados debida a la interacción entre $A$ y $B$ ($SS_{AB}$), y una suma de cuadrados debida al error ($SS_E$). Nótese que debe haber al menos dos réplicas para obtener una suma de cuadrados del error diferente de cero.

La identidad de la suma de cuadrados en la ecuación 13-3 puede escribirse simbólicamente como

$$SS_T = SS_A + SS_B + SS_{AB} + SS_E \quad (13\text{-}4)$$

Hay $abn - 1$ grados de libertad totales. Los efectos principales $A$ y $B$ tienen $a - 1$ y $b - 1$ grados de libertad, en tanto que el efecto de interacción $AB$ tiene $(a - 1)(b - 1)$ grados de libertad. Dentro de cada una de las $ab$ celdas en la tabla 13.3, hay $n - 1$ grados de libertad entre $n$ réplicas, y las observaciones en la misma celda pueden diferir sólo debido al error aleatorio. En consecuencia, hay $ab(n - 1)$ grados de libertad para el error. La razón de cada suma de cuadrados en el lado derecho de la ecuación sobre sus grados de libertad es una *media cuadrática*.

Suponiendo que los factores $A$ y $B$ son fijos, los valores esperados de las medias cuadradas son

$$E(MS_A) = E\left( \frac{SS_A}{a - 1} \right) = \sigma^2 + \frac{bn \sum_{i=1}^{a} \tau_i^2}{a - 1}$$

$$E(MS_B) = E\left( \frac{SS_B}{b - 1} \right) = \sigma^2 + \frac{an \sum_{j=1}^{b} \beta_j^2}{b - 1}$$

$$E(MS_{AB}) = E\left( \frac{SS_{AB}}{(a - 1)(b - 1)} \right) = \sigma^2 + \frac{n \sum_{i=1}^{a} \sum_{j=1}^{b} (\tau\beta)_{ij}^2}{(a - 1)(b - 1)}$$

**TABLA 13.4   El análisis de la tabla de varianza para la clasificación de dos vías, modelo de efectos fijos**

| Fuente de variación | Suma de cuadrados | Grados de libertad | Media cuadrática | $F_0$ |
|---|---|---|---|---|
| Tratamientos $A$ | $SS_A$ | $a - 1$ | $MS_A = \dfrac{SS_A}{a - 1}$ | $F_0 = \dfrac{MS_A}{MS_E}$ |
| Tratamientos $B$ | $SS_B$ | $b - 1$ | $MS_B = \dfrac{SS_B}{b - 1}$ | $F_0 = \dfrac{MS_B}{MS_E}$ |
| Interacción | $SS_{AB}$ | $(a - 1)(b - 1)$ | $MS_{AB} = \dfrac{SS_{AB}}{(a - 1)(b - 1)}$ | $F_0 = \dfrac{MS_{AB}}{MS_E}$ |
| Error | $SS_E$ | $ab(n - 1)$ | $MS_E = \dfrac{SS_E}{ab(n - 1)}$ | |
| Total | $SS_T$ | $abn - 1$ | | |

y

$$E(MS_E) = E\left(\frac{SS_E}{ab(n - 1)}\right) = \sigma^2$$

Por tanto, para probar $H_0$: $\tau_i = 0$ (ningún efecto de factor de renglón), $H_0$: $\beta_j = 0$ (ningún efecto de factor de columna), y $H_0$: $(\tau\beta)_{ij} = 0$ (ningún efecto de interacción), dividiríamos la media cuadrática correspondiente por el error cuadrático medio. Cada una de estas razones seguirá una distribución $F$ con grados de libertad del numerador iguales al número de grados de libertad para la media cuadrática del numerador y $ab(n - 1)$ grados de libertad del denominador, y la región crítica se localizará en la cola superior. El procedimiento de prueba se arregla en una tabla de análisis de varianza, tal como se muestra en la tabla 13.4.

Las fórmulas computacionales para la suma de cuadrados en la ecuación 13-4 se obtienen con facilidad. La suma total de cuadrados se calcula a partir de

$$SS_T = \sum_{i=1}^{a} \sum_{j=1}^{b} \sum_{k=1}^{n} y_{ijk}^2 - \frac{y_{...}^2}{abn} \tag{13-5}$$

La suma de cuadrados para los efectos principales son

$$SS_A = \sum_{i=1}^{a} \frac{y_{i..}^2}{bn} - \frac{y_{...}^2}{abn} \tag{13-6}$$

y

$$SS_B = \sum_{j=1}^{b} \frac{y_{.j.}^2}{an} - \frac{y_{...}^2}{abn} \tag{13-7}$$

Usualmente calculamos las $SS_{AB}$ en dos pasos. Primero, calculamos la suma de cuadrados entre los totales de la celda $ab$, llamada la suma de cuadrados debido a "subtotales".

$$SS_{\text{subtotales}} = \sum_{i=1}^{a} \sum_{j=1}^{b} \frac{y_{ij.}^2}{n} - \frac{y_{...}^2}{abn}$$

Esta suma de cuadrados contiene también $SS_A$ y $SS_B$. Por tanto, el segundo paso es calcular $SS_{AB}$ como

$$SS_{AB} = SS_{\text{subtotales}} - SS_A - SS_B \tag{13-8}$$

El error de la suma de cuadrados se halla mediante la resta, sea ésta así

$$SS_E = SS_T - SS_{AB} - SS_A - SS_B \tag{13-9a}$$

o

$$SS_E = SS_T - SS_{\text{subtotales}} \tag{13-9b}$$

**Ejemplo 13.3** Se aplican pinturas tapaporos de aeronaves a superficies de aluminio mediante dos métodos: baño y rociado. El propósito del tapaporos es mejorar la adhesión de la pintura. Algunas partes pueden pintarse con el tapaporos empleando cualquier método de aplicación, y el departamento de ingeniería está interesado en conocer si tres tapaporos diferentes, difieren en sus propiedades de adhesión. Se llevó a cabo un experimento factorial para investigar el efecto del tipo de tapaporos y el método de aplicación en la adhesión de la pintura. Si pintan tres muestras con cada tapaporos empleando cada método de aplicación, se aplica una pintura de acabado y se mide la fuerza de adhesión. Los datos del experimento

TABLA 13.5  **Datos de la fuerza de adhesión para el ejemplo 13.3**

| Tipo de tapaporos | Método de aplicación | | $y_{i..}$ |
|---|---|---|---|
| | Baño | Rociado | |
| 1 | 4.0, 4.5, 4.3  (12.8) | 5.4, 4.9, 5.6  (15.9) | 28.7 |
| 2 | 5.6, 4.9, 5.4  (15.9) | 5.8, 6.1, 6.3  (18.2) | 34.1 |
| 3 | 3.8, 3.7, 4.0  (11.5) | 5.5, 5.0, 5.0  (15.5) | 27.0 |
| $y_{.j.}$ | 40.2 | 49.6 | $89.8 = y_{...}$ |

se muestran en la tabla 13-5. Los números encerrados en círculos en las celdas son los totales $y_{ij}$. Las sumas de cuadrados requeridos para efectuar el análisis de varianza se calculan del modo siguiente

$$SS_T = \sum_{i=1}^{a} \sum_{j=1}^{b} \sum_{k=1}^{n} y_{ijk}^2 - \frac{y_{...}^2}{abn}$$

$$= (4.0)^2 + (4.5)^2 + \cdots + (5.0)^2 - \frac{(89.8)^2}{18} = 10.72$$

$$SS_{tipos} = \sum_{i=1}^{a} \frac{y_{i..}^2}{bn} - \frac{y_{...}^2}{abn}$$

$$= \frac{(28.7)^2 + (34.1)^2 + (27.0)^2}{6} - \frac{(89.8)^2}{18} = 4.58$$

$$SS_{métodos} = \sum_{j=1}^{b} \frac{y_{.j.}^2}{an} - \frac{y_{...}^2}{abn}$$

$$= \frac{(40.2)^2 + (49.6)^2}{9} - \frac{(89.8)^2}{18} = 4.91$$

$$SS_{interacción} = \sum_{i=1}^{a} \sum_{j=1}^{b} \frac{y_{ij.}^2}{n} - \frac{y_{...}^2}{abn} - SS_{tipos} - SS_{métodos}$$

$$= \frac{(12.8)^2 + (15.9)^2 + (11.5)^2 + (15.9)^2 + (18.2)^2 + (15.5)^2}{3}$$

$$- \frac{(89.8)^2}{18} - 4.58 - 4.91 = .24$$

y

$$SS_E = SS_T - SS_{tipos} - SS_{métodos} - SS_{interacción}$$

$$= 10.72 - 4.58 - 4.91 - .24 = .99$$

TABLA 13.6 **Análisis de varianza para el ejemplo 13.3**

| Fuente de variación | Suma de cuadrados | Grados de libertad | Media cuadrática | $F_0$ |
|---|---|---|---|---|
| Tipos de tapaporos | 4.58 | 2 | 2.29 | 28.63 |
| Métodos de aplicación | 4.91 | 1 | 4.91 | 61.38 |
| Interacción | .24 | 2 | .12 | 1.5 |
| Error | .99 | 12 | .08 | |
| Total | 10.72 | 17 | | |

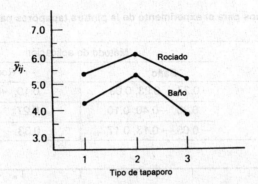

**Figura 13.8**   Gráfica de la fuerza de adhesión promedio contra los tipos de tapaporos en el ejemplo 13.3.

El análisis de varianza se resume en la tabla 13.6. Puesto que $F_{.05, 2, 12} = 3.89$ y $F_{.05, 1, 12} = 4.75$, concluimos que los efectos especiales del tipo de tapaporos y del método de aplicación afectan la fuerza de adhesión. Además, puesto que $1.5 < F_{.05, 2, 12}$, no hay indicación de interacción entre estos factores.

En la figura 13.8 se muestra una gráfica de los promedios de fuerza de adhesión de celda $\{\bar{y}_{ij}\}$ contra los niveles del primer tipo para cada aplicación. La ausencia de interacción es evidente por el paralelismo de las dos líneas. Además, puesto que una gran respuesta indica una fuerza de adhesión mayor, concluimos que el rociado es un método de aplicación superior y que el tapaporos del tipo 2 es más eficaz.

**Pruebas en medias individuales.**   Cuando ambos factores son fijos, las comparaciones entre las medias individuales de cualquier factor pueden efectuarse empleando la prueba de intervalo múltiple de Duncan. Cuando no hay interacción estas comparaciones pueden hacerse empleando ya sea los promedios de renglón $\bar{y}_{i.}$ o los promedios de columna $\bar{y}_{.j}$. Sin embargo, cuando la interacción es significativa, las comparaciones entre las medias de un factor (digamos $A$) pueden ser oscurecidas por la interacción $AB$. En este caso, podemos aplicar la prueba de intervalo múltiple de Duncan a las medias del factor $A$, con el factor $B$ fijo en un nivel particular.

### 13-3.2   Verificación de la suficiencia del modelo

Justo como en los experimentos de un solo factor estudiados en el capítulo 12, los residuos de un experimento factorial desempeñan un papel importante en la evaluación de la suficiencia del modelo. Los residuos de un factorial de dos factores son

$$e_{ijk} = y_{ijk} - \bar{y}_{ij}.$$

**TABLA 13.7 Residuos para el experimento de la pintura tapaporos para aviones en el ejercicio 13-3**

| | Método de aplicación | |
|---|---|---|
| Tipo de tapaporo | Baño | Rociado |
| 1 | $-0.27$, 0.23, 0.03 | 0.10, $-0.40$, 0.30 |
| 2 | 0.30, $-0.40$, 0.10 | $-0.27$, 0.30, 0.23 |
| 3 | $-0.03$, $-0.13$, 0.17 | 0.33, $-0.17$, $-0.17$ |

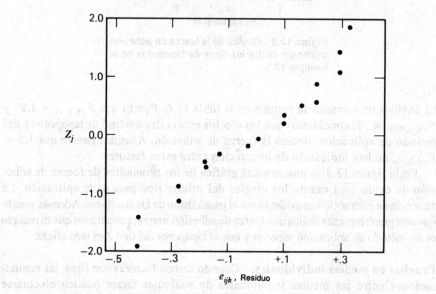

**Figura 13.9** Gráfica de probabilidad normal de los residuos del ejemplo 13.3.

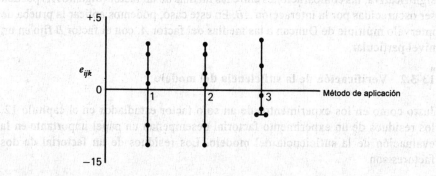

**Figura 13.10** Gráfica de residuos contra el tipo de tapaporos.

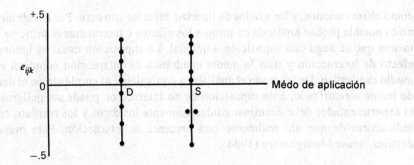

**Figura 13.11** Gráfica de residuos contra el método de aplicación.

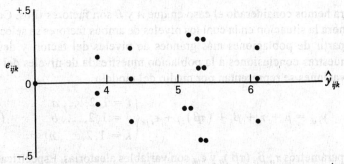

**Figura 13.12** Gráfica de residuos contra los valores predichos $\hat{y}_{ijk}$.

Esto es, los residuos son justo la diferencia entre las observaciones y los promedios de celda correspondientes.

La tabla 13-7 presenta los residuos para los datos de la pintura tapaporos de aeronaves en el ejemplo 13.3. La gráfica de probabilidad normal de estos residuos se muestra en la figura 13.9. Esta gráfica tiene colas que no caen exactamente a lo largo de la línea recta que pasa por el centro de la gráfica, lo que indica algunos problemas potenciales con la suposición de normalidad, pero la desviación respecto a la normalidad no parece considerable. En las figuras 13.10 y 13.11 se grafican los residuos contra los niveles de los tipos de tapaporos y los métodos de aplicación, respectivamente. Existe cierta indicación de que el tipo 3 de tapaporos produce una variabilidad ligeramente inferior en la fuerza de adhesión que los otros dos tapaporos. La gráfica de residuos contra valores ajustados en la figura 13.12 no revela algún patrón inusual o de diagnóstico.

### 13-3.3   Una observación por celda

En algunos casos que involucran un experimento factorial de dos factores, podemos tener sólo una réplica. Esto es, sólo una observación por celda. En esta situación hay exactamente tantos parámetros en el modelo del análisis de varianza como observaciones, y los grados de libertad del error son cero. Por consiguiente, no es posible probar hipótesis en torno a los efectos e interacciones principales a menos que se haga una suposición adicional. La suposición usual es ignorar el efecto de interacción y usar la media cuadrática de interacción como un error medio cuadrático. De tal modo el análisis es equivalente al empleado en el diseño de buque aleatorizado. Esta suposición de no interacción puede ser peligrosa, y el experimentador debe examinar cuidadosamente los datos y los residuos como indicadores de que ahí realmente está presente la interacción. Para mayores detalles, véase Montgomery (1984).

### 13-3.4   Modelo de efectos aleatorios

Hasta ahora hemos considerado el caso en que $A$ y $B$ son factores fijos. Consideraremos ahora la situación en la cual los niveles de ambos factores se seleccionan al azar a partir de poblaciones más grandes de niveles del factor, y deseamos extender nuestras conclusiones a la población muestreada de niveles del factor. Las observaciones se representan por medio del modelo

$$y_{ijk} = \mu + \tau_i + \beta_j + (\tau\beta)_{ij} + \epsilon_{ijk} \begin{cases} i = 1,2,\dots, a \\ j = 1,2,\dots, b \\ k = 1,2,\dots, n \end{cases} \quad (13\text{-}10)$$

donde los parámetros $\tau_i$, $\beta_j$, $(\tau\beta)_{ij}$ y $\epsilon_{ijk}$ son variables aleatorias. Específicamente, suponemos que $\tau_i$ es NID$(0, \sigma_\tau^2)$, $\beta_j$ es NID$(0, \sigma_\beta^2)$, $(\tau\beta)_{ij}$ es NID$(0, \sigma_{\tau\beta}^2)$ y $\epsilon_{ijk}$ es NID$(0, \sigma^2)$. La varianza de cualquier observación es

$$V(y_{ijk}) = \sigma_\tau^2 + \sigma_\beta^2 + \sigma_{\tau\beta}^2 + \sigma^2$$

y $\sigma_\tau^2, \sigma_\beta^2, \sigma_{\tau\beta}^2$ y $\sigma^2$ se llaman *componentes de varianza*. Las hipótesis que estamos interesados en probar son $H_0$: $\sigma_\tau^2 = 0$, $H_0$: $\sigma_\beta^2 = 0$ y $H_0$: $\sigma_{\tau\beta}^2 = 0$. Adviértase la similitud con el modelo de efectos aleatorios de clasificación en un sentido.

El análisis de varianza básico permanece sin cambio; esto es, $SS_A$, $SS_B$, $SS_{AB}$, $SS_T$ y $SS_E$ se calculan todos como en el caso de efectos fijos. Para construir las estadísticas de prueba, debemos examinar las medias cuadráticas esperadas. Ellas son

$$E(MS_A) = \sigma^2 + n\sigma_{\tau\beta}^2 + bn\sigma_\tau^2$$

$$E(MS_B) = \sigma^2 + n\sigma_{\tau\beta}^2 + an\sigma_\beta^2$$

$$E(MS_{AB}) = \sigma^2 + n\sigma_{\tau\beta}^2 \quad (13\text{-}11)$$

y

$$E(MS_E) = \sigma^2$$

Nótese a partir de las medias cuadráticas esperadas que la estadística apropiada para probar $H_0: \sigma_{\tau\beta}^2 = 0$ es

$$F_0 = \frac{MS_{AB}}{MS_E} \tag{13-12}$$

puesto que bajo $H_0$ tanto el numerador como el denominador de $F_0$ tienen esperanza $\sigma^2$, y sólo si $H_0$ es falsa $E(MS_{AB})$ es más grande que $E(MS_E)$. La razón $F_0$ se distribuye como $F_{(a-1)(b-1),\ ab(n-1)}$. De manera similar, para probar $H_0: \sigma_\tau^2 = 0$ usaríamos

$$F_0 = \frac{MS_A}{MS_{AB}} \tag{13-13}$$

que se distribuye como $F_{a-1,\ (a-1)(b-1)}$, y para probar $H_0: \sigma_\beta^2 = 0$ la estadística es

$$F_0 = \frac{MS_B}{MS_{AB}} \tag{13-14}$$

la cual se distribuye como $F_{b-1,\ (a-1)(b-1)}$. Todas éstas son pruebas de una cola superior. Nótese que estas estadísticas de prueba no son las mismas que las utilizadas si ambos factores $A$ y $B$ son fijos. Las medias cuadráticas esperadas se emplean siempre como una guía para probar la construcción de la estadística.

Las componentes de varianza pueden estimarse igualando las medias cuadráticas esperadas con sus valores esperados y resolviendo para las componentes de varianza. Lo anterior produce

$$\hat{\sigma}^2 = MS_E$$

$$\hat{\sigma}_{\tau\beta}^2 = \frac{MS_{AB} - MS_E}{n}$$

TABLA 13.8  **Análisis de varianza para el ejemplo 13.4**

| Fuente de variación | Suma de cuadrados | Grados de libertad | Media cuadrática | $F_0$ |
|---|---|---|---|---|
| Tipos de tapaporos | 4.58 | 2 | 2.29 | 19.08 |
| Métodos de aplicación | 4.91 | 1 | 4.91 | 40.92 |
| Interacción | .24 | 2 | .12 | 1.5 |
| Error | .99 | 12 | .08 | |
| Total | 10.72 | 17 | | |

$$\hat{\sigma}_\beta^2 = \frac{MS_B - MS_{AB}}{an}$$

$$\hat{\sigma}_\tau^2 = \frac{MS_A - MS_{AB}}{bn} \tag{13-15}$$

**Ejemplo 13.4** Supóngase que en el ejemplo 13.3, podrían emplearse un gran número de pinturas tapaporos y varios métodos de aplicación. Tres tapaporos, digamos 1, 2 y 3, se seleccionaron, así como tres métodos de aplicación. El análisis de varianza suponiendo el modelo de efectos aleatorios se muestra en la tabla 13.8.

Nótese que las cuatro primeras columnas en la tabla del análisis de varianza son exactamente como en el ejemplo 13.3. Después de esto, sin embargo, las razones $F$ se calculan de acuerdo con las ecuaciones 13-12 y 13-14. Puesto que $F_{.05, 2, 12} = 3.89$, concluimos que la interacción no es significativa. Además, puesto que $F_{.05, 2, 2} = 19.0$ y $F_{.05, 1, 2} = 18.5$, concluimos que tanto los tipos como los métodos de aplicación afectan significativamente información echada a perder, aunque el tipo de tapaporos es apenas significativo en $\alpha = .05$. Las componentes de varianza pueden estimarse empleando la ecuación 13-15 como sigue:

$$\hat{\sigma}^2 = .08$$

$$\hat{\sigma}_{\tau\beta}^2 = \frac{.12 - .08}{3} = .0133$$

$$\hat{\sigma}_\tau^2 = \frac{2.29 - .12}{6} = .36$$

$$\hat{\sigma}_\beta^2 = \frac{4.91 - .12}{9} = .53$$

Claramente, las dos componentes de varianza más grandes son para los tipos de tapaporos ($\hat{\sigma}_\tau^2 = .36$) y los métodos de aplicación ($\hat{\sigma}_\beta^2 = .53$).

### 13-3.5 Modelo mixto

Supóngase ahora que uno de los factores, $A$, es fijo y el otro, $B$, es aleatorio. Esto recibe el nombre de análisis de varianza del *modelo mixto*. El modelo lineal es

$$y_{ijk} = \mu + \tau_i + \beta_j + (\tau\beta)_{ij} + \epsilon_{ijk} \begin{cases} i = 1, 2, \ldots, a \\ j = 1, 2, \ldots, b \\ k = 1, 2, \ldots, n \end{cases} \tag{13-16}$$

en este modelo, $\tau_i$ es un efecto fijo definido tal que $\sum_{i=1}^{a} \tau_i = 0$, $\beta_j$ es un efecto aleatorio, el término de interacción $(\tau\beta)_{ij}$ es un efecto aleatorio y $\epsilon_{ijk}$ es un error aleatorio NID(0, $\sigma^2$). Suele suponerse que $\beta_j$ es NID(0, $\sigma_\beta^2$) y que los elementos de interacción $(\tau\beta)_{ij}$ son variables aleatorias normales con media cero y varianza $[(a-1)/a] \, \sigma_{\tau\beta}^2$. Los elementos de interacción no son todos independientes.

Las medias cuadráticas esperadas son en este caso

$$E(MS_A) = \sigma^2 + n\sigma_{\tau\beta}^2 + \frac{bn\sum\limits_{i=1}^{a}\tau_i^2}{a-1}$$

$$E(MS_B) = \sigma^2 + an\sigma_\beta^2$$

$$E(MS_{AB}) = \sigma^2 + n\sigma_{\tau\beta}^2$$

y

$$E(MS_E) = \sigma^2 \qquad\qquad (13\text{-}17)$$

En consecuencia, la estadística de prueba apropiada para probar $H_0$: $\tau_i = 0$ es

$$F_0 = \frac{MS_A}{MS_{AB}} \qquad\qquad (13\text{-}18)$$

que se distribuye como $F_{a-1,\,(a-1)(b-1)}$. Para probar $H_0$: $\sigma_\beta^2 = 0$, la estadística de prueba es

$$F_0 = \frac{MS_B}{MS_E} \qquad\qquad (13\text{-}19)$$

que se distribuye como $F_{b-1,\,ab(n-1)}$. Por último, para probar $H_0$: $\sigma_{\tau\beta}^2 = 0$, utilizaríamos

$$F_0 = \frac{MS_{AB}}{MS_E} \qquad\qquad (13\text{-}20)$$

que se distribuye como $F_{(a-1)(b-1),\,ab(n-1)}$.

Las componentes de varianza $\sigma_\beta^2$, $\sigma_{\tau\beta}^2$ y $\sigma^2$ pueden estimarse eliminando la primera ecuación de la ecuación 13-17, dejando tres ecuaciones con tres incógnitas, cuya solución es

$$\hat\sigma_\beta^2 = \frac{MS_B - MS_E}{an}$$

$$\hat\sigma_{\tau\beta}^2 = \frac{MS_{AB} - MS_E}{n}$$

y

$$\hat\sigma^2 = MS_E \qquad\qquad (13\text{-}21)$$

TABLA 13.9 **Análisis de varianza para el modelo combinado de dos factores**

| Fuente de variación | Suma de cuadrados | Grados de libertad | Media cuadrática | $F_0$ |
|---|---|---|---|---|
| Renglones (A) | $SS_A$ | $a - 1$ | $\sigma^2 + n\sigma_{\tau\beta}^2 + bn\Sigma\tau_i^2 / (a - 1)$ | |
| Columnas (B) | $SS_B$ | $b - 1$ | $\sigma^2 + an\sigma_{\beta}^2$ | |
| Interacción | $SS_{AB}$ | $(a - 1)(b - 1)$ | $\sigma^2 + n\sigma_{\tau\beta}^2$ | |
| Error | $SS_E$ | $ab(n - 1)$ | $\sigma^2$ | |
| Total | $SS_T$ | $abn - 1$ | | |

Este planteamiento general puede utilizarse para estimar las componentes de varianza en *cualquier* modelo mixto. Después de eliminar las medias cuadráticas que contienen factores fijos, permanecerá siempre un conjunto de ecuaciones que puede resolverse con respecto a las componentes de varianza. La tabla 13.9 resume el análisis de varianza para el modelo mixto de dos factores.

## 13-4 Experimentos factoriales generales

Muchos experimentos involucran más de dos factores. En esta sección presentaremos el caso en el que hay $a$ niveles del factor $A$, $b$ niveles del factor $B$, $c$ niveles del factor $C$, etc., arreglados en un experimento factorial. En general, habrá $abc\ldots n$ observaciones totales, si hay $n$ réplicas del experimento completo.

Por ejemplo, considérese el experimento de tres factores, con el modelo básico

$$y_{ijkl} = \mu + \tau_i + \beta_j + \gamma_k + (\tau\beta)_{ij} + (\tau\gamma)_{ik} + (\beta\gamma)_{jk}$$

$$+ (\tau\beta\gamma)_{ijk} + \epsilon_{ijkl} \begin{cases} i = 1, 2, \ldots, a \\ j = 1, 2, \ldots, b \\ k = 1, 2, \ldots, c \\ l = 1, 2, \ldots, n \end{cases} \tag{13-22}$$

Suponiendo que $A$, $B$ y $C$ son fijos, el análisis de varianza se muestra en la tabla 13.10. Nótese que debe haber al menos dos réplicas ($n \geqslant 2$) para calcular una suma de cuadrados del error. Las pruebas de $F$ en los efectos e interacciones principales siguen directamente de las medias cuadráticas esperadas.

Las fórmulas de cálculo para las sumas de cuadrados en la tabla 13.10 se obtienen fácilmente. La suma de cuadrados total es

$$SS_T = \sum_{i=1}^{a} \sum_{j=1}^{b} \sum_{k=1}^{c} \sum_{l=1}^{n} y_{ijkl}^2 - \frac{y_{\ldots}^2}{abcn} \tag{13-23}$$

La suma de cuadrados para los efectos principales se calcula a partir de los totales

TABLA 13.10 La tabla de análisis de varianza para el modelo de efectos fijos de tres factores

| Fuente de variación | Suma de cuadrados | Grados de libertad | Media cuadrática | Medias cuadráticas esperadas | $F_0$ |
|---|---|---|---|---|---|
| $A$ | $SS_A$ | $a - 1$ | $MS_A$ | $\sigma^2 + \dfrac{bcn\Sigma\tau_i^2}{a - 1}$ | $F_0 = \dfrac{MS_A}{MS_E}$ |
| $B$ | $SS_B$ | $b - 1$ | $MS_B$ | $\sigma^2 + \dfrac{acn\Sigma\beta_j^2}{b - 1}$ | $F_0 = \dfrac{MS_B}{MS_E}$ |
| $C$ | $SS_C$ | $c - 1$ | $MS_C$ | $\sigma^2 + \dfrac{abn\Sigma\gamma_k^2}{c - 1}$ | $F_0 = \dfrac{MS_C}{MS_E}$ |
| $AB$ | $SS_{AB}$ | $(a - 1)(b - 1)$ | $MS_{AB}$ | $\sigma^2 + \dfrac{cn\Sigma\Sigma(\tau\beta)_{ij}^2}{(a - 1)(b - 1)}$ | $F_0 = \dfrac{MS_{AB}}{MS_E}$ |
| $AC$ | $SS_{AC}$ | $(a - 1)(c - 1)$ | $MS_{AC}$ | $\sigma^2 + \dfrac{bn\Sigma\Sigma(\tau\gamma)_{ik}^2}{(a - 1)(c - 1)}$ | $F_0 = \dfrac{MS_{AC}}{MS_E}$ |
| $BC$ | $SS_{BC}$ | $(b - 1)(c - 1)$ | $MS_{BC}$ | $\sigma^2 + \dfrac{an\Sigma\Sigma(\beta\gamma)_{jk}^2}{(b - 1)(c - 1)}$ | $F_0 = \dfrac{MS_{BC}}{MS_E}$ |
| $ABC$ | $SS_{ABC}$ | $(a - 1)(b - 1)(c - 1)$ | $MS_{ABC}$ | $\sigma^2 + \dfrac{n\Sigma\Sigma\Sigma(\tau\beta\gamma)_{ijk}^2}{(a - 1)(b - 1)(c - 1)}$ | $F_0 = \dfrac{MS_{ABC}}{MS_E}$ |
| Error | $SS_E$ | $abc(n - 1)$ | $MS_E$ | $\sigma^2$ | |
| Total | $SS_T$ | $abcn - 1$ | | | |

para los factores $A(y_{i...})$, $B(y_{.j.})$ y $C(y_{..k})$ como sigue:

$$SS_A = \sum_{i=1}^{a} \frac{y_{i...}^2}{bcn} - \frac{y_{....}^2}{abcn} \qquad (13\text{-}24)$$

$$SS_B = \sum_{j=1}^{b} \frac{y_{.j..}^2}{acn} - \frac{y_{....}^2}{abcn} \qquad (13\text{-}25)$$

$$SS_C = \sum_{k=1}^{c} \frac{y_{..k.}^2}{abn} - \frac{y_{....}^2}{abcn} \qquad (13\text{-}26)$$

Para calcular las sumas de cuadrados de interacción de dos factores, los totales para las celdas $A \times B$, $A \times C$ y $B \times C$ son necesarios. Puede ser útil descomponer la tabla de datos original en tres tablas de dos sentidos con el fin de calcular estos totales. Las sumas de cuadrados son

$$SS_{AB} = \sum_{i=1}^{a} \sum_{j=1}^{b} \frac{y_{ij..}^2}{cn} - \frac{y_{....}^2}{abcn} - SS_A - SS_B$$

$$= SS_{\text{subtotales }(AB)} - SS_A - SS_B \qquad (13\text{-}27)$$

$$SS_{AC} = \sum_{i=1}^{a} \sum_{k=1}^{c} \frac{y_{i.k.}^2}{bn} - \frac{y_{....}^2}{abcn} - SS_A - SS_C$$

$$= SS_{\text{subtotales }(AC)} - SS_A - SS_C \qquad (13\text{-}28)$$

y

$$SS_{BC} = \sum_{j=1}^{b} \sum_{k=1}^{c} \frac{y_{.jk.}^2}{an} - \frac{y_{....}^2}{abcn} - SS_B - SS_C$$

$$= SS_{\text{subtotales }(BC)} - SS_B + SS_C \qquad (13\text{-}29)$$

La suma de cuadrados de interacción de tres factores se calcula a partir de los totales de celda de tres vías $\{y_{ijk.}\}$ como

$$SS_{ABC} = \sum_{i=1}^{a} \sum_{j=1}^{b} \sum_{k=1}^{c} \frac{y_{ijk.}^2}{n} - \frac{y_{....}^2}{abcn} - SS_A - SS_B$$

$$- SS_C - SS_{AB} - SS_{AC} - SS_{BC} \qquad (13\text{-}30a)$$

$$= SS_{\text{subtotales }(ABC)} - SS_A - SS_B - SS_C - SS_{AB} - SS_{AC} - SS_{BC} \qquad (13\text{-}30b)$$

La suma de cuadrados del error puede encontrarse sustrayendo la suma de cuadrados para cada efecto e interacción principal de la suma de cuadrados total, o mediante

$$SS_E = SS_T - SS_{\text{subtotales }(ABC)} \qquad (13\text{-}31)$$

**Ejemplo 13.5** Un ingeniero mecánico está estudiando la rugosidad superficial de una pieza producida en una operación de corte metálico. Son de interés tres factores: la tasa de alimentación ($A$), la profundidad de corte ($B$) y el ángulo de filo ($C$). A cada factor se le han asignado dos niveles, y se están ejecutando dos réplicas de diseño factorial. Los datos codificadores se muestran en la tabla 13.11. Los totales de celda de tres sentidos $\{y_{ijk.}\}$ se encierran en círculo en esta tabla.

Las sumas de cuadrados se calculan como sigue, empleando las ecuaciones 13-23 a la 13-31:

$$SS_T = \sum_{i=1}^{a} \sum_{j=1}^{b} \sum_{k=1}^{c} \sum_{l=1}^{n} y_{ijkl}^2 - \frac{y_{....}^2}{abcn} = 2051 - \frac{(177)^2}{16} = 92.9375$$

$$SS_A = \sum_{i=1}^{a} \frac{y_{i...}^2}{bcn} - \frac{y_{....}^2}{abcn}$$

$$= \frac{(75)^2 + (102)^2}{8} - \frac{(177)^2}{16} = 45.5625$$

$$SS_B = \sum_{j=1}^{b} \frac{y_{.j..}^2}{acn} - \frac{y_{....}^2}{abcn}$$

$$= \frac{(82)^2 + (95)^2}{8} - \frac{(177)^2}{16} = 10.5625$$

$$SS_C = \sum_{k=1}^{c} \frac{y_{..k.}^2}{abn} - \frac{y_{....}^2}{abcn}$$

$$= \frac{(85)^2 + (92)^2}{8} - \frac{(177)^2}{16} = 3.0625$$

$$SS_{AB} = \sum_{i=1}^{a} \sum_{j=1}^{b} \frac{y_{ij..}^2}{cn} - \frac{y_{....}^2}{abcn} - SS_A - SS_B$$

$$= \frac{(37)^2 + (38)^2 + (45)^2 + (57)^2}{4} - \frac{(177)^2}{16} - 45.5625 - 10.5625$$

$$= 7.5625$$

$$SS_{AC} = \sum_{i=1}^{a} \sum_{k=1}^{c} \frac{y_{i.k.}^2}{bn} - \frac{y_{....}^2}{abcn} - SS_B - SS_C$$

$$= \frac{(36)^2 + (39)^2 + (49)^2 + (53)^2}{4} - \frac{(177)^2}{16} - 45.5625 - 3.0625$$

$$= .0625$$

$$SS_{BC} = \sum_{j=1}^{b} \sum_{k=1}^{c} \frac{y_{.jk.}^2}{an} - \frac{y_{....}^2}{abcn} - SS_B - SS_C$$

$$= \frac{(38)^2 + (44)^2 + (47)^2 + (48)^2}{4} - \frac{(177)^2}{16} - 10.5625 - 3.0625$$

$$= 1.5625$$

$$SS_{ABC} = \sum_{i=1}^{a} \sum_{j=1}^{b} \sum_{k=1}^{c} \frac{y_{ijk.}^2}{n} - \frac{y_{....}^2}{abcn} - SS_A - SS_B - SS_C - SS_{AB} - SS_{AC} - SS_{BC}$$

$$= \frac{(16)^2 + (21)^2 + (20)^2 + (18)^2 + (22)^2 + (23)^2 + (27)^2 + (30)^2}{2}$$

$$- \frac{(177)^2}{16} - 45.5625 - 10.5625 - 3.0625 - 7.5625 - .0625 - 1.5625$$

$$= 73.4573 - 45.5625 - 10.5625 - 3.0625 - 7.5625 - .0625 - 1.5625$$

$$= 5.0625$$

$$SS_E = SS_T - SS_{\text{subtotales }(ABC)}$$
$$= 92.9375 - 73.4375 = 19.5000$$

El análisis de varianza se resume en la tabla 13.12. La tasa de alimentación tiene un efecto significativo en el acabado superficial ($\alpha < .01$), como sucede con la profundidad del corte ($.05 < \alpha < .10$). Existe cierta evidencia de una ligera interacción entre estos factores, ya que la prueba de $F$ para la interacción $AB$ es exactamente menor que el 10 por ciento del valor crítico.

Es evidente que los experimentos con tres o más factores son complicados y requieren muchas ejecuciones, en particular si alguno de los factores tiene varios (más de dos) niveles. Esto nos conduce a considerar una clase de diseños factoriales con todos los factores en dos niveles. Estos diseños son muy sencillos de establecer y analizar, y, como veremos, es posible reducir en gran medida el número de ejecuciones experimentales a través de la técnica de réplica factorial.

TABLA 13.11   **Datos registrados de rugosidad superficial para el ejemplo 13-5**

| Tasa de alimentación (A) | Profundidad de corte (B) | | | | $y_i$ |
|---|---|---|---|---|---|
| | .025 plgs. | | .040plgs | | |
| | Ángulo de corte (C) | | Ángulo de corte (C) | | |
| | 15° | 25° | 15° | 25° | |
| 20 plg./min | 9 7 (16) | 11 10 (21) | 9 11 (20) | 10 8 (18) | 75 |
| 30 plg./min | 10 12 (22) | 10 13 (23) | 12 15 (27) | 16 14 (30) | 102 |
| B × C totales $y_{.jk.}$ | 38 | 44 | 47 | 48 | $177 = y_{....}$ |

| $A \times B$ totales $y_{ij..}$ B | | | $A \times C$ totales $y_{i.k.}$ C | | |
|---|---|---|---|---|---|
| A | .025 | .040 | A | 15 | 25 |
| 20 | 37 | 38 | 20 | 36 | 39 |
| 30 | 45 | 57 | 30 | 49 | 53 |
| $y_{.j..}$ | 82 | 95 | $y_{..k.}$ | 85 | 92 |

**TABLA 13.12**   **Análisis de varianza para el ejemplo 13.5**

| Fuente de variación | Suma de cuadrados | Grados de libertad | Media cuadrática | $F_0$ |
|---|---|---|---|---|
| Tasa de alimentación (A) | 45.5625 | 1 | 45.5625 | 18.69[a] |
| Profundidad de corte (B) | 10.5625 | 1 | 10.5625 | 4.33[b] |
| Ángulo de corte (C) | 3.0625 | 1 | 3.0625 | 1.26 |
| AB | 7.5625 | 1 | 7.5625 | 3.10 |
| AC | 0.0625 | 1 | 0.0625 | .03 |
| BC | 1.5625 | 1 | 1.5625 | .64 |
| ABC | 5.0625 | 1 | 5.0625 | 2.08 |
| Error | 19.5000 | 8 | 2.4375 | |
| Total | 92.9375 | 15 | | |

[a]Significativo en 1 por ciento
[b]Significativo en 10 por ciento

# 13-5   Diseño factorial 2$^k$

Hay ciertos tipos especiales de diseños factoriales que son muy útiles. Uno de éstos es un diseño factorial con $k$ factores, cada uno en dos niveles. Debido a que cada réplica completa del diseño tiene $2^k$ ejecuciones o combinaciones de tratamiento, el arreglo se llama un diseño factorial $2^k$. Estos diseños tienen un análisis estadístico sumamente simplificado, y además forman la base de muchos otros diseños útiles.

## 13-5.1   Diseño 2$^2$

El tipo más simple de diseño $2^k$ es el $2^2$; esto es, dos factores $A$ y $B$, cada uno en dos niveles. Solemos considerarlos como los niveles "bajo" y "alto" del factor. El diseño $2^2$ se muestra en la figura 13.13. Adviértase que el diseño puede presentarse geométricamente como un cuadrado con las $2^2 = 4$ ejecuciones formando las esquinas de un cuadrado. Se emplea una notación especial para representar las combinaciones de tratamiento. En general una combinación de tratamiento se representa por medio de una serie de letras minúsculas. Si está presente una letra, entonces el factor correspondiente se ejecuta en su nivel bajo. Por ejemplo, la combinación de tratamiento $a$ indica que el factor $A$ está en el nivel alto y el factor $B$ está en el nivel bajo. La combinación de tratamiento con ambos factores en el nivel bajo se representa por medio de (1). Esta notación se usa a lo largo de las series del diseño $2^k$. Por ejemplo, la combinación de tratamiento en un $2^4$ con $A$ y $C$ en el nivel alto y $B$ y $D$ en el nivel bajo se denota mediante $ac$.

Los efectos de interés en el diseño $2^2$ son los efectos principales $A$ y $B$ y la interacción de dos factores $AB$. Sean las letras (1), $a$, $b$ y $ab$ que representan

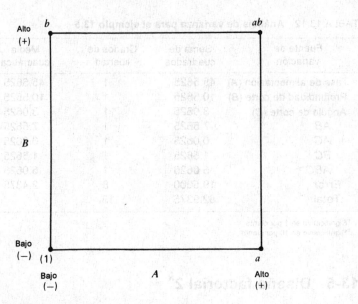

**Figura 13.13**   El diseño factorial $2^2$.

también los totales de las $n$ observaciones tomadas en estos puntos de diseño. Es fácil estimar los efectos de estos factores. Para estimar el efecto principal de $A$ promediaríamos las observaciones en el lado derecho del cuadrado, donde $A$ está en el nivel alto, y restamos de esto el promedio de las observaciones en el lado izquierdo del cuadrado, donde $A$ está en el nivel bajo, o

$$A = \frac{a + ab}{2n} - \frac{b + (1)}{2n}$$

$$= \frac{1}{2n}[a + ab - b - (1)] \qquad (13\text{-}32)$$

De manera similar, el efecto principal de $B$ se encuentra promediando las observaciones en la parte superior del cuadrado, donde $B$ se encuentra en el nivel alto, y sustrayendo el promedio de las observaciones en la base del cuadrado, donde $B$ está en el nivel bajo:

$$B = \frac{b + ab}{2n} - \frac{a + (1)}{2n}$$

$$= \frac{1}{2n}[b + ab - c - (1)] \qquad (13\text{-}33)$$

Por último, la interacción $AB$ se estima tomando la diferencia en los promedios de la diagonal en la figura 13.13 o

$$AB = \frac{ab + (1)}{2n} - \frac{a + b}{2n}$$

$$= \frac{1}{2n}\left[ab + (1) - a - b\right] \tag{13-34}$$

Las cantidades entre corchetes en las ecuaciones 13-32, 13-33 y 13-34 se llaman *contrastes*. Por ejemplo, el contraste de $A$ es

$$\text{Contraste}_A = a + ab - b - (1).$$

En estas ecuaciones, los coeficientes del contraste son siempre $+1$ o $-1$. Una tabla de signos más y menos, tal como la tabla 13.13, puede utilizarse para determinar el signo en cada combinación de tratamiento para un contraste particular. Las cabezas de columna en la tabla 13.13 son los efectos principales $A$ y $B$, la interacción $AB$, e $I$, que representa el total. Las cabezas de renglón son las combinaciones de tratamiento. Nótese que los signos en la columna $AB$ son el producto de signos de las columnas $A$ y $B$. Para generar un contraste a partir de esta tabla, se multiplican los signos en la columna apropiada de la tabla 13.13 por las combinaciones de tratamiento listadas en los renglones y se suman.

Para obtener las sumas de cuadrados para $A$, $B$ y $AB$, podemos utilizar la ecuación 12-18, que expresa la relación entre un contraste de un solo grado de libertad y su suma de cuadrados:

$$SS = \frac{(\text{contraste})^2}{n\sum (\text{coeficientes de contraste})^2} \tag{13-35}$$

En consecuencia, la sumas de cuadrados para $A$, $B$ y $AB$ son

$$SS_A = \frac{\left[a + ab - b - (1)\right]^2}{4n}$$

**TABLA 13.13  Signos para los efectos en el diseño $2^2$**

| Combinación de tratamiento | Efecto factorial | | | |
|:---:|:---:|:---:|:---:|:---:|
| | $I$ | $A$ | $B$ | $AB$ |
| (1) | + | − | − | + |
| a | + | + | − | − |
| b | + | − | + | − |
| ab | + | + | + | + |

$$SS_B = \frac{[b + ab - a - (1)]^2}{4n}$$

$$SS_{AB} = \frac{[ab + (1) - a - b]^2}{4n}$$

El análisis de varianza se completa calculando la suma de cuadrados total $SS_T$ (con $4n - 1$ grados de libertad) en la forma usual, y obteniendo la suma de cuadrados del error $SS_E$ [con $4 (n - 1)$ grados de libertad] por sustracción.

**Ejemplo 13.6**  Un artículo en la *AT&T Technical Journal* (marzo/abril, 1986, vol. 65, p. 39-50) describe la aplicación de diseños experimentales de dos niveles para la manufactura de circuitos integrados. Un etapa básica de procesamiento en esta industria es poner una capa epitaxial en obleas de silicio pulidas. Las obleas se montan en un susceptor y se colocan dentro de un recipiente de campana. Se introducen vapores químicos a través de boquillas cerca de la parte superior del recipiente. El susceptor se rota y se aplica calor. Estas condiciones se mantienen hasta que la capa epitaxial es lo suficientemente gruesa.

La tabla 13.14 presenta los resultados de un diseño factorial $2^2$ con $n = 4$ réplicas empleando los factores $A$ = tiempo de depositación y $B$ = tasa de flujo de arsénico. Los dos niveles del tiempo de depositación son $-$ = corto y $+$ = largo, y los dos niveles de la tasa de flujo de arsénico son $-$ = 55% y $+$ = 59%. La variable de respuesta es el espesor de la capa epitaxial ($\mu m$). Podemos encontrar las estimaciones de los efectos utilizando las ecuaciones 13-32, 13-33 y 13-34 como sigue:

$$A = \frac{1}{2n}[a + ab - b - (1)]$$

$$= \frac{1}{2(4)}[59.299 + 59.156 - 55.686 - 56.081] = 0.836$$

$$B = \frac{1}{2n}[b + ab - a - (1)]$$

**TABLA 13.14  El diseño $2^2$ para el experimento del proceso epitaxial**

| Combinación de tratamiento | Factores de diseño | | | Espesor ($\mu m$) | Espesor ($\mu m$) | |
|---|---|---|---|---|---|---|
| | A | B | AB | Espesor ($\mu m$) | Total | Promedio |
| (1) | $-$ | $-$ | $+$ | 14.037, 14.165, 13.972, 13.907 | 56.081 | 14.021 |
| a | $+$ | $-$ | $-$ | 14.821, 14.757, 14.843, 14.878 | 59.299 | 14.825 |
| b | $-$ | $+$ | $-$ | 13,880, 13.860, 14.032, 13.914 | 55.686 | 13.922 |
| ab | $+$ | $+$ | $+$ | 14.888, 14.921, 14.415, 14.932 | 59.156 | 14.789 |

$$= \frac{1}{2(4)}\left[55.686 + 59.156 - 59.299 - 56.081\right] = -0.067$$

$$AB = \frac{1}{2n}\left[ab + (1) - a - b\right]$$

$$= \frac{1}{2(4)}\left[59.156 + 56.081 - 59.299 - 55.686\right] = 0.032$$

Las estimaciones numéricas de los efectos indican que el efecto del tiempo de depositación es grande y que tiene una dirección positiva (el aumento del tiempo de depositación incrementa el espesor), puesto que cambiar el tiempo de depositación de bajo a alto cambia el espesor medio de la capa epitaxial en .836 $\mu$m. Los efectos de la tasa de flujo de arsénico ($B$) y de la interacción $AB$ aparecen pequeños.

La magnitud de estos efectos puede confirmarse con el análisis de varianza. Las sumas de cuadrados para $A$, $B$ y $AB$ se calculan empleando la ecuación 13-35:

$$SS = \frac{(\text{Contraste})^2}{n \cdot 4}$$

$$SS_A = \frac{\left[a + ab - b - (1)\right]^2}{16}$$

$$= \frac{[6.688]^2}{16}$$

$$= 2.7956$$

$$SS_B = \frac{\left[b + ab - a - (1)\right]^2}{16}$$

$$= \frac{[-0.538]^2}{16}$$

$$= 0.0181$$

$$SS_{AB} = \frac{\left[ab + (1) - a - b\right]^2}{16}$$

$$= \frac{[0.256]^2}{16}$$

$$= 0.0040$$

El análisis de varianza se resume en la tabla 13-15. Esto confirma nuestras conclusiones obtenidas examinando la magnitud y la dirección de los efectos; el tiempo de depositación afecta el espesor de la capa epitaxial, y de la dirección de las estimaciones del efecto sabemos que los tiempos de depositación más **largos** conducen a capas epitaxiales más gruesas.

**TABLA 13.15   Análisis de varianza para el experimento del proceso epitaxial**

| Fuente de variación | Suma de cuadrados | Grados de libertad | Media cuadrática | $F_0$ |
|---|---|---|---|---|
| A (tiempo de depositación) | 2.7956 | 1 | 2.7956 | 134.50 |
| B (flujo de arsénico) | 0.0181 | 1 | 0.0181 | 0.87 |
| AB | 0.0040 | 1 | 0.0040 | 0.19 |
| Error | 0.2495 | 12 | 0.0208 | |
| Total | 3.0672 | 15 | | |

**Análisis de residuos**   Es fácil obtener los residuos de un diseño $2^k$ ajustando un modelo de regresión a los datos. En el experimento del proceso epitaxial, el modelo de regresión es

$$y = \beta_0 + \beta_1 x_1 + \varepsilon$$

puesto que la única variable activa es el tiempo de depositación, que se representa por $x_1$. Los niveles bajo y alto del tiempo de depositación están asignados a los valores $x_1 = -1$ y $x_2 = +1$, respectivamente. El modelo de ajuste es

$$\hat{y} = 14.389 + \left(\frac{0.836}{2}\right)x_1$$

donde la ordenada al origen $\hat{\beta}_0$ es el gran promedio de las 16 observaciones ($\bar{y}$) y la pendiente $\hat{\beta}_1$ es la mitad de la estimación del efecto para el tiempo de depositación. [La razón de que el coeficiente de regresión sea la mitad de la estimación del efecto es que los coeficientes de regresión miden el efecto de un cambio unitario en $x_1$ en la media de $y$, y la estimación del efecto se basa en un cambio de dos unidades (de $-1$ a $+1$).]

Este modelo puede utilizarse para obtener los valores predichos en los cuatro puntos en el diseño. Por ejemplo, considérese el punto con tiempo de depositación bajo ($x_1 = -1$) y tasa de flujo de arsénico baja. El valor predicho es

$$\hat{y} = 14.389 + \left(\frac{0.836}{2}\right)(-1) = 13.971 \ \mu m$$

y los residuos serían

$$e_1 = 14.037 - 13.971 = 0.066$$
$$e_2 = 14.165 - 13.971 = 0.194$$
$$e_3 = 13.972 - 13.971 = 0.001$$
$$e_4 = 13.907 - 13.971 = 0.064$$

Es fácil verificar que los valores predichos y residuos restantes son, para tiempo de depositación bajo ($x_1 = -1$) y tasa alta de flujo de arsénico, $\hat{y} = 14.389 + (.836/2)(-1) = 13.971$ µm

$$e_5 = 13.880 - 13.971 = -0.091$$
$$e_6 = 13.860 - 13.971 = -0.111$$
$$e_7 = 14.032 - 13.971 = 0.061$$
$$e_8 = 13.914 - 13.971 = -0.057$$

para tiempo de depositación alto ($x_1 = +1$) y tasa baja de flujo de arsénico, $\hat{y} = 14.389 + (.836/2)(+1) = 14.807$ µm

$$e_9 = 14.821 - 14.807 = 0.014$$
$$e_{10} = 14.757 - 14.807 = -0.050$$
$$e_{11} = 14.843 - 14.807 = 0.036$$
$$e_{12} = 14.878 - 14.807 = 0.071$$

y para tiempo de depositación alto ($x_1 = +1$) y alta tasa de flujo de arsénico, $\hat{y} = 14.389 + (.836/2)(+1) = 14.807$ µm

$$e_{13} = 14.888 - 14.807 = 0.081$$
$$e_{14} = 14.921 - 14.807 = 0.114$$
$$e_{15} = 14.415 - 14.807 = -0.392$$
$$e_{16} = 14.932 - 14.807 = 0.125$$

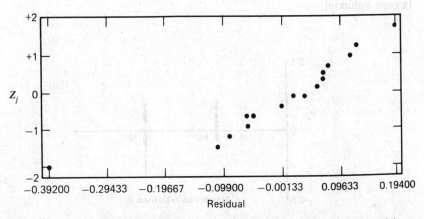

**Figura 13.14**  Gráfica de probabilidad normal de residuos para el experimento del proceso epitaxial.

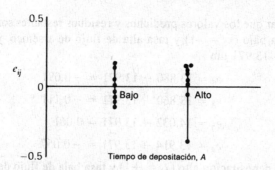

**Figura 13.15** Gráfica de residuos contra tiempo de depositación.

En la figura 13.14 se muestra una gráfica de probabilidad normal de estos residuos. Esta gráfica indica que un residuo $e_{15} = -.392$ está fuera de lugar. El examen de las cuatro ejecuciones con tiempo de depositación alto y tasa de flujo de arsénico elevada revela que la observación $y_{15} = 14.415$ es bastante más pequeña que las otras tres observaciones en esa combinación de tratamiento. Esto agrega cierta evidencia adicional a la conclusión tentativa de que la observación 15 está fuera de lugar. Otra posibilidad es que haya algunas variables del proceso que afectan la *variabilidad* del espesor de la capa epitaxial, y si pudiéramos descubrir qué variables producen este efecto, entonces podría ser posible ajustarlas a niveles que minimizarían la variabilidad en el espesor de la capa epitaxial. Esto tendría importantes implicaciones en etapas de manufactura subsecuentes. Las figuras 13.15 y 13.16 son gráficas de residuos contra el tiempo de depositación y la tasa de flujo de arsénico, respectivamente. Aparte del inusual gran residuo asociado con $y_{15}$, no hay una evidencia contundente de que el tiempo de depositación o la tasa de flujo de arsénico afectan la variabilidad en el espesor de la capa epitaxial.

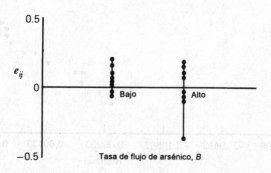

**Figura 13.16** Gráfica de residuos contra tasa de flujo de arsénico.

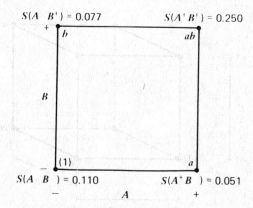

**Figura 13.17** La desviación estándar del espesor de la capa epitaxial en las cuatro ejecuciones en el diseño 2$^2$.

La figura 13.17 muestra la desviación estándar del espesor de la capa epitaxial en la totalidad de las cuatro ejecuciones en el diseño 2$^2$. Estas desviaciones estándar se calcularon empleando los datos en la tabla 13-14. Nótese que la desviación estándar de las cuatro observaciones con $A$ y $B$ en el nivel alto es considerablemente más grande que las desviaciones estándar en cualquiera de los otros tres puntos de diseño. La mayor parte de esta diferencia se atribuye a la inusual medida de espesor bajo asociada con $y_{15}$. La desviación estándar de las cuatro observaciones con $A$ y $B$ en el nivel bajo es también algo más grande que las desviaciones estándar en las dos ejecuciones restantes. Esto podría ser un indicador de que hay otras variables del proceso no incluidas en el experimento que afectan la variabilidad en el espesor de la capa epitaxial. Otro experimento para estudiar esta posibilidad, que involucra otras variables del proceso, podría diseñarse y llevarse a cabo (el artículo original muestra que hay dos factores adicionales, no considerados en este ejemplo, que afectan la variabilidad del proceso).

### 13-5.2 Diseño 2$^k$ para factores $k \geqslant 3$

Los métodos presentados en la sección previa para los diseños factoriales con $k = 2$ factores cada uno en dos niveles pueden extenderse con facilidad a más de dos factores. Por ejemplo, considérese $k = 3$ factores, cada uno en dos niveles. Este es un diseño factorial 2$^3$, y tiene ocho combinaciones de tratamiento. Geométricamente, el diseño es un cubo como se muestra en la figura 13.18, con las ocho ejecuciones formando las esquinas del cubo. Este diseño permite estimar tres factores principales ($A$, $B$ y $C$) junto con tres interacciones de dos factores ($AB$, $AC$ y $BC$) y una interacción de tres factores ($ABC$).

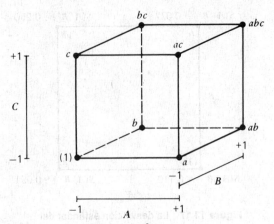

**Figura 13.18**   El diseño $2^3$.

Los principales efectos pueden estimarse con facilidad. Recuérdese que las letras minúsculas (1), *a, b, ab, c, ac, bc* y *abc* representan el total de todas las *n* réplicas en cada una de las ocho combinaciones de tratamiento en el diseño. Con respecto al cubo en la figura 13.18, estimaríamos el efecto principal de *A* promediando las cuatro combinaciones de tratamiento en el lado derecho del cubo, donde *A* está en el nivel alto, y sustrayendo de esa cantidad el promedio de las cuatro combinaciones de tratamiento en el lado izquierdo del cubo, donde *A* está en el nivel bajo. Esto da como resultado

$$A = \frac{1}{4n}\left[a + ab + ac + abc - b - c - bc - (1)\right] \qquad (13\text{-}36)$$

De manera similar el efecto de *B* es la diferencia promedio de las cuatro combinaciones de tratamiento en la cara posterior del cubo y la cuatro en el frente, o

$$B = \frac{1}{4n}\left[b + ab + bc + abc - a - c - ac - (1)\right] \qquad (13\text{-}37)$$

y el efecto de *C* es la diferencia promedio entre las cuatro combinaciones de tratamiento en la cara superior del cubo y la cuatro en la base, o

$$C = \frac{1}{4n}\left[c + ac + bc + abc - a - b - ab - (1)\right] \qquad (13\text{-}38)$$

Después de esto considérese la interacción de dos factores *AB*. Cuando *C* está en el nivel bajo, *AB* es justo la diferencia promedio en el efecto *A* en los dos niveles de *B*, o

$$AB(C \text{ baja}) = \frac{1}{2n}[ab - b] - \frac{1}{2b}[a - (1)]$$

En forma similar, cuando $C$ está en el nivel alto, la interacción $AB$ es

$$AB(C \text{ alta}) = \frac{1}{2n}[abc - bc] - \frac{1}{2n}[ac - c]$$

La interacción $AB$ es exactamente el promedio de estas dos componentes, o

$$AB = \frac{1}{4n}[ab + (1) + abc + c - b - a - bc - ac] \qquad (13\text{-}39)$$

Al emplear un planteamiento similar, podemos demostrar que las estimaciones de los efectos de interacción $AC$ y $BC$ son como sigue:

$$AC = \frac{1}{4n}[ac + (1) + abc + b - a - c - ab - bc] \qquad (13\text{-}40)$$

$$BC = \frac{1}{4n}[bc + (1) + abc + a - b - c - ab - ac]. \qquad (13\text{-}41)$$

El efecto de interacción $ABC$ es la diferencia promedio entre la interacción $AB$ en los dos niveles de $C$. De tal modo

$$ABC = \frac{1}{4n}\{[abc - bc] - [ac - c] - [ab - b] + [a - (1)]\}$$

$$= \frac{1}{4n}[abc - bc - ac + c - ab + b + a - (1)] \qquad (13\text{-}42)$$

Las cantidades entre corchetes en las ecuaciones 13-36 y 13-42 son contrastes en las ocho combinaciones de tratamiento. Estos contrastes pueden obtenerse a partir de una tabla de signos más y menos para el diseño $2^3$, mostrado en la tabla

TABLA 13.16  **Signos para efectos en el diseño $2^3$**

| Combinación de tratamiento | Efecto factorial | | | | | | | |
|---|---|---|---|---|---|---|---|---|
| | I | A | B | AB | C | AC | BC | ABC |
| (1) | + | − | − | + | − | + | + | − |
| a | + | + | − | − | − | − | + | + |
| b | + | − | + | − | − | + | − | + |
| ab | + | + | + | + | − | − | − | − |
| c | + | − | − | + | + | − | − | + |
| ac | + | + | − | − | + | + | − | − |
| bc | + | − | + | − | + | − | + | − |
| abc | + | + | + | + | + | + | + | + |

13.16. Los signos correspondientes a los efectos principales (columnas $A$, $B$ y $C$) se obtienen asociando un más con el nivel alto del factor y un signo menos con el nivel bajo. Una vez que se han establecido los signos para los efectos principales, los signos para las columnas restantes se encuentran multiplicando las columnas precedentes apropiadas, renglón por renglón. Por ejemplo, los signos en la columna $AB$ son el producto de los signos en las columnas $A$ y $B$.

La tabla 13-16 tiene varias propiedades interesantes:

1. Excepto en la columna identidad $I$, cada columna tiene un número igual de signos más y menos.
2. La suma de productos de signos en cualesquiera dos columnas es cero; esto es, las columnas en la tabla son *ortogonales*.
3. La multiplicación de cualquier columna por la columna $I$ deja la columna invariable; esto es; $I$ es un *elemento identidad*.
4. El producto de cualesquiera dos columnas produce una columna en la tabla, por ejemplo, $A \times B = AB$ y $AB \times ABC = A^2B^2C = C$, puesto que cualquier columna multiplicada por sí misma es la columna identidad.

La estimación de cualquier efecto o interacción se determina multiplicando las combinaciones de tratamiento en la primera columna de la tabla por los signos en la columna correspondiente de interacción o efecto principal, sumando el resultado para producir un contraste, y dividiendo luego el contraste entre un medio del número total de ejecuciones en el experimento. Expresado matemáticamente,

$$\text{Efecto} = \frac{\text{Contraste}}{n2^{k-1}} \tag{13-43}$$

La suma de cuadrados para cualquier efecto es

$$SS = \frac{(\text{Contraste})^2}{n2^k} \tag{13-44}$$

**Ejemplo 13.7**　Considérese el experimento de la rugosidad superficial descrito originalmente en el ejemplo 13.5. Éste es un diseño factorial $2^3$ en los factores tasa de alimentación ($A$), profundidad de corte ($B$), y ángulo de filo ($C$), con $n = 2$ réplicas. La tabla 13.17 presenta los datos de rugosidad superficial observados.

Los principales efectos pueden estimarse utilizando las ecuaciones 13-36 a la 13-42. El efecto de $A$ es, por ejemplo,

$$A = \frac{1}{4n}[a + ab + ac + abc - b - c - bc - (1)]$$

TABLA 13.17   **Datos de rugosidad superficial para el ejemplo 13.7**

| Combinaciones de tratamiento | Factores de diseño | | | Rugosidad superficial | Totales |
|:---:|:---:|:---:|:---:|:---:|:---:|
| | A | B | C | | |
| (1) | −1 | −1 | −1 | 9, 7 | 16 |
| a | 1 | −1 | −1 | 10, 12 | 22 |
| b | −1 | 1 | −1 | 9, 11 | 20 |
| ab | 1 | 1 | −1 | 12, 15 | 27 |
| c | −1 | −1 | 1 | 11, 10 | 21 |
| ac | 1 | −1 | 1 | 10, 13 | 23 |
| bc | −1 | 1 | 1 | 10, 8 | 18 |
| abc | 1 | 1 | 1 | 16, 14 | 30 |

$$= \frac{1}{4(2)}[22 + 27 + 23 + 30 - 20 - 21 - 18 - 16]$$

$$= \frac{1}{8}[27] = 3.375$$

y la suma de cuadrados para $A$ se determina empleando la ecuación 13-44:

$$SS_A = \frac{(\text{Contraste}_A)^2}{n2^k}$$

$$= \frac{(27)^2}{2(8)} = 45.5625$$

Es fácil verificar que los otros efectos son

$$B = 1.625$$
$$C = 0.875$$
$$AB = 1.375$$
$$AC = 0.125$$
$$BC = -0.625$$
$$ABC = 1.125.$$

Del examen de la magnitud de los efectos, es claro que la tasa de alimentación (factor $A$) es dominante, seguida por la profundidad de corte ($B$) y la interacción $AB$, aunque el efecto de interacción es relativamente pequeño. El análisis de varianza se resume en la tabla 13.18, y confirma nuestra interpretación de las estimaciones del efecto.

**Otros métodos para juzgar la significación de los efectos**   El análisis de varianza es una manera formal para determinar cuáles efectos son diferentes de cero. Hay otros dos métodos que son útiles. En el primer método, podemos calcular los errores estándar de los efectos y comparar la magnitud de los efectos

TABLA 13.18   **Análisis de varianza para el experimento de acabado superficial**

| Fuente de variación | Suma de cuadrados | Grados de libertad | Media cuadrática | $F_0$ |
|---|---|---|---|---|
| A | 46.5625 | 1 | 46.5625 | 18.69 |
| B | 10.5625 | 1 | 10.5625 | 4.33 |
| C | 3.0625 | 1 | 3.0625 | 1.26 |
| AB | 7.5625 | 1 | 7.5625 | 3.10 |
| AC | 0.0625 | 1 | 0.0625 | .03 |
| BC | 1.5625 | 1 | 1.5625 | .64 |
| ABC | 5.0625 | 1 | 5.0625 | 2.08 |
| Error | 19.5000 | 8 | 2.4375 | |
| | | | | |
| Total | 92.9375 | 15 | | |

con sus errores estándar. El segundo método utiliza las gráficas de probabilidad para evaluar la importancia de los efectos.

El error estándar de un efecto se encuentra con facilidad. Si suponemos que hay $n$ réplicas en cada una de las $2^k$ ejecuciones en el diseño, y si $y_{i1}$, y $y_{i2}$, . . . , $y_{in}$ son las observaciones en la ecuación $i$ésima, entonces

$$S_i^2 = \frac{1}{n-1} \sum_{j=1}^{n} (y_{ij} - \bar{y}_i)^2 \qquad i = 1, 2, \ldots, 2^k$$

es una estimación de la varianza de la ejecución $i$ésima. Las $2^k$ estimaciones de varianza pueden combinarse para dar una estimación de varianza general

$$S^2 = \frac{1}{2^k(n-1)} \sum_{i=1}^{2^k} \sum_{j=1}^{n} (y_{ij} - \bar{y}_i)^2 \qquad (13\text{-}45)$$

Ésta es también la estimación de varianza dada por el error cuadrático medio a partir del procedimiento del análisis de varianza. Cada estimación del efecto tiene una varianza dada por

$$V(\text{Efecto}) = V \left[ \frac{\text{Contraste}}{n2^{k-1}} \right]$$

$$= \frac{1}{\left(n2^{k-1}\right)^2} V(\text{Contraste})$$

Cada contraste es una combinación lineal de $2^k$ totales de tratamiento, y cada total consta de $n$ observaciones. Por tanto,

$$V(\text{Contraste}) = n2^k \sigma^2$$

y la varianza de un efecto es

$$V(\text{Efecto}) = \frac{1}{\left(n2^{k-1}\right)^2}n2^k\sigma^2$$

$$= \frac{1}{n2^{k-2}}\sigma^2 \tag{13-46}$$

El error estándar estimado de un efecto se encontraría sustituyendo $\sigma^2$ por su estimación $S^2$ y tomando la raíz cuadrada de la ecuación 13-46.

Como ejemplo en el experimento de la rugosidad superficial, encontramos que $S^2 = 2.4375$ y el error estándar de cada efecto es

$$s.\,e.(\text{Efecto}) = \sqrt{\frac{1}{n2^{k-2}}S^2}$$

$$= \sqrt{\frac{1}{2\cdot2^{3-2}}(2.4375)}$$

$$= 0.78$$

De modo que los límites de la desviación estándar en las estimaciones del efecto son

$$
\begin{array}{rl}
A: & 3.375 \pm 1.56 \\
B: & 1.625 \pm 1.56 \\
C: & 0.875 \pm 1.56 \\
AB: & 1.375 \pm 1.56 \\
AC: & 0.125 \pm 1.56 \\
BC: & -0.625 \pm 1.56 \\
ABC: & 1.125 \pm 1.56
\end{array}
$$

Éstos son aproximadamente intervalos de confianza del 95 por ciento. Ellos indican que los dos efectos principales $A$ y $B$ son importantes, pero que los otros efectos no lo son, dado que los intervalos para todos los efectos excepto $A$ y $B$ incluyen el cero.

Las gráficas de probabilidad normal también pueden emplearse para juzgar la significación de los efectos. Ilustraremos ese método en la sección siguiente.

**Proyección de los diseños $2^k$**  Cualquier diseño $2^k$ se disolverá o proyectará en otro diseño $2^k$ con menos variables si uno o más de los factores originales se descarta. En ocasiones esto puede brindar evidencia adicional respecto a los factores restantes. Por ejemplo, considérese el experimento de la rugosidad superficial. Puesto que el factor $C$ y todas sus interacciones son despreciables, podríamos eliminar el factor $C$ del diseño. El resultado es disolver el cubo en la figura 13.18 en un cuadrado en el plano $A - B$; sin embargo, cada una de las cuatro

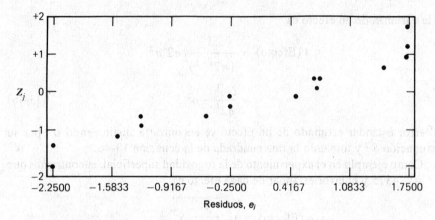

**Figura 13.19**  Gráfica de probabilidad normal de residuos del experimento de rugosidad superficial.

ejecuciones en el nuevo diseño tiene cuatro réplicas. En general, si eliminamos $h$ factores de manera que $r = k - h$ factores permanezcan, el diseño $2^k$ original con $n$ réplicas se proyectará en un diseño $2^r$ con $n2^h$ réplicas.

**Análisis del residuo**  Podemos obtener los residuos de un diseño $2^k$ utilizando el método demostrado antes para el diseño $2^2$. Como ejemplo, considérese el experimento de la rugosidad superficial. Los tres efectos más grandes son $A$, $B$ y la interacción $AB$. El modelo de regresión utilizado para obtener los valores predichos es

$$\hat{y} = \beta_0 + \beta_1 x_1 + \beta_2 x_2 + \beta_{12} x_1 x_2$$

donde $x_1$ representa el factor $A$, $x_2$ representa el factor $B$, y $x_1 x_2$ representa la interacción $AB$. Los coeficientes de regresión $\beta_1$, $\beta_2$ y $\beta_{12}$ se estiman a través de un medio de las estimaciones del efecto correspondiente y $\beta_0$ es el gran promedio. De tal modo

$$\hat{y} = 11.0625 + \left(\frac{3.375}{2}\right)x_1 + \left(\frac{1.625}{2}\right)x_2 + \left(\frac{1.375}{2}\right)x_1 x_2$$

y los valores predichos se obtendrían mediante la sustitución de los niveles bajo y alto de $A$ y $B$ en esta ecuación. A modo ilustrativo, en la combinación de tratamiento donde $A$, $B$ y $C$ están en el nivel bajo, el valor predicho es

$$\hat{y} = 11.0625 + \left(\frac{3.375}{2}\right)(-1) + \left(\frac{1.625}{2}\right)(-1) + \left(\frac{1.375}{2}\right)(-1)(-1)$$

$$= 9.25$$

Los valores observados en esta ejecución son 9 y 7, por lo que los residuos son $9 - 9.25 = -.25$ y $7 - 9.25 = -2.25$. Los residuos para las otras siete ejecuciones se obtienen de manera similar.

En la figura 13.19 se muestra una gráfica de probabilidad normal. Puesto que los residuos caen aproximadamente a lo largo de una línea recta, no sospechamos ninguna anormalidad de importancia en los datos. No hay indicaciones de aislamientos severos. También sería de utilidad graficar los residuos contra los valores predichos y contra cada uno de los factores $A$, $B$ y $C$.

**Algoritmo de Yates para el $2^k$**   En lugar de emplear la tabla de signos menos y más para obtener los contrastes para las estimaciones del defecto y las sumas de cuadrados, puede emplearse un simple algoritmo tabular ideado por Yates. Para usar el algoritmo de Yates, constrúyase una tabla con las combinaciones de tratamiento y los totales de tratamiento correspondientes registrados en *orden estándar*. Por orden estándar, entendemos que los factores se introducen uno por uno combinando cada uno de ellos con todos los niveles del factor sobre ellos. De tal manera para un $2^2$, el orden estándar es (1), *a, b, ab,* en tanto que para un $2^3$ es (1) , *a, b, ab, c, ac, bc, abc,* y para un $2^4$ es (1), *a, b, ab, c, ac, bc, abc, d, ad, bd, abd, cd, acd, bcd, abcd.* Luego se sigue este procedimiento de cuatro pasos:

1. Se marca la columna adyacente (1). Se calculan las entradas en la mitad superior de esta columna añadiendo las observaciones en pares adyacentes. Se calculan las entradas en la mitad inferior de esta columna cambiando el signo de la primera entrada en cada par de las observaciones originales y sumando los pares adyacentes.

2. Se marca la columna adyacente (2). Se construye la columna (2) empleando las entradas en la columna (1). Se sigue el mismo procedimiento empleado para generar la columna (1). Se continúa este proceso hasta construir $k$ columnas. La columna ($k$) contiene los contrastes designados en los renglones.

3. Se calculan las sumas de cuadrados para los efectos elevando al cuadrado las entradas en la columna $k$ y dividiendo entre $n2^k$.

4. Se calculan las estimaciones del efecto dividiendo las entradas en la columna $k$ entre $n2^{k-1}$.

**Ejemplo 13.8**   Considérese el experimento de la rugosidad superficial en el ejemplo 13.7. Éste es un diseño $2^3$ con $n = 2$ réplicas. El análisis de estos datos empleando el algoritmo de Yates se ilustra en la tabla 13.19. Nótese que las sumas de cuadrados calculadas a partir del algoritmo de Yates concuerdan con los resultados obtenidos previamente en el ejemplo 13.7.

TABLA 13.19   **Algoritmo de Yates para el experimento de rugosidad superficial**

| Combinaciones de tratamiento | Respuesta | (1) | (2) | (3) | Efecto | Suma de cuadrados $(3)^2/n2^3$ | Estimaciones de efectos $(3)/n2^2$ |
|---|---|---|---|---|---|---|---|
| (1) | 16 | 38 | 85 | 177 | Total | — | — |
| a | 22 | 47 | 92 | 27 | A | 45.5625 | 3.375 |
| b | 20 | 44 | 13 | 13 | B | 10.5625 | 1.625 |
| ab | 27 | 48 | 14 | 11 | AB | 7.5625 | 1.375 |
| c | 21 | 6 | 9 | 7 | C | 3.0625 | 0.875 |
| ac | 23 | 7 | 4 | 1 | AC | .0625 | 0.125 |
| bc | 18 | 2 | 1 | −5 | BC | 1.5625 | −0.625 |
| abc | 30 | 12 | 10 | 9 | ABC | 5.0625 | 1.125 |

## 13-5.3   Réplica simple del diseño $2^k$

Cuando el número de factores en un experimento factorial aumenta, lo mismo ocurre con el número de efectos que pueden estimarse. Por ejemplo, un experimento $2^4$ tiene 4 efectos principales, 6 interacciones de 2 factores, 4 interacciones de tres factores y una interacción de cuatro factores, en tanto que un experimento $2^6$ tiene 6 efectos principales, 15 interacciones de dos factores, 20 interacciones de tres factores, 15 interacciones de cuatro factores, 6 interacciones de cinco factores, y una interacción de seis factores. En la mayoría de las situaciones se aplica la *dispersión del principio de los efectos*; esto es, los efectos principales y las interacciones de orden menor suelen dominar el sistema. Las interacciones de tres o más factores por lo regular son despreciables. En consecuencia, cuando el número de factores es moderadamente grande, digamos $k \geqslant 4$ ó 5, una práctica común es ejecutar únicamente una sola réplica del diseño $2^k$ y después se mezclan o combinan las interacciones de mayor orden como una estimación del error.

**Ejemplo 13.9**   Un artículo en *Solid State Technology* ("Orthogonal Design for Process Optimization and its Application in Plasma Etching", mayo 1987, p. 127-132) describe la aplicación de los diseños factoriales en el desarrollo de un proceso de grabado en nitruro en un grabador de plasma de una sola oblea. El proceso emplea $C_2F_6$ como el gas reactante. Es posible variar el flujo de gas, la potencia aplicada en el cátodo, la presión en la cámara del reactor, y el espaciamiento entre el ánodo y el cátodo (entrehierro). Diversas variables de respuesta usualmente serían de interés en este proceso, pero en este ejemplo nos concentraremos en la tasa de grabado para el nitruro de silicio.

Emplearemos una sola réplica de un diseño $2^4$ para investigar este proceso. Puesto que es improbable que las interacciones de tres y cuatro factores sean significativas, tentativamente planearemos combinarlas como una estimación del error. Los niveles del factor usados en el diseño se muestran en seguida:

| | **Factor de diseño** | | | |
|---|---|---|---|---|
| Nivel | Entrehierro $A$ (cm) | Presión $B$ (mTorr) | Flujo de $C_2F_6$ $C$ (SCCM) | Potencia $D$ ($w$) |
| Bajo ( − ) | 0.80 | 450 | 125 | 275 |
| Alto ( + ) | 1.20 | 550 | 200 | 325 |

La tabla 13.20 presenta los datos a partir de las 16 ejecuciones del diseño $2^4$. La tabla 13.21 es la de los signos más y menos para dicho diseño. Los signos en las columnas de esta tabla pueden emplearse para estimar los efectos del factor. A modo ilustrativo, la estimación del factor $A$ es

$$A = \frac{1}{8}[a + ab + ac + abc + ad + abd + acd + abcd - (1) - b$$

$$- c - d - bc - bd - cd - bcd]$$

$$= \frac{1}{8}[669 + 650 + 642 + 635 + 749 + 868 + 860 + 729 - 550 - 604 - 633$$

$$- 601 - 1037 - 1052 - 1075 - 1063]$$

$$= -101.625$$

De tal modo el efecto de incrementar el entrehierro entre el ánodo y el cátodo de .80 cm a 1.20 cm es reducir la tasa de grabado en 101.625 Å/min.

Es fácil verificar que el conjunto completo de estimaciones del efecto es

$$A = -101.625 \qquad D = 306.125$$

$$B = -\ \ 1.625 \qquad AD = -153.625$$

$$AB = -\ \ 7.875 \qquad BD = -\ \ 0.625$$

$$C = \ \ \ \ 7.375 \qquad ABD = \ \ \ 4.125$$

$$AC = -24.875 \qquad CD = -\ \ 2.125$$

$$BC = -43.875 \qquad ACD = \ \ \ 5.625$$

$$ABC = -15.625 \qquad BCD = -25.375$$

$$ABCD = -40.125$$

Un método muy útil en la evaluación de la significación de los factores en un experimento $2^k$ es construir una gráfica de probabilidad normal de las estimacio-

TABLA 13.20  El diseño $2^4$ para el experimento de grabado con plasma

| A (Entrehierro) | B (Presión) | C (Flujo de $C_2F_6$) | D (Potencia) | Tasa de grabado (Å / min) |
|---|---|---|---|---|
| −1 | −1 | −1 | −1 | 550 |
| 1 | −1 | −1 | −1 | 669 |
| −1 | 1 | −1 | −1 | 604 |
| 1 | 1 | −1 | −1 | 650 |
| −1 | −1 | 1 | −1 | 633 |
| 1 | −1 | 1 | −1 | 642 |
| −1 | 1 | 1 | −1 | 601 |
| 1 | 1 | 1 | −1 | 635 |
| −1 | −1 | −1 | 1 | 1037 |
| 1 | −1 | −1 | 1 | 749 |
| −1 | 1 | −1 | 1 | 1052 |
| 1 | 1 | −1 | 1 | 868 |
| −1 | −1 | 1 | 1 | 1075 |
| 1 | −1 | 1 | 1 | 860 |
| −1 | 1 | 1 | 1 | 1063 |
| 1 | 1 | 1 | 1 | 729 |

nes del efecto. Si ninguno de los efectos es significativo, entonces las estimaciones se comportarán como una muestra aleatoria extraída de una distribución normal con media cero, y los efectos graficados se encontrarán aproximadamente a lo largo de una línea recta. Aquellos efectos que no caen sobre la línea son factores significativos.

TABLA 13.21  Constantes de contraste para el diseño $2^4$

|  | A | B | AB | C | AC | BC | ABC | D | AD | BD | ABD | CD | ACD | BCD | ABCD |
|---|---|---|---|---|---|---|---|---|---|---|---|---|---|---|---|
| (1) | − | − | + | − | + | + | − | − | + | + | − | + | − | − | + |
| a | + | − | − | − | − | + | + | − | − | + | + | + | + | − | − |
| b | − | + | − | − | + | − | + | − | + | − | + | + | − | + | − |
| ab | + | + | + | − | − | − | − | − | − | − | − | + | + | + | + |
| c | − | − | + | + | − | − | + | − | + | + | − | − | + | + | − |
| ac | + | − | − | + | + | − | − | − | − | + | + | − | − | + | + |
| bc | − | + | − | + | − | + | − | − | + | − | + | − | + | − | + |
| abc | + | + | + | + | + | + | + | − | − | − | − | − | − | − | − |
| d | − | − | + | − | + | + | − | + | − | − | + | − | + | + | − |
| ad | + | − | − | − | − | + | + | + | + | − | − | − | − | + | + |
| bd | − | + | − | − | + | − | + | + | − | + | − | − | + | − | + |
| abd | + | + | + | − | − | − | − | + | + | + | + | − | − | − | − |
| cd | − | − | + | + | − | − | + | + | − | − | + | + | − | − | + |
| acd | + | − | − | + | + | − | − | + | + | − | + | + | + | − | − |
| bcd | − | + | − | + | − | + | − | + | − | + | + | + | − | + | − |
| abcd | + | + | + | + | + | + | + | + | + | + | + | + | + | + | + |

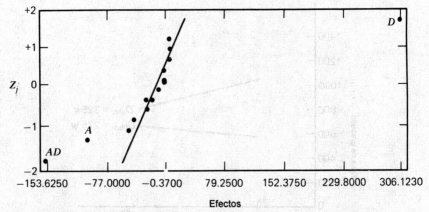

**Figura 13.20** Gráficas de probabilidad normal de los efectos del experimento de grabado con plasma.

La gráfica de probabilidad normal de las estimaciones del efecto a partir del experimento del grabado con plasma se muestra en la figura 13.20. Es claro que los efectos principales de $A$ y $D$ y la interacción $AD$ son significativos, ya que ellos caen lejos de la línea que pasa a través de los otros puntos. El análisis de varianza resumido en la tabla 13.22 confirma estos descubrimientos. Nótese que en el análisis de varianza hemos combinado las interacciones de tres y cuatro factores para formar la media cuadrática del error. Si la gráfica de probabilidad normal hubiera indicado que cualquiera de estas interacciones era importante, ellas no deben incluirse en ese caso en el término del error.

Puesto que $A = -101.625$, el efecto del aumento del entrehierro entre el cátodo y el ánodo es disminuir la tasa de grabado. Sin embargo, $D = 306.125$, de modo

**TABLA 13.22  Análisis de varianza para el experimento de grabado con plasma**

| Fuente de variación | Suma de cuadrados | Grados de libertad | Media cuadrática | $F_0$ |
|---|---|---|---|---|
| $A$ | 41,310.563 | 1 | 41,310.563 | 20.28 |
| $B$ | 10.563 | 1 | 10.563 | < 1 |
| $C$ | 217.563 | 1 | 217.563 | < 1 |
| $D$ | 374,850.063 | 1 | 374,850.063 | 183.99 |
| $AB$ | 248.063 | 1 | 248.063 | < 1 |
| $AC$ | 2,475.063 | 1 | 2,475.063 | 1.21 |
| $AD$ | 94,402.563 | 1 | 99,402.563 | 48.79 |
| $BC$ | 7,700.063 | 1 | 7,700.063 | 3.78 |
| $BD$ | 1.563 | 1 | 1.563 | < 1 |
| $CD$ | 18.063 | 1 | 18.063 | < 1 |
| Error | 10,186.815 | 5 | 2,037.363 | |
| Total | 531,420.938 | 15 | | |

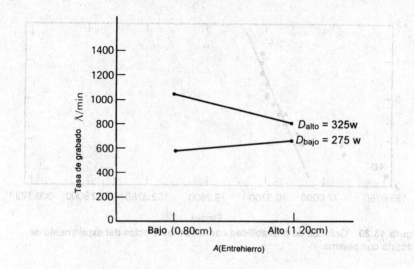

**Figura 13.21**  Interacción *AD* del experimento del grabado con plasma.

que la aplicación de niveles de potencia mas altos incrementará la tasa de grabado. La figura 13.21 es una gráfica de la interacción *AD*. Esta gráfica indica que el efecto de cambiar el ancho del entrehierro en ajustes de potencia bajos es pequeño, pero que al aumentar el entrehierro con ajustes de potencia elevados se reduce en forma considerable la tasa de grabado. Se obtienen tasas de grabado altas con ajustes de potencia altos y anchos de entrehierro estrechos.

Los residuos del experimento pueden obtenerse del modelo de regresión

$$\hat{y} = 776.0625 - \left(\frac{101.625}{2}\right)x_1 + \left(\frac{306.125}{2}\right)x_4 - \left(\frac{153.625}{2}\right)x_1 x_4$$

Por ejemplo, cuando tanto *A* como *D* están en el nivel bajo el valor predicho es

$$\hat{y} = 776.0625 - \left(\frac{101.625}{2}\right)(-1) + \left(\frac{306.125}{2}\right)(-1) - \left(\frac{153.625}{2}\right)(-1)(-1)$$

$$= 597$$

y los cuatro residuos en esta combinación de tratamiento son

$$e_1 = 550 - 597 = -47$$

$$e_2 = 604 - 597 = 7$$

$$e_3 = 638 - 597 = 41$$

$$e_4 = 601 - 597 = 4$$

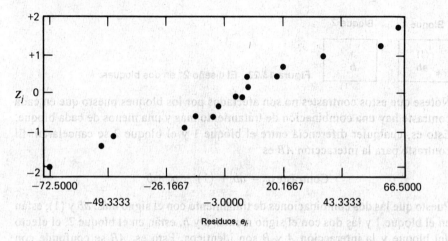

**Figura 13.22** Gráfica de probabilidad normal de los residuos del experimento de grabado con plasma.

Los residuos en las otras tres combinaciones de tratamiento ($A$ alto, $D$ bajo), ($A$ bajo, $D$ alto), y ($A$ alto, $D$ alto) se obtienen de manera similar. Una gráfica de probabilidad normal de los residuos se muestra en la figura 13.22. La gráfica es satisfactoria.

## 13-6 Confusión en el diseño $2^k$

A menudo es imposible ejecutar una réplica completa de un diseño factorial en condiciones experimentales homogéneas. La *confusión* es una técnica de diseño para ejecutar un experimento factorial en bloques, donde el tamaño del bloque es más pequeño que el número de combinaciones de tratamiento en una réplica completa. La técnica ocasiona ciertos efectos de interacción que son indistinguibles de los bloques o que se *confunden* con éstos. Ilustraremos la confusión en el diseño factorial $2^k$ en $2^p$ bloques, donde $p < k$.

Considérese un diseño $2^2$. Supóngase que cada uno de los $2^2 = 4$ combinaciones de tratamiento requiere cuatro horas de análisis de laboratorio. Así, se requieren dos días para efectuar el experimento. Si los días se consideran como bloques, debemos entonces asignar dos de las cuatro combinaciones de tratamiento a cada día.

Considérese el diseño que se muestra en la figura 13.23. Nótese que el bloque 1 contiene las combinaciones de tratamiento (1) y $ab$, y que el bloque 2 contiene $a$ y $b$. Los contrastes para estimar los efectos principales $A$ y $B$ son

$$\text{Contraste}_A = ab + a - b - (1)$$

$$\text{Contraste}_B = ab + b - a - (1)$$

Bloque 1    Bloque 2

| (1) | a |
|-----|---|
| ab  | b |

**Figura 13.23** El diseño $2^2$ en dos bloques.

Nótese que estos contrastes no son afectados por los bloques puesto que en cada contraste hay una combinación de tratamiento más y una menos de cada bloque. Esto es, cualquier diferencia entre el bloque 1 y el bloque 2 se cancelará. El contraste para la interacción $AB$ es

$$\text{Contraste}_{AB} = ab + (1) - a - b$$

Puesto que las dos combinaciones de tratamiento con el signo más, $ab$ y $(1)$, están en el bloque 1 y las dos con el signo menos, $a$ y $b$, están en el bloque 2, el efecto del bloque y la interacción $A$ y $B$ son idénticos. Esto es, $AB$ se confunde con bloques.

La razón de esto es aparente a partir de la tabla de signos más y menos para el diseño $2^2$, mostrado en la tabla 13-13. De esta tabla, vemos que todas las combinaciones de tratamiento que tienen un más en $AB$ se asignan al bloque 1, en tanto que todas las combinaciones de tratamientos que tienen un signo menos en $AB$ se asignan al bloque 2.

Este esquema puede utilizarse para confundir cualquier diseño $2^k$ en dos bloques. Como un segundo ejemplo, considérese un diseño $2^3$, que se ejecuta en dos bloques. Supóngase que deseamos confundir la interacción de tres factores $ABC$ con bloques. De la tabla de signos más y menos, que se muestra en la tabla 13-16, asignamos unas combinaciones de tratamiento que son menos en $ABC$ para el bloque 1 y aquellas que son más en $ABC$ al bloque 2. El diseño resultante se presenta en la figura 13.24.

Hay un método más general para construir los bloques. El método emplea un *contraste definido*, por ejemplo

$$L = \alpha_1 x_1 + \alpha_2 x_2 + \cdots + \alpha_k x_k \qquad (13\text{-}47)$$

donde $x_i$ es el nivel del factor $i$ésimo que aparece en una combinación de tratamiento y $\alpha_i$ es el exponente que aparece sobre el factor $i$ésimo en el efecto que será confundido. Para el sistema $2^k$ tenemos, ya sea $\alpha_i = 0$ ó 1, y $x_i = 0$ (nivel bajo) o $x_i = 1$ (nivel alto). Las combinaciones de tratamiento que producen el mismo valor de $L$ (módulo 2) se situarán en el mismo bloque. Puesto que los

Bloque 1    Bloque 2

| (1) | a   |
|-----|-----|
| ab  | b   |
| ac  | c   |
| bc  | abc |

**Figura 13.24** El diseño $2^3$ en dos bloques, $ABC$ confundido.

únicos valores posibles de $L$ (mod 2) son 0 y 1, esto asignará las combinaciones de tratamiento $2^k$ a exactamente dos bloques.

Como un ejemplo considérese un diseño $2^3$ con $ABC$ confundido con bloques. Aquí $x_1$ corresponde a $A$, $x_2$ a $B$, $x_3$ a $C$ y $\alpha_1 = \alpha_2 = \alpha_3 = 1$. De tal modo, el contraste definido para $ABC$ es

$$L = x_1 + x_2 + x_3$$

Para asignar las combinaciones de tratamiento a los dos bloques, sustituimos las combinaciones de tratamiento en los contrastes definidos como sigue:

$$(1): L = 1(0) + 1(0) + 1(0) = 0 = 0 \text{ (mod 2)}$$
$$a: L = 1(1) + 1(0) + 1(0) = 1 = 1 \text{ (mod 2)}$$
$$b: L = 1(0) + 1(1) + 1(0) = 1 = 1 \text{ (mod 2)}$$
$$ab: L = 1(1) + 1(1) + 1(0) = 2 = 0 \text{ (mod 2)}$$
$$c: L = 1(0) + 1(0) + 1(1) = 1 = 1 \text{ (mod 2)}$$
$$ac: L = 1(1) + 1(0) + 1(1) = 2 = 0 \text{ (mod 2)}$$
$$bc: L = 1(0) + 1(1) + 1(1) = 2 = 0 \text{ (mod 2)}$$
$$abc: L = 1(1) + 1(1) + 1(1) = 3 = 1 \text{ (mod 2)}$$

De tal modo (1), $ab$, $ac$ y $bc$ se ejecutan en el bloque 1, y $a$, $b$, $c$ y $abc$ se ejecutan en el bloque 2. Este es el mismo diseño que se muestra en la figura 13.24.

Un método corto es útil en la construcción de estos diseños. El bloque que contiene la combinación de tratamiento (1) se denomina *bloque principal*. Cualquier elemento [excepto (1)] en el bloque principal puede generarse multiplicando otros dos elementos en el módulo 2 del bloque principal. Por ejemplo, considérese el bloque principal del diseño $2^3$ con $ABC$ confundido, mostrado en la figura 13.24. Nótese que

$$ab \cdot ac = a^2bc = bc$$
$$ab \cdot bc = ab^2c = ac$$
$$ac \cdot bc = abc^2 = ab$$

Las combinaciones de tratamiento en el otro bloque (o bloques) pueden generarse multiplicando un elemento en el nuevo bloque por cada elemento en el módulo 2 del bloque principal. En el diseño $2^3$ con $ABC$ confundido, puesto que el bloque principal es (1), $ab$, $ac$ y $bc$, sabemos que $b$ está en el otro bloque. De tal modo, los elementos de este segundo bloque son

$$b \cdot (1) = b$$
$$b \cdot ab = ab^2 = a$$
$$b \cdot ac = abc$$

TABLA 13.23 **Algoritmo de Yates para el diseño $2^4$ en el ejemplo 13.10**

| Combinación de tratamiento | Respuesta | (1) | (2) | (3) | (4) | Efecto | Suma de cuadrados | Efecto estimado |
|---|---|---|---|---|---|---|---|---|
| (1) | 3 | 10 | 22 | 48 | 111 | Total | — | — |
| a | 7 | 12 | 26 | 63 | 21 | A | 27.5625 | 2.625 |
| b | 5 | 12 | 30 | 4 | 5 | B | 1.5625 | 0.625 |
| ab | 7 | 14 | 33 | 17 | −1 | AB | .0625 | −0.125 |
| c | 6 | 14 | 6 | 4 | 7 | C | 3.0625 | 0.875 |
| ac | 6 | 16 | −2 | 1 | −19 | AC | 22.5625 | −2.375 |
| bc | 8 | 17 | 14 | −4 | −3 | BC | .5625 | −0.375 |
| abc | 6 | 16 | 3 | 3 | −1 | ABC | .0625 | −0.125 |
| d | 4 | 4 | 2 | 4 | 15 | D | 14.0625 | 1.375 |
| ad | 10 | 2 | 2 | 3 | 13 | AD | 10.5625 | 1.625 |
| bd | 4 | 0 | 2 | −8 | −3 | BD | .5625 | −0.375 |
| abd | 12 | −2 | −1 | −11 | 7 | ABD | 3.0625 | 0.875 |
| cd | 8 | 6 | −2 | 0 | −1 | CD | .0625 | −0.125 |
| acd | 9 | 8 | −2 | −3 | −3 | ACD | .5625 | −0.375 |
| bcd | 7 | 1 | 2 | 0 | −3 | BCD | .5625 | −0.375 |
| abcd | 9 | 2 | 1 | −1 | −1 | ABCD | .0625 | −0.125 |

y

$$b \cdot bc = b^2 c = c$$

**Ejemplo 13.10** Se efectúa un experimento para investigar el efecto de cuatro factores respecto a la distancia de pérdida terminal de un misil tierra-aire lanzado desde el hombro. Los cuatro factores son el tipo de blanco ($A$), el tipo de aparato guiador ($B$), la altitud del blanco ($C$) y el alcance al blanco ($D$). Cada factor puede ejecutarse de manera conveniente en dos niveles, y el sistema de rastreo óptico permitirá medir la distancia de pérdida terminal hasta la infantería más cercana. Se utilizan dos artilleros diferentes en la prueba de vuelo y, puesto que puede haber diferencias entre los individuos, se decidió conducir el diseño $2^4$ en dos bloques con $ABCD$ confundido. Por consiguiente, el contraste definido es

$$L = x_1 + x_2 + x_3 + x_4$$

El diseño del experimento y los datos resultantes son

| Bloque 1 | Bloque 2 |
|---|---|
| (1) = 3 | a = 7 |
| ab = 7 | b = 5 |
| ac = 6 | c = 6 |
| bc = 8 | d = 4 |
| ad = 10 | abc = 6 |
| bd = 4 | bcd = 7 |
| cd = 8 | acd = 9 |
| abcd = 9 | abd = 12 |

TABLA 13.24   **Análisis de varianza para el ejemplo 13.10**

| Fuente de variación | Suma de cuadrados | Grados de libertad | Media cuadrática | $F_0$ |
|---|---|---|---|---|
| Blocks ($ABCD$) | .0625 | 1 | .0625 | .06 |
| $A$ | 27.5625 | 1 | 27.5625 | 25.94 |
| $B$ | 1.5625 | 1 | 1.5625 | 1.47 |
| $C$ | 3.0625 | 1 | 3.0625 | 2.88 |
| $D$ | 14.0625 | 1 | 14.0625 | 13.24 |
| $AB$ | .0625 | 1 | .0625 | .06 |
| $AC$ | 22.5625 | 1 | 22.5625 | 21.24 |
| $AD$ | 10.5625 | 1 | 10.5625 | 9.94 |
| $BC$ | .5625 | 1 | .5625 | .53 |
| $BD$ | .5625 | 1 | .5625 | .53 |
| $CD$ | .0625 | 1 | .0625 | .06 |
| Error ($ABC + ABD + ACD + BCD$) | 4.2500 | 4 | 1.0625 | |
| Total | 84.9375 | 15 | | |

El análisis del diseño mediante el algoritmo de Yates se muestra en la tabla 13.23. Una gráfica de probabilidad normal de los efectos revelaría que $A$ (el tipo de blanco), $D$ (el alcance al blanco) y $AD$ tienen grandes efectos. Un análisis de varianza de confirmación, usando interacciones de tres factores como error, se muestra en la tabla 13.24.

Es posible confundir el diseño $2^k$ en cuatro bloques de $2^{k-2}$ observaciones cada uno. Para construir el diseño, se eligen dos efectos para confundir con bloques y obtener sus contrastes de definición. Un tercer efecto, la interacción generalizada de los dos elegidos inicialmente, también se confunde con bloques. La interacción generalizada de los dos efectos se encuentra multiplicando sus columnas respectivas.

Por ejemplo, considérese los diseños $2^4$ en cuatro bloques. Si $AC$ y $BD$ se confunden con bloques, su interacción generalizada es $(AC)(BD) + ABCD$. El diseño se construye empleando los contrastes de definición para $AC$ y $BD$:

$$L_1 = x_1 + x_3$$
$$L_2 = x_3 + x_4$$

Es fácil verificar que los cuatro bloques son

| Bloque 1 $L_1 = 0, L_2 = 0$ | Bloque 2 $L_1 = 1, L_2 = 0$ | Bloque 3 $L_1 = 0, L_2 = 1$ | Bloque 4 $L_1 = 1, L_2 = 1$ |
|---|---|---|---|
| (1) | $a$ | $b$ | $ab$ |
| $ac$ | $c$ | $abc$ | $bc$ |
| $bd$ | $abd$ | $d$ | $ad$ |
| $abcd$ | $bcd$ | $acd$ | $cd$ |

TABLA 13.25  **Signos más y menos para el diseño factorial $2^3$**

| Combinación | Efecto factorial | | | | | | | |
|:-----------:|:---:|:---:|:---:|:---:|:---:|:---:|:---:|:---:|
| de tratamiento | $I$ | $A$ | $B$ | $C$ | $AB$ | $AC$ | $BC$ | $ABC$ |
| $a$ | + | + | − | − | − | − | + | + |
| $b$ | + | − | + | − | − | + | − | + |
| $c$ | + | − | − | + | + | − | − | + |
| $abc$ | + | + | + | + | + | + | + | + |
| $ab$ | + | + | + | − | + | − | − | − |
| $ac$ | + | + | − | + | − | + | − | − |
| $bc$ | + | − | + | + | − | − | + | − |
| $(1)$ | + | − | − | − | + | + | + | − |

Este procedimiento general puede extenderse para confundir el diseño $2^k$ en $2^p$ bloques, donde $p < k$. Se seleccionan $p$ efectos que van a confundirse, de manera tal que ningún efecto elegido es una interacción generalizada de los otros. Los bloques pueden construirse a partir de los contrastes de definición $L_1$, $L_2$, $L_p$ ..., asociados con estos efectos. Además, exactamente $2^p - p - 1$ otros efectos son confundidos con bloques, siendo éstos la interacción generalizada de los $p$ efectos originales elegidos. Debe tenerse cuidado de manera que no se confundan efectos de potencial interés.

Para mayor información acerca de la confusión refiérase a Montgomery (1984, capítulo 10). Este libro contiene guías para seleccionar factores que se confunden con bloques de modo que no se confundan los efectos principales y las interacciones de orden menor. En particular, el libro contiene una tabla de los esquemas de confusión sugeridos con diseños hasta siete factores y una gama de tamaños de bloque, algunos tan pequeños como dos ejecuciones.

## 13-7  Réplica fraccional del diseño $2^k$

Cuando el número de factores en un diseño $2^k$ aumenta, el número de ejecuciones que se requieren aumenta rápidamente. Por ejemplo, un diseño $2^5$ requiere 32 ejecuciones. En este diseño, sólo cinco grados de libertad corresponden a los efectos principales y 10 grados de libertad corresponden a interacciones de dos factores. Si podemos suponer que ciertas interacciones de alto orden son despreciables, entonces puede usarse un diseño factorial fraccionario que involucra un número menor que el conjunto completo de $2^k$ ejecuciones para obtener información acerca de los efectos principales en las interacciones de orden menor. En esta sección, presentaremos la réplica fraccional del diseño $2^k$. Para un tratamiento más completo, véase Montgomery (1984, capítulo 11).

### 13-7.1 Fracción media del diseño $2^k$

Una fracción media del diseño $2^k$ contiene $2^{k-1}$ ejecuciones y suele llamarse diseño factorial fraccionario $2^{k-1}$. Como ejemplo, considérese el diseño $2^{3-1}$; esto es, una fracción media del diseño $2^3$. La tabla de signos más y menos para el diseño $2^3$ se muestra en la tabla 13-25. Supóngase que seleccionamos cuatro combinaciones de tratamientos $a$, $b$, $c$ y $abc$ como nuestra media fracción. Estas combinaciones de tratamientos se muestran en la mitad superior de la tabla 13-25. Usaremos tanto la notación convencional ($a$, $b$, $c$, . . .) y la notación de más y menos para las combinaciones de tratamiento. La equivalencia entre las dos notaciones es como sigue:

| Notación 1 | Notación 2 |
|:---:|:---:|
| $a$ | $+ - -$ |
| $b$ | $- + -$ |
| $c$ | $- - +$ |
| $abc$ | $+ + +$ |

Nótese que el diseño $2^{3-1}$ se forma seleccionando sólo aquellas combinaciones de tratamientos que producen un más en el efecto $ABC$. De tal modo $ABC$ se llama el *generador* de esta fracción particular. Además, el elemento identidad $I$ también es más para las cuatro ejecuciones, así que llamamos

$$I = ABC$$

la relación de definición para el diseño.

Las combinaciones de tratamiento en los diseños $2^{3-1}$ producen tres grados de libertad asociados con los efectos principales. De la tabla 13-25, obtenemos las estimaciones de los efectos principales como

$$A = \tfrac{1}{2}[a - b - c + abc]$$

$$B = \tfrac{1}{2}[-a + b - c + abc]$$

$$C = \tfrac{1}{2}[-a - b + c + abc]$$

También es fácil verificar que las estimaciones de las interacciones de dos factores son

$$BC = \tfrac{1}{2}[a - b - c + abc]$$

$$AC = \tfrac{1}{2}[-a + b - c + abc]$$

$$AB = \tfrac{1}{2}[-a - b + c + abc]$$

En consecuencia, la combinación lineal de observaciones en la columna $A$, por ejemplo $\ell_A$, estima $A + BC$. De manera similar, $\ell_B$ estima $B + AC$, y $\ell_C$ estima $C + AB$. Dos o más efectos que tienen esta propiedad se llaman *seudónimos*. En nuestro diseño $2^{3-1}$, $A$ y $BC$ son seudónimos, $B$ y $AC$ son seudónimos, y $C$ y $AB$ también lo son. La generación de seudónimos es el resultado directo de la réplica fraccional. En muchas situaciones prácticas, será posible seleccionar la fracción de manera que los efectos principales y las interacciones de orden menor de interés serán seudónimos con interacciones de orden mayor (las cuales es probable que sean despreciables).

La estructura de seudónimo para este diseño se determina usando la relación de definición $I = ABC$. La multiplicación de cualquier efecto por la relación de definición produce los seudónimos para ese efecto. En nuestro ejemplo, el seudónimo de $A$

$$A = A \cdot ABC = A^2BC = BC$$

puesto que $A \cdot I = A$ y $A^2 = I$. Los seudónimos de $B$ y $C$ son

$$B = B \cdot ABC = AB^2C = AC$$

y

$$C = C \cdot ABC = ABC^2 = AB$$

Supóngase ahora que hubiéramos elegido la otra fracción media; esto es, las combinaciones de tratamiento en la tabla 13.25 asociadas con menos en $ABC$. La relación de definición para este diseño es $I = -ABC$. Los seudónimos son $A = -BC$, $B = -AC$, y $C = -AB$. Así que las estimaciones de $A$, $B$ y $C$ con esta fracción, en realidad estiman $A - BC$, $B - AC$ y $C - AB$. En la práctica, suele no importar cuál fracción media seleccionamos. La fracción con el signo más en la relación de definición suele llamarse la *fracción principal*, y la otra fracción con frecuencia se denomina *fracción alternativa*.

Algunas veces utilizamos *secuencias* de diseños factoriales fraccionarios para estimar efectos. Por ejemplo, supóngase que hemos ejecutado la fracción principal del diseño $2^{3-1}$. De este diseño tenemos las siguientes estimaciones de efecto:

$$\ell_A = A + BC$$

$$\ell_B = B + AC$$

$$\ell_C = C + AB$$

Supóngase que estamos dispuestos a asumir en este punto que las interacciones de dos factores son despreciables. Si lo son, entonces el diseño $2^{3-1}$ ha producido estimaciones de los tres efectos principales, $A$, $B$ y $C$. Sin embargo, si después de ejecutar la fracción principal dudamos de las interacciones, es posible estimarlas ejecutando la fracción *alternativa*. La fracción alternativa produce las siguientes estimaciones del efecto:

$$\ell_A' = A - BC$$

$$\ell_B' = B - AC$$

$$\ell_C' = C - AC$$

Si combinamos las estimaciones de las dos fracciones, obtenemos lo siguiente:

| Efecto, $i$ | de $\frac{1}{2}(\ell_i + \ell_i')$ | de $\frac{1}{2}(\ell_i - \ell_i')$ |
|---|---|---|
| $i = A$ | $\frac{1}{2}(A + BC + A - BC) = A$ | $\frac{1}{2}[A + BC - (A - BC)] = BC$ |
| $i = B$ | $\frac{1}{2}(B + AC + B - AC) = B$ | $\frac{1}{2}[B + AC - (B - AC)] = AC$ |
| $i = C$ | $\frac{1}{2}(C + AB + C - AB) = C$ | $\frac{1}{2}[C + AB - (C - AB)] = AB$ |

De modo que combinando una secuencia de dos diseños factoriales fraccionarios podemos aislar tanto los efectos principales como las interacciones de dos factores. Esta propiedad hace que el diseño factorial fraccionario sea muy útil en los problemas experimentales cuando podemos ejecutar secuencias de pequeños experimentos eficientes, combinar información a través de varios experimentos y aprovechar el aprendizaje en torno al proceso con el que estamos experimentando conforme se avanza.

Un diseño $2^{k-1}$ puede construirse escribiendo las combinaciones de tratamiento para un factorial completo con $k - 1$ factores y agregando después el factor *k*ésimo identificando sus niveles más y menos con los signos más y menos de la interacción de más alto orden $+ABC \ldots (K - 1)$. En consecuencia, se obtiene un factorial fraccionario $2^{3-1}$, escribiendo el factorial $2^2$ completo e igualando después el factor $C$ con la interacción $+AB$. De tal modo, para obtener la fracción principal, utilizaríamos $C = +AB$ de la manera siguiente:

| $2^2$ completo | | $2^{3-1}$, $I = +ABC$ | | |
|---|---|---|---|---|
| $A$ | $B$ | $A$ | $B$ | $C = AB$ |
| $-$ | $-$ | $-$ | $-$ | $+$ |
| $+$ | $-$ | $+$ | $-$ | $-$ |
| $-$ | $+$ | $-$ | $+$ | $-$ |
| $+$ | $+$ | $+$ | $+$ | $+$ |

Para obtener la fracción alternativa igualaríamos la última columna a $C = -AB$.

**Ejemplo 13.11** Para ilustrar el empleo de una fracción media, considérese el experimento del grabado con plasma descrito en el ejemplo 13.9. Supóngase que decidimos utilizar un diseño $2^{4-1}$ con $I = ABCD$ para investigar los cuatro factores entrehierro ($A$), presión ($B$), tasa de flujo de $C_2F_6$ ($C$) y el ajuste de potencia ($D$). Este diseño se construirá escribiendo un $2^3$ en los factores $A$, $B$ y $C$ y fijando luego $D = ABC$. El diseño y las tasas de grabado resultantes se muestran en la tabla 13.26.

En este diseño, los efectos principales se hacen seudónimos con las interacciones de tres factores; nótese que el seudónimo de $A$ es

$$A \cdot I = A \cdot ABCD$$
$$A = A^2BCD$$
$$A = BCD$$

y de modo similar

$$B = ACD$$
$$C = ABD$$
$$D = ABC$$

Las interacciones de dos factores son seudónimos con cada una de las otras. Por ejemplo, el seudónimo de $AB$ es $CD$:

$$AB \cdot I = AB \cdot ABCD$$
$$AB = A^2B^2CD$$
$$AB = CD$$

Los otros seudónimos son

$$AC = BD$$
$$AD = BC$$

Las estimaciones de los efectos principales y sus seudónimos se encuentran utilizando las cuatro columnas de signos en la tabla 13.26. Por ejemplo, de la columna $A$ obtenemos

**TABLA 13.26  El diseño $2^{4-1}$ con relación de definición $I = ABCD$**

| $A$ | $B$ | $C$ | $D = ABC$ | Fuente de variación | Tasa de grabado |
|-----|-----|-----|-----------|---------------------|-----------------|
| −   | −   | −   | −         | (1)                 | 550             |
| +   | −   | −   | +         | $ad$                | 749             |
| −   | +   | −   | +         | $bd$                | 1052            |
| +   | +   | −   | −         | $ab$                | 650             |
| −   | −   | +   | +         | $cd$                | 1075            |
| +   | −   | +   | −         | $ac$                | 642             |
| −   | +   | +   | −         | $bc$                | 601             |
| +   | +   | +   | +         | $abcd$              | 729             |

$$\ell_A = A + BCD = \tfrac{1}{4}(-550 + 749 - 1052 + 650 - 1075 + 642 - 601 + 729)$$
$$= -127.00$$

Las otras columnas producen

$$\ell_B = B + ACD = 4.00$$
$$\ell_C = C + ABD = 11.50$$

y

$$\ell_D = D + ABC = 290.51$$

Es claro que $\ell_A$ y $\ell_B$ son grandes, y si creemos que las interacciones de tres factores son despreciables, entonces los efectos principales $A$(entrehierro) y $D$(ajuste de potencia) afectan de manera significativa la tasa de grabado.

Las interacciones se estiman formando las columnas $AB$, $AC$ y $AD$ y agregándolas a la tabla. Los signos en la columna $AB$ son +, –, –, +, + –, –, +, y esta columna produce la estimación

$$\ell_{AB} = AB + CD = \tfrac{1}{4}(550 - 749 - 1052 + 650 + 1075 - 642 - 601 + 729)$$
$$= -10.00$$

De las columnas $AC$ y $AD$ encontramos

$$\ell_{AC} = AC + BD = -25.50$$
$$\ell_{AD} = AD + BC = -197.50$$

La estimación $\ell_{AD}$ es grande; la interpretación más directa de los resultados es que ésta es la interacción $AD$. Por consiguiente, los resultados obtenidos del diseño $2^{4-1}$ concuerdan con los resultados del factorial completo en el ejemplo 13.9.

**Gráfica de probabilidad normal y residuos**   La gráfica de probabilidad normal es muy útil en la evaluación de la significación de los efectos de un factorial fraccionario. Esto es particularmente cierto cuando hay muchos efectos por estimar. Los residuos pueden obtenerse a partir de un factorial fraccionario mediante el método del modelo de regresión que se mostró antes. Estos residuos deben graficarse contra los valores predichos, contra los niveles de los factores, y sobre papel de probabilidad normal como hemos estudiado antes, para evaluar las suposiciones del modelo básico y para obtener mayor conocimiento de la situación experimental.

**Proyección del diseño $2^{k-1}$**   Si uno o más factores de una fracción media de un $2^k$ pueden eliminarse, el diseño se proyectará en un diseño factorial completo.

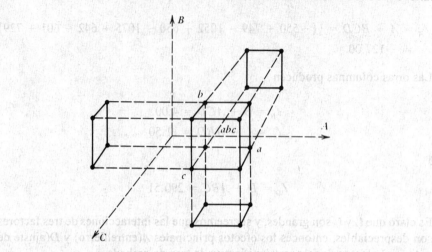

**Figura 13.25**  Proyección de $2^{3-1}$ en tres diseños $2^3$.

Por ejemplo, la figura 13.25 presenta un diseño $2^{3-1}$. Adviértase que este diseño se proyectará en un factorial completo en cualesquiera dos de los tres factores originales. En consecuencia, si pensamos que a lo más dos de los tres factores son importantes, el diseño $2^{3-1}$ es excelente para identificar los factores significativos. Algunas veces llamamos *experimentos de eliminación* a los que sirven para identificar a relativamente pocos factores significativos de un gran número de factores. Esta propiedad de proyección es sumamente útil en la eliminación de factores ya que permite eliminar factores despreciables, lo que resulta en un experimento más consistente en los factores activos que quedan.

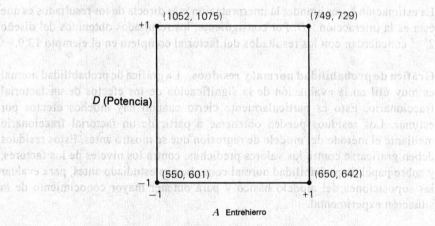

**Figura 13.26**  El diseño $2^2$ obtenido eliminando los factores $B$ y $C$ del experimento de grabado con plasma.

En el diseño $2^{4-1}$ empleado en el experimento del grabado con plasma en el ejemplo 13.11, encontramos que dos de los cuatro factores ($B$ y $C$) podrían descartarse. Si eliminamos estos dos factores, las columnas restantes en la tabla 13-26 forman un diseño $2^2$ en los factores $A$ y $D$, con dos réplicas. Este diseño se muestra en la figura 13.26.

**Resolución del diseño**   El concepto de resolución del diseño es una manera útil para catalogar diseños factoriales fraccionarios de acuerdo con los patrones de seudónimo que ellos producen. Los diseños de resolución III, IV y V son particularmente importantes. Las definiciones de estos términos y un ejemplo de cada uno de ellos se encuentran a continuación.

1. *Diseños de resolución III.* Estos son diseños en los cuales ningún efecto principal se hace seudónimo con cualquier otro efecto principal, pero los efectos principales se hacen seudónimos con interacciones de dos factores y la interacción de dos factores pueden hacerse seudónimos entre sí. El diseño $2^{3-1}$ con $I = ABC$ es de resolución III. Solemos emplear un subíndice de número romano para indicar la resolución del diseño; de tal modo esta fracción media es un diseño $2^{3-1}_{III}$.

2. *Diseño de resolución IV.* Estos son diseños en los cuales ningún efecto principal es seudónimo con cualquier otro efecto principal o interacción de dos factores, pero las interacciones de dos factores se hacen seudónimo entre sí. El diseño $2^{4-1}$ con $I = ABCD$ empleado en el ejemplo 13.11 es de resolución IV ($2^{4-1}_{IV}$).

3. *Diseños de resolución V.* Estos son diseños en los cuales ningún efecto principal o interacción de dos factores se hacen seudónimo con cualquier otro efecto principal o interacción de dos factores, pero las interacciones de dos factores se hacen seudónimo con interacciones de tres factores. Un diseño $2^{5-1}$ con $I = ABCDE$ es de resolución V ($2^{5-1}_{V}$).

Los diseños de resolución III y IV son particularmente útiles en los experimentos de eliminación de factores. El diseño de resolución IV brinda muy buena información acerca de los efectos principales y proporcionará cierta información acerca de las interacciones de dos factores.

## 13-7.2   Fracciones menores: El factorial fraccionario $2^{k-p}$

Aunque el diseño $2^{k-1}$ es valioso en la reducción del número de ejecuciones que se requieren para un experimento, encontramos con frecuencia que las fracciones más pequeñas brindarán información casi tan útil incluso con mayor economía. En general, un diseño $2^k$ puede ejecutarse en una fracción $1/2^p$ llamada diseño factorial fraccional $2^{k-p}$. Por consiguiente, una fracción 1/4 se denomina diseño factorial fraccionario $2^{k-2}$, una fracción 1/8 se llama diseño $2^{k-3}$, una fracción 1/16 recibe el nombre de diseño $2^{k-4}$, etcétera.

Para ilustrar una fracción 1/4, considérese un experimento con seis factores y supóngase que el ingeniero está interesado principalmente en efectos principales pero también le gustaría obtener alguna información acerca de las interacciones de dos factores. Un diseño $2^{6-1}$ requeriría 32 ejecuciones y tendría 31 grados de libertad para la estimación de los efectos. Puesto que sólo hay 6 efectos principales y 15 interacciones de dos factores, la fracción media es ineficiente —requiere demasiadas ejecuciones. Supóngase que consideramos una fracción de 1/4, o un diseño $2^{6-2}$. Este diseño contiene 16 ejecuciones y, con 15 grados de libertad, permitirá la estimación de la totalidad de los 6 efectos principales con cierta capacidad para el examen de las interacciones de dos factores. Para generar este diseño escribiríamos en forma completa un diseño $2^4$ en los factores $A$, $B$, $C$ y $D$, y luego agregaríamos dos columnas para $E$ y $F$. Para encontrar las nuevas columnas seleccionaríamos los dos *generadores de diseño* $I = ABCE$ e $I = ACDF$. Así, la columna $E$ se encontraría a partir de $E = ABC$ y la columna $F$ sería $F = ACD$. De tal manera la columna $ABCE$ y la $ACDF$ son iguales a la columna identidad. Sin embargo, sabemos que el producto de cualesquiera dos columnas en la tabla de signos más y menos para un $2^k$ es justamente otra columna en la tabla; en consecuencia, el producto de $ABCE$ y $ACDF$ o $ABCE(ACDF) = A^2BC^2DEF = BDEF$ es también una columna identidad. Por consiguiente, la *relación de definición completa* para el diseño $2^{6-2}$ es

$$I = ABCE = ACDF = BDEF$$

Para encontrar el seudónimo de cualquier efecto, simplemente se multiplica el efecto por cada *palabra* en la relación de definición anterior. La estructura de seudónimo completa se muestra aquí.

$$
\begin{aligned}
A &= BCE = CDF = ABDEF \\
B &= ACE = DEF = ABCDF \\
C &= ABE = ADF = BCDEF \\
D &= ACF = BEF = ABCDE \\
E &= ABC = BDF = ACDEF \\
F &= ACD = BDE = ABCEF \\
AB &= CE = BCDF = ADEF \\
AC &= BE = DF = ABCDEF \\
AD &= CF = BCDE = ABEF \\
AE &= BC = CDEF = ABDF \\
AF &= CD = BCEF = ABDE \\
BD &= EF = ACDE = ABCF \\
BF &= DE = ABCD = ACEF \\
ABF &= CEF = BCD = ADE \\
CDE &= ABD = AEF = CBF
\end{aligned}
$$

Obsérvese que ese es un diseño de resolución IV; los efectos principales se hacen seudónimo con interacciones de tres o más factores, y las interacciones de dos factores lo hacen entre sí. El diseño proporcionaría muy buena información respecto a los efectos principales y brindaría alguna idea acerca de la intensidad de las interacciones de dos factores. La construcción del diseño se muestra en la tabla 13.27.

Los mismos principios pueden aplicarse para obtener fracciones aun más pequeñas. Supóngase que deseamos investigar siete factores en 16 ejecuciones. Éste es un diseño $2^{7-3}$ (una fracción 1/8). Este diseño se construye escribiendo en forma completa un diseño $2^4$ en los factores $A$, $B$ $C$ y $D$ y añadiendo después tres nuevas columnas. Son elecciones razonables para los tres generadores requeridos $I = ABCE$, $I = BCDF$ e $I = ACDG$. Por tanto, las nuevas columnas se forman fijando $E = ABC$, $F = BCD$ y $G = ACD$. La relación de definición completa se encuentra multiplicando los generadores juntos, dos a la vez, y después tres a la vez, lo que da como resultado

$$I = ABCE = BCDF = ACDG = ADEF = BDEG = ABFG = CEFG$$

Nótese que cualquier efecto principal en este diseño será seudónimo con tres factores e interacciones más altas y que las interacciones de dos factores serán seudónimos entre sí. De tal modo éste es un diseño de resolución IV.

Para siete factores, podemos reducir aún más el número de ejecuciones. El diseño $2^{7-4}$ es un experimento de ocho ejecuciones que acomoda siete variables.

**TABLA 13.27 Construcción del diseño $2^{6-2}$ con generadores $I = ABCE$ e $I = ACDF$**

| $A$ | $B$ | $C$ | $D$ | $E = ABC$ | $F = ACD$ | |
|---|---|---|---|---|---|---|
| − | − | − | − | − | − | (1) |
| + | − | − | − | + | + | aef |
| − | + | − | − | + | − | be |
| + | + | − | − | − | + | abf |
| − | − | + | − | + | + | cef |
| + | − | + | − | − | − | ac |
| − | + | + | − | − | + | bcf |
| + | + | + | − | + | − | abce |
| − | − | − | + | − | + | df |
| + | − | − | + | + | − | ade |
| − | + | − | + | + | + | bdef |
| + | + | − | + | − | − | abd |
| − | − | + | + | + | − | cde |
| + | − | + | + | − | + | acdf |
| − | + | + | + | − | − | bcd |
| + | + | + | + | + | + | abcdef |

**TABLA 13.28   Diseño factorial fraccionario $2_{III}^{7-4}$**

| A | B | C | D( = AB) | E( = AC) | F( = BC) | G( = ABC) |
|---|---|---|---|---|---|---|
| − | − | − | + | + | + | − |
| + | − | − | − | − | + | + |
| − | + | − | − | + | − | + |
| + | + | − | + | − | − | − |
| − | − | + | + | − | − | + |
| + | − | + | − | + | − | − |
| − | + | + | − | − | + | − |
| + | + | + | + | + | + | + |

Ésta es una fracción 1/16 y se obtiene escribiendo primero en forma completa un diseño $2^3$ en los factores $A, B$ y $C$, y formando después las cuatro nuevas columnas a partir de $I = ABD$, $I = ACE$, $I = BCF$ e $I = ABCG$. El diseño se muestra en la tabla 13.28.

La relación de definición completa se encuentra multiplicando los generadores de dos en dos, tres en tres y finalmente de cuatro en cuatro, produciendo

$$I = ABD = ACE = BCF = ABCG = BCDE = ACDF = CDG = ABEF$$
$$= BEG = AFG = DEF = ADEG = CEFG = BDFG = ABCDEFG$$

El seudónimo de cualquier efecto principal se encuentra multiplicando ese efecto por cada término en la relación de definición. Por ejemplo, el seudónimo de $A$ es

$$A = BD = CE = ABCF = BCG = ABCDE = CDF = ACDG$$
$$= BEF = ABEG = FG = ADEF = DEG = ACEFG = ABDFG$$
$$= BCDEFG$$

Este diseño es de resolución III, puesto que el efecto principal se hace seudónimo con interacciones de dos factores. Si suponemos que la totalidad de las interacciones de tres y más factores son despreciables, los seudónimos de los siete efectos principales son

$$\ell_A = A + BD + CE + FG$$
$$\ell_B = B + AD + CF + FG$$
$$\ell_C = C + AE + BF + DG$$
$$\ell_D = D + AB + CG + EF$$
$$\ell_E = E + AC + BG + DF$$
$$\ell_F = F + BC + AG + DE$$
$$\ell_G = G + CD + BE + AF$$

Este diseño $2_{\text{III}}^{7-4}$ se llama un factorial fraccionario *saturado*, debido a que se utilizan todos los grados de libertad disponibles para estimar los efectos principales. Es posible combinar secuencias de estos factoriales fraccionarios de resolución III para separar los efectos principales de las interacciones de dos factores. El procedimiento se ilustra en Montgomery (1984, capítulo 11).

Al construir un diseño factorial es importante seleccionar el mejor conjunto de generadores de diseño. Montgomery (1984, capítulo 11) presenta una tabla de generadores de diseño óptimos para diseños $2^{k-p}$ con hasta 10 factores. Los generadores en esta tabla producirán diseños de resolución máxima para cualquier combinación especificada de $k$ y $p$. Para más de 10 factores, se recomienda un diseño de resolución III. Estos diseños pueden construirse con el mismo método empleado antes para el diseño $2_{\text{III}}^{7-4}$. Por ejemplo, para investigar hasta 15 factores en 16 ejecuciones, escríbase en forma completa un diseño $2^4$ en los factores *A*, *B*, *C* y *D*, y luego genérense 11 nuevas columnas tomando de dos en dos los productos de las cuatro columnas originales, de tres en tres y de cuatro en cuatro. El diseño resultante es un factorial fraccionario $2_{\text{III}}^{15-11}$. Estos diseños, junto con otros factoriales fraccionarios útiles, son analizados por Montgomery (1984, capítulo 11).

## 13-8 Resumen

Este capítulo ha presentado el diseño y análisis de experimentos con varios factores, concentrándose en los diseños factoriales y en los factoriales fraccionarios. Se consideraron modelos fijos, aleatorios y combinados. Las pruebas de $F$ para los efectos y las interacciones principales en estos diseños dependen de si los factores son fijos o aleatorios.

Se trataron también los diseños factoriales $2^k$. Estos son diseños muy útiles en los que los $k$ factores aparecen en dos niveles. Ellos cuentan con un método bastante simplificado de análisis estadístico. En situaciones donde el diseño no puede ejecutarse en condiciones homogéneas, el diseño $2^k$ puede confundirse fácilmente en bloques $2^p$. Esto requiere que ciertas interacciones se confundan con bloques. El diseño $2^k$ tiende también por sí mismo a la réplica fraccionaria, en la cual sólo un subconjunto particular de las combinaciones de tratamiento $2^k$ se ejecutan. En la réplica fraccionaria, cada efecto se hace seudónimo con uno o más de los demás efectos. La idea general es hacer seudónimos los efectos principales y las interacciones de bajo orden con interacciones de orden más alto. Este capítulo analizó los métodos de construcción de diseños factoriales fraccionarios $2^{k-p}$, que es una fracción $1/2^p$ del diseño $2^k$. Estos diseños son en particular útiles en la experimentación industrial.

## 13-9   Ejercicios

**13-1**   En su libro de 1984 (*Design and Analysis of Experiments*, 2a. edición, John Wiley & Sons) D. C. Montgomery presenta los resultados de un experimento que involucra un acumulador utilizado en el mecanismo de lanzamiento de un misil tierra-aire disparado desde el hombro. Pueden emplearse tres tipos de materiales para elaborar las placas de la batería. El objetivo es diseñar una batería que relativamente no es afectada por la temperatura ambiente. La respuesta de salida de la batería es el voltaje máximo. Se eligen tres niveles de temperatura y se ejecuta un experimento factorial con cuatro réplicas. Los datos se muestran a continuación. ¿Qué material de placa recomendaría usted?

| Material | Temperatura (°F) | | | | | |
| --- | --- | --- | --- | --- | --- | --- |
| | Bajo | | Medio | | Alto | |
| 1 | 130 | 155 | 34 | 40 | 20 | 70 |
| | 74 | 180 | 80 | 75 | 82 | 58 |
| 2 | 150 | 188 | 136 | 122 | 25 | 70 |
| | 159 | 126 | 106 | 115 | 58 | 45 |
| 3 | 138 | 110 | 174 | 120 | 96 | 104 |
| | 168 | 160 | 150 | 139 | 82 | 60 |

**13-2**   Un ingeniero sospecha que el acabado superficial de una pieza metálica es afectado por el tipo de pintura utilizado y el tiempo de secado. Selecciona tres tiempos de secado — 20, 25 y 30 minutos— y elige al azar dos tipos de pintura de varios de los que se dispone. El ingeniero realiza un experimento y obtiene los datos que se muestran adelante. Analice los datos y extraiga conclusiones. Estime las componentes de la varianza.

| Pintura | Tiempo de secado (min) | | |
| --- | --- | --- | --- |
| | 20 | 25 | 30 |
| 1 | 74 | 73 | 78 |
| | 64 | 61 | 85 |
| | 50 | 44 | 92 |
| 2 | 92 | 98 | 66 |
| | 86 | 73 | 45 |
| | 68 | 88 | 85 |

**13-3**   Suponga que en el ejercicio 13-2 los tipos de pintura fueron efectos fijos. Calcule una estimación de intervalo del 95 por ciento de la diferencia en las medias entre las respuestas para la pintura tipo 1 y la pintura tipo 2.

**13-4**   Se están estudiando los factores que influyen en la resistencia al rompimiento de tela.

Se eligen al azar cuatro máquinas y tres operadores y se ejecuta un experimento utilizando tela del mismo pedazo de una yarda. Los resultados son los siguientes:

| | Máquina | | | |
|---|---|---|---|---|
| Operador | 1 | 2 | 3 | 4 |
| A | 109 | 110 | 108 | 110 |
| | 110 | 115 | 109 | 116 |
| B | 111 | 110 | 111 | 114 |
| | 112 | 111 | 109 | 112 |
| C | 109 | 112 | 114 | 111 |
| | 111 | 115 | 109 | 112 |

Pruebe la interacción y los efectos principales en el nivel del 5 por ciento. Estime las componentes de la varianza.

**13-5** Suponga que en el ejercicio 13-4 los operadores se eligieron al azar, pero que sólo había cuatro máquinas disponibles para la prueba. ¿Afecta esto el análisis de nuestras conclusiones?

**13-6** Una compañía emplea a dos ingenieros para estudios de tiempos. Su supervisora desea determinar si los estándares fijados por ellos son afectados por alguna interacción entre los ingenieros y los operadores. La supervisora selecciona tres operadoras al azar y efectúa un experimento en el que los ingenieros fijan los tiempos para un mismo trabajo. Ella obtiene los datos que se muestran aquí. Analice los datos y extraiga conclusiones.

| | Operador | | |
|---|---|---|---|
| Ingeniero | 1 | 2 | 3 |
| 1 | 2.59 | 2.38 | 2.40 |
| | 2.78 | 2.49 | 2.72 |
| 2 | 2.15 | 2.85 | 2.66 |
| | 2.86 | 2.72 | 2.87 |

**13-7** Un artículo en *Industrial Quality Control* (1956, pp. 5-8) describe un experimento para investigar el efecto de dos factores (tipo de vidrio y tipo de fósforo) en la brillantez de un tubo de televisión. La variable de respuesta medida es la corriente necesaria (en microamperes) para obtener un nivel de brillantez especificado. Los datos se muestran a continuación. Analice los datos y extraiga conclusiones, suponiendo que ambos factores son fijos.

| Tipo de vidrio | Tipo de fósforo | | |
|---|---|---|---|
| | 1 | 2 | 3 |
| 1 | 280 | 300 | 290 |
| | 290 | 310 | 285 |
| | 285 | 295 | 290 |
| 2 | 230 | 260 | 220 |
| | 235 | 240 | 225 |
| | 240 | 235 | 230 |

**13-8** Considere los datos de voltaje de la batería en el ejercicio 13-1. Grafique los residuos de este experimento contra los niveles de temperatura y contra los tipos de material. Comente respecto a las gráficas obtenidas. ¿Cuáles son las posibles consecuencias de la información comunicada por las gráficas de los residuos?

**13-9** Se están investigando los efectos sobre la resistencia de papel del porcentaje de concentración de madera dura en la pulpa cruda, la limpieza, y el tiempo de código de la pulpa. Analice los datos que se muestran en la siguiente tabla, suponiendo que los tres factores son fijos.

| Porcentaje de concentración de madera dura | Tiempo de cocido de 1.5 horas | | | Tiempo de cocido de 2.0 horas | | |
|---|---|---|---|---|---|---|
| | Limpieza | | | Limpieza | | |
| | 400 | 500 | 650 | 400 | 500 | 650 |
| 10 | 96.6 | 97.7 | 99.4 | 98.4 | 99.6 | 100.6 |
| | 96.0 | 96.0 | 99.8 | 98.6 | 100.4 | 100.9 |
| 15 | 98.5 | 96.0 | 98.4 | 97.5 | 98.7 | 99.6 |
| | 97.2 | 96.9 | 97.6 | 98.1 | 98.0 | 99.0 |
| 20 | 97.5 | 95.6 | 97.4 | 97.6 | 97.0 | 98.5 |
| | 96.6 | 96.2 | 98.1 | 98.4 | 97.8 | 99.8 |

**13-10** Un ingeniero está interesado en el efecto de la velocidad de corte ($A$), la dureza del metal ($B$) y el ángulo de corte ($C$) en la vida de servicio de una herramienta de corte. Se eligen dos niveles de cada factor, y se ejecutan dos réplicas de un diseño factorial $2^3$. Los datos de la vida de servicio de la herramienta (en horas) se muestran en las siguientes tablas. Analice los datos de este experimento.

| Combinación de tratamiento | Replica | |
|---|---|---|
| | I | II |
| (1) | 221 | 311 |
| a | 325 | 435 |
| b | 354 | 348 |
| ab | 552 | 472 |
| c | 440 | 453 |
| ac | 406 | 377 |
| bc | 605 | 500 |
| abc | 392 | 419 |

**13-11** Para el experimento de la vida de servicio de la herramienta en el ejercicio 13-10, obtenga los residuos y grafíquelos en papel de probabilidad normal. Grafique también los residuos contra los valores predichos. Comente respecto a estas gráficas.

**13-12** Se piensa que cuatro factores posiblemente afecten el sabor de un refresco: el tipo de saborizante ($A$), la proporción entre el jarabe y el agua ($B$), el nivel de carbonatación ($C$) y la temperatura ($D$). Cada factor puede ejecutarse en dos niveles, produciendo un diseño $2^4$. En cada ejecución en el diseño, se dan muestras de la bebida a un grupo de prueba compuesto de 20 personas. Cada una de ellas asigna una calificación de uno a 10 al refresco. La calificación total es la variable de respuesta, y el objetivo es encontrar una formulación que maximice la calificación total. Se ejecutan dos réplicas de este diseño, y los resultados se presentan aquí. Analice los datos y extraiga conclusiones.

| Combinación de tratamiento | Réplica | | Combinación de tratamiento | Réplica | |
|---|---|---|---|---|---|
| | I | II | | I | II |
| (1) | 190 | 193 | d | 198 | 195 |
| a | 174 | 178 | ad | 172 | 176 |
| b | 181 | 185 | bd | 187 | 183 |
| ab | 183 | 180 | abd | 185 | 186 |
| c | 177 | 178 | cd | 199 | 190 |
| ac | 181 | 180 | acd | 179 | 175 |
| bc | 188 | 182 | bcd | 187 | 184 |
| abc | 173 | 170 | abcd | 180 | 180 |

**13-13** Considere el experimento en el ejercicio 13-12. Grafique los residuos contra los niveles de los factores $A$, $B$ $C$ y $D$. Además construya una gráfica de probabilidad normal de los residuos. Comente estas gráficas.

**13-14** Encuentre el error estándar de los efectos para el experimento en el ejercicio 13-12. Empleando los errores estándar como guía, ¿cuáles factores parecen ser significativos?

**13-15** Los datos que se muestran aquí representan una sola réplica de un diseño $2^5$ que se emplea en un experimento para estudiar la resistencia compresiva de concreto. Los factores son mezcla ($A$), tiempo ($B$), laboratorio ($C$), temperatura ($D$) y tiempo de secado ($E$). Analice los datos, suponiendo que las interacciones de tres o más factores son despreciables. Utilice una gráfica de probabilidad normal para pasar a estos efectos.

$$(1) = 700 \qquad d = 1000 \qquad e = 800 \qquad de = 1900$$
$$a = 900 \qquad ad = 1100 \qquad ae = 1200 \qquad ade = 1500$$
$$b = 3400 \qquad bd = 3000 \qquad be = 3500 \qquad bde = 4000$$
$$ab = 5500 \qquad abd = 6100 \qquad abe = 6200 \qquad abde = 6500$$

$$c = 600 \qquad cd = 800 \qquad ce = 600 \qquad cde = 1500$$

$$ac = 1000 \qquad acd = 1100 \qquad ace = 1200 \qquad acde = 2000$$

$$bc = 3000 \qquad bcd = 3300 \qquad bce = 3006 \qquad bcde = 3400$$

$$abc = 5300 \qquad abcd = 6000 \qquad abce = 5500 \qquad abcde = 6300$$

**13-16** Un experimento descrito por M. G. Natrella en el *Handbook of Experimental Statistics* del National Bureau of Standards (Núm. 91, 1963), involucra la prueba con flama de fibras después de aplicar tratamientos de retardo de fuego. Hay cuatro factores: el tipo de fibra ($A$), el tipo de tratamiento de retardante de fuego ($B$), la condición de lavado ($C$ — el nivel bajo es sin lavado, el nivel alto es de un lavado) y el método con que se efectúa la prueba por flama ($D$). Todos los factores se ejecutan en dos niveles, y la variable de respuesta es la cantidad de pulgadas de fibra que se queman en una muestra de prueba de tamaño estándar. Los datos son:

$$(1) = 42 \qquad a = 40$$
$$a = 31 \qquad ad = 30$$
$$b = 45 \qquad bd = 50$$
$$ab = 29 \qquad abd = 25$$
$$c = 39 \qquad cd = 40$$
$$ac = 28 \qquad acd = 25$$
$$bc = 46 \qquad bcd = 50$$
$$abc = 32 \qquad abcd = 23$$

a)   Estime los efectos y prepare una gráfica de probabilidad normal de los mismos.

b)   Construya una gráfica de probabilidad normal de los residuos y comente respecto a los resultados.

c)   Construya una tabla de análisis de varianza suponiendo que son despreciables las interacciones de tres y cuatro factores.

**13-17** Considere los datos de la primera réplica del ejercicio 13-10. Suponga que no todas estas observaciones podrían ejecutarse en las mismas condiciones. Establezca un diseño para ejecutar estas observaciones en dos bloques de cuatro observaciones, cada una con *ABC* confundido. Analice los datos.

**13-18** Considere los datos de la primera réplica del ejercicio 13-12. Construya un diseño con dos bloques de ocho observaciones cada uno, con *ABCD* confundido. Analice los datos.

**13-19** Repita el ejercicio 13-18 suponiendo que se requieren cuatro bloques. Confunda *ABD* y *ABC* (y en consecuencia *CD*) con bloques.

**13-20** Construya un diseño $2^5$ en cuatro bloques. Seleccione los efectos que se van a confundir de manera que se confundan las interacciones más altas posibles con bloques.

**13-21** Un artículo en *Industrial and Engineering Chemistry* ("Factorial Experiments in Pilot Plant Studies", 1951, pp. 1300-1306) informa de un experimento en el que se investiga el efecto de la temperatura ($A$), el gasto de gas ($B$) y la concentración ($C$) en la intensidad de la solución de un producto en una unidad de recirculación. Se emplearon dos bloques con $ABC$ confundido, y el experimento se repitió dos veces. Los datos son los siguientes:

| Réplica 1 | | Réplica 2 | |
|---|---|---|---|
| Bloque 1 | Bloque 2 | Bloque 1 | Bloque 2 |
| (1) = 99 | a = 18 | (1) = 46 | a = 18 |
| ab = 52 | b = 51 | ab = −47 | b = 62 |
| ac = 42 | c = 108 | ac = 22 | c = 104 |
| bc = 95 | abc = 35 | bc = 67 | abc = 36 |

*a)* Analice los datos de este experimento.

*b)* Grafique los residuos en papel de probabilidad normal y contra los valores predichos. Comente las gráficas obtenidas.

*c)* Comente la eficiencia de este diseño. Note que hemos repetido dos veces el experimento, aunque no tenemos información relativa a la interacción $ABC$.

*d)* Sugiera un mejor diseño; específicamente, uno que proporcionaría cierta interacción en *todas* las interacciones.

**13-22** R. D. Snee ("Experimenting with a Large Number of Variables", en *Experiments in Industry: Design, Analysis and Interpretation of Results*, por R. D. Snee, L. B. Hare y J. B. Trout, Editores, ASQC, 1985) describe un experimento en el que se usó un diseño $2^{5-1}$ con $I = ABCDE$ para investigar los efectos de cinco factores en el color de un producto químico. Los factores son $A$ = solvente/reactivo, $B$ = catalizador/reactivo, $C$ = temperatura, $D$ = pureza del reactivo y $E$ = pH del reactivo. Los resultados obtenidos son los siguientes:

$$
\begin{aligned}
e &= -0.63 & a &= 6.79 \\
a &= \phantom{-}2.51 & ade &= 6.47 \\
b &= -2.68 & bde &= 3.45 \\
abe &= \phantom{-}1.66 & abd &= 5.68 \\
c &= \phantom{-}2.06 & cde &= 5.22 \\
ace &= \phantom{-}1.22 & acd &= 4.38 \\
bce &= -2.09 & bcd &= 4.30 \\
abc &= \phantom{-}1.93 & abcde &= 4.05
\end{aligned}
$$

*a)* Elabore una gráfica de probabilidad normal de los efectos. ¿Cuáles factores son activos?

*b)* Calcule los residuos. Construya una gráfica de probabilidad normal de los residuos y grafique éstos contra los valores ajustados. Comente las gráficas.

*c)* Si todos los factores pueden despreciarse, descomponga el diseño $2^{5-1}$ en un factorial completo en los factores activos. Comente el diseño resultante e interprete los resultados.

**13-23** Un artículo en el *Journal of Quality Technology* (Vol. 17, 1985, pp. 198-206) describe el empleo de un factorial fraccionario repetido para investigar el efecto de cinco factores en la altura libre de resortes de hojas utilizados en una aplicación automotriz. Los factores son $A$ = temperatura del horno, $B$ = tiempo de calentamiento, $C$ = tiempo de transferencia, $D$ = tiempo de bombeo y $E$ = tiempo de inmersión en aceite. Los datos se muestran a continuación.

| A | B | C | D | E | | Réplica | |
|---|---|---|---|---|------|------|------|
| − | − | − | − | − | 7.78, | 7.78, | 7.81 |
| + | − | − | + | − | 8.15, | 8.18, | 7.88 |
| − | + | − | + | − | 7.50, | 7.56, | 7.50 |
| + | + | − | − | − | 7.59, | 7.56, | 7.75 |
| − | − | + | + | − | 7.54, | 8.00, | 7.88 |
| + | − | + | − | − | 7.69, | 8.09, | 8.06 |
| − | + | + | − | − | 7.56, | 7.52, | 7.44 |
| + | + | + | + | − | 7.56, | 7.81, | 7.69 |
| − | − | − | − | + | 7.50, | 7.25, | 7.12 |
| + | − | − | + | + | 7.88, | 7.88, | 7.44 |
| − | + | − | + | + | 7.50, | 7.56, | 7.50 |
| + | + | − | − | + | 7.63, | 7.75, | 7.56 |
| − | − | + | + | + | 7.32, | 7.44, | 7.44 |
| + | − | + | − | + | 7.56, | 7.69, | 7.62 |
| − | + | + | − | + | 7.18, | 7.18, | 7.25 |
| + | + | + | + | + | 7.81, | 7.50, | 7.59 |

a) ¿Cuál es el generador para esta fracción? Escriba en forma completa la estructura del seudónimo.

b) Analice los datos. ¿Qué factores afectan la altura libre media?

c) Calcule el intervalo de la altura libre para cada ejecución. ¿Hay alguna indicación de que alguno de estos factores afecta la variabilidad de la altura libre?

d) Analice los residuos de este experimento y comente sus resultados.

**13-24** Un artículo en *Industrial and Engineering Chemistry* ("More on Planning Experiment to Increase Research Efficiency", 1970, pp. 60-65) utiliza un diseño $2^{5-2}$ para investigar el efecto de $A$ = temperatura de condensación, $B$ = cantidad del material 1, y $C$ = volumen del solvente, $D$ = tiempo de condensación y $E$ = cantidad del material 2, en el rendimiento. Los resultados obtenidos son como sigue:

$$c = 23.2 \qquad ad = 16.9 \qquad cd = 23.8 \qquad bde = 16.8$$
$$ab = 15.5 \qquad bc = 16.2 \qquad ace = 23.4 \qquad abcde = 18.1$$

a) Compruebe que los generadores de diseño utilizados fueron $I = ADE$ y $I = BDE$.

b) Escriba la relación de definición completa y los seudónimos de este diseño.

c) Estime los efectos principales.

*d*) Prepare una tabla de análisis de varianza. Verifique que estén disponibles las interacciones *AB* y *AD* para usarse como error.

*e*) Grafique los residuos contra los valores ajustados. Construya también una gráfica de probabilidad normal de los residuos. Comente los resultados.

**13-25** Considere el diseño $2^{6-2}$ en la tabla 13-27. Suponga que después de analizar los datos originales, encontramos que los factores *C* y *E* pueden eliminarse. ¿Qué tipo de diseño $2^k$ se deja en las variables restantes?

**13-26** Considere el diseño $2^{6-2}$ en la tabla 13-27. Suponga que después del análisis de los datos originales, encontramos que los factores *D* y *F* pueden eliminarse. ¿Qué tipo de diseño $2^k$ se deja en las variables restantes? Compare los resultados con el ejercicio 13-25. ¿Puede usted explicar por qué las respuestas son diferentes?

**13-27** Suponga que en el ejercicio 13-12 sólo fue posible ejecutar una fracción media del diseño $2^4$. Construya el diseño y realice el análisis estadístico, empleando los datos de la réplica I.

**13-28** Suponga que en el ejercicio 13-15 sólo podría ejecutarse una fracción media del diseño $2^5$. Construya el diseño y efectúe el análisis.

**13-29** Considere los datos en el ejercicio 13-15. Suponga que podría ejecutarse una fracción cuarta del diseño $2^5$. Construya el diseño y analice los datos.

**13-30** Construya un diseño factorial fraccionario $2^{6-3}$. Escriba en forma completa los seudónimos, suponiendo que sólo los efectos principales y las interacciones de dos factores son de interés.

# Capítulo 14

# Regresión lineal simple y correlación

En muchos problemas hay dos o más variables inherentemente relacionadas, y es necesario explorar la naturaleza de esta relación. El análisis de regresión es una técnica estadística para modelar e investigar la relación entre dos o más variables. Por ejemplo, en un proceso químico, supóngase que el rendimiento del producto se relaciona con la temperatura de operación del proceso. El análisis de regresión puede emplearse para construir un modelo que exprese el rendimiento como una función de la temperatura. Este modelo puede utilizarse luego para predecir el rendimiento en un nivel determinado de temperatura. También podría emplearse con propósitos de optimización o control del proceso.

En general, supóngase que hay una sola variable o *respuesta y* independiente que se relaciona con $k$ variables independientes o *regresivas*, digamos $x_1, x_2, \ldots, x_k$. La variable de respuesta $y$ es una variable aleatoria, en tanto que las variables regresivas $x_1, x_2, \ldots, x_k$ se miden con error despreciable. Las $x_j$ se llaman variables *matemáticas* y con frecuencia son controladas por el experimentador. El análisis de regresión también puede utilizarse en situaciones en las que $y$, $x_1$, $x_2, \ldots, x_k$ son variables aleatorias distribuidas conjuntamente, tal como en el caso cuando los datos se recaban como mediciones diferentes en una unidad experimental común. La relación entre estas variables se caracteriza por medio de un modelo matemático llamado *ecuación de regresión*. De modo más preciso, hablamos de la regresión de $y$ en $x_1, x_2, \ldots, x_k$. Este modelo de regresión se ajusta a un conjunto de datos. En algunas situaciones, el experimentador conocerá la forma exacta de la relación función verdadera entre $y$ y $x_1, x_2, \ldots, x_k$, por ejemplo, $y = \phi(x_1, x_2, \ldots, x_k)$. Sin embargo, en la mayor parte de los casos, la verdadera relación funcional se desconoce, y el experimentador elegirá una función apropiada para aproximar $\phi$. Un modelo de polinomio suele emplearse como la función de aproximación.

En este capítulo, estudiamos el caso en el que sólo es de interés una variable regresiva, $x$. El capítulo 15 presentará el caso que involucra más de una variable regresiva.

## 14.1  Regresión lineal simple

Deseamos determinar la relación entre una sola variable regresiva $x$ y una variable de respuesta $y$. La variable regresiva $x$ se supone como una variable matemática continua, controlable por el experimentador. Supóngase que la verdadera relación entre $y$ y $x$ es una línea recta, y que la observación $y$ en cada nivel de $x$ es una variable aleatoria. Luego, el valor esperado de $y$ para cada valor de $x$ es

$$E(y|x) = \beta_0 + \beta_1 x \tag{14-1}$$

donde la ordenada de origen $\beta_0$ y la pendiente $\beta_1$ son constantes desconocidas. Suponemos que cada observación, $y$, puede describirse mediante el modelo

$$y = \beta_0 + \beta_1 x + \epsilon \tag{14-2}$$

donde $\epsilon$ es un error aleatorio con media cero y varianza $\sigma^2$. Los $\{\epsilon\}$ se supone también que son variables aleatorias no correlacionadas. El modelo de regresión de la ecuación 14-2 que involucra sólo una variable regresiva $x$ a menudo recibe el nombre de modelo de regresión lineal simple.

Supóngase que tenemos $n$ pares de observaciones, por ejemplo ($y_1, x_1$), ($y_2, x_2$), . . . , ($y_n, x_n$). Estos datos pueden emplearse para estimar los parámetros desconocidos $\beta_0$ y $\beta_1$ en la ecuación 14-2. Nuestro procedimiento de optimización será el método de mínimos cuadrados. Esto es, estimaremos $\beta_0$ y $\beta_1$ de manera que la suma de cuadrados de las desviaciones entre las observaciones y la línea de regresión sean mínimas. Empleando luego la ecuación 14-2, podemos escribir

$$y_i = \beta_0 + \beta_1 x_i + \epsilon_i \qquad i = 1, 2, \ldots, n \tag{14-3}$$

y la suma de cuadrados de las desviaciones de las observaciones respecto a la línea de regresión verdadera es

$$L = \sum_{i=1}^{n} \epsilon_i^2 = \sum_{i=1}^{n} (y_i - \beta_0 - \beta_1 x_i)^2 \tag{14-4}$$

Los estimadores de mínimos cuadrados de $\beta_0$ y $\beta_1$, digamos $\hat{\beta}_0$ y $\hat{\beta}_1$, deben satisfacer

$$\frac{\partial L}{\partial \beta_0'}\bigg|_{\hat{\beta}_0, \hat{\beta}_1} = -2\sum_{i=1}^{n} (y_i - \hat{\beta}_0 - \hat{\beta}_1 x_i) = 0 \tag{14-5}$$

$$\frac{\partial L}{\partial \beta_1}\bigg|_{\hat{\beta}_0, \hat{\beta}_1} = -2 \sum_{i=1}^{n} \left( y_i - \hat{\beta}_0' - \hat{\beta}_1 x_i \right) x_i = 0$$

La simplificación de estas dos ecuaciones produce

$$n\hat{\beta}_0 + \hat{\beta}_1 \sum_{i=1}^{n} x_i$$

$$\hat{\beta}_0 \sum_{i=1}^{n} x_i + \hat{\beta}_1 \sum_{i=1}^{n} x_i^2 = \sum_{i=1}^{n} y_i x_i$$

$$(14\text{-}6)$$

Las ecuaciones 14-6 se denominan *ecuaciones normales* de mínimos cuadrados. La solución para la ecuación normal es

$$\hat{\beta}_0 = \bar{y} - \hat{\beta}_1 \bar{x} \tag{14-7}$$

$$\hat{\beta}_1 = \frac{\displaystyle\sum_{i=1}^{n} y_i x_i - \frac{\left(\displaystyle\sum_{i=1}^{n} y_i\right)\left(\displaystyle\sum_{i=1}^{n} x_i\right)}{n}}{\displaystyle\sum_{i=1}^{n} x_i^2 - \frac{\left(\displaystyle\sum_{i=1}^{n} x_i\right)^2}{n}} \tag{14-8}$$

donde $\bar{y} = (1/n)\sum_{i=1}^{n} y_i$ y $\bar{x} = (1/n)\sum_{i=1}^{n} x_i$. Por tanto, las ecuaciones 14-7 y 14-8 son los estimadores por mínimos cuadrados de la ordenada al origen y la pendiente, respectivamente. El modelo de regresión lineal simple ajustado es

$$\hat{y} = \hat{\beta}_0 + \hat{\beta}_1 x \tag{14-9}$$

Respecto a la notación, es conveniente dar símbolos especiales al numerador y al denominador de la ecuación 14-8. Esto es, sea

$$S_{xx} = \sum_{i=1}^{n} (x_i - \bar{x})^2 = \sum_{i=1}^{n} x_i^2 - \frac{\left(\displaystyle\sum_{i=1}^{n} x_i\right)^2}{n} \tag{14-10}$$

y

$$S_{xy} = \sum_{i=1}^{n} y_i (x_i - \bar{x}) = \sum_{i=1}^{n} x_i y_i - \frac{\left(\displaystyle\sum_{i=1}^{n} x_i\right)\left(\displaystyle\sum_{i=1}^{n} y_i\right)}{n} \tag{14-11}$$

Llamamos a $S_{xx}$ la suma corregida de cuadrados de $x$ y a $S_{xy}$ la suma corregida de productos cruzados de $x$ y $y$. Los lados del extremo derecho de las ecuaciones 14-10 y 14-11 son las fórmulas de cómputo usuales. Al emplear esta nueva notación, el estimador de mínimos cuadrados de la pendiente es

$$\hat{\beta}_1 = \frac{S_{xy}}{S_{xx}} \qquad (14\text{-}12)$$

**Ejemplo 14.1**  Un ingeniero químico está investigando el efecto de la temperatura de operación de proceso en el rendimiento del producto. El estudio da como resultado los siguientes datos:

| Temperatura, °C ($x$) | 100 | 110 | 120 | 130 | 140 | 150 | 160 | 170 | 180 | 190 |
|---|---|---|---|---|---|---|---|---|---|---|
| Rendimiento, % ($y$) | 45 | 51 | 54 | 61 | 66 | 70 | 74 | 78 | 85 | 89 |

Estos pares de puntos se grafican en la figura 14.1. Tal presentación se denomina *diagrama de dispersión*. El examen de este diagrama de dispersión indica que hay una fuerte relación entre el rendimiento y la temperatura, y la suposición tentativa del modelo de línea recta $y = \beta_0 + \beta_1 x + \epsilon$ parece razonable. Las siguientes cantidades pueden calcularse:

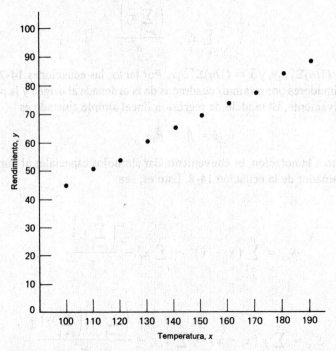

**Figura 14.1**  Diagrama de dispersión de rendimiento contra temperatura.

$$n = 10 \qquad \sum_{i=1}^{10} x_i = 1450 \qquad \sum_{i=1}^{n} y_i = 673 \qquad \bar{x} = 145 \qquad \bar{y} = 67.3$$

$$\sum_{i=1}^{10} x_i^2 = 218{,}500 \qquad \sum_{i=1}^{10} y_i^2 = 47{,}225 \qquad \sum_{i=1}^{10} x_i y_i = 101{,}570$$

De las ecuaciones 14-10 y 14-11, encontramos

$$S_{xx} = \sum_{i=1}^{10} x_i^2 - \frac{\left(\sum_{i=1}^{10} x_i\right)^2}{10} = 218{,}500 - \frac{(1450)^2}{10} = 8250$$

y

$$S_{xy} = \sum_{i=1}^{10} x_i y_i - \frac{\left(\sum_{i=1}^{10} x_i\right)\left(\sum_{i=1}^{10} y_i\right)}{10} = 101{,}570 - \frac{(1450)(673)}{10} = 3985$$

En consecuencia, las estimaciones de mínimos cuadrados de la pendiente y la ordenada al origen son

$$\hat{\beta}_1 = \frac{S_{xy}}{S_{xx}} = \frac{3985}{8250} = .48303$$

y

$$\hat{\beta}_0 = \bar{y} - \hat{\beta}_1 \bar{x} = 67.3 - (.48303)145 = -2.73939$$

El modelo de regresión lineal siempre ajustado es

$$\hat{y} = -2.73939 + .48303x$$

Puesto que sólo hemos supuesto tentativamente que el modelo de línea recta es apropiado, deseamos investigar la suficiencia del modelo. Las propiedades estadísticas de los estimadores de mínimos cuadrados $\hat{\beta}_0$ y $\hat{\beta}_1$ son útiles en evaluar la suficiencia del modelo. Los estimadores $\hat{\beta}_0$ y $\hat{\beta}_1$ son variables aleatorias, puesto que son justamente combinaciones lineales de las $y_i$, y éstas son variables aleatorias. Investigaremos las propiedades de no neutralidad y la varianza de estos estimadores. Considérese primero $\hat{\beta}_1$. El valor esperado de $\hat{\beta}_1$ es

$$E(\hat{\beta}_1) = E\left(\frac{S_{xy}}{S_{xx}}\right)$$

$$= \frac{1}{S_{xx}} E\left[ \sum_{i=1}^{n} y_i (x_i - \bar{x}) \right]$$

$$= \frac{1}{S_{xx}} E\left[ \sum_{i=1}^{n} (x_i - \bar{x})(\beta_0 + \beta_1 + \epsilon_i) \right]$$

$$= \frac{1}{S_{xx}} \left\{ E\left[ \beta_0 \sum_{i=1}^{n} (x_i - \bar{x}) \right] + E\left[ \beta_1 \sum_{i=1}^{n} x_i (x_i - \bar{x}) \right] \right.$$

$$\left. + E\left[ \sum_{i=1}^{n} \epsilon_i (x_i - \bar{x}) \right] \right\}$$

$$= \frac{1}{S_{xx}} \beta_1 S_{xx}$$

$$= \beta_1$$

puesto que $\sum_{i=1}^{n} (x_i - \bar{x}) = 0$, $\sum_{i=1}^{n} x_i(x_i - \bar{x}) = S_{xx}$ y por la suposición de que $E(\epsilon_i) = 0$. De tal modo, $\hat{\beta}_i$ es estimador *insesgado* de la pendiente verdadera $\beta_1$. Considérese ahora la varianza de $\hat{\beta}_1$. Puesto que hemos supuesto que $V(\epsilon_i) = \sigma^2$, se concluye que $V(y_i) = \sigma^2$, y

$$V(\hat{\beta}_1) = V\left( \frac{S_{xy}}{S_{xx}} \right)$$

$$= \frac{1}{S_{xx}^2} V\left[ \sum_{i=1}^{n} y_i (x_i - \bar{x}) \right] \tag{14-13}$$

Las variables aleatorias $\{y_i\}$ no están correlacionadas debido a que $\{\epsilon_i\}$ no está correlacionada. Por tanto, la varianza de la suma en la ecuación 14-13 es justo la suma de las varianzas, y la varianza de cada término en la suma, digamos $V[y_i(x_i - \bar{x})]$, es $\sigma^2(x_i - \bar{x})^2$. En consecuencia,

$$V(\hat{\beta}_1) = \frac{1}{S_{xx}^2} \sigma^2 \sum_{i=1}^{n} (x_i - \bar{x})^2$$

$$= \frac{\sigma^2}{S_{xx}} \tag{14-14}$$

Al usar un planteamiento similar, podemos mostrar que

$$E(\hat{\beta}_0) = \beta_0 \qquad y \qquad V(\hat{\beta}_0) = \sigma^2 \left[ \frac{1}{n} + \frac{\bar{x}^2}{S_{xx}} \right] \tag{14-15}$$

La covarianza de $\hat{\beta}_0$ y $\hat{\beta}_1$ no es cero; en efecto, $\text{Cov}(\hat{\beta}_0, \hat{\beta}_1) = -\sigma^2 \bar{x}/S_{xx}$. Nótese que $\hat{\beta}_0$ es un estimador neutral de $\beta_0$.

Suele ser necesario obtener una estimación de $\sigma^2$. La diferencia entre la observación $y_i$ y el correspondiente valor predicho $\hat{y}_i$, digamos $e_i = y_i - \hat{y}_i$, se denomina un *residuo*. La suma de los cuadrados de los residuos, o la *suma de cuadrados del error*, sería

$$SS_E = \sum_{i=1}^{n} e_i^2$$

$$= \sum_{i=1}^{n} (y_i - \hat{y}_i)^2 \qquad (14\text{-}16)$$

Una fórmula de cálculo más conveniente para $SS_E$ puede encontrarse sustituyendo el modelo ajustado $\hat{y}_i = \hat{\beta}_0 + \hat{\beta}_1 x_i$ en la ecuación 14-16 y simplificando. El resultado es

$$SS_E = \sum_{i=1}^{n} y_i^2 - n\bar{y}^2 - \hat{\beta}_1 S_{xy}$$

y si dejamos que $\sum_{i=1}^{n} y_i^2 - n\bar{y}^2 = \sum_{i=1}^{n} (y_i - \bar{y})^2 \equiv S_{yy}$, entonces podemos escribir $SS_E$ como

$$SS_E = S_{yy} - \hat{\beta}_1 S_{xy} \qquad (14\text{-}17)$$

El valor esperado de la suma de cuadrados del error $SS_E$ es $E(SS_E) = (n-2)\sigma^2$. Por tanto,

$$\hat{\sigma}^2 = \frac{SS_E}{n-2} \equiv MS_E \qquad (14\text{-}18)$$

es un estimador insesgado de $\sigma^2$.

El análisis de regresión se utiliza ampliamente, y con frecuencia se abusa. Hay varios abusos comunes de la regresión que deben mencionarse brevemente. Debe tenerse cuidado al seleccionar las variables con las cuales se construyen los modelos de regresión y al determinar la forma de la función de aproximación. Es muy posible desarrollar relaciones estadísticas entre variables que no tienen ninguna relación en un sentido práctico. Por ejemplo, podría intentarse relacionar la resistencia al corte de la soldadura de puntos con el número de cajas de papel de computadora utilizado por el departamento de procesamiento de datos. Puede incluso aparecer una línea recta para proporcionar un buen ajuste para los datos, pero la relación es irrazonable como para confiar en ella. Una fuerte asociación observada entre variables no necesariamente implica que existe una relación *causal* entre esas variables. Los experimentos diseñados son la única manera para determinar relaciones causales.

Las relaciones de regresión son válidas sólo para valores de la variable independiente dentro del intervalo de los datos originales. La relación lineal que hemos supuesto tentativamente puede ser válida sobre el intervalo original de $x$, pero puede ser improbable que eso persista conforme encontremos valores de $x$ más allá de ese intervalo. En otras palabras, cuando nos movemos fuera del intervalo de valores de $x$ para el cual se recabaron los datos, menos certeza tenemos respecto a la validez del modelo supuesto. Los modelos de regresión no son necesariamente válidos para propósitos de extrapolación.

Por último, en ocasiones parece ser que el modelo $y = \beta x + \epsilon$ es apropiado. La omisión de la ordenada al origen de este modelo implica, desde luego, que $y = 0$ cuando $x = 0$. Ésta es una suposición muy fuerte que a menudo es injustificada. Aun cuando dos variables, tales como la estatura y el peso de un hombre, parecieran calificar para la utilización de este modelo, usualmente obtendríamos un mejor ajuste incluyendo la intersección, debido al intervalo limitado de datos de la variable independiente.

## 14-2 Prueba de hipótesis en la regresión lineal simple

Una parte importante de la evaluación de la suficiencia del modelo de regresión lineal simple es la prueba de hipótesis estadísticas en torno a los parámetros del modelo y la construcción de ciertos intervalos de confianza. La prueba de hipótesis se estudia en esta sección, y la sección 14-3 presenta métodos para construir intervalos de confianza. Para probar hipótesis respecto a la pendiente y la ordenada al origen del modelo de regresión, debemos hacer la suposición adicional de que la componente del error $\epsilon_i$ se distribuye normalmente. Por consiguiente, las suposiciones completas son que los errores son NID$(0, \sigma^2)$. Después analizaremos cómo pueden verificarse estas suposiciones mediante el *análisis residual*.

Supóngase que deseamos probar la hipótesis de que la pendiente es igual a una constante, digamos $\beta_{1,0}$. Las hipótesis apropiadas son

$$H_0: \beta_1 = \beta_{1,0}$$
$$H_1: \beta_1 \neq \beta_{1,0} \tag{14-19}$$

donde hemos supuesto una alternativa de dos lados. Ahora bien, puesto que las $\epsilon_i$ son NID$(0, \sigma^2)$, se desprende directamente que las observaciones $y_i$ son NID$(\beta_0 + \beta_1 x_i, \sigma^2)$. De la ecuación 14-8 observamos que $\beta_1$ es una combinación lineal de las observaciones $y_i$. De tal manera, $\beta_1$ es una combinación lineal de variables aleatorias normales independientes y, en consecuencia, $\hat{\beta}_1$ es $N(\beta_1, \sigma^2/S_{xx})$, empleando las propiedades de no neutralidad y varianza de $\hat{\beta}_1$ de la sección 14.1. Además, $\beta_1$ es independiente de $MS_E$. Entonces, como resultado de la suposición de normalidad, la estadística

$$t_0 = \frac{\left| \hat{\beta}_1 - \beta_{1,0} \right|}{\sqrt{MS_E / S_{xx}}}$$ (14-20)

sigue la distribución $t$ con $n - 2$ grados de libertad bajo $H_0$: $\beta_1 = \beta_{1,0}$. Rechazaríamos $H_0$: $\beta_1 = \beta_{1,0}$ si

$$|t_0| > t_{\alpha/2,\, n-2}$$ (14-21)

donde $t_0$ se calcula a partir de la ecuación 14-20.

Puede emplearse un procedimiento similar para probar hipótesis respecto a la ordenada al origen. Para probar

$$\begin{aligned} H_0: &\ \beta_0 = \beta_{0,0} \\ H_1: &\ \beta_0 \neq \beta_{0,0} \end{aligned}$$ (14-22)

usaríamos la estadística

$$t_0 = \frac{\hat{\beta}_0 - \beta_{0,0}}{\sqrt{MS_E \left[ \dfrac{1}{n} + \dfrac{\bar{x}^2}{S_{xx}} \right]}}$$ (14-23)

y se rechaza la hipótesis nula si $|t_0| > t_{\alpha/2,\, n-2}$.

Un caso especial muy importante de la hipótesis de la ecuación 14-19 es

$$\begin{aligned} H_0: &\ \beta_1 = 0 \\ H_1: &\ \beta_1 \neq 0 \end{aligned}$$ (14-24)

Esta hipótesis se relaciona con la *significación de la regresión*. El hecho de no rechazar $H_0$: $\beta_1 = 0$ es equivalente a concluir que no hay regresión lineal entre $x$ y $y$. Esta situación se ilustra en la figura 14.2. Nótese que esto puede implicar ya

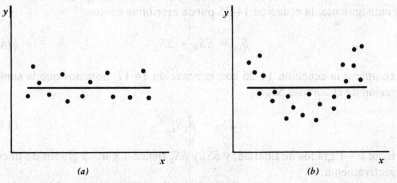

**Figura 14.2** La hipótesis $H_0$: $\beta_1 = 0$ no se rechaza.

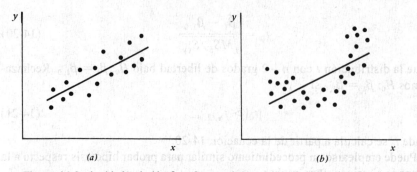

**Figura 14.3**  La hipótesis $H_0$: $\beta_1 = 0$ se rechaza.

sea que $x$ es de poco valor en la explicación de la variación en $y$ y que el mejor estimador de $y$ para cualquier $x$ es $\hat{y} = \bar{y}$ (figura 14.2a), o que la relación real entre $x$ y $y$ no es lineal (figura 14.2b). Alternativamente, si $H_0$: $\beta_1 = 0$ se rechaza, esto implica que $x$ es de valor en la explicación de la variabilidad en $y$. Esto se ilustra en la figura 14.3. Sin embargo, el rechazo de $H_0$: $\beta_1 = 0$ podría significar que el modelo de línea recta es adecuado (figura 14.3a), o que aun cuando hay un efecto lineal de $x$, podrían obtenerse mejores resultados con la adición de términos de polinomio de mayor orden en $x$ (figura 14.3b).

El procedimiento de prueba para $H_0$: $\beta_1 = 0$ puede desarrollarse a partir de dos planteamientos. El primer planteamiento se inicia con la siguiente división de la suma total de cuadrados corregida para $y$:

$$S_{yy} \equiv \sum_{i=1}^{n} (y_i - \bar{y})^2 = \sum_{i=1}^{n} (\hat{y}_i - \bar{y})^2 + \sum_{i=1}^{n} (y_i - \hat{y}_i)^2 \qquad (14\text{-}25)$$

Las dos componentes de $S_{yy}$ miden, respectivamente, el tamaño de la variabilidad en la $y_i$, explicada por la línea de regresión, y la variación residual dejada sin explicar por la línea de regresión. Solemos llamar a $SS_E = \sum_{i=1}^{n} (y_i - \hat{y}_i)^2$ la suma de cuadrados del *error* y a $SS_R = \sum_{i=1}^{n} (\hat{y}_i - \bar{y})^2$ la *suma de regresión* de cuadrados. Por consiguiente, la ecuación 14-25 puede escribirse como

$$S_{yy} = SS_R + SS_E \qquad (14\text{-}26)$$

Al comparar la ecuación 14-26 con la ecuación 14-17, notamos que la suma de regresión de cuadrados $SS_R$ es

$$SS_R = \hat{\beta}_1 S_{xy} \qquad (14\text{-}27)$$

$S_{yy}$ tiene $n - 1$ grados de libertad, y $SS_R$ y $SS_E$ tienen 1 y $n - 2$ grados de libertad, respectivamente.

Podemos mostrar que $E[SS_E/(n-2)] = \sigma^2$ y $E(SS_R) = \sigma^2 + \beta_1^2 S_{xx}$, y que $SS_E$

TABLA 14.1  **Análisis de varianza para probar la significación de la regresión**

| Fuente de variación | Suma de cuadrados | Grados de libertad | Media cuadrática | $F_0$ |
|---|---|---|---|---|
| Regresión | $SS_R = \hat{\beta}_1 S_{xy}$ | 1 | $MS_R$ | $MS_R / MS_E$ |
| Error residual | $SS_E = S_{yy} - \hat{\beta}_1 S_{xy}$ | $n - 2$ | $MS_E$ | |
| Total de grados | $S_{yy}$ | $n - 1$ | | |

y $SS_R$ son independientes. Por tanto, si $H_0$: $\beta_1 = 0$ es verdadera, la estadística

$$F_0 = \frac{SS_R/1}{SS_E/(n-2)} = \frac{MS_R}{MS_E} \qquad (14\text{-}28)$$

sigue la distribución $F_{1, n-2}$, y rechazaríamos $H_0$ si $F_0 > F_{\alpha, 1, n-2}$. El procedimiento de prueba suele arreglarse en una tabla de análisis de varianza, tal como la tabla 14.1.

La prueba para la significación de la regresión puede desarrollarse también a partir de la ecuación 14-20 con $\beta_{1,0} = 0$, digamos

$$t_0 = \frac{\hat{\beta}_1}{\sqrt{MS_E/S_{xx}}} \qquad (14\text{-}29)$$

Al elevar al cuadrado ambos lados de la ecuación 14-29, obtenemos

$$t_0^2 = \frac{\hat{\beta}_1^2 S_{xx}}{MS_E} = \frac{\hat{\beta}_1 S_{xy}}{MS_E} = \frac{MS_R}{MS_E} \qquad (14\text{-}30)$$

Nótese que $t_0^2$ en la ecuación 14-30 es idéntico a $F_0$ en la ecuación 14-28. Es cierto, en general, que el cuadrado de una variable aleatoria $t$ con $f$ grados de libertad es una variable aleatoria $F$, con uno y $f$ grados de libertad en el numerador y el denominador, respectivamente. En consecuencia, la prueba que utiliza $t_0$ es equivalente a la prueba basada en $F_0$.

**Ejemplo 14.2** Probaremos el modelo desarrollado en el ejemplo 14.1 en lo que se refiere a la significación de la regresión. El modelo ajustado es $\hat{y} = -2.73939 + .48303x$ y $S_{yy}$ se calcula como

$$S_{yy} = \sum_{i=1}^{n} y_i^2 - \frac{\left(\sum_{i=1}^{n} y_i\right)^2}{n}$$

$$= 47,225 - \frac{(673)^2}{10} = 1932.10$$

TABLA 14.2   **Prueba para la significación de la regresión, ejemplo 14.2**

| Fuente de variación | Suma de cuadrados | Grados de libertad | Media cuadrática | $F_0$ |
|---|---|---|---|---|
| Regresión | 1924.87 | 1 | 1924.87 | 2138.74 |
| Error | 7.23 | 8 | .90 | |
| Total | 1932.10 | 9 | | |

La suma de regresión de cuadrados es

$$SS_R = \hat{\beta}_1 S_{xy} = (.48303)(3985) = 1924.87$$

y la suma de cuadrados del error es

$$SS_E = S_{yy} - SS_R$$

$$= 1932.10 - 1924.87$$

$$= 7.23$$

El análisis de varianza para probar $H_0$: $\beta_1 = 0$ se resume en la tabla 14.2. Al notar que $F_0 = 2138.74 > F_{.01, 1.8} = 11.26$, rechazamos $H_0$ y concluimos que $\beta_1 \neq 0$.

## 14-3   Estimación de intervalos en la regresión lineal simple

Además de la estimación puntual de la pendiente y la ordenada al origen, es posible obtener estimaciones del intervalo de confianza de estos parámetros. El ancho de estos intervalos de confianza es una media de la calidad total de la línea de regresión. Si las $\epsilon_i$ se distribuyen normal e independientemente, entonces

$$(\hat{\beta}_1 - \beta_1)/\sqrt{MS_E/S_{xx}} \qquad \text{y} \qquad (\hat{\beta}_0 - \beta_0)\bigg/ \sqrt{MS_E\left[\frac{1}{n} + \frac{\bar{x}^2}{S_{xx}}\right]}$$

se distribuyen como $t$ con $n - 2$ grados de libertad. En consecuencia, un intervalo de confianza del $100(1 - \alpha)$ por ciento en la pendiente $\beta_1$ está dado por

$$\hat{\beta}_1 - t_{\alpha/2, n-2} \sqrt{\frac{MS_E}{S_{xx}}} \leq \beta_1 \leq \hat{\beta}_1 + t_{\alpha/2, n-2} \sqrt{\frac{MS_E}{S_{xx}}} \qquad (14\text{-}31)$$

De manera similar, un intervalo de confianza del $100(1 - \alpha)$ por ciento en la ordenada al origen es

$$\hat{\beta}_0 - t_{\alpha/2,\,n-2} \sqrt{MS_E \left[ \frac{1}{n} + \frac{\bar{x}^2}{S_{xx}} \right]} \leq \beta_0 \leq \hat{\beta}_0 + t_{\alpha/2,\,n-2} \sqrt{MS_E \left[ \frac{1}{n} + \frac{\bar{x}^2}{S_{xx}} \right]}$$

(14-32)

**Ejemplo 14.3** Determinaremos un intervalo de confianza del 95 por ciento en la pendiente de la línea de regresión empleando los datos en el ejemplo 14.1. Recuérdese que $\hat{\beta}_1 = .48303$, $S_{xx} = 8250$, y $MS_E = .90$ (véase la tabla 14-2). Entonces, de la ecuación 14-21 encontramos

$$\hat{\beta}_1 - t_{.025,\,8} \sqrt{\frac{MS_E}{S_{xx}}} \leq \beta_1 \leq \hat{\beta}_1 + t_{.025,\,8} \sqrt{\frac{MS_E}{S_{xx}}}$$

o

$$.48303 - 2.306 \sqrt{\frac{.90}{8250}} \leq \beta_1 \leq .48303 + 2.306 \sqrt{\frac{.90}{8250}}$$

Ésta se simplifica en

$$.45894 \leq \beta_1 \leq .50712$$

Puede construirse un intervalo de confianza para la respuesta media en una $x$ especificada, digamos $x_0$. Éste es un intervalo de confianza en torno a $E(y|x_0)$ y a menudo se llama intervalo de confianza en torno a la línea de regresión. Puesto que $E(y|x_0) = \beta_0 + \beta_1 x_0$, podemos obtener una estimación puntual de $E(y|x_0)$ a partir del modelo ajustado como

$$\widehat{E(y|x_0)} \equiv \hat{y}_0 = \hat{\beta}_0 + \hat{\beta}_1 x_0$$

Entonces $\hat{y}_0$ es un estimador puntual insesgado de $E(y|x_0)$, puesto que $\hat{\beta}_0$ y $\hat{\beta}_1$ son estimadores insesgados de $\beta_0$ y $\beta_1$. La varianza de $\hat{y}_0$ es

$$V(\hat{y}_0) = \sigma^2 \left[ \frac{1}{n} + \frac{(x_0 - \bar{x})^2}{S_{xx}} \right]$$

y $\hat{y}_0$ se distribuye normalmente, ya que $\hat{\beta}_0$ y $\hat{\beta}_1$ se distribuyen de ese mismo modo. Por tanto, un intervalo de confianza del $100(1-\alpha)$ por ciento alrededor de la línea de regresión verdadera en $x = x_0$ puede calcularse a partir de

$$\hat{y}_0 - t_{\alpha/2,\,n-2} \sqrt{MS_E \left( \frac{1}{n} + \frac{(x_0 - \bar{x})^2}{S_{xx}} \right)}$$

TABLA 14.3   **Intervalo de confianza en torno a la línea de regresión, ejemplo 14.4**

| $x_0$ | 100 | 110 | 120 | 130 | 140 | 150 | 160 | 170 | 180 | 190 |
|---|---|---|---|---|---|---|---|---|---|---|
| $\hat{y}_0$ | 45.56 | 50.39 | 55.22 | 60.05 | 64.88 | 69.72 | 74.55 | 79.38 | 84.21 | 89.04 |
| Límites de confianza del 95% | ±1.30 | ±1.10 | ±.93 | ±.79 | ±.71 | ±.71 | ±.79 | ±.93 | ±1.10 | ±1.30 |

$$\leq E(y|x_0) \leq \hat{y}_0 + t_{\alpha/2,\, n-2} \sqrt{MS_E \left( \frac{1}{n} + \frac{(x_0 - \bar{x})^2}{S_{xx}} \right)} \qquad (14\text{-}33)$$

El ancho del intervalo de confianza para $E(y|x_0)$ es una función de $x_0$. El ancho del intervalo es un mínimo para $x_0 = \bar{x}$ y se ensancha conforme $|x_0 - \bar{x}|$ aumenta.

**Ejemplo 14.4**   Construiremos un intervalo de confianza del 95 por ciento en torno a la línea de regresión para los datos en el ejemplo 14.1. El modelo ajustado es $\hat{y}_0 = -2.73939 + .48303 x_0$, y el intervalo de confianza en $E(y|x_0)$ se encuentra de la ecuación 14-33 como

$$\left[ \hat{y}_0 \pm 2.306 \sqrt{.90 \left( \frac{1}{10} + \frac{(x_0 - 145)^2}{8250} \right)} \right]$$

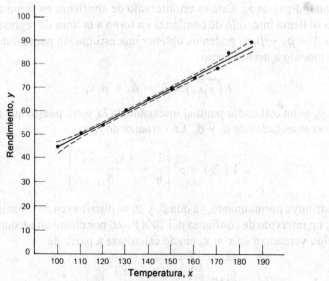

**Figura 14.4**   Un intervalo de confianza del 95 por ciento en torno a la línea de regresión para el ejemplo 14.4.

Los valores ajustados de $\hat{y}_0$ y los correspondientes límites de confianza del 95 por ciento para los puntos $x_0 = x_i$, $i = 1, 2, \ldots, 10$, se presentan en la tabla 14.3. Para ilustrar el empleo de esta tabla, podemos encontrar el intervalo de confianza del 95 por ciento en la media real del rendimiento del proceso en $x_0 = 140°C$ (por ejemplo) como

$$64.88 - .71 \leq E(y|x_0 = 140) \leq 64.88 + .71$$

o

$$64.17 \leq E(y|x_0 = 140) \leq 65.49$$

El modelo ajustado y el intervalo de confianza del 95 por ciento en torno a la línea de regresión se muestran en la figura 14.4.

## 14-4 Predicción de nuevas observaciones

Una aplicación importante del análisis de regresión es predecir nuevas o futuras observaciones $y$ correspondientes a un nivel especificado de la variable regresiva $x$. Si $x_0$ es el valor de la variable regresiva de interés, entonces

$$\hat{y}_0 = \hat{\beta}_0 + \hat{\beta}_1 x_0 \tag{14-34}$$

es la estimación puntual del nuevo o futuro valor de la respuesta $y_0$.

Considérese ahora la obtención de una estimación de intervalo de esta observación futura $y_0$. Esta nueva observación es independiente de las observaciones utilizadas para desarrollar el modelo de regresión. En consecuencia, el intervalo en torno a la línea de regresión, ecuación 14-36, es inapropiado, puesto que es neutral sólo en los datos empleados para ajustar el modelo de regresión. El intervalo de confianza en torno a la línea de regresión se refiere a la respuesta media verdadera en $x = x_0$ (esto es, un parámetro de población), no a observaciones futuras.

Sea $y_0$ la observación futura en $x = x_0$, y sea $\hat{y}_0$ dada por la ecuación 14-34 el estimador de $y_0$. Nótese que la variable aleatoria

$$\psi = y_0 - \hat{y}_0$$

se distribuye normalmente con media cero y varianza

$$V(\psi) = V(y_0 - \hat{y}_0)$$

$$= \sigma^2 \left[ 1 + \frac{1}{n} + \frac{(x_0 - \bar{x})^2}{S_{xx}} \right]$$

debido a que $y_0$ es independiente de $\hat{y}_0$. De tal modo, el intervalo de predicción del $100(1 - \alpha)$ por ciento respecto a observaciones futuras en $x_0$ es

$$\hat{y}_0 - t_{\alpha/2,\, n-2} \sqrt{MS_E \left[ 1 + \frac{1}{n} + \frac{(x_0 - \bar{x})^2}{S_{xx}} \right]}$$

$$\leq y_0 \leq \hat{y}_0 + t_{\alpha/2,\, n-2} \sqrt{MS_E \left[ 1 + \frac{1}{n} + \frac{(x_0 - \bar{x})^2}{S_{xx}} \right]} \qquad (14\text{-}35)$$

Adviértase que el intervalo de predicción es de un ancho mínimo en $x_0 = \bar{x}$ y se ensancha a medida que $|x_0 - \bar{x}|$ aumenta. Al comparar la ecuación 14-35 con la ecuación 14-33, observamos que el intervalo de predicción $x_0$ siempre es más ancho que el intervalo de confianza en $x_0$. Esto resulta porque el intervalo de predicción depende tanto del error del modelo estimado como del error asociado con las observaciones futuras ($\sigma^2$).

También podemos encontrar un intervalo de predicción del $100(1 - \alpha)$ por ciento en la *media* de $k$ observaciones futuras en $x = x_0$. Sea $\bar{y}_0$ la media de $k$ observaciones futuras en $x = x_0$. El intervalo de predicción del $100(1 - \alpha)$ por ciento en $\bar{y}_0$ es

$$\hat{y}_0 - t_{\alpha/2,\, n-2} \sqrt{MS_E \left[ \frac{1}{k} + \frac{1}{n} + \frac{(x_0 - \bar{x})^2}{S_{xx}} \right]}$$

$$\leq \bar{y}_0 \leq \hat{y}_0 + t_{\alpha/2,\, n-2} \sqrt{MS_E \left[ \frac{1}{k} + \frac{1}{n} + \frac{(x_0 - \bar{x})^2}{S_{xx}} \right]} \qquad (14\text{-}36)$$

Para ilustrar la construcción de un intervalo de predicción, supóngase que usamos los datos en el ejemplo 14.1 y que encontramos un intervalo de predicción del 95 por ciento en la siguiente observación respecto al rendimiento del proceso en $x_0 = 160°C$. Al emplear la ecuación 14-35, encontramos que el intervalo de predicción es

$$74.55 - 2.306 \sqrt{.90 \left[ 1 + \frac{1}{10} + \frac{(160 - 145)^2}{8250} \right]}$$

$$\leq y_0 \leq 74.55 + 2.306 \sqrt{.90 \left[ 1 + \frac{1}{10} + \frac{(160 - 145)^2}{8250} \right]}$$

que se simplifica en

$$72.21 \leq y_0 \leq 76.89$$

## 14-5 Medida de adecuación del modelo de regresión

El ajuste de un modelo de regresión requiere varias suposiciones. La estimación de los parámetros del modelo requiere la suposición de que los errores son variables aleatorias no correlacionadas con media cero y varianza constante. Las pruebas de hipótesis y la estimación del intervalo requieren que los errores se distribuyan normalmente. Además, suponemos que el orden del modelo es correcto, esto es, si ajustamos un polinomio de primer orden, entonces estamos suponiendo que el fenómeno se comporta en realidad en un modo de primer orden.

El analista siempre debe considerar dudosa la validez de estas suposiciones y conducir los análisis para examinar la adecuación del modelo que se ha considerado en forma tentativa. En esta sección, analizamos métodos útiles a este respecto.

### 14-5.1 Análisis residual

Definimos los residuos como $e_i = y_i - \hat{y}_i$, $i = 1, 2, \ldots, n$, donde $y_i$ es una observación y $\hat{y}_i$ es el valor estimado correspondiente a partir del modelo de regresión. El análisis de los residuos es con frecuencia útil en la confirmación de la suposición de que los errores son $NID(0, \sigma^2)$ y en la determinación de si los términos adicionales en el modelo serían de utilidad.

Como una verificación aproximada de la normalidad, el experimentador puede construir un histograma de frecuencias de los residuos o graficarlos en papel de probabilidad normal. Para esto es preciso un juicio que valore la falta de normalidad de tales gráficas. También es posible estandarizar los residuos calculando $d_i = e_i/\sqrt{MS_E}$, $i = 1, 2, \ldots, n$. Si los errores son $NID(0, \sigma^2)$, entonces aproximadamente 95 por ciento de los residuos estandarizados deben caer en el intervalo $(-2, +2)$. Los residuos bastante fuera de este intervalo pueden indicar la presencia de un *punto alejado*; esto es, una observación que no es típica del resto de los datos. Se han propuesto varias reglas para descartar puntos alejados. Sin embargo, algunas veces estos puntos brindan información importante acerca de circunstancias poco usuales de interés para el experimentador y no deben descartarse. Para un análisis más detallado de los puntos alejados, véase Montgomery y Peck (1982).

A menudo es útil graficar los residuos (1) en secuencia de tiempo (si se conoce), (2) contra $\hat{y}_i$, y (3) contra la variable independiente $x$. Estas gráficas suelen verse como una de los cuatro patrones generales de la figura 14.5. El patrón (*a*) en la figura 14.5 representa la situación normal, en tanto que los patrones (*b*), (*c*) y (*d*) representan anomalías. Si los residuos aparecen como en (*b*), entonces la varianza de las observaciones puede incrementarse con el tiempo o con la magnitud de las $y_i$ o $x_i$. Si una gráfica de los residuos contra el tiempo tiene la apariencia de (*b*), entonces la varianza de las observaciones se incrementa con el

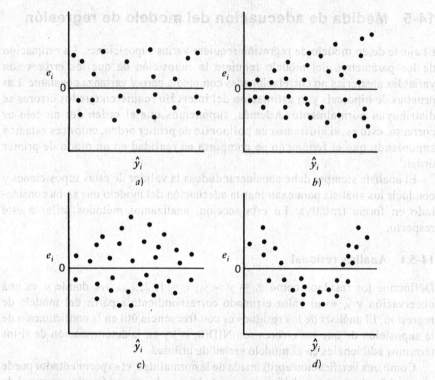

**Figura 14.5** Patrones para las gráficas de los residuos. a) Satisfactorio, b) embudo, c) doble arco, d) no lineal. [Adaptado de Montgomery y Peck (1982).]

tiempo. Las gráficas contra $\hat{y}_i$ y $x_i$ que se observan como (c) indican también desigualdad de varianza. Las gráficas de residuos que se observan como (d) indican la insuficiencia del modelo; esto es, términos de mayor orden que deben ser añadidos al modelo.

**Ejemplo 14.5**   Los residuos para el modelo de regresión en el ejemplo 14.1 se calculan como sigue:

$$e_1 = 45.00 - 45.56 = -.56 \qquad e_6 = 70.00 - 69.72 = .28$$

$$e_2 = 51.00 - 50.39 = .61 \qquad e_7 = 74.00 - 74.55 = -.55$$

$$e_3 = 54.00 - 55.22 = -1.22 \qquad e_8 = 78.00 - 79.38 = -1.38$$

$$e_4 = 61.00 - 60.05 = .95 \qquad e_9 = 85.00 - 84.21 = .79$$

$$e_5 = 66.00 - 64.88 = 1.12 \qquad e_{10} = 89.00 - 89.04 = -.04$$

Estos residuos se grafican en papel de probabilidad normal en la figura 14.6. Puesto que los residuos caen aproximadamente a lo largo de una línea recta en la

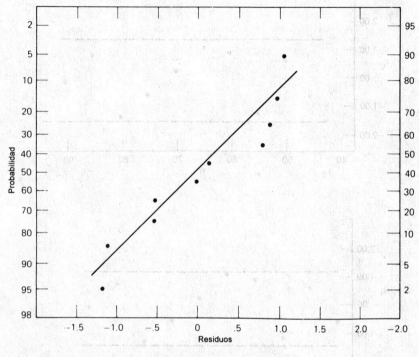

**Figura 14.6**   Gráfica de probabilidad normal de residuos.

figura 14.6, concluimos que no hay desviación considerable de la normalidad. Los residuos también se grafican contra $\hat{y}_i$ en la figura 14.7*a* y contra $x_i$ en la figura 14.7*b*. Estas gráficas no indican ninguna insuficiencia seria del modelo.

### 14-5.2   Prueba de la falta de ajuste

Los modelos de regresión a menudo se ajustan a los datos cuando la verdadera relación funcional se desconoce. Naturalmente, nos gustaría conocer si el orden del modelo asumido en forma tentativa es correcto. La sección describirá una prueba para la validez de esta suposición.

El peligro de utilizar un modelo de regresión que es una pobre aproximación de la verdadera relación funcional se ilustra en la figura 14.8. Es evidente que un polinomio de grado dos o mayor debe haberse utilizado en esta situación.

Presentamos una prueba para la "bondad de ajuste" del modelo de regresión. Específicamente, las hipótesis que deseamos probar son

$H_0$: El modelo ajusta adecuadamente los datos

$H_1$: El modelo no ajusta los datos

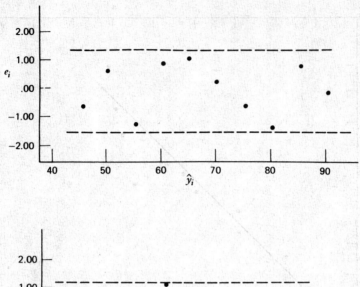

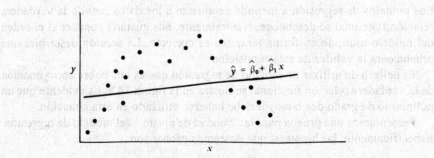

**Figura 14.7**   Gráficas residuales para el ejemplo 14.5. *a*) gráfica contra $\hat{y}_i$, *b*) gráfica contra $x_i$.

**Figura 14.8**   Un modelo de regresión que presenta falta de ajuste.

La prueba implica dividir la suma de cuadrados del error o del residuo de los siguientes dos componentes:

$$SS_E = SS_{PE} + SS_{LOF}$$

donde $SS_{PE}$ es la suma de cuadrados atribuibles al error "puro", y $SS_{LOF}$ es la suma de cuadrados atribuible a la falta de ajuste del modelo. Para calcular $SS_{PE}$ debemos tener observaciones repetidas en $y$ para al menos un nivel de $x$. Supóngase que tenemos $n$ observaciones en total tales que

$$y_{11}, y_{12}, \ldots, y_{1n_1} \qquad \text{observaciones repetidas en } x_1$$
$$y_{21}, y_{22}, \ldots, y_{2n_2} \qquad \text{observaciones repetidas en } x_2$$
$$\vdots \qquad\qquad\qquad \vdots$$
$$y_{m1}, y_{m2}, \ldots, y_{mn_m} \qquad \text{observaciones repetidas en } x_m$$

Nótese que $m$ niveles distintos de $x$. La contribución a la suma de cuadrados del error puro en $x_1$ (por ejemplo), sería

$$\sum_{u=1}^{n_1} (y_{1u} - \bar{y}_1)^2 \tag{14-37}$$

La suma de cuadrados total para el error puro se obtendría sumando la ecuación 14-37 sobre todos los niveles de $x$ como

$$SS_{PE} = \sum_{i=1}^{m} \sum_{u=1}^{n_i} (y_{iu} - \bar{y}_i)^2 \tag{14-38}$$

Hay $n_e = \sum_{i=1}^{m} (n_i - 1) = n - m$ grados de libertad asociados con la suma de cuadrados del error puro. La suma de cuadrado para la falta de ajuste es simplemente

$$SS_{LOF} = SS_E - SS_{PE} \tag{14-39}$$

con $n - 2 - n_e = m - 2$ grados de libertad. La estadística de prueba para la falta de ajuste sería entonces

$$F_0 = \frac{SS_{LOF}/(m-2)}{SS_{PE}/(n-m)} = \frac{MS_{LOF}}{MS_{PE}} \tag{14-40}$$

y la rechazaríamos si $F_0 > F_{\alpha, m-2, n-m}$.

Este procedimiento de prueba puede introducirse con facilidad en el análisis de varianza conducido para la significación de la regresión. Si se rechaza la hipótesis nula de la suficiencia del modelo, éste debe abandonarse y debe intentarse encontrar un modelo más apropiado. Si $H_0$ no se rechaza, entonces no hay razón aparente para dudar de la suficiencia del modelo, y $MS_{PE}$ y $MS_{LOF}$ se combinan a menudo par estimar $\sigma^2$.

**Ejemplo 14.6**   Supóngase que tenemos los siguientes datos:

| x | 1.0 | 1.0 | 2.0 | 3.3 | 3.3 | 4.0 | 4.0 | 4.0 | 4.7 | 5.0 |
|---|-----|-----|-----|-----|-----|-----|-----|-----|-----|-----|
| y | 2.3 | 1.8 | 2.8 | 1.8 | 3.7 | 2.6 | 2.6 | 2.2 | 3.2 | 2.0 |

| x | 5.6 | 5.6 | 5.6 | 6.0 | 6.0 | 6.5 | 6.9 |
|---|-----|-----|-----|-----|-----|-----|-----|
| y | 3.5 | 2.8 | 2.1 | 3.4 | 3.2 | 3.4 | 5.0 |

Podemos calcular $S_{yy} = 10.97$, $S_{xy} = 13.2$, $S_{xx} = 52.53$, $\bar{y} = 2.847$, y $\bar{x} = 4.832$. El modelo de regresión es $\hat{y} = 1.708 + .260x$, y la suma de regresión de cuadrados es $SS_R = \hat{\beta}_1 S_{yx} = (.260)(13.62) = 3.541$. La suma de cuadrados del error puro se calcula del modo siguiente:

| Nivel de x | $\Sigma(y_i - \bar{y})^2$ | Grados de libertad |
|------------|---------------------------|--------------------|
| 1.0        | .1250                     | 1                  |
| 3.3        | 1.8050                    | 1                  |
| 4.0        | .1066                     | 2                  |
| 5.6        | .9800                     | 2                  |
| 6.0        | .0200                     | 1                  |
| Totales    | 3.0366                    | 7                  |

El análisis de varianza se resume en la tabla 14.4. Puesto que $F_{.25, 8, 7} = 1.70$, no podemos rechazar la hipótesis de que el modelo tentativo describe adecuadamente los datos. Combinaremos la falta de ajuste y la media cuadrática del error puro para formar la media cuadrática del denominador en la prueba para la significación de la regresión. Además, puesto que $F_{.05, 1.15} = 4.54$, concluimos que $\beta_1 \neq 0$.

Al ajustar un modelo de regresión a los datos experimentales, una buena práctica es utilizar el modelo de grado más bajo que describa de manera adecuada los datos. La prueba de la falta de ajuste puede ser útil respecto a esto. Sin

TABLA 14.4   **Análisis de varianza para el ejemplo 14.6**

| Fuente de variación | Suma de cuadrados | Grados de libertad | Media cuadrática | $F_0$ |
|---------------------|-------------------|--------------------|------------------|-------|
| Regresión           | 3.541             | 1                  | 3.541            | 7.15  |
| Residual            | 7.429             | 15                 | .4952            |       |
| (Falta de ajuste)   | 4.3924            | 8                  | .5491            | 1.27  |
| (Error puro)        | 3.0366            | 7                  | .4338            |       |
| Total               | 10.970            | 16                 |                  |       |

embargo, siempre es posible ajustar un polinomio de grado $n - 1$ a $n$ puntos dato, y el experimentador debe considerar no emplear un modelo que esté "saturado", esto es, que tiene casi tantas variables independientes como observaciones en $y$.

### 14-5.3 Coeficiente de determinación

La cantidad

$$R^2 = \frac{SS_R}{S_{yy}} = 1 - \frac{SS_E}{S_{yy}} \tag{14-41}$$

se denomina el coeficiente de determinación, y se emplea a menudo para juzgar la suficiencia de un modelo de regresión. (Veremos subsecuentemente que en el caso donde $x$ y $y$ son variables aleatorias distribuidas de manera conjunta, $R^2$ es el cuadrado del coeficiente de correlación entre $x$ y $y$.) Es claro que $0 < R^2 < 1$. Con frecuencia nos referiremos informalmente a $R^2$ como el grado de variabilidad en los datos explicados por el modelo de regresión. Para los datos en el ejemplo 14.1, tenemos $R^2 = SS_R/S_{yx} = 1924.87/1932.10 = .9963$; esto es, 99.63 por ciento de la variabilidad en los datos es explicada por el modelo.

La estadística $R^2$ debe utilizarse con precaución, puesto que siempre es posible hacer a $R^2$ unitaria agregando simplemente suficientes términos al modelo. Por ejemplo, podemos obtener un ajuste "perfecto" a los $n$ puntos dato con un polinomio de grado $n - 1$. Además, $R^2$ siempre aumentará si añadimos una variable al modelo, pero esto no necesariamente significa que el nuevo modelo sea superior al antiguo. A menos que la suma de cuadrados del error en el nuevo modelo se reduzca en una cantidad igual a la media cuadrática del error original, el nuevo modelo tendrá una media cuadrática del error más grande que el del antiguo, debido a la pérdida de un grado de libertad. De tal modo el nuevo modelo realmente será peor que el anterior.

Hay varios conceptos erróneos respecto a $R^2$. En general $R^2$ no mide la magnitud de la pendiente de la línea de regresión. Un valor grande de $R^2$ no implica una pendiente empinada. Además, $R^2$ no mide lo apropiado del modelo, ya que puede inflarse en forma artificial añadiendo términos polinomiales de orden más alto. Incluso si $y$ y $x$ se relacionan de manera no lineal, $R^2$ a menudo será grande. Por ejemplo, $R^2$ para la ecuación de regresión en la figura 14.3b será relativamente grande, aun cuando la aproximación lineal sea pobre. Por último, aun cuando $R^2$ sea grande, esto no implica necesariamente que el modelo de regresión proporcionará predicciones precisas de observaciones futuras.

## 14-6 Transformaciones a una línea recta

En ocasiones encontramos que el modelo de regresión de línea recta $y = \beta_0 + \beta_1 x + \epsilon$ es inapropiado porque la función de regresión verdadera no es lineal.

Algunas veces esto se determina en forma visual a partir del diagrama de dispersión, y algunas veces sabemos en principio que el modelo es no lineal debido a experiencias previas o a la teoría básica. En ciertas situaciones una función no lineal puede expresarse como un línea recta utilizando una transformación apropiada. Tales modelos lineales se llaman *lineales intrínsicamente*.

Como un ejemplo de un modelo no lineal que es lineal intrínsicamente, considérese la función exponencial

$$y = \beta_0 e^{\beta_1 x} \epsilon$$

Esta función es intrínsicamente lineal, ya que puede transformarse en un línea recta mediante una transformación logarítmica

$$\ln y = \ln \beta_0 + \beta_1 x + \ln \epsilon$$

Esta transformación requiere que los términos del error transformado $\ln \epsilon$ se distribuyan normal e independientemente con media cero y varianza $\sigma^2$.

Otra función lineal intrínsicamente es

$$y = \beta_0 + \beta_1 \left( \frac{1}{x} \right) + \epsilon$$

Al emplear la transformación recíproca $z = 1/x$, el modelo se vuelve lineal como

$$y = \beta_0 + \beta_1 z + \epsilon$$

Algunas veces varias transformaciones pueden emplearse en forma conjunta para hacer lineal una función. Por ejemplo, considérese la función

$$y = \frac{1}{\exp(\beta_0 + \beta_1 x + \epsilon)}$$

Dejando $y^* = 1/y$, tenemos la forma linearizada

$$\ln y^* = \beta_0 + \beta_1 x + \epsilon$$

Varios otros ejemplos de modelos no lineales que son lineales intrínsicamente son dados por Daniel y Wood (1980).

## 14-7   Correlación

Nuestro desarrollo del análisis de regresión hasta ahora ha supuesto que $x$ es una variable matemática, medida con error despreciable, y que $y$ es una variable aleatoria. Muchas aplicaciones del análisis de regresión implican situaciones en las que *tanto x como y* son variables aleatorias. En muchas situaciones, suele suponerse que las observaciones $(y_i, x_i)$, $i = 1, 2, \ldots, n$ son variables aleatorias distribuidas conjuntamente que se obtienen de la distribución $f(y, x)$. Por ejemplo, supóngase que deseamos desarrollar un modelo de regresión que relacione la resistencia al corte de soldaduras de punto con el diámetro de la soldadura. En este ejemplo, el diámetro de la soldadura no puede controlarse. Seleccionaríamos al azar $n$ soldaduras de punto y observaríamos un diámetro $(x_i)$ y la resistencia al corte $(y_i)$ para cada una. En consecuencia, $(y_i, x_i)$ son variables aleatorias distribuidas conjuntamente.

Solemos suponer que la distribución conjunta de $y_i$ y $x_i$ es la distribución normal bivariada. Esto es,

$$f(y, x) = \frac{1}{2\pi\sigma_1\sigma_2\sqrt{1 - \rho^2}} \exp\left\{-\frac{1}{2(1 - \rho^2)}\left[\left(\frac{y - \mu_1}{\sigma_1}\right)^2 + \left(\frac{x - \mu_2}{\sigma_2}\right)^2 \right.\right.$$

$$\left.\left. -2\rho\left(\frac{y - \mu_1}{\sigma_1}\right)\left(\frac{x - \mu_2}{\sigma_2}\right)\right]\right\} \quad (14\text{-}42)$$

donde $\mu$ y $\sigma_1^2$ son la media y la varianza de $y$, $\mu_2$ y $\sigma_2^2$ son la media y la varianza de $x$, y $\rho$ es el coeficiente de correlación entre $y$ y $x$. Recuérdese del capítulo 5 que el coeficiente de correlación se define como

$$\rho = \frac{\sigma_{12}}{\sigma_1\sigma_2}$$

donde $\sigma_{12}$ es la covarianza entre $y$ y $x$.

La distribución condicional de $y$ para un valor dado de $x$ es (véase el capítulo 8)

$$f(y|x) = \frac{1}{\sqrt{2\pi}\,\sigma_{1.2}} \exp\left[-\frac{1}{2}\left(\frac{y - \beta_0 - \beta_1 x}{\sigma_{1.2}}\right)^2\right] \quad (14\text{-}43)$$

donde

$$\beta_0 = \mu_1 - \mu_2\rho\frac{\sigma_1}{\sigma_2} \quad (14\text{-}44a)$$

$$\beta_1 = \frac{\sigma_1}{\sigma_2}\rho \quad (14\text{-}44b)$$

y

$$\sigma_{1.2}^2 = \sigma_1^2(1 - \rho^2) \quad (14\text{-}44c)$$

Esto es, la distribución condicional de $y$ dada $x$ es normal con media

$$E(y|x) = \beta_0 + \beta_1 x \tag{14-45}$$

y varianza $\sigma_{1.2}^2$. Adviértase que la media de la distribución de $y$ dada $x$ es un modelo de regresión de línea recta. Además, hay una relación entre el coeficiente de correlación y la pendiente $\beta_1$. De la ecuación 14-44b vemos que si $\rho = 0$ entonces $\beta_1 = 0$, lo que implica que no hay regresión de $y$ en $x$. Esto es, el conocimiento de $x$ no nos ayuda en la predicción de $y$.

El método de máxima probabilidad puede utilizarse para estimar los parámetros $\beta_0$ y $\beta_1$. Es posible mostrar que los estimadores de máxima verosimilitud de estos parámetros son

$$\hat{\beta}_0 = \bar{y} - \hat{\beta}_1 \bar{x} \tag{14-46a}$$

y

$$\hat{\beta}_1 = \frac{\displaystyle\sum_{i=1}^{n} y_i (x_i - \bar{x})}{\displaystyle\sum_{i=1}^{n} (x_i - \bar{x})^2} = \frac{S_{xy}}{S_{xx}} \tag{14-46b}$$

Notamos que los estimadores de la ordenada al origen y la pendiente en la ecuación 14-46 son idénticos a los dados por el método de mínimos cuadrados en el caso en el que $x$ se supuso como una variable matemática. Esto es, el modelo de regresión con $y$ y $x$ distribuidas normal y conjuntamente es equivalente al modelo con $x$ considerada como una variable matemática. Esto resulta debido a que las variables aleatorias $y$ y $x$ se distribuyen normal e independientemente con media $\beta_0 + \beta_1 x$ y varianza constante $\sigma_{1.2}^2$. Estos resultados también serán sostenidos para *cualquier* distribución conjunta de $y$ y $x$ si la distribución condicional de $y$ y $x$ es normal.

Es posible extraer deducciones en torno al coeficiente de correlación $\rho$ en este modelo. El estimador $\rho$ es el *coeficiente de correlación de la muestra*

$$r = \frac{\displaystyle\sum_{i=1}^{n} y_i (x_i - \bar{x})}{\left[\displaystyle\sum_{i=1}^{n} (x_i - \bar{x})^2 \sum_{i=1}^{n} (y_i - \bar{y})^2\right]^{1/2}}$$

$$= \frac{S_{xy}}{\left[S_{xx} S_{yy}\right]^{1/2}} \tag{14-47}$$

Nótese que

$$\hat{\beta}_1 = \left(\frac{S_{yy}}{S_{xx}}\right)^{1/2} r \tag{14-48}$$

de modo que la pendiente $\hat{\beta}_1$ es justamente el coeficiente de correlación $r$ de la muestra multiplicado por un factor de escala que es la raíz cuadrada de la "dispersión" de los valores $y$ divididos por la "dispersión" de los valores $x$. De tal modo $\hat{\beta}_1$ y $r$ están estrechamente relacionadas, aunque ellas brindan información un poco diferente. El coeficiente de correlación $r$ de la muestra mide la asociación lineal entre $y$ y $x$, en tanto que $\hat{\beta}_1$ mide el cambio predicho en la media para un cambio unitario en $x$. En el caso de una variable matemática $x$, $r$ no tiene significado porque la magnitud de $r$ depende de la elección del espaciamiento para $x$. También podemos escribir, de la ecuación 14-48,

$$R^2 \equiv r^2 = \hat{\beta}_1^2 \frac{S_{xx}}{S_{yy}}$$

$$= \frac{\hat{\beta}_1 S_{xy}}{S_{yy}}$$

$$= \frac{SS_R}{S_{yy}}$$

que reconocemos a partir de la ecuación 14-41 como el coeficiente de determinación. Esto es, el coeficiente de determinación $R^2$ es justamente el cuadrado del coeficiente de correlación entre $y$ y $x$.

A menudo es útil probar la hipótesis

$$\begin{aligned} H_0: \rho = 0 \\ H_1: \rho \neq 0 \end{aligned} \tag{14-49}$$

La estadística de prueba apropiada para esta hipótesis es

$$t_0 = \frac{r\sqrt{n-2}}{\sqrt{1-r^2}} \tag{14-50}$$

la cual sigue la distribución $t$ con $n-2$ grados de libertad si $H_0: \rho = 0$ es verdadera. En consecuencia, rechazaríamos la hipótesis nula si $|t_0| \cdot t_{\alpha/2, \, n-2}$. Esta prueba equivale a la prueba de la hipótesis $H_0: \beta_1 = 0$ dada en la sección 14-2. Esta equivalencia sigue directamente de la ecuación 14-48.

El procedimiento de prueba para la hipótesis

$$\begin{aligned} H_0: \rho = \rho_0 \\ H_1: \rho \neq \rho_0 \end{aligned} \tag{14-51}$$

donde $\rho_0 \neq 0$ es un poco más complicado. Para muestras moderadamente largas (digamos $n \geq 25$) la estadística

$$Z = \operatorname{arctanh} r = \frac{1}{2} \ln \frac{1 + r}{1 - r} \qquad (14\text{-}52)$$

se distribuye aproximadamente en forma normal con media

$$\mu_Z = \operatorname{arctanh} \rho = \frac{1}{2} \ln \frac{1 + \rho}{1 - \rho}$$

y varianza

$$\sigma_Z^2 = (n - 3)^{-1}$$

Por tanto, para probar la hipótesis $H_0\colon \rho = \rho_0$ podemos calcular la estadística

$$Z_0 = (\operatorname{arctanh} r - \operatorname{arctanh} \rho_0)(n - 3)^{1/2} \qquad (14\text{-}53)$$

y rechaza $H_0\colon \rho = \rho_0$ si $|Z_0| > Z_{\alpha/2}$.

También es posible construir un intervalo de confianza del $100(1 - \alpha)$ para $\rho$, empleando la transformación en la ecuación 14-52. El intervalo de confianza del $100(1 - \alpha)$ es

$$\tanh\!\left(\operatorname{arctanh} r - \frac{Z_{\alpha/2}}{\sqrt{n - 3}}\right) \leq \rho \leq \tanh\!\left(\operatorname{arctanh} r + \frac{Z_{\alpha/2}}{\sqrt{n - 3}}\right) \quad (14\text{-}54)$$

donde $\tanh u = (e^u - e^{-u})/(e^u + e^{-u})$.

**Ejemplo 14.7**   Montgomery y Peck (1982) describe una aplicación del análisis de regresión en la cual una ingeniero que trabaja con botellas de refresco investiga la distribución del producto y las operaciones del servicio de ruta para máquinas vendedoras. Ella sospecha que el tiempo requerido para cargar y servir una máquina se relaciona con el número de latas entregadas del producto. Se selecciona una muestra aleatoria de 25 expendios al menudeo que tienen máquinas vendedoras y se observa para cada expendio el tiempo de solicitud-entrega (en minutos) y el volumen del producto entregado (en latas). Los datos se muestran en la tabla 14.5. Suponemos que el tiempo de entrega y el volumen del producto entregado siguen una distribución normal conjunta.

Al emplear los datos en la tabla 14.5, podemos calcular

$$S_{yy} = 6105.9447 \qquad S_{xx} = 698.5600 \qquad \text{y} \qquad S_{xy} = 2027.7132$$

El modelo de regresión

$$\hat{y} = 5.1145 + 2.9027x$$

TABLA 14.5  Datos para el ejemplo 14.7

| Observación | Tiempo de entrega, y | Número de latas, x | Observación | Tiempo de entrega, y | Número de latas, x |
|---|---|---|---|---|---|
| 1 | 9.95 | 2 | 14 | 11.66 | 2 |
| 2 | 24.45 | 8 | 15 | 21.65 | 4 |
| 3 | 31.75 | 11 | 16 | 17.89 | 4 |
| 4 | 35.00 | 10 | 17 | 69.00 | 20 |
| 5 | 25.02 | 8 | 18 | 10.30 | 1 |
| 6 | 16.86 | 4 | 19 | 34.93 | 10 |
| 7 | 14.38 | 2 | 20 | 46.59 | 15 |
| 8 | 9.60 | 2 | 21 | 44.88 | 15 |
| 9 | 24.35 | 9 | 22 | 54.12 | 16 |
| 10 | 27.50 | 8 | 23 | 56.63 | 17 |
| 11 | 17.08 | 4 | 24 | 22.13 | 6 |
| 12 | 37.00 | 11 | 25 | 21.15 | 5 |
| 13 | 41.95 | 12 | | | |

El coeficiente de correlación de muestra entre $x$ y $y$ se calcula a partir de la ecuación 14-47 como

$$r = \frac{S_{xy}}{\left[S_{xx}S_{yy}\right]^{1/2}} = \frac{2027.7132}{\left[(698.5600)(6105.9447)\right]^{1/2}} = .9818$$

Nótese que $R^2 = (.9818)^2 = .9640$, o que aproximadamente 96.40 por ciento de la variabilidad en el tiempo de entrega se explica por la relación lineal con el volumen de entrega. Para probar la hipótesis

$$H_0: \rho = 0$$

$$H_1: \rho \neq 0$$

podemos calcular la estadística de prueba de la ecuación 14-50 como sigue:

$$t_0 = \frac{r\sqrt{n-2}}{\sqrt{1-r^2}} = \frac{.9818\sqrt{23}}{\sqrt{1-.9640}} = 24.80$$

Puesto que $t_{.025,\ 23} = 2.069$, rechazamos $H_0$ y concluimos que el coeficiente de correlación $\rho \neq 0$. Por último, podemos construir un intervalo de confianza del 95 por ciento en $\rho$ a partir de la ecuación 14-54. Puesto que arctanh $r$ = arctanh $.9818 = 2.3452$, la ecuación 14-54 se vuelve

$$\tanh\left(2.3452 - \frac{1.96}{\sqrt{22}}\right) \leq \rho \leq \tanh\left(2.3452 + \frac{1.96}{\sqrt{22}}\right)$$

que se reduce a

$$.9585 \leq \rho \leq .9921$$

## 14-8    Resumen

Este capítulo ha presentado el modelo de regresión lineal simple y mostró cómo pueden obtenerse las estimaciones de mínimos cuadrados de los parámetros del modelo. Se desarrollaron también los procedimientos de la prueba de hipótesis y las estimaciones de los intervalos de confianza de los parámetros del modelo. Las pruebas de hipótesis y los intervalos de confianza requieren la suposición de que las observaciones $y$ son variables aleatorias distribuidas normal e independientemente. Se presentaron los procedimientos para probar la suficiencia del modelo, incluso una prueba de falta de ajuste y de análisis del residuo. También se presentó el modelo de correlación para tratar el caso en el que $x$ y $y$ se distribuyen en forma normal y conjunta. Se analizó la equivalencia del problema de la estimación de parámetros del modelo de regresión para el caso en el que $x$ y $y$ son normales conjuntas en el caso donde $x$ es una variable matemática. Se desarrollaron los procedimientos para obtener estimaciones puntuales y de intervalo del coeficiente de correlación y para la prueba de hipótesis en torno al coeficiente de correlación.

## 14-9    Ejercicios

**14-1**  Montgomery y Peck (1982) presentan datos relativos al rendimiento de 26 equipos de la Liga Nacional de Fútbol de los Estados Unidos en 1976. Se sospecha que el número de juegos ganados ( $y$) se relaciona con el número de yardas ganadas por corrida por el oponente ($x$). Los datos se muestran a continuación

| Equipos | Juegos ganados ($y$) | Yardas corridas por los oponentes ($x$) |
|---|---|---|
| Washington | 10 | 2205 |
| Minnesota | 11 | 2096 |
| New England | 11 | 1847 |
| Oakland | 13 | 1903 |
| Pittsburgh | 10 | 4757 |
| Baltimore | 11 | 1848 |
| Los Angeles | 10 | 1564 |
| Dallas | 11 | 1821 |
| Atlanta | 4 | 2577 |
| Buffalo | 2 | 2476 |
| Chicago | 7 | 1984 |
| Cincinnati | 10 | 1917 |
| Cleveland | 9 | 1761 |
| Denver | 9 | 1709 |
| Detroit | 6 | 1901 |
| Greenbay | 5 | 2288 |
| Houston | 5 | 2072 |

| | | |
|---|---|---|
| Kansas City | 5 | 2861 |
| Miami | 6 | 2411 |
| New Orleans | 4 | 2289 |
| New York Giants | 3 | 2203 |
| New York Jets | 3 | 2592 |
| Philadelphia | 4 | 2053 |
| St. Louis | 10 | 1979 |
| San Diego | 6 | 2048 |
| San Francisco | 8 | 1786 |
| Seattle | 2 | 2876 |
| Tampa Bay | 0 | 2560 |

a) Ajuste un modelo de regresión lineal que relacione los juegos ganados con las yardas ganadas por un oponente.
b) Pruebe la significación de la regresión.
c) Encuentre un intervalo de confianza en la pendiente.
d) ¿Qué porcentaje de la variabilidad total se explica mediante este modelo?
e) Encuentre los residuos y prepare gráficas residuales apropiadas.

14-2 Suponga que nos gustaría utilizar el modelo desarrollado en el ejercicio 14-1 para predecir el número de juegos que un equipo ganará si puede limitar a sus oponentes a 1800 yardas por carrera. Encuentre una estimación puntual del número de juegos ganados si los oponentes ganan sólo 1800 yardas por carrera. Encuentre un intervalo de predicción del 95 por ciento en el número de juegos ganados.

14-3 La revista *Motor Trend* presenta con frecuencia datos de rendimiento para automóviles. La tabla siguiente presenta datos del volumen de 1975 de *Motor Trend* relativos al rendimiento de gasolina por milla y el cilindraje del motor para 15 automóviles

| Automóvil | Millas/Galón, y | Desplazamiento (pulgada cúbicas), x |
|---|---|---|
| Apollo | 18.90 | 350 |
| Omega | 17.00 | 350 |
| Nova | 20.00 | 250 |
| Monarch | 18.25 | 351 |
| Duster | 20.07 | 225 |
| Jensen Conv. | 11.20 | 440 |
| Skyhawk | 22.12 | 231 |
| Monza | 21.47 | 262 |
| Corolla SR-5 | 30.40 | 96.9 |
| Camaro | 16.50 | 350 |
| Eldorado | 14.39 | 500 |
| Trans Am | 16.59 | 400 |
| Charger SE | 19.73 | 318 |
| Cougar | 13.90 | 351 |
| Corvette | 16.50 | 350 |

a) Ajuste un modelo de regresión que relacione las millas recorridas con el cilindraje del motor.
b) Pruebe la significación de la regresión.
c) ¿Qué porcentaje de la variabilidad total en las millas recorridas explica el modelo?
d) Encuentre un intervalo de confianza del 90 por ciento en la media de millas recorridas si el cilindraje de 275 pulgadas cúbicas.

14-4 Suponga que deseamos predecir el consumo de gasolina por milla de un automóvil con un cilindraje de 275 pulgadas cúbicas. Encuentre una estimación puntual, empleando el modelo desarrollado en el ejercicio 14-3, y una estimación apropiada del intervalo de confianza del 90 por ciento. Compare este intervalo con el obtenido en el ejercicio 14-3d). ¿Cuál es el más ancho y por qué?

14-5 Encuentre los residuos del modelo en el ejercicio 14-3. Elabore gráficas residuales apropiadas y comente acerca de la suficiencia del modelo.

14-6 Un artículo en *Technometrics* por S. C. Narula y J. F. Wellington ("Prediction, Linear Regression, and a Minimum Sum of Relative Errors," vol. 19, 1977) presenta datos sobre los precios de venta e impuestos anuales para 27 casas. Los datos se muestran en seguida:

| Precio de venta/1000 | Impuestos (local, escuela, país)/1000 |
|---|---|
| 25.9 | 4.9176 |
| 29.5 | 5.0208 |
| 27.9 | 4.5429 |
| 25.9 | 4.5573 |
| 29.9 | 5.0597 |
| 29.9 | 3.8910 |
| 30.9 | 5.8980 |
| 28.9 | 5.6039 |
| 35.9 | 5.8282 |
| 31.5 | 5.3003 |
| 31.0 | 6.2712 |
| 30.9 | 5.9592 |
| 30.0 | 5.0500 |
| 36.9 | 8.2464 |
| 41.9 | 6.6969 |
| 40.5 | 7.7841 |
| 43.9 | 9.0384 |
| 37.5 | 5.9894 |
| 37.9 | 7.5422 |
| 44.5 | 8.7951 |
| 37.9 | 6.0831 |
| 38.9 | 8.3607 |
| 36.9 | 8.1400 |
| 45.8 | 9.1416 |

*a)* Ajuste un modelo de regresión que relacione los precios de venta con el pago de impuestos.

*b)* Pruebe la significancia de la regresión.

*c)* ¿Qué porcentaje de la variabilidad en el precio de venta se explica a partir de los impuestos pagados?

*d)* Encuentre los residuos para este modelo. Construya una gráfica de probabilidad normal para los residuos. Grafique los residuos contra $\hat{y}$ y contra $x$. ¿El modelo parece satisfactorio?

**14-7** La resistencia del papel utilizado en la manufactura de cajas de cartón ( $y$ ) se relaciona con el porcentaje de la concentración de madera dura en la pulpa original ( $x$ ). En condiciones controladas, una planta piloto manufactura 16 muestras, cada una de diferentes lotes de pulpa, y se mide la resistencia a la tensión. Los datos son los siguientes:

| $y$ | 101.4 | 117.4 | 117.1 | 106.2 | 131.9 | 146.9 | 146.8 | 133.9 |
|-----|-------|-------|-------|-------|-------|-------|-------|-------|
| $x$ | 1.0 | 1.5 | 1.5 | 1.5 | 2.0 | 2.0 | 2.2 | 2.4 |

| $y$ | 111.3 | 123.0 | 125.1 | 145.2 | 134.3 | 144.5 | 143.7 | 146.9 |
|-----|-------|-------|-------|-------|-------|-------|-------|-------|
| $x$ | 2.5 | 2.5 | 2.8 | 2.8 | 3.0 | 3.0 | 3.2 | 3.3 |

*a)* Ajuste un modelo de regresión lineal simple a los datos.

*b)* Pruebe la falta de ajuste y la significancia de la regresión.

*c)* Construya un intervalo de confianza del 90 por ciento en la pendiente $\beta_1$.

*d)* Construya un intervalo de confianza del 90 por ciento para la intersección $\beta_0$.

*e)* Construya un intervalo de confianza sobre la línea de regresión real en $x = 2.5$.

**14-8** Calcule los residuos para el modelo de regresión en el ejercicio 14-7. Prepare gráficas de residuos apropiadas y comente acerca de la suficiencia del modelo.

**14-9.** Se considera que el número de libras de vapor utilizadas al mes por una planta química se relaciona con la temperatura ambiente promedio para ese mes. El consumo y la temperatura del año pasado se muestran en la siguiente tabla:

| Mes | Temp. | Consumo/1000 | Mes | Temp. | Consumo/1000 |
|-----|-------|--------------|------|-------|--------------|
| Ene. | 21 | 185.79 | Julio | 68 | 621.55 |
| Feb. | 24 | 214.47 | Aug. | 74 | 675.06 |
| Mar. | 32 | 288.03 | Sept. | 62 | 562.03 |
| Abr. | 47 | 424.84 | Oct. | 50 | 452.93 |
| Mayo | 50 | 454.58 | Nov. | 41 | 369.95 |
| Junio | 59 | 539.03 | Dic. | 30 | 273.98 |

*a)* Ajuste un modelo de regresión lineal simple a los datos.

*b)* Pruebe la significación de la regresión.

*c)* Verifique la hipótesis de que la pendiente $\beta_1 = 10$.

*d*)   Construya un intervalo de confianza del 99 por ciento en torno a la línea de regresión real en $x = 58$.

*e*)   Construya un intervalo de predicción del 99 por ciento en el consumo de vapor en el siguiente mes teniendo una temperatura ambiente media de 58°C.

**14-10** Calcule los residuos para el modelo de regresión en el ejercicio 14-9. Prepare gráficas de residuos apropiadas y comente acerca de la suficiencia del modelo.

**14-11** Se piensa que el porcentaje de impurezas en gas oxígeno producido en un proceso de destilación se relaciona con el porcentaje de hidrocarburo en el condensador principal del procesador. Se disponen los datos de operación de un mes, los cuales se presentan a continuación:

| Pureza (%) | 86.91 | 89.85 | 90.28 | 86.34 | 92.58 | 87.33 | 86.29 | 91.86 | 95.61 | 89.86 |
|---|---|---|---|---|---|---|---|---|---|---|
| Hidrocarburo (%) | 1.02 | 1.11 | 1.43 | 1.11 | 1.01 | .95 | 1.11 | .87 | 1.43 | 1.02 |

| Pureza (%) | 96.73 | 99.42 | 98.66 | 96.07 | 93.65 | 87.31 | 95.00 | 96.85 | 85.20 | 90.56 |
|---|---|---|---|---|---|---|---|---|---|---|
| Hidrocarburo (%) | 1.46 | 1.55 | 1.55 | 1.55 | 1.40 | 1.15 | 1.01 | .99 | .95 | .98 |

*a*)   Ajuste un modelo de regresión lineal simple a los datos.
*b*)   Pruebe la falta de ajuste y la significación de la regresión.
*c*)   Calcule $R^2$ para este modelo.
*d*)   Calcule un intervalo de confianza del 95 por ciento para la pendiente $\beta_1$.

**14-12** Calcule los residuos para los datos en el ejercicio 14-11.

*a*)   Grafique los residuos en papel de probabilidad normal y extraiga conclusiones adecuadas.
*b*)   Grafique los residuos contra $\hat{y}$ y $x$. Interprete estas gráficas.

**14-13** Los promedios finales para 20 estudiantes seleccionados al azar que toman un curso de estadística para ingenieros, y otro de investigación de operaciones de Georgia Tech se muestran a continuación. Suponga que los promedios finales se distribuyen normal y conjuntamente.

| Estadística | 86 | 75 | 69 | 75 | 90 | 94 | 83 | 86 | 71 | 65 |
|---|---|---|---|---|---|---|---|---|---|---|
| OR | 80 | 81 | 75 | 81 | 92 | 95 | 80 | 81 | 76 | 72 |

| Estadística | 84 | 71 | 62 | 90 | 83 | 75 | 71 | 76 | 84 | 97 |
|---|---|---|---|---|---|---|---|---|---|---|
| OR | 85 | 72 | 65 | 93 | 81 | 70 | 73 | 72 | 80 | 98 |

*a*)   Encuentre la línea de regresión que relacione el promedio final de estadística con el promedio final de investigación de operaciones.
*b*)   Estime el coeficiente de correlación.

c) Pruebe la hipótesis de que $\rho = 0$.
d) Pruebe la hipótesis de que $\rho = .5$.
e) Construya una estimación del intervalo de confianza del 95 por ciento del coeficiente de correlación.

**14-14** El peso y la presión arterial de 26 personas del sexo masculino seleccionadas al azar en un grupo con edades de 25 a 30 años se muestra en la siguiente tabla. Suponga que el peso y la presión arterial se distribuyen normal y conjuntamente.

| Sujeto | Peso | PS sistólica | Sujeto | Peso | PS sistólica |
|--------|------|--------------|--------|------|--------------|
| 1 | 165 | 130 | 14 | 172 | 153 |
| 2 | 167 | 133 | 15 | 159 | 128 |
| 3 | 180 | 150 | 16 | 168 | 132 |
| 4 | 155 | 128 | 17 | 174 | 149 |
| 5 | 212 | 151 | 18 | 183 | 158 |
| 6 | 175 | 146 | 19 | 215 | 150 |
| 7 | 190 | 150 | 20 | 195 | 163 |
| 8 | 210 | 140 | 21 | 180 | 156 |
| 9 | 200 | 148 | 22 | 143 | 124 |
| 10 | 149 | 125 | 23 | 240 | 170 |
| 11 | 158 | 133 | 24 | 235 | 165 |
| 12 | 169 | 135 | 25 | 192 | 160 |
| 13 | 170 | 150 | 26 | 187 | 159 |

a) Encuentre la línea de regresión que relacione la presión arterial con el peso.
b) Estime el coeficiente de correlación.
c) Pruebe la hipótesis de que $\rho = 0$.
d) Pruebe la hipótesis de que $\rho = .6$.
e) Obtenga una estimación del intervalo de confianza del 95 por ciento del coeficiente de correlación.

**14-15** Considere el modelo de regresión lineal simple $y = \beta_0 + \beta_1 x + \epsilon$. Muestre que $E(MS_R) = \sigma^2 + \beta_1^2 S_{xx}$.

**14-16** Suponga que hemos adoptado el modelo de regresión lineal simple

$$y = \beta_0 + \beta_1 x_1 + \epsilon$$

pero la respuesta es afectada por una segunda variable $x_2$ tal que la verdadera función de regresión es

$$E(y) = \beta_0 + \beta_1 x_1 + \beta_2 x_2$$

¿Es insesgado el estimador de la pendiente en el modelo de regresión lineal simple?

**14-17** Suponga que estamos ajustando una línea recta y que deseamos hacer la varianza de la pendiente $\hat{\beta}_1$ tan pequeña como sea posible. ¿Dónde deben tomarse las observaciones $x_i$, $i = 1, 2, \ldots, n$, de manera que se minimice $V(\hat{\beta}_1)$? Analice las implicaciones prácticas de esta localización de las $x_i$.

**14-18 Mínimos cuadrados ponderados.** Suponga que estamos ajustando la línea recta $y = \beta_0 + \beta_1 x + \epsilon$, pero la varianza de los valores $y$ depende ahora del nivel de $x$, esto es,

$$V(y_i|x_i) = \sigma_i^2 = \frac{\sigma^2}{w_i} \qquad i = 1, 2, \ldots, n$$

donde las $w_i$ son constantes desconocidas, llamadas a menudo *pesos*. Muestre que las ecuaciones normales de mínimos cuadrados resultantes son

$$\hat{\beta}_0 \sum_{i=1}^{n} w_i + \hat{\beta}_1 \sum_{i=1}^{n} w_i x_i = \sum_{i=1}^{n} w_i y_i$$

$$\hat{\beta}_0 \sum_{i=1}^{n} w_i x_i + \hat{\beta}_1 \sum_{i=1}^{n} w_i x_i^2 = \sum_{i=1}^{n} w_i x_i y_i$$

**14-19** Considere los datos que se muestran a continuación. Su ponga que la relación entre $y$ y $x$ se considera hipotéticamente como $y = (\beta_0 + \beta_1 x + \epsilon)^1$. Ajuste un modelo apropiado a los datos. ¿Parece la forma del modelo supuesto apropiada?

| x | 10 | 15 | 18 | 12 | 9 | 8 | 11 | 6 |
|---|-----|-----|-----|-----|-----|-----|-----|-----|
| y | .17 | .13 | .09 | .15 | .2 | .21 | .18 | .24 |

**14-20** Considere los datos de peso y presión sanguínea en el ejercicio 14-14. Ajuste un modelo de no intersección a los datos y compárelo con el modelo que se obtuvo en el ejercicio 14-14. ¿Cuál modelo es superior?

**14-21** Los datos que se muestran a continuación, adaptados de Montgomery y Peck (1982), presentan el número de deficientes mentales certificados por cada 10,000 de la población estimada en el Reino Unido ($y$) y el número de licencias de receptores de radio emitidas ($x$) por la BBC (en millones) para los años 1924 a 1937. Ajuste un modelo de regresión que relacione $y$ con $x$. Comente acerca del modelo. Específicamente, ¿la existencia de una fuerte correlación implica una relación de causa-efecto?

| Año | Número de deficientes mentales certificados por 10,000 de la población estimada del Reino Unido (y) | Número de licencias emitidas (millones de radiorreceptores) en el Reino Unido (x) |
|------|:---:|:---:|
| 1924 | 8 | 1.350 |
| 1925 | 8 | 1.960 |
| 1926 | 9 | 2.270 |
| 1927 | 10 | 2.483 |

| Año | Número de deficientes mentales certificados por 10,000 de la población estimada del Reino Unido (y) | Número de licencias emitidas (millones de radiorreceptores) en el Reino Unido (x) |
|------|------|------|
| 1928 | 11 | 2.730 |
| 1929 | 11 | 3.091 |
| 1930 | 12 | 3.674 |
| 1931 | 16 | 4.620 |
| 1932 | 18 | 5.497 |
| 1933 | 19 | 6.260 |
| 1934 | 20 | 7.012 |
| 1935 | 21 | 7.618 |
| 1936 | 22 | 8.131 |
| 1937 | 23 | 8.593 |

# Capítulo 15

# Regresión múltiple

Muchos problemas de regresión involucran más de una variable regresiva. Tales modelos se denominan de *regresión múltiple*. La regresión múltiple es una de las técnicas estadísticas más ampliamente utilizadas. Este capítulo presenta las técnicas básicas de la estimación de parámetros, de la estimación del intervalo de confianza y de la verificación de la suficiencia del modelo para la regresión múltiple. Presentamos también algunos de los problemas encontrados con frecuencia en el uso práctico de la regresión múltiple, incluyendo la construcción del modelo y la selección de variables, la autocorrelación en los errores, y la multicolinearidad y la dependencia casi lineal entre los regresores.

## 15-1  Modelos de regresión múltiple

El modelo de regresión que involucra más de una variable regresadora se llama modelo de *regresión múltiple*. Como un ejemplo, supóngase que la vida eficaz de una herramienta de corte depende de la velocidad y del ángulo de corte. Un modelo de regresión múltiple que podría describir esta relación es

$$y = \beta_0 + \beta_1 x_1 + \beta_2 x_2 + \varepsilon \qquad (15\text{-}1)$$

donde $y$ representa la vida de la herramienta, $x_1$, la rapidez de corte y, $x_2$, el ángulo de corte. Éste es un *modelo de regresión lineal múltiple* con dos regresores. El término "lineal" se emplea debido a que la ecuación 15-1 es la función lineal de los parámetros desconocidos $\beta_0$, $\beta_1$ y $\beta_2$. Nótese que el modelo describe un plano en el espacio bidimensional $x_1$, $x_2$. El parámetro $\beta_0$ define la ordenada al origen del plano. Algunas veces llamamos a $\beta_1$ y $\beta_2$ coeficientes de regresión parciales, porque $\beta_1$ mide el cambio esperado en $y$ por cambio unitario en $x_1$ cuando $x_2$ se mantiene constante, y $\beta_2$ mide el cambio esperado en $y$ por cambio unitario en $x_2$ cuando $x_1$ se mantiene constante.

En general, la variable dependiente o respuesta $y$ puede relacionarse con $k$ variables independientes. El modelo

$$y = \beta_0 + \beta_1 x_1 + \beta_2 x_2 + \cdots + \beta_k x_k + \varepsilon \qquad (15\text{-}2)$$

se denomina modelo de regresión lineal múltiple con $k$ variables independientes. Los parámetros $\beta_j$, $j = 0, 1, \ldots, k$, se llaman coeficientes de regresión. Este modelo describe un hiperplano en el espacio $k$-dimensional de las variables regresoras $\{x_j\}$. El parámetro $\beta_j$ representa el cambio esperado en la respuesta $y$ por cambio unitario en $x_j$ todas las variables independientes restantes $x_i$ ($i \neq j$) se mantienen constantes. Los parámetros $\beta_j$, $j = 1, 2, \ldots, k$, se denominan algunas veces coeficientes de regresión *parciales*, porque ellos describen el efecto parcial de una variable independiente cuando las otras variables independientes en el modelo se mantienen constantes.

Los modelos de regresión lineal múltiple se utilizan a menudo como funciones de aproximación. Esto es, la verdadera relación funcional entre $y$ y $x_1, x_2, \ldots, x_k$ se desconoce, aunque sobre ciertos intervalos de las variables independientes el modelo de regresión lineal es una aproximación adecuada.

Los modelos que son más complejos en apariencia que la ecuación 15-2 pueden con frecuencia seguir siendo analizados mediante técnicas de regresión lineal múltiple. Por ejemplo, considérese el modelo polinomial cúbico en una variable independiente

$$y = \beta_0 + \beta_1 x + \beta_2 x^2 + \beta_3 x^3 + \varepsilon \qquad (15\text{-}3)$$

Si dejamos $x_1 = x$, $x_2 = x^2$, y $x_3 = x^3$, entonces la ecuación 15-3 puede escribirse como

$$y = \beta_0 + \beta_1 x_1 + \beta_2 x_2 + \beta_3 x_3 + \varepsilon \qquad (15\text{-}4)$$

que es un modelo de regresión lineal múltiple con tres variables regresoras. Los modelos que incluyen efectos de interacción también pueden analizarse por medio de métodos de regresión lineal múltiple. Por ejemplo, supóngase que el modelo es

$$y = \beta_0 + \beta_1 x_1 + \beta_2 x_2 + \beta_{12} x_1 x_2 + \varepsilon \qquad (15\text{-}5)$$

Si dejamos $x_3 = x_1 x_2$ y $\beta_3 = \beta_{12}$, entonces la ecuación 15-5 puede escribirse como

$$y = \beta_0 + \beta_1 x_1 + \beta_2 x_2 + \beta_3 x_3 + \varepsilon \qquad (15\text{-}6)$$

TABLA 15.1   **Datos para la regresión lineal múltiple**

| $y$ | $x_1$ | $x_2$ | $\cdots$ | $x_k$ |
|---|---|---|---|---|
| $y_1$ | $x_{11}$ | $x_{12}$ | $\cdots$ | $x_{1k}$ |
| $y_2$ | $x_{21}$ | $x_{22}$ | $\cdots$ | $x_{2k}$ |
| $\vdots$ | $\vdots$ | $\vdots$ | | $\vdots$ |
| $y_n$ | $x_{n1}$ | $x_{n2}$ | $\cdots$ | $x_{nk}$ |

que es un modelo de regresión lineal. En general, cualquier modelo de regresión que es lineal en los *parámetros* (los valores $\beta$ ) es un modelo de regresión lineal, sin importar la forma de la superficie que genera.

## 15-2   Estimación de parámetros

El método de mínimos cuadrados puede utilizarse para estimar los coeficientes de regresión en la ecuación 15-2. Supóngase que se disponen $n > k$ observaciones, y déjese que $x_{ij}$ denote la observación *i*ésima o el nivel de la variable $x_j$. Los datos aparecerán en la tabla 15.1. Suponemos que el término del error en el modelo tiene $E(\varepsilon) = 0$, $V(\varepsilon) = \sigma^2$, y que las $\{\varepsilon_i\}$ son variables aleatorias no correlacionadas.

Podemos escribir el modelo, ecuación 15-2, en términos de las observaciones como

$$y_i = \beta_0 + \beta_1 x_{i1} + \beta_2 x_{i2} + \cdots + \beta_k x_{ik} + \varepsilon_i$$

$$= \beta_0 + \sum_{j=1}^{k} \beta_j x_{ij} + \varepsilon_i \qquad i = 1, 2, \ldots, n \qquad (15\text{-}7)$$

La función de mínimos cuadrados es

$$L = \sum_{i=1}^{n} \varepsilon_i^2$$

$$= \sum_{i=1}^{n} \left( y_i - \beta_0 - \sum_{j=1}^{k} \beta_j x_{ij} \right)^2 \qquad (15\text{-}8)$$

La función $L$ se minimizará con respecto a $\beta_0, \beta_1, \ldots, \beta_k$. Los estimadores de mínimos cuadrados de $\beta_0, \beta_1, \ldots, \beta_k$ debe satisfacer

$$\left.\frac{\partial L}{\partial \beta_0}\right|_{\hat{\beta}_0,\hat{\beta}_1,\ldots,\hat{\beta}_k} = -2\sum_{i=1}^{n}\left(y_i - \hat{\beta}_0 - \sum_{j=1}^{k}\hat{\beta}_j x_{ij}\right) = 0 \qquad (15\text{-}9a)$$

y

$$\left.\frac{\partial L}{\partial \beta_j}\right|_{\hat{\beta}_0,\hat{\beta}_1,\ldots,\hat{\beta}_k} = -2\sum_{i=1}^{n}\left(y_i - \hat{\beta}_0 - \sum_{j=1}^{k}\hat{\beta}_j x_{ij}\right)x_{ij} = 0 \qquad j = 1, 2, \ldots, k$$

$$(15\text{-}9b)$$

Al simplificar la ecuación 15-9, obtenemos las ecuaciones normales de mínimos cuadrados

$$n\hat{\beta}_0 + \hat{\beta}_1\sum_{i=1}^{n}x_{i1} + \hat{\beta}_2\sum_{i=1}^{n}x_{i2} + \cdots + \hat{\beta}_k\sum_{i=1}^{n}x_{ik} = \sum_{i=1}^{n}y_i$$

$$\hat{\beta}_0\sum_{i=1}^{n}x_{i1} + \hat{\beta}_1\sum_{i=1}^{n}x_{i1}^2 + \hat{\beta}_2\sum_{i=1}^{n}x_{i1}x_{i2} + \cdots + \hat{\beta}_k\sum_{i=1}^{n}x_{i1}x_{ik} = \sum_{i=1}^{n}x_{i1}y_i \quad (15\text{-}10)$$

$$\vdots \qquad \qquad \vdots \qquad \qquad \vdots \qquad \qquad \qquad \vdots \qquad \qquad \vdots$$

$$\hat{\beta}_0\sum_{i=1}^{n}x_{ik} + \hat{\beta}_1\sum_{i=1}^{n}x_{ik}x_{i1} + \hat{\beta}_2\sum_{i=1}^{n}x_{ik}x_{i2} + \cdots + \hat{\beta}_k\sum_{i=1}^{n}x_{ik}^2 = \sum_{i=1}^{n}x_{ik}y_i$$

Nótese que hay $p = k + 1$ ecuaciones normales, una para cada uno de los coeficientes de regresión desconocidos. La solución para las ecuaciones normales serán los estimadores de mínimos cuadrados de los coeficientes de regresión, $\hat{\beta}_0, \hat{\beta}_1, \ldots, \hat{\beta}_k$.

Es más simple resolver las ecuaciones normales si ellas se expresan en notación de matriz. Daremos ahora un desarrollo matricial de las ecuaciones normales que es afín al desarrollo de la ecuación 15-10. El modelo en términos de las observaciones, ecuación 15-7, puede escribirse en notación matricial como

$$\mathbf{y} = \mathbf{X}\boldsymbol{\beta} + \boldsymbol{\varepsilon}$$

donde

$$\mathbf{y} = \begin{bmatrix} y_1 \\ y_2 \\ \vdots \\ y_n \end{bmatrix} \qquad \mathbf{X} = \begin{bmatrix} 1 & x_{11} & x_{12} & \cdots & x_{1k} \\ 1 & x_{21} & x_{22} & \cdots & x_{2k} \\ \vdots & \vdots & \vdots & & \vdots \\ 1 & x_{n1} & x_{n2} & \cdots & x_{nk} \end{bmatrix}$$

$$\beta = \begin{bmatrix} \beta_0 \\ \beta_1 \\ \vdots \\ \beta_k \end{bmatrix} \qquad y \qquad \varepsilon = \begin{bmatrix} \varepsilon_1 \\ \varepsilon_2 \\ \vdots \\ \varepsilon_n \end{bmatrix}$$

En general, $\mathbf{y}$ es un vector $(n \times 1)$ de las observaciones, $\mathbf{X}$ es una matriz $(x \times p)$ de los niveles de las variables independientes, $\beta$ es un vector $(p \times 1)$ de los coeficientes de regresión, y $\varepsilon$ es un vector $(n \times 1)$ de los errores aleatorios.

Deseamos encontrar el vector de los estimadores de mínimos cuadrados, $\hat{\beta}$, que minimice

$$L = \sum_{i=1}^{n} \varepsilon_i^2 = \varepsilon'\varepsilon = (\mathbf{y} - \mathbf{X}\beta)'(\mathbf{y} - \mathbf{X}\beta)$$

Nótese que $L$ puede expresarse como

$$L = \mathbf{y'y} - \beta'\mathbf{X'y} - \mathbf{y'X}\beta + \beta'\mathbf{X'X}\beta$$
$$= \mathbf{y'y} - 2\beta'\mathbf{X'y} + \beta'\mathbf{X'X}\beta \tag{15-11}$$

puesto que $\beta'\mathbf{X'y}$ es una matriz de $(1 \times 1)$, o un escalar, y su transpuesta $(\beta'\mathbf{X'y})'$ $= \mathbf{y'X}\beta$ es el mismo escalar. Los estimadores de mínimos cuadrados deben satisfacer

$$\left.\frac{\partial L}{\partial \beta}\right|_{\hat{\beta}} = -2\mathbf{X'y} + 2\mathbf{X'X}\hat{\beta} = 0$$

que se simplifica a

$$\mathbf{X'X}\hat{\beta} = \mathbf{X'y} \tag{15-12}$$

Las ecuaciones 15-12 son las ecuaciones normales de mínimos cuadrados. Ellas son idénticas a las ecuaciones 15-10. Para resolver las ecuaciones normales, multiplíquense ambos lados de la ecuación 15-12 por la inversa de $\mathbf{X'X}$. De tal modo, el estimador de mínimos cuadrados de $\beta$ es

$$\hat{\beta} = (\mathbf{X'X})^{-1}\mathbf{X'y} \tag{15-13}$$

Es fácil ver que la forma matricial de las ecuaciones normales es idéntica a la de la forma escalar. Al escribir completa la ecuación 15-12 obtenemos

$$
\begin{bmatrix}
n & \sum_{i=1}^{n} x_{i1} & \sum_{i=1}^{n} x_{i2} & \cdots & \sum_{i=1}^{n} x_{ik} \\
\sum_{i=1}^{n} x_{i1} & \sum_{i=1}^{n} x_{i1}^{2} & \sum_{i=1}^{n} x_{i1}x_{i2} & \cdots & \sum_{i=1}^{n} x_{i1}x_{ik} \\
\vdots & \vdots & \vdots & & \vdots \\
\sum_{i=1}^{n} x_{ik} & \sum_{i=1}^{n} x_{ik}x_{i1} & \sum_{i=1}^{n} x_{ik}x_{i2} & \cdots & \sum_{i=1}^{n} x_{ik}^{2}
\end{bmatrix}
\begin{bmatrix}
\hat{\beta}_0 \\
\hat{\beta}_1 \\
\vdots \\
\hat{\beta}_k
\end{bmatrix}
=
\begin{bmatrix}
\sum_{i=1}^{n} y_i \\
\sum_{i=1}^{n} x_{i1}y_i \\
\vdots \\
\sum_{i=1}^{n} x_{ik}y_i
\end{bmatrix}
$$

Si se efectúa la multiplicación matricial indicada, resultará la forma escalar de las ecuaciones normales (esto es, la ecuación 15-10). En esta forma es fácil ver que $\mathbf{X'X}$ es una matriz simétrica ($p \times p$) y $\mathbf{X'y}$ es un vector columna ($p \times 1$). Adviértase la estructura especial de la matriz $\mathbf{X'X}$. Los elementos de la diagonal de $\mathbf{X'X}$ son las sumas de cuadrados de los elementos en las columnas de $\mathbf{X}$, y los elementos fuera de la diagonal son las sumas de los productos cruzados de los elementos de las columnas de $\mathbf{X}$. Además, nótese que los elementos de $\mathbf{X'y}$ son las sumas de los productos cruzados de las columnas de $\mathbf{X}$ y las observaciones $\{y_i\}$.

El modelo de regresión ajustado es

$$\hat{\mathbf{y}} = \mathbf{X}\hat{\boldsymbol{\beta}} \tag{15-14}$$

En notación escalar, el modelo ajustado es

$$\hat{y}_i = \hat{\beta}_0 + \sum_{j=1}^{k} \hat{\beta}_j x_{ij} \qquad i = 1, 2, \ldots, n$$

La diferencia entre la observación $y_i$ y el valor ajustado $\hat{y}_i$ es un residuo, digamos $e_i = y_i - \hat{y}_i$. El vector ($n \times 1$) de los residuos se denota mediante

$$\mathbf{e} = \mathbf{y} - \hat{\mathbf{y}} \tag{15-15}$$

**Ejemplo 15.1** Montgomery y Peck (1982) describen el empleo de un modelo de regresión para relacionar la cantidad de tiempo requerido por un vendedor de ruta (chofer) para abastecer una máquina vendedora de refrescos con el número de latas que incluye la misma, y la distancia del vehículo de servicio a la ubicación de la máquina. Este modelo se empleó para el diseño de la ruta, el programa y el despacho de vehículos. La tabla 15.2 presenta 25 observaciones respecto al tiempo de entrega tomadas del mismo estudio descrito por Montgomery y Peck. (Nótese que esto es una expansión del conjunto de datos empleados en el ejemplo 14.7, donde sólo se empleó el número de latas almacenadas como regresor.) Ajustaremos el modelo de regresión lineal múltiple

$$y = \beta_0 + \beta_1 x_1 + \beta_2 x_2 + \varepsilon$$

a estos datos. La matriz **X** y el vector **y** para este modelo son

$$
\mathbf{X} = \begin{bmatrix}
1 & 2 & 50 \\
1 & 8 & 110 \\
1 & 11 & 120 \\
1 & 10 & 550 \\
1 & 8 & 295 \\
1 & 4 & 200 \\
1 & 2 & 375 \\
1 & 2 & 52 \\
1 & 9 & 100 \\
1 & 8 & 300 \\
1 & 4 & 412 \\
1 & 11 & 400 \\
1 & 12 & 500 \\
1 & 2 & 360 \\
1 & 4 & 205 \\
1 & 4 & 400 \\
1 & 20 & 600 \\
1 & 1 & 585 \\
1 & 10 & 540 \\
1 & 15 & 250 \\
1 & 15 & 290 \\
1 & 16 & 510 \\
1 & 17 & 590 \\
1 & 6 & 100 \\
1 & 5 & 400
\end{bmatrix}
\qquad
\mathbf{y} = \begin{bmatrix}
9.95 \\
24.45 \\
31.75 \\
5.00 \\
25.02 \\
16.86 \\
14.38 \\
9.60 \\
24.35 \\
27.50 \\
17.08 \\
37.00 \\
41.95 \\
11.66 \\
21.65 \\
17.89 \\
69.00 \\
10.30 \\
34.92 \\
46.59 \\
44.88 \\
54.12 \\
56.63 \\
22.13 \\
21.15
\end{bmatrix}
$$

La matriz **X′X** es

$$
\mathbf{X'X} = \begin{bmatrix}
1 & 1 & \cdots & 1 \\
2 & 8 & \cdots & 5 \\
50 & 110 & \cdots & 400
\end{bmatrix}
\begin{bmatrix}
1 & 2 & 50 \\
1 & 8 & 110 \\
\vdots & \vdots & \vdots \\
1 & 5 & 400
\end{bmatrix}
$$

$$
= \begin{bmatrix}
25 & 206 & 8{,}294 \\
206 & 2{,}396 & 77{,}177 \\
8{,}294 & 77{,}177 & 3{,}531{,}848
\end{bmatrix}
$$

y el vector **X′y** es

$$
\mathbf{X'y} = \begin{bmatrix}
1 & 1 & \cdots & 1 \\
2 & 8 & \cdots & 5 \\
50 & 110 & \cdots & 400
\end{bmatrix}
\begin{bmatrix}
9.95 \\
24.45 \\
\vdots \\
21.15
\end{bmatrix}
= \begin{bmatrix}
725.82 \\
8{,}008.37 \\
274{,}811.31
\end{bmatrix}
$$

Los estimadores de mínimos cuadrados se encuentran de la ecuación 15-13 como

$$
\hat{\boldsymbol{\beta}} = (\mathbf{X'X})^{-1}\mathbf{X'y}
$$

TABLA 15.2   **Datos del tiempo de entrega para el ejemplo 15.1**

| Número de observación | Tiempo de entrega (min) $y$ | Número de latas $x_1$ | Distancias (pies) $x_2$ |
|:---:|:---:|:---:|:---:|
| 1 | 9.95 | 2 | 50 |
| 2 | 24.45 | 8 | 110 |
| 3 | 31.75 | 11 | 120 |
| 4 | 35.00 | 10 | 550 |
| 5 | 25.02 | 8 | 295 |
| 6 | 16.86 | 4 | 200 |
| 7 | 14.38 | 2 | 375 |
| 8 | 9.60 | 2 | 52 |
| 9 | 24.35 | 9 | 100 |
| 10 | 27.50 | 8 | 300 |
| 11 | 17.08 | 4 | 412 |
| 12 | 37.00 | 11 | 400 |
| 13 | 41.95 | 12 | 500 |
| 14 | 11.66 | 2 | 360 |
| 15 | 21.65 | 4 | 205 |
| 16 | 17.89 | 4 | 400 |
| 17 | 69.00 | 20 | 600 |
| 18 | 10.30 | 1 | 585 |
| 19 | 34.93 | 10 | 540 |
| 20 | 46.59 | 15 | 250 |
| 21 | 44.88 | 15 | 290 |
| 22 | 54.12 | 16 | 510 |
| 23 | 56.63 | 17 | 590 |
| 24 | 22.13 | 6 | 100 |
| 25 | 21.15 | 5 | 400 |

o

$$
\begin{bmatrix} \hat{\beta}_0 \\ \hat{\beta}_1 \\ \hat{\beta}_2 \end{bmatrix} = \begin{bmatrix} 25 & 206 & 8,294 \\ 206 & 2,396 & 77,177 \\ 8,294 & 77,177 & 3,531,848 \end{bmatrix}^{-1} \begin{bmatrix} 725.82 \\ 8,008.37 \\ 274,811.31 \end{bmatrix}
$$

$$
= \begin{bmatrix} .214653 & -.007491 & -.000340 \\ -.007491 & .001671 & -.000019 \\ -.000340 & -.000019 & .0000015 \end{bmatrix} \begin{bmatrix} 725.82 \\ 8,008.37 \\ 274,811.31 \end{bmatrix}
$$

$$
= \begin{bmatrix} 2.26379143 \\ 2.74426964 \\ .01252781 \end{bmatrix}
$$

TABLA 15.3 **Observaciones, valores ajustados y residuos para el ejemplo 15.1**

| Número de observación | $y_i$ | $\hat{y}_i$ | $e_i = y_i - \hat{y}_i$ |
|---|---|---|---|
| 1 | 9.95 | 8.38 | 1.57 |
| 2 | 24.45 | 25.60 | −1.15 |
| 3 | 31.75 | 33.95 | −2.20 |
| 4 | 35.00 | 36.60 | −1.60 |
| 5 | 25.02 | 27.91 | −2.89 |
| 6 | 16.86 | 15.75 | 1.11 |
| 7 | 14.38 | 12.45 | 1.93 |
| 8 | 9.60 | 8.40 | 1.20 |
| 9 | 24.35 | 28.21 | −3.86 |
| 10 | 27.50 | 27.98 | −.48 |
| 11 | 17.08 | 18.40 | −1.32 |
| 12 | 37.00 | 37.46 | −.46 |
| 13 | 41.95 | 41.46 | .49 |
| 14 | 11.66 | 12.26 | −.60 |
| 15 | 21.65 | 15.81 | 5.84 |
| 16 | 17.89 | 18.25 | −.36 |
| 17 | 69.00 | 64.67 | 4.33 |
| 18 | 10.30 | 12.34 | −2.04 |
| 19 | 34.93 | 36.47 | −1.54 |
| 20 | 46.59 | 46.56 | .03 |
| 21 | 44.88 | 47.06 | −2.18 |
| 22 | 54.12 | 52.56 | 1.56 |
| 23 | 56.63 | 56.31 | .32 |
| 24 | 22.13 | 19.98 | 2.15 |
| 25 | 21.15 | 21.00 | .15 |

Por tanto, el modelo de regresión ajustado es

$$\hat{y} = 2.26379 + 2.74427x_1 + .01253x_2$$

Nótese que hemos redondeado los coeficientes de regresión hasta cinco lugares. La tabla 15.3 muestra los valores ajustados de $y$ y los residuales. Los valores ajustados y los residuales se calculan con la misma precisión que los datos originales.

Las propiedades estadísticas del estimador de mínimos cuadrados $\hat{\beta}$ pueden demostrarse con facilidad. Considérese primero el sesgo:

$$E(\hat{\beta}) = E\left[(X'X)^{-1}X'y\right]$$
$$= E\left[(X'X)^{-1}X'(X\beta + \varepsilon)\right]$$

$$= E\left[(\mathbf{X'X})^{-1}\mathbf{X'X}\boldsymbol{\beta} + (\mathbf{X'X})^{-1}\mathbf{X'\varepsilon}\right]$$

$$= \boldsymbol{\beta}$$

puesto que $E(\boldsymbol{\varepsilon}) = \mathbf{O}$ y $(\mathbf{X'X})^{-1}\mathbf{X'X} = \mathbf{I}$. De tal modo $\hat{\boldsymbol{\beta}}$ es un estimador neutral de $\boldsymbol{\beta}$. La propiedad de varianza de $\hat{\boldsymbol{\beta}}$ se expresa mediante la matriz de covarianza

$$\mathrm{Cov}\left(\hat{\boldsymbol{\beta}}\right) = E\left\{\left[\hat{\boldsymbol{\beta}} - E(\hat{\boldsymbol{\beta}})\right]\left[\hat{\boldsymbol{\beta}} - E(\hat{\boldsymbol{\beta}})\right]'\right\}$$

La matriz de covarianza de $\hat{\boldsymbol{\beta}}$ es una matriz simétrica ($p \times p$) cuyo elemento $jj$ésimo es la varianza de $\hat{\boldsymbol{\beta}}_j$ y cuyo elemento $(i, j)$ésimo es la covarianza entre $\hat{\boldsymbol{\beta}}_i$ y $\hat{\boldsymbol{\beta}}_j$. La matriz de covarianza de $\hat{\boldsymbol{\beta}}$ es

$$\mathrm{Cov}\left(\hat{\boldsymbol{\beta}}\right) = \sigma^2(\mathbf{X'X})^{-1}$$

Suele ser necesario estimar $\sigma^2$. Para desarrollar este estimador, considérese la suma de cuadrados de los residuos, por ejemplo

$$SS_E = \sum_{i=1}^{n} (y_i - \hat{y}_i)^2$$

$$= \sum_{i=1}^{n} e_i^2$$

$$= \mathbf{e'e}$$

Al sustituir $\mathbf{e} = \mathbf{y} - \hat{\mathbf{y}} = \mathbf{y} - \mathbf{X}\hat{\boldsymbol{\beta}}$, tenemos

$$SS_E = (\mathbf{y} - \mathbf{X}\hat{\boldsymbol{\beta}})'(\mathbf{y} - \mathbf{X}\hat{\boldsymbol{\beta}})$$

$$= \mathbf{y'y} - \hat{\boldsymbol{\beta}}'\mathbf{X'y} - \mathbf{y'X}\hat{\boldsymbol{\beta}} + \hat{\boldsymbol{\beta}}'\mathbf{X'X}\hat{\boldsymbol{\beta}}$$

$$= \mathbf{y'y} - 2\hat{\boldsymbol{\beta}}'\mathbf{X'y} + \hat{\boldsymbol{\beta}}'\mathbf{X'X}\hat{\boldsymbol{\beta}}$$

Puesto que $\mathbf{X'X}\hat{\boldsymbol{\beta}} = \mathbf{X'y}$, esta última ecuación se vuelve

$$SS_E = \mathbf{y'y} - \hat{\boldsymbol{\beta}}'\mathbf{X'y} \tag{15-16}$$

La ecuación 15-16 se denomina la suma de cuadrados del *error* o *residuo*, y tiene $n - p$ grados de libertad asociados. La media cuadrática para el error es

$$MS_E = \frac{SS_E}{n - p} \tag{15-17}$$

Puede mostrarse que el valor esperado de $MS_E$ es $\sigma^2$, por lo que un estimador neutral de $\sigma^2$ está dado por

$$\hat{\sigma}^2 = MS_E \tag{15-18}$$

**Ejemplo 15.2** Estimaremos la varianza del error $\sigma^2$ para el problema de la regresión múltiple en el ejemplo 15.1. Al emplear los datos de la tabla 15.2, encontramos

$$y'y = \sum_{i=1}^{25} y_i^2 = 27{,}177.9510$$

y

$$\hat{\beta}'X'y = [2.26379143 \quad 2.74426964 \quad .01252781] \begin{bmatrix} 725.82 \\ 8{,}008.37 \\ 274{,}811.31 \end{bmatrix}$$

$$= 27{,}062.7775$$

Por consiguiente, la suma de cuadrados del error es

$$SS_E = y'y - \hat{\beta}'X'y$$
$$= 27{,}177.9510 - 27{,}062.7775$$
$$= 115.1735$$

La estimación de $\sigma^2$ es

$$\hat{\sigma}^2 = \frac{SS_E}{n-p} = \frac{115.1735}{25-3} = 5.2352$$

# 15-3  Intervalos de confianza en regresión lineal múltiple

Con frecuencia es necesario construir estimaciones del intervalo de confianza para los coeficientes de regresión $\{\beta_j\}$. El desarrollo de un procedimiento para obtener estos intervalos de confianza requiere que supongamos que los errores $\{\varepsilon_i\}$ se distribuyen normal e independientemente con media cero y varianza $\sigma^2$. Por tanto, las observaciones $\{y_i\}$ se distribuyen normal e independientemente con media $\beta_0 + \sum_{j=1}^{k} \beta_j x_{ij}$ y varianza $\sigma^2$. Puesto que el estimador de mínimos cuadrados $\hat{\beta}$ es una combinación lineal de las observaciones, resulta que $\hat{\beta}$ se distribuye normalmente con media vectorial $\beta$ y matriz de covarianza $\sigma^2(X'X)^{-1}$. Entonces cada una de las estadísticas

$$\frac{\hat{\beta}_j - \beta_j}{\sqrt{\hat{\sigma}^2 C_{jj}}} \qquad j = 0, 1, \dots, k \tag{15-19}$$

se distribuyen como $t$ con $n-p$ grados de libertad, donde $C_{jj}$ es el elemento $jj$ésimo de la matriz $(X'X)^{-1}$, y $\hat{\sigma}^2$ es la estimación de la varianza del error, obtenida de la ecuación 15-18. En consecuencia, un intervalo de confianza del $100(1 - \alpha)$ por ciento para el coeficiente de regresión $\beta_j, j = 0, 1, \ldots, k$, es

$$\hat{\beta}_j - t_{\alpha/2, \, n-p} \sqrt{\hat{\sigma}^2 C_{jj}} \leq \beta_j \leq \hat{\beta}_j + t_{\alpha/2, \, n-p} \sqrt{\hat{\sigma}^2 C_{jj}} \qquad (15\text{-}20)$$

**Ejemplo 15.3**   Construiremos un intervalo de confianza del 95 por ciento respecto al parámetro $\beta_1$ en el ejemplo 15.1. Nótese que la estimación puntual de $\beta_1$ es $\hat{\beta}_1 = 2.74427$, y que el elemento de la diagonal de $(\mathbf{X'X})^{-1}$ correspondiente a $\beta_1$ es $C_{11} = .001671$. La estimación de $\sigma^2$ se obtuvo en el ejemplo 15.2 como 5.2352, y $t_{.025, \, 22} = 2.074$. En consecuencia, el intervalo de confianza en $\beta_1$ se calcula a partir de la ecuación 15-20 como

$$2.74427 - (2.074)\sqrt{(5.2352)(.001671)} \leq \beta_1 \leq 2.74427 + (2.074)\sqrt{(5.2352)(.001671)}$$

que se reduce a

$$2.55029 \leq \beta_1 \leq 2.93825$$

Podemos obtener también un intervalo de confianza respecto a la respuesta media en un punto particular, digamos $x_{01}, x_{02}, \ldots, x_{0k}$. Para estimar la respuesta media en este punto defínase el vector

$$\mathbf{x}_0 = \begin{bmatrix} 1 \\ x_{01} \\ x_{02} \\ \vdots \\ x_{0k} \end{bmatrix}$$

La respuesta media estimada en este punto es

$$\hat{y}_0 = \mathbf{x}_0' \hat{\boldsymbol{\beta}} \qquad (15\text{-}21)$$

Este estimador insesgado, puesto que $E(\hat{y}_0) = E(\mathbf{x}_0'\hat{\beta}) = \mathbf{x}_0'\beta = E(y_0)$, y la varianza de $\hat{y}_0$ es

$$V(\hat{y}_0) = \sigma^2 \mathbf{x}_0'(\mathbf{X'X})^{-1}\mathbf{x}_0 \qquad (15\text{-}22)$$

Por tanto, un intervalo de confianza del $100(1 - \alpha)$ por ciento respecto a la respuesta media en el punto $x_{01}, x_{02}, \ldots, x_{0k}$ es

$$\hat{y}_0 - t_{\alpha/2, \, n-p} \sqrt{\hat{\sigma}^2 \mathbf{x}_0'(\mathbf{X'X})^{-1}\mathbf{x}_0} \leq E(y_0) \leq \hat{y}_0 + t_{\alpha/2, \, n-p} \sqrt{\hat{\sigma}^2 \mathbf{x}_0'(\mathbf{X'X})^{-1}\mathbf{x}_0}$$

$$(15\text{-}23)$$

La ecuación 15-23 es un intervalo de confianza en torno al hiperplano de regresión. Es la generalización de regresión múltiple de la ecuación 14-33.

**Ejemplo 15.4** Al embotellador de refrescos en el ejemplo 15.1 le gustaría construir un intervalo de confianza del 95 por ciento respecto al tiempo de entrega media para una salida que requiere $x_1 = 8$ latas y donde la distancia $x_2 = 275$ pies. Por consiguiente,

$$\mathbf{x}_0 = \begin{bmatrix} 1 \\ 8 \\ 275 \end{bmatrix}$$

La respuesta media estimada en este punto se encuentra a partir de la ecuación 15-21 como

$$\hat{y}_0 = \mathbf{x}_0'\hat{\boldsymbol{\beta}} = \begin{bmatrix} 1 & 8 & 275 \end{bmatrix} \begin{bmatrix} 2.26379 \\ 2.74427 \\ .01253 \end{bmatrix} = 27.66 \text{ minutos}$$

La varianza de $\hat{y}_0$ se estima mediante

$$\hat{\sigma}^2 \mathbf{x}_0'(\mathbf{X}'\mathbf{X})^{-1}\mathbf{x}_0 = 5.23521 \begin{bmatrix} 1 & 8 & 275 \end{bmatrix}$$

$$\times \begin{bmatrix} .214653 & -.007491 & -.000340 \\ -.007491 & .001671 & -.000019 \\ -.000340 & -.000019 & .0000015 \end{bmatrix} \begin{bmatrix} 1 \\ 8 \\ 275 \end{bmatrix}$$

$$= 5.2352(.04444) = .23266$$

Por tanto, un intervalo de confianza del 95 por ciento en el tiempo de entrega media en este punto se encuentra de la ecuación 15-23 como

$$27.66 - 2.074\sqrt{.23266} \leq y_0 \leq 27.66 + 2.074\sqrt{.23266}$$

que se reduce a

$$26.66 \leq y_0 \leq 28.66$$

## 15-4 Predicción de nuevas observaciones

El modelo de regresión puede utilizarse para predecir observaciones futuras respecto a $y$ que corresponde a valores particulares de las variables independientes, digamos $x_{01}, x_{02}, \ldots, x_{0k}$. Si $\mathbf{x}_0' = [1, x_{01}, x_{02}, \ldots, x_{0k}]$, entonces una estimación puntual de la observación futura $y_0$ en el punto $x_{01}, x_{02}, \ldots, x_{0k}$ es

$$\hat{y}_0 = \mathbf{x}_0'\hat{\boldsymbol{\beta}} \tag{15-24}$$

Un intervalo de predicción del $100(1 - \alpha)$ por ciento para esta observación futura es

$$\hat{y}_0 - t_{\alpha/2,\, n-p} \sqrt{\hat{\sigma}^2 \left(1 + \mathbf{x}_0'(\mathbf{X}'\mathbf{X})^{-1}\mathbf{x}_0\right)}$$

$$\leq y_0 \leq \hat{y}_0 + t_{\alpha/2,\, n-p} \sqrt{\hat{\sigma}^2 \left(1 + \mathbf{x}_0'(\mathbf{X}'\mathbf{X})^{-1}\mathbf{x}_0\right)} \qquad (15\text{-}25)$$

Este intervalo de predicción es una generalización del intervalo de predicción para una observación futura en regresión lineal simple, ecuación 14-35.

Al predecir nuevas observaciones y estimar la respuesta media en un punto dado $x_{01}, x_{02}, \ldots, x_{0k}$, debe tenerse cuidado en cuanto a extrapolar más allá de la región que contienen las observaciones originales. Es muy posible que un modelo que ajusta bien en la región de los datos originales ya no ajustará bien fuera de esa región. En la regresión múltiple a menudo es fácil extrapolar inadvertidamente, ya que los niveles de las variables $(x_{i1}, x_{i2}, \ldots, x_{ik})$, $i = 1, 2, \ldots, n$, definen en conjunto la región que contiene los datos. Como un ejemplo, considérese la figura 15.1, que ilustra la región que contiene las observaciones para un modelo de regresión de dos variables. Nótese que el punto $(x_{01}, x_{02})$ yace dentro de los intervalos de ambas variables independientes $x_1$ y $x_2$, pero se encuentra fuera de la región de las observaciones originales. En consecuencia, predecir el valor de una nueva observación o estimar la respuesta media en este punto es una extrapolación del modelo de regresión original.

**Ejemplo 15.5**   Supóngase que el embotellador de refrescos en el ejemplo 15.1

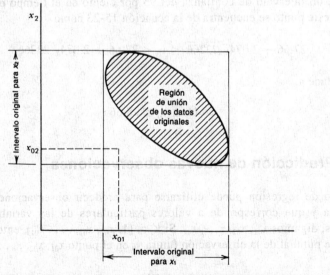

**Figura 15.1**   Ejemplo de extrapolación en la regresión múltiple.

desea construir un intervalo de predicción del 95 por ciento en el tiempo de entrega en una salida en la que $x_1 = 8$ latas se entregan y la distancia caminada por el repartidor es $x_2 = 275$ pies. Nótese que $x_0' = [1\ 8\ 275]$, y la estimación puntual del tiempo de entrega es $\hat{y}_0 = x_0'\hat{\beta} = 27.66$ minutos. Además, en el ejemplo 15.4 calculamos $x_0'(X'X)^{-1}x_0 = .4444$. Por tanto, de la ecuación 15-25 tenemos

$$27.66 - 2.074\sqrt{5.2352(1 + .04444)} \leq y_0 \leq 27.66 + 2.074\sqrt{5.2352(1 + .04444)}$$

y el intervalo de predicción del 95 por ciento es

$$22.81 \leq y_0 \leq 32.51$$

## 15-5 Prueba de hipótesis en la regresión lineal múltiple

En problemas de regresión lineal múltiple, ciertos tipos de hipótesis respecto a los parámetros del modelo son útiles al medir la suficiencia del modelo. En esta sección, describimos varios procedimientos importantes de prueba de hipótesis. Seguimos requiriendo la suposición de normalidad en los errores, la cual se presentó en la sección anterior.

### 15-5.1 Prueba de significación de regresión

La prueba de significación de regresión es para determinar si hay una relación lineal entre la variable dependiente $y$ y un subconjunto de las variables independientes $x_1, x_2, \ldots, x_k$. Las hipótesis apropiadas son

$$H_0: \beta_1 = \beta_2 = \cdots = \beta_k = 0$$
$$H_1: \beta_j \neq 0 \text{ for at least one } j \tag{15-26}$$

El rechazo de $H_0: \beta_j = 0$ implica que al menos una de las variables independientes $x_1, x_2, \ldots, x_k$ contribuye significativamente al modelo. El procedimiento de prueba es una generalización del utilizado en la regresión lineal simple. La suma total de cuadrados $S_{yy}$ se divide en una suma de cuadrados debida a la regresión y en una suma de cuadrados debida al error, digamos

$$S_{yy} = SS_R + SS_E$$

y si $H_0: \beta_j = 0$ es verdadera, entonces $SS_R/\sigma^2 \sim \chi_k^2$, donde el número de grados de libertad para $\chi^2$ es igual al número de variables regresoras en el modelo. Además, podemos mostrar que $SS_E/\sigma^2 \sim \chi_{n-k-1}^2$, y $SS_E$ y $SS_R$ son independientes.

**TABLA 15.4   Análisis de varianza para la significación de la regresión en la regresión múltiple**

| Fuente de variación | Suma de cuadrados | Grados de libertad | Media cuadrática | $F_0$ |
|---|---|---|---|---|
| Regresión | $SS_R$ | $k$ | $MS_R$ | $MS_R / MS_E$ |
| Error o residuo | $SS_E$ | $n - k - 1$ | $MS_E$ | |
| Total | $S_{yy}$ | $n - 1$ | | |

El procedimiento de prueba para $H_0$: $\beta_j = 0$ es calcular

$$F_0 = \frac{SS_R/k}{SS_E/(n - k - 1)} = \frac{MS_R}{MS_E} \tag{15-27}$$

y rechazar $H_0$ si $F_0 > F_{\alpha, k, n-k-1}$. El procedimiento suele resumirse en una tabla de análisis de varianza tal como la 15.4.

Una fórmula de cálculo para $SS_R$ puede encontrarse fácilmente. Hemos deducido una fórmula de cálculo para $SS_E$ en la ecuación 15-16, esto es,

$$SS_E = \mathbf{y}'\mathbf{y} - \hat{\beta}'\mathbf{X}'\mathbf{y}$$

Luego puesto que $S_{YY} = \sum_{i=1}^{n} y_i^2 - (\sum_{i=1}^{n} y_i)^2 / n = \mathbf{y}'\mathbf{y} - (\sum_{i=1}^{n} y_i)^2/n$, podemos reescribir la ecuación anterior como

$$SS_E = \mathbf{y}'\mathbf{y} - \frac{\left(\sum_{i=1}^{n} y_i\right)^2}{n} - \left[\hat{\beta}'\mathbf{X}'\mathbf{y} - \frac{\left(\sum_{i=1}^{n} y_i\right)^2}{n}\right]$$

o

$$SS_E = S_{yy} - SS_R$$

Por tanto, la suma de cuadrados de la regresión es

$$SS_R = \hat{\beta}'\mathbf{X}'\mathbf{y} - \frac{\left(\sum_{i=1}^{n} y_i\right)^2}{n} \tag{15-28}$$

la suma de cuadrados del error es

$$SS_E = \mathbf{y}'\mathbf{y} - \hat{\beta}'\mathbf{X}'\mathbf{y} \tag{15-29}$$

y la suma de cuadrados total es

$$S_{yy} = \mathbf{y}'\mathbf{y} - \frac{\left( \displaystyle\sum_{i=1}^{n} y_i \right)^2}{n} \tag{15-30}$$

**Ejemplo 15.6** Probaremos la significación de la regresión empleando los datos de tiempo de entrega del ejemplo 15.1. Algunas de las cantidades numéricas requeridas se calculan en el ejemplo 15.2. Nótese que

$$S_{yy} = \mathbf{y}'\mathbf{y} - \frac{\left( \displaystyle\sum_{i=1}^{n} y_i \right)^2}{n}$$

$$= 27{,}177.9510 - \frac{(725.82)^2}{25}$$

$$= 6105.9447$$

$$SS_R = \hat{\boldsymbol{\beta}}'\mathbf{X}'\mathbf{y} - \frac{\left( \displaystyle\sum_{i=1}^{n} y_i \right)^2}{n}$$

$$= 27{,}062.7775 - \frac{(725.82)^2}{25}$$

$$= 5990.7712$$

y

$$SS_E = S_{yy} - SS_R$$

$$= \mathbf{y}'\mathbf{y} - \hat{\boldsymbol{\beta}}'\mathbf{X}'\mathbf{y}$$

$$= 115.1735$$

El análisis de varianza se muestra en la tabla 15.5. Para probar $H_0$: $\beta_1 = \beta_2 = 0$, calculamos la estadística

$$F_0 = \frac{MS_R}{MS_E} = \frac{2995.3856}{5.2352} = 572.17$$

Puesto que $F_0 > F_{.05, 2, 22} = 3.44$, el tiempo de entrega se relaciona con el volumen de entrega o con la distancia, o con ambos. Sin embargo, notamos que esto no necesariamente implica que la relación encontrada es apropiada para predecir el tiempo de entrega como una función del volumen y la distancia. Se requieren pruebas adicionales de la suficiencia del modelo.

**TABLA 15.5   Prueba de significancia de la regresión correspondiente al ejemplo 15.6**

| Fuente de variación | Suma de cuadrados | Grados de libertad | Media cuadrática | $F_0$ |
|---|---|---|---|---|
| Observación | 5990.7712 | 2 | 2995.3856 | 572.17 |
| Error | 115.1735 | 22 | 5.2352 | |
| Total | 6105.9447 | 24 | | |

## 15-5.2   Pruebas de coeficientes individuales de regresión

Con frecuencia estamos interesados en probar hipótesis de prueba respecto a los coeficientes individuales de regresión. Tales pruebas serían útiles en la determinación del valor de cada una de las variables independientes en el modelo de regresión. Por ejemplo, el modelo podría ser más eficaz con la inclusión de variables adicionales, o quizá con la omisión de una o más variables ya en el modelo.

La adición de una variable al modelo de regresión siempre ocasiona que la suma de cuadrados para la regresión aumente y que la suma de cuadrados del error disminuya. Debemos decidir si el aumento en la suma de cuadrados de la regresión es suficiente para garantizar el empleo de la variable adicional en el modelo. Además, añadir una variable sin importancia al modelo puede incrementar realmente el error de la media cuadrática, aminorando de ese modo la utilidad del modelo.

Las hipótesis para probar la significación de cualquier coeficiente de regresión individual, digamos $\beta_j$, son

$$H_0: \beta_j = 0$$
$$H_1: \beta_j \neq 0$$
(15-31)

Si $H_0: \beta_j = 0$ no se rechaza, entonces esto indica que $x_j$ puede ser eliminada del modelo. La estadística de prueba para esta hipótesis es

$$t_0 = \frac{\hat{\beta}_j}{\sqrt{\hat{\sigma}^2 C_{jj}}}$$
(15-32)

donde $C_{jj}$ es el elemento de la diagonal de $(\mathbf{X'X})^{-1}$ correspondiente a $\hat{\beta}_j$. La hipótesis nula $H_0: \beta_j = 0$ se rechaza si $|t_0| > t_{\alpha/2,\, n - k - 1}$. Nótese que esto es en realidad una prueba parcial o marginal, debido a que el coeficiente de regresión $\hat{\beta}_j$ depende de todas las demás variables regresoras $x_i (i \neq j)$ que están en el modelo. Para ilustrar el empleo de esta prueba, considérese los datos en el ejemplo 15.1, y supóngase que deseamos probar

$$H_0: \beta_2 = 0$$
$$H_1: \beta_2 \neq 0$$

El elemento principal de la diagonal de $(\mathbf{X}'\mathbf{X})^{-1}$ correspondiente a $\hat{\beta}_2$ es $C_{22} = .0000015$, por lo que la estadística $t$ en la ecuación 15-32 es

$$t_0 = \frac{\hat{\beta}_2}{\sqrt{\hat{\sigma}^2 C_{22}}} = \frac{.01253}{\sqrt{(5.2352)(.0000015)}} = 4.4767$$

Puesto que $t_{.025, 22} = 2.074$, rechazamos $H_0: \beta_2 = 0$ y concluimos que la variable $x_2$ (distancia) contribuye de manera significativa al modelo. Nótese que esta prueba mide la contribución marginal o parcial de $x_2$ *dado* que $x_1$ está en el modelo.

También podemos examinar la contribución a la suma de cuadrados de la regresión de una variable, por ejemplo $x_j$, dado que las otras variables $x_i$ $(i \neq j)$ están incluidas en el modelo. El procedimiento empleado para hacer esto se denomina la prueba general de significación de la regresión, o el método de la "suma de cuadrados extra". Este procedimiento también puede emplearse para investigar la contribución de un *subconjunto* de las variables regresivas al modelo. Considérese el modelo de regresión con $k$ variables regresoras

$$\mathbf{y} = \mathbf{X}\boldsymbol{\beta} + \boldsymbol{\varepsilon}$$

donde $\mathbf{y}$ es $(n \times 1)$, $\mathbf{X}$ es $(n \times p)$, $\boldsymbol{\beta}$ es $(p \times 1)$, $\boldsymbol{\varepsilon}$ es $(n \times 1)$, y $p = k + 1$. Nos gustaría determinar si el subconjunto de variables regresoras $x_1, x_2, \ldots, x_r$ $(r < k)$ contribuye de manera significativa al modelo de regresión. Hagamos que el vector de los coeficientes de regresión se divida como sigue:

$$\boldsymbol{\beta} = \begin{bmatrix} \boldsymbol{\beta}_1 \\ \boldsymbol{\beta}_2 \end{bmatrix}$$

donde $\boldsymbol{\beta}_1$ es $(r \times 1)$ y $\boldsymbol{\beta}_2$ es $[(p - r) \times 1]$. deseamos probar las hipótesis

$$H_0: \boldsymbol{\beta}_1 = \mathbf{0}$$
$$H_1: \boldsymbol{\beta}_1 \neq \mathbf{0} \tag{15-33}$$

El modelo puede escribirse como

$$\mathbf{y} = \mathbf{X}\boldsymbol{\beta} + \boldsymbol{\varepsilon} = \mathbf{X}_1\boldsymbol{\beta}_1 + \mathbf{X}_2\boldsymbol{\beta}_2 + \boldsymbol{\varepsilon} \tag{15-34}$$

donde $\mathbf{X}_1$ representa las columnas de $\mathbf{X}$ asociadas con $\boldsymbol{\beta}_1$ y $\mathbf{X}_2$ representa las columnas de $\mathbf{X}$ asociadas con $\boldsymbol{\beta}_2$.

Para el modelo *completo* (incluyendo tanto a $\boldsymbol{\beta}_1$ como a $\boldsymbol{\beta}_2$), sabemos que $\hat{\boldsymbol{\beta}} = (\mathbf{X}'\mathbf{X})^{-1}\mathbf{X}'\mathbf{y}$. Además, la suma de cuadrados de la regresión para todas las variables incluso la ordenada al origen es

$$SS_R(\boldsymbol{\beta}) = \hat{\boldsymbol{\beta}}'\mathbf{X}'\mathbf{y} \qquad (p \text{ grados de libertad})$$

y

$$MS_E = \frac{y'y - \hat{\beta}'X'y}{n - p}$$

$SS_R(\beta)$ se llama la suma de cuadrados de la regresión *debido a $\beta$*. Para encontrar la contribución de los términos en $\beta_1$ a la regresión, se ajusta el modelo considerando verdadera la hipótesis nula $H_0$: $\beta_1 = 0$. El modelo *reducido* se encuentra de la ecuación 15-34 como

$$y = X_2\beta_2 + \varepsilon \tag{15-35}$$

El estimador de mínimos cuadrados de $\beta_2$ es $\hat{\beta}_2 = (X_2'X_2)^{-1}X_2'y$, y

$$SS_R(\beta_2) = \hat{\beta}_2'X_2'y \qquad (p - r \text{ grados de libertad}) \tag{15-36}$$

La suma de cuadrados de la regresión debida a $\beta_1$ dado que $\beta_2$ ya está en el modelo es

$$SS_R(\beta_1|\beta_2) = SS_R(\beta) - SS_R(\beta_2) \tag{15-37}$$

Esta suma de cuadrados tiene $r$ grados de libertad. En ocasiones se llama la "suma de cuadrados extra" debido a $\beta_1$. Nótese que $SS_R(\beta_1|\beta_2)$ es el incremento en la suma de cuadrados de la regresión debida a la inclusión de las variables $x_1, x_2, \ldots, x_r$ en el modelo. Entonces $SS_R(\beta_1|\beta_2)$ es independiente de $MS_E$, y la hipótesis nula $\beta_1 = 0$ puede probarse mediante la estadística

$$F_0 = \frac{SS_R(\beta_1|\beta_2)/r}{MS_E} \tag{15-38}$$

Si $F_0 > F_{\alpha,r,n-p}$ rechazamos $H_0$, concluyendo que al menos uno de los parámetros en $\beta_1$ no es cero y, consecuentemente, al menos una de las variables $x_1, x_2, \ldots, x_r$ en $X_1$ contribuye de manera significativa al modelo de regresión. Algunos autores llaman la prueba en la ecuación 15-38 prueba *F parcial*.

La prueba $F$ parcial es muy útil. Podemos utilizarla para medir la contribución de $x_j$ como si fuera la última variable añadida al modelo mediante cómputo

$$SS_R(\beta_j|\beta_0, \beta_1, \ldots, \beta_{j-1}, \beta_{j+1}, \ldots, \beta_k)$$

Éste es el aumento en la suma de cuadrados de la regresión debido a añadir $x_j$ a un modelo que ya incluye $x_1, \ldots, x_{j-1}, x_{j+1}, \ldots, x_k$. Nótese que la prueba $F$ parcial en una sola variable $x_j$ es equivalente a la prueba $t$ en la ecuación 15-32. Sin embargo, la prueba $F$ parcial es un procedimiento más general en el que podemos medir el efecto de conjuntos de variables. En la sección 15-11 mostraremos cómo la prueba parcial $F$ desempeña un papel principal en la *construcción del modelo*; esto es, en la búsqueda del mejor conjunto de prueba de variables regresoras que se usarán en el modelo.

**Ejemplo 15.7**  Considere los datos del tiempo de entrega de refrescos en el ejemplo 15.1. Investigaremos la contribución de la variable $x_2$ (distancia) al modelo. Esto es, deseamos probar

$$H_0: \beta_2 = 0$$
$$H_1: \beta_2 \neq 0$$

Para probar esta hipótesis, necesitamos la suma de cuadrados extra debida a $\beta_2$, o bien

$$SS_R(\beta_2|\beta_1, \beta_0) = SS_R(\beta_1, \beta_2, \beta_0) - SS_R(\beta_1, \beta_0)$$
$$= SS_R(\beta_1, \beta_2|\beta_0) - SS_R(\beta_1|\beta_0)$$

En el ejemplo 15.6 hemos calculado

$$SS_R(\beta_1, \beta_2|\beta_0) = \hat{\beta}'\mathbf{X}'\mathbf{y} - \frac{\left(\sum_{i=1}^{n} y_i\right)^2}{n} = 5990.7712 \qquad \text{(2 grados de libertad)}$$

y en el ejemplo 14.7, donde se ajustó el modelo $y = \beta_0 + \beta_1 x_1 + \varepsilon$, tenemos calculada

$$SS_R(\beta_1|\beta_0) = \hat{\beta}_1 S_{xy} = 5885.8521 \qquad \text{(1 grado de libertad)}$$

Por tanto, tenemos

$$SS_R(\beta_2|\beta_1, \beta_0) = 5990.7712 - 5885.8521$$
$$= 104.9191 \qquad \text{(1 grado de libertad)}$$

Éste es el aumento en la suma de cuadrados de la regresión añadiendo $x_2$ al modelo que ya contiene $x_1$. Para probar $H_0: \beta_2 = 0$, se forma la estadística

$$F_0 = \frac{SS_R(\beta_2|\beta_1, \beta_0)/1}{MS_E} = \frac{104.9191/1}{5.2352} = 20.04$$

Adviértase que la $MS_E$ del modelo *completo*, empleando tanto $x_1$ como $x_2$, se utiliza en el denominador de la estadística de prueba. Puesto que $F_{.05, 1, 22} = 4.30$, rechazamos $H_0: \beta_2 = 0$ y concluimos que la distancia $(x_2)$ contribuye de manera significativa al modelo.

Puesto que esta prueba $F$ parcial involucra una sola variable, es equivalente a la prueba de $t$. Para ver esto, recuérdese que la prueba $t$ en $H_0$: $\beta_2 = 0$ resultó en la estadística de prueba $t_0 = 4.4767$. Además, el cuadrado de la variable aleatoria $t$ con $v$ grados de libertad es una variable aleatoria $F$ con uno y $v$ grados de libertad, y notamos que $t_0^2 = (4.4767)^2 = 20.04 = F_0$.

## 15-6   Medidas de adecuación del modelo

Es posible utilizar diversas técnicas para medir la adecuación de un modelo de regresión múltiple. Esta sección presentará varias de estas técnicas. La validación del modelo es una parte importante del proceso de construcción del modelo de regresión múltiple. Un buen artículo respecto a este tema es Snee (1977). Véase también Montgomery and Peck (1982, capítulo 10).

### 15-6.1   Coeficiente de determinación múltiple

El coeficiente de determinación múltiple $R^2$ se define como

$$R^2 = \frac{SS_R}{S_{yy}} = 1 - \frac{SS_E}{S_{yy}} \tag{15-39}$$

$R^2$ es una medida del grado de reducción en la variabilidad de $y$ obtenida mediante el empleo de las variables regresivas $x_1, x_2, \ldots, x_k$. Como en el caso de la regresión lineal simple, debemos tener $0 \leq R^2 \leq 1$. Sin embargo, un valor grande de $R^2$ no necesariamente implica que el modelo de regresión sea bueno. Añadir una variable al modelo siempre aumentará $R^2$, independientemente de si la variable adicional es o no estadísticamente significativa. De tal modo, es posible en modelos que tienen grandes valores de $R^2$ producir predicciones pobres de nuevas observaciones o estimaciones de la respuesta media.

La raíz cuadrada positiva de $R^2$ es el coeficiente de correlación múltiple entre $y$ y el conjunto de variables regresoras $x_1, x_2, \ldots, x_k$. Esto es, $R$ es una medida de la asociación lineal entre $y$ y $x_1, x_2, \ldots, x_k$. Cuando $k = 1$, esto se vuelve la correlación simple entre $y$ y $x$.

**Ejemplo 15.8** El coeficiente de determinación múltiple para el modelo de regresión estimado en el ejemplo 15.1 es

$$R^2 = \frac{SS_R}{S_{yy}} = \frac{5990.7712}{6105.9447} = .981137$$

Esto es, alrededor del 98.11 por ciento de la variabilidad en el tiempo de entrega $y$ ha sido explicada cuando se emplean las dos variables regresoras, esto es, volumen de entrega ($x_1$) y distancia ($x_2$). En el ejemplo 14.7, se desarrolló un modelo que relaciona $y$ con $x_1$. El valor de $R^2$ en este modelo es $R^2 = .963954$. Por tanto, al añadir la variable $x_2$ al modelo se incrementó $R^2$ de .963954 a .981137.

### 15-6.2  Análisis residual

Los residuos del modelo de regresión múltiple estimado, definidos por $y_i - \hat{y}_i$, desempeñan un importante papel al juzgar la suficiencia del modelo del mismo modo que lo hacen en regresión lineal simple. Como se anotó en la sección 14-5.1, hay varias gráficas residuales que son a menudo útiles. Éstas se ilustran en el ejemplo 15.9. También resulta útil graficar los residuos contra variables que no están presentes en el modelo pero que son posibles candidatas para incluirlas. Los patrones en estas gráficas, similares a los de la figura 14.5, indican que el modelo puede mejorarse agregando la variable candidata.

**Ejemplo 15.9**  Los residuos para el modelo estimado en el ejemplo 15.1 se muestran en la tabla 15.3. Estos residuos se grafican en papel de probabilidad normal en la figura 15.2. No se manifiestan, de manera evidente, desviaciones importantes con respecto a la normalidad, aunque los dos residuos más grandes

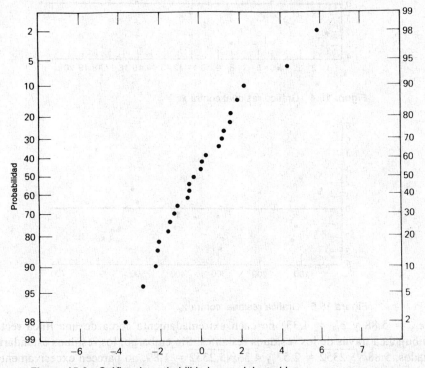

**Figura 15.2**  Gráfica de probabilidad normal de residuos.

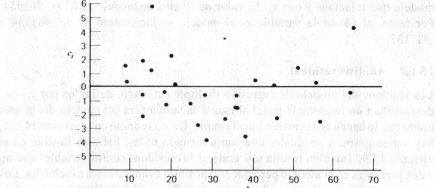

**Figura 15.3** Gráfica residual contra $\hat{y}$.

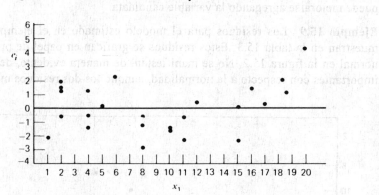

**Figura 15.4** Gráfica residual contra $x_1$.

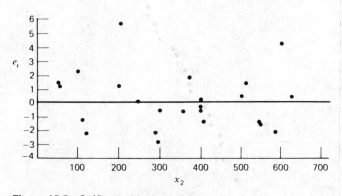

**Figura 15.5** Gráfica residual contra $x_2$.

($e_{15} = 5.88$ y $e_{17} = 4.33$) no caen extremadamente cerca de una línea recta dibujada a través de los residuos restantes. Sin embargo, los residuos estandarizados, $5.88/\sqrt{5.2352} = 2.57$ y $4.33/\sqrt{5.2352} = 1.89$, no parecen excesivamente grandes. La inspección de los datos no revela ningún error al colectar las observaciones 15 y 17, o cualquier otra razón para descartar o modificar estos dos puntos.

Los residuos se grafican contra $\hat{y}$ en la figura 15.3, y contra $x_1$ y $x_2$ en las figuras 15.4 y 15.5, respectivamente. Los dos residuos más grandes $e_{15}$ y $e_{17}$ son evidentes. En la figura 15.4 hay cierta indicación de que el modelo subpredice el tiempo en las salidas con volúmenes de entrega pequeños ($x_1 \leqslant 6$ latas) y volúmenes de entrega grandes ($x_1 \geqslant 15$ latas), y sobrepredice el tiempo en salidas con volúmenes de entrega intermedios ($7 \leqslant x_1 \leqslant 14$ latas). La misma impresión se obtiene de la figura 15.3. Es posible que la reacción entre el tiempo y el volumen de entrega no sea lineal (lo que requiere que un término que involucra a $x_1^2$, por ejemplo, se agregue al modelo), o que otras variables regresoras no presentes en el modelo afectan la respuesta. Veremos más adelante que una tercera variable regresora se requiere para modelar en forma adecuada estos datos.

### 15-6.3   Prueba de la falta de ajuste a partir de vecinos cercanos

En la sección 14-5.2 describimos una prueba para la falta de ajuste en la regresión lineal simple. El procedimiento involucra descomponer la suma de cuadrados del error o los residuos en una componente debida al error puro y en otra componente resultado de la falta de ajuste, digamos

$$SS_E = SS_{PE} + SS_{LOF}$$

La suma de cuadrados del error puro $SS_{PE}$ se calcula a partir de las respuestas obtenidas por observaciones repetidas en el mismo nivel de $x$.

Este procedimiento general puede, en principio, extenderse a la regresión múltiple. El cálculo de $SS_{PE}$ requiere observaciones repetidas en $y$ en el mismo conjunto de niveles de las variables regresoras $x_1, x_2, \ldots, x_k$. Esto es, algunos de los *renglones* de la matriz **X** deben ser iguales. Sin embargo, la ocurrencia de observaciones repetidas es relativamente improbable en la regresión múltiple, y el procedimiento descrito en la sección 14-5.2 a menudo no es útil.

Daniel y Wood (1989) han indicado un método para medir el error puro en el caso en el que no hay puntos de repetición exactos. El procedimiento busca puntos en el espacio $x$ que son "vecinos cercanos", es decir, conjuntos de observaciones que se han tomado con niveles casi idénticos de $x_1, x_2, \ldots, x_k$. Las respuestas $y_i$ de tales vecinos cercanos pueden considerarse como puntos repetidos y emplearse para obtener una estimación del error puro. Como una medida de la distancia entre cualquiera de los dos puntos $x_{i1}, x_{i2}, \ldots, x_{ik}$ y $x_{i'1}, x_{i'2}, \ldots, x_{i'k}$, Daniel y Wood proponen la suma ponderada de la distancia al cuadrado

$$D_{ii'}^2 = \sum_{j=1}^{k} \left[ \frac{\hat{\beta}_j (x_{ij} - x_{i'j})}{\sqrt{MS_E}} \right]^2 \tag{15-40}$$

TABLA 15.6   Cálculo de $D_{ii}^2$ para los datos del tiempo de entrega de refrescos

| Observación | Orden ajustado y | Residuo | Cálculos de vecinos cercanos | | | | | | | | | | | |
| --- | --- | --- | --- | --- | --- | --- | --- | --- | --- | --- | --- | --- | --- | --- |
| | | | Residuos delta y distancias cuadradas estandarizadas y ponderadas de vecinos cercanos | | | | | | | | | | | |
| | | | Adyacente | | | 1 aparte | | | 2 aparte | | | 3 aparte | | |
| | | | Delta | $D_{ii}^2$ | $R^a$ | Delta | $D_{ii}^2$ | $R$ | Delta | $D_{ii}^2$ | $R$ | Delta | $D_{ii}^2$ | $R$ |
| 1 | 8.380 | 1.570 | .370 | .1199E − 03 | 1 | 2.170 | .2881E + 01 | | 3.610 | .1002E + 02 | | .360 | .3167E + 01 | |
| 8 | 8.400 | 1.200 | 1.800 | .2844E + 01 | | 3.240 | .9955E + 01 | | .730 | .3128E + 01 | | .090 | .6411E + 01 | |
| 14 | 12.260 | −.600 | 1.440 | .2956E + 01 | | 2.530 | .6745E − 02 | 6 | 1.710 | .6522E + 01 | | 6.440 | .6474E + 01 | |
| 18 | 12.340 | −2.040 | 3.970 | .2761E + 01 | | 3.150 | .1739E + 02 | | 7.880 | .1728E + 02 | | 1.680 | .1397E + 02 | |
| 7 | 12.450 | 1.930 | .820 | .6672E + 01 | | 3.910 | .6621E + 01 | | 2.290 | .5773E + 01 | | 3.250 | .5795E + 01 | |
| 6 | 15.750 | 1.110 | 4.730 | .7495E − 03 | 2 | 1.470 | .1199E + 01 | 11 | 2.430 | .1347E + 01 | 13 | 1.040 | .6054E + 01 | |
| 15 | 15.810 | 5.840 | 6.200 | .1140E + 01 | 10 | 7.160 | .1285E + 01 | 12 | 3.690 | .6085E + 01 | | 5.690 | .2578E + 01 | |
| 16 | 18.250 | −.360 | .960 | .4317E − 02 | 5 | 2.510 | .8452E + 01 | | .510 | .1439E + 01 | 14 | .790 | .2554E + 02 | |
| 11 | 18.400 | −1.320 | 3.470 | .8672E + 01 | | 1.470 | .1443E + 01 | | 5.040 | .2575E + 02 | | 1.570 | .2343E + 02 | |
| 24 | 19.980 | 2.150 | 2.000 | .4137E + 01 | | 3.300 | .5757E + 01 | | .630 | .6894E + 01 | | 2.630 | .6953E + 01 | |
| 25 | 21.000 | −.150 | 1.300 | .1547E + 02 | | 3.040 | .1328E + 02 | | 2.710 | .1325E + 02 | | 4.010 | .2571E + 02 | |
| 2 | 25.600 | −1.150 | 1.740 | .1026E + 01 | 8 | .670 | .1082E + 01 | 9 | .690 | .1442E + 01 | 15 | 1.050 | .1295E + 02 | |
| 5 | 27.910 | −2.890 | 2.410 | .7495E − 03 | 3 | .970 | .2578E + 01 | | 1.060 | .1386E + 02 | | 1.350 | .7554E + 01 | |
| 10 | 27.980 | −.480 | 3.380 | .2638E + 01 | | 1.720 | .1392E + 02 | | 2.260 | .7481E + 01 | | 1.120 | .7628E + 01 | |
| 9 | 28.210 | −3.860 | 1.660 | .5766E + 01 | | 2.320 | .7242E + 01 | | 1.740 | .7509E + 01 | | 3.400 | .8452E + 01 | |
| 3 | 33.950 | −2.200 | .660 | .6727E + 01 | | .600 | .6982E + 01 | | 2.030 | .2350E + 01 | | 2.690 | .5768E + 01 | |
| 19 | 36.470 | −1.540 | .060 | .2998E − 02 | 4 | 1.080 | .2026E + 01 | | 1.630 | .5802E + 01 | | 1.570 | .3848E + 02 | |
| 4 | 36.600 | −1.600 | 1.140 | .2113E + 01 | | 2.090 | .5829E + 01 | | 1.720 | .3866E + 02 | | .580 | .3799E + 02 | |
| 12 | 37.460 | −.460 | .950 | .1738E + 01 | | .490 | .2369E + 02 | | 1.070 | .2338E + 02 | | 2.020 | .3633E + 02 | |
| 13 | 41.460 | .490 | .460 | .1482E + 02 | | 2.670 | .1427E + 02 | | .290 | .2302E + 02 | | .170 | .3621E + 02 | |
| 20 | 46.560 | .030 | 2.210 | .4797E − 01 | 7 | 1.530 | .3465E + 01 | | .290 | .9220E + 01 | | 4.300 | .3964E + 02 | |
| 21 | 47.060 | −2.180 | 3.740 | .2890E + 01 | | 2.500 | .8452E + 01 | | 6.510 | .3884E + 02 | | | | |
| 22 | 52.560 | 1.560 | 1.240 | .1630E + 01 | | 2.770 | .2326E + 02 | | | | | | | |
| 23 | 56.310 | .320 | 4.010 | .1295E + 02 | | | | | | | | | | |
| 17 | 64.670 | 4.330 | | | | | | | | | | | | |

[a] La columna $R$ da la orden de clasificación de los 15 valores más pequeños para las distancias al cuadrado estandarizadas y pesadas.

**TABLA 15.7** **Cálculo de $\hat{\sigma}$ a partir de residuos de observaciones que son vecinos**

| Número | Desviación están-dar acumulativa | $D_{ii'}^2$ | Observación | Observación | Residuo delta |
|---|---|---|---|---|---|
| | | Desviación estándar estimada de residuos de observaciones vecinas | | | |
| | | Ordenada distancia al cuadrado estandarizada por ponderación | | | |
| 1 | .3278E + 00 | .1199E − 02 | 1 | 8 | .3700 |
| 2 | .2259E + 01 | .7495E − 03 | 6 | 15 | 4.7300 |
| 3 | .2218E + 01 | .7495E − 03 | 5 | 10 | 2.4100 |
| 4 | .1677E + 01 | .2998E − 02 | 19 | 4 | .0600 |
| 5 | .1512E + 01 | .4317E − 02 | 16 | 11 | .9600 |
| 6 | .1633E + 01 | .6745E − 02 | 14 | 7 | 2.5300 |
| 7 | .1680E + 01 | .4797E − 01 | 20 | 21 | 2.2100 |
| 8 | .1662E + 01 | .1026E + 01 | 2 | 5 | 1.7400 |
| 9 | .1544E + 01 | .1082E + 01 | 2 | 10 | .6700 |
| 10 | .1939E + 01 | .1140E + 01 | 15 | 16 | 6.2000 |
| 11 | .1881E + 01 | .1199E + 01 | 6 | 16 | 1.4700 |
| 12 | .2253E + 01 | .1285E + 01 | 15 | 11 | 7.1600 |
| 13 | .2245E + 01 | .1347E + 01 | 6 | 11 | 2.4300 |
| 14 | .2117E + 01 | .1439E + 01 | 16 | 25 | .5100 |
| 15 | .2136E + 01 | .1442E + 01 | 2 | 9 | 2.7100 |
| 16 | .2084E + 01 | .1443E + 01 | 11 | 25 | 1.4700 |
| 17 | .2026E + 01 | .1630E + 01 | 22 | 23 | 1.2400 |
| 18 | .1960E + 01 | .1738E + 01 | 12 | 13 | .9500 |
| 19 | .1907E + 01 | .2026E + 01 | 19 | 12 | 1.0800 |
| 20 | .1862E + 01 | .2113E + 01 | 4 | 12 | 1.1400 |
| 21 | .1847E + 01 | .2350E + 01 | 3 | 12 | 1.7400 |
| 22 | .1802E + 01 | .2578E + 01 | 5 | 9 | .9700 |
| 23 | .1943E + 01 | .2578E + 01 | 15 | 25 | 5.6900 |
| 24 | .1987E + 01 | .2638E + 01 | 10 | 9 | 3.3800 |
| 25 | .2048E + 01 | .2761E + 01 | 18 | 7 | 3.9700 |
| 26 | .2031E + 01 | .2844E + 01 | 8 | 14 | 1.8000 |
| 27 | .2027E + 01 | .2881E + 01 | 1 | 14 | 2.1700 |
| 28 | .2073E + 01 | .2890E + 01 | 21 | 22 | 3.7400 |
| 29 | .2045E + 01 | .2956E + 01 | 14 | 18 | 1.4400 |
| 30 | .1999E + 01 | .3128E + 01 | 8 | 7 | .7300 |
| 31 | .1944E + 01 | .3167E + 01 | 1 | 7 | .3600 |
| 32 | .1926E + 01 | .3465E + 01 | 20 | 22 | 1.5300 |
| 33 | .1921E + 01 | .4137E + 01 | 24 | 25 | 2.0000 |
| 34 | .1951E + 01 | .5757E + 01 | 24 | 2 | 3.3000 |
| 35 | .1937E + 01 | .5766E + 01 | 9 | 3 | 1.6600 |
| 36 | .1949E + 01 | .5768E + 01 | 3 | 13 | 2.6900 |
| 37 | .1952E + 01 | .5773E + 01 | 7 | 16 | 2.2900 |
| 38 | .1976E + 01 | .5795E + 01 | 7 | 11 | 3.2500 |
| 39 | .1971E + 01 | .5802E + 01 | 19 | 13 | 2.0300 |
| 40 | .1968E + 01 | .5829E + 01 | 4 | 13 | 2.0900 |

Los pares de puntos que tienen los valores pequeños de $D_{ii'}^2$, son "vecinos cercanos"; esto es, son relativamente cercanos en el espacio $x$. Los pares de puntos para los cuales $D_{ii'}^2$, es grande ($D_{ii'}^2$, $>>$ 1, por ejemplo) están muy separados en el espacio $x$. Los residuos de dos puntos con un valor pequeño de $D_{ii'}^2$, pueden emplearse para obtener una estimación del error puro. La estimación se obtiene a partir del intervalo de los residuos en los puntos $i$ e $i'$, digamos

$$E = |e_i - e_{i'}|$$

Hay una relación entre el intervalo de una muestra de una población normal y la desviación estándar de la población. En muestras de tamaño 2, esta relación es

$$\hat{\sigma} = (1.128)^{-1} E = .886E$$

La cantidad $\hat{\sigma}$ obtenida de ese modo es una estimación de la desviación estándar del error puro.

Un eficiente algoritmo puede emplearse para calcular esta estimación. Primero, se arreglan los puntos dato $x_{i1}, x_{i2}, \ldots, x_{ik}$ en orden de $\hat{y}_i$ creciente. Nótese que los puntos con valores muy diferentes de $\hat{y}_i$ no pueden ser vecinos, pero aquellos con valores similares de $\hat{y}_i$ podrían serlo (o podrían estar cerca del mismo contorno de la constante $\hat{y}$ pero muy aparte en algunas coordenadas $x$). Luego.

1. Calcúlense los valores de $D_{ii'}^2$ para todos los $n-1$ pares de puntos con valor adyacente de $\hat{y}$. Repítase este cálculo para los pares de puntos separados por valores $\hat{y}$ intermedios 1, 2 y 3. Esto poducirá $4n - 10$ valores de $D_{ii'}^2$.
2. Arréglense los $4n - 10$ valores de $D_{ii'}^2$ encontrados en (1) en orden ascendente. Déjense que $E_u$, $u = 1, 2, \ldots, 4n - 10$, sea el intervalo de los residuos en estos puntos.
3. Para los primeros $m$ valores de $E_u$, calcúlese una estimación de la desviación estándar del error puro como

$$\hat{\sigma} = \frac{.886}{m} \sum_{u=1}^{m} E_u$$

Nótese que $\hat{\sigma}$ se basa en el intervalo promedio de los residuos asociados con los $m$ valores más pequeños de $D_{ii'}^2$. El valor de $m$ debe elegirse después de inspeccionar los valores de $D_{ii'}^2$. No deben incluirse valores de $E_u$ en los cálculos para los cuales la suma ponderada de la distancia cuadrada es demasiado grande.

**Ejemplo 15.10** Usaremos este procedimiento de tres pasos para calcular una estimación de la desviación estándar del error puro para los datos de tiempo de entrega de refrescos en el ejemplo 15.1. La tabla 15.6 presenta el cálculo de $D_{ii'}^2$ para pares de puntos que, en términos de $\hat{y}$, son adyacentes, uno aparte, dos aparte y tres aparte. Las columnas denominadas "$R$" en esta tabla identifican los 15 valores más pequeños de $D_{ii}^2$. Los resultados en estos pares de puntos se emplean para estimar $\sigma$. El cálculo de $\hat{\sigma}$ se muestra en la tabla 15.7. El valor de $\hat{\sigma} = 2.136$ es razonablemente cercano a $\sqrt{MS_E} = \sqrt{5.2352} = 2.288$, de la tabla 15.5. Puesto que $\hat{\sigma} \simeq \sqrt{MS_E}$, deberíamos concluir que no hay una fuerte evidencia de falta de ajuste.

## 15-7  Regresión polinomial

El modelo lineal $\mathbf{y} = \mathbf{X}\boldsymbol{\beta} + \boldsymbol{\varepsilon}$ es un modelo general que puede emplearse para ajustar cualquier relación que sea *lineal* en los parámetros desconocidos $\beta$. Esto incluye la importante clase de los modelos de regresión polinomial. Por ejemplo, el polinomio de segundo grado en una variable

$$y = \beta_0 + \beta_1 x + \beta_{11} x^2 + \varepsilon \tag{15-41}$$

y el polinomios de segundo grado en dos variables

$$y = \beta_0 + \beta_1 x_1 + \beta_2 x_2 + \beta_{11} x_1^2 + \beta_{22} x_2^2 + \beta_{12} x_1 x_2 + \varepsilon \tag{15-42}$$

son modelos de regresión lineal.

Los modelos de regresión polinomial se emplean ampliamente en casos donde la respuesta es de línea curva, debido a que los principios generales de la regresión múltiple pueden aplicarse. El siguiente ejemplo ilustra algunos tipos de análisis que pueden efectuarse.

**Ejemplo 15.11**  Los paneles de pared lateral en el interior de un avión se construyen en una prensa de 1500 toneladas. Los costos de manufactura unitarios varían con el tamaño del lote de producción. Los datos que se muestran a continuación brindan el costo promedio por unidad (en cientos de dólares) para este producto ($y$) y el tamaño del lote de producción ($x$). El diagrama de dispersión, presentado en la figura 15.16, indica que puede ser apropiado un polinomio de segundo orden.

| $y$ | 1.81 | 1.70 | 1.65 | 1.55 | 1.48 | 1.40 | 1.30 | 1.26 | 1.24 | 1.21 | 1.20 | 1.18 |
|---|---|---|---|---|---|---|---|---|---|---|---|---|
| $x$ | 20 | 25 | 30 | 35 | 40 | 50 | 60 | 65 | 70 | 75 | 80 | 90 |

Ajustaremos el modelo

$$y = \beta_0 + \beta_1 x + \beta_{11} x^2 + \varepsilon$$

El vector **y**, la matriz **X** y el vector $\beta$ son como sigue:

$$
\mathbf{y} = \begin{bmatrix} 1.81 \\ 1.70 \\ 1.65 \\ 1.55 \\ 1.48 \\ 1.40 \\ 1.30 \\ 1.26 \\ 1.24 \\ 1.21 \\ 1.20 \\ 1.18 \end{bmatrix}
\qquad
\mathbf{X} = \begin{bmatrix} 1 & 20 & 400 \\ 1 & 25 & 625 \\ 1 & 30 & 900 \\ 1 & 35 & 1225 \\ 1 & 40 & 1600 \\ 1 & 50 & 2500 \\ 1 & 60 & 3600 \\ 1 & 65 & 4225 \\ 1 & 70 & 4900 \\ 1 & 75 & 5625 \\ 1 & 80 & 6400 \\ 1 & 90 & 8100 \end{bmatrix}
\qquad
\beta = \begin{bmatrix} \beta_0 \\ \beta_1 \\ \beta_{11} \end{bmatrix}
$$

La solución de las ecuaciones normales $\mathbf{X'X}\beta = \mathbf{X'y}$ produce el modelo ajustado

$$\hat{y} = 2.19826629 - .02252236x + .00012507x^2$$

La prueba de significación de regresión se muestra en la tabla 15.8. Puesto que $F_0 = 2171.07$ es significante en 1 por ciento, concluimos que al menos uno de los parámetros $\beta_1$ y $\beta_{11}$ no es cero. Además, las pruebas estándar para la suficiencia del modelo no revelan ningún comportamiento inusual.

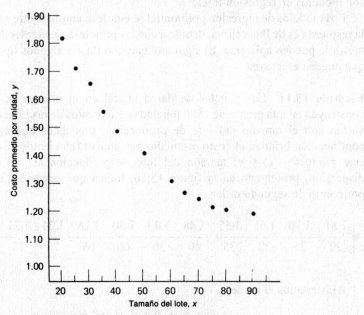

**Figura 15.6**   Datos para el ejemplo 15.11.

TABLA 15.8 **Prueba de significación de la regresión para el modelo de segundo orden en el ejemplo 15.11**

| Fuente de variación | Suma de cuadrados | Grados de libertad | Media cuadrática | $F_0$ |
|---|---|---|---|---|
| Regresión | .5254 | 2 | .262700 | 2171.07 |
| Error | .0011 | 9 | .000121 | |
| Total | .5265 | 11 | | |

Al ajustar polinomios, en general nos gustaría emplear el modelo de grado más pequeño consistente con los datos. En este ejemplo, parecería lógico investigar la eliminación del término cuadrático del modelo. Esto es, nos gustaría probar

$$H_0: \beta_{11} = 0$$

$$H_1: \beta_{11} \neq 0$$

La prueba general de significación de regresión puede utilizarse para probar esta hipótesis. Necesitamos determinar la "suma de cuadrados extra" debido a $\beta_{11}$, o

$$SS_R(\beta_{11}|\beta_1, \beta_0) = SS_R(\beta_1, \beta_{11}|\beta_0) - SS_R(\beta_1|\beta_0)$$

La suma de cuadrados $SS_R(\beta_1, \beta_{11}|\beta_0) = .5254$, de acuerdo con la tabla 15.8. Para encontrar $SS_R(\beta_1|\beta_0)$, ajustamos un modelo de regresión lineal simple a los datos originales, obteniendo

$$\hat{y} = 1.90036320 - .00910056x$$

Puede verificarse fácilmente que la suma de cuadrados de la regresión para este modelo es

$$SS_R(\beta_1|\beta_0) = .4942$$

En consecuencia, la suma de cuadrados extra debida a $\beta_{11}$, dado que $\beta_1$ y $\beta_0$ están en el modelo, es

$$SS_R(\beta_{11}|\beta_0, \beta_1) = SS_R(\beta_1, \beta_{11}|\beta_0) - SS_R(\beta_1|\beta_0)$$

$$= .5254 - .4942$$

$$= .0312$$

El análisis de varianza, con la prueba de $H_0: \beta_{11} = 0$ incorporada en el procedimiento, se presenta en la tabla 15.9. Nótese que el término cuadrático contribuye de manera significativa al modelo.

TABLA 15.9 **Análisis de varianza del ejemplo 15.11, mostrando la prueba para $H_0$: $\beta_{11} = 0$**

| Fuente de variación | Suma de cuadrados | Grados de libertad | Media cuadrática | $F_0$ |
|---|---|---|---|---|
| Regresión | $SS_R(\beta_1, \beta_{11}|\beta_0) = .5254$ | 2 | .262700 | 2171.07 |
| Lineal | $SS_R(\beta_1|\beta_0) = .4942$ | 1 | .494200 | 4084.30 |
| Cuadrática | $SS_R(\beta_{11}|\beta_0, \beta_1) = .0312$ | 1 | .031200 | 258.18 |
| Error | .0011 | 9 | .000121 | |
| Total | .5265 | 11 | | |

## 15-8 Variables indicadoras

Los modelos de regresión presentados en las secciones previas se han basado en variables *cuantitativas*, esto es, variables que se miden en una escala numérica. Por ejemplo, variables tales como temperatura, presión, distancia y edad son cuantitativas. En ocasiones, necesitamos incorporar variables *cualitativas* en un modelo de regresión. Por ejemplo, supóngase que una de las variables en un modelo de regresión es el operador que está asociado con cada observación $y_i$. Considérese que sólo están involucrados dos operadores. Tal vez deseemos asignar diferentes niveles a los dos operadores para explicar la posibilidad de que cada uno de ellos pueda tener un efecto diferente en la respuesta.

El método usual de explicar los diferentes niveles de una variable cualitativa es utilizando variables indicadoras. Por ejemplo, para introducir el efecto de dos operadores diferentes en un modelo de regresión, podríamos definir una variable indicadora del modelo siguiente:

$x = 0$ si la observación proviene del operador 1
$x = 1$ si la observación proviene del operador 2

En general, una variable cualitativa con $t$ niveles se representa mediante $t - 1$ variables indicadoras, a las cuales se les asignan los valores de 0 ó 1. De tal modo, si hubiera *tres* operadores, los diferentes niveles serían explicados por *dos* variables indicadoras definidas de la manera siguiente:

| $x_1$ | $x_2$ | |
|---|---|---|
| 0 | 0 | si la observación es del operador 1 |
| 1 | 0 | si la observación es del operador 2 |
| 0 | 1 | si la observación es del operador 3 |

A las variables indicadoras también se les conoce como variables *simuladas*. Los siguientes ejemplos ilustran algunos usos de las variables indicadoras. Para otras aplicaciones, véase Montgomery y Peck (1982).

TABLA 15.10  **Datos del acabado superficial para el ejemplo 15.12**

| Número de observación, $i$ | Acabado superficial $y_i$ | RPM | Tipo de herramienta de corte |
|---|---|---|---|
| 1 | 45.44 | 225 | 302 |
| 2 | 42.03 | 200 | 302 |
| 3 | 50.10 | 250 | 302 |
| 4 | 48.75 | 245 | 302 |
| 5 | 47.92 | 235 | 302 |
| 6 | 47.79 | 237 | 302 |
| 7 | 52.26 | 265 | 302 |
| 8 | 50.52 | 259 | 302 |
| 9 | 45.58 | 221 | 302 |
| 10 | 44.78 | 218 | 302 |
| 11 | 33.50 | 224 | 416 |
| 12 | 31.23 | 212 | 416 |
| 13 | 37.52 | 248 | 416 |
| 14 | 37.13 | 260 | 416 |
| 15 | 34.70 | 243 | 416 |
| 16 | 33.92 | 238 | 416 |
| 17 | 32.13 | 224 | 416 |
| 18 | 35.47 | 251 | 416 |
| 19 | 33.49 | 232 | 416 |
| 20 | 32.29 | 216 | 416 |

**Ejemplo 15.12**  [Adaptado de un ejemplo en Montgomey y Peck (1982)]. Un ingeniero mecánico investiga el acabado superficial de piezas metálicas producidas en el torno y su relación con la velocidad (en RPM) del torno. Los datos se muestran en la tabla 15.10. Nótese que los datos se han recabado empleando dos tipos diferentes de herramientas de corte. Puesto que es probable que el tipo de herramienta de corte afecte el acabado superficial, ajustaremos el modelo

$$y = \beta_0 + \beta_1 x_1 + \beta_2 x_2 + \varepsilon$$

donde $y$ es el acabado superficial, $x_1$ es la velocidad del torno en RPM, y $x_2$ es la variable indicadora que denota el tipo de herramienta de corte utilizada; esto es,

$$x_2 = \begin{cases} 0, \text{ para la herramienta tipo } 302 \\ 1, \text{ para la herramienta tipo } 416 \end{cases}$$

Los parámetros en este modelo pueden interpretarse fácilmente. Si $x_2 = 0$, entonces el modelo se convierte en

$$y = \beta_0 + \beta_1 x_1 + \varepsilon$$

que es un modelo de línea recta con pendiente $\beta_1$ e intersección $\beta_0$. Sin embargo, si $x_2 = 1$, entonces el modelo se vuelve

$$y = \beta_0 + \beta_1 x_1 + \beta_2(1) + \varepsilon = \beta_0 + \beta_2 + \beta_1 x_1 + \varepsilon$$

que es un modelo de línea recta con pendiente $\beta_1$ e intersección $\beta_0 + \beta_2$. En consecuencia, el modelo $y = \beta_0 + \beta_1 x_1 + \beta_2 x_2 + \varepsilon$ implica que el acabado superficial se relaciona linealmente con la velocidad y que la pendiente $\beta_1$ no depende del tipo de herramienta de corte utilizada. Sin embargo, el tipo de herramienta de corte afecta la intersección, y $\beta_2$ indica el cambio en la intersección asociado con un cambio en el tipo de herramienta de la 302 a la 416.

La matriz $\mathbf{X}$ y el vector $\mathbf{y}$ para este problema son como sigue:

$$\mathbf{X} = \begin{bmatrix} 1 & 225 & 0 \\ 1 & 200 & 0 \\ 1 & 250 & 0 \\ 1 & 245 & 0 \\ 1 & 235 & 0 \\ 1 & 237 & 0 \\ 1 & 265 & 0 \\ 1 & 259 & 0 \\ 1 & 221 & 0 \\ 1 & 218 & 0 \\ 1 & 224 & 1 \\ 1 & 212 & 1 \\ 1 & 248 & 1 \\ 1 & 260 & 1 \\ 1 & 243 & 1 \\ 1 & 238 & 1 \\ 1 & 224 & 1 \\ 1 & 251 & 1 \\ 1 & 232 & 1 \\ 1 & 216 & 1 \end{bmatrix} \qquad \mathbf{y} = \begin{bmatrix} 45.44 \\ 42.03 \\ 50.10 \\ 48.75 \\ 47.92 \\ 47.79 \\ 52.26 \\ 50.52 \\ 45.58 \\ 44.78 \\ 33.50 \\ 31.23 \\ 37.52 \\ 37.13 \\ 34.70 \\ 33.92 \\ 32.13 \\ 35.47 \\ 33.49 \\ 32.29 \end{bmatrix}$$

El modelo ajustado es

$$\hat{y} = 14.27620 + .14115x_1 - 13.28020x_2$$

El análisis de varianza para este modelo se muestra en la tabla 15.11. Nótese que se rechaza la hipótesis $H_0: \beta_1 = \beta_2 = 0$ (significación de regresión). Esta tabla contiene también las sumas de cuadrados

$$SS_R = SS_R(\beta_1, \beta_2 | \beta_0)$$
$$= SS_R(\beta_1 | \beta_0) + SS_R(\beta_2 | \beta_1, \beta_0)$$

TABLA 15.11 **Análisis de varianza del ejemplo 15.12**

| Fuente de variación | Suma de cuadrados | Grados de libertad | Media cuadrática | $F_0$ |
|---|---|---|---|---|
| Regresión | 1012.0595 | 2 | 506.0297 | 1103.69[a] |
| $SS_R(\beta_1\|\beta_0)$ | (130.6091) | (1) | 130.6091 | 284.87[a] |
| $SS_R(\beta_2\|\beta_1, \beta_0)$ | (881.4504) | (1) | 881.4504 | 1922.52[a] |
| Error | .7.7943 | 17 | .4508 | |
| Total | 1019.8538 | 19 | | |

[a]Significante a 1 por ciento

por lo que puede realizarse una prueba de la hipótesis $H_0$: $\beta_2 = 0$. Esta hipótesis también se rechaza, de modo que concluimos que el tipo de herramienta tiene un efecto en el acabado superficial.

También es posible emplear las variables indicadoras para investigar si el tipo de herramienta afecta *tanto* la pendiente *como* la intersección. Dejemos que el modelo sea

$$y = \beta_0 + \beta_1 x_1 + \beta_2 x_2 + \beta_3 x_1 x_2 + \varepsilon$$

donde $x_2$ es la variable indicadora. Entonces si se emplea el tipo de herramienta 302, $x_2 = 0$, y el modelo es

$$y = \beta_0 + \beta_1 x_1 + \varepsilon$$

Si se utiliza el tipo de herramienta 416, $x_2 = 1$, y el modelo se vuelve

$$y = \beta_0 + \beta_1 x_1 + \beta_2 + \beta_3 x_1 + \varepsilon$$
$$= (\beta_0 + \beta_2) + (\beta_1 + \beta_3)x_1 + \varepsilon$$

Adviértase que $\beta_2$ es el cambio en la intersección y $\beta_3$ es el cambio en la pendiente producido por el cambio en el tipo de herramienta.

Otro método para analizar este conjunto de datos es ajustar modelos de regresión independientes a los datos correspondientes a cada tipo de herramienta. Sin embargo, el planteamiento de la variable indicadora tiene varias ventajas. Primero, sólo debe estimarse un modelo de regresión. Segundo, combinando los datos en ambos tipos de herramienta, se obtienen más grados de libertad para el error. Tercero, las pruebas de ambas hipótesis en los parámetros $\beta_2$ y $\beta_3$ son sólo casos especiales de la prueba general de significación de la regresión.

## 15-9 Matriz de correlación

Supóngase que deseamos estimar los parámetros en el modelo

$$y_i = \beta_0 + \beta_1 x_{i1} + \beta_2 x_{i2} + \varepsilon_i, \qquad i = 1, 2, \ldots, n \qquad (15\text{-}43)$$

Podemos reescribir este modelo con una intersección transformada $\beta_0'$ como

$$y_i = \beta_0' + \beta_1(x_{i1} - \bar{x}_1) + \beta_2(x_{i2} - \bar{x}_2) + \varepsilon_i \qquad (15\text{-}44)$$

o, puesto que $\beta_0' = \bar{y}$,

$$y_i - \bar{y} = \beta_1(x_{i1} - \bar{x}_1) + \beta_2(x_{i2} - \bar{x}_2) + \varepsilon_i \qquad (15\text{-}45)$$

La matriz $\mathbf{X'X}$ para este modelo es

$$\mathbf{X'X} = \begin{bmatrix} S_{11} & S_{12} \\ S_{12} & S_{22} \end{bmatrix} \qquad (15\text{-}46)$$

donde

$$S_{kj} = \sum_{i=1}^{n} (x_{ik} - \bar{x}_k)(x_{ij} - \bar{x}_j) \qquad k, j = 1, 2 \qquad (15\text{-}47)$$

Es posible expresar esta matriz $\mathbf{X'X}$ en forma de correlación. Sea

$$r_{kj} = \frac{S_{kj}}{(S_{kk}S_{jj})^{1/2}} \qquad k, j = 1, 2 \qquad (15\text{-}48)$$

y nótese que $r_{11} = r_{22} = 1$. Entonces la forma de correlación de la matriz $\mathbf{X'X}$, ecuación 15-47, es

$$\mathbf{R} = \begin{bmatrix} 1 & r_{12} \\ r_{12} & 1 \end{bmatrix} \qquad (15\text{-}49)$$

La cantidad $r_{12}$ es la correlación simple entre $x_1$ y $x_2$. También podemos definir la correlación simple entre $x_j$ y $y$ como

$$r_{jy} = \frac{S_{jy}}{(S_{jj}S_{yy})^{1/2}} \qquad j = 1, 2 \qquad (15\text{-}50)$$

donde

$$S_{jy} = \sum_{u=1}^{n} (x_{uj} - \bar{x}_j)(y_u - \bar{y}) \qquad j = 1, 2 \qquad (15\text{-}51)$$

es la suma corregida de productos cruzados entre $x_j$ y $y$, y $S_{yy}$ es la suma usual de cuadrados corregida de $y$.

Estas transformaciones resultan en un nuevo modelo de regresión

$$y_i^* = b_1 z_{i1} + b_2 z_{i2} + \varepsilon_i^* \qquad (15\text{-}52)$$

en las nuevas variables

$$y_i^* = \frac{y_i - \bar{y}}{S_{yy}^{1/2}}$$

$$z_{ij} = \frac{x_{ij} - \bar{x}_j}{S_{jj}^{1/2}} \qquad j = 1, 2$$

La relación entre los parámetros $b_1$ y $b_2$ en el nuevo modelo, ecuaciones 15-52, y los parámetros $\beta_0$, $\beta_1$ y $\beta_2$ en el modelo original, ecuaciones 15-43, es como sigue:

$$\beta_1 = b_1 \left( \frac{S_{yy}}{S_{11}} \right)^{1/2} \tag{15-53}$$

$$\beta_2 = b_2 \left( \frac{S_{yy}}{S_{22}} \right)^{1/2} \tag{15-54}$$

$$\beta_0 = \bar{y} - \beta_1 \bar{x}_1 - \beta_2 \bar{x}_2 \tag{15-55}$$

Las ecuaciones normales de mínimos cuadrados para el modelo transformado, ecuación 15-52, son

$$\begin{bmatrix} 1 & r_{12} \\ r_{12} & 1 \end{bmatrix} \begin{bmatrix} b_1 \\ b_2 \end{bmatrix} = \begin{bmatrix} r_{1y} \\ r_{2y} \end{bmatrix} \tag{15-56}$$

La solución a la ecuación 15-56 es

$$\begin{bmatrix} \hat{b}_1 \\ \hat{b}_2 \end{bmatrix} = \begin{bmatrix} 1 & r_{12} \\ r_{12} & 1 \end{bmatrix}^{-1} \begin{bmatrix} r_{1y} \\ r_{2y} \end{bmatrix}$$

$$= \frac{1}{1 - r_{12}^2} \begin{bmatrix} 1 & -r_{12} \\ -r_{12} & 1 \end{bmatrix} \begin{bmatrix} r_{1y} \\ r_{2y} \end{bmatrix}$$

o

$$\hat{b}_1 = \frac{r_{1y} - r_{12}r_{2y}}{1 - r_{12}^2} \tag{15-57a}$$

$$\hat{b}_2 = \frac{r_{2y} - r_{12}r_{1y}}{1 - r_{12}^2} \tag{15-57b}$$

Los coeficientes de regresión, ecuaciones 15-57, suelen llamarse *coeficientes de regresión estandarizados*. Muchos programas de computadora de regresión múltiple usan esta transformación para reducir errores de redondeo en la matriz

$(\mathbf{X'X})^{-1}$. Estos errores de redondeo pueden ser muy serios si las variables originales difieren en magnitud de manera considerable. Algunos de estos programas
de computadora también presentan tanto los coeficientes de regresión originales
como los coeficientes estandarizados. Los coeficientes de regresión estandarizados son adimensionales, y esto puede facilitar la comparación de coeficientes de
regresión en situaciones en las que las variables originales xj difieren considerablemente en sus unidades de medida. Sin embargo, al interpretar estos coeficientes de regresión estandarizados, debemos recordar que son todavía coeficientes de regresión parciales (es decir, $b_j$ muestra el efecto de $z_j$ dado que otras $z_i$,
$i \neq j$, están en el modelo). Además las $\hat{b}_j$ resultan afectadas por el espaciamiento
de los niveles de las $x_j$. En consecuencia, no debemos utilizar la magnitud de las
$\hat{b}_j$ como medida de la importancia de las variables regresoras.

Si bien sólo hemos tratado en forma explícita el caso de dos variables
regresoras, los resultados se generalizan. Si hay $k$ variables regresoras $x_1, x_2, \ldots,$
$x_k$, puede escribirse la matriz $\mathbf{X'X}$ en forma de correlación como

$$\mathbf{R} = \begin{bmatrix} 1 & r_{12} & r_{13} & \cdots & r_{1k} \\ r_{12} & 1 & r_{23} & \cdots & r_{2k} \\ r_{13} & r_{23} & 1 & \cdots & r_{3k} \\ & & \vdots & & \\ r_{1k} & r_{2k} & r_{3k} & \cdots & 1 \end{bmatrix} \qquad (15\text{-}58)$$

donde $r_{ij} = S_{ij}/(S_{ii}S_{jj})^{1/2}$ es la correlación simple entre $x_i$ y $x_j$ y $S_{ij} = \Sigma_{u=1}^{n}(x_{ui} - \bar{x}_i)$
$(x_{uj} - \bar{x}_j)$. Las correlaciones entre $x_j$ y $y$ son

$$\mathbf{g} = \begin{bmatrix} r_{1y} \\ r_{2y} \\ \vdots \\ r_{ky} \end{bmatrix} \qquad (15\text{-}59)$$

donde $r_{iy} = \Sigma_{u=1}^{n}(X_{ui} - \bar{x}_i)(y_u - \bar{y})$. El vector de los coeficientes de regresión
estandarizados $\hat{\mathbf{b}}' = [\hat{b}_1, \hat{b}_2, \ldots, \hat{b}_k]$ es

$$\hat{\mathbf{b}} = \mathbf{R}^{-1}\mathbf{g} \qquad (15\text{-}60)$$

La relación entre los coeficientes de regresión estandarizados y los coeficientes
de regresión originales es

$$\hat{\beta}_j = \hat{b}_j \left(\frac{S_{yy}}{S_{jj}}\right)^{1/2} \qquad j = 1, 2, \ldots, k \qquad (15\text{-}61)$$

**Ejemplo 15.13**   Para los datos en el ejemplo 15.1, encontramos

$$S_{yy} = 6105.9447 \qquad S_{11} = 698.5600$$

$$S_{1y} = 2027.7132 \qquad S_{22} = 780,230.5600$$
$$S_{2y} = 34,018.6668 \qquad S_{12} = 8834.4400$$

En consecuencia,

$$r_{12} = \frac{S_{12}}{(S_{11}S_{22})^{1/2}} = \frac{8834.4400}{\sqrt{(698.5600)(780,230.5600)}} = .378413$$

$$r_{1y} = \frac{S_{1y}}{(S_{11}S_{yy})^{1/2}} = \frac{2027.7132}{\sqrt{(698.5600)(6105.9447)}} = .981812$$

$$r_{2y} = \frac{S_{2y}}{(S_{22}S_{yy})^{1/2}} = \frac{34,018.6668}{\sqrt{(780,230.5600)(6105.9447)}} = .492867$$

y la matriz de correlación para este problema es

$$\begin{bmatrix} 1 & .378413 \\ .378413 & 1 \end{bmatrix}$$

De la ecuación 15-56, las ecuaciones normales en términos de los coeficientes de regresión estandarizados son

$$\begin{bmatrix} 1 & .378413 \\ .378413 & 1 \end{bmatrix} \begin{bmatrix} \hat{b}_1 \\ \hat{b}_2 \end{bmatrix} = \begin{bmatrix} .981812 \\ .492867 \end{bmatrix}$$

Por consiguiente, los coeficientes de regresión estandarizados son

$$\begin{bmatrix} \hat{b}_1 \\ \hat{b}_2 \end{bmatrix} = \begin{bmatrix} 1 & .378413 \\ .378413 & 1 \end{bmatrix}^{-1} \begin{bmatrix} .981812 \\ .492867 \end{bmatrix}$$

$$= \begin{bmatrix} 1.16713 & -.44166 \\ -.44166 & 1.16713 \end{bmatrix} \begin{bmatrix} .981812 \\ .492867 \end{bmatrix}$$

$$= \begin{bmatrix} .928223 \\ .141615 \end{bmatrix}$$

Estos coeficientes de regresión estandarizados podrían también haber sido computados directamente de las ecuaciones 15-57 ó 15-61. Nótese que aunque $\hat{b}_1 > \hat{b}_2$, debemos ser precavidos al concluir que el número de latas entregadas ($x_1$) es más importante que la distancia ($x_2$), puesto que $\hat{b}_1$ y $\hat{b}_2$ son aún coeficientes de regresión *parciales*.

## 15-10   Problemas en la regresión múltiple

Hay diversos problemas que se encuentran con frecuencia al emplear la regresión múltiple. En esta sección, analizaremos brevemente tres de estas áreas problemas: el efecto de la multicolinearidad en el modelo de regresión, el efecto de puntos aislados en el espacio $x$ sobre los coeficientes de regresión, y la autocorrelación en los errores.

### 15-10.1   Multicolinearidad

En la mayor parte de los problemas de regresión múltiple, las variables independientes o regresoras $x_j$ están intercorrelacionadas. En situaciones en las que esta intercorrelación es muy grande, afirmamos que existe *multicolinearidad*. La multicolinearidad puede tener serios efectos en las estimaciones de los coeficientes de regresión y en la aplicabilidad general del modelo estimado.

Los efectos de la multicolinearidad pueden demostrarse con facilidad. Considérese un modelo de regresión con dos variables regresoras $x_1$ y $x_2$, y supóngase que $x_1$ y $x_2$ se han "estandarizado" como en la sección 15-9, de modo que la matriz $X'X$ está en forma de correlación, como en la ecuación 15-49. El modelo es

$$y_i = \beta_0 + \beta_1 x_{i1} + \beta_2 x_{i2} + \varepsilon_i \qquad i = 1, 2, \ldots, n$$

La matriz $(X'X)^{-1}$ para este modelo es

$$C = (X'X)^{-1} = \begin{bmatrix} 1/(1 - r_{12}^2) & -r_{12}/(1 - r_{12}^2) \\ -r_{12}/(1 - r_{12}^2) & 1/(1 - r_{12}^2) \end{bmatrix}$$

y los estimadores de los parámetros son

$$\hat{\beta}_1 = \frac{x_1'y - r_{12}x_2'y}{1 - r_{12}^2}$$

$$\hat{\beta}_2 = \frac{x_2'y - r_{12}x_1'y}{1 - r_{12}^2}$$

donde $r_{12}$ es la correlación simple entre $x_1$ y $x_2$, y $x_1'y$ y $x_2'y$ son los elementos del vector $X'y$.

Luego, si la multicolinearidad está presente, $x_1$ y $x_2$ están muy correlacionados, y $|r_{12}| \rightarrow 1$. En tal situación, las varianzas y las covarianzas de los coeficientes de regresión se vuelven muy grandes, puesto que $V(\hat{\beta}_j) = C_{jj}\sigma^2 \rightarrow \infty$ cuando $|r_{12}| \rightarrow 1$, y $\text{Cov}(\hat{\beta}_1, \hat{\beta}_2) = C_{12}\sigma^2 \rightarrow \pm \simeq \infty$ dependiendo de si $r_{12} \rightarrow \pm 1$. Las grandes varianzas para $\hat{\beta}_j$ implican que los coeficientes de regresión se estimaron muy pobremente. Nótese que el efecto de la multicolinearidad es introducir una dependencia "casi" lineal en las columnas de la matriz $X$. Cuando $R_{12} \rightarrow \pm 1$, esta dependencia lineal se vuelve exacta. Además, si suponemos que $x_1'y \rightarrow x_2'y$ cuando $|r_{12}| \rightarrow \pm 1$, entonces las estimaciones de los coeficientes de regresión se vuelven igual en magnitud pero opuestas en signo; esto es, $\hat{\beta}_1 = -\hat{\beta}_2$, *independientemente* de los valores reales de $\beta_1$ y $\beta_2$.

Ocurren problemas similares cuando la multicolinearidad está presente y hay más de dos variables regresoras. En general, los elementos de la diagonal de la matriz $C = (X'X)^{-1}$ pueden escribirse como

$$C_{jj} = \frac{1}{\left(1 - R_j^2\right)} \qquad j = 1, 2, \ldots, k \tag{15-62}$$

donde $R_j^2$ es el coeficiente de determinación múltiple que resulta de la regresión de $x_j$ sobre las otras $k - 1$ variables regresoras. Es claro que cuanto más fuerte sea la dependencia lineal de $x_j$ en las variables regresoras restantes (y, en consecuencia, multicolinearidad más fuerte), tanto más grande será el valor de $R_j^2$. Afirmamos que la varianza de $\hat{\beta}_j$ está "inflada" por la cantidad $(1 - R_j^2)^{-1}$. Consecuentemente, solemos llamar

$$VIF\left(\hat{\beta}_j\right) = \frac{1}{\left(1 - R_j^2\right)} \qquad j = 1, 2, \ldots, k \tag{15-63}$$

el *factor de inflación de la varianza* para $\hat{\beta}_j$. Nótese que estos factores son los elementos de la diagonal principal de la inversa de la matriz de correlación. Hay una medida importante del grado al que se presenta la multicolinearidad.

A pesar de que las estimaciones de los coeficientes de regresión son muy imprecisas cuando la multicolinearidad está presente, la ecuación estimada puede seguir siendo útil. Por ejemplo, supóngase que deseamos predecir nuevas observaciones. Si estas predicciones son requeridas en la región del espacio $x$ donde la multicolinearidad en efecto está presente, entonces a menudo se obtendrán resultados satisfactorios porque, en tanto que las $\beta_j$ pueden ser estimadas pobremente, la función $\sum_{j=1}^{k} \beta_j^k x_{ij}$ puede estimarse bastante bien. Por otra parte, si la predicción de nuevas observaciones requiere extrapolación, entonces en general esperaríamos obtener resultados pobres. La extrapolación usualmente requiere buenas estimaciones de los parámetros individuales del modelo.

La multicolinearidad surge por varias razones. Ocurrirá cuando el análisis recaba los datos de manera tal que se cumple una restricción de la forma $\sum_{j=1}^{k} a_j x_j = 0$ entre las columnas de la matriz $X$ (las $a_j$ son constantes, no todas cero). Por ejemplo, si cuatro variables regresoras son las componentes de una mezcla, entonces una de tales restricciones siempre existirá porque la suma de las componentes siempre es constante. Usualmente, estas restricciones no se cumplen en forma exacta, y el analista no sabe que existen.

Hay varios modos de detectar la multicolinearidad. Algunos de los más importantes se analizarán brevemente.

1. Los factores de inflación de la varianza, definida en la ecuación 15-63, son medidas muy útiles de multicolinearidad. Cuanto mayor es el factor de inflación de la varianza, tanto más severa resulta la multicolinearidad. Algunos autores han indicado que si algún factor de inflación de varianza excede de 10, entonces la multicolinearidad es un problema. Otros autores consideran este valor demasiado liberal e indican que los factores de inflación de la varianza no deben exceder de 4 ó 5.

2. El determinante de la matriz de correlación también puede emplearse como una medida de la multicolinearidad. El valor de este determinante puede variar entre 0 y 1. Cuando el valor del determinante es 1, las columnas de la matriz $\mathbf{X}$ son ortogonales (esto es, no hay intercorrelación entre las variables de la regresión), y cuando el valor es 0, hay una dependencia lineal exacta entre las columnas de $\mathbf{X}$. Cuanto menor sea el valor del determinante, tanto más grande será el grado de multicolinearidad.

3. Los eigenvalores de la raíces características de la matriz de correlación brindan una medida de multicolinearidad. Si $\mathbf{X'X}$ está en forma de correlación, entonces los eigenvalores de $\mathbf{X'X}$ son las raíces de la ecuación

$$|\mathbf{X'X} - \lambda\mathbf{I}| = 0$$

Uno o más eigenvalores cerca de cero implican que la multicolinearidad está presente. Si $\lambda_{\text{máx}}$ y $\lambda_{\text{min}}$ denotan los eigenvalores más grande y más pequeño de $\mathbf{X'X}$, entonces el cociente $\lambda_{\text{máx}}/\lambda_{\text{min}}$ puede emplearse como una medida de multicolinearidad. Cuanto mayor sea el valor de este cociente, tanto más grande será el grado de multicolinearidad. En general, si el cociente $\lambda_{\text{máx}}/\lambda_{\text{min}}$ es menor que 10, hay algunos problemas con la multicolinearidad.

4. Algunas veces la inspección de los elementos individuales de la matriz de correlación puede ser útil para detectar la multicolinearidad. Si un elemento $|r_{ij}|$ está cerca de otro, entonces $x_i$ y $x_j$ pueden tener una fuerte multicolinearidad. Sin embargo, cuando más de dos variables regresoras están involucradas de un modo multicolineal, las $r_{ij}$ individuales no son necesariamente grandes. De tal modo, este método no siempre permitirá detectar la presencia de la multicolinearidad.

5. Si la prueba $F$ para la significación de regresión es significativa, pero las pruebas en los coeficientes de regresión individual no son significativas, entonces la multicolinearidad puede estar presente.

Varios procedimientos se han propuesto para resolver el problema de la multicolinearidad. A menudo se sugiere aumentar los datos con nuevas observaciones diseñadas específicamente para disolver las dependencias aproximadamente lineales que existen. Sin embargo, algunas veces esto es imposible por razones económicas, o debido a las restricciones físicas que relacionan las $x_j$. Otra posibilidad es eliminar ciertas variables del modelo. Esto tiene la desventaja de descartar la información contenida en las variables eliminadas.

Puesto que la multicolinearidad afecta principalmente la estabilidad de los coeficientes de regresión, parecería que la estimación de estos parámetros por algún método que sea menos sensible a la multicolinearidad que los mínimos cuadrados ordinarios sería de utilidad. Se han indicado varios métodos para esto. Hoerl y Kennard (1970a, b) han propuesto la regresión de arista como una alternativa para los mínimos cuadrados ordinarios. En la regresión de arista, las estimaciones de los parámetros se obtienen resolviendo

$$\beta^*(l) = (X'X + lI)^{-1}X'y \qquad (15\text{-}64)$$

donde $l \geq 0$ es una constante. Por lo general, los valores de $l$ en el intervalo $0 \leq l \leq 1$ son apropiados. El estimador de arista $\beta^*(l)$ no es estimador insesgado de $\beta$, como lo es el estimador ordinario de mínimos cuadrados $\hat{\beta}$, pero el error cuadrado medio de $\beta^*(l)$ será menor que el error cuadrado medio de $\hat{\beta}$. De modo que la regresión de arista busca encontrar un conjunto de coeficientes de regresión que sea más "estable", en el sentido de tener un error cuadrático medio pequeño. Debido a que la multicolinearidad suele resultar en estimadores de mínimos ordinarios cuadrados que pueden tener varianzas extremadamente grandes, la regresión de arista es apropiada en situaciones donde existen problemas de multicolinearidad.

Para obtener el estimador de la regresión de arista de la ecuación 15-64, debe especificarse un valor para la constante $l$. En general, hay una $l$ "óptima" para todo problema, aunque el planteamiento más simple es resolver la ecuación 15-64 para varios valores de $l$ en el intervalo $0 \leq l \leq 1$. Luego se construye una gráfica de los valores de $\beta^*(l)$ contra $l$. Esta presentación se llama *trazo de arista*. El valor apropiado de $l$ se elige de modo subjetivo por medio de la inspección del trazo de arista. Por lo común, un valor para $l$ se elige de manera tal que se obtengan estimaciones de parámetro relativamente estables. En general, la varianza de $\beta^*(l)$ es una función decreciente de $l$, en tanto que el cuadrado sesgado $[\beta - \beta^*(l)]^2$ es una función creciente de $l$. La elección del valor de $l$ implica intercambiar estas dos propiedades de $\beta^*(l)$.

Un buen análisis del uso práctico de la regresión de arista se encuentra en Marquardt y Snee (1975). Además, hay otra diversidad de técnicas de estimación sesgadas que se han propuesto para tratar con la multicolinearidad. Varias de éstas se estudian en Montgomery y Peck (1982, capítulo 8).

**Ejemplo 15.14** [Basado en un ejemplo en Hald (1952)]. El calor generado en calorías por gramo para un tipo particular de cemento como una función de las cantidades de cuatro aditivos ($z_1$, $z_2$, $z_3$ y $z_4$) se muestra en la tabla 15.12. Deseamos ajustar un modelo de regresión lineal múltiple a estos datos.

Los datos se codifican definiendo un nuevo conjunto de variables regresoras como

$$x_{ij} = \frac{z_{ij} - \bar{z}_j}{\sqrt{S_{jj}}} \qquad i = 1, 2, \ldots, 15 \qquad j = 1, 2, 3, 4$$

donde $S_{jj} = \sum_{i=1}^{n}(z_{ij} - \bar{z}_j)^2$ es la suma de cuadrados corregida de los niveles de $z_j$. Los datos codificados se muestran en la tabla 15.13. Esta transformación hace la ordenada al origen ortogonal a los otros coeficientes de regresión, puesto que la primera columna de la matriz **X** está compuesta por unos. En consecuencia, la ordenada al origen en este modelo siempre será estimada por $\bar{y}$. La matriz **X'X** de $(4 \times 4)$ para las cuatro variables codificadas es la matriz de correlación

$$\mathbf{X'X} = \begin{bmatrix} 1.00000 & .84894 & .91412 & .93367 \\ .84894 & 1.00000 & .76899 & .97567 \\ .91412 & .76899 & 1.00000 & .86784 \\ .93367 & .97567 & .86784 & 1.00000 \end{bmatrix}$$

Esta matriz contiene varios coeficientes de correlación grandes, y esto puede indicar una multicolinearidad significativa. La inversa de **X'X** es

$$(\mathbf{X'X})^{-1} = \begin{bmatrix} 20.769 & 25.813 & -.608 & -44.042 \\ 25.813 & 74.486 & 12.597 & -107.710 \\ -.608 & 12.597 & 8.274 & -18.903 \\ -44.042 & -107.710 & -18.903 & 163.620 \end{bmatrix}$$

TABLA 15.12   **Datos para el ejemplo 15.14**

| Número de observación | $y$ | $z_1$ | $z_2$ | $z_3$ | $z_4$ |
|---|---|---|---|---|---|
| 1 | 28.25 | 10 | 31 | 5 | 45 |
| 2 | 24.80 | 12 | 35 | 5 | 52 |
| 3 | 11.86 | 5 | 15 | 3 | 24 |
| 4 | 36.60 | 17 | 42 | 9 | 65 |
| 5 | 15.80 | 8 | 6 | 5 | 19 |
| 6 | 16.23 | 6 | 17 | 3 | 25 |
| 7 | 29.50 | 12 | 36 | 6 | 55 |
| 8 | 28.75 | 10 | 34 | 5 | 50 |
| 9 | 43.20 | 18 | 40 | 10 | 70 |
| 10 | 38.47 | 23 | 50 | 10 | 80 |
| 11 | 10.14 | 16 | 37 | 5 | 61 |
| 12 | 38.92 | 20 | 40 | 11 | 70 |
| 13 | 36.70 | 15 | 45 | 8 | 68 |
| 14 | 15.31 | 7 | 22 | 2 | 30 |
| 15 | 8.40 | 9 | 12 | 3 | 24 |

TABLA 15.13   Datos codificados para el ejemplo 15.14

| Número de observación | y | $x_1$ | $x_2$ | $x_3$ | $x_4$ |
|---|---|---|---|---|---|
| 1 | 28.25 | −.12515 | .00405 | −.09206 | −.05538 |
| 2 | 24.80 | −.02635 | .08495 | −.09206 | .03692 |
| 3 | 11.86 | −.37217 | −.31957 | −.27617 | −.33226 |
| 4 | 36.60 | .22066 | .22653 | .27617 | .20832 |
| 5 | 15.80 | −.22396 | −.50161 | −.09206 | −.39819 |
| 6 | 16.23 | −.32276 | −.27912 | −.27617 | −.31907 |
| 7 | 29.50 | −.02635 | .10518 | .00000 | .07647 |
| 8 | 28.75 | −.12515 | .06472 | −.09206 | .01055 |
| 9 | 43.20 | .27007 | .18608 | .36823 | .27425 |
| 10 | 38.47 | .51709 | .38834 | .36823 | .40609 |
| 11 | 10.14 | .17126 | .12540 | −.09206 | .15558 |
| 12 | 38.92 | .36887 | .18608 | .46029 | .27425 |
| 13 | 36.70 | .12186 | .28721 | .18411 | .24788 |
| 14 | 15.31 | −.27336 | −.17799 | −.36823 | −.25315 |
| 15 | 8.40 | −.17456 | −.38025 | −.27617 | −.33226 |

Los factores de inflación de la varianza son los elementos de la diagonal principal de esta matriz. Nótese que tres de los factores de inflación de la varianza exceden de 10, una buena indicación de que la multicolinearidad está presente. Los eigenvalores de $\mathbf{X'X}$ son $\lambda_1 = 3.657$, $\lambda_2 = .2679$, $\lambda_3 = .07127$, y $\lambda_4 = .004014$. Dos de los eigenvalores, $\lambda_3$ y $\lambda_4$, son relativamente cercanos a cero. Además, la razón del eigenvalor más grande al más pequeño es

$$\frac{\lambda_{máx}}{\lambda_{mín}} = \frac{3.657}{.004014} = 911.06$$

TABLA 15.14   Estimaciones de la regresión de arista para el ejemplo 15.14

| $l$ | $\beta_1^*(l)$ | $\beta_2^*(l)$ | $\beta_3^*(l)$ | $\beta_4^*(l)$ |
|---|---|---|---|---|
| .000 | − 28.3318 | 65.9996 | 64.0479 | − 57.2491 |
| .001 | − 31.0360 | 57.0244 | 61.9645 | − 44.0901 |
| .002 | − 32.6441 | 50.9649 | 60.3899 | − 35.3088 |
| .004 | − 34.1071 | 43.2358 | 58.0266 | − 24.3241 |
| .008 | − 34.3195 | 35.1426 | 54.7018 | − 13.3348 |
| .016 | − 31.9710 | 27.9534 | 50.0949 | − 4.5489 |
| .032 | − 26.3451 | 22.0347 | 43.8309 | 1.2950 |
| .064 | − 18.0566 | 17.2202 | 36.0743 | 4.7242 |
| .128 | − 9.1786 | 13.4944 | 27.9363 | 6.5914 |
| .256 | − 1.9896 | 10.9160 | 20.8028 | 7.5076 |
| .512 | 2.4922 | 9.2014 | 15.3197 | 7.7224 |

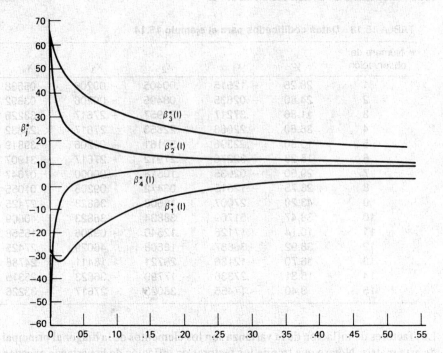

**Figura 15.7**   Trazo de arista para el ejemplo 15.14.

que es considerablemente más grande que 10. Por tanto, puesto que el examen de los factores de inflación de la varianza y de los eigenvalores indica problemas potenciales con la multicolinearidad, emplearemos la regresión de arista para estimar los parámetros del modelo.

La ecuación 15-64 se resolvió para diversos valores de $l$, y los resultados se resumen en la tabla 15.14. El trazo de arista se muestra en la figura 15.7. La inestabilidad de las estimaciones de mínimos cuadrados $\beta_j^*(l = 0)$ es evidente de la inspección del trazo de arista. A menudo es difícil elegir un valor de $l$ a partir del trazo de arista que en forma simultánea estabilice las estimaciones de todos los coeficientes de regresión. Eligiremos $l = .064$, lo que implica que el modelo de regresión es

$$\hat{y} = 25.53 - 18.0566x_1 + 17.2202x_2 + 36.0743x_3 + 4.7242x_4$$

empleando $\hat{\beta}_0 = \bar{y} = 25.53$. Al convertir el modelo en las variables originales $z_j$, tenemos

$$\hat{y} = 2.9913 - .8920z_1 + .3483z_2 + 3.3209z_3 - .0623z_4$$

## 15-10.2  Observaciones influyentes en la regresión

Cuando se emplea la regresión múltiple encontramos en ocasiones que algún pequeño subconjunto de las observaciones es inusualmente influyente. Algunas veces estas observaciones influyentes están relativamente alejadas de la vecindad en la que el resto de los datos se colectaron. Una situación hipotética para dos variables se describe en la figura 15.8, donde una observación en el espacio $x$ está alejada del resto de los datos. La disposición de los puntos en el espacio $x$ es importante en la determinación de las propiedades del modelo. Por ejemplo, el punto $(x_{i1}, x_{i2})$ en la figura 15.8 puede ser muy influyente en la determinación de las estimaciones de los coeficientes de regresión, el valor de $R^2$, y el valor de $MS_E$.

Nos gustaría examinar los puntos dato utilizados para construir un modelo de regresión para determinar si ellos controlan muchas propiedades del modelo. Si estos puntos influyentes son puntos "malos", o son de alguna manera erróneos, deben eliminarse. Por otra parte, puede no haber nada incorrecto con estos puntos, pero por lo menos nos gustaría determinar si producen o no resultados consistentes con el resto de los datos. En cualquier caso, incluso si un punto influyente es válido, si éste controla propiedades importantes del modelo, nos gustaría saberlo, ya que ello podría afectar el uso del modelo.

Montgomery y Peck (1982) describen varios métodos para detectar observaciones influyentes. Un excelente diagnóstico es la medida de distancia de Cook (1977, 1979). Esta es una medida de la distancia al cuadrado entre la estimación de mínimos cuadrados de $\beta$ basada en el total de $n$ observaciones y la estimación basada en la eliminación del punto jésimo $\hat{\beta}_{(i)}$. La medida de distancia de Cook es

$$D_i = \frac{\left(\hat{\beta}_{(i)} - \hat{\beta}\right)' X'X \left(\hat{\beta}_{(i)} - \hat{\beta}\right)}{pMS_E} \qquad i = 1, 2, \ldots, n$$

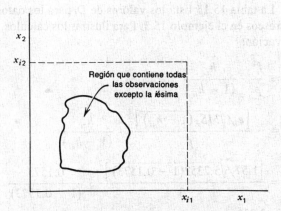

**Figura 15.8**  Punto alejado en el espacio $x$.

Es claro que si el punto $i$ésimo es influyente, su eliminación resultará en que $\hat{\beta}_{(i)}$ cambie en forma considerable con respecto al valor $\hat{\beta}$. De esta manera un valor grande de $D_i$ implica que el punto $i$ésimo es influyente. La estadística $D_i$ se calcula en realidad empleando

$$D_i = \frac{f_i^2}{p} \cdot \frac{h_{ii}}{(1 - h_{ii})} \qquad i = 1, 2, \ldots, n \qquad (15\text{-}65)$$

donde $f_i = e_i/\sqrt{MS_E(1 - h_{ii})}$ y $h_{ii}$ es el $i$ésimo elemento de la diagonal de la matriz

$$H = X(X'X)^{-1}X'$$

La matriz $H$ algunas veces se llama la matriz "sombrero", ya que

$$\hat{y} = X\hat{\beta}$$
$$= X(X'X)^{-1}X'y$$
$$= Hy$$

De tal modo $H$ es una matriz de proyección que transforma los valores observados de $y$ en un conjunto de valores ajustados $\hat{y}$.

De la ecuación 15-65 notamos que $D_i$ está integrada por un componente que refleja lo bien que el modelo se ajusta a la observación $i$ésima $y_i$ [$e_i/\sqrt{MS_E(1 - h_{ii})}$ se llama residuo de *Student*, y es un método de escalamiento de residuos para que tengan varianza unitaria] y por un componente que mide lo lejos que está el punto del resto de los datos [$h_{ii}/(1 - h_{ii})$ es la distancia del $i$ésimo punto del control de los $n - 1$ puntos restantes]. Un valor de $D_i > 1$ indicaría que el punto es influyente. Alguno de los componentes de $D_i$ (o ambos) puede contribuir con un valor grande.

**Ejemplo 15.15**   La tabla 15.15 lista los valores de $D_i$ para los datos del tiempo de entrega de refrescos en el ejemplo 15.1. Para ilustrar los cálculos, considérese la primera observación:

$$D_i = \frac{f_i^2}{p} \cdot \frac{h_{ii}}{(1 - h_{ii})}$$

$$= -\frac{\left[ e_i/\sqrt{MS_E(1 - h_{ii})} \right]^2}{p} \cdot \frac{h_{ii}}{(1 - h_{ii})}$$

$$= \frac{\left[ 1.57/\sqrt{5.2352(1 - 0.1573)} \right]^2}{3} \cdot \frac{0.1573}{(1 - 0.1573)}$$

$$= 0.035$$

TABLA 15.15 **Diagnósticos de influencia para los datos de refrescos en el ejemplo 15.15**

| Observación<br>$i$ | $h_{ii}$ | Medida de distancia de Cook<br>$D_i$ |
|---|---|---|
| 1 | 0.1573 | 0.035 |
| 2 | 0.1116 | 0.012 |
| 3 | 0.1419 | 0.060 |
| 4 | 0.1019 | 0.021 |
| 5 | 0.0418 | 0.024 |
| 6 | 0.0749 | 0.007 |
| 7 | 0.1181 | 0.036 |
| 8 | 0.1561 | 0.020 |
| 9 | 0.1280 | 0.160 |
| 10 | 0.0413 | 0.001 |
| 11 | 0.0925 | 0.013 |
| 12 | 0.0526 | 0.001 |
| 13 | 0.0820 | 0.001 |
| 14 | 0.1129 | 0.003 |
| 15 | 0.0737 | 0.187 |
| 16 | 0.0879 | 0.001 |
| 17 | 0.2593 | 0.565 |
| 18 | 0.2929 | 0.155 |
| 19 | 0.0962 | 0.018 |
| 20 | 0.1473 | 0.000 |
| 21 | 0.1296 | 0.052 |
| 22 | 0.1358 | 0.028 |
| 23 | 0.1824 | 0.002 |
| 24 | 0.1091 | 0.040 |
| 25 | 0.0729 | 0.000 |

La medida de distancia de Cook $D_i$ no identifica ninguna observación potencialmente influyente en los datos, ya que ningún valor de $D_i$ excede la unidad.

### 15-10.3 Autocorrelación

Los modelos de regresión desarrollados hasta ahora han supuesto que las componentes de error $\varepsilon_1$ del modelo son variables aleatorias no correlacionadas. Muchas aplicaciones del análisis de regresión involucran datos para los cuales esta suposición puede resultar inapropiada. En problemas de regresión donde las variables dependientes e independientes se orientan al tiempo o son datos de series de tiempo, la suposición de errores no correlacionados es a menudo insostenible. Por ejemplo, supóngase que retrocedemos las ventas trimestrales de un producto contra los gastos de publicidad trimestrales para cada venta. Ambas variables son series de tiempo, y si ellas se relacionan de manera positiva con otros factores tales como el ingreso disponible y el tamaño de la población, que no se incluyen en el modelo, entonces es probable que los términos de error en el modelo de regresión se correlacionen positivamente a lo largo del tiempo. Las variables que exhiben correlación en el tiempo se llaman variables *autocorrelacionadas*. Muchos problemas de regresión en la economía, los negocios y la agricultura involucran errores autocorrelacionados.

La ocurrencia de errores autocorrelacionados en forma positiva tienen varias consecuencias potencialmente serias. Los estimadores de mínimos cuadrados ordinarios de los parámetros son afectados si dejan de ser estimadores de varianza mínima, aunque sigan siendo insesgados. Además, el error cuadrático medio $MS_E$ puede subestimar la varianza del error $\sigma^2$. También, los intervalos de confianza y las pruebas de hipótesis, que se desarrollan suponiendo errores no correlacionados, no son válidos si está presente la autocorrelación.

Hay varios procedimientos estadísticos que pueden emplearse para determinar si los términos del error en el modelo no se correlacionan. Describiremos uno de ellos, la prueba de Durbin-Watson. Esta prueba supone que un *modelo autorregresivo de primer orden* genera los datos

$$y_t = \beta_0 + \beta_1 x_t + \varepsilon_t \qquad t = 1, 2, \ldots, n \qquad (15\text{-}66)$$

donde $t$ es el índice del tiempo y los términos de error se generan de acuerdo con el proceso

$$\varepsilon_t = \rho \varepsilon_{t-1} + a_t \qquad (15\text{-}67)$$

donde $|\rho| < 1$ es un parámetro desconocido y $a_t$ es una variable aleatoria NID(0, $\sigma^2$). La ecuación 15-66 es un modelo de regresión lineal simple, excepto para los errores, los cuales se generan por medio de la ecuación 15-67. El parámetro $\rho$ en la ecuación 15-67 es el coeficiente de autocorrelación. La prueba Durbin-Watson puede aplicarse a la hipótesis

$$\begin{aligned} H_0 &: \rho = 0 \\ H_1 &: \rho > 0 \end{aligned} \qquad (15\text{-}68)$$

Obsérvese que si $H_0$: $\rho = 0$ no se rechaza, estamos implicando que no hay autocorrelación alguna en los errores, y que el modelo de regresión lineal ordinario es apropiado.

Para probar $H_0$: $\rho = 0$, se ajusta primero el modelo de regresión por mínimos cuadrados ordinarios. Luego, se calcula la estadística de prueba Durbin-Watson.

$$D = \frac{\displaystyle\sum_{t=2}^{n} (e_t - e_{t-1})^2}{\displaystyle\sum_{t=1}^{n} e_t^2} \qquad (15\text{-}69)$$

TABLA 15.16 **Valores críticos de la estadística de Durbin-Watson**

| Tamaño de la muestra | Probabilidad en la cola inferior (Nivel de significación = $\alpha$) | $k$ = Número de regresoras (excluyendo la ordenada al origen) | | | | | | | | | |
|---|---|---|---|---|---|---|---|---|---|---|---|
| | | 1 | | 2 | | 3 | | 4 | | 5 | |
| | | $D_L$ | $D_U$ | $D_L$ | $D_U$ | $D_L$ | $D_U$ | $D_L$ | $D_U$ | $D_L$ | $D_U$ |
| 15 | .01 | .81 | 1.07 | .70 | 1.25 | .59 | 1.46 | .49 | 1.70 | .39 | 1.96 |
| | .025 | .95 | 1.23 | .83 | 1.40 | .71 | 1.61 | .59 | 1.84 | .48 | 2.09 |
| | .05 | 1.08 | 1.36 | .95 | 1.54 | .82 | 1.75 | .69 | 1.97 | .56 | 2.21 |
| 20 | .01 | .95 | 1.15 | .86 | 1.27 | .77 | 1.41 | .63 | 1.57 | .60 | 1.74 |
| | .025 | 1.08 | 1.28 | .99 | 1.41 | .89 | 1.55 | .79 | 1.70 | .70 | 1.87 |
| | .05 | 1.20 | 1.41 | 1.10 | 1.54 | 1.00 | 1.68 | .90 | 1.83 | .79 | 1.99 |
| 25 | .01 | 1.05 | 1.21 | .98 | 1.30 | .90 | 1.41 | .83 | 1.52 | .75 | 1.65 |
| | .025 | 1.13 | 1.34 | 1.10 | 1.43 | 1.02 | 1.54 | .94 | 1.65 | .86 | 1.77 |
| | .05 | 1.20 | 1.45 | 1.21 | 1.55 | 1.12 | 1.66 | 1.04 | 1.77 | .95 | 1.89 |
| 30 | .01 | 1.13 | 1.26 | 1.07 | 1.34 | 1.01 | 1.42 | .94 | 1.51 | .88 | 1.61 |
| | .025 | 1.25 | 1.38 | 1.18 | 1.46 | 1.12 | 1.54 | 1.05 | 1.63 | .98 | 1.73 |
| | .05 | 1.35 | 1.49 | 1.28 | 1.57 | 1.21 | 1.65 | 1.14 | 1.74 | 1.07 | 1.83 |
| 40 | .01 | 1.25 | 1.34 | 1.20 | 1.40 | 1.15 | 1.46 | 1.10 | 1.52 | 1.05 | 1.58 |
| | .025 | 1.35 | 1.45 | 1.30 | 1.51 | 1.25 | 1.57 | 1.20 | 1.63 | 1.15 | 1.69 |
| | .05 | 1.44 | 1.54 | 1.39 | 1.60 | 1.34 | 1.66 | 1.29 | 1.72 | 1.23 | 1.79 |
| 50 | .01 | 1.32 | 1.40 | 1.28 | 1.45 | 1.24 | 1.49 | 1.20 | 1.54 | 1.16 | 1.59 |
| | .025 | 1.42 | 1.50 | 1.38 | 1.54 | 1.34 | 1.59 | 1.30 | 1.64 | 1.26 | 1.69 |
| | .05 | 1.50 | 1.59 | 1.46 | 1.63 | 1.42 | 1.67 | 1.38 | 1.72 | 1.34 | 1.77 |
| 60 | .01 | 1.38 | 1.45 | 1.35 | 1.48 | 1.32 | 1.52 | 1.28 | 1.56 | 1.25 | 1.60 |
| | .025 | 1.47 | 1.54 | 1.44 | 1.57 | 1.40 | 1.61 | 1.37 | 1.65 | 1.33 | 1.69 |
| | .05 | 1.55 | 1.62 | 1.51 | 1.65 | 1.48 | 1.69 | 1.44 | 1.73 | 1.41 | 1.77 |
| 80 | .01 | 1.47 | 1.52 | 1.44 | 1.54 | 1.42 | 1.57 | 1.39 | 1.60 | 1.36 | 1.62 |
| | .025 | 1.54 | 1.59 | 1.52 | 1.62 | 1.49 | 1.65 | 1.47 | 1.67 | 1.44 | 1.70 |
| | .05 | 1.61 | 1.66 | 1.59 | 1.69 | 1.56 | 1.72 | 1.53 | 1.74 | 1.51 | 1.77 |
| 100 | .01 | 1.52 | 1.56 | 1.50 | 1.58 | 1.48 | 1.60 | 1.45 | 1.63 | 1.44 | 1.65 |
| | .025 | 1.59 | 1.63 | 1.57 | 1.65 | 1.55 | 1.67 | 1.53 | 1.70 | 1.51 | 1.72 |
| | .05 | 1.65 | 1.69 | 1.63 | 1.72 | 1.61 | 1.74 | 1.59 | 1.76 | 1.57 | 1.78 |

*Fuente*: Adaptado de Econometría, por R. J. Wonnacott y T. H. Wonnacott, John Wiley & Sons, Nueva York, 1970, con autorización del editor.

donde $e_t$ es el residuo $t$ésimo. Para un valor adecuado de $\alpha$, se obtienen los valores críticos $D_{\alpha, U}$ y $D_{\alpha, L}$ de la tabla 15.16. SI $D > D_{\alpha, U}$, no se rechaza $H_0$: $\rho = 0$; pero si $D < D_{\alpha, L}$, se rechaza $H_0$: $\rho = 0$ y se concluye que los errores se autocorrelacionan en forma positiva. Si $D_{\alpha, L} \leqslant D \leqslant D_{\alpha, U}$, la prueba es inconcluyente. Cuando la prueba es inconcluyente, la implicación es que deben colocarse más datos. En muchos problemas esto es difícil de hacer.

Para probar respecto a la autocorrelación *negativa*, esto es, si la hipótesis alternativa en la ecuación 15-68 es $H_1$: $\rho < 0$, entonces utilícese $D' = 4 - D$ como estadística de prueba, donde $D$ se define en la ecuación 15-69. Si se especifica una alternativa de dos lados, úsense entonces ambos procedimientos de un lado, notando que el error de tipo I para la prueba de dos lados es $2\alpha$, donde $\alpha$ es el error de tipo I para las pruebas de un lado.

La única medida correctiva eficiente para cuando está presente la autocorrelación es construir un modelo que explique de manera explícita la estructura autocorrelativa de los errores. Para un tratamiento introductorio de estos métodos, refiérase a Montgomery y Peck (1982, capítulo 9).

## 15-11 Selección de variables en la regresión múltiple

### 15-11.1 Problema de la construcción del modelo

Un importante problema en muchas aplicaciones del análisis de regresión es la selección del conjunto de variables independientes o regresoras que se utilizarán en el modelo. En ocasiones la experiencia previa o las consideraciones teóricas básicas pueden ayudar al analista a especificar el conjunto de variables independientes. Sin embargo, el problema suele consistir en la selección de un conjunto apropiado de regresores a partir de un conjunto que con bastante probabilidad incluye todas las variables importantes, pero que no tenemos la seguridad de que *todas* estas variables candidatas son necesarias para modelar de manera adecuada la respuesta $y$.

En tal situación, nos interesa separar las variables candidatas para obtener un modelo de regresión que contenga el "mejor" subconjunto de variables regresoras. Nos gustaría que el modelo final contuviera suficientes variables regresoras de modo que en la aplicación propuesta del modelo (predicción, por ejemplo), éste se desempeñe de manera satisfactoria. Por otra parte, para mantener en el mínimo los costos de mantenimiento del modelo, desearíamos que el mismo empleara el menor número posible de variables regresoras. El compromiso entre estos objetivos en conflicto se denomina a menudo la búsqueda de la "mejor" ecuación de regresión. Sin embargo, en la mayor parte de los problemas, no hay un único modelo de regresión que sea el "mejor" en términos de los diversos criterios de evaluación que se han propuesto. Una cantidad considerable de juicio y experiencia con el sistema que se está modelando suele ser necesaria para seleccionar un conjunto apropiado de variables independientes para una ecuación de regresión.

No hay un algoritmo que produzca siempre una buena solución al problema de la selección de variables. La mayor parte de los procedimientos de que se dispone actualmente son técnicas de búsqueda. Para desempeñar en forma satisfactoria, requieren interactuar con ellos, así como el juicio del analista. Ahora estudiaremos brevemente algunas de las técnicas de selección de variables más populares,

### 15-11.2 Procedimientos por computadora para la selección de variables

Suponemos que hay $k$ variables candidatas, $x_1, x_2, \ldots, x_k$, y una sola variable dependiente $y$. Todos los modelos incluirán un término de la intersección $\beta_0$, de manera que el modelo con *todas* las variables incluidas tendría $k + 1$ términos. Además, la forma funcional de cada variable candidata (por ejemplo, $x_1 = 1/x_1$, $x_2 = \ln x_2$, etc.) es correcta.

**Todas las regresiones posibles** Este planteamiento requiere que el analista ajuste todas las ecuaciones de regresión que involucren una variable candidata, todas las ecuaciones de regresión que involucren dos variables candidatas, etc. Luego estas ecuaciones se evalúan de acuerdo con algún criterio adecuado para seleccionar el "mejor" modelo de regresión. Si hay $k$ variables candidatas, hay $2^k$ ecuaciones en total por examinar. Por ejemplo, si $k = 4$, hay $2^4 = 16$ posibles ecuaciones de regresión; en tanto que si $k = 10$, hay $2^{10} = 1024$ ecuaciones de regresión posibles. Por consiguiente, el número de ecuaciones que se va a examinar aumenta rápidamente conforme se incrementa el número de variables candidatas.

Son varios los criterios que pueden emplearse para evaluar y comparar los diferentes modelos de regresión obtenidos. Quizá el criterio más comúnmente utilizado se basa en el coeficiente de determinación múltiple. Dejemos que $R_p^2$

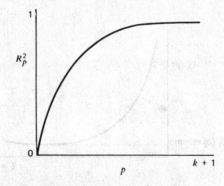

**Figura 15.9** Gráfica de $R_p^2$ contra $p$.

denote el coeficiente de determinación para un modelo de regresión con $p$ términos, esto es, $p-1$ variables candidatas y un término de intersección (obsérvese que $p \leq k+1$). En forma de cálculo, tenemos

$$R_p^2 = \frac{SS_R(p)}{S_{yy}} = 1 - \frac{SS_E(p)}{S_{yy}} \qquad (15\text{-}70)$$

donde $SS_R(p)$ y $SS_E(p)$ denotan la suma de cuadrados de la regresión y la suma de cuadrados del error respectivamente, para la ecuación de variable $p$. Luego $R_p^2$ aumenta conforme $p$ aumenta y es un máximo cuando $p = k+1$. En consecuencia, el analista utiliza este criterio añadiendo variables al modelo hasta el punto en el que una variable adicional no es útil en cuanto a que brinda sólo un incremento pequeño en $R_p^2$. El planteamiento general se ilustra en la figura 15.9, la cual proporciona una gráfica hipotética de $R_p^2$ contra $p$. Por lo común, se examina una presentación como ésta y se elige el número de variables en el modelo como el punto en el cual el "recodo" en la curva se vuelve aparente. Es claro que esto requiere de experiencia por parte del analista.

Un segundo criterio es considerar el error cuadrático medio para la ecuación de variable $p$, digamos $MS_E(p) = SS_E(p)/(n-p)$. Por lo general, $MS_E(p)$ disminuye cuando $p$ aumenta, pero esto no es necesariamente así. Si la adición de una variable al modelo con $p-1$ términos no reduce la suma de cuadrados del error en el nuevo modelo de $p$ términos en una cantidad igual a la media cuadrática del error en el antiguo modelo de $p-1$ términos, $MS_E(p)$ *aumentará*, debido a la pérdida de un grado de libertad por error. En consecuencia, un criterio lógico es seleccionar $p$ como el valor que minimiza $MS_E(p)$, o puesto que $MS_E(p)$ es relativamente plana en la vecindad del mínimo, podríamos elegir $p$ tal que la adición de más variables al modelo produzca sólo reducciones muy pequeñas en $MS_E(p)$. El procedimiento general se ilustra en la figura 15.10.

Un tercer criterio es la estadística $C_p$, que es una medida del error cuadrático medio total para el modelo de regresión. Definimos el error cuadrático medio

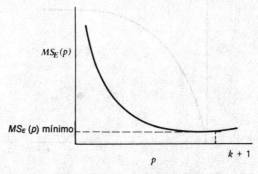

**Figura 15.10**   Gráfica de $MS_E(p)$ contra $p$.

estandarizado total como

$$\Gamma_p = \frac{1}{\sigma^2} \sum_{i=1}^{n} E[\hat{y}_i - E(y_i)]^2$$

$$= \frac{1}{\sigma^2} \left[ \sum_{i=1}^{n} \{ E(y_i) - E(\hat{y}_i)\}^2 + \sum_{i=1}^{n} V(\hat{y}_i) \right]$$

$$= \frac{1}{\sigma^2} \left[ (\text{sesgo})^2 + \text{varianza} \right]$$

Empleamos el error cuadrático medio a partir del modelo *completo* de $k + 1$ términos como una estimación de $\sigma^2$; esto es, $\hat{\sigma}^2 = MS_E(k + 1)$. Un estimador de $\Gamma_p$ es

$$C_p = \frac{SS_E(p)}{\hat{\sigma}^2} - n + 2p \tag{15-71}$$

Si el modelo de $p$ términos tiene sesgo despreciable, puede demostrarse entonces que

$$E(C_p|\text{sesgo cero}) = p$$

Por tanto, los valores de $C_p$ para cada modelo de regresión bajo consideración deben graficarse contra $p$. Las ecuaciones de regresión que tienen sesgo despreciable tendrán valores de $C_p$ que caen cerca de la línea $C_p = p$, en tanto que aquéllas con sesgo significativo tendrán valores de $C_p$ graficados sobre esta línea. En consecuencia se elige como la "mejor" ecuación de regresión ya sea un modelo con $C_p$ mínimo o un modelo con un $C_p$ ligeramente más grande que no contiene tanto sesgo (es decir $C_p \cong p$) como el mínimo.

Otro criterio se basa en una modificación de $R_p^2$ que explica el número de variables en el modelo. Esta estadística se denomina la $R_p^2$ *ajustada* definida como

$$\overline{R}_p^2 = 1 - \frac{n-1}{n-p}(1 - R_p^2) \tag{15-72}$$

Nótese que $R_p^2$ puede disminuir cuando $p$ aumenta si la disminución en $(n-1)(1 - R_p^2)$ no se compensa por la pérdida de un grado de libertad en $n - p$. El experimentador usualmente seleccionaría el modelo de regresión que tiene el valor máximo de $\overline{R}_p^2$. Sin embargo, obsérvese que éste es equivalente al modelo que minimiza $MS_E(p)$, ya que

$$\overline{R}_p^2 = 1 - \left( \frac{n-1}{n-p} \right)(1 - R_p^2)$$

$$= 1 - \left( \frac{n-1}{n-p} \right) \frac{SS_E(p)}{S_{yy}}$$

$$= 1 - \left( \frac{n-1}{S_{yy}} \right) MS_E(p)$$

**Ejemplo 15.16**   Los datos de la tabla 15.17 son un conjunto de datos ampliado para el estudio del tiempo de entrega de refrescos en el ejemplo 15.1. Ahora hay cuatro variables candidatas, el volumen de entrega $(x_1)$, la distancia $(x_2)$, el número de máquinas vendedoras en la salida $(x_3)$, y el número de ubicaciones diferentes de las máquinas $(x_4)$.

TABLA 15.17   **Datos del tiempo de entrega de refrescos para el ejemplo 15.16**

| Observación | Tiempo de entrega $y$ | Número de latas $x_1$ | Distancia $x_2$ | Número de máquinas $x_3$ | Número de ubicaciones de máquinas $x_4$ |
|---|---|---|---|---|---|
| 1 | 9.95 | 2 | 50 | 1 | 1 |
| 2 | 24.45 | 8 | 110 | 1 | 1 |
| 3 | 31.75 | 11 | 120 | 2 | 1 |
| 4 | 35.00 | 10 | 550 | 2 | 2 |
| 5 | 25.02 | 8 | 295 | 1 | 1 |
| 6 | 16.86 | 4 | 200 | 1 | 1 |
| 7 | 14.38 | 2 | 375 | 1 | 1 |
| 8 | 9.60 | 2 | 52 | 1 | 1 |
| 9 | 24.35 | 9 | 100 | 1 | 1 |
| 10 | 27.50 | 8 | 300 | 2 | 1 |
| 11 | 17.08 | 4 | 412 | 2 | 2 |
| 12 | 37.00 | 11 | 400 | 3 | 2 |
| 13 | 41.95 | 12 | 500 | 3 | 3 |
| 14 | 11.66 | 2 | 360 | 1 | 1 |
| 15 | 21.65 | 4 | 205 | 2 | 2 |
| 16 | 17.89 | 4 | 400 | 2 | 1 |
| 17 | 69.00 | 20 | 600 | 4 | 4 |
| 18 | 10.30 | 1 | 585 | 1 | 1 |
| 19 | 34.93 | 10 | 540 | 2 | 1 |
| 20 | 46.59 | 15 | 250 | 3 | 2 |
| 21 | 44.88 | 15 | 290 | 3 | 1 |
| 22 | 54.12 | 16 | 510 | 3 | 3 |
| 23 | 56.63 | 17 | 590 | 2 | 2 |
| 24 | 22.13 | 6 | 100 | 2 | 1 |
| 25 | 21.15 | 5 | 400 | 1 | 1 |

TABLA 15.18    **Todas las regresiones posibles para los datos en el ejemplo 15.16**

| Número de variables en el modelo | $p$ | Variables en el modelo | $R_p^2$ | $SS_R(p)$ | $SS_E(p)$ | $MS_E(p)$ | $\bar{R}_p^2$ | $C_p$ |
|---|---|---|---|---|---|---|---|---|
| 1 | 2 | $x_2$ | .24291747 | 1483.2406 | 4622.7041 | 200.9871 | .2100 | 1479.93 |
| 1 | 2 | $x_4$ | .56007492 | 3419.7865 | 2686.1582 | 116.7895 | .5409 | 851.16 |
| 1 | 2 | $x_3$ | .39830969 | 4263.8404 | 1842.1043 | 80.0915 | .6852 | 577.11 |
| 1 | 2 | $x_1$ | .96395437 | 5885.8521 | 220.0926 | 9.5692 | .9624 | 50.46 |
| 2 | 3 | $x_2, x_4$ | .57158123 | 3490.0434 | 2615.9013 | 118.9046 | .5326 | 830.35 |
| 2 | 3 | $x_2, x_3$ | .72162460 | 4406.1999 | 1699.7448 | 77.2611 | .6963 | 532.88 |
| 2 | 3 | $x_3, x_4$ | .72232683 | 4410.4877 | 1695.4570 | 77.0662 | .6971 | 531.49 |
| 2 | 3 | $x_1, x_3$ | .97220237 | 5936.2139 | 169.7308 | 7.7150 | .9697 | 36.11 |
| 2 | 3 | $x_1, x_2$ | .98113748 | 5990.7712 | 115.1735 | 5.2352 | .9794 | 18.40 |
| 2 | 3 | $x_1, x_4$ | .98302963 | 6002.3246 | 103.6201 | 4.7100 | .9815 | 14.64 |
| 3 | 4 | $x_2, x_3, x_4$ | .73299076 | 4475.6010 | 1630.3437 | 77.6354 | .6948 | 512.35 |
| 3 | 4 | $x_1, x_3, x_4$ | .98327895 | 6003.8469 | 102.0978 | 4.8618 | .9809 | 16.15 |
| 3 | 4 | $x_1, x_2, x_3$ | .98517507 | 6015.4245 | 90.5203 | 4.3105 | .9831 | 12.39 |
| 3 | 4 | $x_1, x_2, x_4$ | .98961493 | 6042.5340 | 63.4107 | 3.0196 | .9881 | 3.59 |
| 4 | 5 | $x_1, x_2, x_3, x_4$ | .98991196 | 6044.3477 | 61.5970 | 3.0798 | .9879 | 5 |

La tabla 15.18 presenta los resultados de la ejecución de todas las regresiones posibles (con excepción del modelo trivial con sólo una intersección) en estos datos. Los valores de $R_p^2$, $\bar{R}_p^2$, $SS_R(p)$, $SS_E(p)$, $MS_E(p)$, y $C_p$ también se muestran en esta tabla. Una gráfica de $R_p^2$ contra $p$ se muestra en la figura 15.11. En términos del mejoramiento de $R^2$, es poca la ganancia al ir de un modelo de dos variables a uno de tres. En la figura 15.12 se presenta una gráfica del mínimo $MS_E(p)$ para cada subconjunto de tamaño $p$. Varios modelos tienen buenos valores de $MS_E(p)$.

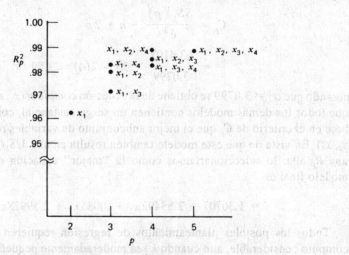

**Figura 15.11**    Gráfica de $R_p^2$ para el ejemplo 15.16.

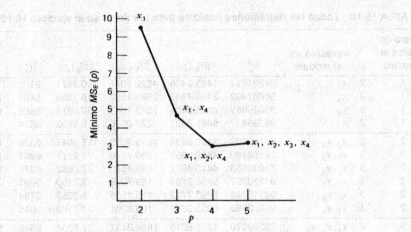

**Figura 15.12**  Gráfica de $MS_E(p)$ para el ejemplo 15.16.

El mejor modelo de dos variables es $(x_1, x_2)$ o $(x_1, x_4)$, y el mejor modelo de tres variables es $(x_1, x_2, x_4)$. Los valores mínimos de $MS_E(p)$ ocurren para el modelo de tres variables $(x_1, x_2, x_4)$. Si bien hay varios otros modelos que tienen valores relativamente pequeños de $MS_E(p)$, tales como $(x_1, x_2, x_3)$ y $(x_1, x_2)$, el modelo $(x_1, x_2, x_4)$ es en definitiva superior con respecto al criterio $MS_E(p)$. Adviértase que, como se esperaba, este modelo también maximiza la $\bar{R}_p^2$ ajustada. Una gráfica de $C_p$ se muestra en la figura 15.13. El único modelo con $C_p \leq p$ es la ecuación de tres variables en $(x_1, x_2, x_4)$. Para ilustrar los cálculos, para esta ecuación encontraríamos que

$$C_p = \frac{SS_E(p)}{\hat{\sigma}^2} - n + 2p$$

$$= \frac{63.4107}{3.0799} - 25 + 2(4) = 3.59$$

notando que $\hat{\sigma}^2 = 3.0799$ se obtiene de la ecuación *completa* $(x_1, x_2, x_3, x_4)$. Puesto que todos los demás modelos contienen un sesgo sustancial, concluiríamos con base en el criterio de $C_p$ que el mejor subconjunto de variables regresoras es $(x_1, x_2, x_4)$. En vista de que este modelo también resulta en una $MS_E(p)$ mínima y en una $R_p^2$ alta, lo seleccionaríamos como la "mejor" ecuación de regresión. El modelo final es

$$\hat{y} = 1.36707 + 2.53492x_1 + .0085x_2 + 2.59928x_4$$

Todos los posibles planteamientos de regresión requieren un esfuerzo de cómputo considerable, aun cuando $k$ sea moderadamente pequeña. Sin embargo, si el analista está dispuesto a considerar algo menos que el modelo estimado y la

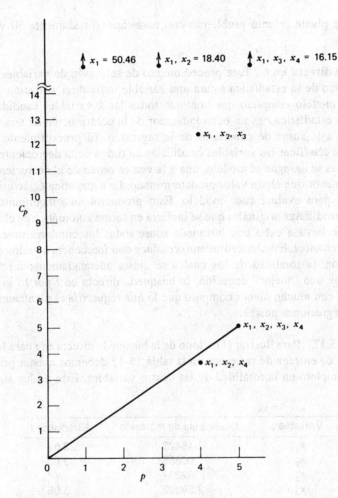

**Figura 15.13** Gráfica de $C_p$ para el ejemplo 15.16.

totalidad de sus estadísticas asociadas, es posible idear algoritmos para todas las regresiones posibles que producen menos información en torno a cada modelo pero que son más eficientes en cuanto al cómputo. Por ejemplo, supóngase que podríamos calcular en forma eficiente sólo la $MS_E$ para cada modelo. Puesto que no es probable que los modelos con grandes $MS_E$ se seleccionen como las mejores ecuaciones de regresión, entonces sólo tendríamos que examinar en detalle los modelos con valores pequeños de $MS_E$. Son varios los planteamientos para desarrollar un algoritmo computacionalmente eficiente para todas las regresiones posibles; por ejemplo, véase Furnival y Wilson (1974). Sin embargo, incluso con refinamientos computacionales, en la actualidad sólo pueden investigarse mediante este planteamiento problemas con hasta aproximadamente 30 variables candidatas.

**Búsqueda directa en $t$**   Este procedimiento de selección de variables se basa en el empleo de la estadística $t$ para una variable individual, ecuación 15-32, a partir del modelo *completo* que contiene todas las $k$ variables candidatas. En general, la estadística $t$ es un buen indicador de la contribución de una variable individual a la suma de cuadrados de la regresión. El procedimiento general consiste en clasificar las variables candidatas en orden de $|t|$ decreciente. Luego las variables se agregan al modelo, una a la vez en orden de $|t|$ decreciente hasta que $|t|$ es menor que algún valor predeterminado. La estadística $C_p$ se utiliza por lo general para evaluar cada modelo. Esto producirá un subconjunto de las variables candidatas originales que se incluirá en forma automática en el modelo. Después se lleva a cabo una búsqueda sobre todas las combinaciones de las variables restantes. Este procedimiento conduce con frecuencia a varios modelos de regresión, la totalidad de los cuales se ajusta adecuadamente a los datos. Cuando hay una "mejor" ecuación, la búsqueda directa en $t$ por lo general la encontrará con mucho menor cómputo que lo que requeriría el planteamiento de todas las regresiones posibles.

**Ejemplo 15.17**   Para ilustrar el método de la búsqueda directa en $t$ para los datos del tiempo de entrega de refrescos en la tabla 15-17 debemos ajustar primero el modelo completo en la totalidad de las cuatro variables. Esto da los siguientes resultados.

| Variable | Coeficiente de regresión | Estadística $t$ |
|:---:|:---:|:---:|
| $x_1$ | 2.48423 | 22.57 |
| $x_2$ | .00855 | 3.63 |
| $x_3$ | .62237 | .77 |
| $x_4$ | 2.29392 | 3.06 |

Puesto que los valores más grandes de $t$ (en orden descendente) son para las variables $x_1$, $x_2$ y $x_4$, esto implicaría que necesitamos construir tres modelos de regresión adicionales: uno con $x_1$, otro con $x_1$ y $x_2$, y uno más con $x_1$, $x_2$ y $x_4$. Lo anterior genera los siguientes datos.

| Variables en modelo | $C_p$ |
|:---:|:---:|
| $x_1$ | 50.46 |
| $x_1, x_2$ | 18.40 |
| $x_1, x_2, x_4$ | 3.59 |

Nótese que la tercera ecuación produce el valor mínimo de $C_p$. Si consideramos $x_1$, $x_2$ y $x_4$ como el conjunto de variables incluidas en forma automática en el modelo, entonces la búsqueda de todas las contaminaciones posibles de las variables restantes (sólo $x_3$) es trivial, y concluiríamos que el modelo de tres variables en $x_1$, $x_2$ y $x_4$ es la mejor ecuación de regresión. Obsérvese que esta ecuación se ha encontrado ajustando sólo cuatro ecuaciones. Incluso si únicamente hubiéramos retenido en forma automática $x_1$, sólo se habría necesitado ocho ejecuciones adicionales para investigar todas las combinaciones posibles de $x_2$, $x_3$ y $x_4$. Esto habría producido la misma ecuación final.

**Regresión escalonada** Ésta es probablemente la técnica de selección de variables más utilizada. El procedimiento construye en forma iterativa una secuencia de modelos de regresión añadiendo o eliminando variables en cada paso. El criterio para añadir o eliminar una variable en cualquier paso se expresa usualmente en términos de una prueba $F$ parcial. Sea $F_{in}$ el valor de la estadística $F$ para agregar una variable al modelo, y $F_{out}$ el valor de la estadística $F$ para eliminar una variable del modelo. Debemos tener $F_{in} \geq F_{out}$, y por lo regular $F_{in} = F_{out}$.

La regresión escalonada se inicia con la formación de un modelo de una variable empleando la variable regresadora que tenga la correlación más alta con la variable de respuesta $y$. Ésta será también la variable que produzca la estadística $F$ más grande. Si ninguna estadística $F$ excede $F_{in}$, el procedimiento termina. Por ejemplo, supóngase que en este paso se selecciona $x_1$. En el segundo paso, se examinan las restantes $k - 1$ variables candidatas y la variable para la cual la estadística

$$F_j = \frac{SS_R(\beta_j|\beta_1, \beta_0)}{MS_E(x_j, x_1)}$$ (15-73)

es un máximo se agrega a la ecuación, siempre que $F_j > F_{in}$. En la ecuación 15-73, $MS_E(x_j, x_1)$ denota la media cuadrática para el error en el modelo que contiene tanto $x_1$ como $x_j$. Supóngase que este procedimiento indica ahora que $x_2$ debe añadirse al modelo. Entonces el algoritmo de la regresión escalonada determina si la variable $x_1$ agregada en el primer paso debe eliminarse. Esto se efectúa calculando la estadística $F$

$$F_1 = \frac{SS_R(\beta_1|\beta_2, \beta_0)}{MS_E(x_1, x_2)}$$ (15-74)

Si $F_1 < F_{out}$, la variable $x_1$ se elimina.

En general, en cada paso se examina el conjunto de variables candidatas restantes y se introduce la variable con la estadística $F$ parcial más grande, siempre que el valor observado de $F$ exceda a $F_{in}$. Después la estadística $F$ parcial para cada variable en el modelo se calcula, y la variable con el valor observado de $F$ más pequeño se elimina si se observa que $F < F_{out}$. El procedimiento continúa hasta que ninguna otra variable puede añadirse o eliminarse del modelo.

La regresión escalonada suele realizarse empleando un programa de computadora. El analista ejercita el control sobre el procedimiento mediante la elección de $F_{in}$ y $F_{out}$. Algunos programas de computadora para regresión escalonada requieren que se especifiquen los valores numéricos para $F_{in}$ y $F_{out}$. Puesto que el número de grados de libertad en $MS_E$ depende del número de variables en el modelo, el cual cambia de un paso a otro, un valor fijo $F_{in}$ y $F_{out}$ ocasiona que varíen las tasas del error de tipo I y de tipo II. Algunos programas de computadora permiten al analista especificar los niveles del error de tipo I para $F_{in}$ y $F_{out}$. Sin embargo, el nivel de significación "anunciado" no es el nivel real, debido a que la variable seleccionada es la única que maximiza la estadística $F$ parcial en esa etapa. Algunas veces es útil experimentar con diferentes valores de $F_{in}$ y $F_{out}$ (o diferentes tasas anunciadas del error de tipo I) en varias ecuaciones para ver si esto afecta de manera sustancial la elección del modelo final.

**Ejemplo 15.18** Aplicaremos la regresión escalonada a los datos del tiempo de entrega de refrescos en la tabla 15.17. Tal vez usted desee referirse a la salida de computadora en la sección 15-12, la cual soporta los cálculos. En lugar de especificar los valores numéricos de $F_{in}$ y $F_{out}$, empleamos un error de tipo I *anunciado* de $\alpha = .10$. El primer paso consiste en construir un modelo de regresión lineal simple empleando la variable que produce la estadística $F$ más grande. Esta es $x_1$, y puesto que

$$F_1 = \frac{SS_R(\beta_1|\beta_0)}{MS_E(x_1)} = \frac{5885.8521}{9.5692} = 615.08 > F_{in} = F_{.10,1,23} = 2.94$$

$x_1$ se introduce en el modelo.

El segundo paso se inicia encontrando la variable $x_j$ que tiene la estadística $F$ parcial más grande, dado que $x_1$ está en el modelo. Esta es $x_4$, y puesto que

$$F_4 = \frac{SS_R(\beta_4|\beta_1, \beta_0)}{MS_E(x_4, x_1)} = \frac{116.4725}{4.7100} = 24.73 > F_{in} = F_{.10,1,22} = 2.95$$

$x_4$ se añade al modelo. Luego el procedimiento evalúa si $x_1$ debe o no ser retenida, dado que $x_4$ está en el modelo. Esto implica calcular

$$F_1 = \frac{SS_R(\beta_1|\beta_4, \beta_0)}{MS_E(x_4, x_1)} = \frac{2582.5381}{4.7100} = 548.31 > F_{out} = F_{.10,1,22} = 2.95$$

De modo que $x_1$ debe retenerse. El paso 2 termina tanto con $x_1$ como con $x_4$ en el modelo.

El siguiente paso encuentra la siguiente variable para introducirla como $x_2$. Puesto que

$$F_2 = \frac{SS_R(\beta_2|\beta_1, \beta_4, \beta_0)}{MS_E(x_2, x_4, x_1)} = \frac{40.2094}{3.0196} = 13.32 > F_{in} = F_{.10, 1, 21} = 2.96$$

$x_2$ se agrega al modelo. Las pruebas $F$ parciales en $x_1$ (dadas $x_2$ y $x_4$) y $x_4$ (dadas $x_2$ y $x_1$) indican que estas variables deben retenerse. Por tanto, el tercer paso concluye con las variables $x_1$, $x_2$ y $x_4$ en el modelo.

En el cuarto paso, el procedimiento intenta sumar $x_3$. Sin embargo, la estadística $F$ parcial para $x_3$ es $F_3 = .59$, que es menor que $F_{in} = F_{.10, 1, 20} = 2.97$; por consiguiente, puesto que esta variable no puede agregarse y como no hay otras variables candidatas por considerar, el procedimiento termina.

El procedimiento de regresión escalonada concluiría que el modelo de tres variables en $x_1$, $x_2$ y $x_4$ es la mejor ecuación de regresión. Sin embargo, las verificaciones usuales de la suficiencia del modelo, tales como el análisis del residuo y las gráficas de $C_p$, deben aplicarse a la ecuación. Nótese también que éste es el mismo modelo de regresión encontrado tanto por el método de todas las regresiones posibles como por la búsqueda directa en los métodos de $t$.

**Selección hacia adelante**    Este procedimiento de selección de variables se basa en el principio de que las variables deben agregarse al modelo una a la vez hasta que no haya variables candidatas restantes que produzcan un aumento significativo en la suma de cuadrados de la regresión. Esto es, las variables se agregan una a la vez siempre que $F > F_{in}$. La selección hacia adelante es una simplificación de la regresión escalonada que omite la prueba $F$ parcial para eliminar variables del modelo que se han agregado en pasos previos. Ésta es una debilidad potencial de la selección hacia adelante; el procedimiento no explora el efecto que tiene el agregar una variable en el paso que se está realizando sobre las variables agregadas en pasos anteriores.

**Ejemplo 15.9**    La aplicación del algoritmo de la selección hacia adelante a los datos del tiempo de entrega de refrescos en la tabla 15.17 se iniciaría añadiendo $x_1$ al modelo. Luego, la variable que induce la prueba $F$ parcial más grande, dado que $x_1$ está en el modelo, se agrega —ésta es la variable $x_4$. En el tercer paso se introduce $x_2$, que produce la estadística $F$ parcial más grande, dado que $x_1$ y $x_4$ están en el modelo. Puesto que la estadística $F$ parcial para $x_3$ no es significativa, el procedimiento termina. Obsérvese que la selección hacia adelante conduce al mismo modelo final que la regresión escalonada. Éste no es siempre el caso.

**Eliminación hacia atrás**    Este algoritmo se inicia con todas las $k$ variables candidatas en el modelo. Después se elimina la variable con la estadística $F$ parcial más pequeña, si esta estadística $F$ es insignificante, esto es, si $F < F_{out}$. Luego, se estima el modelo con $k - l$ variables, y se encuentra la siguiente variable que es factible de eliminar. El algoritmo termina cuando no pueden eliminarse más variables.

**Ejemplo 15.20**  Para aplicar la eliminación hacia atrás a los datos en la tabla 15.17, empezamos estimando el modelo completo en la totalidad de las cuatro variables. Este modelo es

$$\hat{y} = 1.06813 + 2.48423x_1 + .00855x_2 + .62237x_3 + 2.29392x_4$$

Las pruebas $F$ parciales para cada variable son:

$$F_1 = \frac{SS_R(\beta_1 | \beta_2, \beta_3, \beta_4, \beta_0)}{MS_E} = 509.36$$

$$F_2 = \frac{SS_R(\beta_2 | \beta_1, \beta_3, \beta_4, \beta_0)}{MS_E} = 13.15$$

$$F_3 = \frac{SS_R(\beta_3 | \beta_1, \beta_2, \beta_4, \beta_0)}{MS_E} = .59$$

$$F_4 = \frac{SS_R(\beta_4 | \beta_1, \beta_2, \beta_3, \beta_0)}{MS_E} = 9.39$$

Es claro que $x_3$ no contribuye de manera significativa al ajuste y debe eliminarse. El modelo de tres variables en $(x_1, x_2, x_4)$ tiene todas las variables significativas por el criterio de la prueba $F$ y, en consecuencia, el algoritmo termina. Nótese que la eliminación hacia atrás ha resultado en el mismo modelo que se encontró mediante la selección hacia adelante y la regresión escalonada. Lo anterior no siempre puede suceder.

**Algunos comentarios acerca de la selección del modelo final**  Hemos ilustrado varios planteamientos diferentes para la selección de variables en la regresión lineal múltiple. El modelo final obtenido a partir de cualquier procedimiento para construirlo debe someterse a las verificaciones de suficiencia usuales, tales como el análisis del residuo, la prueba de la falta de ajuste y el examen de los efectos de los puntos más externos. El analista también puede considerar la ampliación del conjunto original de variables candidatas con productos cruzados, términos polinomiales u otras transformaciones de las variables originales que podrían mejorar el modelo.

Una crítica importante a los métodos de selección de variables, como el de la regresión escalonada, es que el analista puede concluir que hay una "mejor" ecuación de regresión. Esto por lo general no es el caso, debido a que a menudo hay varios modelos de regresión igualmente buenos que puedan emplearse. Una forma de evitar este problema es utilizar varias técnicas distintas de construcción de modelos y ver si resultan modelos diferentes. Por ejemplo, hemos encontrado el mismo modelo para los datos del tiempo de entrega de refrescos empleando la regresión escalonada, la selección hacia adelante y la eliminación hacia atrás. Esto es una buena indicación de que el modelo de tres variables es la mejor ecuación de regresión. El mismo modelo también se encontró a partir de todas las regresiones posibles y de la búsqueda directa en $t$. El método de la búsqueda directa en $t$ con frecuencia funciona bien en la identificación de buenos modelos alternativos. Además, existen técnicas de selección de variables que se diseñan para encontrar el mejor modelo de una variable, el mejor modelo de dos variables, etc. Para el estudio de estos métodos, y el problema en general de la selección de variables, véase Montgomery y Peck (1982, capítulo 7).

Si el número de regresores candidatos no es demasiado grande, se recomienda el método de todas las regresiones posibles. Éste no es distorsionado por la multicolinearidad entre los regresores, como ocurre en los métodos de tipo escalonado.

## 15-12  Salida de computadora de la muestra

Los problemas de computadora son una parte indispensable en el análisis de regresión moderno, y hay muchos programas disponibles. En esta sección ilustraremos la salida de un paquete de software, el Sistema de Análisis Estadístico (SAS, Statistical Analysis System). Emplearemos los datos del tiempo de entrega de refrescos en la tabla 15.17.

La figura 15.14 presenta la salida del procedimiento de modelos lineales generales de SAS (PROC GLM, o General Linear Models) empleando las latas $(x_1)$ y la distancia$(x_2)$ como los regresores. La mayor parte de la salida debe ser familiar. La salida del SAS es similar a la producida por otros programas, aunque hay cierta terminología única para el SAS. El coeficiente de variación (marcado con C. V. en la impresión) se calcula como C. V. $= (\sqrt{MS_E}/\bar{y})100$, y expresa la variabilidad restante no explicada en los datos relativos a la respuesta media. Son deseables valores bajos de C. V., con valores menores que o iguales a 20 considerados buenos. La suma de cuadrados del tipo I es el cambio en la suma de cuadrados de la regresión obtenida cuando una variable se inserta en la ecuación después de las variables que aparecen sobre ella en la lista. De tal modo, en la terminología de la sección 15-5,

$$SS_R(\beta_1|\beta_0) = 5885.85206919$$

y

$$SS_R(\beta_2|\beta_0, \beta_1) = 104.91915203$$

La suma de cuadrados del tipo III evalúa el cambio en la suma de cuadrados de la regresión como si esa variable se agregara al modelo después. Las sumas de

**DEPENDENT VARIABLE: Y**

GENERAL LINEAR MODELS PROCEDURE

| SOURCE | DF | SUM OF SQUARES | MEAN SQUARE | F VALUE | PR>F | R-SQUARE | C.V. |
|---|---|---|---|---|---|---|---|
| MODEL | 2 | 5990.77122122 | 2995.38561061 | 572.17 | 0.0001 | 0.981137 | 7.8809 |
| ERROR | 22 | 115.17348278 | 5.23515831 | | | ROOT MSE | Y MEAN |
| CORRECTED TOTAL | 24 | 6105.94470400 | | | | 2.28804683 | 29.03280000 |

| SOURCE | DF | TYPE I SS | F VALUE | PR>F | DF | TYPE III SS | F VALUE | PR>F |
|---|---|---|---|---|---|---|---|---|
| X1 | 1 | 5885.85206919 | 1124.29 | 0.0001 | 1 | 4507.53056111 | 861.01 | 0.0001 |
| X2 | 1 | 104.91915203 | 20.04 | 0.0002 | 1 | 104.91915203 | 20.04 | 0.0002 |

| PARAMETER | ESTIMATE | T FOR HO: PARAMETER=0 | PR>|T| | STD ERROR OF ESTIMATE |
|---|---|---|---|---|
| INTERCEPT | 2.26379143 | 2.14 | 0.0441 | 1.06006624 |
| X1 | 2.74426964 | 29.34 | 0.0001 | 0.09352384 |
| X2 | 0.01252781 | 4.48 | 0.0002 | 0.00279842 |

**Figura 15.14** Salida del PROC GLM del SAS.

| OBSERVATION | OBSERVED VALUE | PREDICTED VALUE | RESIDUAL |
|---|---|---|---|
| 1 | 9.95000000 | 8.37872129 | 1.57127871 |
| 2 | 24.45000000 | 25.59600783 | - 1.14600783 |
| 3 | 31.75000000 | 33.95409488 | - 2.20409488 |
| 4 | 35.00000000 | 36.59678413 | - 1.59678413 |
| 5 | 25.02000000 | 27.91365294 | - 2.89365294 |
| 6 | 16.86000000 | 15.74643228 | 1.11356772 |
| 7 | 14.38000000 | 12.45025999 | 1.9297400l |
| 8 | 9.60000000 | 8.40377691 | 1.19622309 |
| 9 | 24.35000000 | 28.21499936 | - 3.86499936 |
| 10 | 27.50000000 | 27.97629200 | - 0.47629200 |
| 11 | 17.08000000 | 18.40232830 | - 1.32232830 |
| 12 | 37.00000000 | 37.46188206 | - 0.46188206 |
| 13 | 41.95000000 | 41.45893285 | 0.49106715 |
| 14 | 11.66000000 | 12.26234282 | - 0.60234282 |
| 15 | 21.65000000 | 15.80907134 | 5.84092866 |
| 16 | 17.89000000 | 18.25199456 | - 0.36199456 |
| 17 | 69.00000000 | 64.66587113 | 4.33412887 |
| 18 | 10.30000000 | 12.33683074 | - 2.03683074 |
| 19 | 34.93000000 | 36.47150602 | - 1.54150602 |
| 20 | 46.59000000 | 46.55978893 | 0.03021107 |
| 21 | 44.88000000 | 47.06090138 | - 2.18090138 |
| 22 | 54.12000000 | 52.56128953 | 1.55871047 |
| 23 | 56.63000000 | 56.30778409 | 0.32221591 |
| 24 | 22.13000000 | 19.98219043 | 2.14780957 |
| 25 | 21.15000000 | 20.99626420 | 0.15373580 |

**Figura 15.14** Salida del PROC GLM del SAS (*continuación*).

DEP VARIABLE: Y

ANALYSIS OF VARIANCE

| SOURCE | DF | SUM OF SQUARES | MEAN SQUARE | F VALUE | PROB>F |
|---|---|---|---|---|---|
| MODEL | 4 | 6044.34771 | 1511.08693 | 490.637 | 0.0001 |
| ERROR | 20 | 61.59699625 | 3.07984981 | | |
| C TOTAL | 24 | 6105.94470 | | | |

| | | | |
|---|---|---|---|
| ROOT MSE | 1.75495 | R – SQUARE | 0.9899 |
| DEP MEAN | 29.0328 | ADJ R – SQ | 0.9879 |
| C.V. | 6.044715 | | |

PARAMETER ESTIMATES

| VARIABLE | DF | PARAMETER ESTIMATE | STANDARD ERROR | T FOR H0: PARAMETER = 0 | PROB>|T| | VARIANCE INFLATION |
|---|---|---|---|---|---|---|
| INTERCEP | 1 | 1.06813405 | 0.92773301 | 1.151 | 0.2632 | 0 |
| X1 | 1 | 2.48423244 | 0.11007295 | 22.569 | 0.0001 | 2.74811791 |
| X2 | 1 | 0.008553692 | 0.002358775 | 3.626 | 0.0017 | 1.40950387 |
| X3 | 1 | 0.62236914 | 0.81102045 | 0.767 | 0.4518 | 3.98088819 |
| X4 | 1 | 2.29392355 | 0.74854920 | 3.064 | 0.0061 | 2.95458973 |

COLLINEARITY DIAGNOSTICS

| NUMBER | EIGENVALUE | CONDITION NUMBER | VAR PROP X1 | VAR PROP X2 | VAR PROP X3 | VAR PROP X4 |
|---|---|---|---|---|---|---|
| 1 | 2.818075 | 1.000000 | 0.0340 | 0.0387 | 0.0265 | 0.0343 |
| 2 | 0.706428 | 1.997296 | 0.0739 | 0.7731 | 0.0307 | 0.0002 |
| 3 | 0.312046 | 3.005158 | 0.4717 | 0.1578 | 0.0053 | 0.5635 |
| 4 | 0.163452 | 4.152231 | 0.4204 | 0.0303 | 0.9376 | 0.4020 |

**Figura 15.15**   Salida del PROC REG del SAS empleando todas las regresiones para los datos de refrescos.

| OBS | RESIDUAL | RSTUDENT | HAT DIAG H | COV RATIO | DFFITS | INTERCEP DFBETAS | X1 DFBETAS | X2 DFBETAS | X3 DFBETAS | X4 DFBETAS |
|---|---|---|---|---|---|---|---|---|---|---|
| 1 | 0.4694 | 0.3512 | 0.1836 | 1.5327 | 0.1666 | 0.1304 | -0.0446 | -0.1124 | -0.0236 | 0.0621 |
| 2 | -0.3492 | -0.2166 | 0.1962 | 1.5881 | -0.1070 | -0.0858 | -0.0624 | 0.0543 | -0.0689 | -0.0249 |
| 3 | -1.2098 | -0.7477 | 0.1686 | 1.3447 | -0.3368 | -0.1487 | -0.1381 | 0.1731 | -0.0528 | 0.1324 |
| 4 | -1.4476 | -0.8715 | 0.1150 | 1.2004 | -0.3141 | -0.0388 | -0.0458 | -0.1999 | 0.1060 | -0.0569 |
| 5 | -1.3616 | -0.8333 | 0.1463 | 1.2651 | -0.3449 | -0.2330 | 0.2232 | -0.0216 | 0.2531 | 0.0120 |
| 6 | 1.2279 | 0.7257 | 0.0925 | 1.2421 | 0.2316 | -0.2088 | 0.0016 | -0.0708 | -0.1008 | 0.0593 |
| 7 | 2.2195 | 1.3797 | 0.1218 | 0.9130 | 0.5138 | -0.2438 | 0.1964 | -0.2173 | -0.0779 | 0.0035 |
| 8 | 0.2023 | 0.1243 | 0.1821 | 1.5737 | 0.0586 | -0.0460 | -0.0158 | -0.0394 | -0.0083 | 0.0218 |
| 9 | 2.8479 | 1.9935 | 0.2388 | 0.6569 | 1.1166 | -0.8427 | -0.7345 | 0.5503 | 0.7378 | 0.2356 |
| 10 | -0.4532 | -0.2660 | 0.1009 | 1.4110 | -0.0891 | 0.0173 | 0.0084 | -0.0109 | -0.0509 | -0.0659 |
| 11 | 3.2818 | 2.2480 | 0.1678 | 0.4775 | 1.0094 | 0.0511 | 0.7861 | -0.1145 | -0.2664 | -0.3846 |
| 12 | -1.2711 | -0.7776 | 0.1496 | 1.2993 | -0.3261 | -0.1257 | 0.1320 | -0.0166 | -0.2585 | 0.0980 |
| 13 | -1.9546 | -1.2586 | 0.1940 | 1.0744 | -0.6174 | -0.2563 | 0.1838 | 0.0032 | -0.0624 | -0.3606 |
| 14 | -0.3722 | -0.2202 | 0.1162 | 1.4438 | -0.0799 | -0.0406 | 0.0311 | -0.0298 | 0.0125 | -0.0023 |
| 15 | 3.0588 | 2.1425 | 0.2193 | 0.5611 | 1.1357 | 0.2120 | -0.7446 | -0.5620 | 0.2502 | 0.6216 |
| 16 | -0.0752 | -0.0470 | 0.2104 | 1.6357 | -0.0243 | 0.0013 | 0.0152 | -0.0097 | -0.0177 | -0.0140 |
| 17 | 1.4498 | 1.0931 | 0.4232 | 1.6518 | 0.9364 | -0.5054 | -0.0806 | -0.0502 | -0.0270 | 0.5074 |
| 18 | -1.1726 | -0.7952 | 0.3070 | 1.5832 | -0.5292 | -0.0452 | -0.1989 | -0.4132 | -0.0098 | -0.0904 |
| 19 | 0.8619 | 0.5516 | 0.2348 | 1.5599 | 0.3055 | -0.0295 | 0.0514 | -0.2245 | -0.0707 | -0.2272 |
| 20 | -0.3350 | -0.2046 | 0.1710 | 1.5418 | -0.0929 | -0.0082 | -0.0231 | -0.0433 | -0.0342 | -0.0140 |
| 21 | -0.0932 | -0.0671 | 0.4046 | 2.1682 | -0.0553 | 0.0059 | -0.0115 | -0.0013 | -0.0331 | 0.0442 |
| 22 | 0.1929 | 0.1191 | 0.1909 | 1.5914 | 0.0579 | -0.0204 | -0.0158 | 0.0001 | -0.0140 | -0.0310 |
| 23 | 2.4507 | 1.8743 | 0.3752 | 0.8856 | 1.4524 | -0.0080 | 1.1527 | 0.5946 | 0.8937 | 0.0226 |
| 24 | 1.7624 | 1.1105 | 0.1727 | 1.1406 | 0.5074 | 0.1823 | -0.1758 | -0.2742 | 0.3078 | -0.1571 |
| 25 | 1.3229 | 0.7950 | 0.1175 | 1.2434 | 0.2901 | 0.1507 | 0.0451 | 0.1465 | -0.1398 | -0.0200 |

Figura 15.15  Salida del PROC REG del SAS empleando todas las regresiones para los datos de refrescos (*continuación*).

FORWARD SELECTION PROCEDURE FOR DEPENDENT VARIABLE Y

STEP 1     VARIABLE X1 ENTERED          R SQUARE = 0.96395437        C(P) = 50.46213232

|  | DF | SUM OF SQUARES | MEAN SQUARE | F | PROB>F |
|---|---|---|---|---|---|
| REGRESSION | 1 | 5885.85206919 | 5885.85206919 | 615.08 | 0.0001 |
| ERROR | 23 | 220.09263481 | 9.56924499 | | |
| TOTAL | 24 | 6105.94470400 | | | |

|  | B VALUE | STD ERROR | TYPE II SS | F | PROB>F |
|---|---|---|---|---|---|
| INTERCEPT | 5.11451557 | | | | |
| X1 | 2.90270442 | 0.11704072 | 5885.85206919 | 615.08 | 0.0001 |

BOUNDS ON CONDITION NUMBER:     1,     1

STEP 2     VARIABLE X4 ENTERED          R SQUARE = 0.98302963        C(P) = 14.64453722

|  | DF | SUM OF SQUARES | MEAN SQUARE | F | PROB>F |
|---|---|---|---|---|---|
| REGRESSION | 2 | 6002.32458234 | 3001.16229117 | 637.19 | 0.0001 |
| ERROR | 22 | 103.62012166 | 4.71000553 | | |
| TOTAL | 24 | 6105.94470400 | | | |

|  | B VALUE | STD ERROR | TYPE II SS | F | PROB>F |
|---|---|---|---|---|---|
| INTERCEPT | 2.64573312 | | | | |
| X1 | 2.54772805 | 0.10880288 | 2582.53810667 | 548.31 | 0.0001 |
| X4 | 3.54854459 | 0.71359082 | 116.47251315 | 24.73 | 0.0001 |

BOUNDS ON CONDITION NUMBER:     1.755752,     7.023007

STEP 3     VARIABLE X2 ENTERED          R SQUARE = 0.98961493        C(P) = 3.58888771

|  | DF | SUM OF SQUARES | MEAN SQUARE | F | PROB>F |
|---|---|---|---|---|---|
| REGRESSION | 3 | 6042.53402205 | 2014.17800735 | 667.04 | 0.0001 |
| ERROR | 21 | 63.41068195 | 3.01955628 | | |
| TOTAL | 24 | 6105.94470400 | | | |

|  | B VALUE | STD ERROR | TYPE II SS | F | PROB>F |
|---|---|---|---|---|---|
| INTERCEPT | 1.36706835 | | | | |
| X1 | 2.53491873 | 0.08718736 | 2552.49064020 | 845.32 | 0.0001 |
| X2 | 0.00852152 | 0.00233520 | 40.20943970 | 13.32 | 0.0015 |
| X4 | 2.59927756 | 0.62779136 | 51.76280083 | 17.14 | 0.0005 |

BOUNDS ON CONDITION NUMBER:     2.119696,     15.86207

NO OTHER VARIABLES MET THE 0.1000 SIGNIFICANCE LEVEL FOR ENTRY INTO THE MODEL.

**Figura 15.16**   Salida del PROC ESCALONADA y PROC RCUADRADA del SAS para los datos de refrescos.

SUMMARY OF FORWARD SELECTION PROCEDURE FOR DEPENDENT VARIABLE Y

| STEP | VARIABLE ENTERED | NUMBER IN | PARTIAL R**2 | MODEL R**2 | C(P) | F | PROB>F |
|------|------------------|-----------|--------------|------------|------|---|--------|
| 1 | X1 | 1 | 0.9640 | 0.9640 | 50.4621 | 615.0801 | 0.0001 |
| 2 | X4 | 2 | 0.0191 | 0.9830 | 14.6445 | 24.7287 | 0.0001 |
| 3 | X2 | 3 | 0.0066 | 0.9896 | 3.5889 | 13.3163 | 0.0015 |

BACKWARD ELIMINATION PROCEDURE FOR DEPENDENT VARIABLE Y

STEP 0   ALL VARIABLES ENTERED        R SQUARE = 0.98991196      C(P) = 5.00000000

| | DF | SUM OF SQUARES | MEAN SQUARE | F | PROB>F |
|------------|----|----------------|-------------|---|--------|
| REGRESSION | 4 | 6044.34770775 | 1511.08692694 | 490.64 | 0.0001 |
| ERROR | 20 | 61.59699625 | 3.07984981 | | |
| TOTAL | 24 | 6105.94470400 | | | |

| | B VALUE | STD ERROR | TYPE II SS | F | PROB>F |
|-----------|------------|------------|---------------|--------|--------|
| INTERCEPT | 1.06813405 | | | | |
| X1 | 2.48423244 | 0.11007295 | 1568.74664163 | 509.36 | 0.0001 |
| X2 | 0.00855369 | 0.00235877 | 40.50082723 | 13.15 | 0.0017 |
| X3 | 0.62236914 | 0.81102045 | 1.81368571 | 0.59 | 0.4518 |
| X4 | 2.29392355 | 0.74854920 | 28.92322543 | 9.39 | 0.0061 |

BOUNDS ON CONDITION NUMBER:     3.980888,     44.3724

STEP 1   VARIABLE X3 REMOVED          R SQUARE = 0.98961493      C(P) = 3.58888771

| | DF | SUM OF SQUARES | MEAN SQUARE | F | PROB>F |
|------------|----|----------------|-------------|---|--------|
| REGRESSION | 3 | 6042.53402205 | 2014.17800735 | 667.04 | 0.0001 |
| ERROR | 21 | 63.41068195 | 3.01955628 | | |
| TOTAL | 24 | 6105.94470400 | | | |

| | B VALUE | STD ERROR | TYPE II SS | F | PROB>F |
|-----------|------------|------------|---------------|--------|--------|
| INTERCEPT | 1.36706835 | | | | |
| X1 | 2.53491873 | 0.08718736 | 2552.49064020 | 845.32 | 0.0001 |
| X2 | 0.00852152 | 0.00233520 | 40.20943970 | 13.32 | 0.0015 |
| X4 | 2.59927756 | 0.62779136 | 51.76280083 | 17.14 | 0.0005 |

BOUNDS ON CONDITION NUMBER:     2.119696,     15.86207

ALL VARIABLES IN THE MODEL ARE SIGNIFICANT AT THE 0.1000 LEVEL.

SUMMARY OF BACKWARD ELIMINATION PROCEDURE FOR DEPENDENT VARIABLE Y

| STEP | VARIABLE REMOVED | NUMBER IN | PARTIAL R**2 | MODEL R**2 | C(P) | F | PROB>F |
|------|------------------|-----------|--------------|------------|------|---|--------|
| 1 | X3 | 3 | 0.0003 | 0.9896 | 3.5889 | 0.5889 | 0.4518 |

**Figura 15.16**   Salida del PROC ESCALONADA y PROC RCUADRADA del SAS para los datos de refrescos (*continuación*).

STEPWISE REGRESSION PROCEDURE FOR DEPENDENT VARIABLE Y

NOTE: SLSTAY HAS BEEN SET TO .15 FOR THE STEPWISE TECHNIQUE.

STEP 1    VARIABLE X1 ENTERED        R SQUARE = 0.96395437        C(P) = 50.46213232

|  | DF | SUM OF SQUARES | MEAN SQUARE | F | PROB>F |
|---|---|---|---|---|---|
| REGRESSION | 1 | 5885.85206919 | 5885.85206919 | 615.08 | 0.0001 |
| ERROR | 23 | 220.09263481 | 9.56924499 | | |
| TOTAL | 24 | 6105.94470400 | | | |

|  | B VALUE | STD ERROR | TYPE II SS | F | PROB>F |
|---|---|---|---|---|---|
| INTERCEPT | 5.11451557 | | | | |
| X1 | 2.90270442 | 0.11704072 | 5885.85206919 | 615.08 | 0.0001 |

BOUNDS ON CONDITION NUMBER:    1,    1

STEP 2    VARIABLE X4 ENTERED        R SQUARE = 0.98302963        C(P) = 14.64453722

|  | DF | SUM OF SQUARES | MEAN SQUARE | F | PROB>F |
|---|---|---|---|---|---|
| REGRESSION | 2 | 6002.32458234 | 3001.16229117 | 637.19 | 0.0001 |
| ERROR | 22 | 103.62012166 | 4.71000553 | | |
| TOTAL | 24 | 6105.94470400 | | | |

|  | B VALUE | STD ERROR | TYPE II SS | F | PROB>F |
|---|---|---|---|---|---|
| INTERCEPT | 2.64573312 | | | | |
| X1 | 2.54772805 | 0.10880288 | 2582.53810667 | 548.31 | 0.0001 |
| X4 | 3.54854459 | 0.71359082 | 116.47251315 | 24.73 | 0.0001 |

BOUNDS ON CONDITION NUMBER:    1.755752,    7.023007

STEP 3    VARIABLE X2 ENTERED        R SQUARE = 0.98961493        C(P) = 3.58888771

|  | DF | SUM OF SQUARES | MEAN SQUARE | F | PROB>F |
|---|---|---|---|---|---|
| REGRESSION | 3 | 6042.53402205 | 2014.17800735 | 667.04 | 0.0001 |
| ERROR | 21 | 63.41068195 | 3.01955628 | | |
| TOTAL | 24 | 6105.94470400 | | | |

|  | B VALUE | STD ERROR | TYPE II SS | F | PROB>F |
|---|---|---|---|---|---|
| INTERCEPT | 1.36706835 | | | | |
| X1 | 2.53491873 | 0.08718736 | 2552.49064020 | 845.32 | 0.0001 |
| X2 | 0.00852152 | 0.00233520 | 40.20943970 | 13.32 | 0.0015 |
| X4 | 2.59927756 | 0.62779136 | 51.76280083 | 17.14 | 0.0005 |

BOUNDS ON CONDITION NUMBER:    2.119696,    15.86207

NO OTHER VARIABLES MET THE 0.1000 SIGNIFICANCE LEVEL FOR ENTRY INTO THE MODEL.

**Figura 15.16**  Salida del PROC ESCALONADA y PROC RCUADRADA del SAS para los datos de refrescos (*continuación*).

SUMMARY OF STEPWISE REGRESSION PROCEDURE FOR DEPENDENT VARIABLE Y

|  | VARIABLE | | NUMBER | PARTIAL | MODEL | | | |
|---|---|---|---|---|---|---|---|---|
| STEP | ENTERED | REMOVED | IN | R**2 | R**2 | C(P) | F | PROB>F |
| 1 | X1 | | 1 | 0.9640 | 0.9640 | 50.4621 | 615.0801 | 0.0001 |
| 2 | X4 | | 2 | 0.0191 | 0.9830 | 14.6445 | 24.7287 | 0.0001 |
| 3 | X2 | | 3 | 0.0066 | 0.9896 | 3.5889 | 13.3163 | 0.0015 |

N = 25           REGRESSION MODELS FOR DEPENDENT VARIABLE: Y MODEL: MODEL1

| NUMBER IN MODEL | R - SQUARE | C(P) | VARIABLES IN MODEL | | |
|---|---|---|---|---|---|
| 1 | 0.24291747 | 1479.951 | X2 | | |
| 1 | 0.56007492 | 851.172 | X4 | | |
| 1 | 0.69830969 | 577.115 | X3 | | |
| 1 | 0.96395437 | 50.462132 | X1 | | |
| 2 | 0.57158123 | 830.360 | X2 | X4 | |
| 2 | 0.72162460 | 532.892 | X2 | X3 | |
| 2 | 0.72232683 | 531.500 | X3 | X4 | |
| 2 | 0.97220237 | 36.110087 | X1 | X3 | |
| 2 | 0.98113748 | 18.395811 | X1 | X2 | |
| 2 | 0.98302963 | 14.644537 | X1 | X4 | |
| 3 | 0.73299076 | 512.358 | X2 | X3 | X4 |
| 3 | 0.98327895 | 16.150260 | X1 | X3 | X4 |
| 3 | 0.98517507 | 12.391116 | X1 | X2 | X3 |
| 3 | 0.98961493 | 3.588888 | X1 | X2 | X4 |
| 4 | 0.98991196 | 5.000000 | X1 | X2 | X3 | X4 |

**Figura 15.16**  Salida del PROC ESCALONADA y PROC RCUADRADA del SAS para los datos de refrescos (*continuación*).

cuadrados del tipo III se usarían en las pruebas de $F$ parciales en los coeficientes de regresión individuales descritos en la sección 15-5.

El SAS tiene varios procedimientos más para efectuar el análisis de regresión. PROC REG tiene considerablemente más capacidad de diagnóstico de PROC GLM. Una parte de la salida de PROC REG aplicado a la totalidad de las cuatro variables regresoras para los datos de refrescos se muestra en la figura 15.15. Nótese que los factores de inflación de la varianza y los elementos de la diagonal de la matriz sombrero se calculan mediante PROC REG. Pueden obtenerse muchos otros diagnósticos, incluso la medida de distancia de Cook, intervalos de confianza y/o de predicción, así como diversas gráficas de residuos. La figura

15.15 contiene varios diagnósticos para la multicolinearidad y observaciones que son de influencia y que están más allá del alcance de este libro. Para mayores detalles respecto a las proporciones de la descomposición de varianza, DFFITS, COVRATIO, y DFBETAS, refiérase a Montgomery y Peck (1982) y Belsley, Khu y Welsch (1980).

La figura 15.16 presenta la salida de SAS PROC STEPWISE y PROC RSQUARE. PROC STEPWISE efectuará la regresión escalonada, la selección hacia adelante, la eliminación hacia atrás, y otras diversas variaciones del planteamiento escalonado para la selección de variables. PROC RSQUARE es un algoritmo de todas las regresiones posibles. Adviértase que los resultados de estas corridas se utilizaron para producir los cálculos de la regresión escalonada ilustrados en la sección 15-11.2.

## 15-13   Resumen

En este capítulo se presentó la regresión lineal múltiple, incluyendo la estimación de parámetros por mínimos cuadrados, la estimación de intervalo, la predicción de nuevas observaciones y métodos para la prueba de hipótesis. Se han estudiado diversas pruebas de la suficiencia de los modelos, incluso las gráficas de residuos. Se dio una extensión de la prueba de falta de ajuste para la regresión múltiple, empleando pares de puntos que son vecinos cercanos para obtener una estimación del error puro. Se demostró que los modelos de regresión polinomial pueden manejarse mediante los métodos usuales de regresión lineal múltiple. Se presentaron las variables indicadoras para tratar variables cualitativas. Se observó también que el problema de multicolinearidad, o intercorrelación entre las variables regresoras, puede complicar en gran medida el problema de la regresión y que a menudo conduce a un modelo de regresión que es posible que no prediga de manera adecuada nuevas observaciones. Se estudiaron diversas causas y procedimientos correctivos de este problema como las técnicas de estimación sesgada. Por último, se presentó el problema de la selección de variables en la regresión múltiple. Asimismo, se ilustraron varios procedimientos de construcción de modelos, entre los que se incluyen el de todas las regresiones posibles, la búsqueda directa en $t$, la regresión escalonada, la selección hacia adelante y la eliminación hacia atrás.

## 15-14   Ejercicios

**15-1**   Considere los datos del tiempo de entrega de refrescos en la tabla 15.17.
  *a*)   Ajuste un modelo de regresión empleando $x_1$ (volumen de entrega) y $x_4$ (número de ubicaciones de máquina) a estos datos.
  *b*)   Pruebe la significación de la regresión.

c) Calcule los residuos de este modelo. Analice estos residuos empleando los métodos estudiados en este capítulo.

d) ¿Cómo se compara este modelo de dos variables con el modelo de dos variables que emplea $x_1$ y $x_2$ del ejemplo 15.1?

Rendimiento por equipo en 1976 de la National Football League

| Equipo | $y$ | $x_1$ | $x_2$ | $x_3$ | $x_4$ | $x_5$ | $x_6$ | $x_7$ | $x_8$ | $x_9$ |
|---|---|---|---|---|---|---|---|---|---|---|
| Washington | 10 | 2113 | 1985 | 38.9 | 64.7 | +4 | 868 | 59.7 | 2205 | 1917 |
| Minnesota | 11 | 2003 | 2855 | 38.8 | 61.3 | +3 | 615 | 55.0 | 2096 | 1575 |
| New England | 11 | 2957 | 1737 | 40.1 | 60.0 | +14 | 914 | 65.6 | 1847 | 2175 |
| Oakland | 13 | 2285 | 2905 | 41.6 | 45.3 | -4 | 957 | 61.4 | 1903 | 2476 |
| Pittsburgh | 10 | 2971 | 1666 | 39.2 | 53.8 | +15 | 836 | 66.1 | 1457 | 1866 |
| Baltimore | 11 | 2309 | 2927 | 39.7 | 74.1 | +8 | 786 | 61.0 | 1848 | 2339 |
| Los Angeles | 10 | 2528 | 2341 | 38.1 | 65.4 | +12 | 754 | 66.1 | 1564 | 2092 |
| Dallas | 11 | 2147 | 2737 | 37.0 | 78.3 | -1 | 761 | 58.0 | 1821 | 1909 |
| Atlanta | 4 | 1689 | 1414 | 42.1 | 47.6 | -3 | 714 | 57.0 | 2577 | 2001 |
| Buffalo | 2 | 2566 | 1838 | 42.3 | 54.2 | -1 | 797 | 58.9 | 2476 | 2254 |
| Chicago | 7 | 2363 | 1480 | 37.3 | 48.0 | +19 | 984 | 67.5 | 1984 | 2217 |
| Cincinnatti | 10 | 2109 | 2191 | 39.5 | 51.9 | +6 | 700 | 57.2 | 1917 | 1758 |
| Cleveland | 9 | 2295 | 2229 | 37.4 | 53.6 | -5 | 1037 | 58.8 | 1761 | 2032 |
| Denver | 9 | 1932 | 2204 | 35.1 | 71.4 | +3 | 986 | 58.6 | 1709 | 2025 |
| Detroit | 6 | 2213 | 2140 | 38.8 | 58.3 | +6 | 819 | 59.2 | 1901 | 1686 |
| Green Bay | 5 | 1722 | 1730 | 36.6 | 52.6 | -19 | 791 | 54.4 | 2288 | 1835 |
| Houston | 5 | 1498 | 2072 | 35.3 | 59.3 | -5 | 776 | 49.6 | 2072 | 1914 |
| Kansas City | 5 | 1873 | 2929 | 41.1 | 55.3 | +10 | 789 | 54.3 | 2861 | 2496 |
| Miami | 6 | 2118 | 2268 | 38.2 | 69.6 | +6 | 582 | 58.7 | 2411 | 2670 |
| New Orleans | 4 | 1775 | 1983 | 39.3 | 78.3 | +7 | 901 | 51.7 | 2289 | 2202 |
| New York Giants | 3 | 1904 | 1792 | 39.7 | 38.1 | -9 | 734 | 61.9 | 2203 | 1988 |
| New York Jets | 3 | 1929 | 1606 | 39.7 | 68.8 | -21 | 627 | 52.7 | 2592 | 2324 |
| Philadelphia | 4 | 2080 | 1492 | 35.5 | 68.8 | -8 | 722 | 57.8 | 2053 | 2550 |
| St. Louis | 10 | 2301 | 2835 | 35.3 | 74.1 | +2 | 683 | 59.7 | 1979 | 2110 |
| San Diego | 6 | 2040 | 2416 | 38.7 | 50.0 | 0 | 576 | 54.9 | 2048 | 2628 |
| San Francisco | 8 | 2447 | 1638 | 39.9 | 57.1 | -8 | 848 | 65.3 | 1786 | 1776 |
| Seattle | 2 | 1416 | 2649 | 37.4 | 56.3 | -22 | 684 | 43.8 | 2876 | 2524 |
| Tampa Bay | 0 | 1503 | 1503 | 39.3 | 47.0 | -9 | 875 | 53.5 | 2560 | 2241 |

$y$: Juegos ganados (por temporada de 14 juegos)
$x_1$: Yardas por corrida (temporada)
$x_2$: Yardas por pase (temporada)
$x_3$: Promedio de pateo (yardas/patada)
$x_4$: Porcentaje de goles de campo (goles anotados/goles intentados-temporada)
$x_5$: Diferencia de cambios de pelota (cambios a favor-cambios en contra)
$x_6$: Yardas por castigo (temporada)
$x_7$: Porcentaje de corridas (jugadas por corrida/total de jugadas)
$x_8$: Yardas por carrera de los oponentes (temporada)
$x_9$: Yardas por pase de los oponentes (temporada)

**15-2** Considere los datos del tiempo de entrega de refrescos en la tabla 15.17.
   a)   Ajuste un modelo de regresión empleando $x_1$ (volumen de entrega), $x_2$ (distancia), y $x_3$ (número de máquinas) para estos datos.
   b)   Pruebe la significación de la regresión.
   c)   Calcule los residuos de este modelo. Analice estos residuos empleando los métodos estudiados en este capítulo.

**15-3** Con el empleo de los resultados del ejercicio 15-1, encuentre un intervalo de confianza del 95 por ciento sobre $\beta_4$.

**15-4** Mediante la utilización de los resultados del ejercicio 15-2, encuentre un intervalo de confianza del 95 por ciento sobre $\beta_3$.

### Rendimiento de gasolina por milla para 25 automóviles

| automóvil | $y$ | $x_1$ | $x_2$ | $x_3$ | $x_4$ | $x_5$ | $x_6$ | $x7$ | $x_8$ | $x_9$ | $x_{10}$ | $x_{11}$ |
|---|---|---|---|---|---|---|---|---|---|---|---|---|
| Apollo | 18.90 | 350 | 165 | 260 | 8.0 : 1 | 2.56 : 1 | 4 | 3 | 200.3 | 69.9 | 3910 | A |
| Nova | 20.00 | 250 | 105 | 185 | 8.25 : 1 | 2.73 : 1 | 1 | 3 | 196.7 | 72.2 | 3510 | A |
| Monarch | 18.25 | 351 | 143 | 255 | 8.0 : 1 | 3.00 : 1 | 2 | 3 | 199.9 | 74.0 | 3890 | A |
| Duster | 20.07 | 225 | 95 | 170 | 8.4 : 1 | 2.76 : 1 | 1 | 3 | 194.1 | 71.8 | 3365 | M |
| Jenson Conv. | 11.2 | 440 | 215 | 330 | 8.2 : 1 | 2.88 : 1 | 4 | 3 | 184.5 | 69 | 4215 | A |
| Skyhawk | 22.12 | 231 | 110 | 175 | 8.0 : 1 | 256 : 1 | 2 | 3 | 179.3 | 65.4 | 3020 | A |
| Scirocco | 34.70 | 89.7 | 70 | 81 | 8.2 : 1 | 3.90 : 1 | 2 | 4 | 155.7 | 64 | 1905 | M |
| Corolla SR-5 | 30.40 | 96.9 | 75 | 83 | 9.0 : 1 | 4.30 : 1 | 2 | 5 | 165.2 | 65 | 2320 | M |
| Camaro | 16.50 | 350 | 155 | 250 | 8.5 : 1 | 3.08 : 1 | 4 | 3 | 195.4 | 74.4 | 3885 | A |
| Datsun B210 | 36.50 | 85.3 | 80 | 83 | 8.5 : 1 | 3.89 : 1 | 2 | 4 | 160.6 | 62.2 | 2009 | M |
| Capri II | 21.50 | 171 | 109 | 146 | 8.2 : 1 | 3.22 : 1 | 2 | 4 | 170.4 | 66.9 | 2655 | M |
| Pacer | 19.70 | 258 | 110 | 195 | 8.0 : 1 | 3.08 : 1 | 1 | 3 | 171.5 | 77 | 3375 | A |
| Granada | 17.80 | 302 | 129 | 220 | 8.0 : 1 | 3.0 : 1 | 2 | 3 | 199.9 | 74 | 3890 | A |
| Eldorado | 14.39 | 500 | 190 | 360 | 8.5 : 1 | 2.73 : 1 | 4 | 3 | 224.1 | 79.8 | 5290 | A |
| Imperial | 14.89 | 440 | 215 | 330 | 8.2 : 1 | 2.71 : 1 | 4 | 3 | 231.0 | 79.7 | 5185 | A |
| Nova LN | 17.80 | 350 | 155 | 250 | 8.5 : 1 | 3.08 : 1 | 4 | 3 | 196.7 | 72.2 | 3910 | A |
| Starfire | 23.54 | 231 | 110 | 175 | 8.0 : 1 | 2.56 : 1 | 2 | 3 | 179.3 | 65.4 | 3050 | A |
| Cordoba | 21.47 | 360 | 180 | 290 | 8.4 : 1 | 2.45 : 1 | 2 | 3 | 214.2 | 76.3 | 4250 | A |
| Trans Am | 16.59 | 400 | 185 | NA | 7.6 : 1 | 3.08 : 1 | 4 | 3 | 196 | 73 | 3850 | A |
| Corolla E-5 | 31.90 | 96.9 | 75 | 83 | 9.0 : 1 | 4.30 : 1 | 2 | 5 | 165.2 | 61.8 | 2275 | M |
| Mark IV | 13.27 | 460 | 223 | 366 | 8.0 : 1 | 3.00 : 1 | 4 | 3 | 228 | 79.8 | 5430 | A |
| Celica GT | 23.90 | 133.6 | 96 | 120 | 8.4 : 1 | 3.91 : 1 | 2 | 5 | 171.5 | 63.4 | 2535 | M |
| Charger SE | 19.73 | 318 | 140 | 255 | 8.5 : 1 | 2.71 : 1 | 2 | 3 | 215.3 | 76.3 | 4370 | A |
| Cougar | 13.90 | 351 | 148 | 243 | 8.0 : 1 | 3.25 : 1 | 2 | 3 | 215.5 | 78.5 | 4540 | A |
| Corvette | 16.50 | 350 | 165 | 255 | 8.5 : 1 | 2.73 : 1 | 4 | 3 | 185.2 | 69 | 3660 | A |

$y$: Millas/galón
$x_1$: Cilindraje (pulgadas cúbicas)
$x_2$: Caballos de fuerza (pie-lb)
$x_3$: Momento de torsión (pie-lb)
$x_4$: Razón de compresión
$x_5$: Razón del eje trasero
$x_6$: Carburador (gargantas)
$x_7$: Núm de velocidades de la transmisión
$x_8$: Longitud total (pulgadas)
$x_9$: Ancho (pulgadas)
$x_{10}$: Peso (lb)
$x_{11}$: Tipo de transmisión (A-automática, M-manual)

**15-5** Los datos de la tabla en la tabla 637 son las estadísticas de rendimiento en 1976 para cada equipo de la National Football League (*Fuente: The Sporting News*).

*a)* Ajuste un modelo de regresión múltiple que relacione el número de juegos ganados con las yardas por pase de los equipos ($x_2$), el porcentaje de jugadas por corrida ($x_7$) y las yardas por corrida de los oponentes ($x_8$).

*b)* Construya las gráficas de residuos apropiadas y comente acerca de la suficiencia del modelo.

*c)* Pruebe las significación de cada variable en el modelo, empleando la prueba de $t$ o la prueba de $F$ parcial.

**15-6** La tabla anterior presenta el rendimiento de gasolina por milla en 25 automóviles (*Fuente: Motor Trend, 1975*).

*a)* Ajuste un modelo de regresión lineal múltiple que relacione el consumo de gasolina por milla con el cilindraje del motor ($x_1$) y el número de gargantas del carburador ($x_6$).

*b)* Analice los residuos y comente acerca de la suficiencia del modelo.

*c)* ¿Cuál es el valor de añadir $x_6$ al modelo que ya contiene a $x_1$?

**15-7** Se piensa que la energía eléctrica que consume mensualmente una planta química se relaciona con la temperatura ambiental promedio ($x_1$), el número de días en el mes ($x_2$), la pureza promedio del producto ($x_3$), y las toneladas del producto producido ($x_4$). Se disponen los datos históricos al año pasado y se presentan en la siguiente tabla:

| $y$ | $x_1$ | $x_2$ | $x_3$ | $x_4$ |
|-----|-------|-------|-------|-------|
| 240 | 25 | 24 | 91 | 100 |
| 236 | 31 | 21 | 90 | 95 |
| 290 | 45 | 24 | 88 | 110 |
| 274 | 60 | 25 | 87 | 88 |
| 301 | 65 | 25 | 91 | 94 |
| 316 | 72 | 26 | 94 | 99 |
| 300 | 80 | 25 | 87 | 97 |
| 296 | 84 | 25 | 86 | 96 |
| 267 | 75 | 24 | 88 | 110 |
| 276 | 60 | 25 | 91 | 105 |
| 288 | 50 | 25 | 90 | 100 |
| 261 | 38 | 23 | 89 | 98 |

*a)* Ajuste el modelo de regresión múltiple a estos datos.

*b)* Pruebe la significación de la regresión.

*c)* Use las estadísticas $F$ parciales para probar $H_0$: $\beta_3 = 0$ y $H_0$: $\beta_4 = 0$.

*d)* Calcule los residuos de este modelo. Analice los residuos empleando los métodos estudiados en este capítulo.

**15-8** Hald (1952) informa acerca de los datos relativos al calor que se desprende en calorías por gramo de cemento ($y$) para diversas cantidades de cuatro ingredientes ($x_1, x_2, x_3, x_4$).

| Número de observación | y | $x_1$ | $x_2$ | $x_3$ | $x_4$ |
|---|---|---|---|---|---|
| 1 | 78.5 | 7 | 26 | 6 | 60 |
| 2 | 74.3 | 1 | 29 | 15 | 52 |
| 3 | 104.3 | 11 | 56 | 8 | 20 |
| 4 | 87.6 | 11 | 31 | 8 | 47 |
| 5 | 95.9 | 7 | 52 | 6 | 33 |
| 6 | 109.2 | 11 | 55 | 9 | 22 |
| 7 | 102.7 | 3 | 71 | 17 | 6 |
| 8 | 72.5 | 1 | 31 | 22 | 44 |
| 9 | 93.1 | 2 | 54 | 18 | 22 |
| 10 | 115.9 | 21 | 47 | 4 | 26 |
| 11 | 83.8 | 1 | 40 | 23 | 34 |
| 12 | 113.3 | 11 | 66 | 9 | 12 |
| 13 | 109.4 | 10 | 68 | 8 | 12 |

a)   Ajuste un modelo de regresión múltiple a estos datos.
b)   Pruebe la significación de la regresión.
c)   Pruebe la hipótesis $\beta_4 = 0$ empleando la prueba parcial $F$.
d)   Calcule las estadísticas $t$ para cada variable independiente. ¿Qué conclusiones puede usted extraer?
e)   Pruebe la hipótesis $\beta_2 = \beta_3 = \beta_4 = 0$ empleando la prueba $F$ parcial
f)   Construya una estimación del intervalo de confianza del 95 por ciento para $\beta_2$.

**15-9** Un artículo titulado "Un método para mejorar la precisión del análisis de regresión de polinomios" en el *Journal of Quality Technology* (1971, p. 149-155) presenta los siguientes datos en $y$ = resistencia final al corte de un compuesto de hule (psi) y $x$ = temperatura de curado (°F).

| y | 770 | 800 | 840 | 810 | 735 | 640 | 590 | 560 |
|---|---|---|---|---|---|---|---|---|
| x | 280 | 284 | 292 | 295 | 298 | 305 | 308 | 315 |

a)   Ajuste un polinomio de segundo orden a estos datos.
b)   Pruebe la significación de la regresión.
c)   Pruebe la hipótesis de que $\beta_{11} = 0$.
d)   Calcule los residuos y pruebe la suficiencia del modelo.

**15-10** Considere los siguientes datos, los cuales resultan de un experimento para determinar el efecto de $x$ = tiempo de prueba en horas a una temperatura particular en $y$ = cambio en la viscosidad de aceite.

| y | − 4.42 | − 1.39 | − 1.55 | − 1.89 | − 2.43 | − 3.15 | − 4.05 | − 5.15 | − 6.43 | − 7.89 |
|---|---|---|---|---|---|---|---|---|---|---|
| x | .25 | .50 | .75 | 1.00 | 1.25 | 1.50 | 1.75 | 2.00 | 2.25 | 2.50 |

a)   Ajuste un polinomios de segundo orden a estos datos.
b)   Pruebe la significación de la regresión.
c)   Pruebe la hipótesis de que $\beta_{11} = 0$.
d)   Calcule los residuos y verifique la suficiencia del modelo.

**15-11** En muchos modelos de regresión polinomiales sustraemos $\bar{x}$ de cada valor de $x$ para producir un regresor "centrado" $x' = x - \bar{x}$. Empleando los datos del ejercicio 15-9, ajuste el modelo $y = \beta_0^* + \beta_1^* x' + \beta_{11}^* (x')^2 + \varepsilon$. Emplee los resultados para estimar los coeficientes en el modelo no concentrado $y = \beta_0 + \beta_1 x + \beta_{11} x^2 + \varepsilon$.

**15-12** Suponga que empleamos una variable estandarizada $x' = (x - \bar{x})/s_x$, donde $s_x$ es la desviación estándar de $x$, para construir un modelo de regresión polinomial. Con el empleo de los datos en el ejercicio 15-9 y el planteamiento de la variable estandarizada, ajuste el modelo $y = \beta_0^* + \beta_1^* x' + \beta_{11}^* (x')^2 + \varepsilon$.

   a)   ¿Qué valor de $y$ predice usted cuando $x = 285\ °F$?
   b)   Estime los coeficientes de regresión en el modelo no estandarizado $y = \beta_0 + \beta_1 x + \beta_{11} x^2 + \varepsilon$.
   c)   ¿Qué puede usted decir acerca de la relación entre $SS_E$ y $R^2$ en los modelos estandarizado y no estandarizado?
   d)   Suponga que $y' = (y - \bar{y})/s_y$ se emplea en el modelo junto con $x'$. Ajuste el modelo y comente acerca de la relación entre $SS_E$ y $R^2$ en el modelo estandarizado y en el modelo no estandarizado.

**15-13** Los datos que se muestran adelante se colectaron durante un experimento para determinar el cambio en la eficiencia de empuje (porcentaje) ( $y$) cuando cambia el ángulo de divergencia de una boquilla de cohete ($x$).

| $y$ | 24.60 | 24.71 | 23.90 | 39.50 | 39.60 | 57.12 | 67.11 | 67.24 | 67.15 | 77.87 | 80.11 | 84.67 |
|---|---|---|---|---|---|---|---|---|---|---|---|---|
| $x$ | 4.0 | 4.0 | 4.0 | 5.0 | 5.0 | 6.0 | 6.5 | 6.5 | 6.75 | 7.0 | 7.1 | 7.3 |

   a)   Ajuste un modelo de segundo orden a los datos.
   b)   Pruebe la significación de la regresión y la falta de ajuste.
   c)   Pruebe la hipótesis de que $\beta_{11} = 0$.
   d)   Grafique los residuos y comente acerca de la suficiencia del modelo.
   e)   Ajuste un modelo cúbico, y pruebe la significación del término cúbico.

**15-14** Considere los datos en el ejemplo 15.12. Pruebe la hipótesis de que dos modelos de regresión diferente (con diferentes pendientes e intersecciones al origen) se requieren para modelar adecuadamente los datos.

**15-15 Regresión lineal escalonada (I).** Suponga que $y$ se relaciona de manera lineal escalonada con $x$. Esto es, son apropiadas diferentes relaciones lineales sobre los intervalos $-\infty < x \le x^*$ y $x^* < x < \infty$. Muestre cómo las variables indicadoras pueden utilizarse para ajustar tal modelo de regresión lineal escalonada, suponiendo que se conoce el punto $x^*$.

**15-16 Regresión lineal escalonada (II).** Considere el modelo de regresión lineal escalonada descrito en el ejercicio 15-15. Suponga que en el punto $x^*$ ocurre una discontinuidad en la función de regresión. Muestre cómo las variables indicadoras pueden emplearse para incorporar la discontinuidad en el modelo.

**15-17 Regresión lineal escalonada (III).** Considere el modelo de regresión lineal escalonada descrito en el ejercicio 15-16. Suponga que el punto $x^*$ no se conoce con certeza y que debe estimarse. Desarrolle un planteamiento que podría usarse para ajustar el modelo de regresión lineal escalonada.

**15-18** Calcule los coeficientes de regresión estandarizados para el modelo de regresión desarrollada en el ejercicio 15-1.

**15-19** Calcule los coeficientes de regresión estandarizados para el modelo de regresión desarrollado en el ejercicio 15-2.

**15-20** Encuentre los factores de inflación de varianza para el modelo de regresión desarrollado en el ejemplo 15.1. ¿Indican que la multicolinearidad es un problema en este modelo?

**15-21** Los factores de inflación de varianza para el modelo de regresión de cuatro variables para los datos en la tabla 15-17 se muestran en la salida de computadora en la figura 15.15. ¿Indican que la multicolinearidad es un problema en el modelo?

**15-22** Emplee los datos de rendimiento de los equipos de la National Football League en el ejercicio 15-5 para construir modelos de regresión utilizando las siguientes técnicas:
  *a)*  Todas las regresiones posibles.
  *b)*  Regresión escalonada.
  *c)*  Selección hacia adelante.
  *d)*  Eliminación hacia atrás.
  *e)*  Comente acerca de los diversos modelos obtenidos.

**15-23** Use los datos de consumo de gasolina por milla en el ejercicio 15-6 para construir un modelo de regresión empleando las siguientes técnicas:
  *a)*  Todas las regresiones posibles.
  *b)*  Regresión escalonada.
  *c)*  Selección hacia adelante.
  *d)*  Eliminación hacia atrás.
  *e)*  Comente respecto a los diversos modelos obtenidos.

**15-24** Considere los datos de cemento de Hald en el ejercicio 15-8. Construya modelos de regresión para los datos empleando las siguientes técnicas:
  *a)*  Todas las regresiones posibles.
  *b)*  Búsqueda directa en *t*.
  *c)*  Regresión escalonada.
  *d)*  Selección hacia adelante.
  *e)*  Eliminación hacia atrás.

**15-25** Considere los datos de cemento de Hald en el ejercicio 15-8. Ajuste un modelo de regresión de la forma $y = \beta_0 + \beta_1 x_1 + \beta_2 x_2 + \varepsilon$ para estos datos. Empleando los puntos dato que son vecinos cercanos, calcule una estimación de la desviación estándar del error puro. ¿El modelo de regresión demuestra alguna falta de ajuste evidente?

**15-26** Considere los datos de cemento de Hald en el ejercicio 15-8. Ajuste un modelo de regresión que involucre el total de cuatro regresores y encuentre los diversos factores de inflación. ¿Es la multicolinearidad un problema en este modelo? Emplee la regresión de arista para estimar los coeficientes en este modelo. Compare el modelo de arista con los modelos obtenidos en el ejercicio 15-25 empleando los métodos de selección de variables.

# Capítulo 16

# Estadística no paramétrica

## 16.1 Introducción

La mayor parte de las pruebas de hipótesis y de los procedimientos de intervalos de confianza en los capítulos previos se han basado en la suposición de que estamos trabajando con muestras aleatorias de poblaciones normales. Por fortuna, la mayor parte de estos procedimientos son relativamente insensibles a ligeras desviaciones respecto a la normalidad. En general, las pruebas de $t$ y $F$ y los intervalos de confianza $t$ tendrán niveles de significación o niveles de confianza reales que difieren de los niveles nominales o anunciados elegidos por el experimentador, aunque la diferencia entre los niveles real y anunciado suele ser sin duda más pequeña cuando la población de base no es demasiado diferente a la normal. Por lo común, hemos llamado a estos procedimientos, métodos *paramétricos* debido a que se basan en una familia paramétrica particular de distribuciones —en este caso, la normal. Alternativamente, algunas veces afirmamos que estos procedimientos no son *libres de distribución* debido a que dependen de la suposición de normalidad.

En este capítulo describimos los procedimientos denominados *no paramétricos* o *libres de distribución* y no solemos hacer suposiciones respecto a la distribución de la población de base, aparte de que es continua. Estos procedimientos tienen nivel de significación real o nivel de confianza de $100(1 - \alpha)$ por ciento en muchos tipos diferentes de distribuciones. Estos procedimientos tienen un atractivo considerable. Una de sus ventajas es que los datos no necesitan ser cuantitativos, pero podrían ser datos categóricos (tales como sí o no, defectuoso o no defectuoso, etc.) o de rango. Otra ventaja es que los procedimientos no categóricos suelen ser muy rápidos y se realizan con facilidad.

Los procedimientos descritos en este capítulo son competidores de los procedimientos paramétricos de $t$ y $F$ descritos antes. En consecuencia, es importante comparar el rendimiento tanto de los métodos paramétricos como de los no paramétricos bajo las suposiciones tanto de poblaciones normales como no normales. En general, los procedimientos no paramétricos utilizan toda la información proporcionada por la muestra, y como resultado un procedimiento paramétrico será menos eficiente que el procedimiento paramétrico correspondiente cuando la población de base es normal. Esta pérdida de eficiencia suele reflejarse por el requerimiento de un tamaño de muestra más grande para el procedimiento no paramétrico que el que requeriría el procedimiento paramétrico para alcanzar la misma probabilidad de error de tipo II. Por otra parte, esta pérdida de eficiencia por lo común no es grande, y a menudo la diferencia en el tamaño de muestra es muy pequeña. Cuando las distribuciones de base no son normales, entonces los métodos no paramétricos tienen mucho que ofrecer. Ellos proporcionan con frecuencia mejoras considerables en comparación con los métodos paramétricos de teoría normal.

## 16-2   Prueba de signo

### 16-2.1   Descripción de la prueba de signo

La prueba de signo se emplea para probar hipótesis en torno a la media de una distribución continua. Recuérdese que la media de una distribución es un valor de la variable aleatoria tal que hay una probabilidad de .5 de que el valor observado de $X$ sea menor que o igual a la mediana, y que hay una probabilidad de .5 de que un valor observado de $X$ sea mayor o igual que la mediana. Esto es $P(X \leq \tilde{\mu}) = P(X \geq \tilde{\mu}) = .5$.

Puesto que la distribución normal es simétrica, la media de una distribución normal es igual a la mediana. En consecuencia, la prueba de signo puede emplearse para probar hipótesis en torno a la media de una distribución normal. Éste es el mismo problema para el que empleamos la prueba de $t$ en el capítulo 11. Estudiaremos los méritos relativos de los dos procedimientos en la sección 16-2.4. Nótese que en tanto la prueba $t$ se diseñó para muestras de una distribución normal, la prueba de signo es apropiada para muestras de cualquier distribución continua. De tal modo, la prueba de signo es un procedimiento no paramétrico.

Supóngase que las hipótesis son

$$H_0: \tilde{\mu} = \tilde{\mu}_0$$

$$H_1: \tilde{\mu} \neq \tilde{\mu}_0$$

(16-1)

El procedimiento de prueba es como sigue. Supóngase que $X_1, X_2, \ldots, X_n$ es una muestra aleatoria de $n$ observaciones de la población de interés. De las diferencias $(X_i - \tilde{\mu}_0)$, $i = 1, 2, \ldots, n$. Luego si $H_0: \tilde{\mu} = \tilde{\mu}_0$ es verdadera, cualquier diferencia $X_i - \tilde{\mu}_0$ es igualmente probable de ser positiva o negativa. De modo que se deja que $R^+$ denote el número de estas diferencias $(X_i - \tilde{\mu}_0)$ que son positivas y que $R^-$

**645**

denote el número de estas diferencias que son negativas. Denótese $R = $ mín $(R^+, R^-)$.

Cuando la hipótesis nula es verdadera, $R$ tiene una distribución binomial con parámetros $n$ y $p = .5$. Por tanto, encontraríamos un valor crítico digamos $R_\alpha^*$ de la distribución binomial que asegura que $P$ (error de tipo I) = $P$ (se rechace $H_0$ cuando $H_0$ es verdadera) = $\alpha$. Una tabla de estos valores críticos $R_\alpha^*$ se brinda en la tabla X del apéndice. Si la estadística de prueba $R < R_\alpha^*$, entonces la hipótesis nula $H_0$: $\tilde{\mu} = \tilde{\mu}_0$ debe rechazarse.

**Ejemplo 16.1** Montgomery y Peck (1982) informan acerca de un estudio en el cual un motor de cohete se forma uniendo un propulsante de ignición y un propulsante de sostenimiento dentro de una caja metálica. La resistencia al corte del enlace entre los dos tipos de propulsantes es una característica importante. Los resultados de prueba de 20 motores seleccionados al azar se muestran en la tabla 16.1. Nos gustaría probar la hipótesis de que la resistencia media al corte es 2000 psi.

El enunciado formal de la hipótesis de interés es

$$H_0: \tilde{\mu} = 2000$$

$$H_1: \tilde{\mu} \neq 2000$$

TABLA 16.1  **Datos de resistencia al corte de propulsantes**

| Observación $i$ | Resistencia al corte $X_i$ | Diferencias $X_i - 2000$ | Signo |
|---|---|---|---|
| 1 | 2158.70 | +158.70 | + |
| 2 | 1678.15 | +321.85 | − |
| 3 | 2316.00 | +316.00 | + |
| 4 | 2061.30 | +61.30 | + |
| 5 | 2207.50 | +207.50 | + |
| 6 | 1708.30 | −291.70 | − |
| 7 | 1784.70 | −215.30 | − |
| 8 | 2575.10 | +575.00 | + |
| 9 | 2357.90 | +357.90 | + |
| 10 | 2256.70 | +256.70 | + |
| 11 | 2165.20 | +165.20 | + |
| 12 | 2399.55 | +399.55 | + |
| 13 | 1779.80 | −220.20 | − |
| 14 | 2336.75 | +336.75 | + |
| 15 | 1765.30 | −234.70 | − |
| 16 | 2053.50 | +53.50 | + |
| 17 | 2414.40 | +414.40 | + |
| 18 | 2200.50 | +200.50 | + |
| 19 | 2654.20 | +654.20 | + |
| 20 | 1753.70 | −246.30 | − |

Las últimas dos columnas de la tabla 16.1 muestran las diferencias $(X_i - 2000)$ para $i = 1, 2, \ldots, 20$ y los signos correspondientes. Note que $R^+ = 14$ y $R^- = 6$. En consecuencia $R = \text{mín}(R^+, R^-) = \text{mín}(14,6) = 6$. De la tabla X del apéndice con $n = 20$ encontramos que el valor crítico para $\alpha = .05$ es $R^*_{.05} = 5$. Por tanto, puesto que $R = 6$ no es menor o igual que el valor crítico $R^*_{.05} = 5$, no podemos rechazar la hipótesis nula de que la resistencia media al corte sea de 2000 psi.

Notamos que en virtud de que $R$ es una variable aleatoria binomial, podríamos probar la hipótesis de interés calculando directamente un valor de $P$ a partir de la distribución binomial. Cuando $H_0$: $\tilde{\mu} = 2000$ es cierta, $R$ tiene una distribución binomial con parámetros $n = 20$ y $p = .5$. De modo que la probabilidad de observar seis o menos signos negativos en una muestra de 20 observaciones es

$$P(R \leq 6) = \sum_{r=0}^{6} \binom{20}{r}(.5)^r(.5)^{20-r}$$

$$= .058$$

Puesto que el valor de $P$ no es menor que el nivel deseado de significación, no podemos rechazar la hipótesis nula de $\tilde{\mu} = 2000$ psi.

**Niveles de significación exactos**  Cuando una estadística de prueba tiene una distribución discreta, tal como ocurre con $R$ en la prueba de signo, tal vez sea imposible elegir un valor crítico $R^*_\alpha$ que tenga un nivel de significación exactamente igual a $\alpha$. El enfoque usual es elegir $R^*_\alpha$ para producir una $\alpha$ tan cerca como sea posible al nivel anunciado de $\alpha$.

**Igualación en la prueba de signo**  Puesto que la población de base se supone continua, es teóricamente imposible encontrar un "empate"; esto es, un valor de $X_i$ exactamente igual a $\tilde{\mu}_0$. Sin embargo, esto puede ocurrir algunas veces en la práctica debido a la forma en la que se recaban los datos. Cuando se da la igualdad, debe dejarse de lado y aplicarse la prueba de signo al resto de los datos.

**Hipótesis alternativas de un sólo lado**  También podemos emplear la prueba de signo cuando resulta apropiada una hipótesis alternativa de un lado. Si la alternativa es $H_1$: $\tilde{\mu} > \tilde{\mu}_0$, entonces se rechaza $H_0$: $\tilde{\mu} = \tilde{\mu}_0$ si $R^- < R^*_\alpha$; si la alternativa es $H_1$: $\tilde{\mu} < \tilde{\mu}_0$, entonces se rechaza $H_0$: $\tilde{\mu} = \tilde{\mu}_0$ si $R^+ < R^*_\alpha$. El nivel de significación de una prueba de un lado es la mitad del valor mostrado en la tabla X del apéndice. También es posible calcular un valor $P$ a partir de la distribución binomial en el caso de un lado.

**La aproximación normal**  Cuando $p = .5$, la distribución binomial es bien aproximada por una distribución normal cuando $n$ es al menos 10. Así, puesto que

TABLA 16.2 **Desempeño de los dispositivos de medición de flujo**

| | Dispositivo de medición | | | |
|:---:|:---:|:---:|:---:|:---:|
| Auto | 1 | 2 | Diferencia, $D_j$ | Signo |
| 1 | 17.6 | 16.8 | .8 | + |
| 2 | 19.4 | 20.0 | −.6 | − |
| 3 | 19.5 | 18.2 | 1.3 | + |
| 4 | 17.1 | 16.4 | .7 | + |
| 5 | 15.3 | 16.0 | −.7 | − |
| 6 | 15.9 | 15.4 | .5 | + |
| 7 | 16.3 | 16.5 | −.2 | − |
| 8 | 18.4 | 18.0 | .4 | + |
| 9 | 17.3 | 16.4 | .9 | + |
| 10 | 19.1 | 20.1 | −.1 | − |
| 11 | 17.8 | 16.7 | 1.1 | + |
| 12 | 18.2 | 17.9 | .3 | + |

la media de la binomial es $np$ y la varianza es $np(1-p)$, la distribución de $R$ es aproximadamente normal con media $.5n$ y varianza $.25n$ siempre que $n$ sea moderadamente grande. En consecuencia, en estos casos la hipótesis nula puede probarse con la estadística

$$Z_0 = \frac{R - .5n}{.5\sqrt{n}} \tag{16-2}$$

Se rechazaría la alternativa de dos lados si $|Z_0| > Z_{\alpha/2}$, y las regiones críticas de la alternativa de un lado se podrían elegir para reflejar el sentido de la alternativa (si la alternativa es $H_1$: $\tilde{\mu} > \tilde{\mu}_0$, se rechaza $H_0$ si $Z_0 > Z_\alpha$, por ejemplo).

## 16-2.2 Prueba de signo para muestras pares

La prueba del signo puede aplicarse también a observaciones en pares extraídas de poblaciones continuas. Sea $(X_{1j}, X_{2j})$, $j = 1, 2, \ldots, n$ una colección de observaciones en pares de dos poblaciones continuas, y sean

$$D_j = X_{1j} - X_{2j} \qquad j = 1, 2, \ldots, n$$

las diferencias de pares. Deseamos probar la hipótesis de que las dos poblaciones tienen una media común, esto es, que $\tilde{\mu}_1 = \tilde{\mu}_2$. Esto es equivalente a probar que la media de la diferencia $\tilde{\mu}_d = 0$. Esto puede hacerse aplicando la prueba de signo a las $n$ diferencias $D_j$, como se ilustra en el siguiente ejemplo.

**Ejemplo 16.2** Un ingeniero automotriz está investigando dos tipos diferentes de dispositivos de medición en un sistema electrónico de inyección de combustible para determinar si difieren en su rendimiento de combustible por milla. El sistema se instala en 12 automóviles diferentes, y se ejecuta una prueba con cada uno de los sistemas de medición en cada uno de los autos. Los datos de rendimiento de combustible por milla, las diferencias correspondientes, y sus signos se muestran en la tabla 16.2. Nótese que $R^+ = 8$ y $R^- = 4$. Por tanto, $R = $ mín $(R^+, R^-) = $ mín $(8, 4) = 4$. De la tabla X del apéndice, con $n = 12$, encontramos que el valor crítico para $\alpha = .5$ es $R^*_{.05} = 2$. Puesto que $R$ no es menor que el valor crítico $R^*_{.05}$, no podemos rechazar la hipótesis nula de que los dos dispositivos de medida producen el mismo rendimiento de combustible por milla.

## 16-2.3   Error tipo II ($\beta$) para la prueba de signo

La prueba del signo controlará la probabilidad del error de tipo I en un nivel anunciado de $\alpha$ para probar la hipótesis nula $H_0$: $\tilde{\mu} = \tilde{\mu}_0$, para cualquier distribución continua. Como con cualquier procedimiento de prueba de hipótesis, es importante investigar el error del tipo II, $\beta$. La prueba debe tener la capacidad de detectar de manera eficaz las desviaciones respecto a la hipótesis nula, y una

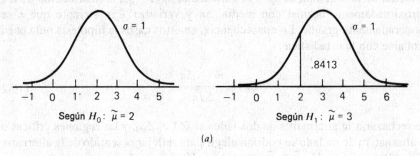

Según $H_0$: $\tilde{\mu} = 2$                    Según $H_1$: $\tilde{\mu} = 3$

(a)

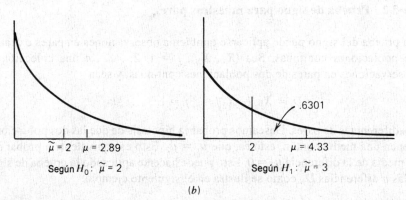

$\tilde{\mu} = 2$   $\mu = 2.89$                    $2$        $\mu = 4.33$

Según $H_0$: $\tilde{\mu} = 2$                    Según $H_1$: $\tilde{\mu} = 3$

(b)

**Figura 16.1**   Cálculo de $\beta$ en la prueba del signo. a) Distribuciones normales, b) distribuciones exponenciales.

buena medida de esta eficacia es el valor de $\beta$ para desviaciones que son importantes. Un pequeño valor de $\beta$ implica un procedimiento de prueba eficaz.

Al determinar $\beta$, es importante darse cuenta de que no sólo un valor particular de $\tilde{\mu}$, digamos $\tilde{\mu}_0 + \Delta$, debe emplearse, sino que la *forma* de la distribución de base afectará también los cálculos. Para ilustrarlo, supóngase que la distribución de base es normal con $\sigma = 1$ y estamos probando la hipótesis de que $\tilde{\mu} = 2$ (puesto que $\tilde{\mu} = \mu$ en la distribución normal esto es equivalente a probar que la media es igual a 2). Es importante detectar una desviación de $\tilde{\mu} = 2$ a $\tilde{\mu} = 3$. La situación se ilustra gráficamente en la figura 16.1a. Cuando la hipótesis alternativa es cierta ($H_1$: $\tilde{\mu} = 3$), la probabilidad de que la variable aleatoria $X$ exceda el valor de 2 es

$$p = P(X > 2) = P(Z > -1) = 1 - \Phi(-1) = .8413$$

Supóngase que hemos tomado muestras de tamaño 12. En el nivel $\alpha = .05$, la tabla X del apéndice indica que rechazaríamos $H_0$: $\tilde{\mu} = 2$ si $R \leq R^*_{.05} = 2$. Por consiguiente, el error $\beta$ es la probabilidad de que no rechacemos $H_0$: $\tilde{\mu} = 2$ cuando en efecto $\tilde{\mu} = 3$, o

$$\beta = 1 - \sum_{x=0}^{2} \binom{12}{x}(.1587)^x(.8413)^{12-x} = .2944$$

Si la distribución de $X$ ha sido exponencial y no normal, entonces la situación sería como se muestra en la figura 16.1b, y la probabilidad de que la variable aleatoria $X$ exceda el valor $x = 2$ cuando $\tilde{\mu} = 3$ (obsérvese que cuando la mediana de una distribución exponencial es 3 la media es 4.33) es

$$p = P(X > 2) = \int_2^\infty \frac{1}{4.33} e^{-\frac{1}{4.33}x} dx = e^{-\frac{2}{4.33}} = .6301$$

El error $\beta$ en este caso es

$$\beta = 1 - \sum_{x=0}^{2} \binom{12}{x}(.3699)^x(.6301)^{12-x} = .8794$$

De tal modo, el error $\beta$ para la prueba del signo no sólo depende del valor alternativo de $\tilde{\mu}$ sino del área a la derecha del valor especificado en la hipótesis nula bajo la distribución de probabilidad de la población. Esta área es altamente dependiente de la forma de la distribución de probabilidad particular.

### 16-2.4 Comparación de la prueba del signo y la prueba $t$

Si la población de base es normal, entonces ya sea la prueba del signo o la prueba $t$ podrían utilizarse para probar $H_0$: $\tilde{\mu} = \tilde{\mu}_0$. Se sabe que la prueba $t$ tiene el valor más pequeño posible de $\beta$ entre todas las pruebas que tienen nivel de significación $\alpha$, por lo que es superior a la prueba del signo en el caso de la distribución normal. Cuando la distribución de la población es simétrica y no normal (pero con media finita $\mu = \tilde{\mu}$), la prueba $t$ tendrá un error $\beta$ que es más pequeño que la $\beta$ para la prueba del signo, a menos que la distribución tenga colas muy pesadas en comparación con la normal. De tal modo, la prueba del signo suele considerarse como un procedimiento de prueba para la mediana más que un competidor serio para la prueba $t$. La prueba de Wilcoxon del rango con signo que estudiamos a continuación es preferible para la prueba del signo y se compara bien con las pruebas $t$ correspondientes a las distribuciones simétricas.

## 16-3  Prueba de Wilcoxon del rango con signo

Considérese que estamos dispuestos a suponer que la población de interés es *continua* y *simétrica*. Como en la sección anterior, nuestro interés se enfoca en la mediana $\tilde{\mu}$ (o equivalentemente, la media $\mu$, puesto que $\tilde{\mu} = \mu$ para las distribuciones simétricas). Una desventaja de la prueba del signo en esta situación es que considera sólo los signos de las desviaciones $X_i - \tilde{\mu}_0$ y no sus magnitudes. La prueba de Wilcoxon del rango con signo se diseñó para superar esta desventaja.

### 16-3.1  Descripción de la prueba

Estamos interesados en probar $H_0: \mu = \mu_0$ contra las alternativas usuales. Supóngase que $X_1, X_2, \ldots, X_n$ es una muestra aleatoria de una distribución continua y simétrica con media (y mediana) $\mu$. Se calculan las diferencias $X_i - \mu_0$, $i = 1, 2, \ldots, n$. Se clasifican las diferencias absolutas $|X_i - \mu_0|$, $i = 1, 2, \ldots, n$ en orden ascendente, y luego se asignan a los rangos los signos de sus diferencias correspondientes. Sea $R^+$ la suma de los rangos positivos y $R^-$ el valor absoluto de la suma de los rangos negativos, y sean $R = \min(R^+, R^-)$. La tabla XI del apéndice contiene los valores críticos de $R$, por ejemplo $R_\alpha^*$. Si la hipótesis alternativa es $H_1: \mu \neq \mu_0$, entonces si $R < R_\alpha^*$ se rechaza la hipótesis nula $H_0: \mu = \mu_0$.

En las pruebas de un lado, si la alternativa es $H_1: \mu > \mu_0$ se rechaza $H_0: \mu = \mu_0$ si $R^- < R_\alpha^*$; y si la alternativa es $H_1: \mu < \mu_0$ se rechaza $H_0: \mu = \mu_0$ si $R^+ < R_\alpha$. El nivel de significación para las pruebas de un lado es la mitad del nivel anunciado en la tabla XI del apéndice.

**Ejemplo 16.3**  Para ilustrar la prueba de Wilcoxon del rango con signo, considérense los datos de resistencia al corte del propulsante presentados en la tabla 16.1. Los rangos con signo se muestran a continuación:

| Observación | Diferencia $X_i$ − 2000 | Rango con signo |
|:---:|:---:|:---:|
| 16 | +53.50 | +1 |
| 4 | +61.30 | +2 |
| 1 | +158.70 | +3 |
| 11 | +165.20 | +4 |
| 18 | +200.50 | +5 |
| 5 | +207.50 | +6 |
| 7 | −215.20 | −7 |
| 13 | −220.20 | −8 |
| 15 | −234.70 | −9 |
| 20 | −246.70 | −10 |
| 10 | +256.70 | +11 |
| 6 | −291.70 | −12 |
| 3 | +316.00 | +13 |
| 2 | −321.85 | −14 |
| 14 | +336.75 | +15 |
| 9 | +357.90 | +16 |
| 12 | +399.55 | +17 |
| 17 | +414.40 | +18 |
| 8 | +575.00 | +19 |
| 19 | +654.20 | +20 |

La suma de los rangos positivos es $R^+ = (+1 + 2 + 3 + 4 + 5 + 6 + 11 + 13 + 15 + 16 + 17 + 18 + 19 + 20) = 150$ y la suma de los rangos negativos es $R^- = (7 + 8 + 9 + 10 + 12 + 14) = 60$. Por tanto, $R = \text{mín}(R^+, R^-) = \text{mín}(150, 60) = 60$. De la tabla XI del apéndice con $n = 20$ y $\alpha = .05$, encontramos el valor crítico $R^*_{.05} = 52$. Puesto que $R$ excede a $R^*_\alpha$ no podemos rechazar la hipótesis nula de que la resistencia media al corte (o mediana, puesto que las poblaciones se supone que son simétricas) es de 2000 psi.

**Igualdades en la prueba de Wilcoxon del rango con signo**   Debido a que la población de base es continua, las igualdades son teóricamente imposibles, aunque algunas veces ocurrirán en la práctica. Si varias observaciones tienen la misma magnitud absoluta, se les asigna el promedio de los rangos que recibirían si difieren ligeramente entre sí.

### 16-3.2   Aproximación de una muestra grande

Si el tamaño de la muestra es moderadamente grande, digamos $n > 20$, entonces puede mostrarse que $R$ tiene aproximadamente una distribución normal con media

$$\mu_R = \frac{n(n+1)}{4}$$

y varianza

$$\sigma_R^2 = \frac{n(n+1)(2n+1)}{24}$$

En consecuencia, una prueba de $H_0$: $\mu = \mu_0$ puede basarse en la estadística

$$Z_0 = \frac{R - n(n+1)/4}{\sqrt{n(n+1)(2n+1)/24}} \tag{16-3}$$

Puede elegirse una región crítica apropiada de la tabla de la distribución normal estándar.

### 16-3.3   Observaciones en pares

La prueba de Wilcoxon del rango con signo puede aplicarse a datos en pares. Sea $(X_{1j}, X_{2j})$, $j = 1, 2, \ldots, n$ una colección de observaciones en pares de distribuciones continuas que difieren sólo con respecto a su medias (*no* es necesario que las distribuciones de $X_1$ y $X_2$ sean simétricas). Esto asegura que la distribución de las *diferencias $D_j = X_{1j} - X_{2j}$ es continua y simétrica.*

Para emplear la prueba de Wilcoxon del rango con signo, las diferencias se clasifican primero en orden ascendente de sus valores absolutos, y luego se les asigna a los rangos los signos de las diferencias. A las igualdades se les asignan rangos promedio. Sea $R^+$ la suma de los rangos positivos y $R^-$ el valor absoluto de la suma de los rangos negativos, y $R = \text{mín}(R^+, R^-)$. Si $R \le R_\alpha^*$ se rechaza la hipótesis, cuando $R_\alpha^*$ se elige de la tabla XI del apéndice.

En pruebas de un lado, si la alternativa es $H_1$: $\mu_1 > \mu_2$ (o $H_1$: $\mu_D > 0$), se rechaza $H_0$ si $R^- < R_\alpha^*$; y si $H_1$: $\mu_1 < \mu_2$ (o $H_1$; $\mu_D < 0$), se rechaza $H_0$ si $R^+ < R_\alpha^*$. Nótese que el nivel de significación de las pruebas de un lado es la mitad del valor dado en la tabla XI.

| Automóvil | Diferencia | Rango con signo |
|:---------:|:----------:|:---------------:|
| 7         | −.2        | −1              |
| 12        | .3         | 2               |
| 8         | .4         | 3               |
| 6         | .5         | 4               |
| 2         | −.6        | −5              |
| 4         | .7         | 6.5             |
| 5         | −.7        | −6.5            |
| 1         | .8         | 8               |
| 9         | .9         | 9               |
| 10        | −1.0       | −10             |
| 11        | 1.1        | 11              |
| 3         | 1.3        | 12              |

**Ejemplo 16.4** Considérese el dispositivo de medición de combustible que se examinó antes en el ejemplo 16.2. Los rangos con signo se muestran en la tabla anterior.

Obsérvese que $R^+ = 55.5$ y $R^- = 22.5$; en consecuencia, $R = \min (R^+, R^-) = \min$ (55.5, 22.5) = 22.5. De la tabla XI del apéndice, con $n = 12$ y $\alpha = .05$, encontramos el valor crítico $R^*_{.05} = 13$. Puesto que $R$ excede a $R^*_{.05}$, no podemos rechazar la hipótesis nula de que los dos dispositivos de medida producen el mismo rendimiento de millaje.

### 16-3.4 Comparación con la prueba $t$

Cuando la población de base es normal, puede emplearse la prueba $t$ o la prueba de Wilcoxon de rango con signo para probar la hipótesis acerca de $\mu$. La prueba $t$ es la mejor en tales situaciones en el sentido de que produce un valor mínimo de $\beta$ en todas las pruebas con nivel de significación $\alpha$. Sin embargo, puesto que no siempre es claro que la distribución normal sea apropiada, y hay muchas situaciones en las que sabemos que es inapropiada, interesa comparar los dos procedimientos tanto para las poblaciones normales como para las no normales.

Desafortunadamente, tal comparación no es fácil. El problema es que $\beta$ para la prueba de Wilcoxon del rango con signo es muy difícil de obtener, y la $\beta$ para la prueba $t$ es difícil de conseguir para distribuciones no normales. Debido a que son difíciles las comparaciones del error de tipo II, se han desarrollado otras medidas de comparación. Una medida que se utiliza bastante es la *eficiencia relativa asintótica* (ERA). La ERA de una prueba relacionada a otra es el cociente límite de los tamaños de muestra necesarios para obtener probabilidades de error idénticas para los dos procedimientos. Por ejemplo, si la ERA de una prueba relativa a una competidora es .5, entonces cuando las muestras son grandes, la primera prueba requeriría una muestra dos veces más grande que la segunda para obtener un comportamiento del error similar. Si bien esto no nos indica nada para muestras de tamaño pequeño, podemos afirmar lo siguiente.

1. Para poblaciones normales la ERA de la prueba de Wilcoxon de rango con signo relacionada a la prueba $t$ es aproximadamente .95.
2. Para poblaciones no normales la ERA es al menos .86, y en muchos casos excederá la unidad.

Aunque estos son resultados de muestras grandes, por lo general concluimos que la prueba de Wilcoxon del rango con signo nunca será peor que la prueba $t$ y en muchos casos en los que la población no es normal tal vez resulte superior.

## 16-4  Prueba de Wilcoxon de la suma de rango

Supóngase que tenemos dos poblaciones continuas independientes $X_1$ y $X_2$ con media $\mu_1$ y $\mu_2$. Las distribuciones de $X_1$ y $X_2$ tienen la misma forma y dispersión, y difieren sólo (posiblemente) en sus medias. La prueba de Wilcoxon de la suma de rango puede utilizarse para probar la hipótesis $H_0: \mu_1 = \mu_2$. Algunas veces este procedimiento recibe el nombre de prueba de Mann-Whitney, aunque la estadística de prueba de Mann-Whitney suele expresarse de forma diferente.

### 16-4.1  Descripción de la prueba

Sean $X_{11}, X_{12}, \ldots, X_{n_1}$ y $X_{21}, X_{22}, \ldots, X_{2n_2}$ dos muestras aleatorias independientes de las poblaciones continuas $X_1$ y $X_2$ descritas antes. Suponemos que $n_1 \leq n_2$. Arréglense las observaciones $n_1 + n_2$ en orden de magnitud ascendente asignándoles rangos. Si dos o más observaciones se unen o igualan (idénticas), empléese la media de los rangos que se habría asignado si las observaciones hubieren diferido. Sea $R_1$ la suma de los rangos en la muestra más pequeña (1), y defínase

$$R_2 = n_1(n_1 + n_2 + 1) - R_1 \tag{16-4}$$

Si después de esto no difieren las medias de muestra, esperaríamos que la suma de los rangos fuera casi igual para ambas muestras. En consecuencia, si la suma de los rangos difiere de modo considerable, concluiríamos que las medias no son iguales.

La tabla IX del apéndice contiene el valor crítico de las sumas de rango para $\alpha = .05$ y $\alpha = .01$. Al referirse a la tabla IX del apéndice con los tamaños de muestra $n_1$ y $n_2$ apropiados, puede obtenerse el valor crítico $R_\alpha^*$. La hipótesis nula $H_0: \mu_1 = \mu_2$ se rechaza en favor de $H_1: \mu_1 \neq \mu_2$ ya sea que $R_1$ o $R_2$ sean menores o iguales que el valor crítico tabulado $R_\alpha^*$.

El procedimiento también puede emplearse para alternativas de un solo lado. Si la alternativa es $H_1: \mu_1 < \mu_2$, entonces se rechaza $H_0$ si $R_1 \leq R_\alpha^*$; en tanto que para $H_0: \mu_1 > \mu_2$, se rechaza $H_0$ si $R_2 \leq R_\alpha^*$. Para estas pruebas de un lado los valores críticos $R_\alpha^*$ corresponden a niveles de significación de $\alpha = .025$ y $\alpha = .005$.

**Ejemplo 16.5**  Se está estudiando la tensión axial media en miembros sujetos a tensión en la estructura de una aeronave. Se investigan dos aleaciones. La aleación 1 es un material convencional y la 2 es una nueva aleación de aluminio-litio que es mucho más ligera que el material estándar. Se prueban diez especímenes de cada tipo de aleación, y se mide la tensión axial. Los datos de muestra se integran en la siguiente tabla:

| Aleación 1 | | Aleación 2 | |
|---|---|---|---|
| 3238 psi | 3254 psi | 3261 psi | 3248 psi |
| 3195 | 3229 | 3187 | 3215 |
| 3246 | 3225 | 3209 | 3226 |
| 3190 | 3217 | 3212 | 3240 |
| 3204 | 3241 | 3258 | 3234 |

Los datos se arreglan en orden ascendente y se clasifican como sigue:

| Número de aleación | Esfuerzo axial | Rango |
|---|---|---|
| 2 | 3187 psi | 1 |
| 1 | 3190 | 2 |
| 1 | 3195 | 3 |
| 1 | 3204 | 4 |
| 2 | 3209 | 5 |
| 2 | 3212 | 6 |
| 2 | 3215 | 7 |
| 1 | 3217 | 8 |
| 1 | 3225 | 9 |
| 2 | 3226 | 10 |
| 1 | 3229 | 11 |
| 2 | 3234 | 12 |
| 1 | 3238 | 13 |
| 2 | 3240 | 14 |
| 1 | 3241 | 15 |
| 1 | 3246 | 16 |
| 2 | 3248 | 17 |
| 1 | 3254 | 18 |
| 2 | 3258 | 19 |
| 2 | 3261 | 20 |

La suma de los rangos para la aleación 1 es

$$R_1 = 2 + 3 + 4 + 8 + 9 + 11 + 13 + 15 + 16 + 18 = 99$$

y para la aleación 2

$$R_2 = n_1(n_1 + n_2 + 1) - R_1 = 10(10 + 10 + 1) - 99 = 111$$

De la tabla IX del apéndice, con $n_1 = n_2 = 10$ y $\alpha = .05$, encontramos que $R^*_{.05} = 78$. Puesto que ni $R_1$ ni $R_2$ son menores que $R^*_{.05}$, no podemos rechazar la hipótesis de que ambas aleaciones exhiban la misma tensión axial media.

### 16-4.2  Aproximación de muestra grande

Cuando tanto $n_1$ y $n_2$ son moderadamente grandes, digamos mayores que 8, la distribución de $R_1$ puede aproximarse bien mediante la distribución normal con media

$$\mu_{R_1} = \frac{n_1(n_1 + n_2 + 1)}{2}$$

y varianza

$$\sigma_{R_1}^2 = \frac{n_1 n_2 (n_1 + n_2 + 1)}{12}$$

En consecuencia, para $n_1$ y $n_2 > 8$ podríamos emplear

$$Z_0 = \frac{R_1 - \mu_R}{\sigma_R} \tag{16-5}$$

como una estadística de prueba, y la apropiada región crítica $|Z_0| > Z_{\alpha/2}$, $Z_0 > Z_\alpha$, o $Z_0 < -Z_\alpha$, según si la prueba es de dos colas, de cola superior o de cola inferior.

### 16-4.3  Comparación con la prueba $t$

En la sección 16-3.4 tratamos la comparación de la prueba $t$ con la prueba de Wilcoxon del rango con signo. Los resultados para el problema de dos muestras son idénticos al caso de un lado; esto es, cuando la suposición de normalidad es correcta, la prueba de Wilcoxon de la suma de rangos será aproximadamente 95 por ciento tan eficiente como la prueba $t$ en muestras grandes. Por otra parte, independientemente de la forma de las distribuciones, la prueba de Wilcoxon de la suma de rangos será siempre eficiente en por lo menos un 86 por ciento, si las distribuciones de base son no normales de modo considerable. La eficiencia de la prueba de Wilcoxon relativa a la prueba $t$ suele ser alta si la distribución de base tiene colas más pesadas que la normal, debido a que el comportamiento de la prueba $t$ depende de manera considerable de la media de la muestra, la que es bastante inestable en distribuciones con cola pesada.

## 16-5.  Métodos no paramétricos en el análisis de varianza

### 16-5.1  Prueba Kruskal-Wallis

El modelo de análisis de varianza de un solo factor desarrollado en el capítulo 12 para comparar a medias de población es

$$y_{ij} = \mu + \tau_i + \varepsilon_{ij} \begin{cases} i = 1, 2, \ldots, a \\ j = 1, 2, \ldots, n_i \end{cases} \tag{16-6}$$

En este modelo los términos de error $\varepsilon_{ij}$ se supone que se distribuyen normal e independientemente con media cero y varianza $\sigma^2$. La suposición de normalidad conduce directamente a la prueba $F$ descrita en el capítulo 12. La prueba Kruskal-Wallis es un alternativa no paramétrica para la prueba $F$; sólo requiere que las $\varepsilon_{ij}$ tengan la misma distribución continua para todos los tratamientos $i = 1, 2, \ldots, a$.

Supóngase que $N = \Sigma_{i=j}^{a} n_i$ es el número total de observaciones. Se clasifican la totalidad de $N$ observaciones de la más pequeña a la más grande y se asigna a la más pequeña el rango 1, a la siguiente más pequeña el rango 2, $\ldots$, y a la observación más grande el rango $N$. Si la hipótesis nula

$$H_0: \mu_1 = \mu_2 = \cdots = \mu_a$$

es cierta, la $N$ observaciones provienen de la misma distribución y todas las posibles asignaciones de los $N$ rangos para las $a$ muestras son igualmente probables, esperaríamos entonces que los rangos $1, 2, \ldots, N$ se mezclen a lo largo de las $a$ muestras. Sin embargo, si la hipótesis nula $H_0$ es falsa, entonces algunas muestras constarán de $a$ observaciones que tendrán en forma predominante rangos pequeños, en tanto que otras muestras constarán de observaciones con rangos predominantemente grandes. Sea $R_{ij}$ el rango de observación $y_{ij}$ y sea $R_i$ y $\overline{R}_{i\cdot}$ que denoten el total y el promedio de los $n_i$ rangos en el tratamiento $i$ésimo. Cuando la hipótesis nula es cierta,

$$E(R_{ij}) = \frac{N+1}{2}$$

y

$$E(\overline{R}_{i\cdot}) = \frac{1}{n_i} \sum_{j=1}^{n_i} E(R_{ij}) = \frac{N+1}{2}$$

La estadística de prueba Kruskal-Wallis mide el grado en el cual los rangos promedios reales observados $\overline{R}_{i\cdot}$ difieren de su valor esperados $(N+1)/2$. Si esta diferencia es grande, entonces se rechaza la hipótesis nula $H_0$. La estadística de prueba es

$$K = \frac{12}{N(N+1)} \sum_{i=1}^{a} n_i \left( \overline{R}_{i\cdot} - \frac{N+1}{2} \right)^2 \tag{16-7}$$

Una fórmula de cómputo alterna es

$$K = \frac{12}{N(N+1)} \sum_{i=1}^{a} \frac{R_{i\cdot}^2}{n_i} - 3(N+1) \tag{16-8}$$

La mayor parte de las veces preferiríamos la ecuación 16-8 en lugar de la ecuación 16-7 cuando implique los totales de rango en lugar de los promedios.

La hipótesis nula $H_0$ debe rechazarse si los datos de muestra generan un valor grande para $K$. La distribución nula para $K$ se ha obtenido empleando el hecho de que bajo $H_0$ cada asignación posible de rangos para los $a$ tratamientos es igualmente probable. De ese modo podríamos enumerar todos los asignamientos posibles y contar el número de veces que ocurre cada valor $K$. Esto ha conducido a tablas de los valores críticos de $K$, aunque la mayor parte de las mismas se restringen a tamaños de muestra $n_i$ pequeños. En la práctica, solemos emplear la siguiente aproximación de muestra grande: Cada vez que $H_0$ es cierta y ya sea que

$$a = 3 \quad \text{y} \quad n_i \geq 6 \quad \text{para } i = 1, 2, 3$$
$$a > 3 \quad \text{y} \quad n_i \geq 5 \quad \text{para } i = 1, 2, \ldots, a$$

entonces $K$ tiene aproximadamente una distribución ji cuadrada con $a - 1$ grados de libertad. Puesto que valores grandes de $K$ implican que $H_0$ es falsa, rechazaríamos $H_0$ si

$$K \geq \chi^2_{\alpha, a-1}$$

La prueba tiene el nivel de significación aproximado $\alpha$.

**Igualaciones en la prueba Kruskal-Wallis**   Cuando las observaciones se unen o igualan, se asigna un rango promedio a cada una de las observaciones igualadas. Cuando hay igualaciones, debemos reemplazar la estadística de prueba en la ecuación 16-8 por

$$K = \frac{1}{S^2} \left[ \sum_{i=1}^{a} \frac{R_i^2}{n_i} - \frac{N(N+1)^2}{4} \right] \tag{16-9}$$

donde $n_i$ es el número de observaciones en el tratamiento $i$ésimo, $N$ es el número total de observaciones, y

$$S^2 = \frac{1}{N-1} \left[ \sum_{i=1}^{a} \sum_{j=1}^{n_i} R_{ij}^2 - \frac{N(N+1)^2}{4} \right] \tag{16-10}$$

Nótese que $S^2$ es sólo la varianza de los rangos. Cuando el número de igualaciones es moderado, habrá una pequeña diferencia entre las ecuaciones 16-8 y 16-9, y puede utilizarse la forma simple (ecuación 16-8).

**Ejemplo 16.6**   En *Design and Analysis of Experiments,* 2a. edición (John Wiley & Sons, 1984), D. C. Montgomery presenta datos de un experimento en el cual

**TABLA 16.3  Datos y rangos para el experimento de la prueba de tensión**

| | | | | | Porcentaje de algodón | | | | |
| --- | --- | --- | --- | --- | --- | --- | --- | --- | --- |
| 15 | | 20 | | 25 | | 30 | | 35 | |
| $y_{1j}$ | $R_{1j}$ | $y_{2j}$ | $R_{2j}$ | $y_{3j}$ | $R_{3j}$ | $y_{4j}$ | $R_{4j}$ | $y_{5j}$ | $R_{5j}$ |
| 7 | 2.0 | 12 | 9.5 | 14 | 11.0 | 19 | 20.5 | 7 | 2.0 |
| 7 | 2.0 | 17 | 14.0 | 18 | 16.5 | 25 | 25.0 | 10 | 5.0 |
| 15 | 12.5 | 12 | 9.5 | 18 | 16.5 | 22 | 23.0 | 11 | 7.0 |
| 11 | 7.0 | 18 | 16.5 | 19 | 20.5 | 19 | 20.5 | 15 | 12.5 |
| 9 | 4.0 | 18 | 16.5 | 19 | 20.5 | 23 | 24.0 | 11 | 7.0 |
| $R_i$. | 27.5 | | 66.0 | | 85.0 | | 113.0 | | 33.5 |

cinco diferentes niveles de contenido de algodón en una fibra sintética se probaron para determinar si dicho contenido tiene algún efecto en la resistencia a la tensión de la fibra. Los datos de muestra y los rangos de este experimento se muestran en la tabla 16.3. Puesto que hay un número bastante grande de igualaciones, empleamos la ecuación 16-9 como estadística de prueba. De la ecuación 16-10 encontramos

$$S^2 = \frac{1}{N-1}\left[\sum_{i=1}^{a}\sum_{j=1}^{n_i} R_{ij}^2 - \frac{N(N+1)^2}{4}\right]$$

$$= \frac{1}{24}\left[5497.79 - \frac{25(26)^2}{4}\right]$$

$$= 53.03$$

y la estadística de prueba es

$$K = \frac{1}{S^2}\left[\sum_{i=1}^{a}\frac{R_{i.}^2}{n_i} - \frac{N(N+1)^2}{4}\right]$$

$$= \frac{1}{53.03}\left[5245.0 - \frac{25(26)^2}{4}\right]$$

$$= 19.25$$

Puesto que $K > \chi_{.01,4}^2 = 13.28$, rechazaríamos la hipótesis nula y concluiríamos que difieren los tratamientos. Ésta es la misma conclusión dada por el análisis usual de la prueba $F$ de la varianza.

## 16-5.2  Transformación de rango

El procedimiento que se empleó en la sección anterior de reemplazar las observaciones por sus rangos se llama *transformación de rangos*. Es una técnica muy poderosa y bastante útil. Si fuéramos a aplicar la prueba de $F$ ordinaria a los rangos en vez de a los datos originales, obtendríamos

$$F_0 = \frac{K/(a-1)}{(N-1-K)/(N-a)}$$

como estadística de prueba. Obsérvese que, conforme aumenta o disminuye la estadística $K$ de Kruskal-Wallis, $F_0$ también aumenta o disminuye, por lo que la prueba Kruskall-Wallis es equivalente a aplicar el análisis usual de varianza a los rangos.

La transformación de rangos tiene una amplia aplicabilidad en los problemas de diseño experimental para los cuales no existe alternativa no paramétrica al análisis de varianza. Si los datos se clasifican y se aplica la prueba $F$ ordinaria, se produce un procedimiento aproximado, pero con buenas propiedades estadísticas. Cuando estamos interesados en la suposición de normalidad o en el efecto de valores aislados o "comodines", recomendamos que el análisis usual de varianza se efectúe tanto en los datos originales como en los rangos. Cuando ambos procedimientos producen resultados similares, es probable que las suposiciones del análisis de varianza se satisfagan razonablemente bien, y que el análisis de varianza sea satisfactorio. Cuando difieren los dos procedimientos, la transformación de rango debe preferirse puesto que es menos probable que sea distorsionada por la no normalidad y las observaciones inusuales. En tales casos, el experimentador puede estar interesado en investigar el uso de transformaciones para la no normalidad y examinar los datos y el procedimiento experimental para determinar si están presentes valores aislados y por qué han ocurrido.

## 16-6   Resumen

Este capítulo presentó lo métodos no paramétricos o libres de distribución. Estos procedimientos son alternativas para las pruebas paramétricas usuales $t$ y $F$ cuando no se satisface la suposición de normalidad en la población de base. La prueba del signo puede emplearse para probar hipótesis acerca de la mediana de una distribución continua. También puede aplicarse a observaciones en pares. Es posible utilizar la prueba Wilcoxon del rango con signo para probar hipótesis relativas a la media de una distribución continua simétrica. Además, puede aplicarse a observaciones en pares. La prueba del rango con signo es una buena alternativa para la prueba $t$. El problema de la prueba de hipótesis de dos muestras respecto a las medias de distribuciones simétricas continuas se plantea empleando la prueba Wilcoxon de la suma de rangos. Este procedimiento se compara en forma muy favorable con la prueba $t$ de dos muestras. La prueba Kruskal-Wallis es una alternativa útil para la prueba $F$ en el análisis de varianza.

# 16-7 Ejercicios

**16-1** Se tomaron diez muestras de un baño de platinado utilizado en un proceso de manufactura electrónica y se determinó el pH del baño. Los valores del pH de la muestra son los siguientes:

$$7.91, 7.85, 6.82, 8.01, 7.46, 6.95, 7.05,$$
$$7.35, 7.25, 7.42$$

El departamento de ingeniería de manufacturas cree que el pH tiene un valor medio de 7.0. ¿Indican los datos de la muestra que esta suposición es correcta? Emplee la prueba del signo para investigar esta hipótesis.

**16-2** El contenido de titanio en una aleación utilizada en aeronaves determina de manera importante la resistencia. Una muestra de 20 cupones de prueba revela los siguientes contenidos de titanio (en porcentaje):

$$8.32, 8.05, 8.93, 8.65, 8.25, 8.46, 8.52, 8.35, 8.36, 8.41,$$
$$8.42, 8.30, 8.71, 8.75, 8.60, 8.83, 8.50, 8.38, 8.29, 8.46$$

El contenido medio de titanio debe ser 8.5 por ciento. Emplee la prueba del signo para investigar esta hipótesis.

**16-3** La distribución del tiempo entre arribos en un sistema de telecomunicaciones es exponencial, y el administrador del sistema desea probar la hipótesis de que $H_0$: $\tilde{\mu} = 3.5$ min contra $H_1$: $\tilde{\mu} > 3.5$ min.
a)  ¿Cuál es el valor de la media de la distribución exponencial bajo $H_0$: $\tilde{\mu} = 3.5$?
b)  Suponga que hemos tomado una muestra de $n = 10$ observaciones y vemos que $R^- = 3$. ¿La prueba del signo rechazaría $H_0$ cuando $\alpha = .05$?
c)  ¿Cuál es el error de tipo II de esta prueba si $\tilde{\mu} = 4.5$?

**16-4** Suponga que tomamos una muestra $n = 10$ mediciones de una distribución normal con $\sigma = 1$. Deseamos probar $H_0$: $\mu = 0$ contra $H_1 = \mu > 0$. La estadística de prueba normal es $Z_0 = (X - \mu_0)/(\sigma/\sqrt{n})$, y decidimos emplear una región crítica de 1.96 (esto es, se rechaza $H_0$ si $Z_0 \geq 1.96$).
a)  ¿Cuál es el valor de $\alpha$ para esta prueba?
b)  ¿Cuál es el valor de $\beta$ para esta prueba, si $\mu = 1$?
c)  Si se emplea una prueba del signo, especifique la región crítica que produzca un valor de $\alpha$ consistente con la $\alpha$ para la prueba normal.
d)  ¿Cuál es el valor de $\beta$ para la prueba del signo, si $\mu = 1$? Compare esto con el resultado obtenido en la parte b).

**16-5** Dos diferentes tipos de puntas pueden utilizarse en un probador de dureza Rockwell. Se seleccionan ocho cupones de lingotes de prueba de una aleación base de niquel, y cada cupón se prueba dos veces, una vez con cada punta. Las lecturas de dureza Rockwell de la escala C se muestran a continuación. Emplee la prueba del signo para determinar si las dos puntas producen lecturas de dureza equivalentes o no.

| Cupón | Tipo 1 | Tipo 2 |
|-------|--------|--------|
| 1 | 63 | 60 |
| 2 | 52 | 51 |
| 3 | 58 | 56 |
| 4 | 60 | 59 |
| 5 | 55 | 58 |
| 6 | 57 | 54 |
| 7 | 53 | 52 |
| 8 | 59 | 61 |

**16-6 Prueba de tendencias.** La rueda de un automóvil turbocargado se manufactura empleando un proceso de fundición del revestimiento. El eje encaja en la abertura de la rueda, y dicha abertura es una dimensión crítica. Cuando se forman los molde de cera de la rueda, se desgasta la herramienta pesada que los produce. Esto puede provocar el crecimiento en la dimensión de la apertura de la rueda. A continuación se muestran diez mediciones de apertura de rueda, en el orden en que fueron producidos:

$$4.00 \, (\text{mm}), 4.02, 4.03, 4.01, 4.00, 4.03, 4.04, 4.02,$$
$$4.03, 4.03$$

a) Suponga que $p$ es la probabilidad de que la observación $X_{i+5}$ exceda a la observación $X_i$. Si no hay tendencia hacia arriba o hacia abajo, no es ni más ni menos probable que la $X_{i+5}$ exceda a $X_i$ o se encuentre debajo de $X_i$. ¿Cuál es el valor de $p$?

b) Sea $V$ el número de valores de $i$ para los cuales $X_{i+5} > X_i$. Si no hay tendencia hacia arriba o hacia abajo en las mediciones, ¿cuál es la distribución de probabilidad de $V$?

c) Emplee los datos anteriores y los resultados de las partes a) y b) para probar $H_0$: no hay tendencias, contra $H_1$: hay tendencia hacia arriba. Emplee $\alpha = .05$. Note que esta prueba es una modificación de la prueba del signo. Ésta fue desarrollada por Cox y Stuart.

**16-7.** Considere la prueba de Wilcoxon del rango con signo, y suponga que $n = 5$. Suponga también que $H_0$: $\mu = \mu_0$ sea cierta.

a) ¿Cuántas secuencias diferentes de rangos con signo son posibles? Enumere estas secuencias.

b) ¿Cuántos valores diferentes de $R^+$ hay? Encuentre la probabilidad asociada con cada valor de $R^+$.

c) Suponga que definimos la región crítica de la prueba como $R_\alpha^*$ tal como la rechazaríamos si $R^+ > R_\alpha^*$. $R_\alpha^* = 13$. ¿Cuál es el nivel $\alpha$ aproximado de esta prueba?

d) ¿Puede usted ver, a partir de este ejercicio, cómo se desarrollaron los valores críticos para la prueba de Wilcoxon de rango con signo? Explique.

**16-8** Considere los datos en el ejercicio 16-1, y suponga que la distribución de pH es simétrica y continua. Emplee la prueba Wilcoxon del rango con signo para probar la hipótesis $H_0$: $\mu = 7$ contra $H_1$: $\mu \neq 7$.

**16-9** Considere los datos en el ejercicio 16-2. Suponga que la distribución del contenido de titanio es simétrica y continua. Emplee la prueba de Wilcoxon del rango con signo para probar la hipótesis $H_0$: $\mu = 8.5$ contra $H_1$: $\mu \neq 8.5$.

**16-10** Considere los datos en el ejercicio 16-2. Emplee la aproximación de muestra grande en la prueba Wilcoxon del rango con signo para probar la hipótesis $H_0$: $\mu = 8.5$ contra $H_1$: $\mu \neq 8.5$. Suponga que la distribución del contenido de titanio es continua y simétrica.

**16-11** En la aproximación de muestra grande para la prueba del rango con signo, obtenga la media y la desviación estándar de la estadística de prueba utilizada en el procedimiento.

**16-12** Considere los datos de la prueba de dureza Rockwell en el ejercicio 16-5. Suponga que ambas distribuciones son continuas y emplee la prueba de Wilcoxon del rango con signo para probar que la diferencia media en las lecturas de dureza entre las dos puntas es de cero.

**16-13** Un ingeniero electricista debe diseñar un circuito para dar la máxima corriente a un tubo de imagen para alcanzar la brillantez suficiente. Él ha desarrollado dentro de las restricciones de diseño permisibles, dos circuitos candidatos y prueba los prototipos de cada uno de ellos. Los candidatos resultantes (en microamperes) se muestran en seguida:

| Circuito 1: | 251, | 255, | 258, | 257, | 250, | 251, | 254, | 250, | 248 |
|---|---|---|---|---|---|---|---|---|---|
| Circuito 2: | 250, | 253, | 249, | 256, | 259, | 252, | 260, | 251 | |

Emplee la prueba Wilcoxon de la suma de rangos para probar $H_0$: $\mu_1 = \mu_2$ contra la alternativa $H_i$: $\mu_1 > \mu_2$.

**16-14** Uno de los autores de este libro (DCM) viaja con frecuencia a Seatle, Washington, en calidad de consultor de la compañía Boeing. Para ello, recurre a una de dos líneas aéreas, Delta y Alaska. Los retrasos de vuelo son algunas veces inevitables, pero él estaría dispuesto a utilizar la línea aérea que tenga el mejor récord de llegadas a tiempo. El número de minutos que su vuelo ha llegado tarde en los últimos seis viajes en cada aerolínea se muestra a continuación ¿Hay evidencia de que una de las aerolíneas tiene un desempeño superior en cuanto a llegadas a tiempo?

| Delta: | 13, | 10, | 1, | $-4$, | 0, | 9 | (minutos tarde) |
|---|---|---|---|---|---|---|---|
| Alaska: | 15, | 8, | 3, | $-1$, | $-2$, | 4 | (minutos tarde) |

**16-15** El fabricante de bañeras está interesado en probar dos diferentes elementos calefactores para su producto. Sería preferible el elemento que produzca la máxima ganancia de calor al cabo de 15 minutos. Obtiene 10 muestras de cada unidad de calefacción y las prueba una por una. La ganancia de calor después de 15 minutos en (°F) se muestra a continuación. ¿Hay alguna razón para sospechar que una unidad es superior a la otra?

| Unidad 1 | 25, | 27, | 29, | 31, | 30, | 26, | 24, | 32, | 33, | 38 |
|----------|-----|-----|-----|-----|-----|-----|-----|-----|-----|-----|
| Unidad 2 | 31, | 33, | 32, | 35, | 34, | 29, | 38, | 35, | 37, | 30 |

**16-16** En *Design and Analysis of Experiments*, 2a. edición (John Wiley & Sons, 1984), D. C. Montgomery presenta los resultados de un experimento para comparar cuatro técnicas de mezcla diferentes en relación con la resistencia a la tensión de cemento portland. Los resultados se muestran a continuación. ¿Hay alguna indicación de que la técnica de mezclado afecte la resistencia?

| Técnica de mezclado | Resistencia a la tensión (lb / plg.$^2$) | | | |
|:---:|:---:|:---:|:---:|:---:|
| 1 | 3129 | 3000 | 2865 | 2890 |
| 2 | 3200 | 3000 | 2975 | 3150 |
| 3 | 2800 | 2900 | 2985 | 3050 |
| 4 | 2600 | 2700 | 2600 | 2765 |

**16-17** Un artículo en el *Quality Control Handbook*, 3a. edición (McGraw-Hill, 1962) presenta los resultados de un experimento realizado para investigar el efecto de tres métodos diferentes de humidificación relativos a la resistencia a la fractura de bloques de cemento. Los datos se muestran a continuación. ¿Hay alguna indicación de que el método de humidificación afecte la resistencia a la fractura?

| Método de humidificación | Resistencia a la fractura (lb / plg.$^2$) | | | | |
|:---:|:---:|:---:|:---:|:---:|:---:|
| 1 | 553 | 550 | 568 | 541 | 537 |
| 2 | 553 | 599 | 579 | 545 | 540 |
| 3 | 492 | 530 | 528 | 510 | 571 |

**16-18** En *Statistics for Research* (John Wiley & Sons, 1983), S. Dowdy y S. Wearden presentan los resultados de un experimento para medir la tensión psicológica que resulta de operar en forma manual sierras de cadena. Los investigadores miden el ángulo de contragolpe a través del cual la sierra se desvía cuando empieza a cortar un tablero sintético de 3 pulgadas. A continuación se presentan los ángulos de desviación para cinco sierras elegidas al azar de cuatro fabricantes diferentes. ¿Hay alguna evidencia de que los productos difieran con respecto al ángulo de contragolpe?

| Fabricante | Ángulo de contragolpe | | | | |
|:---:|:---:|:---:|:---:|:---:|:---:|
| A | 42 | 17 | 24 | 39 | 43 |
| B | 28 | 50 | 44 | 32 | 61 |
| C | 57 | 45 | 48 | 41 | 54 |
| D | 29 | 40 | 22 | 34 | 30 |

# Capítulo 17

# Control de calidad estadístico e ingeniería de confiabilidad

La calidad de los productos y servicios utilizados por nuestra sociedad se ha convertido en un importante factor de decisión del consumidor en muchos, o quizá en todos los negocios de hoy día. Sin que importe que el consumidor sea un individuo, una corporación, un programa de defensa militar o una tienda al menudeo, es probable que el consumidor considere la calidad tan importante como el costo o como el plazo de entrega. En consecuencia, el *mejoramiento de la calidad* se ha vuelto la principal preocupación de las corporaciones de Estados Unidos. Este capítulo trata de los métodos del control de calidad estadístico y de la ingeniería de confiabilidad, dos grupos de herramientas esenciales en las actividades de mejoramiento de la calidad.

## 17-1 Incremento de calidad y estadística

Calidad significa *idoneidad para el uso*. Por ejemplo, usted o nosotros podemos comprar automóviles que esperamos no tengan defectos de fabricación y que deben brindar transporte confiable y económico; un vendedor al menudeo compra bienes terminados con la esperanza de que estén empacados y arreglados de manera apropiada para almacenarlos y exhibirlos con facilidad, o un fabricante adquiere materia prima y espera procesarla con reproceso y desperdicio mínimos. En otras palabras, todos los consumidores esperan que los productos y servicios que compran cumplan sus requerimientos, y esos requerimientos definen lo idóneo para su uso.

La calidad o idoneidad para el uso se determina a través de la interacción de la *calidad de diseño* y *la calidad de conformidad*. Por calidad de diseño entendemos los diferentes grados o niveles de desempeño, confiabilidad, servicio y función que son el resultado de decisiones de ingeniería y administración premeditadas. Por calidad de conformidad, entendemos la *reducción de variabilidad* y *eliminación de defectos* sistemáticos hasta que cada unidad producida sea idéntica y esté libre de defectos.

Hay cierta confusión en nuestra sociedad acerca del *mejoramiento de la calidad*; hay todavía quien piensa que ello significa dar un acabado dorado a un producto o gastar más dinero para desarrollar un producto o proceso. Esta idea es equivocada. El mejoramiento de la calidad significa la *eliminación de desperdicio*. Entre los ejemplos de desperdicios se encuentran los desechos y el reprocesamiento en la manufactura, inspección y prueba, errores en documentos (como dibujos de ingeniería, verificaciones, órdenes de compra y planos), quejas del cliente mediante llamadas telefónicas, costos de garantía y el tiempo requerido para hacer de nuevo las cosas que podrían haberse realizado de manera correcta la primera vez. Un esfuerzo de mejoramiento de la calidad que tenga éxito puede eliminar muchas de estas pérdidas y conducir a costos menores, mayor productividad, satisfacción creciente del cliente, aumento de la reputación comercial, mayor participación en el mercado y, a la larga, mayores rendimientos para la compañía.

Los métodos estadísticos desempeñan un papel vital en el mejoramiento de la calidad. Algunas aplicaciones son:

1. En el diseño y desarrollo del producto, determinados métodos estadísticos que incluyen experimentos diseñados pueden utilizarse para comparar diferentes materiales, distintos componentes o ingredientes, y ayudar en la determinación de la tolerancia tanto del sistema como de los componentes. Todo ello reduce en forma significativa el desarrollo de costos y de tiempos.
2. Los métodos estadísticos, que pueden utilizarse para determinar la capacidad de un proceso de manufactura. El control de procesos estadísticos puede emplearse para mejorar de manera sistemática un proceso mediante la reducción de la variabilidad.
3. Los métodos del diseño de experimentos pueden usarse para investigar mejoras en el proceso. Estas mejoras pueden llevar a producciones más altas y menores costos de manufactura.
4. La prueba de durabilidad brinda confiabilidad y otros datos de desempeño acerca del producto. Esto puede conducir a diseños y productos nuevos y mejorados que tienen vida útil más larga y costos de operación y mantenimiento menores.

Algunas de estas aplicaciones se han ilustrado en los capítulos anteriores de este libro. Es esencial que los ingenieros y los gerentes adquieran un conocimiento a fondo de estas herramientas estadísticas en cualquier industria o actividad comercial que pretenda lograr el nivel de productor de alta calidad y bajo costo. En este capítulo brindamos una introducción a los métodos básicos del control de calidad estadístico y la ingeniería de confiabilidad que, junto con el diseño de experimentos, forman la base de los esfuerzos exitosos por el mejoramiento de la calidad.

## 17-2  Control estadístico de calidad

El campo del control estadístico de calidad puede definirse en forma amplia como aquel que se compone de métodos estadísticos y de ingeniería útiles en la medición, supervisión, control y mejoramiento de la calidad. En este capítulo, se emplea una definición un poco más precisa. Definiremos el control estadístico de calidad como los métodos de la estadística y de la ingeniería para

1. El control del proceso.
2. El muestreo de aceptación.

El control estadístico de calidad es un campo relativamente nuevo, que se remonta a la década de los años veinte. El doctor Walter A. Shewahart, de los Bell Telephone Laboratories fue uno de los pioneros del campo. En 1924, escribió un memorándum en el que se mostraba un diagrama de control moderno, una de las herramientas básicas del control de procesos estadístico. Harold F. Dodge y Harry G. Romig, otros dos empleados de Bell System, encabezaron en gran medida el desarrollo de los métodos de muestreo e inspección basados en estadísticas. El trabajo de estos tres hombres constituye la base del moderno campo del control estadístico de calidad. La Segunda Guerra Mundial vio la introducción difundida de estos métodos en la industria de Estados Unidos. Los doctores W. Edwards Deming y Joseph M. Juran desempeñaron un papel importante de la difusión de los métodos de control de calidad estadísticos desde la Segunda Guerra Mundial.

Los japoneses en particular han tenido éxito en el desarrollo de métodos de control estadístico de calidad y los han empleado para ganar significativas ventajas respecto a sus competidores. En los años setenta la industria de Estados Unidos sufrió mucho la competencia de los japoneses (y de otras firmas extranjeras), y eso ha conducido a su vez a un renovado interés en los métodos de control estadístico de calidad en Estados Unidos. Gran parte de dicho interés se centra en el *control de procesos estadísticos* y el *diseño de experimentos*. Muchas compañías de dicho país han iniciado amplios programas para implantar estos métodos en su manufactura, ingeniería, así como en otras organizaciones comerciales.

## 17-3    Control del proceso estadístico

Es imposible examinar la calidad en un producto; éste debe hacerse bien la primera vez. Esto implica que el proceso de manufactura debe ser estable o repetible y capaz de operar con poca variabilidad en torno al objeto o dimensión nominal. Los controles de proceso estadístico en línea son herramientas poderosas útiles en el logro de la estabilidad del proceso y en el mejoramiento de la capacidad mediante la reducción de la variabilidad.

Es usual considerar el control del proceso estadístico (CPE) como un conjunto de herramientas de solución de problemas que puede aplicarse en cualquier proceso. Las principales herramientas del CPE son

1.  El histograma.
2.  El diagrama de Pareto.
3.  El diagrama de causa-efecto.
4.  El diagrama de concentración de defectos.
5.  El diagrama de control.
6.  El diagrama de dispersión.
7.  La hoja de verificación.

Si bien estas herramientas son parte importante del CPE, en realidad sólo incluyen el aspecto técnico del tema. El CPE es una *actitud* (un deseo de todos los individuos en la organización para el mejoramiento continuo de la calidad y productividad por medio de la reducción sistemática de la variabilidad). El diagrama de control es la más poderosa de las herramientas del CPE. A continuación brindaremos una introducción a los diversos tipos básicos de diagramas de control.

### 17-3.1    Introducción al diagrama de control

La teoría básica del diagrama de control fue desarrollada por el doctor Walter A. Shewhart en la década de los veinte. Para entender cómo trabaja un diagrama de control, debemos entender primero la teoría de la variación de Shewhart. Shewhart formuló la teoría de que todos los procesos, incluso los buenos, se caracterizan por una cierta cantidad de variación si se miden con un instrumento de suficiente resolución. Cuando esta variabilidad se limita sólo a una *variación aleatoria* o *probabilística*, se afirma que el proceso estará en un estado de *control estadístico*. Sin embargo, puede existir otra situación en la cual la variabilidad del proceso también sea afectada por alguna *causa asignable*, tal como un mal ajuste de una máquina, un error del operador, materia prima inadecuada, componentes de la máquina desgastados, etc.[1] Estas causas de variación asignables

---

[1] Algunas veces se emplea causa *común* en lugar de "causa aleatoria" o "casualidad", y causa *especial* se utiliza en lugar de "causa asignable".

suelen tener un efecto adverso en la calidad del producto, por lo que es importante tener alguna técnica sistemática para detectar serias desviaciones de un estado de control estadístico tan rápido como sea posible después de que ocurran. Los diagramas de control se emplean principalmente para este propósito.

La fuerza del diagrama de control radica en su capacidad para detectar causas asignables. Es labor de los individuos que emplean el diagrama de control identificar la causa fundamental que originó la condición "fuera de control", desarrollar e implantar una acción correctiva apropiada y después, asegurar que la causa asignable ha sido eliminada del proceso. Hay tres puntos que recordar:

1. Un estado de control estadístico no es un estado neutral para la mayor parte de los procesos.
2. El empleo cuidadoso de los diagramas de control resultará en la eliminación de causas asignables, produciendo un proceso bajo control y reduciendo la variabilidad del proceso.
3. El diagrama de control es ineficaz sin el sistema para desarrollar e implantar acciones correctivas que ataquen la causa raíz de los problemas. Para lograr esto suele ser necesario la participación de la administración y la ingeniería.

Distinguimos entre los diagramas de control para *mediciones* y diagramas de control para *atributos*, según si las observaciones respecto a la característica de calidad sean mediciones o datos enumerados. Por ejemplo, podemos elegir, medir el diámetro de un eje, digamos con un micrómetro, y utilizar estos datos junto con un diagrama de control para mediciones. Por otra parte, es posible que evaluemos cada unidad del producto como defectuosa o no defectuosa, y emplear la fracción de unidades no defectuosas encontradas o el número total de defectos en conjunción con un diagrama de control para atributos. Es obvio que ciertos productos y características de calidad por sí solas se presentan para análisis por cualquier método, y una elección totalmente clara entre los dos métodos puede ser difícil.

Un diagrama de control, ya sea para mediciones o atributos, consta de una *línea central* correspondiente a la calidad promedio a la cual el proceso debe comportarse cuando se presenta el control estadístico, y dos *límites de control*, llamados los límites de control superior e inferior. En la figura 17.1 se muestra un diagrama de control común. Los límites de control se eligen de modo que los valores que caen entre ellos puedan ser atribuidos a la variación probabilística, en tanto que los valores que caen más allá de ellos pueden tomarse para indicar una falta de control estadístico. El planteamiento general se basa en la toma periódica de una muestra aleatoria del proceso, del cómputo de alguna cantidad apropiada, y de la graficación de esta última en el diagrama de control. Cuando un valor de muestra cae fuera de los límites de control, buscamos alguna causa de variación asignable. Sin embargo, incluso si un valor de muestra cae entre los límites de control, una

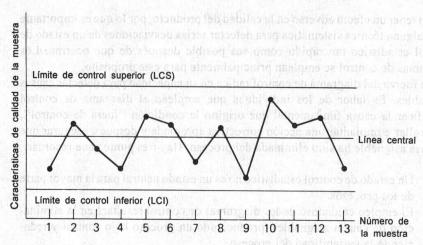

**Figura 17.1** Diagrama de control típico.

tendencia o algún otro patrón sistemático puede indicar que cierta acción es necesaria, por lo común para evitar un problema más serio. Las muestras deben seleccionarse de tal manera que cada una de ellas sea lo más homogénea posible, y para que al mismo tiempo maximice la oportunidad de variación debida a una causa asignable que esté presente. Esto suele llamarse concepto del *subgrupo racional*. El orden de la producción y la fuente (si existe más de una), son las bases que se emplean comúnmente para obtener subgrupos racionales.

La capacidad de interpretar en forma precisa los diagramas de control suele adquirirse con la experiencia. Es necesario que el usuario esté familiarizado por completo tanto con los fundamentos estadísticos de los diagramas de control como con la naturaleza del propio proceso de producción.

## 17-3.2 Diagramas de control para mediciones

Cuando se trata con una característica de calidad que puede expresarse como una medición, se acostumbra ejercer control tanto sobre el valor promedio de la característica de calidad como sobre su variabilidad. El control sobre la calidad promedio se ejerce mediante el diagrama de control para medias, que suele llamarse diagrama $\overline{X}$. La variabilidad del proceso puede controlarse ya sea por medio de un diagrama de rango ($R$) o por un diagrama de desviación estándar dependiendo de la forma cómo se estime la desviación estándar de la población. Trataremos sólo el diagrama $R$.

Supóngase que se conoce la media y la desviación estándar del proceso, $\mu$ y $\sigma$ por ejemplo, y además, que podemos suponer que la característica de calidad sigue la distribución normal. Sea $\overline{X}$ la media de la muestra basada en una muestra aleatoria de tamaño $n$ del proceso. Entonces la probabilidad de que la media de tales muestras aleatorias caigan entre $\mu + Z_{\alpha/2}(\sigma/\sqrt{n})$ y $\mu = Z_{\alpha/2}(\sigma/\sqrt{n})$ es $1 - \alpha$. Por tanto, podríamos emplear estos dos valores como los límites de control superior e inferior, respectivamente. Sin embargo, es usual que no conozcamos $\mu$ y $\sigma$, y ambas deben estimarse. Además, es posible que no podamos hacer la suposición de normalidad. Por estas razones, el límite de probabilidad $1 - \alpha$ rara vez se emplea en la práctica. Por lo general $Z_{\alpha/2}$ se sustituye por 3, y se emplean límites de control de "tres sigmas".

Cuando se desconocen $\mu$ y $\sigma$, solemos estimarlas con base en las muestras preliminares tomadas cuando se piensa que el proceso está bajo control. Recomendamos el uso de por lo menos 20 a 25 muestras preliminares. Supóngase que se disponen $k$ muestras preliminares, cada una de tamaño $n$. Por lo común, $n$ será 4, 5 ó 6; estos tamaños de muestra relativamente pequeños se utilizan bastante y con frecuencia surgen de la construcción de subgrupos racionales. Sea $\bar{X}_i$ la media de la muestra para la muestra $i$ésima. Entonces estimamos la media de la población $\mu$, por medio de gran media

$$\bar{\bar{X}} = \frac{1}{k} \sum_{i=1}^{k} \bar{X}_i \qquad (17\text{-}1)$$

De tal modo, podemos tomar $\bar{\bar{X}}$ como la línea central del diagrama de control $\bar{X}$.

Es posible que estimemos $\sigma$ ya sea de las desviaciones estándar o de los rangos de las $k$ muestras. Puesto que se emplea con mayor frecuencia en la práctica, confinamos nuestra exposición al método del rango. El tamaño de la muestra es relativamente pequeño, por lo que se pierde poco en eficiencia al estimar $\sigma$ a partir de los rangos de la muestra. Se necesita la relación entre el rango, $R$, de una muestra de una población normal con parámetros conocidos y la desviación estándar de la población. Puesto que $R$ es una variable aleatoria, la cantidad $W = R/\sigma$, denominada rango relativo, también es una variable aleatoria. Los parámetros de la distribución de $W$ se han determinado para cualquier tamaño de muestra $n$. La media de la distribución de $W$ se llama $d_2$, y la tabla de $d_2$ para diversas $n$ se proporciona en la tabla XIII del apéndice. Sea $R_i$ el rango de la muestra $i$ésima, y sea

$$\bar{R} = \frac{1}{k} \sum_{i=1}^{k} R_i \qquad (17\text{-}2)$$

el rango promedio. Entonces una estimación de $\sigma$ sería

$$\hat{\sigma} = \frac{\bar{R}}{d_2} \qquad (17\text{-}3)$$

En consecuencia, podemos emplear nuestros límites superiores e inferiores para el diagrama $\bar{X}$

$$LCS = \bar{\bar{X}} + \frac{3}{d_2\sqrt{n}}\bar{R}$$

$$(17\text{-}4)$$

$$LCI = \bar{\bar{X}} - \frac{3}{d_2\sqrt{n}}\bar{R}$$

Observamos que la cantidad

$$A_2 = \frac{3}{d_2\sqrt{n}}$$

es una constante según el tamaño de la muestra, por lo que es posible reescribir la ecuación 17-4 como

$$LCS = \bar{\bar{X}} + A_2\bar{R}$$

$$(17\text{-}5)$$

$$LCI = \bar{\bar{X}} - A_2\bar{R}$$

La constante $A_2$ se tabula para diversos tamaños de muestra en la tabla XIII del apéndice.

Los parámetros del diagrama de $R$ también pueden determinarse con facilidad. Es obvio que la línea central será $\bar{R}$. Para determinar los límites de control, necesitamos una estimación de $\sigma_R$, la desviación estándar de $R$. Una vez más, suponiendo que el proceso está bajo control, la distribución del rango relativo, $W$, será útil. La desviación estándar de $W$, digamos $\sigma_W$, es una función de $n$, la cual se ha determinado. Así, puesto que

$$R = W\sigma$$

podemos obtener la desviación estándar de $R$ como

$$\sigma_R = \sigma_W\sigma$$

Como $\sigma$ se desconoce, es posible estimar $\sigma_R$ como

$$\hat{\sigma}_R = \sigma_W\frac{\bar{R}}{d_2}$$

y utilizaríamos los límites de control superior e inferior en el diagrama $R$

$$LCS = \bar{R} + \frac{3\sigma_W}{d_2}\bar{R}$$

$$(17\text{-}6)$$

$$LCI = \bar{R} - \frac{3\sigma_W}{d_2}\bar{R}$$

Fijando $D_3 = 1 - 3\sigma_W/d_2$ y $D_4 = 1 + 3\sigma_W/d_2$, podemos reescribir la ecuación 17-6 como

$$LCS = D_4\overline{R}$$
$$LCI = D_3\overline{R}$$

(17-7)

donde $D_3$ y $D_4$ se tabulan en la tabla XIII del apéndice.

Cuando las muestras preliminares se utilizan para construir límites para los diagramas de control, se acostumbra tratar estos límites como valores de prueba. Por tanto, las $k$ medias y rangos de muestra deben graficarse en diagramas apropiados, y todos los puntos que excedan los límites de control deben investigarse. Si se descubren causas asignables para estos puntos, deben eliminarse y determinarse nuevos límites para los diagramas de control. En esta forma, a la larga es posible llevar el proceso dentro del control estadístico y valorarse sus capacidades inherentes. En ese caso pueden considerarse otros cambios en el centrado y la dispersión del proceso.

**Ejemplo 17.1**  Una pieza componente en el motor de un jet se manufactura por medio de un proceso de fundición del revestimiento. La abertura del álabe en esta

TABLA 17.1  **Mediciones de abertura del álabe**

| Número de la muestra | $x_1$ | $x_2$ | $x_3$ | $x_4$ | $x_5$ | $\overline{X}$ | $R$ |
|---|---|---|---|---|---|---|---|
| 1 | 33 | 29 | 31 | 32 | 33 | 31.6 | 4 |
| 2 | 35 | 33 | 31 | 37 | 31 | 33.0 | 6 |
| 3 | 35 | 37 | 33 | 34 | 36 | 35.0 | 4 |
| 4 | 30 | 31 | 33 | 34 | 33 | 32.2 | 4 |
| 5 | 33 | 34 | 35 | 33 | 34 | 33.8 | 2 |
| 6 | 38 | 37 | 39 | 40 | 38 | 38.4 | 3 |
| 7 | 30 | 31 | 32 | 34 | 31 | 31.6 | 4 |
| 8 | 29 | 39 | 38 | 39 | 39 | 36.8 | 10 |
| 9 | 28 | 34 | 35 | 36 | 43 | 35.0 | 15 |
| 10 | 39 | 33 | 32 | 34 | 32 | 34.0 | 6 |
| 11 | 28 | 30 | 28 | 32 | 31 | 29.8 | 4 |
| 12 | 31 | 35 | 35 | 35 | 34 | 34.0 | 4 |
| 13 | 27 | 32 | 34 | 35 | 37 | 33.0 | 10 |
| 14 | 33 | 33 | 35 | 37 | 36 | 34.8 | 4 |
| 15 | 35 | 37 | 32 | 35 | 39 | 35.6 | 7 |
| 16 | 33 | 33 | 27 | 31 | 30 | 30.8 | 6 |
| 17 | 35 | 34 | 34 | 30 | 32 | 33.0 | 5 |
| 18 | 32 | 33 | 30 | 30 | 33 | 31.6 | 3 |
| 19 | 25 | 27 | 34 | 27 | 28 | 28.2 | 9 |
| 20 | 35 | 35 | 36 | 33 | 30 | 33.8 | 6 |

$$\overline{\overline{X}} = 33.3 \quad \overline{R} = 5.65$$

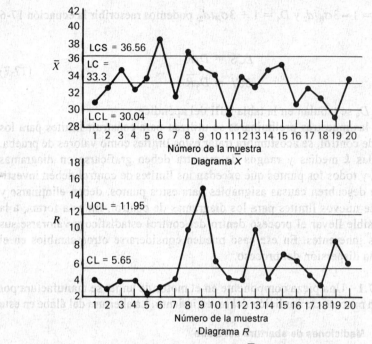

**Figura 17.2**   Los diagramas de control $\overline{X}$ y $R$ para la abertura del álabe.

fundición es un parámetro funcional importante de la pieza. Ilustramos el empleo de los diagramas de control $\overline{X}$ y $R$ para evaluar la estabilidad estadística de este proceso. La tabla 17.1 presenta 20 muestras de cinco piezas cada una. Los valores dados en la tabla se han codificado utilizando los últimos tres dígitos de la dimensión; esto es, 31.6 debe ser .50316 pulgadas.

Las cantidades $\overline{\overline{X}} = 33.3$ y $\overline{R} = 5.65$ se muestran al pie de la tabla 17.1. Nótese que aun cuando $\overline{X}$, $\overline{\overline{X}}$, $R$ y $\overline{R}$ son ahora valores reales de variables aleatorias, todavía las hemos escrito con mayúscula. Ésta es la convención usual en el control de calidad, y siempre será clara de acuerdo con el contexto que la notación implica. Los límites de control de prueba son, para el diagrama $\overline{X}$,

$$\overline{\overline{X}} \pm A_2\overline{R} = 33.3 \pm (.577)(5.65) = 33.3 \pm 3.26$$

o

$$LCS = 36.56$$
$$LCI = 30.04$$

Para el diagrama $R$, los límites de control son

$$LCS = D_4\overline{R} = (2.115)(5.65) = 11.95$$

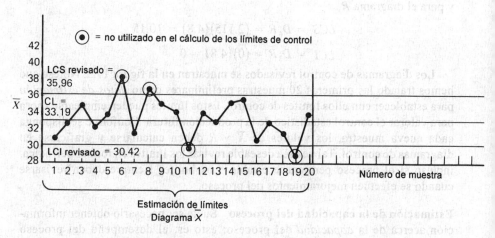

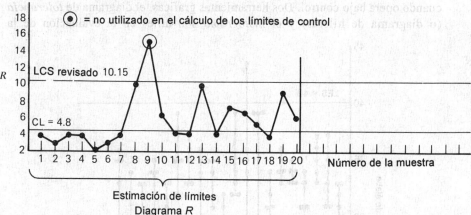

**Figura 17.3** Diagramas de control $\overline{X}$ y $R$ para la abertura del álabe, límites revisados.

$$LCI = D_3\overline{R} = (0)(5.65) = 0$$

Los diagramas de control $\overline{X}$ y $R$ con estos límites de control de prueba se muestran en la figura 17.2. Obsérvese que las muestras 6, 8, 11 y 19 están fuera de control en el diagrama $\overline{X}$, y que la muestra 9 está fuera de control en el diagrama $R$. Supóngase que la totalidad de estas causas asignables pueden atribuirse a una herramienta defectuosa en el área de moldeo de la parafina. Debemos descartar estas cinco muestras y recalcular los límites para los diagramas $\overline{X}$ y $R$. Estos nuevos límites revisados son, para el diagrama $\overline{X}$.

$$LCS = \overline{\overline{X}} + A_2\overline{R} = 33.19 + (.577)(4.8) = 35.96$$

$$LCI = \overline{\overline{X}} - A_2\overline{R} = 33.19 - (.557)(4.8) = 30.42$$

y para el diagrama $R$,

$$LCS = D_4\overline{R} = (2.115)(4.8) = 10.15$$
$$LCI = D_3\overline{R} = (0)(4.8) = 0$$

Los diagramas de control revisados se muestran en la figura 17.3. Nótese que hemos tratado las primeras 20 muestras preliminares como *datos de estimación* para establecer con ellos límites de control. Estos límites pueden emplearse ahora para valorar el control estadístico de la producción futura. Conforme se disponga cada nueva muestra, los valores de $\overline{X}$ y $R$ deben calcularse y graficarse en diagramas de control. Tal vez sea deseable revisar los límites en formar periódica, incluso si el proceso permanece estable. Los límites siempre deben revisarse cuando se efectúen mejoramientos del proceso.

**Estimación de la capacidad del proceso**   Suele ser necesario obtener información acerca de la *capacidad* del proceso; esto es, el desempeño del proceso cuando opera bajo control. Dos herramientas gráficas, el diagrama de *tolerancia* (o diagrama de hileras) y el *histograma* son útiles en la evaluación de la

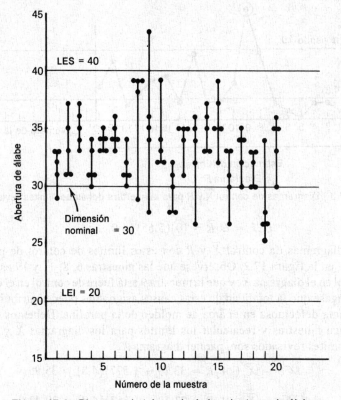

**Figura 17.4**   Diagrama de tolerancia de las aberturas de álabe.

capacidad del proceso. El diagrama de tolerancia para la totalidad de las 20 muestras del proceso de manufactura del álabe se muestra en la figura 17.4. Las especificaciones relativas a la abertura del álabe, .5030 ± .001 pulg, se muestran también en el diagrama. En términos de los datos codificados, el límite de especificación superior $LES = 40$ y el límite de especificación inferior es $LEI = 20$. El diagrama de tolerancia es útil al revelar patrones sobre el tiempo en las mediciones individuales, o puede mostrar que un valor particular de $\overline{X}$ o $R$ se produjo por una o dos observaciones inusuales en la muestra. Por ejemplo, nótense las dos observaciones inusuales en la muestra 9 y la única observación inusual en la muestra 8. Obsérvese también que es apropiado graficar los límites de especificación en el diagrama de tolerancia, puesto que éste es un diagrama de mediciones individuales. *Nunca es adecuado graficar límites de especificación sobre un diagrama de control, o emplear las especificaciones para determinar los límites de control.* Los límites de especificación y los límites de control no se relacionan. Por último, nótese en la figura 17.4 que el proceso se desarrolla fuera del centro de la dimensión nominal de .5030 pulgadas.

El histograma para las mediciones de la abertura del álabe se muestra en la figura 17.5. Las observaciones de las muestras 6, 8, 9, 11 y 19 se han eliminado de este histograma. La impresión general del examen de este histograma es que

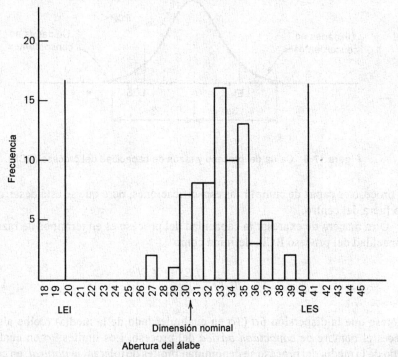

**Figura 17.5** Histograma para la abertura del álabe.

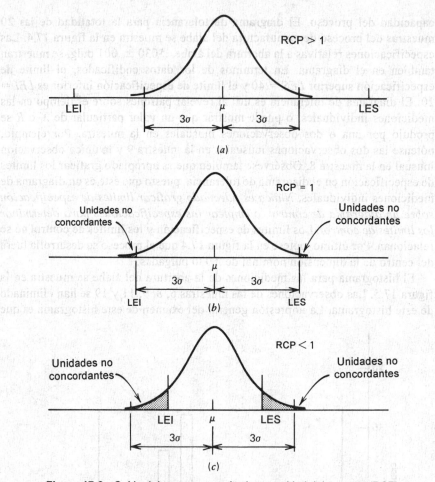

**Figura 17.6**  Caída del proceso y razón de capacidad del proceso (RCP).

el proceso es capaz de cumplir las especificaciones, pero que se está desarrollando fuera del centro.

Otra manera de expresar la capacidad del proceso es en términos de razón de capacidad del proceso RCP, definida como

$$RCP = \frac{LES - LEI}{6\sigma} \qquad (17\text{-}8)$$

Nótese que la dispersión $6\sigma$ ($3\sigma$ en cualquier lado de la media) recibe algunas veces el nombre de *capacidad básica* del proceso. Los límites $3\sigma$ en cualquier lado de la media del proceso se denominan límites de tolerancia *natural*, en cuanto a que éstos representan límites que un proceso bajo control debe cumplir con la mayor parte de las unidades producidas. Para la abertura del álabe, podríamos estimar $\sigma$ como

$$\hat{\sigma} = \frac{\overline{R}}{d_2} = \frac{4.8}{2.326} = 2.06$$

En consecuencia la RCP es

$$RCP = \frac{LES - LEI}{6\sigma}$$

$$= \frac{40 - 20}{6(2.06)}$$

$$= 1.62$$

La RCP tiene una interpretación natural; (1/RCP)100 es exactamente el porcentaje de la banda de tolerancia empleada por el proceso. Así, el proceso de la abertura del álabe emplea aproximadamente (1/1.62)100 = 61.7 por ciento de la banda de tolerancia.

La figura 17.6a muestra un proceso en el cual la RCP excede la unidad. Puesto que los límites de tolerancia naturales se encuentran dentro de las especificaciones, se producirán muy pocas unidades defectuosas o no concordantes. Si RCP = 1, como se muestra en la figura 17.6b, resultan más unidades no concordantes. En efecto, en un proceso distribuido normalmente, si RCP = 1 la fracción no concordante es .27 por ciento, o 2700 partes por millón. Por último, cuando la RCP es menos que la unidad, como en la figura 17.6c, la producción del proceso es muy sensible y se producirán un gran número de unidades no concordantes.

La definición de la RCP dada en la ecuación 17-8 supone de manera implícita que el proceso está centrado en la dimensión nominal. Si el proceso se desarrolla fuera del centro, su *capacidad real* será menor que la indicada por la RCP. Es conveniente considerar a la RCP como una medida de la *capacidad potencial*; esto es, capacidad con un *proceso centrado*. Si el proceso no está centrado, entonces una medida de la capacidad real está dada por

$$RCP_k = \min\left[ \frac{LES - \overline{\overline{X}}}{3\sigma}, \frac{\overline{\overline{X}} - LEI}{3\sigma} \right] \tag{17-9}$$

En efecto, $RCP_k$ es la razón de capacidad de proceso de un lado que se calcula respecto al límite de especificación más cercano a la media del proceso. Para el proceso de la abertura del álabe, vemos que

$$RCP_k = \min\left[ \frac{LES - \overline{\overline{X}}}{3\sigma}, \frac{\overline{\overline{X}} - LEI}{3\sigma} \right]$$

$$= \min \left[ \frac{40 - 33.19}{3(2.06)} = 1.10, \; \frac{33.19 - 20}{3(2.06)} = 2.13 \right]$$

$$= 1.10$$

Nótese que si $RCP = RCP_k$, el proceso se centra en la dimensión nominal. Puesto que $RCP_k = 1.10$ en el proceso de abertura del álabe, y $RCP = 1.62$, es evidente que el proceso se desarrolla fuera del centro, como se observó primero en las figuras 17.4 y 17.5. Esta operación fuera del centro se atribuyó al final a una herramienta de parafina sobredimensionada. El cambio de la herramienta da como resultado un mejoramiento sustancial en el proceso.

Montgomery (1985, capítulo 8) brinda guías respecto a los valores apropiados de la RCP, así como una tabla que relaciona dispositivos fuera de tolerancia en un proceso distribuido normalmente en control estadístico como una función de la RCP. Gran parte de las compañías de Estados Unidos emplean la $RCP = 1.33$ como un objetivo aceptable mínimo y $RCP = 1.66$ como un objetivo mínimo para características de resistencia, seguridad o críticas. Además, algunas compañías de Estados Unidos, en particular la industria automotriz, ha adoptado la terminología japonesa $C_p = RCP$ y $C_{pk} = RCP_k$. Como $C_p$ tiene otro significado en estadística (en la regresión múltiple; véase el capítulo 15), preferimos la notación convencional $RCP$ y $RCP_k$.

### 17-3.3   Diagramas de control para atributos

**El diagrama $p$ (fracción defectuosa o no concordante)**   A menudo es deseable clasificar un producto como defectuoso o no defectuoso sobre la base de la comparación con un estándar. Esto suele hacerse para lograr economía y simplicidad en la operación de inspección. Por ejemplo, el diámetro de un cojinete de bola puede verificarse determinando si pasará a través de un medidor compuesto por agujeros circulares cortados en una plantilla. Esto sería mucho más simple que medir el diámetro con un micrómetro. Los diagramas de control para atributos se emplean en estas situaciones. Sin embargo, los diagramas de control de atributos requieren un tamaño de muestra bastante más grande que en el caso de las mediciones de contrapartes. Trataremos el diagrama de la fracción de defectos, o diagrama $p$, y dos diagramas para defectos, los diagramas $c$ y $u$. Nótese que es posible que una unidad tenga muchos defectos, e incluso ésta podría ser defectuosa o no defectuosa. En algunas aplicaciones una unidad puede tener varios defectos, incluso, clasificarse como no defectuosa.

Suponga que $D$ es el número de unidades defectuosas en una muestra aleatoria de tamaño $n$. Suponemos que $D$ es una variable aleatoria binomial con parámetro desconocido $p$. Entonces la fracción de muestra defectuosa es un estimador de $p$, esto es

$$\hat{p} = \frac{D}{n} \tag{17-10}$$

Además, la varianza de la estadística $\hat{P}$ es

$$\sigma_{\hat{p}}^2 = \frac{p(1-p)}{n}$$

de modo que podemos estimar $\sigma_{\hat{p}}^2$ como

$$\hat{\sigma}_{\hat{p}}^2 = \frac{\hat{p}(1-\hat{p})}{n} \tag{17-11}$$

La línea central y los límites de control para el diagrama de control de la fracción defectuosa después de esto, pueden determinarse con facilidad. Suponga que se disponen $k$ muestras preliminares, cada una de tamaño $n$, y $D_i$ el número de defectos en la muestra $i$ésima. De manera que podemos tomar

$$\bar{p} = \frac{\sum\limits_{i=1}^{k} D_i}{kn} \tag{17-12}$$

como la línea central, y

$$LCS = \bar{p} + 3\sqrt{\frac{\bar{p}(1-\bar{p})}{n}}$$

$$LCI = \bar{p} - 3\sqrt{\frac{\bar{p}(1-\bar{p})}{n}} \tag{17-13}$$

como los límites de control superior e inferior, respectivamente. Estos límites de control se basan en la aproximación normal a la distribución binomial. Cuando $p$ es pequeño, no siempre puede resultar adecuada la aproximación normal. En tales casos, es mejor utilizar límites de control obtenidos directamente de una tabla de probabilidades binomiales o, tal vez, de la aproximación de Poisson a la distribución binomial. Si $p$ es pequeño, el límite de control inferior puede ser un número negativo. Si esto debe ocurrir, se acostumbra considerar a cero igual al límite de control inferior.

**Ejemplo 17.2** Supóngase que deseamos construir un diagrama de control de la fracción defectuosa para la línea de producción de un sustrato cerámico. Tenemos 20 muestras preliminares, cada una de tamaño 100; el número de defectos en cada muestra se indica en la tabla 17.2. Suponga que las muestras se numeran en la secuencia de producción. Obsérvese que $\bar{p} = (800/2000) = .40$, y, en consecuen-

TABLA 17.2   **Número de defectos en muestras de 100 sustratos cerámicos**

| Muestra | Núm. de defectos | Muestra | Núm. de defectos |
|---------|------------------|---------|------------------|
| 1 | 44 | 11 | 36 |
| 2 | 48 | 12 | 52 |
| 3 | 32 | 13 | 35 |
| 4 | 50 | 14 | 41 |
| 5 | 29 | 15 | 42 |
| 6 | 31 | 16 | 30 |
| 7 | 46 | 17 | 46 |
| 8 | 52 | 18 | 38 |
| 9 | 44 | 19 | 26 |
| 10 | 38 | 20 | 30 |

cia, los parámetros de prueba para el diagrama de control son

$$\text{Línea central} = .40$$

$$LCS = .40 + 3\sqrt{\frac{(.40)(.60)}{100}} = .55$$

$$LCI = .40 - 3\sqrt{\frac{(.40)(.60)}{100}} = .25$$

El diagrama de control se muestra en la figura 17.7. Todas las muestras están bajo control. Si no fuera así, buscaríamos las causas de variación asignables y revisaríamos los límites en la debida forma.

Aunque este proceso exhibe control estadístico, su capacidad ($\bar{p} = .40$) es muy pobre. Debemos considerar los pasos adecuados para investigar el proceso y determinar por qué se está produciendo un número tan grande de unidades defectuosas. Las unidades defectuosas deben analizarse para determinar los tipos

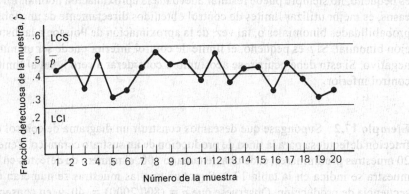

**Figura 17.7**   El diagrama *p* para un sustrato cerámico.

específicos de defectos presentes. Una vez que los tipos de defectos se conocen, los cambios del proceso deben investigarse para determinar su impacto en los niveles de defectos. Los experimentos diseñados tal vez resulten útiles a este resp-cto.

**Ejemplo 17.3 Atributos contra diagramas de control de mediciones** Se puede ilustrar con facilidad la ventaja de los diagramas de control de mediciones relativas al diagrama $p$ con respecto al tamaño de la muestra. Supóngase que una característica de calidad distribuida normalmente tiene una desviación estándar de 4 y límites de especificación de 52 y 68. El proceso está centrado en 60, lo que resulta en una fracción de defectos de .0454. Déjese que la media del proceso se corra a 56. Después de esto la fracción de defectos es .1601. Si la probabilidad de detectar el corrimiento en la primera muestra que sigue del corrimiento será de .50, entonces el tamaño de muestra debe ser tal que el límite inferior de 3 sigma estará en 56. Esto implica

$$60 - \frac{3(4)}{\sqrt{n}} = 56$$

cuya solución es $n = 9$. En un diagrama $p$, empleando la aproximación normal a la binomial, debemos tener

$$.0454 + 3\sqrt{\frac{(.0454)(.9546)}{n}} = .1601$$

cuya solución es $n = 30$. De tal modo, a menos que el costo de la inspección de la medición sea tres veces mayor que el correspondiente a la inspección de atributos, la operación del diagrama de control de mediciones es más económica.

**El diagrama $c$ (defectos)** En algunas situaciones puede ser necesario controlar el número de defectos en una unidad de producto, en vez de la fracción de defectos. En estas situaciones podemos emplear el diagrama de control para defectos, o el diagrama $c$. Supóngase que en la producción de ropa es necesario controlar el número de defectos por metro, o que en el ensamblado de un ala de aeronave el número de remaches faltantes debe controlarse. Muchas situaciones de defectos por unidad pueden modelarse por medio de la distribución de Poisson.

Sea $c$ el número de defectos en una unidad, donde $c$ es una variable aleatoria de Poisson con parámetro $\alpha$. Por tanto, si se disponen $k$ unidades y $c_i$ es el número de defectos en la unidad $i$, la línea central del diagrama de control es

$$\bar{c} = \frac{1}{k} \sum_{i=1}^{k} c_i \tag{17-14}$$

y

$$LCS = \bar{c} + 3\sqrt{\bar{c}}$$
$$LCI = \bar{c} - 3\sqrt{\bar{c}} \qquad (17\text{-}15)$$

son los límites de control superior e inferior, respectivamente.

**Ejemplo 17.4**  Se ensamblan tarjetas de circuito impreso por medio de una combinación de ensamblado manual y automático. Una máquina de soldadura de flujo se emplea para realizar las conexiones mecánicas y eléctricas de los componentes emplomados a la tarjeta. Las tarjetas se someten a un proceso de soldadura de flujo casi de manera continua, y cada hora se seleccionan e inspeccionan cinco tarjetas con el fin de controlar el proceso. Se anota el número de

**TABLA 17.3    Número de defectos en muestras de cinco tarjetas de circuito impreso**

| Muestra | Núm. de defectos | Muestra | Núm. de defectos |
|---------|------------------|---------|------------------|
| 1 | 6 | 11 | 9 |
| 2 | 4 | 12 | 15 |
| 3 | 8 | 13 | 8 |
| 4 | 10 | 14 | 10 |
| 5 | 9 | 15 | 8 |
| 6 | 12 | 16 | 2 |
| 7 | 16 | 17 | 7 |
| 8 | 2 | 18 | 1 |
| 9 | 3 | 19 | 7 |
| 10 | 10 | 20 | 13 |

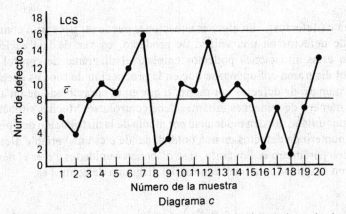

Diagrama *c*

**Figura 17.8**   El diagrama *c* para defectos en muestras de cinco tarjetas de circuito impreso.

defectos en cada muestra de cinco tarjetas. Los resultados de 20 muestras se presentan en la tabla 17.3. Luego $\bar{c} = (160/20) = 8$, y en consecuencia

$$LCS = 8 + 3\sqrt{8} = 16.484$$
$$LCI = 8 - 3\sqrt{8} = 0$$

Del diagrama de control de la figura 17.8, vemos que el proceso está bajo control. Sin embargo, ocho defectos por grupo de cinco tarjetas de circuito son muchos (alrededor de $8/5 = 1.6$ defectos/tarjeta), y el proceso necesita mejoramiento. Es necesario efectuar una investigación respecto a los tipos específicos de defectos encontrados en la tarjeta de circuito impreso. Esto casi siempre indicará caminos potenciales para el mejoramiento del proceso.

**El diagrama $u$ (defectos por unidad)**  En algunos procesos puede ser preferible trabajar con el número de defectos por unidad en lugar del número total de defectos. De tal modo, si la muestra consta de $n$ unidades y hay $c$ defectos totales en la muestra, entonces

$$u = \frac{c}{n}$$

es el número promedio de defecto por unidad. Un diagrama $u$ puede construirse para tales datos. Si hay $k$ muestras preliminares, cada una con $u_1, u_2, \ldots, u_k$ defectos por unidad, entonces la línea central sobre el diagrama $u$ es

$$\bar{u} = \frac{1}{k} \sum_{i=1}^{k} u_i \qquad (17\text{-}16)$$

y los límites de control están dados por

$$LCS = \bar{u} + 3\sqrt{\frac{\bar{u}}{n}}$$

$$LCI = \bar{u} - 3\sqrt{\frac{\bar{u}}{n}} \qquad (17\text{-}17)$$

**Ejemplo 17.5**  Es posible construir un diagrama $u$ para los datos de defectos de la tarjeta de circuito impreso en el ejemplo 17.4. Puesto que cada muestra contiene $n = 5$ tarjetas de circuito impreso, los valores de $u$ para cada muestra pueden calcularse como se muestra en la siguiente exposición:

| Muestra | Tamaño de muestra $n$ | Número de defectos, $c$ | Defecto por unidad |
|---------|------------|------------|------------|
| 1 | 5 | 6 | 1.2 |
| 2 | 5 | 4 | 0.8 |
| 3 | 5 | 8 | 1.6 |
| 4 | 5 | 10 | 2.0 |
| 5 | 5 | 9 | 1.8 |
| 6 | 5 | 12 | 2.4 |
| 7 | 5 | 16 | 3.2 |
| 8 | 5 | 2 | 0.4 |
| 9 | 5 | 3 | 0.6 |
| 10 | 5 | 10 | 2.0 |
| 11 | 5 | 9 | 1.8 |
| 12 | 5 | 15 | 3.0 |
| 13 | 5 | 8 | 1.6 |
| 14 | 5 | 10 | 2.0 |
| 15 | 5 | 8 | 1.6 |
| 16 | 5 | 2 | 0.4 |
| 17 | 5 | 7 | 1.4 |
| 18 | 5 | 1 | 0.2 |
| 19 | 5 | 7 | 1.4 |
| 20 | 5 | 13 | 2.6 |

La línea central para el diagrama $u$ es

$$\bar{u} = \frac{1}{20} \sum_{i=1}^{20} u_i = \frac{32}{20} = 1.6$$

y los límites de control superior e inferior son

$$LCS = \bar{u} + 3\sqrt{\frac{\bar{u}}{n}} = 1.6 + 3\sqrt{\frac{1.6}{5}} = 3.3$$

$$LCI = \bar{u} - 3\sqrt{\frac{\bar{u}}{n}} = 1.6 - 3\sqrt{\frac{1.6}{5}} = 0$$

El diagrama de control se grafica en la figura 17.9. Obsérvese que el diagrama $u$ en este ejemplo es equivalente al diagrama $c$ en la figura 17.8. En algunos casos, en particular cuando el tamaño de muestra no es constante, el diagrama $u$ será preferible al diagrama $c$. En lo que respecta al tratamiento de los tamaños de muestras variables en los diagramas de control, véase Montgomery (1985).

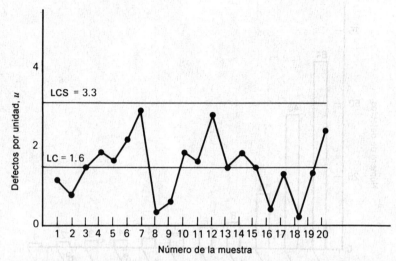

**Figura 17.9** El diagrama $u$ para defectos por unidad en tarjetas de circuito impreso. Ejemplo 17.5.

### 17-3.4 Otras herramientas del CPE para la solución de problemas

Si bien el diagrama de control es una herramienta muy poderosa para investigar las causas de variación en un proceso, es más eficaz cuando se usa con otras herramientas para la solución de problemas de CPE. En esta sección ilustraremos algunas de estas herramientas, empleando los datos de defectos de las tarjetas de circuito impreso en el ejemplo 17.4.

La figura 17.8 muestra un diagrama $c$ para el número de defectos en muestras de cinco tarjetas de circuito impreso. El diagrama exhibe control estadístico, pero el número de defectos debe reducirse, puesto que el número promedio de defectos por tarjeta es de $8/5 = 1.6$, y este nivel de defectos requiere un gran reprocesamiento.

El primer paso en la solución de este problema es construir un *diagrama de Pareto* de los tipos de defectos individuales. El diagrama de Pareto, mostrado en la figura 17.10, indica que la insuficiencia de soldadura y las bolas de soldadura son los defectos que ocurren con mayor frecuencia, sumando $(109/160)100 = 68$ por ciento de los defectos observados. Además, las primeras cinco categorías de defectos en el diagrama de Pareto corresponden en su totalidad a defectos relacionados con la soldadura. Esto señala al proceso de la soldadura de flujo como una oportunidad potencial de mejora.

Para mejorar el proceso de soldadura de flujo, un equipo compuesto de un operador de la soldadura de flujo, el supervisor del taller, el ingeniero de manufactura responsable del proceso y un ingeniero de calidad se reúnen para estudiar las causas potenciales de los defectos de soldadura. Ellos sostienen una

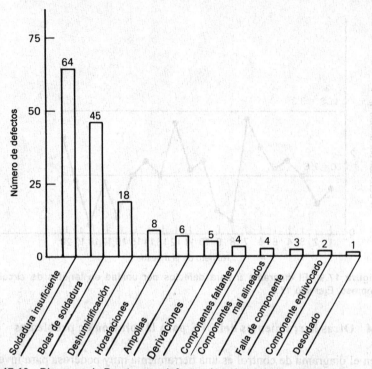

**Figura 17.10** Diagrama de Pareto para defectos de tarjetas de circuito impreso.

**Figura 17.11** Diagrama de causa efecto para el proceso de soldadura de flujo de tarjetas de circuito impreso.

sesión productiva y generan el diagrama de *causa y efecto* que se muestra en la figura 17.11. El diagrama de causa y efecto se usa ampliamente para exhibir con claridad las diversas causas de defectos potenciales en los productos y sus interrelaciones. Ellas son útiles para resumir el conocimiento acerca del proceso.

Como resultado de la sesión creativa, el equipo identifica en forma tentativa las siguientes variables como efectos potenciales en la generación de defectos de soldadura:

1. Gravedad específica del flujo.
2. Temperatura de la soldadura.
3. Velocidad del transportador.
4. Ángulo de transportador.
5. Altura de la onda de soldadura.
6. Temperatura de precalentamiento.
7. Método de carga de paleta.

Un *experimento diseñado* estadísticamente podría utilizarse para investigar el efecto de estas siete variables en los defectos de la soldadura. Además, el equipo elaboró un *diagrama de concentración de defectos* para el producto. Este diagrama es sólo un bosquejo o dibujo del producto, con los defectos que ocurren con mayor frecuencia mostrados sobre la pieza. Este diagrama se emplea para determinar si los efectos ocurren en la misma posición sobre la pieza. El diagrama de concentración de defectos en la tarjeta de circuito impreso se muestra en la figura 17.12. Este diagrama indica que la mayor parte de los defectos de soldadura insuficiente están cerca del borde frontal de la tarjeta, donde hace el contacto inicial con la onda de soldadura. Una investigación adicional mostró que una de las paletas empleadas para llevar las tarjetas a través de la onda se había doblado, ocasionando que el borde frontal de la tarjeta hiciera un pobre contacto con la onda de soldadura.

Figura 17.12 Diagrama de concentración de defectos en una tarjeta de circuito impreso.

Cuando se reemplazó la paleta defectuosa, se recurrió a un experimento diseñado para investigar las siete variables mencionadas antes. Los resultados de este experimento indicaron que varios de estos factores tenían influencia y que podrían ajustarse para reducir los defectos de soldadura. Después de que los resultados del experimento se pusieron en práctica, el porcentaje de uniones soldadas que requerían reprocesamiento se redujo de 1 por ciento a menos de 100 partes por millón (.01 por ciento).

## 17-3.5  Implantación del CPE

Los métodos del control de proceso estadístico pueden redituar importantes beneficios económicos a las compañías que los implantan con éxito. En la implantación del mejoramiento de la calidad, recuérdese que el liderazgo geren-cial es crítico. La participación y el compromiso de la gerencia constituyen el paso más importante en todo el proceso de mejoramiento. La gerencia desempeña un papel modelo, y el resto de la organización considerará a la gerencia como guía y ejemplo. El trabajo en equipo también es importante. Es muy difícil para una persona introducir mejoras de proceso. Los diagramas creativos de construc-ción de causa y efecto y muchas otras técnicas estadísticas de este libro son útiles en la construcción de un equipo de mejoramiento. La educación y la capacitación son también importantes porque muchas de las herramientas de mejoramiento son nuevas para la compañía, y todos deben estar familiarizados con su uso. El objetivo del CPE es el mejoramiento continuo, en una base semanal, trimestral y anual. Las técnicas de control de procesos y de mejoramiento de procesos no son métodos que se aplican una vez sólo cuando el proceso está en problemas. Por último, la gerencia debe reconocer y recompensar el éxito. El amplio recono-cimiento de la compañía de los mejoramientos del proceso que han tenido éxito es invaluable en la difusión del mensaje en otras unidades y departamentos operativos.

El diagrama de control es una herramienta importante en el mejoramiento de procesos. Puesto que los procesos no operan normalmente en un estado bajo control, el empleo cuidadoso de los diagramas de control es un paso importante que debe tomarse de antemano en el programa de CPE para eliminar causas asignables, reducir la variabilidad del proceso y estabilizar el desempeño del mismo. Las tareas clave en la aplicación de los diagramas de control estadístico incluyen la determinación de las variables apropiadas en las cuales aplicar el control y los puntos en el proceso de producción en los que debe establecerse el control. En general, y cuanto más temprano se establezca el control del proceso tanto mejor. En algunos casos, esto puede implicar regresar los controles de proceso al nivel del vendedor. Para un análisis más amplio acerca de la elección de los tipos específicos de diagramas de control véase Montgomery (1985).

Solemos encontrar que se ubican unos cuantos diagramas de control bien diseñados en el sector correcto del proceso y su empleo con un sistema apropiado de acciones correctivas será extremadamente eficaz. Recuérdese que no es importante el número de diagramas de control que se usan en un proceso. Los que es importante es tener el diagrama preciso operando en el lugar correcto en el proceso y en el momento adecuados para brindar información que permitirá a los operadores y a la gerencia encontrar y eliminar la fuente de defectos en el proceso.

Al implantar un programa extenso de CPE en la compañía, encontramos que los siguientes elementos suelen presentarse en casi todos los esfuerzos que tienen éxito.

1. Liderazgo gerencial.
2. Trabajo en equipo.
3. Educación de los empleados a todos los niveles.
4. Énfasis en el mejoramiento continuo.
5. Un mecanismo para reconocer el éxito.

Nunca llegaría a ser demasiada la importancia del liderazgo gerencial y del trabajo en equipo. Todos los miembros de la gerencia y del equipo deben recibir capacitación relativa a las herramientas apropiadas de mejoramiento del proceso. Una vez que el o los equipos se han establecido, los miembros deben elaborar un diagrama de flujo del proceso para mejorar su entendimiento de cómo el proceso actual opera, y sugerir oportunidades evidentes para mejoramiento. La propiedad del proceso y la responsabilidad del mejoramiento debe establecerse con toda claridad. Luego, el proceso debe analizarse para el control y para determinar dónde podrían aplicarse con provecho los controles del proceso. Con el fin de establecer los controles del proceso, tal vez sea necesario desarrollar criterios de medición relativos a sus variables y parámetros clave. En este punto, el equipo debe elaborar una lista de todas las mejoras que pueden llevarse a cabo en el proceso. Estas mejoras deben analizarse para evaluar su impacto, e implantarse aquellas que ofrezcan los mayores beneficios. Es importante medir las ganancias en el mejoramiento por medio de la documentación cuidadosa del desempeño "antes y después" del proceso. Cuando se implantan mejoras que tienen éxito, éstas se comunican a todo el personal involucrado en el proceso. Esto mejorará su entendimiento de cómo opera el proceso y brindará motivación e incentivos para mejorar otros procesos. Será necesario repetir estos pasos en forma periódica para lograr mejoras adicionales en el proceso o para que éste responda de manera oportuna a los cambios en el medio comercial u operativo.

## 17-4 Planes de muestreo basados en estadísticas

La inspección del producto es una parte integral de todos los procesos productivos. La situación general en la que los productos, agrupados en los lotes, se

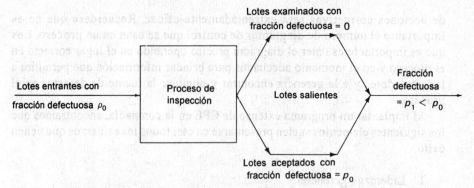

**Figura 17.13** Inspección rectificable donde la característica de calidad es la fracción defectuosa del lote.

muestrean y los resultados de la muestra se utilizan para extraer conclusiones acerca de la calidad del producto (o lote), reciben el nombre de *muestreo de aceptación*. Los planes de muestreo de aceptación pueden aplicarse ya sea a los bienes de los proveedores, previo a su introducción en otro proceso de producción, o a la salida del propio proceso de producción de la compañía. El propósito del muestreo de aceptación es estimar las características de calidad pertinentes de cada lote de producto e indicar si el lote debe aceptarse o rechazarse.

Si bien el muestreo de aceptación suele clasificarse como una técnica de control de calidad, debemos señalar que a menudo no se lleva a cabo ningún

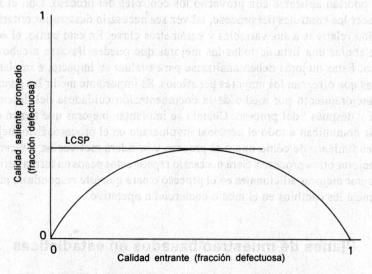

**Figura 17.14** Calidad saliente promedio (fracción defectuosa del lote) en la inspección rectificable.

control directo sobre la calidad del proceso. Esto es así, sobre todo, cuando se muestrean bienes de los proveedores y los lotes rechazados no se regresan. Es evidente que siempre se logrará algún control indirecto a través de la comunicación con el fabricante. El énfasis moderno en cuanto al mejoramiento de la calidad se enfoca hacia el CPE y el diseño de experimentos, y es probable que el muestreo, la inspección y los métodos de prueba se empleen menos en el futuro. Un sistema eficaz para el control de proceso y mejoramiento puede reducir en forma considerable, y en algunos casos eliminar la necesidad del muestreo de aceptación.

En esta sección brindamos un breve panorama de algunos procedimientos de aceptación de amplia aplicación. Para mayores detalles, refiérase a Montgomery (1985, capítulos 10, 11, 12).

Consideraremos un procedimiento conocido como un plan de muestreo único. El procedimiento consiste en extraer una muestra aleatoria de tamaño $n$ de un lote compuesto de $N$ artículos. Sea $d$ el número de artículos defectuosos en esta muestra aleatoria. Entonces si $d$ es menor que o igual a cierto número de aceptación, $c$, se acepta el lote. Puesto que $N$ es fijo, los parámetros $n$ y $c$ especifican por completo el plan de muestreo. El procedimiento recibe el nombre de plan de muestreo único debido a que se toma una decisión con base en los resultados de una muestra. Si $d$ es mayor que $c$, rechazamos el lote y existen varias posibilidades. Podemos regresar un lote rechazado al fabricante, en cuyo caso se dice que el plan de muestreo será no rectificable: la calidad promedio que entra al proceso de producción es la misma que la calidad promedio que deja el fabricante.

Por otra parte, podemos seleccionar (inspeccionar el 100 por ciento) los lotes rechazados, ya sea reemplazando todos los artículos defectuosos por buenos, o simplemente desecharlos. Esta alternativa se llama inspección *rectificable*: la calidad promedio que entra al proceso de producción es superior a la calidad promedio que deja el fabricante. De tal modo, por inspección rectificable pensamos en la calidad saliente promedio del proceso de inspección. La calidad promedio de salida será alta tanto cuando la calidad de entrega sea alta (y se rechacen pocos lotes de alta calidad) como cuando la calidad de entrada sea baja (y se rechacen y seleccionen muchos lotes de baja calidad). Puede demostrarse que la calidad promedio de salida tiene un límite inferior, llamado límite de calidad promedio de salida (LCPS). Así, sin importar lo mala que se vuelva la calidad entrante, la calidad promedio de salida nunca será peor que el LCPS. Este proceso se ilustra en las figuras 17.13 y 17.14.

Cualquier plan de muestreo de aceptación puede describirse en términos de su curva característica inicial. Una curva característica de operación común para un plan de muestreo único se muestra en la figura 17.15. El nivel de calidad que se considera "bueno" y el que deseamos aceptar la mayor parte de las veces se llama nivel de calidad aceptable (NCA). El nivel que se considera "malo" y que debe rechazarse casi siempre, se denomina porcentaje defectuoso tolerable del

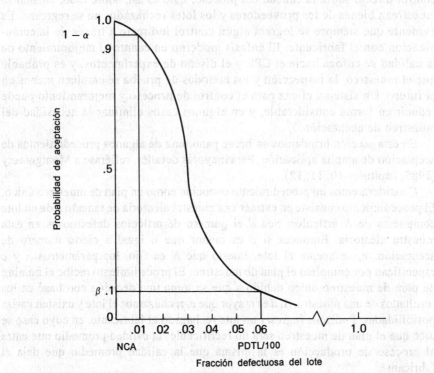

**Figura 17.15** Curva característica de operación.

lote (PDTL). La probabilidad de que un plan de muestreo rechace lotes de NCA se llama riesgo del productor ($\alpha$), y la probabilidad de que un plan acepte lotes de PDTL se denomina riesgo del consumidor ($\beta$). Cualquier curva característica de operación puede definirse eligiendo los puntos (NCA, $1 - \alpha$) y (PDTL/100, $\beta$). La curva característica de operación proporciona en esencia las probabilidades de los errores de tipo I y del tipo II asociados con el plan de muestreo.

El efecto de $n$ y $c$ en la curva característica de operación de un plan de muestreo único se expone en la figura 17.16. Para $N$ y $n$ constantes vemos que el incremento de $c$ corre la curva característica de operación a la derecha; esto es, el plan se vuelve menos selectivo. Para $N$ y $c$ constantes, el aumento de $n$ causa que la curva característica de operación se vuelva más inclinada. Si el tamaño de lote $N$ es grande en relación con el tamaño de muestra $n$, la curva característica de operación es en esencia independiente del tamaño del lote.

Los planes de muestreo únicos pueden construirse ya sea para características de calidad de medición o de atributos. Puesto que todo plan de muestreo se define por medio de su curva característica de operación, podemos diseñar un plan especificando dos puntos sobre la curva, por ejemplo (NAC, $1 - \alpha$) y (PDTL/100, $\beta$),

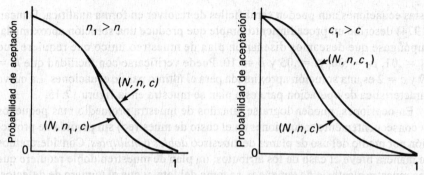

**Figura 17.16**  Efecto de la variación de *n* y *c* en un plan de muestreo único.

y encontrar los parámetros correspondientes del plan empleando el modelo de probabilidad apropiado. Para datos de atributos, el modelo de probabilidad es la distribución binomial, aunque las probabilidades se calculan a menudo empleando la aproximación de Poisson o normal.[2] Los planes de muestreo únicos para mediciones requieren que se especifique el tamaño de muestra y un límite de especificación doble o único para la media de la muestra. La distribución normal es el modelo de probabilidad que suele elegirse.

**Ejemplo 17.6**  Considere un plan de muestreo único para atributos. Si se propone un lote de calidad $p_1$, la probabilidad de aceptación debe ser $1 - \alpha$. Si se propone un lote de calidad $p_2$, la probabilidad de aceptación debe ser $\beta$. De tal modo,

$$1 - \alpha = \sum_{j=0}^{c} \binom{n}{j} p_1^j (1 - p_1)^{n-j}$$

$$\beta = \sum_{j=0}^{c} \binom{n}{j} p_2^j (1 - p_2)^{n-j}$$

Puede ser difícil resolver estas ecuaciones para *n* y *c*. Sin embargo, si *np* es pequeña podemos emplear la aproximación de Poisson a la binomial, o

$$1 - \alpha = \sum_{j=0}^{c} \frac{e^{-np_1}(np_1)^j}{j!}$$

$$\beta = \sum_{j=0}^{c} \frac{e^{-np_2}(np_2)^j}{j!}$$

---

[2] Técnicamente, estamos considerando una "corriente" de lotes. Así, la población que estamos muestreando es infinita, y la distribución binomial es apropiada. Si estuviéramos comprando sólo lotes aislados, o si la calidad de los lotes individuales es importante, entonces debe emplearse la distribución hipergeométrica.

Estas ecuaciones aún pueden ser difíciles de resolver en forma analítica. Duncan (1974) describe un procedimiento simple que produce una solución aproximada. Supóngase que deseamos diseñar un plan de muestreo único que requiere que $P_1 = .01$, $p_2 = .06$, $\alpha = .05$ y $\beta = .10$. Puede verificarse con facilidad que $N = 89$ y $c = 2$ es una solución aproximada para el último par de ecuaciones. La curva característica de operación para este plan se muestra en la figura 17.15.

En ocasiones, pueden lograrse tamaños de muestra promedio más pequeños (y consecuentemente reducciones en el costo de muestreo) sin pérdida de protección por medio del uso de planes de muestreo *dobles* o *múltiples*. Consideraremos de manera breve el caso de los atributos; un plan de muestreo doble requiere que una muestra aleatoria de tamaño $n_1$ se tome del lote, y que el número de defectos, digamos $d_1$, se anote. Si $d_1 \leq c_1$, se acepta el lote sin muestreo adicional. Si $c_1 < d_1 \leq c_2$, se toma una segunda muestra aleatoria de tamaño $n_2$, y se anota el número de defectos $d_2$. Luego si $d_1 + d_2 \leq c_2$, se acepta el lote; en otro caso se rechaza. Un plan de muestreo múltiple es similar en naturaleza a un plan de muestreo doble, pero implica más de dos etapas. La ventaja de estos planes es que los lotes de muy alta calidad se aceptarán en la primera muestra con una alta probabilidad, y los lotes de muy baja calidad se rechazarán rápidamente, reduciendo de ese modo la cantidad promedio de la inspección requerida. Por otra parte, los lotes que tienen calidad "intermedia" pueden en realidad requerir una mayor inspección que la que se necesitaría con un plan de muestreo único. Además, el diseño y la administración de estos planes son más complicados que para los planes de muestreo únicos.

El concepto de muestreo múltiple puede generalizarse al *muestreo secuencial*, en el cual se toma una decisión para aceptar, rechazar o continuar el muestreo después de cada observación (esto es, todos los tamaños de muestra son uno). La construcción de planes de muestreo secuenciales requiere que se generen dos secuencias de números, digamos $a_n$ y $r_n$, donde $n$ es el número de observaciones. El procedimiento rechazará entonces el lote tan rápido como el número de defectos exceda $r_n$ para alguna $n$, y aceptará el lote tan rápido como el número de defectos sea menor que $a_n$ para alguna $n$. El muestreo continúa siempre y cuando el número de defectos libres de las $n$ observaciones caiga entre $a_n$ y $r_n$.

Para facilitar el diseño y el uso de los planes de muestreo de aceptación, se han publicado diversas tablas de planes estándar. Entre las de mayor aplicación están las *Military Standard 105D Tables* (1963) para el muestreo de atributos y las *Military Standard 414 Tables* (1957) para el muestreo de mediciones, publicadas ambas por el Departamento de Defensa de Estados Unidos.

## 17-5   Límites de tolerancia

En la mayor parte de los procesos de producción deseamos comparar un producto con un conjunto de especificaciones. Éstas, llamadas usualmente *límites de tolerancia*, son determinadas por el diseñador o el consumidor. Algunas veces un producto se elabora sin especificaciones previas, y en ese caso hablamos de límites de tolerancia "naturales" para el proceso. En cualquier caso, los límites de tolerancia son simplemente un conjunto de límites entre los cuales podemos esperar encontrar cualquier proporción determinada, digamos $P$, de la población.

Si se conocen la distribución fundamental de las características de calidad en cuestión y sus parámetros, digamos por una larga experiencia, entonces los límites de tolerancia pueden establecerse con facilidad. Por ejemplo, si sabemos que una dimensión se distribuye normalmente con media $\mu$ y varianza $\sigma^2$, entonces los límites de tolerancia pueden construirse para cualquier $P$. Si $P = .95$, vemos que los límites de tolerancia son $\mu \pm 1.96\sigma$, empleando las tablas de la distribución normal acumulativa.

Si $\mu$ y $\sigma^2$ no se conocen, deben estimarse a partir de una muestra aleatoria, digamos por $\overline{X}$ y $S^2$. Entonces es posible determinar una constante $K$ tal que podamos afirmar con un grado de confianza $1 - \alpha$ que la proporción de la población contenida entre $\overline{X} - KS$ y $\overline{X} + KS$ es al menos $P$. Una breve tabla de $K$ para muestras aleatorias de poblaciones normales se da en la tabla XIV del apéndice.

**Ejemplo 17.7**   Un fabricante toma una muestra aleatoria de tamaño 100 de una gran población de ejes. De ahí calcula $\overline{x} = 1.407$ y $s = .001$ pulg. Al elegir $1 - \alpha = .99$ y $P = .95$, obtenemos los límites de tolerancia

$$1.407 \pm (2.355)(.001)$$

$$1.407 \pm 0.0024$$

En consecuencia, el fabricante puede afirmar con un grado de confianza de .99 que al menos 95 por ciento de los ejes tiene diámetros de 1.404 a 1.410 pulgadas. Nótese que el límite de tolerancia inferior se redondea hacia abajo y el límite de tolerancia superior se redondea hacia arriba.

Es posible construir *límites de tolerancia no paramétricos* que se basan en los valores extremos en una muestra aleatoria de tamaño $n$ de cualquier población continua. Si $P$ es la proporción mínima de la población contenida entre la observación más grande y la más pequeña con confianza $1 - \alpha$, entonces puede demostrarse que

$$nP^{n-1} - (n-1)P^n = \alpha$$

y $n$ es aproximadamente

$$n = \frac{1}{2} + \frac{1 + P}{1 - P} \cdot \frac{\chi^2_{\alpha, 4}}{4} \tag{17-18}$$

Por tanto, para que haya una certidumbre de 95 por ciento de que al menos 90 por ciento de la población estará incluida entre los valores extremos de la muestra, requerimos que ésta sea de

$$n \simeq \frac{1}{2} + \frac{1.9}{.1} \cdot \frac{9.488}{4} \simeq 46$$

observaciones.

Obsérvese que hay una diferencia fundamental entre los límites de confianza y los límites de tolerancia. Los primeros se utilizan para estimar un parámetro de una población, en tanto que los límites de tolerancia se emplean para indicar los límites entre los cuales podemos encontrar una proporción de una población. Cuando $n$ tiende a infinito, la longitud de un intervalo de confianza se aproxima a cero, en tanto que los límites de tolerancia tienden a los valores correspondientes para la población. Así, en la tabla XI del apéndice cuando $n$ se vuelve más grande para $P = .90$, por ejemplo, $K$ se aproxima a 1.645.

## 17-6   Ingeniería de confiabilidad

Uno de los esfuerzos desafiantes de las pasadas tres décadas ha sido el diseño y desarrollo de sistemas a gran escala para la exploración espacial, la nueva generación de aeronaves comerciales y militares, y los productos electromecánicos complejos tales como las copiadoras de oficina y las computadoras. El desempeño de estos sistemas, y las consecuencias de sus fallas, es de vital importancia. Por ejemplo, la comunidad militar ha puesto históricamente un gran énfasis en la confiabilidad de los equipos. Este énfasis surge en gran parte por razones crecientes del costo de mantenimiento respecto a los costos de adquisición y de implicaciones estratégicas y tácticas de la falla de los sistemas. En el área de la manufactura de productos para el consumidor, la alta confiabilidad se ha convertido en una expectativa igual a la conformidad con otras importantes características de calidad.

La ingeniería de confiabilidad comprende diversas actividades, una de las cuales es el modelado de la confiabilidad. En esencia, la probabilidad de supervivencia del sistema se expresa como una función del subsistema de confiabilidad de los componentes (probabilidades de supervivencia). Estos modelos suelen depender del tiempo, pero hay algunas situaciones donde éste no es el caso. Una segunda actividad importante es la de la prueba de vida y la estimación de la confiabilidad.

### 17-6.1   Definiciones básicas de confiabilidad

Vamos a considerar un componente que acaba de manufacturarse. Éste operará en un "nivel de esfuerzo" establecido o dentro de un intervalo de esfuerzo tales

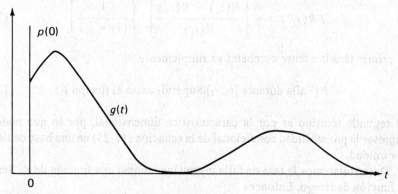

**Figura 17.17**   Distribución de fallas compuesta.

como temperatura, impacto, etc. La variable aleatoria $T$ se definirá como el tiempo previo a la falla, y la *confiabilidad* del componente (o subsistema o sistema) en el tiempo $t$ es $R(t) = P[T > t]$. $R$ se denomina *función de confiabiliad*. El proceso de falla suele ser complejo, constando al menos de tres tipos de fallas: iniciales, de desgaste, y otras que caen entre éstas. Una distribución compuesta hipotética del tiempo previo a la falla se muestra en la figura 17.17. Ésta es una distribución mezclada, y

$$p(0) + \int_0^\infty g(t)\,dt = 1 \tag{17-19}$$

Puesto que en muchos componentes (o sistemas) las fallas iniciales o fallas de tiempo cero se eliminan durante la prueba, la variable aleatoria $T$ está condicionada al evento de que $T > 0$, por lo que la densidad de falla es

$$f(t) = \frac{g(t)}{1 - p(0)} \qquad t > 0 \tag{17-20}$$

$$= 0 \qquad\qquad \text{en otro caso}$$

De tal modo, en términos de $f$, la función de confiabilidad $R$, es

$$R(t) = 1 - F(t) = \int_t^\infty f(x)\,dx \tag{17-21}$$

El término *tasa de falla del intervalo* denota la tasa de falla en un intervalo particular de tiempo $[t_1, t_2]$ y los términos *tasa de falla, tasa de falla instantánea,* y *riesgo* se usarán como sinónimos como una forma límite de la tasa de falla del intervalo cuando $t_2 \rightarrow t_1$. La tasa de falla del intervalo $FR(t_1, t_2)$ es como sigue

$$FR(t_1, t_2) = \left[ \frac{R(t_1) - R(t_2)}{R(t_1)} \right] \cdot \left[ \frac{1}{(t_2 - t_1)} \right] \qquad (17\text{-}22)$$

El primer término entre corchetes es simplemente

$$P\{\text{Falla durante } [t_1, t_2] | \text{Supervivencia al tiempo } t_1\} \qquad (17\text{-}23)$$

El segundo término es por la característica dimensional, por lo que podemos expresar la probabilidad condicional de la ecuación (17-23) en una base de tiempo por unidad.

Desarrollaremos la tasa de falla instantánea (como una función de $t$). Sea $h(t)$ la función de riesgo. Entonces

$$h(t) = \lim_{\Delta t \to 0} \frac{R(t) - R(t + \Delta t)}{R(t)} \frac{1}{\Delta t}$$

$$= - \lim_{\Delta t \to 0} \frac{R(t + \Delta t) - R(t)}{\Delta t} \cdot \frac{1}{R(t)}$$

o

$$h(t) = \frac{-R'(t)}{R(t)} = \frac{f(t)}{R(t)} \qquad (17\text{-}24)$$

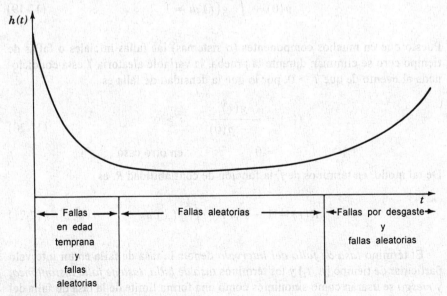

**Figura 17.18**    Función de riesgo típica.

puesto que $R(t) = 1 - F(t)$ y $-R'(t) = f(t)$. Una función de riesgo común se muestra en la figura 17.18. Nótese que $h(t) \cdot dt$ podría considerarse como la probabilidad instantánea de falla en $t$, dada la supervivencia para $t$.

Un resultado útil es que la función de confiabilidad $R$ puede expresarse fácilmente en términos de $h$ como

$$R(t) = e^{-\int_0^t h(x)\,dx} = e^{-H(t)} \qquad (17\text{-}25)$$

donde

$$H(t) = \int_0^t h(x)\,dx.$$

La ecuación 17-25 resulta de la definición

$$h(t) = \frac{f(t)}{R(t)} = -\frac{R'(t)}{R(t)}$$

y de la integración de ambos lados

$$\int_0^t h(x)\,dx = -\int_0^t \frac{R'(x)}{R(x)}\,dx = -\log_e R(x)\Big|_0^t$$

por lo que

$$\int_0^t h(x)\,dx = -\log_e R(t) + \log_e R(0)$$

Puesto que $F(0) = 0$, $\log_e R(0) = 0$, y

$$e^{-\int_0^t h(x)\,dx} = e^{\log_e R(t)} = R(t)$$

El tiempo medio previo a la falla (TMPF) es

$$E[T] = \int_0^\infty t \cdot f(t)\,dt$$

Una útil forma alternativa es

$$E[T] = \int_0^\infty R(t)\,dt \qquad (17\text{-}26)$$

El modelado de sistemas más complejos supone que sólo las fallas de componentes aleatorias necesitan considerarse. Esto es equivalente a establecer que el tiempo para la distribución de fallas es exponencial, esto es,

$$f(t) = \lambda e^{-\lambda t} \qquad t \geq 0$$
$$= 0 \qquad \text{en otro caso}$$

de modo que

$$h(t) = \frac{f(t)}{R(t)} = \frac{\lambda e^{-\lambda t}}{e^{-\lambda t}} = \lambda$$

es una constante. Cuando se han eliminado todas las fallas de etapa temprana por el *quemado inicial* y el tiempo para la ocurrencia de fallas por desgaste es muy grande (como con las partes electrónicas), entonces esta suposición es razonable.

La distribución normal se emplea con mayor generalidad para modelar fallas por desgaste o fallas por esfuerzo (donde la variable aleatoria es el nivel de esfuerzo en vez del tiempo). En situaciones donde la mayor parte de las fallas se deben al desgaste, la distribución normal puede ser muy apropiada.

Se ha encontrado que la distribución lognormal es aplicable en la descripción del tiempo de falla en algunos tipos de componentes, y la bibliografía técnica parece indicar una utilización creciente de esta densidad para este propósito.

La distribución de Weibull se ha empleado de manera amplia para representar el tiempo previo de falla, y su naturaleza es tal que puede establecerse para aproximar con bastante precisión el fenómeno observado. Cuando un sistema se compone de varios componentes y la falla se debe al más serio de un gran número de defectos o defectos posibles, la distribución de Weibull funciona en particular muy bien como modelo.

La distribución gamma se produce con frecuencia a partir de la modelación de la redundancia de reserva donde los componentes tienen una distribución exponencial del tiempo de falla. Investigaremos la redundancia de reserva en la sección 17-6.5.

### 17-6.2 Modelo exponencial del tiempo de falla

En esta sección suponemos que la distribución del tiempo de falla es exponencial; esto es, sólo se consideran las "fallas aleatorias". La densidad, la función de confiabilidad y las funciones de riesgo se dan en las ecuaciones de la 17-27 a la 17-29, y se muestran en la figura 17.19.

$$f(t) = \lambda e^{-\lambda t} \qquad t \geq 0$$
$$= 0 \qquad \text{en otro caso} \qquad (17\text{-}27)$$
$$R(t) = P[T > t] = e^{-\lambda t} \qquad t \geq 0$$
$$= 0 \qquad \text{en otro caso} \qquad (17\text{-}28)$$

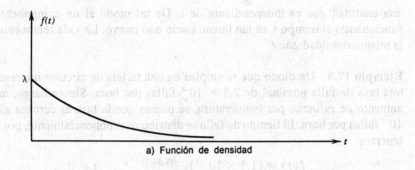

a) Función de densidad

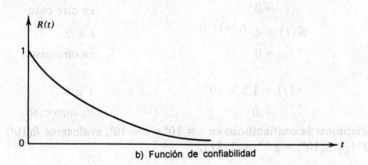

b) Función de confiabilidad

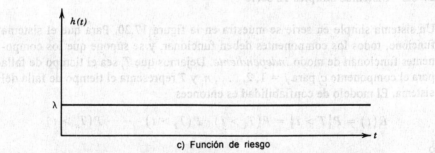

c) Función de riesgo

**Figura 17.19** Funciones de densidad, confiabilidad y riesgo para el modelo de la falla exponencial.

$$h(t) = \frac{f(t)}{R(t)} = \lambda \qquad\qquad t \geq 0$$

$$= 0 \qquad\qquad \text{en otro caso} \qquad (17\text{-}29)$$

La interpretación de función de riesgo constante es que el proceso de falla no tiene memoria; esto es,

$$P\{t \leq T \leq t + \Delta t \,|\, T > t\} = \frac{e^{-\lambda t} - e^{-\lambda(t+\Delta t)}}{e^{-\lambda t}} = 1 - e^{-\lambda \Delta t} \qquad (17\text{-}30)$$

una cantidad que es independiente de $t$. De tal modo si un componente está funcionando al tiempo $t$, es tan bueno como uno nuevo. La vida remanente tiene la misma densidad que $f$.

**Ejemplo 17.8** Un diodo que se emplea en una tarjeta de circuito impreso tiene una tasa de falla nominal de $2.3 \times 10^{-8}$ fallas por hora. Sin embargo, ante un aumento de esfuerzo por temperatura, se piensa que la tasa es cercana a $1.5 \times 10^{-5}$ fallas por hora. El tiempo de falla se distribuye exponencialmente, por lo que tenemos

$$f(t) = (1.5 \times 10^{-5})e^{-(1.5 \times 10^{-5})t} \qquad t \geq 0$$
$$= 0 \qquad \text{en otro caso}$$
$$R(t) = e^{-(1.5 \times 10^{-5})t} \qquad t \geq 0$$
$$= 0 \qquad \text{en otro caso}$$

y

$$h(t) = 1.5 \times 10^{-5} \qquad t \geq 0$$
$$= 0 \qquad \text{en otro caso}$$

Para determinar la confiabilidad en $t = 10^4$ y $t = 10^5$, evaluamos $R(10^4) = e^{-.15}$ $= .86071$, y $R(10^5) = e^{-1.5} = .22313$.

## 17-6.3 Sistemas simples en serie

Un sistema simple en serie se muestra en la figura 17.20. Para que el sistema funcione, todos los componentes deben funcionar, y se supone que los componentes funcionan de modo *independiente*. Dejamos que $T_j$ sea el tiempo de falla para el componente $c_j$ para $j = 1, 2, \ldots, n$, y $T$ representa el tiempo de falla del sistema. El modelo de confiabilidad es entonces

$$R(t) = P[T > t] = P(T_1 > t) \cdot P(T_2 > t) \cdot \cdots \cdot P(T_n > t)$$

o

$$R(t) = R_1(t) \cdot R_2(t) \cdot \cdots \cdot R_n(t) \qquad (17\text{-}31)$$

donde

$$P[T_j > t] = R_j(t)$$

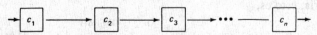

**Figura 17.20** Sistema en serie simple.

**Ejemplo 17.9** Tres componentes deben funcionar para que un sistema simple funcione. Las variables aleatorias $T_1$, $T_2$ y $T_3$ que representan el tiempo de falla para los componentes son independientes con las siguientes distribuciones:

$$T_1 \sim N(2 \times 10^3, 4 \times 10^4)$$

$$T_2 \sim \text{Weibull}\left(\gamma = 0, \delta = 1, \beta = \frac{1}{7}\right)$$

$$T_3 \sim \text{lognormal}\left(\mu = 10, \sigma^2 = 4\right)$$

Se deduce que

$$R_1(t) = 1 - \Phi\left(\frac{t - 2 \times 10^3}{200}\right)$$

$$R_2(t) = e^{-t^{(1/7)}}$$

$$R_1(t) = 1 - \Phi\left(\frac{t - 2 \times 10^3}{200}\right)$$

por lo que

$$R(t) = \left[1 - \Phi\left(\frac{t - 2 \times 10^3}{200}\right)\right] \cdot \left[e^{-t^{(1/7)}}\right] \cdot \left[1 - \Phi\left(\frac{\log_e t - 10}{2}\right)\right]$$

Por ejemplo, si $t = 2187$ horas, entonces

$$R(2187) = [1 - \Phi(.935)][e^{-3}][1 - \Phi(-1.154)]$$

$$= [.175][.0498][.876]$$

$$\approx .0076$$

Para el sistema simple en serie, la confiabilidad del mismo puede calcularse empleando el producto de las funciones de confiabilidad de los componentes como se demostró; sin embargo, cuando todos los componentes tienen una distribución exponencial, los cálculos se simplifican en gran medida puesto que

$$R(t) = e^{-\lambda_1 t} \cdot e^{-\lambda_2 t} \ldots e^{-\lambda_n t} = e^{-(\lambda_1 + \lambda_2 + \cdots + \lambda_n)t}$$

o

$$R(t) = e^{-\lambda_s t} \tag{17-32}$$

donde $\lambda_s = \sum_{j=1}^{n} \lambda_j$ representa la *tasa de falla del sistema*. También podemos notar que la función de confiabilidad del sistema es de la misma forma que las funciones de confiabilidad de los componentes. La tasa de falla del sistema es simplemente la suma de las tasas de falla de los componentes, y esto facilita mucho la aplicación.

**Ejemplo 17.10** Considérese un circuito electrónico con tres dispositivos de circuito integrado, 12 diodos de silicio, ocho capacitores de cerámica y 15 resistores de composición. Supóngase que según determinados niveles de esfuerzos de temperatura, impacto, etc., cada componente tiene fallas como se muestra en la siguiente tabla, y que las fallas de los componentes son independientes.

|  | Fallas por hora |
|---|---|
| Circuitos integrados | $1.3 \times 10^{-9}$ |
| Diodos | $1.7 \times 10^{-7}$ |
| Capacitores | $1.2 \times 10^{-7}$ |
| Resistores | $6.1 \times 10^{-8}$ |

Por tanto,

$$\lambda_s = 3(.013 \times 10^{-7}) + 12(1.7 \times 10^{-7}) + 8(1.2 \times 10^{-7}) + 15(.61 \times 10^{-7})$$
$$= 3.9189 \times 10^{-6}$$

y

$$R(t) = e^{-(3.9189 \times 10^{-6})t}$$

El tiempo medio de falla del circuito es

$$\text{MTTF} = E[T] = \frac{1}{\lambda_s} = \frac{1}{3.9189} \times 10^6 = 2.55 \times 10^5 \text{ horas}$$

Si deseamos determinar, $R(10^4)$ por ejemplo, obtenemos $R(10^4) = e^{-.039189} \approx .96$.

### 17-6.4 Redundancia activa simple

Una configuración redundante activa se muestra en la figura 17.21. El ensamble funciona si funcionan $k$ o más de las funciones ($k \le n$). Todos los campos inician operación en el tiempo cero, de modo que el término "activa" se emplea para describir la redundancia. Asimismo, se supone la independencia.

No es conveniente trabajar con una formulación general, y en la mayor parte de los casos es innecesaria. Cuando todos los componentes tienen la misma función de confiabilidad, como en el caso en que los componentes son del mismo

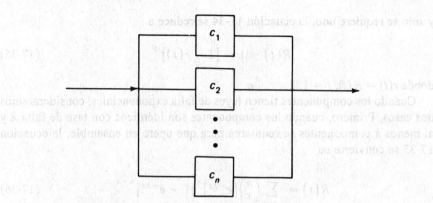

**Figura 17.21** Configuración redundante activa.

tipo, dejamos $R_j(t) = r(t)$ para $j = 1, 2, \ldots, n$, de manera que

$$R(t) = \sum_{x=k}^{n} \binom{n}{x}[r(t)]^{x}[1 - r(t)]^{n-x}$$

$$= 1 - \sum_{x=0}^{k-1} \binom{n}{x}[r(t)]^{x}[1 - r(t)]^{n-x} \tag{17-33}$$

La ecuación 17-33 se deduce de la definición de confiabilidad.

**Ejemplo 17.11** Tres componentes idénticos se arreglan en redundancia activa operando de manera independiente. Con el propósito de que funcione el ensamble, deben funcionar al menos dos de los componentes ($k = 2$). La función de confiabilidad para el sistema es entonces

$$R(t) = \sum_{x=2}^{3} \binom{3}{x}[r(t)]^{x}[1 - r(t)]^{n-x}$$

$$= 3[r(t)]^{2}[1 - r(t)] + [r(t)]^{3}$$

$$= [r(t)]^{2}[3 - 2r(t)]$$

Se observa que $R$ es una función del tiempo, $t$.

Cuando sólo se requiere uno de los $n$ componentes, como sucede a menudo, y los componentes no son idénticos, obtenemos

$$R(t) = 1 - \prod_{j=1}^{n} \left[1 - R_j(t)\right] \tag{17-34}$$

El producto es la probabilidad de que todos los componentes fallen y, obviamente, si no fallan, el sistema sobrevive. Cuando los componentes son idénticos y sólo se requiere uno, la ecuación 17-34 se reduce a

$$R(t) = 1 - [1 - r(t)]^n \qquad (17\text{-}35)$$

donde $r(t) = R_j(t), j = 1, 2, \ldots, n$.

Cuando los componentes tienen leyes de falla exponenciales, consideraremos dos casos. Primero, cuando los componentes son idénticos con tasa de falla $\lambda$ y al menos $k$ componentes se requieren para que opere en ensamble, la ecuación 17-33 se convierte en

$$R(t) = \sum_{x=k}^{n} \binom{n}{x}[e^{-\lambda t}]^x [1 - e^{-\lambda t}]^{n-x} \qquad (17\text{-}36)$$

El segundo caso se considera para la situación donde los componentes tienen densidades de falla exponenciales idénticas y donde sólo un componente debe funcionar para que el ensamble funcione. Mediante el empleo de la ecuación 17-35, tenemos

$$R(t) = 1 - [1 - e^{-\lambda t}]^n \qquad (17\text{-}37)$$

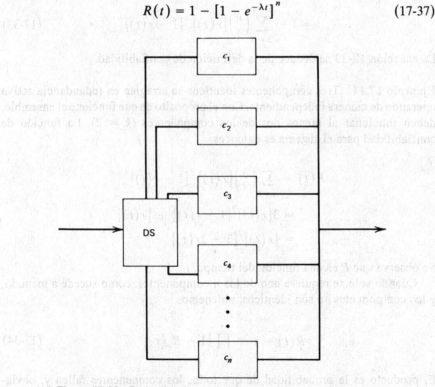

**Figura 17.22** Redundancia en alerta.

**Ejemplo 17.12**  En el ejemplo 17.11, donde se arreglaron tres componentes idénticos en una redundancia activa, y se necesitaron al menos dos para la operación del sistema encontramos

$$R(t) = [r(t)]^2[3 - 2r(t)]$$

Si las funciones de confiabilidad de los componentes son

$$r(t) = e^{-\lambda t}$$

entonces

$$R(t) = e^{-2\lambda t}[3 - 2e^{-\lambda t}]$$
$$= 3e^{-2\lambda t} - 2e^{-3\lambda t}$$

Si se arreglan dos componentes en redundancia activa como se describió, y sólo uno debe funcionar para que el ensamble funcione y, además, si los tiempos para las densidades de falla son exponenciales con tasa de falla $\lambda$, entonces de la ecuación 17-36, obtenemos

$$R(t) = 1 - [1 - e^{-\lambda t}]^2 = 2e^{-\lambda t} - e^{-2\lambda t}$$

### 17-6.5  Redundancia en alerta

Una forma común de redundancia llamada redundancia en alerta se muestra en la figura 17.22. La unidad con la etiqueta ID es un interruptor de decisión que supondremos tiene una confiabilidad de 1 para toda $t$. Las reglas de operación son como sigue. El componente 1 está inicialmente "en línea", y cuando este componente falla, el interruptor de decisión conmuta al componente 2, que permanece en línea hasta que falla. Las unidades de reserva no están sujetas a falla hasta que se activan. El tiempo de falla para el ensamble es

$$T = T_1 + T_2 + \cdots + T_n$$

donde $T_i$ es el tiempo de falla para el componente $i$ésimo y $T_1, T_2, \ldots, T_n$ son variables aleatorias independientes. El valor más común para $n$ en la práctica es dos, de modo que el teorema central del límite es de poco valor. Sin embargo, sabemos de la propiedad de combinaciones lineales que

$$E[T] = \sum_{i=1}^{n} E(T_i)$$

y

$$V[T] = \sum_{i=1}^{n} V(T_i)$$

Debemos conocer las distribuciones de las variables aleatorias $T_i$ con el fin de encontrar la distribución de $T$. El caso más común ocurre cuando los componentes son idénticos y las distribuciones del tiempo de falla se supone que serán exponenciales. En este caso, $T$ tiene una distribución gamma

$$f(t) = \frac{\lambda}{(n-1)!}(\lambda t)^{n-1}e^{-\lambda t} \quad t > 0$$

$$= 0 \qquad\qquad\qquad\qquad \text{en otro caso}$$

por lo que la función de confiabilidad es

$$R(t) = \sum_{k=0}^{n-1} e^{-\lambda t}(\lambda t)^k/k! \quad t > 0 \tag{17-38}$$

El parámetro $\lambda$ es la tasa de falla del componente; esto es, $E(T_i) = 1/\lambda$. El tiempo medio de falla y la varianza son

$$\text{MTTF} = E[T] = n/\lambda \tag{17-39}$$

y

$$V[T] = n/\lambda^2 \tag{17-40}$$

respectivamente.

**Ejemplo 17.13**   Dos componentes idénticos se ensamblan en una configuración redundante de reserva con conmutación perfecta. Las vidas de los componentes son variables aleatorias independientes que se distribuyen de modo idéntico y que tienen una distribución exponencial con tasa de falla $100^{-1}$. El tiempo medio de falla es

$$\text{MTTF} = 2/100^{-1} = 200$$

y la varianza es

$$V[T] = 2/(100^{-1})^2 = 20,000$$

La función de confiabilidad $R$ es

$$R(t) = \sum_{k=0}^{1} e^{-100^{-1}t}(100^{-1}t)^k/k!$$

o

$$R(t) = e^{-t/100}[1 + t/100]$$

### 17-6.6 Prueba de duración

Las pruebas de duración de vida se llevan a cabo para diferentes fines. Algunas veces, $n$ unidades se ponen a prueba y se envejecen hasta que todas o la mayor parte de las unidades han fallado; el propósito es probar una hipótesis respecto a la forma de la densidad del tiempo de falla con ciertos parámetros. Tanto las pruebas estadísticas formales como la graficación de la probabilidad se emplean ampliamente en la prueba de duración.

Un segundo objetivo de la prueba de duración es estimar la confiabilidad. Supóngase, por ejemplo, que un fabricante está interesado en estimar $R(1000)$ para un componente o sistema particular. Un enfoque a este problema sería poner $n$ unidades bajo prueba y contar el número de fallas, $r$, que ocurren antes de 1000 horas de operación. Las unidades que fallan no se reemplazan en este ejemplo. Una estimación de la no confiabilidad es $\hat{P} = r/n$, y una estimación de la confiabilidad es

$$\hat{R}(1000) = 1 - \frac{r}{n} \qquad (17\text{-}41)$$

Un límite de confianza inferior $(1 - \alpha)$ en $R(1000)$ está dado por $[1 - $ límite superior sobre $p]$, donde $p$ es la no confiabilidad. Este límite superior en $p$ puede determinarse empleando una tabla de la distribución binomial. En el caso donde $n$ es grande, una estimación del límite superior en $p$ es

$$\hat{p} + Z_{1-\alpha}\sqrt{\frac{\hat{p}(1-\hat{p})}{n}} \qquad (17\text{-}42)$$

**Ejemplo 17.14**   Un ciento de unidades se someten a una prueba de duración que se realiza durante 1000 horas. Hay dos fallas en el transcurso de la prueba, por lo que $\hat{p} = \frac{2}{100} = .02$, y $\hat{R}(1000) = .98$. Mediante el empleo de una tabla de la distribución binomial, un límite de confianza superior de 95 por ciento es .06, así que el límite inferior en $R(1000)$ está dado por .94.

En los últimos años, ha habido mucho trabajo en el análisis de los datos de tiempo de falla, incluso métodos de graficación para la identificación de modelos de tiempo de falla y estimación de parámetros apropiados. Para un buen resumen de este trabajo, refiérase a Nelson (1982).

### 17-6.7 Estimación de confiabilidad con una distribución de tiempo de falla conocida

En el caso en el que la forma de la función de confiabilidad se supone conocida y hay sólo un parámetro, el estimador de máxima probabilidad para $R(t)$ es $\hat{R}(t)$, el cual se forma sustituyendo $\hat{\theta}$ por el parámetro $\theta$ en la expresión para $R(t)$, donde

$\hat{\theta}$ es el estimador de máxima probabilidad de $\theta$. Para mayores detalles y resultados de las distribuciones de tiempo de falla específicas, refiérase a Nelson (1982).

### 17-6.8   Estimación con la distribución de tiempo de falla exponencial

El caso más común para la situación de un parámetro es el correspondiente a la distribución de tiempo de falla exponencial, $R(t) = e^{-t/\theta}$. El parámetro $\theta = E[T]$ recibe el nombre de tiempo medio de falla y el estimador $R$ es $\hat{R}(t)$, donde

$$\hat{R}(t) = e^{-t/\hat{\theta}}$$

y $\hat{\theta}$ es el estimador de máxima probabilidad de $\theta$.

Epstein (1960) desarrolló los estimadores de probabilidad máxima para $\theta$ ante bastantes condiciones diferentes y, además, demostró que un intervalo de confianza del $100(1 - \alpha)$ por ciento en $R(t)$ está dado por

$$[e^{-t/\hat{\theta}_L}; \ e^{t/\hat{\theta}_U}] \tag{17-43}$$

para el caso de dos lados o

$$[e^{-t/\hat{\theta}_L}; 1] \tag{17-44}$$

para el intervalo de un lado inferior. En estos casos, los valores $\hat{\theta}_L$ y $\hat{\theta}_U$ son los límites de confianza inferior y superior en $\theta$.

Se emplearán los siguientes símbolos:

$n =$ número de unidades puestas a prueba en $t = 0$.

$Q =$ tiempo total de prueba en unidades de horas

$t^* =$ tiempo en el que termina la prueba

$r =$ número de fallas acumuladas al tiempo $t$

$r^* =$ número preasignado de fallas

$1 - \alpha =$ nivel de confianza

$\chi^2_{\alpha, k} =$ lectura de la tabla de ji cuadrada con $k$ grados de libertad

Hay cuatro situaciones que deben considerarse de acuerdo a si la prueba se interrumpe después de un tiempo preasignado, o después de un número de fallas preasignado, y si los artículos con falla se sustituyen o no durante la prueba.

En la prueba con reemplazo, el tiempo total de prueba en unidades de horas es $Q = nt^*$, y para la prueba sin reemplazo

$$Q = \sum_{i=1}^{r} t_i + (n - r)t^* \tag{17-45}$$

Si los artículos se censuran (retiro de artículos que no han fallado) y los que han fallado se reemplazan en tanto que los artículos censurados se sustituyen,

$$Q = \sum_{j=1}^{c} t_j + (n - c)t^* \tag{17-46}$$

donde $c$ representa el número de artículos censurados y $t_j$ es el tiempo de censura $j$ésimo. Si no se reemplazan ni los artículos censurados ni los que han fallado, entonces

$$Q = \sum_{i=1}^{r} t_i + \sum_{j=1}^{c} t_j + (n - r - c)t^* \tag{17-47}$$

El desarrollo de los estimadores de máxima verosimilitud para $\theta$ es bastante directo. En el caso en que la prueba sea sin reemplazo, y se interrumpa después de que un número fijo de artículos haya fallado, la función de similitud es

$$L = \prod_{i=1}^{r} f(t_i) \cdot \prod_{i=r}^{n} R(t^*)$$

$$= \frac{1}{\theta^r} e^{-(1/\theta)\sum_{i=1}^{r} t_i} \cdot e^{-(n-r)t^*/\theta} \tag{17-48}$$

Entonces

$$l = \log_e L = -r \log_e \theta - \frac{1}{\theta} \sum_{i=1}^{r} t_i - (n - r)t^*/\theta$$

y la solución de $(\partial l/\partial \theta) = 0$ produce el estimador

$$\hat{\theta} = \frac{\sum_{i=1}^{r} t_i + (n - r)t^*}{r} = \frac{Q}{r} \tag{17-49}$$

Esto produce que

$$\hat{\theta} = Q/r \tag{17-50}$$

sea el estimador de máxima similitud de $\theta$ para todos los casos considerados en el diseño y la operación de la prueba.

La cantidad $2r\hat{\theta}/\theta$ tiene una distribución ji cuadrada con $2r$ grados de libertad en el caso donde la prueba se termina después de un número fijo de fallas. Para un tiempo de terminación fijo $t^*$, los grados de libertad se vuelven $2r + 2$.

Puesto que la expresión $2r\hat{\theta}/\theta = 2Q/\theta$, los límites de confianza en $\theta$ pueden expresarse como se indica en la tabla 17-4. Los resultados que se presentan en la

TABLA 17.4 **Límites de confianza en** $\theta$

| Número del límite | Número fijado de fallas $r^*$ | Tiempo fijado de terminación $t^*$ |
|---|---|---|
| Límites de dos lados | $\left[ \dfrac{2Q}{\chi^2_{\alpha/2,\,2r}} ; \dfrac{2Q}{\chi^2_{1-\alpha/2,\,2r}} \right]$ | $\left[ \dfrac{2Q}{\chi^2_{\alpha/2,\,2r+2}} ; \dfrac{2Q}{\chi^2_{1-\alpha/2,\,2r+2}} \right]$ |
| Límite de un lado, inferior | $\left[ \dfrac{2Q}{\chi^2_{\alpha,\,2r}} ; \infty \right]$ | $\left[ \dfrac{2Q}{\chi^2_{\alpha,\,2r+2}} ; \infty \right]$ |

tabla pueden utilizarse directamente con las ecuaciones 17-43 y 17-44 para establecer límites de confianza en $R(t)$. Debe notarse que este procedimiento de prueba no requiere que la prueba se ejecute en el tiempo en el cual se requiere una estimación de confiabilidad. Por ejemplo, 100 unidades pueden ponerse en una prueba sin reemplazo durante 200 horas, estimarse el parámetro $\theta$ y calcularse $\hat{R}(1000)$. En el caso de la prueba binomial mencionada antes, sería necesario ejecutar la prueba durante 1000 horas.

Sin embargo, los resultados son dependientes de la suposición de que la distribución es exponencial.

Algunas veces es necesario estimar el tiempo $t_R$ para el cual la confiabilidad será $R$. Para el modelo exponencial, esta estimación es

$$\hat{t}_R = \hat{\theta} \cdot \log_e \frac{1}{R} \qquad (17\text{-}51)$$

y los límites de confianza en $t_R$ se dan en la tabla 17.5.

**Ejemplo 17.15** Veinte artículos se someten a una prueba con reemplazo que se realizará hasta que ocurran diez fallas. La décima falla ocurre a las 80 horas, y el ingeniero de confiabilidad desea estimar el tiempo medio de falla, límites de dos lados del 95 por ciento en $\theta$, $R(100)$, y límites de dos lados del 95 por ciento en $R(100)$. Por último, también desea estimar el tiempo en el cual la confiabilidad será .8 con estimaciones de intervalo de confianza puntual de dos lados puntual y del 95 por ciento.

TABLA 17.5 **Límites de confianza en** $t_R$

| Naturaleza del límite | Número fijado de fallas $r^*$ | Tiempo fijado de terminación $t^*$ |
|---|---|---|
| Límites de dos lados | $\left[ \dfrac{2Q\log_e(1/R)}{\chi^2_{\alpha/2,\,2r}} ; \dfrac{2Q\log_e(1/R)}{\chi^2_{1-\alpha/2,\,2r}} \right]$ | $\left[ \dfrac{2Q\log_e(1/R)}{\chi^2_{\alpha/2,\,2r+2}} \dfrac{2Q\log_e(a/R)}{\chi^2_{1-\alpha/2,\,2r+2}} \right]$ |
| Límite de un lado, inferior | $\left[ \dfrac{2Q\log L_e(1/R)}{\chi^2_{\alpha,\,2r}} ; \infty \right]$ | $\left[ \dfrac{2Q\log_e(1/R)}{\chi^2_{\alpha,\,2r-2}} ; \infty \right]$ |

Al emplear la ecuación 17-50 y los resultados presentados en las tablas 17.4 y 17.5

$$\hat{\theta} = \frac{nt^*}{r} = \frac{20(80)}{10} = 160 \text{ horas}$$

$$Q = nt^* = 1600 \text{ unidades por hora}$$

$$\left[ \frac{2Q}{\chi^2_{.025,20}} ; \frac{2Q}{\chi^2_{.975,20}} \right] = \left[ \frac{3200}{34.17} ; \frac{3200}{9.591} \right]$$

$$= [93.65 ; 333.65]$$

$$\hat{R}(100) = e^{-100/\theta} = e^{-100/160} = .535$$

Al utilizar la ecuación 17-43, el intervalo de confianza en $R(100)$ es

$$\left[ e^{-100/93.65} ; e^{-100/333.65} \right] = [.344 ; .741]$$

Además,

$$\hat{t}_{.80} = \hat{\theta} \log_e \frac{1}{R} = 160 \log_e \frac{1}{.8} = 35.70 \text{ horas}$$

El límite de confianza de dos lados del 95 por ciento se determinó de la tabla 17.5 como

$$\left[ \frac{2(1600)(.22314)}{34.17} ; \frac{2(1600)(.22314)}{9.591} \right] = [20.9 ; 74.45]$$

### 17-6.9 Pruebas de demostración y de aceptación

No es raro que el comprador pruebe los productos que adquiere para asegurarse de que el vendedor concuerda con las especificaciones de confiabilidad. Estas pruebas son destructivas y, en el caso de la medición de atributos, el diseño de la prueba sigue lo correspondiente al muestreo de aceptación tratado antes en este capítulo.

Un conjunto especial de planes de muestreo que supone una distribución de tiempo de falla exponencial se ha presentado en el manual del Departamento de Defensa de Estados Unidos (DOD H-108), y estos planes se utilizan ampliamente.

## 17-7   Resumen

Este capítulo ha presentado varios métodos de amplia aplicación para el control de calidad estadístico. Se presentaron los diagramas de control y se trató su utilización como dispositivo de supervivencia del proceso. Los diagramas de control $\overline{X}$ y $R$ se emplean para datos de medición. Cuando la característica de calidad es un atributo, pueden emplearse el diagrama $p$ para la fracción defectuosa o el diagrama $c$ o $u$ para los defectos. Se presentó también el muestreo de aceptación como una técnica para estimar la calidad del lote y brindar guías para el ordenamiento del mismo.

También se trató el empleo de probabilidad como una técnica de modelado en el análisis de confiabilidad. La distribución exponencial se emplea de manera extensa como la distribución del tiempo de falla, aunque otros modelos plausibles incluyen a las distribuciones normal, lognormal, Weibull y gamma. Los métodos del análisis de confiabilidad de sistemas se presentaron para el caso de los sistemas en serie, así como de los que tienen redundancia activa o de reserva. Además se trató de manera breve la prueba de duración y la estimación de la confiabilidad.

## 17-8   Ejercicios

**17-1** Un dado de extrusión se emplea para producir barras de aluminio. El diámetro de las barras es una característica de calidad crítica. A continuación se muestran los valores $\overline{X}$ y $R$ para 20 muestras de 5 barras cada una. Las especificaciones en las barras son .5035 ± .0010 pulgadas. Los valores dados son los últimos tres dígitos de las medici~nes; esto es, 34.2 se lee como .50342.

| Muestra | $\overline{X}$ | $R$ | Muestra | $\overline{X}$ | $R$ |
|---------|------|-----|---------|------|-----|
| 1 | 34.2 | 3 | 11 | 35.4 | 8 |
| 2 | 31.6 | 4 | 12 | 34.0 | 6 |
| 3 | 31.8 | 4 | 13 | 36.0 | 4 |
| 4 | 33.4 | 5 | 14 | 37.2 | 7 |
| 5 | 35.0 | 4 | 15 | 35.2 | 3 |
| 6 | 32.1 | 2 | 16 | 33.4 | 10 |
| 7 | 32.6 | 7 | 17 | 35.0 | 4 |
| 8 | 33.8 | 9 | 18 | 34.4 | 7 |
| 9 | 34.8 | 10 | 19 | 33.9 | 8 |
| 10 | 38.6 | 4 | 20 | 34.0 | 4 |

a)  Establezca los diagramas $\overline{X}$ y $R$, revisando los límites de control de prueba si es necesario, suponiendo que pueden encontrarse causas asignables.

b)  Calcule el $RCP$ y el $RCP_k$. Interprete estas razones.

c)  ¿Qué porcentaje de defectos está produciendo el proceso?

**17-2** Suponga un proceso que está bajo control, y que se emplean límites de control 3-sigma en el diagrama $\bar{X}$. Deje que la media sea $1.5\sigma$. ¿Cuál es la probabilidad de que este corrimiento permanezca indetectable en 3 muestras consecutivas? ¿Cuál sería esta probabilidad si se emplean límites de control 2-sigma? El tamaño de la muestra es 4.

**17-3** Suponga que se utiliza un diagrama $\bar{X}$ para controlar un proceso distribuido normalmente, y que las muestras de tamaño $n$ se toman cada $h$ horas y que se grafican en el diagrama, el cual tiene $k$ límites sigma.
a) Encuentre el número esperado de muestras que se tomarán hasta que se genere una señal de acción falsa. Esto se llama longitud de ejecución promedio (*LEP*) bajo control.
b) Suponga que el proceso cambia a un estado fuera de control. Encuentre el número esperado de muestras que se tomarán hasta que se genere una acción falsa. Esto se llama longitud de ejecución promedio (*LEP*) fuera de control.
c) Evalúe la *LEP* bajo control para $k = 3$. ¿Cómo cambia si $k = 2$? ¿Qué piensa usted acerca del empleo de límites de 2-sigma en la práctica?
d) Evalúe la *LEP* fuera de control para un corrimiento de una sigma, dado que $n = 5$.

**17-4** Veinticinco muestras de tamaño 5 se extraen de un proceso a intervalos regulares, y se obtienen los siguientes datos:

$$\sum_{i=1}^{25} \bar{X}_i = 362.75 \qquad \sum_{i=1}^{25} R_i = 8.60$$

a) Calcule los límites de control para los diagramas $\bar{X}$ y $R$.
b) Suponiendo que el proceso está bajo control y los límites de especificación son $14.50 \pm .50$, ¿qué conclusiones puede usted extraer acerca de la capacidad del proceso para operar dentro de estos límites? Estime el porcentaje de artículos defectuosos que se producirán.
c) Calcule $RCP$ y $RCP_k$. Interprete estas razones.

**17-5** Suponga un diagrama $\bar{X}$ para un proceso bajo control con límites 3-sigma. Se extraen muestras de tamaño 5 cada 15 minutos, al cuarto de hora. Suponga ahora que el proceso se sale de control en $1.5\sigma$ por 10 minutos después de la hora. Si $D$ es el número esperado de defectos producidos por cuarto de hora en este estado fuera de control, encuentre la pérdida esperada (en términos de unidades defectuosas) que resulta de este procedimiento de control.

**17-6** La longitud total del cuerpo de un encendedor de cigarrillos de un automóvil se controla empleando diagramas $\bar{X}$ y $R$. La siguiente tabla brinda la longitud para 20 muestras de tamaño 4 (las mediciones se codifican a partir de 5.00 mm; esto es, 15 es 5.15 mm).

| | Observación | | | | | Observación | | | |
|---|---|---|---|---|---|---|---|---|---|
| Muestra | 1 | 2 | 3 | 4 | Muestra | 1 | 2 | 3 | 4 |
| 1 | 15 | 10 | 8 | 9 | 11 | 13 | 8 | 9 | 5 |
| 2 | 14 | 14 | 10 | 6 | 12 | 10 | 15 | 8 | 10 |
| 3 | 9 | 10 | 9 | 11 | 13 | 8 | 12 | 14 | 9 |
| 4 | 8 | 6 | 9 | 13 | 14 | 15 | 12 | 14 | 6 |
| 5 | 14 | 8 | 9 | 12 | 15 | 13 | 16 | 9 | 5 |
| 6 | 9 | 10 | 7 | 13 | 16 | 14 | 8 | 8 | 12 |
| 7 | 15 | 10 | 12 | 12 | 17 | 8 | 10 | 16 | 9 |
| 8 | 14 | 16 | 11 | 10 | 18 | 8 | 14 | 10 | 9 |
| 9 | 11 | 7 | 16 | 10 | 19 | 13 | 15 | 10 | 8 |
| 10 | 11 | 14 | 11 | 12 | 20 | 9 | 7 | 15 | 8 |

a) Haga los diagramas $\overline{X}$ y $R$. ¿Está el proceso en control estadístico?

b) Las especificaciones son $5.10 \pm .05$ mm. ¿Qué puede usted decir acerca de la capacidad del proceso?

**17-7** Los siguientes son los números de uniones de soldaduras defectuosas en muestras sucesivas de 500 uniones soldadas.

| Día | Núm. de defectos | Día | Núm. de defectos |
|---|---|---|---|
| 1 | 106 | 11 | 42 |
| 2 | 116 | 12 | 37 |
| 3 | 164 | 13 | 25 |
| 4 | 89 | 14 | 88 |
| 5 | 99 | 15 | 101 |
| 6 | 40 | 16 | 64 |
| 7 | 112 | 17 | 51 |
| 8 | 36 | 18 | 74 |
| 9 | 69 | 19 | 71 |
| 10 | 74 | 20 | 43 |
| | | 21 | 80 |

Construya un diagrama de control de la fracción defectuosa. ¿Está el proceso bajo control?

**17-8** Un proceso se controla por medio de un diagrama $p$ empleando muestras de tamaño 100. La línea central en el diagrama es .05. ¿Cuál es la probabilidad de que el diagrama de control detecte un corrimiento a .08 en la primera muestra posterior al mismo? ¿Cuál es la probabilidad de que el corrimiento se detecte por lo menos en la tercera muestra posterior al corrimiento?

**17-9** Suponga que un diagrama $p$ con línea central en $\overline{p}$ con $k$ unidades sigma se emplea para controlar un proceso. Hay una fracción defectuosa crítica $p_c$ que debe detectarse con probabilidad de .50 en la primera muestra que sigue al corrimiento a este estado. Obtenga una fórmula general para el tamaño de muestra que debe emplearse en este diagrama.

**17-10** Un proceso distribuido normalmente emplea 66.7 por ciento de la banda de especificación. Está centrado en la dimensión nominal, y se localiza a la mitad entre los límites de especificación superior e inferior.

a)   ¿Cuál es la razón de capacidad del proceso $RCP$?

b)   ¿Qué nivel de fallas (fracción defectuosa) se produce?

c)   Suponga que la media se corre a una distancia de exactamente 3 desviaciones estándar por debajo del límite de especificación superior. ¿Cuál es el valor de $RCP_k$? ¿Cómo ha cambiado la $RCP$?

d)   ¿Cuáles son las fallas reales que se experimentan después del corrimiento en la media?

**17-11** Considere el proceso en el que las especificaciones respecto a la característica de calidad son $100 \pm 15$. Sabemos que la desviación estándar de esta característica de calidad es 5. ¿Dónde debemos centrar el proceso para minimizar la fracción de defectos producidos? Suponga ahora que la media se corre a 105 y que estamos usando un tamaño de muestra de 4 sobre un diagrama $\overline{X}$. ¿Cuál es la probabilidad de que tal corrimiento se detecte en la primera muestra posterior al corrimiento? ¿Qué tamaño de muestra sería necesario en un diagrama $p$ para obtener un grado similar de protección?

**17-12** Suponga que la siguiente fracción defectuosa se ha encontrado en muestras sucesivas de tamaño 100 (léase abajo):

| | | |
|---|---|---|
| .09 | .03 | .12 |
| .10 | .05 | .14 |
| .13 | .13 | .06 |
| .08 | .10 | .05 |
| .14 | .14 | .14 |
| .09 | .07 | .11 |
| .10 | .06 | .09 |
| .15 | .09 | .13 |
| .13 | .08 | .12 |
| .06 | .11 | .09 |

¿Está el proceso bajo control con respecto a su fracción defectuosa?

**17-13** Lo siguiente representa el número de defectos de soldadura observados en 24 muestras de cinco tarjetas de circuito impreso: 7, 6, 8, 10, 24, 6, 5, 4, 8, 11, 15, 8, 4, 16, 11, 12, 8, 6, 5, 9, 7, 14, 8, 21. ¿Podemos concluir que el proceso está bajo control utilizando un diagrama $c$? Si no, suponga causas asignables que puedan encontrarse y revise los límites de control.

**17-14** Lo siguiente representa el número de defectos por 1000 pies de alambre forrado con plástico: 1, 1, 3, 7, 8, 10, 5, 13, 0, 19, 24, 6, 9, 11, 15, 8, 3, 6, 7, 4, 9, 20, 11, 7, 18, 10, 6, 4, 0, 9, 7, 3, 1, 8, 12. ¿Provienen los datos de un proceso controlado?

**17-15** Suponga que se sabe que el número de defectos en una unidad será de 8. Si el número de defectos en una unidad cambia a 16, ¿cuál será la probabilidad de que se detecte por medio del diagrama $c$ en la primera muestra posterior al corrimiento?

**17-16** Suponga que estamos investigando los defectos en módulos de disco por unidad, y que se conoce que en promedio hay dos defectos por unidad. Si decidimos hacer nuestra inspección por unidad para cinco módulos de disco en el diagrama $c$, y controlar el número total de defectos por unidad de inspección, describa el nuevo diagrama de control.

**17-17** Considere los datos en el ejercicio 17-13. Haga un diagrama $u$ para este proceso. Compárelo con el diagrama $c$ del ejercicio 17-13.

**17-18** Un plan de muestreo único para atributos tiene $n = 50$ y $c = 1$. Dibuje la curva característica de operación. ¿Cuál es el $NCA$ a un riesgo del producto de .05?

**17-19** Un plan de muestreo único para atributos requiere un tamaño de muestra de $n = 60$ y $c = 2$. Suponga que el $NCA = .05$ y el $PDTL = 15$ por ciento. Encuentre los riesgos del productor y del consumidor.

**17-20** Un plan de muestreo único para atributos requiere un tamaño de muestra de $n = 100$. Si la $CSP$ es .03, encuentre el riesgo del productor para $c = 0$, 1 y 2.

**17-21** Dibuje la curva $CO$ para un plan de muestreo único con $n = 40$ y $c = 0$. Comente acerca de la forma de la curva. Bosqueje la curva $CO$ para $n = 40$ y $c = 1$ sobre la misma gráfica. Compare las formas y comente acerca de los problemas potenciales asociados con un plan de muestreo de aceptación con $c = 0$.

**17-22** Una muestra de tamaño $n = 10$ se extrae de un lote que contiene 500 artículos. La muestra contiene cero unidades defectuosas. ¿Qué puede usted argumentar acerca del número de artículos defectuosos que permanecen en la parte no inspeccionada del lote?

**17-23** Considere un plan de muestreo único para atributos con inspección rectificable. Suponiendo que los artículos defectuosos se sustituyen por artículos buenos, obtenga una ecuación para la calidad saliente promedio. Suponga que $n$ es pequeño respecto a $N$.

**17-24** En una muestra aleatoria de tamaño $n = 20$ de un proceso que produce tubos, el espesor medio fue de .2518 pulg y la desviación estándar de .0005 pulg. Suponga que el espesor se distribuye normalmente. Construya un intervalo de tolerancia para $\alpha = .05$ y $p = .95$. Interprete este intervalo.

**17-25** Suponga que se obtienen los pesos de 30 unidades, dándose una media de muestra de 24.32 onzas y una desviación estándar de .03 onzas. Suponiendo que el peso se distribuye normalmente, construya un intervalo de tolerancia para $\alpha = .05$ y $p = .90$. Interprete este intervalo de tolerancia.

**17-26** Una distribución del tiempo de falla está dada por una distribución uniforme:

$$f(t) = \frac{1}{\beta - \alpha} \qquad \alpha \le t \le \beta$$

$$= 0 \qquad \text{en otro caso}$$

*a*) Determine la función de confiabilidad.
*b*) Demuestre que

$$\int_0^\infty R(t)\, dt = \int_0^\infty tf(t)\, dt$$

*c*) Determine la función de riesgo.
*d*) Demuestre que

$$R(t) = e^{-H(t)}$$

Donde $H$ se define como en la ecuación 17-24.

**17-27** Tres unidades que operan y fallan en forma independiente forman una configuración en serie, como se muestra en la siguiente figura.

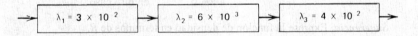

$$\lambda_1 = 3 \times 10^2 \qquad \lambda_2 = 6 \times 10^3 \qquad \lambda_3 = 4 \times 10^2$$

La distribución del tiempo de falla para cada unidad es exponencial con las tasas de falla que se indican.
*a*) Encuentre $R(60)$ para el sistema.
*b*) ¿Cuál es el tiempo medio de falla para este sistema?

**17-28** Cinco unidades idénticas se arreglan en una redundancia activa para formar un subsistema. La falla de las unidades es independiente, y al menos dos de ellas deben sobrevivir 1000 horas para que el subsistema desempeñe su misión.
*a*) Si las unidades tienen distribuciones de tiempo de falla exponenciales con tasa de falla de .002, ¿cuál es la confiabilidad del subsistema?
*b*) ¿Cuál es la confiabilidad si sólo se requiere una unidad?

**17-29** Si las unidades descritas en el ejercicio anterior se operan en una redundancia de reserva con un interruptor de decisión perfecto y sólo se requiere una unidad para la supervivencia del subsistema, determine la confiabilidad de este último.

**17-30** Cien unidades se ponen a prueba y se envejecen hasta que todas fallan. Se obtienen los siguientes resultados, y se calcula una vida media de $\bar{t} = 160$ horas a partir de los datos de la serie

| Intervalo de tiempo | Número de fallas |
|:---:|:---:|
| 0 – 100 | 50 |
| 100 – 200 | 18 |
| 200 – 300 | 17 |
| 300 – 400 | 8 |
| 400 – 500 | 4 |
| Después de 500 horas | 3 |

Emplee la prueba de bondad del ajuste de la ji cuadrada para determinar si usted consideraría la distribución exponencial para representar un modelo de tiempo de falla razonable con estos datos.

**17-31** Cincuenta unidades se someten a una prueba de duración por 1000 horas. Ocho unidades fallan durante ese periodo. Estime $R(1000)$ para esta unidades. Determine el intervalo de confianza inferior del 95 por ciento en $R(1000)$.

**17-32** En la sección 17-6.7 se señaló que para funciones de confiabilidad de un parámetro, $R(t, \theta)$, $\hat{R}(t; \theta) = R,(t; \hat{\theta})$, donde $\hat{\theta}$ y $\hat{R}$ son los estimadores de máxima probabilidad. Pruebe este argumento en el caso

$$R(t; \theta) = e^{-t/\theta} \qquad t \geq 0$$

$$= 0 \qquad \text{en otro caso}$$

*Sugerencia*: Exprese la función de densidad en términos de $R$.

**17-33** En una prueba sin reemplazo que termina después de 200 horas de operación, se observó que las fallas ocurren en los siguientes tiempos: 9, 21, 40, 55 y 85 horas. Se supone que las unidades tienen una distribución de tiempo de falla exponencial, y que se probaron inicialmente 100 unidades.
a) Estime el tiempo medio de falla.
b) Construya un límite de confianza inferior del 95 por ciento respecto al tiempo medio de falla.

**17-34** Emplee el planteamiento del ejercicio 17-33.
a) Estime $R(300)$ y construya un límite de confianza inferior del 95 por ciento en $R(300)$.
b) Estime el tiempo para el cual la confiabilidad será .9, y construya un límite inferior del 95 por ciento en $t_{.9}$.

# Capítulo 18

# Procesos estocásticos y líneas de espera

## 18-1 Introducción

El término *proceso estocástico* se emplea con frecuencia en conexión con observaciones provenientes de un proceso físico distribuido en el tiempo y controlado por medio de un mecanismo aleatorio. De modo más preciso, un proceso estocástico es una secuencia de variables aleatorias $\{X_i\}$, donde $t \in T$ es un índice de tiempo o secuencia. El espacio del rango para $X_t$ puede ser discreto o continuo; sin embargo, en este capítulo consideraremos solamente el caso en que en un punto particular $t$, el proceso está exactamente en uno de los $m + 1$ *estados* mutuamente excluyentes y exhaustivos. Éstos se designan 0, 1, 2, 3, ..., $m$.

Las variables $X_1$, $X_2$, ..., podrían representar el número de clientes que esperan su turno en una taquilla en los tiempos 1 minuto, 2 minutos, etc., después de que la taquilla abre. Otro ejemplo sería la demanda diaria de cierto producto en días sucesivos. $X_0$ representa el estado inicial del proceso.

En este capítulo se presentará un tipo especial de proceso estocástico llamado *proceso de Markov*. También trataremos las *ecuaciones Chapman-Kolmogorov*, diversas propiedades especiales de las *cadenas de Markov*, las *ecuaciones de nacimiento-muerte*, y algunas aplicaciones a problemas de línea de espera y de interferencia.

En el estudio de los procesos estocásticos, se requieren ciertas suposiciones acerca de la distribución de probabilidad conjunta de las variables aleatorias $X_1$, $X_2$, .... En los casos de los ensayos de Bernoulli, presentados en el capítulo 6, recuérdese que estas variables se definieron como independientes y que su recorrido (espacio de estado) constaba de dos valores (0, 1). Aquí consideraremos primero las cadenas de Markov de tiempo discreto, el caso en el que el tiempo es discreto y la suposición de independencia no es estricta para permitir la dependencia en una etapa.

## 18-2   Cadenas de Markov, tiempo discreto

Un proceso estocástico exhibe la propiedad markoviana si

$$P\{ X_{t+1} = j \,|\, X_t = i \} = P\{ X_{t+1} = j \,|\, X_t = i,\ X_{t-1} = i_1,\ X_{t-2} = i_2, \dots, X_0 = i_t \}$$
$$(18\text{-}1)$$

para $t = 0, 1, 2, \dots$ , y toda secuencia $j, i, i_1, \dots, i_t$. Esto equivale a establecer que la probabilidad de un evento en el tiempo $t + 1$ *dada* sólo la salida en el tiempo $t$ es igual a la probabilidad del evento en el tiempo $t + 1$ *dada* la historia completa del estado del sistema. En otras palabras, la probabilidad del evento en $t + 1$ no depende de la historia del estado previo al tiempo $t$.

Las probabilidades condicionales

$$p\{ X_{t+1} = j \,|\, X_t = i \} = p_{ij} \qquad\qquad (18\text{-}2)$$

se llaman probabilidades de transición de un paso, y se dice que son *estacionarias* si

$$P\{ X_{t+1} = j \,|\, X_t = i \} = P\{ X_1 = j \,|\, X_0 = i \} \qquad \text{para } t = 0, 1, 2, \dots \quad (18\text{-}3)$$

por lo que las probabilidades de transición permanecen invariables a través del tiempo. Estos valores pueden desplegarse en una matriz $\mathbf{P} = [\,p_{ij}]$, llamada matriz de transición de un paso. La matriz $\mathbf{P}$ tiene $m + 1$ renglones y $m + 1$ columnas, y

$$0 \le p_{ij} \le 1$$

en tanto que

$$\sum_{j=0}^{m} p_{ij} = 1 \qquad \text{para } i = 0, 1, 2, \dots, m$$

Esto es, cada elemento de la matriz $\mathbf{P}$ es una probabilidad, y cada renglón de la matriz suma uno.

La existencia de las probabilidades de transición estacionarias de un paso implica que

$$p_{ij}^{(n)} = P\{ X_{t+n} = j \,|\, X_t = i \} = P\{ X_n = j \,|\, X_0 = i \} \qquad (18\text{-}4)$$

para toda $t = 0, 1, 2, \ldots$. Los valores $p_{ij}^{(n)}$ se llaman probabilidades de transición de $n$ pasos, y pueden desplegarse en una matriz de transición de $n$ pasos

$$\mathbf{P}^{(n)} = \left[\, p_{ij}^{(n)} \,\right]$$

donde

$$0 \le p_{ij}^{(n)} \le 1 \quad n = 0,1,2,\ldots \quad i = 0,1,2,\ldots,m \quad j = 0,1,2,\ldots,m$$

y

$$\sum_{j=0}^{m} p_{ij}^{(n)} = 1 \quad n = 0,1,2,\ldots \quad i = 0,1,2,\ldots,m$$

La matriz de paso 0 es la matriz identidad.

Una *cadena de Markov de estado finito* se define como un proceso estocástico que tiene un número finito de estados, la propiedad markoviana, probabilidades de transición estacionarias, y un conjunto inicial de probabilidades $\mathbf{A} = [a_0^{(0)} a_1^{(0)} a_2^{(0)} \cdots a_m^{(0)}]$, donde $a_i^{(0)} = P\{X_0 = 1\}$.

Las ecuaciones de *Chapman-Kolmogorov* son útiles en el cálculo de las probabilidades de transición. Estas ecuaciones son

$$p_{ij}^{(n)} = \sum_{l=0}^{m} p_{il}^{(v)} \cdot p_{lj}^{(n-v)} \quad \begin{matrix} i = 0,1,2,\ldots,m \\ j = 0,1,2,\ldots,m \\ 0 \le v \le n \end{matrix} \quad (18\text{-}5)$$

y ellas indican que al pasar del estado $i$ al estado $j$ en $n$ pasos el proceso estará en algún estado, digamos $l$, después de exactamente $v$ pasos ($v \le n$). En consecuencia, $p_{il}^{(v)} \cdot p_{lj}^{(n-v)}$ es la probabilidad condicional de que dado el estado $i$ como el estado inicial, el proceso evoluciona al proceso $l$ en $v$ pasos y de $l$ a $j$ en $(n - v)$ pasos. Cuando se suma sobre $l$, la suma de los productos da $p_{ij}^{(n)}$.

Al establecer $v = l$ o $v = n - l$, obtenemos

$$p_{ij}^{(n)} = \sum_{l=0}^{m} p_{il} p_{lj}^{(n-1)} = \sum_{l=0}^{m} p_{il}^{(n-1)} \cdot p_{lj} \quad \begin{matrix} i = 0,1,2,\ldots,m \\ j = 0,2,3,\ldots,m \\ n = 0,1,2,\ldots \end{matrix}$$

Se concluye que las probabilidades de transición de $n$ pasos $\mathbf{P}^{(n)}$, pueden obtenerse de las probabilidades de un paso, y

$$\mathbf{P}^{(n)} = \mathbf{P}^n \quad\quad (18\text{-}6)$$

La probabilidad no condicional de estar en el estado $j$ en el tiempo $t = n$ es

$$\mathbf{A}^{(n)} = \left[\, a_0^{(n)} a_1^{(n)} \cdots a_m^{(n)} \,\right] \quad\quad (18\text{-}7)$$

donde

$$a_j^{(n)} = P\{X_n = j\} = \sum_{i=0}^{m} a_i^{(0)} \cdot p_{ij}^{(n)} \qquad \begin{array}{l} j = 0, 1, 2, \ldots, m \\ n = 1, 2, \ldots \end{array}$$

Observamos que la regla de la multiplicación de matrices resuelve la ley de probabilidad total del teorema 2-9, de modo que $A^{(n)} = A^{(n-1)} \cdot P$.

**Ejemplo 18.1**  En un sistema de cómputo, la probabilidad de un error en cada ciclo depende de si fue precedido por un error o no. Definiremos 0 como el estado de error y 1 como el estado de no error. Supongamos que la probabilidad de que un error sea precedido por un error es .75, que la probabilidad de que un error sea precedido por un no error es .50, que la probabilidad de que un no error sea precedido por un error es .25, y que la probabilidad de que un no error sea precedido por un no error es .50. De tal modo,

$$P = \begin{bmatrix} .75 & .25 \\ .50 & .50 \end{bmatrix}$$

A continuación se muestran matrices de dos pasos, tres pasos, . . . , siete pasos:

$$P^2 = \begin{bmatrix} .688 & .312 \\ .625 & .375 \end{bmatrix} \qquad P^3 = \begin{bmatrix} .672 & .328 \\ .656 & .344 \end{bmatrix}$$

$$P^4 = \begin{bmatrix} .668 & .332 \\ .664 & .336 \end{bmatrix} \qquad P^5 = \begin{bmatrix} .667 & .333 \\ .666 & .334 \end{bmatrix}$$

$$P^6 = \begin{bmatrix} .667 & .333 \\ .667 & .333 \end{bmatrix} \qquad P^7 = \begin{bmatrix} .667 & .333 \\ .667 & .333 \end{bmatrix}$$

Si sabemos que al inicio el sistema está en el estado de no error, entonces $a_1^{(0)} = 1$, $a_2^{(0)} = 0$, y $A^{(n)} = [a_j^{(n)}] = A \cdot P^{(n)}$. En consecuencia, para el ejemplo, $A^{(7)} = [.666, .333]$.

Un planteamiento alternativo sería efectuar los cálculos anteriores como $A^{(1)} = A \cdot P$, $A^{(2)} = A^{(1)} \cdot P$, . . . , $A^{(n)} = A^{(n-1)} \cdot P$. Entonces $A^{(7)} = A^{(6)} \cdot P$. Esto conduce a un desarrollo alternativo de los resultados en la ecuación 18-7 como:

$$A^{(1)} = A \cdot P$$

$$A^{(2)} = A^{(1)} \cdot P = A \cdot P \cdot P = A \cdot P^2$$

$$\vdots$$

$$A^{(n)} = A \cdot P^n$$

## 18-3  Clasificación de estados y cadenas

Consideraremos en primer lugar la noción de *primeros tiempos de paso*. El periodo de tiempo (número de pasos en sistemas de tiempo discreto) para que el proceso vaya la primera vez del estado $i$ al estado $j$ se llama primer tiempo de paso. Si $i = j$, entonces éste es el número de pasos necesarios para que el proceso regrese al estado $i$ por primera vez, y se denomina *primer tiempo de retorno* o *tiempo de recurrencia* para el estado $i$.

Los primeros tiempos de paso en ciertas condiciones son variables aleatorias con una distribución de probabilidad asociada. Dejamos que $f_{ij}^{(n)}$ denote la probabilidad de que el primer tiempo de paso del estado $i$ al $j$ sea igual a $n$, donde puede mostrarse directamente del teorema 2-5 que

$$f_{ij}^{(1)} = p_{ij}^{(1)} = p_{ij}$$

$$f_{ij}^{(2)} = p_{ij}^{(2)} - f_{ij}^{(1)} \cdot p_{jj}$$

$$\vdots$$

$$f_{ij}^{(n)} = p_{ij}^{(n)} - f_{ij}^{(1)} \cdot p_{jj}^{(n-1)} - f_{ij}^{(2)} \cdot p_{jj}^{(n-2)} - \cdots - f_{ij}^{(n-1)} p_{jj} \qquad (18\text{-}8)$$

De este modo, el cálculo recursivo de las probabilidades de transición de un paso producen la probabilidad de $n$ para $i, j$ dados.

**Ejemplo 18.2**  Empleando las probabilidades de transición de un paso presentadas en el ejemplo 18.1, la distribución del índice $n$ del tiempo de paso se determina como se indica a continuación para $i = 0, j = 1$.

$$f_{01}^{(1)} = p_{01} = .250$$

$$f_{01}^{(2)} = (.312) - (.25)(.5) = .187$$

$$f_{01}^{(3)} = (.328) - (.25)(.375) - (.187)(.5) = .141$$

$$f_{01}^{(4)} = (.332) - (.25)(.344) - (.187)(.375) - (.141)(.5) = .105$$

$$\vdots$$

Hay cuatro de tales distribuciones correspondientes a los valores $i, j$ (0, 0), (0, 1), (1, 0), (1, 1).

Si $i$ y $j$ son fijos, $\sum_{n=1}^{\infty} f_{ij}^{(n)} \leq 1$. Cuando la suma es igual a uno, los valores $f_{ij}^{(n)}$, para $n = 1, 2, \ldots$, representan la distribución de probabilidad del primer tiempo de paso para $i, j$ específicas. En el caso donde un proceso en el estado $i$ nunca puede alcanzar el estado $j$, $\sum_{n=1}^{\infty} f_{ij}^{(n)} < 1$.

Donde $i = j$ y $\sum_{n=1}^{\infty} f_{ii}^{(n)} = 1$, el estado $i$ se denomina *estado recurrente*, puesto que dado que el proceso está en el estado $i$ éste siempre regresará al estado $i$.

Si $p_{ii} = 1$ para algún estado $i$, entonces ese estado se llama *estado absorbente*, y el proceso nunca saldrá de dicho estado después de que entre a él.

El estado $i$ se llama *estado transitorio* si

$$\sum_{n=1}^{\infty} f_{ii}^{(n)} < 1$$

puesto que hay una probabilidad positiva de que dado que el proceso se encuentra en el estado $i$, nunca regresará a este estado. No siempre es fácil clasificar un estado como transitorio o recurrente, puesto que por lo general no es posible calcular las probabilidades del primer tiempo de paso para toda $n$ como fue el caso en el ejemplo 18.2. Aunque puede ser difícil calcular las $f_{ij}^{(n)}$ para toda $n$, el tiempo de primera transición esperado es

$$
E(n|i, j) = \mu_{ij} = \begin{cases} \infty, & \sum_{n=1}^{\infty} f_{ij}^{(n)} < 1 \\ \sum_{n=1}^{\infty} n \cdot f_{ij}^{(n)}, & \sum_{n=1}^{\infty} f_{ij}^{(n)} = 1 \end{cases} \tag{18-9}
$$

y si $\sum_{n=1}^{\infty} f_{ij}^{(n)} = 1$, puede demostrarse que

$$
\mu_{ij} = 1 + \sum_{l \neq j} p_{il} \cdot \mu_{lj} \tag{18-10}
$$

Si tomamos $i = j$, el primer tiempo de primera transición esperado se llama *tiempo de recurrencia esperado*. Si $\mu_{ij} = \infty$ para un estado recurrente, se llama *nulo*; si $\mu_{ii} < \infty$, recibe el nombre de *no nulo* o *recurrente positivo*.

No hay estados recurrentes nulos en una cadena de Markov de estado finito. La totalidad de los estados en tales cadenas son o recurrentes positivos o transitorios.

Un estado se llama *periódico* con periodo $\tau > 1$ si es posible un regreso sólo en $\tau, 2\tau, 3\tau, \ldots$, pasos; de modo que $p_{ii}^{(n)} = 0$ para todos los valores de $n$ que no son divisibles por $\tau > 1$, y $\tau$ es el entero más pequeño que tiene esta propiedad.

Un estado $j$ se denomina *accesible* desde el estado $i$ si $p_{ij}^{(n)} > 0$ para algún $n = 1, 2, \ldots$. En nuestro ejemplo del sistema de cómputo, cada estado, 0 y 1, es accesible desde el otro puesto que $p_{ij}^{(n)} > 0$ para todo $i, j$ y toda $n$. Si el estado $j$ es accesible desde $i$ y el estado $i$ es accesible desde $j$, entonces se dice que los estados se *comunican*. Éste es el caso en el ejemplo 18.1. Notamos que cualquier estado se comunica con sí mismo. Si el estado $i$ se comunica con el estado $j$, $j$ también se comunica con $i$. Además, si $i$ se comunica con $l$ y $l$ se comunica con $j$, entonces $j$ también se comunica con $i$.

Si el espacio de estados se descompone en conjuntos disjuntos (denominados clases) de estados, donde los estados comunicados pertenecen a la misma clase, entonces la cadena de Markov puede constar de una o más clases. Si sólo hay una clase de manera que todos los estados se comunican, se dice que la cadena de Markov es *irreducible*. En consecuencia, la cadena representada por el ejemplo 18.1 es irreducible. En cadenas de Markov de estado finito, los estados de una clase son todos recurrentes positivos o todos transitorios. En muchas aplicaciones, todos los estados se comunican. Éste es el caso si hay un valor de $n$ para el cual $p_{ij}^{(n)} > 0$ para todos los valores de $i$ y $j$.

Si un estado $i$ en una clase es aperiódico (no periódico), y si el estado es recurrente positivo, entonces se dice que el estado será *ergódico*. Una cadena de Markov irreducible es ergódica si la totalidad de sus estados son ergódicos. En el caso de tales cadenas de Markov la distribución

$$A^{(n)} = A \cdot P^n$$

converge cuando $n \to \infty$, y la distribución límite es independiente de las probabilidades iniciales, $A$. En el ejemplo 18.1 se observó claramente que éste era el caso, y después de cinco pasos ($n > 5$), $P(X_n = 0) = .667$, y $P\{X_n = 1\}$ .333 cuando se emplean tres cifras significativas.

En general, para cadenas de Markov ergódicas e irreducibles,

$$\lim_{n \to \infty} p_{ij}^{(n)} = \lim_{n \to \infty} a_j^{(n)} = p_j$$

y, además, estos valores $p_j$ son independientes de $i$. Estas probabilidades de "estado estable", $p_j$, satisfacen las siguientes *ecuaciones de estado*:

1. $p_j > 0$

2. $\sum_{j=0}^{m} p_j = 1$

3. $p_j = \sum_{i=0}^{m} p_i \cdot p_{ij} \qquad j = 0, 1, 2, \ldots, m \qquad\qquad (18\text{-}11)$

Puesto que hay $m + 2$ ecuaciones en (2) y (3) arriba y hay $m + 1$ incógnitas, una de las ecuaciones es redundante. Por tanto, emplearemos $m$ de las $m + 1$ ecuaciones en (3) con la ecuación (2).

**Ejemplo 18.3**  En el caso del sistema de cómputo presentado en el ejemplo 18.1, tenemos las ecuaciones 18-11 (2) y (3),

$$1 = p_0 + p_1$$
$$p_0 = p_0 \cdot (.75) + p_1(.50)$$

o

$$p_0 = 2/3 \qquad \text{y} \qquad p_1 = 1/3$$

la cual concuerda con el resultado que se produce cuando $n > 5$ en el ejemplo 18.1

Las probabilidades de estado estable y el tiempo de recurrencia medio para las cadenas de Markov ergódicas e irreducibles tienen una relación recíproca

$$\mu_{jj} = \frac{1}{p_j} \qquad j = 0, 1, 2, \ldots, m \qquad (18\text{-}12)$$

En el ejemplo 18.3 obsérvese que $\mu_{00} = 1/p_0 = 1/(2/3) = 1.5$ y $\mu_{11} = 1/p_1 = 1/(1/3) = 3$.

**Ejemplo 18.4** El psicólogo del departamento de investigación de operaciones de una compañía observa durante un periodo de tiempo el estado de ánimo del presidente de la misma. Inclinado hacia la modelación matemática, el psicólogo clasifica el estado de ánimo en tres categorías:

0: Bueno (animado)

1: Adecuado (irregular)

2: Pobre (triste y deprimido)

El psicólogo observa que los cambios de ánimo ocurren sólo durante la noche: de tal modo, los datos permiten la estimación de las siguientes probabilidades de transición:

$$\mathbf{P} = \begin{bmatrix} .6 & .2 & .2 \\ .3 & .4 & .3 \\ .0 & .3 & .7 \end{bmatrix}$$

Las siguientes ecuaciones se resuelven en forma simultánea:

$$p_0 = .6p_0 + .3p_1 + 0p_2$$
$$p_1 = .2p_0 + .4p_1 + .3p_2$$
$$1 = p_0 + p_1 + p_2$$

para las probabilidades de estado estable

$$p_0 = 3/13$$
$$p_1 = 4/13$$
$$p_2 = 6/13$$

Dado que el presidente está de mal humor, esto es, en el estado 2, el tiempo medio requerido para regresar a ese estado es $\mu_{22}$, donde

$$\mu_{22} = \frac{1}{p_2} = \frac{13}{6} \text{ días}$$

Como se señaló antes si $p_{kk} = 1$, el estado $k$ se llama estado de absorción, y el proceso permanece en el estado $k$ una vez que se llega a él. En este caso, $b_{ik}$ se llama probabilidad de absorción, la cual es la probabilidad condicional de absorción en el estado $k$ dado el estado $i$. En forma matemática, tenemos

$$b_{ik} = \sum_{j=0}^{m} p_{ij} \cdot b_{jk} \qquad i = 0, 1, 2, \ldots, m \qquad (18\text{-}13)$$

donde

$$b_{kk} = 1$$

y

$$b_{ik} = 0 \quad \text{para } i \text{ recurrente, } i \neq k$$

## 18-4 Cadenas de Markov, tiempo continuo

Si el parámetro de tiempo es un índice continuo en lugar de uno discreto, como se supuso en las secciones anteriores, la cadena de Markov recibe el nombre de cadena de *parámetro continuo*. Se acostumbra emplear una notación un poco diferente para las cadenas de Markov de parámetro continuo, a saber $X(t) = X_t$, donde se considerará que $\{X(t)\}$, $t \geq 0$, tiene $0, 1, \ldots, m + 1$ estados. La naturaleza discreta del espacio de estados [espacio del rango para $X(t)$] se mantiene de ese modo, y

$$p_{ij}(t) = P[X(t + s) = j \mid X(s) = i] \qquad \begin{array}{l} i = 0, 1, 2, \ldots, m + 1 \\ j = 0, 1, 2, \ldots, m + 1 \\ s \geq 0, t \geq 0 \end{array}$$

es la función de probabilidad de transición estacionaria. Se observa que estas probabilidades no dependen de $s$ sino sólo de $t$ para un par especificado $i, j$ de estados. Además, en el tiempo $t = 0$, la función es continua con

$$\lim_{t \to 0} p_{ij}(t) = \begin{cases} 0 & i \neq j \\ 1 & i = j \end{cases}$$

Hay una correspondencia directa entre los modelos de tiempo discreto y los de tiempo continuo. Las ecuaciones de Chapman-Kolmogorov se convierten en

$$p_{ij}(t) = \sum_{l=0}^{m} p_{il}(v) \cdot p_{lj}(t - v) \qquad (18\text{-}14)$$

para $0 \leq v \leq t$, y para el par de estados especificado $i, j$ y el tiempo $t$. Si hay tiempo $t_1$ y $t_2$ tales que $p_{ij}(t_1) > 0$ y $p_{ji}(t_2) > 0$, entonces se afirma que los estados $i$ y $j$ se comunicarán. También en este caso los estados que se comunican forman una clase y, donde la cadena es irreducible (todos los estados forman una única clase)

$$p_{ij}(t) > 0 \qquad t > 0$$

para cada par de estados $i, j$.

Tenemos además la propiedad de que

$$\lim_{t \to \infty} p_{ij}(t) = p_j$$

donde $p_j$ existe y es independiente del vector **A** de probabilidad de estado inicial. Los valores $p_j$ se llaman de probabilidades de estado estable y satisfacen

$$p_j > 0 \qquad j = 0, 1, 2, \dots, m$$

$$\sum_{j=0}^{m} p_j = 1$$

$$p_j = \sum_{i=0}^{m} p_i \cdot p_{ij}(t) \qquad j = 0, 1, 2, \dots, m; \qquad t \geq 0.$$

La *intensidad de transición*, dado que el estado es $j$, se define como

$$u_j = \lim_{\Delta t \to 0} \left\{ \frac{1 - p_{jj}(\Delta t)}{\Delta t} \right\} = -\frac{d}{dt} p_{jj}(t)|_{t=0} \qquad (18\text{-}15)$$

donde el límite existe y es finito. De igual manera, la *intensidad de paso*, del estado $i$ al estado $j$, dado que el sistema está en el estado $i$, es

$$u_{ij} = \lim_{\Delta t \to 0} \left\{ \frac{p_{ij}(\Delta t)}{\Delta t} \right\} = \frac{d}{dt} p_{ij}(t)|_{t=0} \qquad (18\text{-}16)$$

donde en este caso también el límite existe y es finito. La interpretación de las intensidades es que ellas representan una tasa instantánea de transición del estado $i$ al $j$. Para una $\Delta t$ pequeña, $p_{ij}(\Delta t) = u_{ij}\Delta t + o(\Delta t)$, donde $o(\Delta t)/\Delta t \to 0$ cuando $\Delta t \to 0$, de manera que $u_{ij}$ es la constante de proporcionalidad por medio de la cual $p_{ij}(\Delta t)$ es proporcional a $\Delta t$ cuando $\Delta T \to 0$. Las intensidades de transición satisfacen también

$$p_j \cdot u_j = \sum_{i \neq j} p_i \cdot u_{ij} \qquad j = 0, 1, 2, \dots, m \qquad (18\text{-}17)$$

**Ejemplo 18.5** Un mecanismo de control electrónico para un proceso químico se construye con dos módulos idénticos, operando como un par redundante activo en paralelo. La función de por lo menos un módulo es necesaria para que el mecanismo opere. El taller de mantenimiento tiene dos estaciones de reparación idénticas para estos módulos y, además, cuando un módulo falla y entra al taller, otro mecanismo se mueve al lado y se inicia de inmediato el trabajo de reparación. El "sistema" en este caso está compuesto por el mecanismo y la instalación de reparación y los estados son

0: Ambos módulos en operación

1: Una unidad operando y una unidad en reparación

2: Dos unidades en reparación (el mecanismo inhabilitado)

La variable aleatoria que representa el tiempo de falla para un módulo tiene una densidad exponencial, digamos

$$f_T(t) = \lambda e^{-\lambda t} \qquad t \ge 0$$
$$= 0 \qquad t < 0$$

y la variable aleatoria que describe el tiempo de reparación en la estación de reparación tiene también una densidad exponencial, por ejemplo

$$r_T(t) = \mu e^{-\mu t} \qquad t \ge 0$$
$$= 0 \qquad t < 0$$

Los tiempos entre falla y entre reparación son independientes, y puede demostrarse que $\{X(t)\}$ será una cadena de Markov irreducible de parámetro continuo con transiciones sólo de un estado a sus estados vecinos: $0 \to 1$, $1 \to 0$, $1 \to 2$, $2 \to 1$. Desde luego, es posible que no haya cambio de estado.

Las intensidades de transición son

$$u_0 = 2\lambda \qquad u_1 = (\lambda + \mu)$$
$$u_{01} = 2\lambda \qquad u_{12} = \lambda$$
$$u_{02} = 0 \qquad u_{20} = 0$$
$$u_{10} = \mu \qquad u_{21} = 2\mu$$
$$u_2 = 2\mu$$

Al emplear la ecuación 18-17,

$$2\lambda p_0 = \mu p_1$$
$$(\lambda + \mu) p_1 = 2\lambda p_0 + 2\mu p_2$$
$$2\mu p_2 = \lambda p_1$$

y, como $p_0 + p_1 + p_2 = 1$

$$p_0 = \frac{\mu^2}{(\lambda + \mu)^2}$$

$$p_1 = \frac{2\lambda\mu}{(\lambda + \mu)^2}$$

$$p_2 = \frac{\lambda^2}{(\lambda + \mu)^2}$$

La disponibilidad del sistema (la probabilidad de que el mecanismo esté activo) en la condición de estado estable es, por tanto

$$\text{Disponibilidad} = 1 - \frac{\lambda^2}{(\lambda + \mu)^2}$$

La matriz de probabilidades de transición para el incremento de tiempo $\Delta t$ puede expresarse como

$$\mathbf{P} = \left[\{p_{ij}(\Delta t)\}\right]$$

$$= \begin{bmatrix}
(1 - u_0 \Delta t) & (u_{01} \Delta t) & \cdots & (u_{0j} \Delta t) & \cdots & (u_{0m} \Delta t) \\
(u_{10} \Delta t) & (1 - u_1 \Delta t) & \cdots & (u_{1j} \Delta t) & \cdots & (u_{1m} \Delta t) \\
\vdots & & & & & \\
(u_{i0} \Delta t) & (u_{i1} \Delta t) & \cdots & (u_{ij} \Delta t) & \cdots & (u_{im} \Delta t) \\
\vdots & & & & & \\
(u_{m0} \Delta t) & (u_{m1} \Delta t) & \cdots & (u_{mj} \Delta t) & \cdots & (1 - u_m \Delta t)
\end{bmatrix} \quad (18\text{-}18)$$

y

$$p_j(t + \Delta t) = \sum_{i=0}^{m} p_i(t) \cdot p_{ij}(\Delta t) \qquad j = 0, 1, 2, \ldots, m \qquad (18\text{-}19)$$

donde

$$p_j(t) = P[X(t) = j]$$

De la $j$ésima ecuación en las $m + 1$ ecuaciones de la ecuación 18-19

$$p_j(t + \Delta t) = p_0(t) \cdot u_{0j} \Delta t + \cdots + p_i(t) \cdot u_{ij} \Delta t + \cdots$$
$$+ p_j(t)[1 - u_j \Delta t] + \cdots + p_m(t) \cdot u_{mj} \cdot \Delta t$$

la cual puede reescribirse como

$$\frac{d}{dt} \cdot p_j^{(t)} = \lim_{\Delta t \to 0} \left[\frac{p_j(t + \Delta t) - p_j(t)}{\Delta t}\right] = -u_j \cdot p_j(t) + \sum_{i \neq j} u_{ij} \cdot p_i(t) \quad (18\text{-}20)$$

El sistema resultante de ecuaciones diferenciales es

$$p_j'(t) = -u_j \cdot p_j(t) + \sum_{i \neq j} u_{ij} \cdot p_i(t) \qquad j = 0, 1, 2, \ldots, m \qquad (18\text{-}21)$$

que puede resolverse cuando $m$ es finita, dando las condiciones iniciales (probabilidades) $A = [a_o^{(0)} a_1^{(1)} \cdots a_m^{(0)}]$, y empleando el resultado $\sum_{j=0}^{m} p_j(t) = 1$. La solución

$$[p_0(t) p_1(t) \cdots p_m(t)] = \mathbf{P}(t) \qquad (18\text{-}22)$$

presenta las probabilidades de estado como una función del tiempo de la misma manera que $p_j^{(n)}$ presenta las probabilidades de estado como una función del número de transiciones, $n$, dado un vector $\mathbf{A}$ de condiciones iniciales en el modelo de tiempo discreto. La solución para las ecuaciones 18-21 puede ser un poco difícil de obtener y, en la práctica general, se emplean técnicas de transformación.

## 18-5 Procesos de nacimiento-muerte en líneas de espera

La principal aplicación en el proceso de nacimiento-muerte que estudiaremos es la *teoría de colas* o de *línea de espera*. En consecuencia, nacimiento se referirá al *arribo* y muerte a la *salida* de un sistema físico, como se muestra en la figura 18.1.

La teoría de línea de espera es el estudio matemático de líneas de colas o de espera. Estas líneas de espera ocurren en una diversidad de ambientes de problemas. Hay un proceso de entrada o "población demandante" y un *sistema* de colas, que en la figura 18.1 se compone de la instalación de colas y de servicio. La

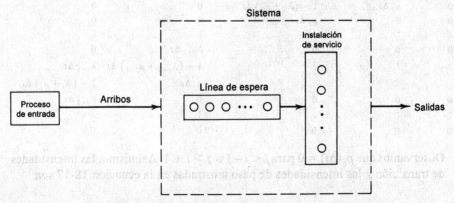

**Figura 18.1** Sistema simple de líneas de espera.

población demandante puede ser finita o infinita. Los arribos ocurren de una manera probabilística. Una suposición común es que los tiempos entre arribos se distribuyen exponencialmente. La cola se clasifica por lo general de acuerdo a si su capacidad es infinita o finita, y la disciplina de servicio se refiere al orden en el cual los clientes en la cola obtienen el servicio. El mecanismo de servicio consta de uno o más servidores, y el tiempo que tarda el servicio se llama comúnmente tiempo de espera.

Se empleará la siguiente notación:

$$X(t) = \text{Número de clientes en el sistema al tiempo } t$$
$$\text{Estados} = 0, 1, 2, \ldots, j, j + 1, \ldots$$
$$s = \text{Número de servidores}$$
$$p_j(t) = P\{X(t) = j|\mathbf{A}\}$$
$$p_j = \lim_{t \to \infty} p_j(t)$$
$$\lambda_n = \text{Tasa de arribo media dado que } n \text{ clientes están en el sistema}$$
$$\mu_n = \text{Tasa de servicio media dado que } n \text{ clientes están en el sistema}$$

El proceso de nacimiento-muerte puede utilizarse para describir cómo cambia $X(t)$ en el tiempo. Se supondrá aquí que cuando $X(t) = j$, la distribución de probabilidad del tiempo para el siguiente nacimiento (arribo) es exponencial con parámetro $\lambda_j, j = 0, 1, 2, \ldots$. Además, dado que $X(t) = j$, el tiempo que resta para la terminación del siguiente servicio se considerará exponencial con parámetro $\mu_j, j = 1, 2, \ldots$. Se supone que se cumplen las suposiciones de tipo de Poisson, por lo que la probabilidad de más de un nacimiento o muerte en el mismo instante es cero.

Un diagrama de transición se muestra en la figura 18.2. La matriz de transición que corresponde a la ecuación 18-18 es

$$\mathbf{P} = \begin{bmatrix} 1 - \lambda_0 \Delta t & \lambda_0 \Delta t & 0 & \cdots & 0 & 0 & \cdots \\ \mu_1 \Delta t & 1 - (\lambda_1 + \mu_1) \Delta t & \lambda_1 \Delta t & \cdots & 0 & 0 & \cdots \\ 0 & \mu_2 \Delta t & 1 - (\lambda_2 + \mu_2) \Delta t & \cdots & 0 & 0 & \cdots \\ 0 & 0 & \mu_3 \Delta t & \cdots & 0 & 0 & \cdots \\ \vdots & \vdots & \vdots & \cdots & & & \vdots \\ 0 & 0 & 0 & \cdots & \lambda_{j-2} \Delta t & 0 & \cdots \\ \vdots & \vdots & \vdots & & 1 - (\lambda_{j-1} + \mu_{j-1}) \Delta t & \lambda_{j-1} \Delta t & \cdots \\ & & & & \mu_j \Delta t & 1 - (\lambda_j + \mu_j) \Delta t & \cdots \\ 0 & 0 & 0 & \cdots & 0 & \mu_{j+1} \Delta t & \cdots \\ \vdots & \vdots & \vdots & & \vdots & & \cdots \\ 0 & 0 & 0 & \cdots & 0 & & \cdots \end{bmatrix}$$

Observamos que $p_{ij}(\Delta t) = 0$ para $j < i - 1$ o $j > i + 1$. Asimismo, las intensidades de transición y las intensidades de paso mostradas en la ecuación 18-17 son

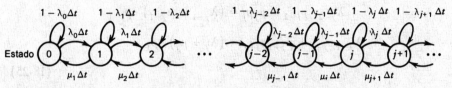

**Figura 18.2** Diagrama de transición para el proceso de nacimiento-muerte.

$$u_0 = \lambda_0$$
$$u_j = (\lambda_j + \mu_j) \quad \text{para } j = 1, 2, \ldots$$
$$u_{ij} = \lambda_i \quad \text{para } j = i + 1$$
$$= \mu_i \quad \text{para } j = i - 1$$
$$= 0 \quad \text{para } j < i - 1, \, j > i + 1$$

El hecho de que las intensidades de transición y las intensidades de paso sean constantes con el tiempo es importante en el desarrollo de este modelo. Puede verse que la naturaleza de la transición será especificada por la suposición, o puede considerarse como un resultado de la suposición anterior acerca de la distribución de tiempo entre ocurrencias (nacimientos y muertes).

Las suposiciones de tiempos de servicio distribuidos exponencialmente e independientes y de tiempos interarribos distribuidos en forma exponencial produce intensidades de transición constantes en el tiempo. Esto también se observó en el desarrollo de las distribuciones de Poisson y exponencial en los capítulos 6 y 8.

Los métodos utilizados en las ecuaciones 18-19 a la 18-21 pueden emplearse para formular un conjunto infinito de ecuaciones de estado diferenciales de la matriz de transición de la ecuación 18-22. Por consiguiente, el comportamiento dependiente del tiempo se describe en la siguiente ecuación:

$$p_0'(t) = -\lambda_0 p_0(t) + \mu_1 p_1(t)$$

$$p_j'(t) = -(\lambda_j + \mu_j) \cdot p_j(t) + \lambda_{j-1} p_{j-1}(t) + \mu_{j+1} \cdot p_{j+1}(t) \qquad j = 1, 2, \ldots$$

$$(18\text{-}24)$$

$$\sum_{j=0}^{\infty} p_j(t) = 1 \qquad \text{y} \qquad A = \left[ a_0^{(0)} a_1^{(0)} \cdots a_j^{(0)} \cdots \right]$$

En el estado estable ($t \to \infty$), tenemos $p_j'(t) = 0$, por lo que las ecuaciones de estado estable se obtienen de las ecuaciones 18-23

$$\mu_1 p_1 = \lambda_0 p_0$$

$$\lambda_0 p_0 + \mu_2 p_2 = (\lambda_1 + \mu_1) \cdot p_1$$

$$\lambda_1 p_1 + \mu_3 p_3 = (\lambda_2 + \mu_2) \cdot p_2$$

$$\vdots$$

$$\lambda_{j-2} \cdot p_{j-2} + \mu_j p_j = \left(\lambda_{j-1} + \mu_{j-1}\right) \cdot p_{j-1}$$

$$\lambda_{j-1} p_{j-1} + \mu_{j+1} p_{j+1} = \left(\lambda_j + \mu_j\right) \cdot p_j$$

$$\vdots \tag{18-25}$$

y $\sum_{j=0}^{\infty} p_j = 1$.

Las ecuaciones 18-25 también podrían haberse determinado mediante la aplicación directa de la ecuación 18-17, la cual brinda un "balance de tasa" o "balance de intensidad". Al resolver las ecuaciones 18-25 obtenemos

$$p_1 = \frac{\lambda_0}{\mu_1} \cdot p_0$$

$$p_2 = \frac{\lambda_1}{\mu_2} \cdot p_1 = \frac{\lambda_1 \lambda_0}{\mu_2 \mu_1} \cdot p_0$$

$$p_3 = \frac{\lambda_2}{\mu_3} \cdot p_2 = \frac{\lambda_2 \lambda_1 \lambda_0}{\mu_3 \mu_2 \mu_1} \cdot p_0$$

$$\vdots$$

$$p_j = \frac{\lambda_{j-1}}{\mu_j} \cdot p_{j-1} = \frac{\lambda_{j-1} \lambda_{j-2} \cdots \lambda_0}{\mu_j \mu_{j-1} \mu_1} \cdot p_0$$

$$p_{j+1} = \frac{\lambda_j}{\mu_{j+1}} \cdot p_j = \frac{\lambda_j \lambda_{j-1} \cdots \lambda_0}{\mu_{j+1} \mu_j \cdots \mu_1} \cdot p_0 \tag{18-26}$$

Si dejamos

$$C_j = \frac{\lambda_{j-1} \lambda_{j-2} \cdots \lambda_0}{\mu_j \mu_{j-1} \cdots \mu_1}$$

Entonces

$$p_j = C_j \cdot p_0 \qquad j = 1, 2, 3, \ldots$$

y como

$$\sum_{j=0}^{\infty} p_j = 1 \qquad \text{o} \qquad p_0 + \sum_{j=1}^{\infty} p_j = 1$$

$$p_0 = \frac{1}{1 + \sum_{j=1}^{\infty} C_j} \tag{18-27}$$

Estos resultados del estado estable suponen que los valores $\lambda_j$, $\mu_j$ son tales que puede alcanzarse un estado estable. Lo anterior será cierto si $\lambda_j = 0$ para $j > k$, de modo que hay un número finito de estados. También es cierto si $\rho = \lambda/s\mu < 1$, donde $\lambda$ y $\mu$ son constantes. No se alcanzará el estado estable si $\Sigma_{j=1}^{\infty} C_j = \infty$.

# 18-6   Consideraciones en los modelos de líneas de espera

Cuando la tasa de arribo $\lambda_j$ es constante para toda $j$, la constante se denota como $\lambda$. De manera similar, cuando la tasa de servicio media por servidor ocupado es constante, se denotará como $\mu$, por lo que $\mu_l = s\mu$ si $j > s$ y $\mu_j = j \cdot \mu$ si $j < s$. Las distribuciones exponenciales

$$f_T(t) = \lambda e^{-\lambda t} \qquad t \geq 0$$
$$= 0 \qquad t < 0$$
$$r_T(t) = \mu e^{-\mu t} \qquad t \geq 0$$
$$= 0 \qquad t < 0$$

para tiempos entre arribos y tiempos de servicio en un canal ocupado producen tasas $\lambda$ y $\mu$, que son constantes. El tiempo medio entre arribos $1/\lambda$, y el tiempo medio en un canal ocupado para completar el servicio es $1/\mu$.

Un conjunto especial de notación se ha empleado ampliamente en el análisis de sistemas de líneas de espera. Esta notación se brinda en la siguiente lista:

$L = \Sigma_{j=0}^{\infty} j\, p_j$ = Número previsto de clientes en el sistema de líneas de espera

$L_q = \Sigma_{j=0}^{\infty} (j - s) \cdot p_j$ = Longitud prevista de la línea de espera

$W$ = Tiempo de espera previsto para el sistema

$W_q$ = Tiempo previsto en la línea de espera (excluyendo el tiempo de servicio)

Si $\lambda$ es constante para toda $j$, se ha mostrado que

$$L = \lambda W \tag{18-28}$$

y

$$L_q = \lambda W_q$$

Si las $\lambda_j$ no son iguales, $\overline{\lambda}$ sustituye a $\lambda$, donde

$$\overline{\lambda} = \sum_{j=0}^{\infty} \lambda_j \cdot p_j \tag{18-29}$$

El coeficiente de utilización del sistema $\rho = \lambda/s\mu$ es la fracción del tiempo que los servidores están ocupados. En el caso en el que el tiempo de servicio medio es $1/\mu$ para toda $j \geq 1$

$$W = W_q + \frac{1}{\mu} \tag{18-30}$$

A las tasas $\lambda_0, \lambda_1, \ldots, \lambda_j, \ldots,$ y $\mu_1, \mu_2, \ldots, \mu_j, \ldots,$ del proceso nacimiento-muerte puede asignárseles cualesquiera valores positivos siempre y cuando la asignación conduzca a una solución de estado estable. Esto permite bastante flexibilidad al emplear el resultado dado en la ecuación 18-27. Los modelos específicos presentados diferirán en la manera en la cual $\lambda_j$ y $\mu_j$ variarán como función de $j$.

## 18-7 Modelo básico de servidor único con tasas constantes

Consideraremos ahora el caso en el que $s = 1$, esto es, un servidor único. Supondremos también una longitud de cola ilimitada con interarribos exponenciales con un parámetro constante $\lambda$, por lo que $\lambda_0 = \lambda_1 = \cdots = \lambda_{j-1} = \lambda$. Además, se supondrán independientes los tiempos de servicio y distribuidos exponencialmente con $\mu_1 = \mu_2 = \mu_3 = \cdots = \mu_j = \mu$. Supondremos que $\lambda < \mu$. Como resultado de las ecuaciones 18-26, tenemos

$$C_j = \left( \frac{\lambda}{\mu} \right)^j = \rho^j \qquad j = 1, 2, 3, \ldots \tag{18-31}$$

y de la ecuación 18-27

$$p_j = \rho^j p_0 \qquad j = 1, 2, 3, \ldots$$

$$p_0 = \frac{1}{1 + \sum_{j=1}^{\infty} \rho^j} = 1 - \rho \tag{18-32}$$

Por tanto, las ecuaciones de estado, de estado estable, son

$$p_j = (1 - \rho)\rho^j \qquad j = 0, 1, 2, \ldots \tag{18-33}$$

Obsérvese que la probabilidad de que haya $j$ clientes en el sistema $\rho_j$ está dada por la distribución geométrica con parámetros $\rho$. El número medio de clientes en el sistema, $L$, se determina como

$$L = \sum_{j=0}^{\infty} j \cdot (1 - \rho)\rho^j$$

$$= (1 - \rho) \cdot \rho \sum_{j=0}^{\infty} \frac{d}{d\rho}(\rho^j)$$

$$= (1 - \rho) \cdot \rho \frac{d}{d\rho} \sum_{j=0}^{\infty} \rho^j$$

$$= \frac{\rho}{1 - \rho} \tag{18-34}$$

y la longitud prevista de línea de espera

$$L_q = \sum_{j=1}^{\infty} (j - 1) \cdot p_j$$

$$= L - (1 - p_0)$$

$$= \frac{\lambda^2}{\mu(\mu - \lambda)} \tag{18-35}$$

Al emplear las ecuaciones 18-28 y 18-29, encontramos que el tiempo de espera previsto en el sistema es

$$W = \frac{L}{\lambda} = \frac{\rho}{\lambda(1 - \rho)} = \frac{1}{\mu - \lambda} \tag{18-36}$$

y el tiempo de espera previsto en la línea de espera es

$$W_q = \frac{L_q}{\lambda} = \frac{\lambda^2}{\mu(\mu - \lambda) \cdot \lambda} = \frac{\lambda}{\mu(\mu - \lambda)} \tag{18-37}$$

Estos resultados podrían haber sido desarrollados en forma directa a partir de las distribuciones de tiempo en el sistema y el tiempo en la cola, respectivamente. Puesto que la distribución exponencial refleja un proceso de carencia de memoria, un arribo que encuentra $j$ unidades en el sistema esperará durante $j + 1$ servicios, incluso el propio, y por ello su tiempo de espera $T_{j+1}$ es la suma de $j + 1$ variables aleatorias independientes que se distribuyen en forma exponencial. Se mostró en el capítulo 7 que estas variables aleatorias tiene una distribución gamma. Ésta es una densidad condicional dado que el arribo encuentra $j$ unidades en el sistema. Por tanto, si $S$ representa el tiempo en el sistema

$$P(S > w) = \sum_{j=0}^{\infty} p_j \cdot P(T_{j+1} > w)$$

$$= \sum_{j=0}^{\infty} (1 - \rho)\rho^j \cdot P(T_{j+1} > w)$$

$$= e^{-\mu(1-\rho)w} \qquad w \geq 0$$

$$= 0 \qquad\qquad w < 0 \qquad\qquad (18\text{-}38)$$

el cual se ve como el complemento de la función de distribución para una variable exponencial con parámetro $\mu(1-\rho)$. El valor $W = 1/\mu(1-\rho) = 1/\mu - \lambda$ se obtiene directamente.

Si dejamos que $S_q$ represente el tiempo en la cola, excluyendo el tiempo de servicio, entonces

$$P(S_q = 0) = p_0 = 1 - \rho$$

Si tomamos $T_j$ como la suma de $j$ tiempos de servicio, $T_j$ tendrá también una distribución gamma. Entonces,

$$P(S_q > w_q) = \sum_{j=1}^{\infty} p_j \cdot P(T_j > w_q)$$

$$= \sum_{j=1}^{\infty} (1 - \rho)\rho^j \cdot P(T_j > w_q)$$

$$= \rho e^{-\mu(1-\rho)w_q} \qquad w_q > 0$$

$$= 0 \qquad\qquad w_q < 0 \qquad\qquad (18\text{-}39)$$

y encontramos la distribución del tiempo en la cola $g(w_q)$, para $w_q > 0$ será

$$g(w_q) = \frac{d}{dw_q}\left[1 - \rho e^{-\mu(1-\rho)w_q}\right] = \rho(1 - \rho)\mu e^{-\mu(1-\rho)w_q} \qquad w_q > 0$$

En consecuencia, la distribución de probabilidad es

$$g(w_q) = 1 - \rho \qquad w_q = 0$$

$$= \lambda(1 - \rho)e^{-(\mu-\lambda)w_q} \qquad w_q > 0 \qquad\qquad (18\text{-}40)$$

la cual, como se indicó en la sección 3-2, es una variable aleatoria de tipo mezclado (en la ecuación 3-2, $G \neq 0$ y $H \neq 0$). El tiempo previsto de espera en la línea de espera $W_q$ podría determinarse en forma directa a partir de esta distribución como

$$W_q = (1 - \rho) \cdot 0 + \int_0^{\infty} w_q \cdot \lambda(1 - \rho)e^{-(\mu-\lambda)w_q'}\, dw_q$$

$$= \frac{\lambda}{\mu(\mu - \lambda)} \qquad\qquad (18\text{-}41)$$

Cuando $\lambda \geqslant \mu$, la sumatoria de los términos $p_j$ en la ecuación 18-32 diverge. En este caso, no hay solución de estado estable puesto que éste nunca se alcanza. Esto es, la cola crecería sin límite.

## 18-8  Servidor único con línea de espera de longitud limitada

Si la línea de espera es limitada de modo que a lo más $N$ unidades puedan estar en el sistema, y si se retienen del modelo previo el tiempo de servicio exponencial y los tiempos exponenciales entre arribos, tenemos

$$\lambda_0 = \lambda_1 = \cdots = \lambda_{N-1} = \lambda$$
$$\lambda_j = 0 \qquad j \geq N$$

y

$$\mu_1 = \mu_2 = \cdots = \mu_N = \mu$$

Se deduce de la ecuación 18-26 que

$$C_j = \left(\frac{\lambda}{\mu}\right)^j \qquad j \leq N$$
$$= 0 \qquad j > N \qquad (18\text{-}42)$$

Por tanto,

$$p_j = \left(\frac{\lambda}{\mu}\right)^j p_0 \qquad j = 0, 1, 2, \ldots, N$$

$$p_0 \sum_{j=0}^{N} \rho^j = 1$$

y

$$p_0 = \frac{1}{1 + \sum_{j=1}^{N} \rho^j} = \frac{1 - \rho}{1 - \rho^{N+1}} \qquad (18\text{-}43)$$

Como resultado, las ecuaciones de estado, de estado estable, están dadas por

$$p_j = \rho^j \left[\frac{1 - \rho}{1 - \rho^{N+1}}\right] \qquad j = 0, 1, 2, \ldots, N \qquad (18\text{-}44)$$

El número medio de clientes en el sistema en este caso es

$$L = \sum_{j=0}^{N} j \cdot \rho^j \left[ \frac{1 - \rho}{1 - \rho^{N+1}} \right]$$

$$= \rho \left[ \frac{1 - (N + 1)\rho^N + N\rho^{N+1}}{(1 - \rho)(1 - \rho^{N+1})} \right] \tag{18-45}$$

El número medio de clientes en la línea de espera es

$$L_q = \sum_{j=1}^{N} (j - 1) \cdot p_j$$

$$= \sum_{j=0}^{N} jp_j - \sum_{j=1}^{N} p_j$$

$$= L - (1 - p_0) \tag{18-46}$$

El tiempo medio en el sistema se encuentra como

$$W = \frac{L}{\lambda} \tag{18-47}$$

y el tiempo medio en la cola es

$$W_q = \frac{L_q}{\lambda} = \frac{L - 1 + p_0}{\lambda} \tag{18-48}$$

donde $L$ está dada por la ecuación 18-45.

# 18-9 Servidores múltiples con línea de espera de longitud ilimitada

Consideraremos ahora el caso donde hay servidores múltiples. Supondremos también que la línea de espera es ilimitada y que las suposiciones exponenciales se mantienen para los tiempos de interarribo y los tiempos de servicio. En este caso tenemos

$$\lambda_0 = \lambda_1 = \cdots = \lambda_j = \cdots = \lambda \tag{18-49}$$

y

$$\mu_j = j \cdot \mu \quad \text{para } j \leq s$$

$$= s\mu \quad \text{para } j > s$$

Por tanto,

$$C_j = \frac{\lambda^j}{j! \cdot \mu^j} = \frac{\left(\dfrac{\lambda}{\mu}\right)^j}{j!} \qquad j \leq s$$

$$= \frac{\lambda^j}{s! \cdot s^{j-s}\mu^j} = \frac{\left(\dfrac{\lambda}{\mu}\right)^j}{s!s^{j-s}} \qquad j > s \tag{18-50}$$

Se deduce de la ecuación 18-27 que las ecuaciones de estado se desarrollan como

$$p_j = \frac{\left(\dfrac{\lambda}{\mu}\right)^j}{j!} \cdot p_0 \qquad j < s$$

$$= \frac{\left(\dfrac{\lambda}{\mu}\right)^j}{s!s^{j-s}} \cdot p_0 \qquad j \geq s$$

$$p_0 = \frac{1}{1 + \displaystyle\sum_{j=1}^{s} \frac{(\lambda/\mu)^j}{j!} + \displaystyle\sum_{j=s+1}^{\infty} \frac{(\lambda/\mu)^j}{s!s^{j-s}}}$$

$$= \frac{1}{\displaystyle\sum_{j=0}^{s-1} \frac{\phi^j}{j!} + \frac{\phi^j}{s!}\left(\dfrac{1}{1-\rho}\right)} \tag{18-51}$$

donde $\phi = \lambda/\mu$, y $\rho = \lambda/s\mu = \phi/s$ es el coeficiente de utilización suponiendo $\rho < 1$.

El valor $L_q$, que representa el número medio de unidades en la línea de espera, se desarrolla como sigue:

$$L_q = \sum_{j=s}^{\infty} (j-s)p_j = \sum_{j=0}^{\infty} j \cdot p_{s+j}$$

$$= \left[\frac{\phi^s}{s!} \cdot \rho \frac{d}{d\rho}\left(\sum_{j=0}^{\infty} \rho^j\right)\right] \cdot p_0$$

$$= \left[\frac{\phi^s}{s!(1-\rho)^2}\right] \cdot p_0 \tag{18-52}$$

Entonces

$$W_q = \frac{L_q}{\lambda} \tag{18-53}$$

y

$$W = W_q + \frac{1}{\mu} \tag{18-54}$$

por lo que

$$L = \left(W_q + \frac{1}{\mu}\right) = L_q + \phi \tag{18-55}$$

## 18-10   Otros modelos de líneas de espera

Hay un gran número de otros modelos de líneas de espera que pueden desarrollarse a partir del proceso de nacimiento-muerte. Además, también es posible desarrollar modelos de formación de líneas de espera en situaciones que comprenden distribuciones no exponenciales. Un resultado útil, dado sin desarrollarse, corresponde a un sistema de un servidor que tiene interarribos exponenciales y distribuciones de tiempo de servicio con media $1/\mu$ y varianza $\sigma^2$. Si $p = \lambda/\mu$ $< 1$, entonces, las mediciones del estado estable están dadas por las ecuaciones 18-56.

$$p_0 = 1 - \rho$$

$$L_q = \frac{\lambda^2\sigma^2 + \rho^2}{2(1 - \rho)}$$

$$L = \rho + L_q$$

$$W_q = \frac{L_q}{\lambda}$$

$$W = W_q + \frac{1}{\mu} \tag{18-56}$$

En el caso donde los tiempos de servicio son constantes en $1/\mu$, las relaciones anteriores producen las mediciones del desempeño del sistema si la varianza $\sigma^2 = 0$.

## 18-11 Resumen

Este capítulo presentó la noción de procesos estocásticos de espacio de estados discretos con orientaciones de tiempo discreto y tiempo continuo. El proceso de Markov se desarrolló junto con la presentación de las propiedades y características del estado. A esto siguió una presentación del proceso del nacimiento-muerte y varias aplicaciones importantes para los modelos de líneas de espera en la descripción de fenómenos de tiempo de espera.

## 18-12 Ejercicios

18-1 Un taller de reparación de calzado en una zona suburbana tiene un solo operario. Los zapatos se llevan a reparación y llegan según un proceso de Poisson con una tasa media de arribo de 2 pares por hora. La distribución del tiempo de reparación es exponencial con media de 20 minutos, y hay independencia entre la reparación y el proceso de arribo. Considere un par de zapatos como la unidad que se va a servir, y

a) En el estado estable, encuentre la probabilidad de que el número de pares de zapatos en el sistema exceda de 5.

b) Encuentre el número medio de pares en el taller y el número medio de pares esperando servicio.

c) Encuentre el tiempo medio del ciclo de reparación de un par de zapatos (tiempo que se espera en el taller más la reparación, pero excluyendo el tiempo de espera para recoger los zapatos).

18-2 Se analiza los datos del estado del tiempo en una localidad particular, y se emplea una cadena de Markov como modelo para el cambio de clima como sigue. La probabilidad condicional del cambio de lluvioso a despejado en un día es .3. De igual manera, la probabilidad condicional de transición de despejado a lluvioso en un día es .1. El modelo será de tiempo discreto, con transiciones que ocurren sólo entre días.

a) Determine la matriz $P$ de las probabilidades de tránsición de un paso.

b) Encuentre las probabilidades de estado, de estado estable.

c) Si hoy está despejado, determine la probabilidad de que esté despejado exactamente de aquí a tres días.

d) Encuentre la probabilidad de que el primer paso de un día claro a uno lluvioso ocurra en dos días exactamente, dado que el día claro es el estado inicial.

e) ¿Cuál es el tiempo de recurrencia media para el estado de día lluvioso?

18-3 Un enlace de comunicaciones transmite caracteres binarios (0, 1). Hay una probabilidad $p$ de que un carácter transmitido será recibido correctamente por un receptor, que luego lo transmite a otro enlace, etc. Si $X_0$ es el carácter inicial y $X_1$ es el carácter recibido después de la primera transmisión, $X_2$ después de la segunda, etc., entonces $\{X_n\}$ es la cadena de Markov con independencia. Encuentre la matriz de un paso y transición de estado estable.

**18-4** Considere una redundancia activa de dos componentes donde los componentes sean idénticos y las distribuciones del tiempo de falla sean exponenciales. Cuando ambas unidades estén operando, cada una transporta carga $L/2$ y tiene una tasa de falla $\lambda$. Sin embargo, cuando falla una unidad, la carga que transporta el otro componente es $L$, y su tasa de falla de acuerdo con esta carga es $(1.5)\lambda$. Sólo hay una instalación de reparación disponible, y el tiempo de reparación se distribuye de forma exponencial con media $1/\mu$. Se considera que el sistema falla cuando ambos componentes están en el estado de falla. Ambos componentes se encuentran operando al inicio. Suponga que $\mu > (1.5)\lambda$, y que los estados sean

0:  Ninguno de los componentes falla.
1:  Un componente falló y está en reparación.
2:  Los dos componentes han fallado, uno está en reparación y el otro en espera, y el sistema está en la condición de falla.

*a*)  Determine la matriz **P** de probabilidades de transición asociada con el intervalo $\Delta t$.
*b*)  Determine las probabilidades de estado, de estado estable.
*c*)  Escriba las ecuaciones diferenciales de sistemas que presenten las relaciones dependientes del tiempo o transitorias para la transición.

**18-5** Un satélite de comunicaciones se lanza mediante un sistema propulsor que, a su vez, tiene un sistema de control de guía de tiempo discreto. Las señales de corrección del curso forman una secuencia $\{X_n\}$ donde el espacio de estados para $X$ es

0:  No se requiere corrección.
1:  Se requiere una corrección menor.
2:  Se requiere una corrección mayor.
3:  Aborto y destrucción del sistema.

Si $\{X_n\}$ puede modelarse como una cadena de Markov con una matriz de transición de un paso como

$$\mathbf{P} = \begin{pmatrix} 1 & 0 & 0 & 0 \\ 2/3 & 1/6 & 1/6 & 0 \\ 0 & 2/3 & 1/6 & 1/6 \\ 0 & 0 & 0 & 1 \end{pmatrix}$$

*a*)  Muestre que los estados 0 y 1 son estados de absorción.
*b*)  Si el estado inicial es el estado 1, calcule la propiedad de estado estacionario de que el sistema esté en el estado 0.
*c*)  Si las probabilidades iniciales son $(0, 1/2, 1/2, 0)$, calcule la probabilidad del estado estacionario, $p_0$.
*d*)  Repita *c*) con $A = (1/4, 1/4, 1/4, 1/4)$.

**18-6** Un jugador apuesta $1 en cada mano de *blackjack*. La probabilidad de ganar en cualquier mano es $p$, y la probabilidad de perder es $1 - p = q$. El jugador continuará jugando hasta que haya acumulado $\$Y$, o haya perdido todo. Deje que $X_t$ denote las ganancias acumuladas en la mano $t$. Note que $X_{t+1} = X_t + 1$, con probabilidad $p$, y $X_{t+1} = X_t - 1$, con probabilidad $q$, y que $X_{t+1} = X_t$ si $X_t = 0$ o $X_t = Y$. El proceso estocástico $X_t$ es una cadena de Markov.

a) Encuentre la matriz **P** de transición de un paso.
b) Para $Y = 4$ y $p = .3$, encuentre las probabilidades de absorción $b_{10}$, $b_{14}$, $b_{30}$ y $b_{34}$.

**18-7** Un objeto se mueve entre cuatro puntos en un círculo, los cuales se denotan 1, 2, 3 y 4. La probabilidad de moverse una unidad a la derecha es $p$, y la probabilidad de moverse una unidad a la izquierda es $1 - p = q$. Suponga que el objeto empieza en 1, y deje que $X_n$ denote la localización de un círculo después de $n$ pasos.

a) encuentre la matriz **P** de transición de un paso.
b) Determine una expresión para las probabilidades del estado estable $p_j$.
c) Evalúe las probabilidades $p_j$ para $p = .5$ y $p = .8$.

**18-8** Para el modelo de líneas de espera de un servidor presentado en la sección 18-7, dibuje las gráficas de las siguientes cantidades como una función de $\rho = \lambda/\mu$, para $0 < \rho < 1$.

a) La probabilidad de ninguna unidad en el sistema.
b) El tiempo medio en el sistema.
c) El tiempo medio en la línea.

**18-9** Los tiempos entre arribos en una cabina telefónica son exponenciales, con un tiempo promedio de 10 minutos. Se supone que la duración de una llamada telefónica se distribuirá exponencialmente con media de 3 minutos.

a) ¿Cuál es la probabilidad de que una persona que arribe a la cabina tenga que esperar?
b) ¿Cuál es el largo promedio de la línea?
c) La compañía telefónica instalará una segunda cabina cuando una persona que arribe tuviera que esperar 3 o más minutos para ocupar le teléfono. ¿Qué tanto debe incrementarse la tasa de arribos para justificar una segunda cabina?
d) ¿Cuál es la probabilidad de que un arribo tenga que esperar más de 10 minutos para el teléfono.
e) ¿Cuál es la probabilidad de que a una persona le lleve más de 10 minutos esperar el teléfono y completar la llamada?
f) Estime la fracción del día que el teléfono se estará usando.

**18-10** Los automóviles arriban a una gasolinería de manera aleatoria a una tasa media de 15 por hora. Esta gasolinería sólo tiene un puesto de servicio, con una tasa media de servicio de 27 clientes por hora. Los tiempos de servicio se distribuyen exponencialmente. Sólo hay espacio para el automóvil que se está atendiendo y para dos que esperan. Si los tres espacios están llenos, el automóvil irá a otra gasolinería.

a) ¿Cuál es el número promedio de unidades en la gasolinería?
b) ¿Qué fracción de clientes se perderá?
c) ¿Por qué es $L_q \neq L - 1$?

**18-11** Una escuela de ingeniería tiene tres secretarias en sus oficinas generales. Los profesores con trabajos para las secretarias arriban al azar, a una tasa promedio de 20 por día de trabajo de 8 horas. La cantidad de tiempo que la secretaria dedica a un trabajo tiene una distribución exponencial con media de 40 minutos.

a)   ¿Qué fracción del tiempo las secretarias están ocupadas?

b)   ¿Cuánto tiempo le toma, en promedio, a un profesor obtener su trabajo terminado?

c)   Si por una media económica el número de secretarias se reduce a dos, ¿cuáles serán las nuevas respuestas en a) y b)?

**18-12** La frecuencia media de arribos a un aeropuerto es de 18 aviones por hora, y el tiempo medio que una pista está reservada para un arribo es de 2 minutos. ¿Cuántas pistas tendrán que proporcionarse de modo que la probabilidad de que un avión tenga que esperar sea .20? Ignore los efectos de población finita y haga la suposición de interarribos y tiempos de servicio exponenciales.

**18-13** Una agencia de reservaciones de hoteles utiliza líneas internas WATS para atender las solicitudes de los clientes. El número medio de llamadas que llegan por hora es de 50, y el tiempo medio de servicio para una llamada es de 3 minutos. Suponga que los interarribos y los tiempos de servicio se distribuyen en forma exponencial. Las llamadas que llegan cuando todas las líneas están ocupadas reciben la señal de ocupado y el sistema las pierde.

a)   Encuentre las ecuaciones de estado, de estado estable, del sistema.

b)   ¿Cuántas líneas WATS debe brindarse para asegurar que la probabilidad de que un cliente obtenga la señal de ocupado sea .05?

c)   ¿En qué fracción de tiempo están ocupadas todas las líneas WATS?

d)   Suponga que en las horas de la noche, las llegadas de llamadas ocurren a una tasa media de 10 por hora. ¿Cómo afecta esto la utilización de la líneas WATS?

e)   Suponga que el tiempo de servicio estimado (3 minutos) es un error, y que el verdadero tiempo de servicio es en realidad 5 minutos. ¿Qué efecto tendrá esto en la probabilidad de que un cliente encuentre todas las líneas ocupadas si se emplea el número de líneas en a)?

# Capítulo 19

# Teoría estadística de decisiones

La deducción estadística se ocupa de extraer conclusiones o tomar decisiones basadas en una muestra aleatoria de información acerca de un proceso. La teoría estadística de decisión se interesa en la metodología para tomar decisiones en problemas donde se presenta la incertidumbre. De tal modo, muchas de las técnicas de la inferencia estadística que hemos estudiado en capítulos anteriores pueden considerarse como técnicas de la teoría estadística de la decisión. En este capítulo trataremos algunas de estas técnicas, tales como la estimación de parámetros y la prueba de hipótesis, desde un punto de vista de la teoría de decisiones. El desarrollo de estas técnicas en los capítulos previos ha sido desde el punto de vista *clásico*. Además de presentar estos procedimientos en el marco de la teoría de las decisiones, presentamos también el enfoque bayesiano a estos problemas. También se brinda una comparación entre los planteamientos bayesiano y clásico para el análisis estadístico.

## 19-1 Estructura y conceptos de decisiones

Supóngase que una persona que toma decisiones tiene que seleccionar una acción o decisión de entre varios cursos de acción que están disponibles. Además, el curso de acción será el resultado de muestrear una variable aleatoria con densidad $f(x)$, la cual se caracteriza por el parámetro desconocido $\theta$. Si $\theta$ fuera conocida, la función de densidad estaría completamente especificada y la acción apropiada se conocería.

El tomador de decisiones selecciona una muestra aleatoria digamos $X_1$, $X_2$, ..., $X_n$. Luego el conjunto de todos los posibles valores de $\theta$, llamado el espacio de parámetros, que se denota mediante $\Omega$, debe definirse. De un modo similar, se determina el conjunto de todas las posibles decisiones $D$, llamado el espacio de decisión. Entonces, la función de los datos de muestra se calcula, por ejemplo

$$a = d(X_1, X_2, \ldots, X_n) \qquad (19\text{-}1)$$

donde $a$ es el espacio de decisión. El tomador de decisiones seguirá la acción denotada por $a$, donde $a = d(x_1, x_2, \ldots, x_n)$, si $x_1, x_2, \ldots, x_n$ se observa. La función $d$ suele llamarse la función o estrategia de decisión.

Puesto que hay muchas maneras en las cuales podría formularse la función de decisión $d$, necesitamos una manera de evaluar las funciones de decisión y seleccionar las adecuadas. Una manera de hacer esto es evaluar las consecuencias de las decisiones asociadas con $d$. Esto suele llevarse a acabo introduciendo el concepto de *función de pérdida*, digamos $l(a; \theta)$. Una función de pérdida es una función no negativa de valores reales que representa la pérdida de tomar una decisión $a$ cuando el valor real del parámetro es $\theta$. Evidentemente, definiríamos $l(a; \theta)$ si $a$ es la acción apropiada para $\theta$. En un problema de decisión estadística, la función de pérdida puede escribirse como

$$l\{ d(X_1, X_2, \ldots, X_n); \theta \} \qquad (19\text{-}2)$$

debido a que nuestra decisión $a$ depende de los valores de muestra particulares $X_1, X_2, \ldots, X_n$, que observamos.

Vemos que la pérdida es una variable aleatoria y que depende del resultado de la muestra. Por tanto, elegimos definir el *riesgo* como el valor esperado de la función de pérdida. Esto es, el riesgo, digamos $R(d; \theta)$, es una función de $\theta$, $d$ y $l$, tal que

$$R(d; \theta) = E\{ l[d(X_1, X_2, \ldots, X_n); \theta] \}$$

$$= \int_{-\infty}^{\infty} \int_{-\infty}^{\infty} \cdots \int_{-\infty}^{\infty} l\{ d(x_1, x_2, \ldots, x_n); \theta \}$$

$$\times f(x_1) f(x_2) \cdots f(x_n) \, dx_1 \, dx_2 \cdots dx_n \qquad (19\text{-}3)$$

Es evidente que una buena función de decisión sería una que minimice el riesgo $R(d; \theta)$ para todos los valores de $\theta$ en el espacio de parámetros $\Omega$.

En muchos problemas aplicados, el empleo de la teoría de decisión se complica debido a la dificultad de especificar una función de pérdida realista. Por ejemplo, puede ser bastante difícil especificar la pérdida realizada estimando en forma incorrecta el parámetro de una distribución de probabilidad, o tomando la decisión incorrecta cuando se prueba una hipótesis. Puesto que las pérdidas son variables aleatorias, puede ser cuestionable hablar de la función de riesgo, la cual es el valor esperado de las pérdidas, cuando el problema de decisión sólo se encuentra una vez. En la práctica, una función de pérdida precisa no es en realidad necesaria, ya que los buenos procedimientos de decisión son insensibles a pequeños errores en la estimación de la forma de la función de pérdida. Asimismo, si las pérdidas se miden en términos de una *función de utilidad*, podemos medir las pérdidas aleatorias trabajando con la función de riesgo.

Nos concentraremos en los dos problemas de la inferencia estadística que se han tratado en capítulos anteriores: la estimación del parámetro $\theta$, que caracteriza la función de densidad de probabilidad $f(x)$, y la prueba de hipótesis en torno a $\theta$.

Considérese primero el problema de determinar una estimación puntual de $\theta$. Si la decisión consiste en actuar como si $\hat{\theta}$ fuera el valor verdadero de $\theta$, entonces nuestra función de pérdida $l(\hat{\theta}; \theta) = 0$ si y sólo si $\hat{\theta} = \theta$. Nuestra función de decisión es

$$\hat{\theta} = d(X_1, X_2, \ldots, X_n) \tag{19-4}$$

y $\hat{\theta}$ suele llamarse estimador de $\theta$. La elección de una función de pérdida para una problema tal es de importancia considerable. En muchos problemas es apropiada una función de pérdida cuadrática, por ejemplo

$$l(\hat{\theta}; \theta) = h(\theta)(\hat{\theta} - \theta)^2 \tag{19-5}$$

donde $h(\theta) > 0$ para toda $\theta$. Debido a que $h(\theta)$ desempeña un papel relativamente menor al determinar los méritos relativos de dos funciones de decisión, a menudo es razonable fijar $h(\theta) = 1$. Si $h(\theta) = 1$ en la ecuación 19-5, la función de pérdida se llama función de pérdida de error cuadrático.

Para una problema de estimación por puntos solemos denominar estimador a la función de decisión, y llamamos estimado a la decisión. De tal modo que $\hat{\theta}$ es un estimado o decisión. Con frecuencia, $\hat{\theta}$ también se llama estimador, en cuyo caso entendemos la función de decisión definida en la ecuación 19-4. El problema central de la estimación por puntos es encontrar una función de decisión $d$ que minimice la función de riesgo

$$R(d; \theta) = h(\theta) E\left\{(\hat{\theta} - \theta)^2\right\}$$

o, si $h(\theta) = 1$,

$$R(d; \theta) = E\left\{(\hat{\theta} - \theta)^2\right\}$$

En consecuencia, para $l(\hat{\theta}; \theta) = (\hat{\theta} - \theta)^2$, el problema de encontrar un estimador con riesgo mínimo es equivalente a encontrar un estimador que minimice el error cuadrático medio $E\{(\hat{\theta} - \theta)^2\}$. Por desgracia, para la mayor parte de las densidades $f(x)$, no existe un estimador que minimice el error cuadrático medio para todos los valores posibles de $\theta$. Esto es, un estimador puede producir un erro cuadrático medio mínimo para algunos valores de $\theta$, en tanto que otro estimador puede producir un error cuadrático medio mínimo para otros valores de $\theta$. Puesto que se desconoce el valor de $\theta$, esto limita la utilidad del error cuadrático medio como un criterio para la selección de estimadores. Sin embargo, podemos usar el error cuadrático medio como una guía. Por ejemplo, si $\hat{\theta}_1$ y $\hat{\theta}_2$ son dos estimadores tales que

$$\hat{\theta}_1 = d_1(X_1, X_2, \ldots, X_n)$$

y

$$\hat{\theta}_2 = d_2(X_1, X_2, \ldots, X_n)$$

podemos comparar el riesgo $R(d_1; \theta)$ con $R(d_2; \theta)$ para valores especificados de $\theta$. Si $R(d_1; \theta) < R(d_2; \theta)$ para una $\theta$ particular, entonces $\hat{\theta}_1$ es un "mejor" estimador que $\hat{\theta}_2$.

También podemos tratar la prueba de hipótesis desde el punto de vista de la teoría estadística de la decisión. Supóngase que hay dos decisiones posibles, digamos $a_1$ y $a_2$, tales que la decisión apropiada depende del valor de un parámetro desconocido $\theta$. El valor verdadero del parámetro $\theta$ suele llamarse estado natural, y será un elemento del espacio de parámetros $\Omega$. Podemos formar dos subconjuntos de $\Omega$, por ejemplo $\omega_1$ y $\omega_2 = \Omega - \omega_1$. Se preferirá la decisión $a_1$ si $\theta$ está en $\omega_1$, y la decisión $a_2$, si $\theta$ está en $\omega_2$. La pérdida asociada con la decisión $a$ y el estado natural $\theta$ es $l(a; \theta)$, donde

$$
\begin{aligned}
l(a_1; \theta) = 0 \qquad \theta \in \omega_1 \\
l(a_2; \theta) = 0 \qquad \theta \in \omega_2
\end{aligned}
\tag{19-6}
$$

y $l(a; \theta) \geq 0$ para toda $\theta$.

Dejemos ahora que $\mathbf{X} = X_1, X_2, \ldots, X_n$ sea una muestra aleatoria de la densidad $f(x)$ y que $S_\mathbf{X}$ sea el espacio muestral $n$-dimensional para $\mathbf{X}$. Podemos descomponer $S_\mathbf{X}$ en los conjuntos $S_{\mathbf{X}_1}$ y $S_{\mathbf{X}_2}$, donde $S_{\mathbf{X}_2} = S_\mathbf{X} - S_{\mathbf{X}_1}$, tal que la decisión $a_1$ se toma si el punto de muestra $\mathbf{X}$ cae en $S_{\mathbf{X}_1}$ y la decisión $a_2$ se toma si el punto de muestra $\mathbf{X}$ cae en $S_{\mathbf{X}_2}$. El riesgo asociado con la función de decisión $d$ es, de la ecuación 19-3.

$$
\begin{aligned}
R(d; \theta) &= \iint \cdots \int_{S_\mathbf{X}} l\{d(x_1, x_2, \ldots, x_n); \theta\} f(x_1) \\
&\quad \times f(x_2) \cdots f(x_n)\, dx_1\, dx_2 \cdots dx_n \\
&= \iint \cdots \int_{S_{\mathbf{X}_1}} l\{d(x_1, x_2, \ldots, x_n); \theta\} f(x_1) \\
&\quad \times f(x_2) \cdots f(x_n)\, dx_1\, dx_2 \cdots dx_n \\
&\quad + \iint \cdots \int_{S_{\mathbf{X}_2}} \{d(x_1, x_2, \ldots, x_n); \theta\} f(x_1) f(x_2) \cdots f(x_n) \\
&\quad \times dx_1\, dx_2 \cdots dx_n
\end{aligned}
$$

La función de decisión es tal que elegimos $a_1$ si $\mathbf{X} \in S_{\mathbf{X}_1}$, o elegimos $a_2$ si $\mathbf{X} \in S_{\mathbf{X}_2}$, de modo que

$$R(d; \theta) = \int\int \cdots \int_{S_{\mathbf{X}_1}} l(a_1; \theta) f(x_1) f(x_2) \cdots f(x_n) \, dx_1 \, dx_2 \cdots dx_n$$

$$+ \int\int \cdots \int_{S_{\mathbf{X}_2}} l(a_2; \theta) f(x_1) f(x_2) \cdots f(x_n) \, dx_1 \, dx_2 \cdots dx_n$$

$$= l(a_1; \theta) \int\int \cdots \int_{S_{\mathbf{X}_1}} f(x_1) f(x_2) \cdots f(x_n) \, dx_1 \, dx_2 \cdots dx_n$$

$$+ l(a_2; \theta) \int\int \cdots \int_{S_{\mathbf{X}_2}} f(x_1) f(x_2) \cdots f(x_n) \, dx_1 \, dx_2 \cdots dx_n$$

o

$$R(d; \theta) = l(a_1; \theta) P(\mathbf{X} \in S_{\mathbf{X}_1} | \theta) + l(a_2; \theta) P(\mathbf{X} \in S_{\mathbf{X}_2} | \theta) \qquad (19\text{-}7)$$

Vemos que $P(\mathbf{X} \in S_{\mathbf{X}_1} | \theta)$ es la probabilidad de que el punto de muestra $X$ caiga en $S_{\mathbf{X}_1}$ dado que el estado natural verdadero es $\theta$, y $P(\mathbf{X} \in S_{\mathbf{X}_2} \mid \theta)$ es la probabilidad de que el punto de la muestra caiga en $S_{x_2}$, dado que el estado natural es $\theta$.

Podemos evaluar con facilidad el riesgo en la ecuación 19-7 si el parámetro $\theta \in \omega_1$ como

$$R(d; \theta \in \omega_1) = l(a_1; \theta \in \omega_1) P(\mathbf{X} \in S_{\mathbf{X}_1} | \theta \in \omega_1)$$

$$+ l(a_2; \theta \in \omega_1) P(\mathbf{X} \in S_{\mathbf{X}_2} | \theta \in \omega_1) \qquad (19\text{-}8)$$

Pero por la ecuación 19-6, el primer término en la ecuación 19-8 es cero, por lo que

$$R(d; \theta \in \omega_1) = l(a_2; \theta \in \omega_1) P(\mathbf{X} \in S_{\mathbf{X}_2} | \theta \in \omega_1) \qquad (19\text{-}9)$$

Si $\theta \in \omega_2$, un planteamiento similar producirá

$$R(d; \theta \in \omega_2) = l(a_1; \theta \in \omega_2) P(\mathbf{X} \in S_{\mathbf{X}_1} | \theta \in \omega_2) \qquad (19\text{-}10)$$

Podemos combinar las ecuaciones 19-9 y 19-10 como

$$R(d; \theta) = l(\theta) \xi(d; \theta) \qquad (19\text{-}11)$$

donde $l(\theta)$ es la pérdida asociada con la toma de una decisión particular si $\theta$ es el estado natural verdadero, y $\xi(d; \theta)$ son las probabilidades de tomar decisiones incorrectas. De modo evidente vemos que

$$
l(\theta) = \begin{cases} l(a_1; \theta) & \text{si } \theta \in \omega_2 \\ l(a_2; \theta) & \text{si } \theta \in \omega_1 \end{cases}
\tag{19-12}
$$

y

$$
\xi(d; \theta) = \begin{cases} P(\mathbf{X} \in S_{\mathbf{X}_2} | \theta \in \omega_1) \\ P(\mathbf{X} \in S_{\mathbf{X}_1} | \theta \in \omega_2) \end{cases}
\tag{19-13}
$$

Las probabilidades $\xi(d; \theta)$ a menudo se llaman *probabilidades del error*, ya que corresponden a la probabilidad de tomar la decisión $a_2$ si $\theta$ está en $\omega_1$ y a la probabilidad de tomar la decisión $a_1$ si $\theta$ está en $\omega_2$, respectivamente.

Del análisis anterior, podemos utilizar los conjuntos $\omega_1$ y $\omega_2$ para formar un enunciado o hipótesis $H_0$: $\theta \in \omega_1$ y una hipótesis alternativa $H_1$: $\theta \in \omega_2$. Por tanto, la decisión $a_1$ está aceptando la hipótesis $H_0$ y la decisión $a_2$ está rechazando la hipótesis $H_0$. La función de decisión $d$, que aplicamos a la muestra $x_1, x_2, \ldots, x_n$, y la cual conduce a aceptar o a rechazar la hipótesis, se llama *prueba de la hipótesis*. Es evidente que debemos desear encontrar una función de decisión, o prueba, tal que el riesgo se minimice para todo valor de $\theta$ en $\Omega$. En general, no es posible hacer esto debido a que, para ciertos valores de $\theta$ una función de decisión puede ser mejor en tanto que para otros valores de $\theta$ una función de decisión diferente tal vez sea la mejor. Cuando se desconoce $\theta$, no hay un planteamiento directo para determinar $d$. Además, es posible que no se conozca la forma apropiada de la función de pérdida.

Una solución factible a estas dificultades sería seleccionar una función de decisión, o prueba, que minimice las probabilidades del error. Sin embargo, incluso esto no es en general posible. El procedimiento clásico es seleccionar una probabilidad, digamos $\alpha$, en alguna parte del intervalo $.01 \le \alpha \le .20$ y encontrar el conjunto de funciones de decisión tal que

$$
P(\mathbf{X} \in S_{\mathbf{X}_2} | \theta \in \omega_1) \le \alpha
\tag{19-14}
$$

Desde luego, encontrar estas funciones de decisión es equivalente a encontrar los conjuntos $S_{\mathbf{X}_2}$ tales que la ecuación 19-14 se cumpla. Entonces del conjunto restringido de funciones de decisión definido por la ecuación 19-14 se selecciona la función de decisión tal que

$$
P(\mathbf{X} \in S_{\mathbf{X}_1} | \theta \in \omega_2)
\tag{19-15}
$$

se minimice. Vemos que $P(X \in S_{\mathbf{X}_2} | \theta \epsilon \omega_1)$ es la probabilidad de rechazar $H_0$ dado que es cierta, o la probabilidad del error de tipo I, y $P(X \in S_{\mathbf{X}_1} | \theta \epsilon \omega_2)$ es la probabilidad de aceptar $H_0$ dado que es falsa, o la probabilidad del error de tipo II. Esto es,

$$P \text{ (error del tipo I)} = P(\mathbf{X} \in S_{\mathbf{X}_2} | \theta \in \omega_1)$$

$$P \text{ (error del tipo II)} = P(\mathbf{X} \in S_{\mathbf{X}_1} | \theta \in \omega_2)$$

En consecuencia $S_{\mathbf{X}_2}$ sería la región crítica o región de rechazo y $S_{\mathbf{X}_1}$ sería la región de aceptación, en el lenguaje de los capítulos previos. Obviamente,

$$P(\mathbf{X} \in S_{\mathbf{X}_2} | \theta \in \omega_2) = 1 - P(\mathbf{X} \in S_{\mathbf{X}_1} | \theta \in \omega_2) \quad (19\text{-}16)$$

es la capacidad de la prueba. Por tanto, la "mejor" prueba de tamaño $\alpha$ es una para la cual la ecuación 19-16 es un máximo.

Puede parecer que la formulación del problema de la prueba de hipótesis en el último párrafo ignore por completo la función de pérdida $l(\theta)$. De hecho, éste es exactamente el planteamiento descrito antes. En realidad, no hemos ignorado del todo la función de pérdida $l(\theta)$; los experimentadores deben considerar con sumo cuidado las consecuencias de los errores de tipo I y tipo II cuando determinan un valor para $\alpha$ y el tamaño de muestra. Sin embargo, se admite que a este procedimiento le falta ser por completo satisfactorio, y la falla de considerar en forma explícita la pérdida que resulta de decisiones equivocadas es quizá la más grande desventaja del enfoque clásico para la prueba de hipótesis.

Del análisis precedente vemos que hay a menudo muchas reglas de decisión posibles para un problema de decisión estadística, y con frecuencia es necesario algún criterio para caracterizar una regla particular como "buena" o "mala". Es evidente que se prefiere una regla de decisión $d$ que minimice $R(d; \theta)$, pero por lo general, tal regla no puede encontrarse para toda $\theta \in \Omega$. Además, cada regla de decisión tendrá *probabilidades de decisión* asociadas. Por ejemplo, en el problema de la prueba de hipótesis, $P(\mathbf{X} \in S_{\mathbf{X}_1} | \theta)$ y $P(\mathbf{X} \in S_{\mathbf{X}_2} | \theta)$ son las probabilidades de decisión.

Supóngase que estamos comparando dos reglas de decisión diferentes $d_1$ y $d_2$. Si $R(d_1; \theta) \leq R(d_2; \theta)$ para todos los valores de $\theta$ en $\Omega$, y $R(d_1; \theta) < R(d_2; \theta)$ para al menos una $\theta$, afirmamos que $d_1$ es una mejor regla de decisión que $d_2$. En general, se dice que una regla de decisión $d$ será *admisible* si no hay una regla de decisión $d^*$ tal que

$$R(d^*; \theta) \leq R(d; \theta) \qquad \text{para toda } \theta \in \Omega$$

y

$$R(d^*; \theta) < R(d; \theta) \qquad \text{para alguna } \theta \in \Omega$$

Puesto que una función de decisión da por lo general un riesgo mínimo para todos los valores de $\theta$ en $\Omega$, parece razonable encontrar la clase de funciones de decisión admisibles y seleccionar una de dicha clase.

## 19-2   Inferencia bayesiana

En los capítulos anteriores hemos hecho un extensivo estudio del empleo de la probabilidad. Hasta ahora, hemos interpretado estas probabilidades en el sentido de la frecuencia; esto es, ellas se refieren a un experimento que puede repetirse un número indefinido de veces, y si la probabilidad de ocurrencia de un evento $A$ es .6, entonces esperaríamos que $A$ ocurriera en aproximadamente el 60 por ciento de los ensayos experimentales. Esta interpretación de frecuencia de probabilidad a menudo se conoce como el punto de vista objetivista o clásico.

La inferencia bayesiana requiere una interpretación diferente de la probabilidad, conocido como el punto de vista subjetivo. Con frecuencia encontramos enunciados probabilísticos subjetivos, tales como "Hay 30 por ciento de posibilidades de que hoy llueva". Los enunciados subjetivos miden el "grado de creencia" de una persona respecto a un evento, en lugar de una interpretación de frecuencia. La inferencia bayesiana requiere que hagamos uso de la probabilidad subjetiva para medir el grado de creencia acerca de un estado natural. Esto es, debemos especificar una distribución de probabilidad para describir nuestro grado de creencia acerca de un parámetro desconocido. Este procedimiento es por completo diferente a todo lo que hemos tratado antes. Hasta ahora, los parámetros se han tratado como constantes desconocidas. La inferencia bayesiana requiere que nosotros consideremos los parámetros como *variables aleatorias*.

Supóngase que dejamos que $f(\theta)$ sea la distribución de probabilidad del parámetro o estado natural $\theta$. La distribución $f(\theta)$ resume nuestra información objetiva acerca de $\theta$ anterior a la obtención de la información de muestra. Es obvio que si tenemos una certeza razonable acerca del valor de $\theta$, elegiremos $f(\theta)$ con una pequeña varianza, en tanto que si hay menor certeza en torno a $\theta$, $f(\theta)$ se elegirá con una varianza más grande. Llamamos a $f(\theta)$ la *distribución a priori* de $\theta$.

Considérese ahora la distribución de la variable aleatoria $X$. Denotamos la distribución de $X$ mediante $f(x|\theta)$, para indicar que la distribución depende del parámetro desconocido $\theta$. Supóngase que tomamos una muestra aleatoria de $X$, digamos $X_1, X_2, \ldots, X_n$. La densidad conjunta o similitud de la muestra es

$$f(x_1, x_2, \ldots, x_n|\theta) = f(x_1|\theta)f(x_2|\theta) \cdots f(x_n|\theta)$$

Definimos la *distribución a posteriori* de $\theta$ como la distribución condicional de $\theta$, dados los resultados de muestra. Ésta es, simplemente

$$f(\theta|x_1, x_2, \ldots, x_n) = \frac{f(x_1, x_2, \ldots, x_n; \theta)}{f(x_1, x_2, \ldots, x_n)} \tag{19-17}$$

La distribución conjunta de la muestra y $\theta$ en el numerador de la ecuación 19-17 es el producto de la distribución a priori de $\theta$ y de la similitud, o

$$f(x_1, x_2, \ldots, x_n; \theta) = f(\theta) \cdot f(x_1, x_2, \ldots, x_n | \theta)$$

el denominador de la ecuación 19-17, que es la distribución marginal de la muestra, es sólo una constante de normalización obtenida mediante

$$f(x_1, x_2, \ldots, x_n) = \begin{cases} \displaystyle\int_{-\infty}^{\infty} f(\theta) f(x_1, x_2, \ldots, x_n | \theta) \, d\theta & x \text{ continua} \\ \displaystyle\sum_{\theta} f(\theta) f(x_1, x_2, \ldots, x_n | \theta) & x \text{ discreta} \end{cases}$$

(19-18)

En consecuencia, podemos escribir la distribución posterior de $\theta$ como

$$f(\theta | x_1, x_2, \ldots, x_n) = \frac{f(\theta) f(x_1, x_2, \ldots, x_n | \theta)}{f(x_1, x_2, \ldots, x_n)} \qquad (19\text{-}19)$$

Observamos que el teorema de Bayes se ha utilizado para transformar o actualizar la distribución a priori en la distribución a posteriori. Esta última refleja nuestro grado de creencia acerca de $\theta$, dada la información muestral. Además, la distribución a posteriori es proporcional al producto de la distribución a priori y de la similitud, siendo la constante de proporcionalidad la constante de normalización $f(x_1, x_2, \ldots, x_n)$.

De tal modo, la densidad a posteriori para $\theta$ expresa nuestro grado de creencia acerca del valor de $\theta$ dado el resultado de la muestra.

**Ejemplo 19.1** Se sabe que el tiempo de falla de un transistor se distribuye en forma exponencial con parámetro $\lambda$. Para una muestra aleatoria de $n$ transistores, la densidad conjunta de los elementos de la muestra, dada $\lambda$, es

$$f(x_1, x_2, \ldots, x_n | \lambda) = \lambda^n e^{-\lambda \sum x_i}$$

Supóngase que pensamos que una distribución a priori apropiada para $\lambda$ es

$$\begin{aligned} f(\lambda) &= k e^{-k\lambda} & \lambda > 0 \\ &= 0 & \text{en otro caso} \end{aligned}$$

donde $k$ se elegiría dependiendo del conocimiento exacto o grado de creencia que tengamos del valor de $\lambda$. La densidad conjunta de la muestra y de $\lambda$ es

$$f(x_1, x_2, \ldots, x_n; \lambda) = k\lambda^n e^{-\lambda(\sum x_i + k)}$$

y la densidad marginal de la muestra es

$$f(x_1, x_2, \ldots, x_n) = \int_0^{\infty} k\lambda^n e^{-\lambda(\sum x_i + k)} \, d\lambda$$

$$= \frac{k\Gamma(n+1)}{\left(\sum x_i + k\right)^{n+1}}$$

Por tanto, la densidad a posteriori para $\lambda$, por la ecuación 19-19, es

$$f(\lambda|x_1, x_2, \ldots, x_n) = \frac{1}{\Gamma(n+1)}\left(\sum x_i + k\right)^{n+1}\lambda^n e^{-\lambda(\Sigma x_i + k)}$$

y vemos que la densidad a posteriori para $\lambda$ es una distribución gamma con parámetro $n+1$ y $\Sigma X_i + k$.

## 19-3  Aplicaciones de estimación

En esta sección, trataremos la aplicación de la inferencia bayesiana al problema de estimar un parámetro desconocido de una distribución de probabilidad. Sea $X_1, X_2, \ldots, X_n$ una muestra aleatoria de la variable aleatoria $X$ con densidad $f(x|\theta)$. Deseamos obtener una estimación puntual de $\theta$. Sea $f(\theta)$ la distribución a priori para $\theta$ y $l(\hat{\theta}; \theta)$ la función de pérdida. Como antes, el riesgo es $E[l(\hat{\theta}; \theta)] = R(d; \theta)$. Puesto que se considera que $\theta$ será una variable aleatoria, el riesgo es una variable aleatoria. Desearíamos encontrar la función $d$ que minimice el riesgo *esperado*. Escribimos el riesgo esperado como

$$B(d) = E[R(d; 0)] = \int_{-\infty}^{\infty} R(d; \theta)f(\theta)\, d\theta$$

$$= \int_{-\infty}^{\infty}\left\{\int_{-\infty}^{\infty} \cdots \int_{-\infty}^{\infty} l\{d(x_1, x_2, \ldots, x_n); \theta\}f(x_1, x_2, \ldots, x_n|\theta)\right.$$

$$\left. \times\, dx_1\, dx_2 \cdots dx_n\right\}f(\theta)\, d\theta \quad (19\text{-}20)$$

Definimos el *estimador de Bayes* del parámetro $\theta$ como la función $d$ de la muestra $X_1, X_2, \ldots, X_n$ que minimiza el riesgo *esperado*. Al intercambiar el orden de integración en la ecuación 19-20 obtenemos

$$B(d) = \int_{-\infty}^{\infty} \cdots \int_{-\infty}^{\infty}\left\{\int_{-\infty}^{\infty} l\{d(x_1, x_2, \ldots, x_n; \theta)\}f(x_1, x_2, \ldots, x_n|\theta)f(\theta)\, d\theta\right\}$$

$$\times\, dx_1\, dx_2 \cdots dx_n \quad (19\text{-}21)$$

La función $B$ se minimizará si podemos encontrar una función $d$ que minimice la cantidad dentro de las llaves grandes en la ecuación 19-21 para todo conjunto de valores de $X$. Esto es, el estimador de Bayes de $\theta$ es una función $d$ de las $X_i$ que minimizan

$$\int_{-\infty}^{\infty} l\{d(x_1, x_2, \ldots, x_n); \theta\} f(x_1, x_2, \ldots, x_n|\theta) f(\theta)\, d\theta$$

$$= \int_{-\infty}^{\infty} l(\hat{\theta}; \theta) f(x_1, x_2, \ldots, x_n; \theta)\, d\theta$$

$$= f(x_1, x_2, \ldots, x_n) \int_{-\infty}^{\infty} l(\hat{\theta}; \theta) f(\theta|x_1, x_2, \ldots, x_n)\, d\theta \quad (19\text{-}22)$$

En consecuencia, el estimador de Bayes de $\theta$ es el valor $\hat{\theta}$ que minimiza

$$Z = \int_{-\infty}^{\infty} l(\hat{\theta}; \theta) f(\theta|x_1, x_2, \ldots, x_n)\, d\theta \quad (19\text{-}23)$$

Si la función de pérdida $l(\hat{\theta}; \theta)$ es la pérdida del error cuadrático $(\hat{\theta} - \theta)^2$, entonces podemos demostrar que el estimador de Bayes de $\theta$, digamos $\hat{\theta}$, es la media de la densidad a posteriori para $\theta$ (refiérase al ejercicio 19-25).

**Ejemplo 19.2**  Considérese la situación en el ejemplo 19.1, donde se demostró que si la variable aleatoria $X$ se distribuye exponencialmente con parámetros $\lambda$, y si la distribución anterior para $\lambda$ es exponencial con parámetro $k$, entonces la distribución a posteriori para $\lambda$ es una distribución gamma, con parámetro $n + 1$ y $\sum_{i=1}^{n} X_i + k$. Por tanto, si se considera una función de pérdida de error al cuadrado el estimador de Bayes para $\lambda$ es

$$\hat{\lambda} = \frac{n + 1}{\sum_{i=1}^{n} X_i + k}$$

Supóngase que en el problema de tiempo transcurrido hasta la falla en el ejemplo 19.1, una razonable distribución a priori exponencial para $\lambda$ tiene parámetro $k = 140$. Esto equivale a decir que la estimación anterior para $\lambda$ es .07142. Una muestra aleatoria de tamaño $n = 10$ produce $\sum_{i=1}^{10} x_i = 1500$. La estimación de Bayes de $\lambda$ es

$$\hat{\lambda} = \frac{n + 1}{\sum_{i=1}^{10} x_i + k} = \frac{10 + 1}{1500 + 140} = .06707$$

Podemos comparar esto con los resultados que se habrían obtenido mediante métodos clásicos. El estimador de máxima similitud del parámetro $\lambda$ en una distribución exponencial es

$$\lambda^* = \frac{n}{\displaystyle\sum_{i=1}^{n} X_i}$$

En consecuencia, el estimado de máxima similitud de $\lambda$, basado en los datos de muestra precedentes es,

$$\lambda^* = \frac{n}{\displaystyle\sum_{i=1}^{n} x_i} = \frac{10}{1500} = .06667$$

Obsérvese que los resultados producidos por los dos métodos difieren un poco. La estimación de Bayes se acerca un poco más a la estimación anterior que la estimación de máxima similitud.

**Ejemplo 19.3**   Sea $X_1, X_2, \ldots, X_n$ una muestra aleatoria de la densidad normal con media $\mu$ y varianza 1, donde $\mu$ se desconoce. Supóngase que la densidad anterior para $\mu$ es normal con media 0 y varianza 1; esto es,

$$f(\mu) = \frac{1}{\sqrt{2\pi}} e^{-(1/2)\mu^2} \qquad -\infty < \mu < \infty$$

La densidad condicional conjunta de la muestra dada $\mu$ es

$$f(x_1, x_2, \ldots, x_n | \mu) = \frac{1}{(2\pi)^{n/2}} e^{-(1/2)\Sigma(x_i - \mu)^2}$$

$$= \frac{1}{(2\pi)^{n/2}} e^{-(1/2)(\Sigma x_i^2 - 2\mu\Sigma x_i + n\mu^2)}$$

Así, la densidad conjunta de la muestra y $\mu$ es

$$f(x_1, x_2, \ldots, x_n; \mu) = \frac{1}{(2\pi)^{(n+1)/2}} \exp\left\{ -\frac{1}{2}\left[ \sum x_i^2 + (n+1)\mu^2 - 2\mu n\bar{x} \right] \right\}$$

La densidad marginal de la muestra es

$$f(x_1, x_2, \ldots, x_n) = \frac{1}{(2\pi)^{(n+1)/2}} \exp\left\{ -\frac{1}{2}\sum x_i^2 \right\}$$

$$\times \int_{-\infty}^{\infty} \exp\left\{ -\frac{1}{2}\left[ (n+1)\mu^2 - 2\mu n\bar{x} \right] \right\} d\mu$$

Al completar el cuadrado en el exponente bajo la integral obtenemos

$$f(x_1, x_2, \ldots, x_n) = \frac{1}{(2\pi)^{n/2}} \exp\left[ -\frac{1}{2}\left( \sum x_i^2 - \frac{n^2\bar{x}^2}{n+1} \right) \right]$$

$$\times \left[ \frac{1}{(2\pi)^{1/2}} \int_{-\infty}^{\infty} \exp\left[ -\frac{1}{2}(n+1)\left(\mu - \frac{n\bar{x}}{n+1}\right)^2 \right] d\mu \right]$$

$$= \frac{1}{(n+1)^{1/2}(2\pi)^{n/2}} \exp\left[ -\frac{1}{2}\left(\sum x_i^2 - \frac{n^2\bar{x}^2}{n+1}\right)\right]$$

empleando el hecho de que la integral es $(2\pi)^{1/2}/(n+1)^{1/2}$. Luego la densidad a posteriori para $\mu$ es

$$f(\mu|x_1, x_2, \ldots, x_n) = \frac{(2\pi)^{-(n+1)/2} \exp\left\{ -\frac{1}{2}\left[\sum x_i^2 + (n+1)\mu^2 - 2n\bar{x}\mu\right]\right\}}{(2\pi)^{-n/2}(n+1)^{-1/2} \exp\left\{ -\frac{1}{2}\left(\sum x_i^2 - \frac{n^2\bar{x}^2}{n+1}\right)\right\}}$$

$$= \frac{(n+1)^{1/2}}{(2\pi)^{1/2}} \exp\left\{ -\frac{1}{2}(n+1)\left[\mu^2 - \frac{2n\bar{x}\mu}{n+1} + \frac{n^2\bar{x}^2}{(n+1)^2}\right]\right\}$$

$$= \frac{(n+1)^{1/2}}{(2\pi)^{1/2}} \exp\left\{ -\frac{1}{2}(n+1)\left[\mu - \frac{n\bar{x}}{n+1}\right]^2\right\}$$

Por consiguiente, la densidad a posteriori para $\mu$ es una densidad normal con media $n\bar{X}/(n+1)$ y varianza $(n+1)^{-1}$. Si la función de pérdida $l(\hat{\mu}; \mu)$ es un error al cuadrado, el estimado de Bayes de $\mu$ es

$$\hat{\mu} = \frac{n\bar{X}}{n+1} = \frac{\sum_{i=1}^{n} X_i}{n+1}$$

Hay una relación entre el estimador de Bayes para un parámetro y el estimados de máxima similitud del mismo parámetro. Para grandes tamaños de muestra los dos son casi equivalentes. En general, la diferencia entre los dos estimadores es pequeña comparada con $1/\sqrt{n}$. En problemas prácticos, un tamaño de muestra moderado producirá aproximadamente la misma estimación ya sea por el método de Bayes o por el de máxima similitud, si los resultados de la muestra son consistentes con la información anteriormente supuesta. Si los resultados de la muestra son inconsistentes con las suposiciones anteriores, entonces la estimación de Bayes puede diferir en forma considerable de la estimación de máxima similitud. En estas circunstancias, si los resultados de muestra se aceptan como correctos, la información anterior debe ser incorrecta. La estimación de máxima similitud sería entonces la mejor por usar.

Si los resultados de muestra no concuerdan con la información anterior, el estimador de Bayes siempre tenderá a producir una estimación que está entre la de máxima similitud y las suposiciones anteriores. Si hay más inconsistencia entre la información anterior y la muestra, habrá mayor diferencia entre las dos estimaciones. Para una ilustración de esto, refiérase al ejemplo 9.2.

Podemos emplear los métodos bayesianos para construir estimaciones de intervalo de parámetros que son similares a los intervalos de confianza. Si la densidad posterior para $\theta$ se ha obtenido, podemos construir un intervalo, centrado casi siempre en la media posterior, que contiene $100(1 - \alpha)$ por ciento de la probabilidad a posteriori. Tal intervalo recibe el nombre de intervalo de Bayes del $100(1 - \alpha)$ por ciento para el parámetro desconocido $\theta$.

Si bien en muchos casos la estimación del intervalo de Bayes para $\theta$ será bastante similar a un intervalo de confianza clásico con el mismo coeficiente de confianza, la interpretación de los dos es muy diferente. Un intervalo de confianza es un intervalo que, antes de que se tome la muestra, incluirá la $\theta$ desconocida con probabilidad $1 - \alpha$. Esto es, el intervalo de confianza clásico se relaciona con la frecuencia relativa de un intervalo que incluye a $\theta$. Por otra parte, un intervalo de Bayes es un intervalo que contiene $100(1 - \alpha)$ por ciento de la probabilidad a posteriori para $\theta$. Puesto que la densidad de probabilidad a posteriori mide el grado de creencia acerca de $\theta$ dados los resultados de la muestra, el intervalo de Bayes brinda un grado de creencia subjetivo acerca de $\theta$ en lugar de una interpretación de frecuencia. La estimación del intervalo de Bayes es afectada por los resultados de la muestra, pero no determinada completamente por ellos.

**Ejemplo 19.4**  Supóngase que la variable aleatoria $X$ se distribuye normalmente con media $\mu$ y varianza 4. El valor de $\mu$ se desconoce, pero una densidad a priori razonable sería normal con media 2 y varianza 1. Esto es,

$$f(x_1, x_2, \ldots, x_n|\mu) = \frac{1}{(8\pi)^{n/2}} e^{-(1/2)\Sigma(x_i - \mu)^2}$$

y

$$f(\mu) = \frac{1}{\sqrt{2\pi}} e^{-(1/2)(\mu - 2)^2}$$

Podemos demostrar que la densidad posterior para $\mu$ es

$$f(\mu|x_1, x_2, \ldots, x_n) = \left(\frac{n}{4} + 1\right)^{1/2} \exp\left\{\frac{-\left(\frac{n}{4} + 1\right)}{2}\left[\mu - \frac{1}{\left(\frac{n}{4} + 1\right)}\left(\frac{n\bar{x}}{4} + 2\right)\right]\right\}$$

empleando los métodos de esta sección. De este modo, la distribución a posteriori para $\mu$ es normal con media $[(n/4) + 1]^{-1}[(n\bar{X}/4) + 2]$ y varianza $[(n/4) + 1]^{-1}$. Un intervalo de Bayes del 95 por ciento para $\mu$, que es simétrico en torno a la media posterior sería

$$\left[\frac{n}{4} + 1\right]^{-1}\left[\frac{n\overline{X}}{4} + 2\right] - Z_{.025}\left[\frac{n}{4} + 1\right]^{-1/2}$$

$$\leq \mu \leq \left[\frac{n}{4} + 1\right]^{-1}\left[\frac{n\overline{X}}{4} + 2\right] + Z_{.025}\left[\frac{n}{4} + 1\right]^{-1/2} \qquad (19\text{-}24)$$

Si se toma una muestra aleatoria de tamaño 16 y encontramos que $\overline{x} = 2.5$, la ecuación 19-24 se reduce a

$$1.52 \leq \mu \leq 3.28$$

Si ignoramos la información anterior, el intervalo de confianza clásico para $\mu$ es

$$1.52 \leq \mu \leq 3.48$$

Vemos que el intervalo de Bayes es un poco más corto que el intervalo de confianza clásico, debido a que la información a priori es equivalente a un ligero aumento en el tamaño de la muestra si no se ha supuesto conocimiento a priori.

## 19-4 Aplicaciones a la prueba de hipótesis

El enfoque bayesiano puede aplicarse también a los problemas de la prueba de hipótesis. El enfoque usual consiste en determinar la distribución a posteriori y calcular luego las probabilidades de las hipótesis de interés a partir de esta distribución. Por ejemplo, supóngase que $X$ se distribuye normalmente, con media desconocida $\mu$ y varianza conocida $\sigma^2 = 4$. Deseamos probar las hipótesis

$$H_0: \mu \geq 2$$

$$H_1: \mu < 2$$

Se supone para $\mu$ una distribución anterior normal, con media 2 y varianza 1. Se toma una muestra aleatoria de tamaño 16 y la media de la muestra es $\overline{x} = 2.5$. En el ejemplo 19.4, mostramos que la distribución a posteriori en este caso es normal con media 2.40 y varianza .20.

Vamos a considerar ahora las probabilidades posteriores de las hipótesis nula y alternativa. Para la hipótesis nula,

$$P\{H_0\} = P\{\mu \geq 2.0\} = 1 - \Phi\left(\frac{2.0 - 2.40}{\sqrt{.20}}\right) = 1 - \Phi(-.89)$$

o

$$P\{H_0\} = .8133$$

en tanto que para la hipótesis alternativa,

$$P\{H_1\} = P\{\mu < 2.0\} = \Phi\left(\frac{2.0 - 2.40}{\sqrt{.20}}\right) = \Phi(-.89)$$

o

$$P\{H_1\} = .1867$$

Parece ser que la hipótesis alternativa es relativamente improbable. Podemos formar la *razón de probabilidad* de $H_0$ a $H_1$ como

$$\frac{P(H_0)}{P(H_1)} = \frac{.8133}{.1867} = 4.36$$

Esto es, las probabilidades son 4.36 a 1 en favor de $H_0$: $\mu \geq 2.0$, en contraposición a $H_1$; $\mu < 2.0$.

En general, los resultados obtenidos del enfoque bayesiano para la prueba de hipótesis definirán numéricamente y en interpretación del enfoque clásico. Sin embargo, si la distribución a priori elegida por el analista "carece de información" (llamada a menudo a priori *difusa*), entonces los resultados obtenidos de los procedimientos clásico y bayesiano concordarán numéricamente. En este caso, la probabilidad a posteriori $P(H_0)$ es exactamente igual al nivel de significación en el procedimiento clásico, donde $H_0$ se rechazaría. Puesto que un pequeño nivel de significación implica que $H_0$ es relativamente poco probable y debe rechazarse, y una probabilidad pequeña a posteriori $P(H_0)$ implica que $H_0$ es improbable, vemos que hay una interpretación bayesiana del procedimiento clásico de prueba de hipótesis de una cola.

No hay interpretación bayesiana del procedimiento clásico de dos colas. Por ejemplo, supóngase que deseamos probar

$$H_0: \mu = 2.0$$

$$H_1: \mu \neq 2.0$$

La especificación de una distribución a priori continua para $\mu$ implica que la distribución a posteriori para $\mu$ también será continua. En consecuencia, puesto que la hipótesis nula $H_0$ consta de un solo valor de $\mu$, la probabilidad a posteriori $P(H_0) = 0$. Sin embargo, mediante la modificación apropiada de la hipótesis nula, el planteamiento bayesiano puede seguirse aplicando. Puesto que aun en el marco clásico es improbable que el enunciado $H_0$: $\mu = 2.0$ signifique que $\mu = 2.0$

*exactamente*, sino más bien que $\mu$ es muy cercana a 2.0, podríamos modificar la hipótesis a, digamos,

$$H_0: 1.9 \le \mu \le 2.1$$

$$H_1: \mu > 2.1 \text{ o bien } \mu < 1.9$$

Después de esto pueden hacerse deducciones sin sentido a partir de la distribución a posteriori de $\mu$.

## 19-5 Resumen

Este capítulo ha presentado la teoría de la decisión estadística y ha tratado en forma breve las relaciones entre la teoría de decisiones, la inferencia bayesiana y la estadística clásica. Un aspecto importante de la teoría de decisiones es la incorporación de una función de pérdida en el análisis. Esto permite al tomador de decisiones elegir una acción que es óptima con respecto a un criterio especificado. Se presentaron también los conceptos de distribuciones a priori y a posteriori. Podemos hacer varias comparaciones interesantes entre los enfoques clásico y bayesiano para la inferencia estadística. Los métodos de inferencia clásica emplean sólo información de la muestra, en tanto que los métodos bayesianos emplean una mezcla de subjetividad e información de la muestra a través del procedimiento de actualización que transforma la distribución a priori en la distribución a posteriori. En efecto, el enfoque bayesiano permite al analista una metodología para introducir de manera formal cualquier información previa en el problema, en tanto que los procedimientos clásicos ignoran la información previa o la tratan de modo informal. Los procedimientos clásicos requieren que el analista seleccione valores para las probabilidades de los errores de tipo I y tipo II. Si estas probabilidades se seleccionan con cuidado después de la consideración pertinente de las consecuencias de los dos tipos de errores, entonces el marco de referencia clásico es razonable. Sin embargo, si se eligen arbitrariamente, entonces hay una grave falla en la aplicación del enfoque clásico. El método bayesiano evita esto, en cierta medida.

## 19-6 Ejercicios

**19-1** Sea $X$ una variable aleatoria distribuida normalmente con media $\mu$ y varianza $\sigma^2$. Suponga que $\sigma^2$ se conoce y que $\mu$ se desconoce. Se supone que la densidad a priori para $\mu$ será normal con media $\mu_0$ y $\sigma_0^2$. Determine la densidad a posteriori para $\mu$, dada una muestra aleatoria de tamaño $n$ de $X$.

**19-2** Suponga que $X$ se distribuye normalmente con media $\mu$ y varianza conocida $\sigma^2$. La densidad a priori para $\mu$ es uniforme en el intervalo $(a, b)$. Determine la densidad a posteriori para $\mu$, dada una muestra aleatoria de tamaño $n$ de $X$.

**19-3** Considere que $X$ se distribuye en forma normal con media conocida $\mu$ y varianza desconocida $\sigma^2$. Suponga que la densidad a priori para $1/\sigma^2$ es una distribución gamma con parámetros $m + 1$ y $m\sigma_0^2$. Determine la densidad a posteriori para $1/\sigma^2$, dada una muestra aleatoria de tamaño $n$ de $X$.

**19-4** Sea $X$ una variable aleatoria geométrica con parámetro $p$. Suponga que consideramos una distribución beta con parámetros $a$ y $b$ como la densidad a priori para $p$. Determine la densidad a posteriori para $p$, dada una muestra aleatoria de tamaño $n$ de $X$.

**19-5** Sean $X$ una variable aleatoria de Bernoulli con parámetro $p$. Si la densidad a priori para $p$ es una distribución beta con parámetros $a$ y $b$, determine la densidad a posteriori para $p$, dada una muestra aleatoria de tamaño $n$ de $X$.

**19-6** Sea $X$ una variable aleatoria de Poisson con parámetro $\lambda$. La densidad anterior para $\lambda$ es una distribución gamma con parámetros $m + 1$ y $(m + 1)/\lambda_0$. Determine la densidad a posteriori para $\lambda$, dada una muestra aleatoria de tamaño $n$ de $X$.

**19-7** Para la situación descrita en el ejercicio 19-1, determine el estimador de Bayes de $\mu$, suponiendo una función de pérdida de error al cuadrado.

**19-8** Para la situación descrita en el ejercicio 19-2, determine el estimador de Bayes de $\mu$, suponiendo la función de pérdida de error al cuadrado.

**19-9** Para la situación descrita en el ejercicio 19-3, determine el estimador de Bayes de $1/\sigma^2$, suponiendo una función de pérdida de error al cuadrado.

**19-10** Para la situación descrita en el ejercicio 19-4, determine el estimador de Bayes de $p$, suponiendo una función de pérdida de error al cuadrado.

**19-11** Para la situación descrita en el ejercicio 19-5, determine el estimador de Bayes de $p$, suponiendo una función de pérdida de error al cuadrado.

**19-12** Para la situación descrita en el ejercicio 19-6, determine el estimador de Bayes de $\lambda$, suponiendo una función de pérdida de error al cuadrado.

**19-13** Supóngase que $X \sim N(\mu, 40)$, y sea $N(4, 8)$ la densidad a priori para $\mu$. Para una muestra aleatoria de tamaño 25 se obtiene el valor $\bar{x} = 4.85$. ¿Cuál es la estimación de Bayes de $\mu$, suponiendo una pérdida de error al cuadrado?

**19-14** En un proceso se manufacturan tarjetas de circuito impreso. Una muesca de localización se perfora a una distancia $X$ del agujero de un componente sobre la tarjeta. La distancia es una variable aleatoria $X \sim N(\mu, .01)$. La densidad a priori para $\mu$ es uniforme entre .98 y 1.20 pulgadas. Una muestra aleatoria de tamaño 4 produce el valor $\bar{x} = 1.05$. Suponiendo una pérdida de error al cuadrado, determine la estimación de Bayes de $\mu$.

**19-15** El tiempo entre fallas de una máquina tejedora se distribuye exponencialmente con parámetro $\lambda$. Supóngase que aceptamos una distribución a priori exponencial sobre $\lambda$ con media de 3000 horas. Se observan dos máquinas y el tiempo promedio entre fallas es $\bar{x} = 3135$ horas. Suponiendo una pérdida de error al cuadrado, determine la estimación de Bayes de $\lambda$.

**19-16** El peso de cajas de dulces se distribuye normalmente con media $\mu$ y varianza $\frac{1}{10}$. Es razonable suponer una densidad a priori para $\mu$ que es normal con media de 10 libras y varianza de $\frac{1}{25}$. Determine la estimación de Bayes de $\mu$ dado que una muestra de tamaño 25 produce $\bar{x} = 10.05$ libras. Si las cajas que pesan menos de 9.95 libras son defectuosas, ¿cuál es la probabilidad de que se produzcan cajas defectuosas?

**19-17** Se sabe que el número de defectos que ocurren en una oblea de silicio empleado en un circuito integrado manufacturado será una variable aleatoria de Poisson con parámetro $\lambda$. Suponga que la densidad a priori para $\lambda$ es exponencial con parámetro .25. Se observaron un total de 45 defectos en 10 obleas. Establezca una integral que defina un intervalo de Bayes del 95 por ciento para $\lambda$. ¿Qué dificultades encontraría usted al evaluar esta integral?

**19-18** Una máquina produce barras, cuyo diámetro es una variable aleatoria que se sabe se distribuye normalmente con media $\mu$ y varianza $\sigma^2 = .0001$. Se supone una distribución a priori normal para $\mu$, con media .35 y varianza .000001. Una muestra aleatoria de 16 barras da como resultado $\bar{x} = .349$. Construya un intervalo de Bayes del 90 por ciento para $\mu$. Si las barras que son más grandes que .355 o más pequeñas que .345 de diámetro son defectuosas, ¿qué fracción de defectos produce, aproximadamente este proceso?

**19-19** La variable aleatoria $X$ tiene función de densidad

$$f(x|\theta) = \frac{2x}{\theta^2} \qquad 0 < x < \theta$$

y la densidad a priori para $\theta$ es

$$f(\theta) = 1 \qquad 0 < \theta < 1$$

a)  Encuentre la densidad posterior para $\theta$ suponiendo $n = 1$.
b)  Encuentre el estimador de Bayes para $\theta$ suponiendo la función de pérdida $l(\hat{\theta}; \theta) = \theta^2(\hat{\theta} - \theta)^2$ y $n = 1$.

**19-20** Considere que $X$ sigue la distribución de Bernoulli con parámetro $p$. Suponga que una densidad a priori razonable para $p$ será

$$f(p) = 6p(1 - p) \qquad 0 \leq p \leq 1$$
$$= 0 \qquad\qquad \text{en otro caso}$$

Si la función de pérdida es el error al cuadrado, encuentre el estimador de Bayes de $p$ si se dispone de una observación. Si la función de pérdida es

$$l(\hat{p}; p) = 2(\hat{p} - p)^2$$

encuentre el estimador de Bayes de $p$ para $n = 1$.

**19-21** Una variable aleatoria $X$ se distribuye normalmente con media $\mu$ y varianza $\sigma^2 = 10$. La densidad a priori para $\mu$ es uniforme entre 6 y 12. Una muestra aleatoria de tamaño 17 produce $\bar{x} = 8$. Construya un intervalo de Bayes del 90 por ciento para $\mu$. ¿Podría usted aceptar en forma razonable la hipótesis $H: \mu = 9$?

**19-22** Sea $X$ una variable aleatoria distribuida normalmente con media $\mu = 5$ y varianza desconocida $\sigma^2$. La densidad a priori para $1/\sigma^2$ es una distribución gamma con parámetro $r = 3$ y $\lambda = 1.0$. Determine la densidad posterior para $1/\sigma^2$. Si una muestra aleatoria de tamaño 10 produce $\Sigma(x_i - 4)^2 = 4.92$, determine la estimación de Bayes de $1/\sigma^2$ suponiendo una pérdida de error al cuadrado. Establezca una integral que defina un intervalo de Bayes del 90 por ciento para $1/\sigma^2$.

**19-23** Mediante el empleo de los datos en el ejercicio 19-16, pruebe la hipótesis

$$H_0: \mu \geq 10$$
$$H_1: \mu < 10$$

**19-24** Empleando los datos en el ejercicio 19-18, pruebe la hipótesis

$$H_0: .345 \leq \mu \leq .355$$
$$H_1: \mu < .345 \text{ or } \mu > .355$$

**19-25** Demuestre que si se emplea la función de pérdida del error al cuadrado, el estimador de Bayes de $\theta$ es la media de la distribución a posteriori para $\theta$.

# Apéndice

TABLA I   Distribución acumulativa de Poisson[a]

| | | | | $c = \lambda t$ | | | | |
| x | .01 | .05 | .10 | .20 | .30 | .40 | .50 | .60 |
|---|---|---|---|---|---|---|---|---|
| 0 | .990 | .951 | .904 | .818 | .740 | .670 | .606 | .548 |
| 1 | .999 | .998 | .995 | .982 | .963 | .938 | .909 | .878 |
| 2 | | .999 | .999 | .998 | .996 | .992 | .985 | .976 |
| 3 | | | | .999 | .999 | .999 | .998 | .996 |
| 4 | | | | | | .999 | .999 | .999 |
| 5 | | | | | | | .999 | .999 |

| | | | | $c = \lambda t$ | | | | |
| x | .70 | .80 | .90 | 1.00 | 1.10 | 1.20 | 1.30 | 1.40 |
|---|---|---|---|---|---|---|---|---|
| 0 | .496 | .449 | .406 | .367 | .332 | .301 | .272 | .246 |
| 1 | .844 | .808 | .772 | .735 | .699 | .662 | .626 | .591 |
| 2 | .965 | .952 | .937 | .919 | .900 | .879 | .857 | .833 |
| 3 | .994 | .990 | .986 | .981 | .974 | .966 | .956 | .946 |
| 4 | .999 | .998 | .997 | .996 | .994 | .992 | .989 | .985 |
| 5 | .999 | .999 | .999 | .999 | .999 | .998 | .997 | .996 |
| 6 | | .999 | .999 | .999 | .999 | .999 | .999 | .999 |
| 7 | | | | .999 | .999 | .999 | .999 | .999 |
| 8 | | | | | | | .999 | .999 |

| | | | | $c = \lambda t$ | | | | |
| x | 1.50 | 1.60 | 1.70 | 1.80 | 1.90 | 2.00 | 2.10 | 2.20 |
|---|---|---|---|---|---|---|---|---|
| 0 | .223 | .201 | .182 | .165 | .149 | .135 | .122 | .110 |
| 1 | .557 | .524 | .493 | .462 | .433 | .406 | .379 | .354 |
| 2 | .808 | .783 | .757 | .730 | .703 | .676 | .649 | .622 |
| 3 | .934 | .921 | .906 | .891 | .874 | .857 | .838 | .819 |
| 4 | .981 | .976 | .970 | .963 | .955 | .947 | .937 | .927 |
| 5 | .995 | .993 | .992 | .989 | .986 | .983 | .979 | .975 |
| 6 | .999 | .998 | .998 | .997 | .996 | .995 | .994 | .992 |
| 7 | .999 | .999 | .999 | .999 | .999 | .998 | .998 | .998 |
| 8 | .999 | .999 | .999 | .999 | .999 | .999 | .999 | .999 |
| 9 | | | .999 | .999 | .999 | .999 | .999 | .999 |
| 10 | | | | | | | .999 | .999 |

TABLA I   Distribución acumulativa de Poisson (*continuación*)

| | | | | $c = \lambda t$ | | | | |
|---|---|---|---|---|---|---|---|---|
| x | 2.30 | 2.40 | 2.50 | 2.60 | 2.70 | 2.80 | 2.90 | 3.00 |
| 0 | .100 | .090 | .082 | .074 | .067 | .060 | .055 | .049 |
| 1 | .330 | .308 | .287 | .267 | .248 | .231 | .214 | .199 |
| 2 | .596 | .569 | .543 | .518 | .493 | .469 | .445 | .423 |
| 3 | .799 | .778 | .757 | .736 | .714 | .691 | .669 | .647 |
| 4 | .916 | .904 | .891 | .877 | .862 | .847 | .831 | .815 |
| 5 | .970 | .964 | .957 | .950 | .943 | .934 | .925 | .916 |
| 6 | .990 | .988 | .985 | .982 | .979 | .975 | .971 | .966 |
| 7 | .997 | .996 | .995 | .994 | .993 | .991 | .990 | .988 |
| 8 | .999 | .999 | .998 | .998 | .998 | .997 | .996 | .996 |
| 9 | .999 | .999 | .999 | .999 | .999 | .999 | .999 | .998 |
| 10 | .999 | .999 | .999 | .999 | .999 | .999 | .999 | .999 |
| 11 | | | .999 | .999 | .999 | .999 | .999 | .999 |
| 12 | | | | | | | .999 | .999 |

| | | | | $c = \lambda t$ | | | | |
|---|---|---|---|---|---|---|---|---|
| x | 3.50 | 4.00 | 4.50 | 5.00 | 5.50 | 6.00 | 6.50 | 7.00 |
| 0 | .030 | .018 | .011 | .006 | .004 | .002 | .001 | .000 |
| 1 | .135 | .091 | .061 | .040 | .026 | .017 | .011 | .007 |
| 2 | .320 | .238 | .173 | .124 | .088 | .061 | .043 | .029 |
| 3 | .536 | .433 | .342 | .265 | .201 | .151 | .111 | .081 |
| 4 | .725 | .628 | .532 | .440 | .357 | .285 | .223 | .172 |
| 5 | .857 | .785 | .702 | .615 | .528 | .445 | .369 | .300 |
| 6 | .934 | .889 | .831 | .762 | .686 | .606 | .526 | .449 |
| 7 | .973 | .948 | .913 | .866 | .809 | .743 | .672 | .598 |
| 8 | .990 | .978 | .959 | .931 | .894 | .847 | .791 | .729 |
| 9 | .996 | .991 | .982 | .968 | .946 | .916 | .877 | .830 |
| 10 | .998 | .997 | .993 | .986 | .974 | .957 | .933 | .901 |
| 11 | .999 | .999 | .997 | .994 | .989 | .979 | .966 | .946 |
| 12 | .999 | .999 | .999 | .997 | .995 | .991 | .983 | .973 |
| 13 | .999 | .999 | .999 | .999 | .998 | .996 | .992 | .987 |
| 14 | | .999 | .999 | .999 | .999 | .998 | .997 | .994 |
| 15 | | | .999 | .999 | .999 | .999 | .998 | .997 |
| 16 | | | | .999 | .999 | .999 | .999 | .999 |
| 17 | | | | | .999 | .999 | .999 | .999 |
| 18 | | | | | | .999 | .999 | .999 |
| 19 | | | | | | | .999 | .999 |
| 20 | | | | | | | | .999 |

TABLA I   Distribución acumulativa de Poisson (*continuación*)

| | | | | $c = \lambda t$ | | | | |
|---|---|---|---|---|---|---|---|---|
| x | 7.50 | 8.00 | 8.50 | 9.00 | 9.50 | 10.0 | 15.0 | 20.0 |
| 0 | .000 | .000 | .000 | .000 | .000 | .000 | .000 | .000 |
| 1 | .004 | .003 | .001 | .001 | .000 | .000 | .000 | .000 |
| 2 | .020 | .013 | .009 | .006 | .004 | .002 | .000 | .000 |
| 3 | .059 | .042 | .030 | .021 | .014 | .010 | .000 | .000 |
| 4 | .132 | .099 | .074 | .054 | .040 | .029 | .000 | .000 |
| 5 | .241 | .191 | .149 | .115 | .088 | .067 | .002 | .000 |
| 6 | .378 | .313 | .256 | .206 | .164 | .130 | .007 | .000 |
| 7 | .524 | .452 | .385 | .323 | .268 | .220 | .018 | .000 |
| 8 | .661 | .592 | .523 | .455 | .391 | .332 | .037 | .002 |
| 9 | .776 | .716 | .652 | .587 | .521 | .457 | .069 | .005 |
| 10 | .862 | .815 | .763 | .705 | .645 | .583 | .118 | .010 |
| 11 | .920 | .888 | .848 | .803 | .751 | .696 | .184 | .021 |
| 12 | .957 | .936 | .909 | .875 | .836 | .791 | .267 | .039 |
| 13 | .978 | .965 | .948 | .926 | .898 | .864 | .363 | .066 |
| 14 | .989 | .982 | .972 | .958 | .940 | .916 | .465 | .104 |
| 15 | .995 | .991 | .986 | .977 | .966 | .951 | .568 | .156 |
| 16 | .998 | .996 | .993 | .988 | .982 | .972 | .664 | .221 |
| 17 | .999 | .998 | .997 | .994 | .991 | .985 | .748 | .297 |
| 18 | .999 | .999 | .998 | .997 | .995 | .992 | .819 | .381 |
| 19 | .999 | .999 | .999 | .998 | .998 | .996 | .875 | .470 |
| 20 | .999 | .999 | .999 | .999 | .999 | .998 | .917 | .559 |
| 21 | .999 | .999 | .999 | .999 | .999 | .999 | .946 | .643 |
| 22 | | .999 | .999 | .999 | .999 | .999 | .967 | .720 |
| 23 | | | .999 | .999 | .999 | .999 | .980 | .787 |
| 24 | | | | | .999 | .999 | .988 | .843 |
| 25 | | | | | | .999 | .993 | .887 |
| 26 | | | | | | | .996 | .922 |
| 27 | | | | | | | .998 | .947 |
| 28 | | | | | | | .999 | .965 |
| 29 | | | | | | | .999 | .978 |
| 30 | | | | | | | .999 | .986 |
| 31 | | | | | | | .999 | .991 |
| 32 | | | | | | | .999 | .995 |
| 33 | | | | | | | .999 | .997 |
| 34 | | | | | | | | .998 |

[a]Las entradas en la tabla son valores de $F(x) = P(C \le x) \sum_{c=0}^{x} e_\alpha^{-\alpha c}/c!$. Los espacios en blanco debajo de la última entrada en cualquier columna pueden leerse como 1.0; los espacios en blanco sobre la primera entrada en cualquier columna pueden leerse como 0.0.

## TABLA II  Distribución normal acumulativa estándar

$$\Phi(z) = \int_{-\infty}^{z} \frac{1}{\sqrt{2\pi}} e^{-u^2/2}\, du$$

| z | .00 | .01 | .02 | .03 | .04 | z |
|---|-----|-----|-----|-----|-----|---|
| .0 | .500 00 | .503 99 | .507 98 | .511 97 | .515 95 | .0 |
| .1 | .539 83 | .543 79 | .547 76 | .551.72 | .555 67 | .1 |
| .2 | .579 26 | .583 17 | .587 06 | .590 95 | .594 83 | .2 |
| .3 | .617 91 | .621 72 | .625 51 | .629 30 | .633 07 | .3 |
| .4 | .655 42 | .659 10 | .662 76 | .666 40 | .670 03 | .4 |
| .5 | .691 46 | .694 97 | .698 47 | .701 94 | .705 40 | .5 |
| .6 | .725 75 | .729 07 | .732 37 | .735 65 | .738 91 | .6 |
| .7 | .758 03 | .761 15 | .764 24 | .767 30 | .770 35 | .7 |
| .8 | .788 14 | .791 03 | .793 89 | .796 73 | .799 54 | .8 |
| .9 | .815 94 | .818 59 | .821 21 | .823 81 | .826 39 | .9 |
| 1.0 | .841 34 | .843 75 | .846 13 | .848 49 | .850 83 | 1.0 |
| 1.1 | .864 33 | .866 50 | .868 64 | .870 76 | .872 85 | 1.1 |
| 1.2 | .884 93 | .886 86 | .888 77 | .890 65 | .892 51 | 1.2 |
| 1.3 | .903 20 | .904 90 | .906 58 | .908 24 | .909 88 | 1.3 |
| 1.4 | .919 24 | .920 73 | .922 19 | .923 64 | .925 06 | 1.4 |
| 1.5 | .933 19 | .934 48 | .935 74 | .936 99 | .938 22 | 1.5 |
| 1.6 | .945 20 | .946 30 | .947.38 | .948 45 | .949 50 | 1.6 |
| 1.7 | .955 43 | .956 37 | .957 28 | .958 18 | .959 07 | 1.7 |
| 1.8 | .964 07 | .964 85 | .965 62 | .966 37 | .967 11 | 1.8 |
| 1.9 | .971 28 | .971 93 | .972 57 | .973 20 | .973 81 | 1.9 |
| 2.0 | .977 25 | .977 78 | .978 31 | .978 82 | .979 32 | 2.0 |
| 2.1 | .982 14 | .982 57 | .983 00 | .983 41 | .983 82 | 2.1 |
| 2.2 | .986 10 | .986 45 | .986 79 | .987 13 | .987 45 | 2.2 |
| 2.3 | .989 28 | .989 56 | .989 83 | .990 10 | .990 36 | 2.3 |
| 2.4 | .991 80 | .992 02 | .992 24 | .992 45 | .992 66 | 2.4 |
| 2.5 | 993 79 | .993 96 | .994 13 | .994 30 | .994 46 | 2.5 |
| 2.6 | .995 34 | .995 47 | .995 60 | .995 73 | .995 85 | 2.6 |
| 2.7 | .996 53 | .996 64 | .996 74 | .996 83 | .996 93 | 2.7 |
| 2.8 | .997 44 | .997 52 | .997 60 | .997 67 | .997 74 | 2.8 |
| 2.9 | .998 13 | .998 19 | .998 25 | .998 31 | .998 36 | 2.9 |
| 3.0 | .998 65 | .998 69 | .998 74 | .998 78 | .998 82 | 3.0 |
| 3.1 | .999 03 | .999 06 | .999 10 | .999 13 | .999 16 | 3.1 |
| 3.2 | .999 31 | .999 34 | .999 36 | .999 38 | .999 40 | 3.2 |
| 3.3 | .999 52 | .999 53 | .999 55 | .999 57 | .999 58 | 3.3 |
| 3.4 | .999 66 | .999 68 | .999 69 | .999 70 | .999 71 | 3.4 |
| 3.5 | .999 77 | .999 78 | .999 78 | .999 79 | .999 80 | 3.5 |
| 3.6 | .999 84 | .999 85 | .999 85 | .999 86 | .999 86 | 3.6 |
| 3.7 | .999 89 | .999 90 | .999 90 | .999 90 | .999 91 | 3.7 |
| 3.8 | .999 93 | .999 93 | .999 93 | .999 94 | .999 94 | 3.8 |
| 3.9 | .999 95 | .999 95 | .999 96 | .999 96 | .999 96 | 3.9 |

TABLA II  Distribución normal acumulativa estándar (*continuación*)

$$\Phi(z) = \int_{-\infty}^{z} \frac{1}{\sqrt{2\pi}} e^{-u^2/2} \, du$$

| z | .05 | .06 | .07 | .08 | .09 | z |
|---|---|---|---|---|---|---|
| .0 | .519 94 | .523 92 | .527 90 | .531 88 | .535 86 | .0 |
| .1 | .559 62 | .563 56 | .567 49 | .571 42 | .575 34 | .1 |
| .2 | .598 71 | .602 57 | .606 42 | .610 26 | .614 09 | .2 |
| .3 | .636 83 | .640 58 | .644 31 | .648 03 | .651 73 | .3 |
| .4 | .673 64 | .677 24 | .680 82 | .684 38 | .687 93 | .4 |
| .5 | .708 84 | .712 26 | .715 66 | .719 04 | .722 40 | .5 |
| .6 | .742 15 | .745 37 | .748 57 | .751 75 | .754 90 | .6 |
| .7 | .773 37 | .776 37 | .779 35 | .782 30 | .785 23 | .7 |
| .8 | .802 34 | .805 10 | .807 85 | .810 57 | .813 27 | .8 |
| .9 | .828 94 | .831 47 | .833 97 | .836 46 | .838 91 | .9 |
| 1.0 | .853 14 | .855 43 | .857 69 | .859 93 | .862 14 | 1.0 |
| 1.1 | .874 93 | .876 97 | .879 00 | .881 00 | .882 97 | 1.1 |
| 1.2 | .894 35 | .896 16 | .897 96 | .899 73 | .901 47 | 1.2 |
| 1.3 | .911 49 | .913 08 | .914 65 | .916 21 | .917 73 | 1.3 |
| 1.4 | .926 47 | .927 85 | .929 22 | .930 56 | .931 89 | 1.4 |
| 1.5 | .939 43 | .940 62 | .941 79 | .942 95 | .944 08 | 1.5 |
| 1.6 | .950 53 | .951 54 | .952 54 | .953 52 | .954 48 | 1.6 |
| 1.7 | .959 94 | .960 80 | .961 64 | .962 46 | .963 27 | 1.7 |
| 1.8 | .967 84 | .968 56 | .969 26 | .969 95 | .970 62 | 1.8 |
| 1.9 | .974 41 | .975 00 | .975 58 | .976 15 | .976 70 | 1.9 |
| 2.0 | .979 82 | .980 30 | .980 77 | .981 24 | .981 69 | 2.0 |
| 2.1 | .984 22 | .984 61 | .985 00 | .985 37 | .985 74 | 2.1 |
| 2.2 | .987 78 | .988 09 | .988 40 | .988 70 | .988 99 | 2.2 |
| 2.3 | .990 61 | .990 86 | .991 11 | .991 34 | .991 58 | 2.3 |
| 2.4 | .992 86 | .993 05 | .993 24 | .993 43 | .993 61 | 2.4 |
| 2.5 | .994 61 | .994 77 | .994 92 | .995 06 | .995 20 | 2.5 |
| 2.6 | .995 98 | .996 09 | .996 21 | .996 32 | .996 43 | 2.6 |
| 2.7 | .997 02 | .997 11 | .997 20 | .997 28 | .997 36 | 2.7 |
| 2.8 | .997 81 | .997 88 | .997 95 | .998 01 | .998 07 | 2.8 |
| 2.9 | .998 41 | .998 46 | .998 51 | .998 56 | .998 61 | 2.9 |
| 3.0 | .998 86 | .998 89 | .998 93 | .998 97 | .999 00 | 3.0 |
| 3.1 | .999 18 | .999 21 | .999 24 | .999 26 | .999 29 | 3.1 |
| 3.2 | .999 42 | .999 44 | .999 46 | .999 48 | .999 50 | 3.2 |
| 3.3 | .999 60 | .999 61 | .999 62 | .999 64 | .999 65 | 3.3 |
| 3.4 | .999 72 | .999 73 | .999 74 | .999 75 | .999 76 | 3.4 |
| 3.5 | .999 81 | .999 81 | .999 82 | .999 83 | .999 83 | 3.5 |
| 3.6 | .999 87 | .999 87 | .999 88 | .999 88 | .999 89 | 3.6 |
| 3.7 | .999 91 | .999 92 | .999 92 | .999 92 | .999 92 | 3.7 |
| 3.8 | .999 94 | .999 94 | .999 95 | .999 95 | .999 95 | 3.8 |
| 3.9 | .999 96 | .999 96 | .999 96 | .999 97 | .999 97 | 3.9 |

TABLA III  Puntos porcentuales de la distribución $\chi^2$

| $\nu$ / $\alpha$ | .995 | .990 | .975 | .950 | .900 | .500 | .100 | .050 | .025 | .010 | .005 |
|---|---|---|---|---|---|---|---|---|---|---|---|
| 1 | .00+ | .00+ | .00+ | .00+ | .02 | .45 | 2.71 | 3.84 | 5.02 | 6.63 | 7.88 |
| 2 | .01 | .02 | .05 | .10 | .21 | 1.39 | 4.61 | 5.99 | 7.38 | 9.21 | 10.60 |
| 3 | .07 | .11 | .22 | .35 | .58 | 2.37 | 6.25 | 7.81 | 9.35 | 11.34 | 12.84 |
| 4 | .21 | .30 | .48 | .71 | 1.06 | 3.36 | 7.78 | 9.49 | 11.14 | 13.28 | 14.86 |
| 5 | .41 | .55 | .83 | 1.15 | 1.61 | 4.35 | 9.24 | 11.07 | 12.83 | 15.09 | 16.75 |
| 6 | .68 | .87 | 1.24 | 1.64 | 2.20 | 5.35 | 10.65 | 12.59 | 14.45 | 16.81 | 18.55 |
| 7 | .99 | 1.24 | 1.69 | 2.17 | 2.83 | 6.35 | 12.02 | 14.07 | 16.01 | 18.48 | 20.28 |
| 8 | 1.34 | 1.65 | 2.18 | 2.73 | 3.49 | 7.34 | 13.36 | 15.51 | 17.53 | 20.09 | 21.96 |
| 9 | 1.73 | 2.09 | 2.70 | 3.33 | 4.17 | 8.34 | 14.68 | 16.92 | 19.02 | 21.67 | 23.59 |
| 10 | 2.16 | 2.56 | 3.25 | 3.94 | 4.87 | 9.34 | 15.99 | 18.31 | 20.48 | 23.21 | 25.19 |
| 11 | 2.60 | 3.05 | 3.82 | 4.57 | 5.58 | 10.34 | 17.28 | 19.68 | 21.92 | 24.72 | 26.76 |
| 12 | 3.07 | 3.57 | 4.40 | 5.23 | 6.30 | 11.34 | 18.55 | 21.03 | 23.34 | 26.22 | 28.30 |
| 13 | 3.57 | 4.11 | 5.01 | 5.89 | 7.04 | 12.34 | 19.81 | 22.36 | 24.74 | 27.69 | 29.82 |
| 14 | 4.07 | 4.66 | 5.63 | 6.57 | 7.79 | 13.34 | 21.06 | 23.68 | 26.12 | 29.14 | 31.32 |
| 15 | 4.60 | 5.23 | 6.27 | 7.26 | 8.55 | 14.34 | 22.31 | 25.00 | 27.49 | 30.58 | 32.80 |
| 16 | 5.14 | 5.81 | 6.91 | 7.96 | 9.31 | 15.34 | 23.54 | 26.30 | 28.85 | 32.00 | 34.27 |
| 17 | 5.70 | 6.41 | 7.56 | 8.67 | 10.09 | 16.34 | 24.77 | 27.59 | 30.19 | 33.41 | 35.72 |

TABLA III    Puntos porcentuales de la distribución[a] $\chi^2$ (continuación)

| $\nu$ | .995 | .990 | .975 | .950 | .900 | .500 | .100 | .050 | .025 | .010 | .005 |
|---|---|---|---|---|---|---|---|---|---|---|---|
| 18 | 6.26 | 7.01 | 8.23 | 9.39 | 10.87 | 17.34 | 25.99 | 28.87 | 31.53 | 34.81 | 37.16 |
| 19 | 6.84 | 7.63 | 8.91 | 10.12 | 11.65 | 18.34 | 27.20 | 30.14 | 32.85 | 36.19 | 38.58 |
| 20 | 7.43 | 8.26 | 9.59 | 10.85 | 12.44 | 19.34 | 28.41 | 31.41 | 34.17 | 37.57 | 40.00 |
| 21 | 8.03 | 8.90 | 10.28 | 11.59 | 13.24 | 20.34 | 29.62 | 32.67 | 35.48 | 38.93 | 41.40 |
| 22 | 8.64 | 9.54 | 10.98 | 12.34 | 14.04 | 21.34 | 30.81 | 33.92 | 36.78 | 40.29 | 42.80 |
| 23 | 9.26 | 10.20 | 11.69 | 13.09 | 14.85 | 22.34 | 32.01 | 35.17 | 38.08 | 41.64 | 44.18 |
| 24 | 9.89 | 10.86 | 12.40 | 13.85 | 15.66 | 23.34 | 33.20 | 36.42 | 39.36 | 42.98 | 45.56 |
| 25 | 10.52 | 11.52 | 13.12 | 14.61 | 16.47 | 24.34 | 34.28 | 37.65 | 40.65 | 44.31 | 46.93 |
| 26 | 11.16 | 12.20 | 13.84 | 15.38 | 17.29 | 25.34 | 35.56 | 38.89 | 41.92 | 45.64 | 48.29 |
| 27 | 11.81 | 12.88 | 14.57 | 16.15 | 18.11 | 26.34 | 36.74 | 40.11 | 43.19 | 46.96 | 49.65 |
| 28 | 12.46 | 13.57 | 15.31 | 16.93 | 18.94 | 27.34 | 37.92 | 41.34 | 44.46 | 48.28 | 50.99 |
| 29 | 13.12 | 14.26 | 16.05 | 17.71 | 19.77 | 28.34 | 39.09 | 42.56 | 45.72 | 49.59 | 52.34 |
| 30 | 13.79 | 14.95 | 16.79 | 18.49 | 20.60 | 29.34 | 40.26 | 43.77 | 46.98 | 50.89 | 53.67 |
| 40 | 20.71 | 22.16 | 24.43 | 26.51 | 29.05 | 39.34 | 51.81 | 55.76 | 59.34 | 63.69 | 66.77 |
| 50 | 27.99 | 29.71 | 32.36 | 34.76 | 37.69 | 49.33 | 63.17 | 67.50 | 71.42 | 76.15 | 79.49 |
| 60 | 35.53 | 37.48 | 40.48 | 43.19 | 46.46 | 59.33 | 74.40 | 79.08 | 83.30 | 88.38 | 91.95 |
| 70 | 43.28 | 45.44 | 48.76 | 51.74 | 55.33 | 69.33 | 85.53 | 90.53 | 95.02 | 100.42 | 104.22 |
| 80 | 51.17 | 53.54 | 57.15 | 60.39 | 64.28 | 79.33 | 96.58 | 101.88 | 106.63 | 112.33 | 116.32 |
| 90 | 59.20 | 61.75 | 65.65 | 69.13 | 73.29 | 89.33 | 107.57 | 113.14 | 118.14 | 124.12 | 128.30 |
| 100 | 67.33 | 70.06 | 74.22 | 77.93 | 82.36 | 99.33 | 118.50 | 124.34 | 129.56 | 135.81 | 140.17 |

[a] $\nu$ = Grados de libertad

## TABLA IV  Puntos porcentuales de la distribución $t$

| $\nu$ \ $\alpha$ | .40 | .25 | .10 | .05 | .025 | .01 | .005 | .0025 | .001 | .0005 |
|---|---|---|---|---|---|---|---|---|---|---|
| 1 | .325 | 1.000 | 3.078 | 6.314 | 12.706 | 31.821 | 63.657 | 127.32 | 318.31 | 636.62 |
| 2 | .289 | .816 | 1.886 | 2.920 | 4.303 | 6.965 | 9.925 | 14.089 | 23.326 | 31.598 |
| 3 | .277 | .765 | 1.638 | 2.353 | 3.182 | 4.541 | 5.841 | 7.453 | 10.213 | 12.924 |
| 4 | .271 | .741 | 1.533 | 2.132 | 2.776 | 3.747 | 4.604 | 5.598 | 7.173 | 8.610 |
| 5 | .267 | .727 | 1.476 | 2.015 | 2.571 | 3.365 | 4.032 | 4.773 | 5.893 | 6.869 |
| 6 | .265 | .718 | 1.440 | 1.943 | 2.447 | 3.143 | 3.707 | 4.317 | 5.208 | 5.959 |
| 7 | .263 | .711 | 1.415 | 1.895 | 2.365 | 2.998 | 3.499 | 4.029 | 4.785 | 5.408 |
| 8 | .262 | .706 | 1.397 | 1.860 | 2.306 | 2.896 | 3.355 | 3.833 | 4.501 | 5.041 |
| 9 | .261 | .703 | 1.383 | 1.833 | 2.262 | 2.821 | 3.250 | 3.690 | 4.297 | 4.781 |
| 10 | .260 | .700 | 1.372 | 1.812 | 2.228 | 2.764 | 3.169 | 3.581 | 4.144 | 4.587 |
| 11 | .260 | .697 | 1.363 | 1.796 | 2.201 | 2.718 | 3.106 | 3.497 | 4.025 | 4.437 |
| 12 | .259 | .695 | 1.356 | 1.782 | 2.179 | 2.681 | 3.055 | 3.428 | 3.930 | 4.318 |
| 13 | .259 | .694 | 1.350 | 1.771 | 2.160 | 2.650 | 3.012 | 3.372 | 3.852 | 4.221 |
| 14 | .258 | .692 | 1.345 | 1.761 | 2.145 | 2.624 | 2.977 | 3.326 | 3.787 | 4.140 |
| 15 | .258 | .691 | 1.341 | 1.753 | 2.131 | 2.602 | 2.947 | 3.286 | 3.733 | 4.073 |
| 16 | .258 | .690 | 1.337 | 1.746 | 2.120 | 2.583 | 2.921 | 3.252 | 3.686 | 4.015 |
| 17 | .257 | .689 | 1.333 | 1.740 | 2.110 | 2.567 | 2.898 | 3.222 | 3.646 | 3.965 |
| 18 | .257 | .688 | 1.330 | 1.734 | 2.101 | 2.552 | 2.878 | 3.197 | 3.610 | 3.922 |
| 19 | .257 | .688 | 1.328 | 1.729 | 2.093 | 2.539 | 2.861 | 3.174 | 3.579 | 3.883 |
| 20 | .257 | .687 | 1.325 | 1.725 | 2.086 | 2.528 | 2.845 | 3.153 | 3.552 | 3.850 |
| 21 | .257 | .686 | 1.323 | 1.721 | 2.080 | 2.518 | 2.831 | 3.135 | 3.527 | 3.819 |
| 22 | .256 | .686 | 1.321 | 1.717 | 2.074 | 2.508 | 2.819 | 3.119 | 3.505 | 3.792 |
| 23 | .256 | .685 | 1.319 | 1.714 | 2.069 | 2.500 | 2.807 | 3.104 | 3.485 | 3.767 |
| 24 | .256 | .685 | 1.318 | 1.711 | 2.064 | 2.492 | 2.797 | 3.091 | 3.467 | 3.745 |
| 25 | .256 | .684 | 1.316 | 1.708 | 2.060 | 2.485 | 2.787 | 3.078 | 3.450 | 3.725 |
| 26 | .256 | .684 | 1.315 | 1.706 | 2.056 | 2.479 | 2.779 | 3.067 | 3.435 | 3.707 |
| 27 | .256 | .684 | 1.314 | 1.703 | 2.052 | 2.473 | 2.771 | 3.057 | 3.421 | 3.690 |
| 28 | .256 | .683 | 1.313 | 1.701 | 2.048 | 2.467 | 2.763 | 3.047 | 3.408 | 3.674 |
| 29 | .256 | .683 | 1.311 | 1.699 | 2.045 | 2.462 | 2.756 | 3.038 | 3.396 | 3.659 |
| 30 | .256 | .683 | 1.310 | 1.697 | 2.042 | 2.457 | 2.750 | 3.030 | 3.385 | 3.646 |
| 40 | .255 | .681 | 1.303 | 1.684 | 2.021 | 2.423 | 2.704 | 2.971 | 3.307 | 3.551 |
| 60 | .254 | .679 | 1.296 | 1.671 | 2.000 | 2.390 | 2.660 | 2.915 | 3.232 | 3.460 |
| 120 | .254 | .677 | 1.289 | 1.658 | 1.980 | 2.358 | 2.617 | 2.860 | 3.160 | 3.373 |
| $\infty$ | .253 | .674 | 1.282 | 1.645 | 1.960 | 2.326 | 2 576 | 2.807 | 3.090 | 3.291 |

*Fuente:* Esta tabla se adaptó de *Biometrika Tables for Statisticians,* Vol. 1, 3a. edición, 1966, con autorización de Biometrika Trustees.

**TABLA V  Puntos porcentuales de la distribución F**

$F_{.25,\ \nu_1,\ \nu_2}$

Grados de libertad para el numerador ($\nu_1$)

| $\nu_2$ | 1 | 2 | 3 | 4 | 5 | 6 | 7 | 8 | 9 | 10 | 12 | 15 | 20 | 24 | 30 | 40 | 60 | 120 | ∞ |
|---|---|---|---|---|---|---|---|---|---|---|---|---|---|---|---|---|---|---|---|
| 1 | 5.83 | 7.50 | 8.20 | 8.58 | 8.82 | 8.98 | 9.10 | 9.19 | 9.26 | 9.32 | 9.41 | 9.49 | 9.58 | 9.63 | 9.67 | 9.71 | 9.76 | 9.80 | 9.85 |
| 2 | 2.57 | 3.00 | 3.15 | 3.23 | 3.28 | 3.31 | 3.34 | 3.35 | 3.37 | 3.38 | 3.39 | 3.41 | 3.43 | 3.43 | 3.44 | 3.45 | 3.46 | 3.47 | 3.48 |
| 3 | 2.02 | 2.28 | 2.36 | 2.39 | 2.41 | 2.42 | 2.43 | 2.44 | 2.44 | 2.44 | 2.45 | 2.46 | 2.46 | 2.46 | 2.47 | 2.47 | 2.47 | 2.47 | 2.47 |
| 4 | 1.81 | 2.00 | 2.05 | 2.06 | 2.07 | 2.08 | 2.08 | 2.08 | 2.08 | 2.08 | 2.08 | 2.08 | 2.08 | 2.08 | 2.08 | 2.08 | 2.08 | 2.08 | 2.08 |
| 5 | 1.69 | 1.85 | 1.88 | 1.89 | 1.89 | 1.89 | 1.89 | 1.89 | 1.89 | 1.89 | 1.89 | 1.89 | 1.88 | 1.88 | 1.88 | 1.88 | 1.87 | 1.87 | 1.87 |
| 6 | 1.62 | 1.76 | 1.78 | 1.79 | 1.79 | 1.78 | 1.78 | 1.78 | 1.77 | 1.77 | 1.77 | 1.76 | 1.76 | 1.75 | 1.75 | 1.75 | 1.74 | 1.74 | 1.74 |
| 7 | 1.57 | 1.70 | 1.72 | 1.72 | 1.71 | 1.71 | 1.70 | 1.70 | 1.70 | 1.69 | 1.68 | 1.68 | 1.67 | 1.67 | 1.66 | 1.66 | 1.65 | 1.65 | 1.65 |
| 8 | 1.54 | 1.66 | 1.67 | 1.66 | 1.66 | 1.65 | 1.64 | 1.64 | 1.63 | 1.63 | 1.62 | 1.62 | 1.61 | 1.60 | 1.60 | 1.59 | 1.59 | 1.58 | 1.58 |
| 9 | 1.51 | 1.62 | 1.63 | 1.63 | 1.62 | 1.61 | 1.60 | 1.60 | 1.59 | 1.59 | 1.58 | 1.57 | 1.56 | 1.56 | 1.55 | 1.54 | 1.54 | 1.53 | 1.53 |
| 10 | 1.49 | 1.60 | 1.60 | 1.59 | 1.59 | 1.58 | 1.57 | 1.56 | 1.56 | 1.55 | 1.54 | 1.53 | 1.52 | 1.52 | 1.51 | 1.51 | 1.50 | 1.49 | 1.48 |
| 11 | 1.47 | 1.58 | 1.58 | 1.57 | 1.56 | 1.55 | 1.54 | 1.53 | 1.53 | 1.52 | 1.51 | 1.50 | 1.49 | 1.49 | 1.48 | 1.47 | 1.47 | 1.46 | 1.45 |
| 12 | 1.46 | 1.56 | 1.56 | 1.55 | 1.54 | 1.53 | 1.52 | 1.51 | 1.51 | 1.50 | 1.49 | 1.48 | 1.47 | 1.46 | 1.45 | 1.45 | 1.44 | 1.43 | 1.42 |
| 13 | 1.45 | 1.55 | 1.55 | 1.53 | 1.52 | 1.51 | 1.50 | 1.49 | 1.49 | 1.48 | 1.47 | 1.46 | 1.45 | 1.44 | 1.43 | 1.42 | 1.42 | 1.41 | 1.40 |
| 14 | 1.44 | 1.53 | 1.53 | 1.52 | 1.51 | 1.50 | 1.49 | 1.48 | 1.47 | 1.46 | 1.45 | 1.44 | 1.43 | 1.42 | 1.41 | 1.41 | 1.40 | 1.39 | 1.38 |
| 15 | 1.43 | 1.52 | 1.52 | 1.51 | 1.49 | 1.48 | 1.47 | 1.46 | 1.46 | 1.45 | 1.44 | 1.43 | 1.41 | 1.41 | 1.40 | 1.39 | 1.38 | 1.37 | 1.36 |
| 16 | 1.42 | 1.51 | 1.51 | 1.50 | 1.48 | 1.47 | 1.46 | 1.45 | 1.44 | 1.44 | 1.43 | 1.41 | 1.40 | 1.39 | 1.38 | 1.37 | 1.36 | 1.35 | 1.34 |
| 17 | 1.42 | 1.51 | 1.50 | 1.49 | 1.47 | 1.46 | 1.45 | 1.44 | 1.43 | 1.43 | 1.41 | 1.40 | 1.39 | 1.38 | 1.37 | 1.36 | 1.35 | 1.34 | 1.33 |
| 18 | 1.41 | 1.50 | 1.49 | 1.48 | 1.46 | 1.45 | 1.44 | 1.43 | 1.42 | 1.42 | 1.40 | 1.39 | 1.38 | 1.37 | 1.36 | 1.35 | 1.34 | 1.33 | 1.32 |
| 19 | 1.41 | 1.49 | 1.49 | 1.47 | 1.46 | 1.44 | 1.43 | 1.42 | 1.41 | 1.41 | 1.40 | 1.38 | 1.37 | 1.36 | 1.35 | 1.34 | 1.33 | 1.32 | 1.30 |
| 20 | 1.40 | 1.49 | 1.48 | 1.47 | 1.45 | 1.44 | 1.43 | 1.42 | 1.41 | 1.40 | 1.39 | 1.37 | 1.36 | 1.35 | 1.34 | 1.33 | 1.32 | 1.31 | 1.29 |
| 21 | 1.40 | 1.48 | 1.48 | 1.46 | 1.44 | 1.43 | 1.42 | 1.41 | 1.40 | 1.39 | 1.38 | 1.37 | 1.35 | 1.34 | 1.33 | 1.32 | 1.31 | 1.30 | 1.28 |
| 22 | 1.40 | 1.48 | 1.47 | 1.45 | 1.44 | 1.42 | 1.41 | 1.40 | 1.39 | 1.39 | 1.37 | 1.36 | 1.34 | 1.33 | 1.32 | 1.31 | 1.30 | 1.29 | 1.28 |
| 23 | 1.39 | 1.47 | 1.47 | 1.45 | 1.43 | 1.42 | 1.41 | 1.40 | 1.39 | 1.38 | 1.37 | 1.35 | 1.34 | 1.33 | 1.32 | 1.31 | 1.30 | 1.28 | 1.27 |
| 24 | 1.39 | 1.47 | 1.46 | 1.44 | 1.43 | 1.41 | 1.40 | 1.39 | 1.38 | 1.38 | 1.36 | 1.35 | 1.33 | 1.32 | 1.31 | 1.30 | 1.29 | 1.28 | 1.26 |
| 25 | 1.39 | 1.47 | 1.46 | 1.44 | 1.42 | 1.41 | 1.40 | 1.39 | 1.38 | 1.37 | 1.36 | 1.34 | 1.33 | 1.32 | 1.31 | 1.29 | 1.28 | 1.27 | 1.25 |
| 26 | 1.38 | 1.46 | 1.45 | 1.44 | 1.42 | 1.41 | 1.39 | 1.38 | 1.37 | 1.37 | 1.35 | 1.34 | 1.32 | 1.31 | 1.30 | 1.29 | 1.28 | 1.26 | 1.25 |
| 27 | 1.38 | 1.46 | 1.45 | 1.43 | 1.42 | 1.40 | 1.39 | 1.38 | 1.37 | 1.36 | 1.35 | 1.33 | 1.32 | 1.31 | 1.30 | 1.28 | 1.27 | 1.26 | 1.24 |
| 28 | 1.38 | 1.46 | 1.45 | 1.43 | 1.41 | 1.40 | 1.39 | 1.38 | 1.37 | 1.36 | 1.34 | 1.33 | 1.31 | 1.30 | 1.29 | 1.28 | 1.27 | 1.25 | 1.24 |
| 29 | 1.38 | 1.45 | 1.45 | 1.43 | 1.41 | 1.40 | 1.38 | 1.37 | 1.36 | 1.35 | 1.34 | 1.32 | 1.31 | 1.30 | 1.29 | 1.27 | 1.26 | 1.25 | 1.23 |
| 30 | 1.38 | 1.45 | 1.44 | 1.42 | 1.41 | 1.39 | 1.38 | 1.37 | 1.36 | 1.35 | 1.34 | 1.32 | 1.30 | 1.29 | 1.28 | 1.27 | 1.26 | 1.24 | 1.23 |
| 40 | 1.36 | 1.44 | 1.42 | 1.40 | 1.39 | 1.37 | 1.36 | 1.35 | 1.34 | 1.33 | 1.31 | 1.30 | 1.28 | 1.26 | 1.25 | 1.24 | 1.22 | 1.21 | 1.19 |
| 60 | 1.35 | 1.42 | 1.41 | 1.38 | 1.37 | 1.35 | 1.33 | 1.32 | 1.31 | 1.30 | 1.29 | 1.27 | 1.25 | 1.24 | 1.22 | 1.21 | 1.19 | 1.17 | 1.15 |
| 120 | 1.34 | 1.40 | 1.39 | 1.37 | 1.35 | 1.33 | 1.31 | 1.30 | 1.29 | 1.28 | 1.26 | 1.24 | 1.22 | 1.21 | 1.19 | 1.18 | 1.16 | 1.13 | 1.10 |
| ∞ | 1.32 | 1.39 | 1.37 | 1.35 | 1.33 | 1.31 | 1.29 | 1.28 | 1.27 | 1.25 | 1.24 | 1.22 | 1.19 | 1.18 | 1.16 | 1.14 | 1.12 | 1.08 | 1.00 |

Grados de libertad para el denominador ($\nu_2$)

*Fuente:* Adaptada con autorización de *Biometrika Tables for Statisticians*, Vol. 1, 3a. edición, por E. S. Pearson y H. O. Hartley, Cambridge University Press, Cambridge. 1966.

TABLA V  Puntos porcentuales de la distribución F (continuación)

$$F_{10,\,\nu_1,\,\nu_2}$$

Grados de libertad para el numerador ($\nu_1$)

| $\nu_2$ \\ $\nu_1$ | 1 | 2 | 3 | 4 | 5 | 6 | 7 | 8 | 9 | 10 | 12 | 15 | 20 | 24 | 30 | 40 | 60 | 120 | ∞ |
|---|---|---|---|---|---|---|---|---|---|---|---|---|---|---|---|---|---|---|---|
| 1 | 39.86 | 49.50 | 53.59 | 55.83 | 57.24 | 58.20 | 58.91 | 59.44 | 59.86 | 60.19 | 60.71 | 61.22 | 61.74 | 62.00 | 62.26 | 62.53 | 62.79 | 63.06 | 63.33 |
| 2 | 8.53 | 9.00 | 9.16 | 9.24 | 9.29 | 9.33 | 9.35 | 9.37 | 9.38 | 9.39 | 9.41 | 9.42 | 9.44 | 9.45 | 9.46 | 9.47 | 9.47 | 9.48 | 9.49 |
| 3 | 5.54 | 5.46 | 5.39 | 5.34 | 5.31 | 5.28 | 5.27 | 5.25 | 5.24 | 5.23 | 5.22 | 5.20 | 5.18 | 5.18 | 5.17 | 5.16 | 5.15 | 5.14 | 5.13 |
| 4 | 4.54 | 4.32 | 4.19 | 4.11 | 4.05 | 4.01 | 3.98 | 3.95 | 3.94 | 3.92 | 3.90 | 3.87 | 3.84 | 3.83 | 3.82 | 3.80 | 3.79 | 3.78 | 3.76 |
| 5 | 4.06 | 3.78 | 3.62 | 3.52 | 3.45 | 3.40 | 3.37 | 3.34 | 3.32 | 3.30 | 3.27 | 3.24 | 3.21 | 3.19 | 3.17 | 3.16 | 3.14 | 3.12 | 3.10 |
| 6 | 3.78 | 3.46 | 3.29 | 3.18 | 3.11 | 3.05 | 3.01 | 2.98 | 2.96 | 2.94 | 2.90 | 2.87 | 2.84 | 2.82 | 2.80 | 2.78 | 2.76 | 2.74 | 2.72 |
| 7 | 3.59 | 3.26 | 3.07 | 2.96 | 2.88 | 2.83 | 2.78 | 2.75 | 2.72 | 2.70 | 2.67 | 2.63 | 2.59 | 2.58 | 2.56 | 2.54 | 2.51 | 2.49 | 2.47 |
| 8 | 3.46 | 3.11 | 2.92 | 2.81 | 2.73 | 2.67 | 2.62 | 2.59 | 2.56 | 2.54 | 2.50 | 2.46 | 2.42 | 2.40 | 2.38 | 2.36 | 2.34 | 2.32 | 2.29 |
| 9 | 3.36 | 3.01 | 2.81 | 2.69 | 2.61 | 2.55 | 2.51 | 2.47 | 2.44 | 2.42 | 2.38 | 2.34 | 2.30 | 2.28 | 2.25 | 2.23 | 2.21 | 2.18 | 2.16 |
| 10 | 3.29 | 2.92 | 2.73 | 2.61 | 2.52 | 2.46 | 2.41 | 2.38 | 2.35 | 2.32 | 2.28 | 2.24 | 2.20 | 2.18 | 2.16 | 2.13 | 2.11 | 2.08 | 2.06 |
| 11 | 3.23 | 2.86 | 2.66 | 2.54 | 2.45 | 2.39 | 2.34 | 2.30 | 2.27 | 2.25 | 2.21 | 2.17 | 2.12 | 2.10 | 2.08 | 2.05 | 2.03 | 2.00 | 1.97 |
| 12 | 3.18 | 2.81 | 2.61 | 2.48 | 2.39 | 2.33 | 2.28 | 2.24 | 2.21 | 2.19 | 2.15 | 2.10 | 2.06 | 2.04 | 2.01 | 1.99 | 1.96 | 1.93 | 1.90 |
| 13 | 3.14 | 2.76 | 2.56 | 2.43 | 2.35 | 2.28 | 2.23 | 2.20 | 2.16 | 2.14 | 2.10 | 2.05 | 2.01 | 1.98 | 1.96 | 1.93 | 1.90 | 1.88 | 1.85 |
| 14 | 3.10 | 2.73 | 2.52 | 2.39 | 2.31 | 2.24 | 2.19 | 2.15 | 2.12 | 2.10 | 2.05 | 2.01 | 1.96 | 1.94 | 1.91 | 1.89 | 1.86 | 1.83 | 1.80 |
| 15 | 3.07 | 2.70 | 2.49 | 2.36 | 2.27 | 2.21 | 2.16 | 2.12 | 2.09 | 2.06 | 2.02 | 1.97 | 1.92 | 1.90 | 1.87 | 1.85 | 1.82 | 1.79 | 1.76 |
| 16 | 3.05 | 2.67 | 2.46 | 2.33 | 2.24 | 2.18 | 2.13 | 2.09 | 2.06 | 2.03 | 1.99 | 1.94 | 1.89 | 1.87 | 1.84 | 1.81 | 1.78 | 1.75 | 1.72 |
| 17 | 3.03 | 2.64 | 2.44 | 2.31 | 2.22 | 2.15 | 2.10 | 2.06 | 2.03 | 2.00 | 1.96 | 1.91 | 1.86 | 1.84 | 1.81 | 1.78 | 1.75 | 1.72 | 1.69 |
| 18 | 3.01 | 2.62 | 2.42 | 2.29 | 2.20 | 2.13 | 2.08 | 2.04 | 2.00 | 1.98 | 1.93 | 1.89 | 1.84 | 1.81 | 1.78 | 1.75 | 1.72 | 1.69 | 1.66 |
| 19 | 2.99 | 2.61 | 2.40 | 2.27 | 2.18 | 2.11 | 2.06 | 2.02 | 1.98 | 1.96 | 1.91 | 1.86 | 1.81 | 1.79 | 1.76 | 1.73 | 1.70 | 1.67 | 1.63 |
| 20 | 2.97 | 2.59 | 2.38 | 2.25 | 2.16 | 2.09 | 2.04 | 2.00 | 1.96 | 1.94 | 1.89 | 1.84 | 1.79 | 1.77 | 1.74 | 1.71 | 1.68 | 1.64 | 1.61 |
| 21 | 2.96 | 2.57 | 2.36 | 2.23 | 2.14 | 2.08 | 2.02 | 1.98 | 1.95 | 1.92 | 1.87 | 1.83 | 1.78 | 1.75 | 1.72 | 1.69 | 1.66 | 1.62 | 1.59 |
| 22 | 2.95 | 2.56 | 2.35 | 2.22 | 2.13 | 2.06 | 2.01 | 1.97 | 1.93 | 1.90 | 1.86 | 1.81 | 1.76 | 1.73 | 1.70 | 1.67 | 1.64 | 1.60 | 1.57 |
| 23 | 2.94 | 2.55 | 2.34 | 2.21 | 2.11 | 2.05 | 1.99 | 1.95 | 1.92 | 1.89 | 1.84 | 1.80 | 1.74 | 1.72 | 1.69 | 1.66 | 1.62 | 1.59 | 1.55 |
| 24 | 2.93 | 2.54 | 2.33 | 2.19 | 2.10 | 2.04 | 1.98 | 1.94 | 1.91 | 1.88 | 1.83 | 1.78 | 1.73 | 1.70 | 1.67 | 1.64 | 1.61 | 1.57 | 1.53 |
| 25 | 2.92 | 2.53 | 2.32 | 2.18 | 2.09 | 2.02 | 1.97 | 1.93 | 1.89 | 1.87 | 1.82 | 1.77 | 1.72 | 1.69 | 1.66 | 1.63 | 1.59 | 1.56 | 1.52 |
| 26 | 2.91 | 2.52 | 2.31 | 2.17 | 2.08 | 2.01 | 1.96 | 1.92 | 1.88 | 1.86 | 1.81 | 1.76 | 1.71 | 1.68 | 1.65 | 1.61 | 1.58 | 1.54 | 1.50 |
| 27 | 2.90 | 2.51 | 2.30 | 2.17 | 2.07 | 2.00 | 1.95 | 1.91 | 1.87 | 1.85 | 1.80 | 1.75 | 1.70 | 1.67 | 1.64 | 1.60 | 1.57 | 1.53 | 1.49 |
| 28 | 2.89 | 2.50 | 2.29 | 2.16 | 2.06 | 2.00 | 1.94 | 1.90 | 1.87 | 1.84 | 1.79 | 1.74 | 1.69 | 1.66 | 1.63 | 1.59 | 1.56 | 1.52 | 1.48 |
| 29 | 2.89 | 2.50 | 2.28 | 2.15 | 2.06 | 1.99 | 1.93 | 1.89 | 1.86 | 1.83 | 1.78 | 1.73 | 1.68 | 1.65 | 1.62 | 1.58 | 1.55 | 1.51 | 1.47 |
| 30 | 2.88 | 2.49 | 2.28 | 2.14 | 2.03 | 1.98 | 1.93 | 1.88 | 1.85 | 1.82 | 1.77 | 1.72 | 1.67 | 1.64 | 1.61 | 1.57 | 1.54 | 1.50 | 1.46 |
| 40 | 2.84 | 2.44 | 2.23 | 2.09 | 2.00 | 1.93 | 1.87 | 1.83 | 1.79 | 1.76 | 1.71 | 1.66 | 1.61 | 1.57 | 1.54 | 1.51 | 1.47 | 1.42 | 1.38 |
| 60 | 2.79 | 2.39 | 2.18 | 2.04 | 1.95 | 1.87 | 1.82 | 1.77 | 1.74 | 1.71 | 1.66 | 1.60 | 1.54 | 1.51 | 1.48 | 1.44 | 1.40 | 1.35 | 1.29 |
| 120 | 2.75 | 2.35 | 2.13 | 1.99 | 1.90 | 1.82 | 1.77 | 1.72 | 1.68 | 1.65 | 1.60 | 1.55 | 1.48 | 1.45 | 1.41 | 1.37 | 1.32 | 1.26 | 1.19 |
| ∞ | 2.71 | 2.30 | 2.08 | 1.94 | 1.85 | 1.77 | 1.72 | 1.67 | 1.63 | 1.60 | 1.55 | 1.49 | 1.42 | 1.38 | 1.34 | 1.30 | 1.24 | 1.17 | 1.00 |

Grados de libertad para el denominador ($\nu_2$)

## TABLA V Puntos porcentuales de la distribución F (continuación)

$$F_{.05,\ \nu_1,\ \nu_2}$$

Grados de libertad para el numerador ($\nu_1$)

| $\nu_2$ | 1 | 2 | 3 | 4 | 5 | 6 | 7 | 8 | 9 | 10 | 12 | 15 | 20 | 24 | 30 | 40 | 60 | 120 | ∞ |
|---|---|---|---|---|---|---|---|---|---|---|---|---|---|---|---|---|---|---|---|
| 1 | 161.4 | 199.5 | 215.7 | 224.6 | 230.2 | 234.0 | 236.8 | 238.9 | 240.5 | 241.9 | 243.9 | 245.9 | 248.0 | 249.1 | 250.1 | 251.1 | 252.2 | 253.3 | 254.3 |
| 2 | 18.51 | 19.00 | 19.16 | 19.25 | 19.30 | 19.33 | 19.35 | 19.37 | 19.38 | 19.40 | 19.41 | 19.43 | 19.45 | 19.45 | 19.46 | 19.47 | 19.48 | 19.49 | 19.50 |
| 3 | 10.13 | 9.55 | 9.28 | 9.12 | 9.01 | 8.94 | 8.89 | 8.85 | 8.81 | 8.79 | 8.74 | 8.70 | 8.66 | 8.64 | 8.62 | 8.59 | 8.57 | 8.55 | 8.53 |
| 4 | 7.71 | 6.94 | 6.59 | 6.39 | 6.26 | 6.16 | 6.09 | 6.04 | 6.00 | 5.96 | 5.91 | 5.86 | 5.80 | 5.77 | 5.75 | 5.72 | 5.69 | 5.66 | 5.63 |
| 5 | 6.61 | 5.79 | 5.41 | 5.19 | 5.05 | 4.95 | 4.88 | 4.82 | 4.77 | 4.74 | 4.68 | 4.62 | 4.56 | 4.53 | 4.50 | 4.46 | 4.43 | 4.40 | 4.36 |
| 6 | 5.99 | 5.14 | 4.76 | 4.53 | 4.39 | 4.28 | 4.21 | 4.15 | 4.10 | 4.06 | 4.00 | 3.94 | 3.87 | 3.84 | 3.81 | 3.77 | 3.74 | 3.70 | 3.67 |
| 7 | 5.59 | 4.74 | 4.35 | 4.12 | 3.97 | 3.87 | 3.79 | 3.73 | 3.68 | 3.64 | 3.57 | 3.51 | 3.44 | 3.41 | 3.38 | 3.34 | 3.30 | 3.27 | 3.23 |
| 8 | 5.32 | 4.46 | 4.07 | 3.84 | 3.69 | 3.58 | 3.50 | 3.44 | 3.39 | 3.35 | 3.28 | 3.22 | 3.15 | 3.12 | 3.08 | 3.04 | 3.01 | 2.97 | 2.93 |
| 9 | 5.12 | 4.26 | 3.86 | 3.63 | 3.48 | 3.37 | 3.29 | 3.23 | 3.18 | 3.14 | 3.07 | 3.01 | 2.94 | 2.90 | 2.86 | 2.83 | 2.79 | 2.75 | 2.71 |
| 10 | 4.96 | 4.10 | 3.71 | 3.48 | 3.33 | 3.22 | 3.14 | 3.07 | 3.02 | 2.98 | 2.91 | 2.85 | 2.77 | 2.74 | 2.70 | 2.66 | 2.62 | 2.58 | 2.54 |
| 11 | 4.84 | 3.98 | 3.59 | 3.36 | 3.20 | 3.09 | 3.01 | 2.95 | 2.90 | 2.85 | 2.79 | 2.72 | 2.65 | 2.61 | 2.57 | 2.53 | 2.49 | 2.45 | 2.40 |
| 12 | 4.75 | 3.89 | 3.49 | 3.26 | 3.11 | 3.00 | 2.91 | 2.85 | 2.80 | 2.75 | 2.69 | 2.62 | 2.54 | 2.51 | 2.47 | 2.43 | 2.38 | 2.34 | 2.30 |
| 13 | 4.67 | 3.81 | 3.41 | 3.18 | 3.03 | 2.92 | 2.83 | 2.77 | 2.71 | 2.67 | 2.60 | 2.53 | 2.46 | 2.42 | 2.38 | 2.34 | 2.30 | 2.25 | 2.21 |
| 14 | 4.60 | 3.74 | 3.34 | 3.11 | 2.96 | 2.85 | 2.76 | 2.70 | 2.65 | 2.60 | 2.53 | 2.46 | 2.39 | 2.35 | 2.31 | 2.27 | 2.22 | 2.18 | 2.13 |
| 15 | 4.54 | 3.68 | 3.29 | 3.06 | 2.90 | 2.79 | 2.71 | 2.64 | 2.59 | 2.54 | 2.48 | 2.40 | 2.33 | 2.29 | 2.25 | 2.20 | 2.16 | 2.11 | 2.07 |
| 16 | 4.49 | 3.63 | 3.24 | 3.01 | 2.85 | 2.74 | 2.66 | 2.59 | 2.54 | 2.49 | 2.42 | 2.35 | 2.28 | 2.24 | 2.19 | 2.15 | 2.11 | 2.06 | 2.01 |
| 17 | 4.45 | 3.59 | 3.20 | 2.96 | 2.81 | 2.70 | 2.61 | 2.55 | 2.49 | 2.45 | 2.38 | 2.31 | 2.23 | 2.19 | 2.15 | 2.10 | 2.06 | 2.01 | 1.96 |
| 18 | 4.41 | 3.55 | 3.16 | 2.93 | 2.77 | 2.66 | 2.58 | 2.51 | 2.46 | 2.41 | 2.34 | 2.27 | 2.19 | 2.15 | 2.11 | 2.06 | 2.02 | 1.97 | 1.92 |
| 19 | 4.38 | 3.52 | 3.13 | 2.90 | 2.74 | 2.63 | 2.54 | 2.48 | 2.42 | 2.38 | 2.31 | 2.23 | 2.16 | 2.11 | 2.07 | 2.03 | 1.98 | 1.93 | 1.88 |
| 20 | 4.35 | 3.49 | 3.10 | 2.87 | 2.71 | 2.60 | 2.51 | 2.45 | 2.39 | 2.35 | 2.28 | 2.20 | 2.12 | 2.08 | 2.04 | 1.99 | 1.95 | 1.90 | 1.84 |
| 21 | 4.32 | 3.47 | 3.07 | 2.84 | 2.68 | 2.57 | 2.49 | 2.42 | 2.37 | 2.32 | 2.25 | 2.18 | 2.10 | 2.05 | 2.01 | 1.96 | 1.92 | 1.87 | 1.81 |
| 22 | 4.30 | 3.44 | 3.05 | 2.82 | 2.66 | 2.55 | 2.46 | 2.40 | 2.34 | 2.30 | 2.23 | 2.15 | 2.07 | 2.03 | 1.98 | 1.94 | 1.89 | 1.84 | 1.78 |
| 23 | 4.28 | 3.42 | 3.03 | 2.80 | 2.64 | 2.53 | 2.44 | 2.37 | 2.32 | 2.27 | 2.20 | 2.13 | 2.05 | 2.01 | 1.96 | 1.91 | 1.86 | 1.81 | 1.76 |
| 24 | 4.26 | 3.40 | 3.01 | 2.78 | 2.62 | 2.51 | 2.42 | 2.36 | 2.30 | 2.25 | 2.18 | 2.11 | 2.03 | 1.98 | 1.94 | 1.89 | 1.84 | 1.79 | 1.73 |
| 25 | 4.24 | 3.39 | 2.99 | 2.76 | 2.60 | 2.49 | 2.40 | 2.34 | 2.28 | 2.24 | 2.16 | 2.09 | 2.01 | 1.96 | 1.92 | 1.87 | 1.82 | 1.77 | 1.71 |
| 26 | 4.23 | 3.37 | 2.98 | 2.74 | 2.59 | 2.47 | 2.39 | 2.32 | 2.27 | 2.22 | 2.15 | 2.07 | 1.99 | 1.95 | 1.90 | 1.85 | 1.80 | 1.75 | 1.69 |
| 27 | 4.21 | 3.35 | 2.96 | 2.73 | 2.57 | 2.46 | 2.37 | 2.31 | 2.25 | 2.20 | 2.13 | 2.06 | 1.97 | 1.93 | 1.88 | 1.84 | 1.79 | 1.73 | 1.67 |
| 28 | 4.20 | 3.34 | 2.95 | 2.71 | 2.56 | 2.45 | 2.36 | 2.29 | 2.24 | 2.19 | 2.12 | 2.04 | 1.96 | 1.91 | 1.87 | 1.82 | 1.77 | 1.71 | 1.65 |
| 29 | 4.18 | 3.33 | 2.93 | 2.70 | 2.55 | 2.43 | 2.35 | 2.28 | 2.22 | 2.18 | 2.10 | 2.03 | 1.94 | 1.90 | 1.85 | 1.81 | 1.75 | 1.70 | 1.64 |
| 30 | 4.17 | 3.32 | 2.92 | 2.69 | 2.53 | 2.42 | 2.33 | 2.27 | 2.21 | 2.16 | 2.09 | 2.01 | 1.93 | 1.89 | 1.84 | 1.79 | 1.74 | 1.68 | 1.62 |
| 40 | 4.08 | 3.23 | 2.84 | 2.61 | 2.45 | 2.34 | 2.25 | 2.18 | 2.12 | 2.08 | 2.00 | 1.92 | 1.84 | 1.79 | 1.74 | 1.69 | 1.64 | 1.58 | 1.51 |
| 60 | 4.00 | 3.15 | 2.76 | 2.53 | 2.37 | 2.25 | 2.17 | 2.10 | 2.04 | 1.99 | 1.92 | 1.84 | 1.75 | 1.70 | 1.65 | 1.59 | 1.53 | 1.47 | 1.39 |
| 120 | 3.92 | 3.07 | 2.68 | 2.45 | 2.29 | 2.17 | 2.09 | 2.02 | 1.96 | 1.91 | 1.83 | 1.75 | 1.66 | 1.61 | 1.55 | 1.50 | 1.43 | 1.35 | 1.25 |
| ∞ | 3.84 | 3.00 | 2.60 | 2.37 | 2.21 | 2.10 | 2.01 | 1.94 | 1.88 | 1.83 | 1.75 | 1.67 | 1.57 | 1.52 | 1.46 | 1.39 | 1.32 | 1.22 | 1.00 |

Grados de libertad para el denominador ($\nu_2$)

TABLA V  Puntos porcentuales de la distribución F (continuación)

$$F_{0.025,\ \nu_1,\ \nu_2}$$

Grados de libertad para el denominador ($\nu_2$)

| $\nu_1$ / $\nu_2$ | 1 | 2 | 3 | 4 | 5 | 6 | 7 | 8 | 9 | 10 | 12 | 15 | 20 | 24 | 30 | 40 | 60 | 120 | ∞ |
|---|---|---|---|---|---|---|---|---|---|---|---|---|---|---|---|---|---|---|---|
| 1 | 647.8 | 799.5 | 864.2 | 899.6 | 921.8 | 937.1 | 948.2 | 956.7 | 963.3 | 968.6 | 976.7 | 984.9 | 993.1 | 997.2 | 1001 | 1006 | 1010 | 1014 | 1018 |
| 2 | 38.51 | 39.00 | 39.17 | 39.25 | 39.30 | 39.33 | 39.36 | 39.37 | 39.39 | 39.40 | 39.41 | 39.43 | 39.45 | 39.46 | 39.46 | 39.47 | 39.48 | 39.49 | 39.50 |
| 3 | 17.44 | 16.04 | 15.44 | 15.10 | 14.88 | 14.73 | 14.62 | 14.54 | 14.47 | 14.42 | 14.34 | 14.25 | 14.17 | 14.12 | 14.08 | 14.04 | 13.99 | 13.95 | 13.90 |
| 4 | 12.22 | 10.65 | 9.98 | 9.60 | 9.36 | 9.20 | 9.07 | 8.98 | 8.90 | 8.84 | 8.75 | 8.66 | 8.56 | 8.51 | 8.46 | 8.41 | 8.36 | 8.31 | 8.26 |
| 5 | 10.01 | 8.43 | 7.76 | 7.39 | 7.15 | 6.98 | 6.85 | 6.76 | 6.68 | 6.62 | 6.52 | 6.43 | 6.33 | 6.28 | 6.23 | 6.18 | 6.12 | 6.07 | 6.02 |
| 6 | 8.81 | 7.26 | 6.60 | 6.23 | 5.99 | 5.82 | 5.70 | 5.60 | 5.52 | 5.46 | 5.37 | 5.27 | 5.17 | 5.12 | 5.07 | 5.01 | 4.96 | 4.90 | 4.85 |
| 7 | 8.07 | 6.54 | 5.89 | 5.52 | 5.29 | 5.12 | 4.99 | 4.90 | 4.82 | 4.76 | 4.67 | 4.57 | 4.47 | 4.42 | 4.36 | 4.31 | 4.25 | 4.20 | 4.14 |
| 8 | 7.57 | 6.06 | 5.42 | 5.05 | 4.82 | 4.65 | 4.53 | 4.43 | 4.36 | 4.30 | 4.20 | 4.10 | 4.00 | 3.95 | 3.89 | 3.84 | 3.78 | 3.73 | 3.67 |
| 9 | 7.21 | 5.71 | 5.08 | 4.72 | 4.48 | 4.32 | 4.20 | 4.10 | 4.03 | 3.96 | 3.87 | 3.77 | 3.67 | 3.61 | 3.56 | 3.51 | 3.45 | 3.39 | 3.33 |
| 10 | 6.94 | 5.46 | 4.83 | 4.47 | 4.24 | 4.07 | 3.95 | 3.85 | 3.78 | 3.72 | 3.62 | 3.52 | 3.42 | 3.37 | 3.31 | 3.26 | 3.20 | 3.14 | 3.08 |
| 11 | 6.72 | 5.26 | 4.63 | 4.28 | 4.04 | 3.88 | 3.76 | 3.66 | 3.59 | 3.53 | 3.43 | 3.33 | 3.23 | 3.17 | 3.12 | 3.06 | 3.00 | 2.94 | 2.88 |
| 12 | 6.55 | 5.10 | 4.47 | 4.12 | 3.89 | 3.73 | 3.61 | 3.51 | 3.44 | 3.37 | 3.28 | 3.18 | 3.07 | 3.02 | 2.96 | 2.91 | 2.85 | 2.79 | 2.72 |
| 13 | 6.41 | 4.97 | 4.35 | 4.00 | 3.77 | 3.60 | 3.48 | 3.39 | 3.31 | 3.25 | 3.15 | 3.05 | 2.95 | 2.89 | 2.84 | 2.78 | 2.72 | 2.66 | 2.60 |
| 14 | 6.30 | 4.86 | 4.24 | 3.89 | 3.66 | 3.50 | 3.38 | 3.29 | 3.21 | 3.15 | 3.05 | 2.95 | 2.84 | 2.79 | 2.73 | 2.67 | 2.61 | 2.55 | 2.49 |
| 15 | 6.20 | 4.77 | 4.15 | 3.80 | 3.58 | 3.41 | 3.29 | 3.20 | 3.12 | 3.06 | 2.96 | 2.86 | 2.76 | 2.70 | 2.64 | 2.59 | 2.52 | 2.46 | 2.40 |
| 16 | 6.12 | 4.69 | 4.08 | 3.73 | 3.50 | 3.34 | 3.22 | 3.12 | 3.05 | 2.99 | 2.89 | 2.79 | 2.68 | 2.63 | 2.57 | 2.51 | 2.45 | 2.38 | 2.32 |
| 17 | 6.04 | 4.62 | 4.01 | 3.66 | 3.44 | 3.28 | 3.16 | 3.06 | 2.98 | 2.92 | 2.82 | 2.72 | 2.62 | 2.56 | 2.50 | 2.44 | 2.38 | 2.32 | 2.25 |
| 18 | 5.98 | 4.56 | 3.95 | 3.61 | 3.38 | 3.22 | 3.10 | 3.01 | 2.93 | 2.87 | 2.77 | 2.67 | 2.56 | 2.50 | 2.44 | 2.38 | 2.32 | 2.26 | 2.19 |
| 19 | 5.92 | 4.51 | 3.90 | 3.56 | 3.33 | 3.17 | 3.05 | 2.96 | 2.88 | 2.82 | 2.72 | 2.62 | 2.51 | 2.45 | 2.39 | 2.33 | 2.27 | 2.20 | 2.13 |
| 20 | 5.87 | 4.46 | 3.86 | 3.51 | 3.29 | 3.13 | 3.01 | 2.91 | 2.84 | 2.77 | 2.68 | 2.57 | 2.46 | 2.41 | 2.35 | 2.29 | 2.22 | 2.16 | 2.09 |
| 21 | 5.83 | 4.42 | 3.82 | 3.48 | 3.25 | 3.09 | 2.97 | 2.87 | 2.80 | 2.73 | 2.64 | 2.53 | 2.42 | 2.37 | 2.31 | 2.25 | 2.18 | 2.11 | 2.04 |
| 22 | 5.79 | 4.38 | 3.78 | 3.44 | 3.22 | 3.05 | 2.93 | 2.84 | 2.76 | 2.70 | 2.60 | 2.50 | 2.39 | 2.33 | 2.27 | 2.21 | 2.14 | 2.08 | 2.00 |
| 23 | 5.75 | 4.35 | 3.75 | 3.41 | 3.18 | 3.02 | 2.90 | 2.81 | 2.73 | 2.67 | 2.57 | 2.47 | 2.36 | 2.30 | 2.24 | 2.18 | 2.11 | 2.04 | 1.97 |
| 24 | 5.72 | 4.32 | 3.72 | 3.38 | 3.15 | 2.99 | 2.87 | 2.78 | 2.70 | 2.64 | 2.54 | 2.44 | 2.33 | 2.27 | 2.21 | 2.15 | 2.08 | 2.01 | 1.94 |
| 25 | 5.69 | 4.29 | 3.69 | 3.35 | 3.13 | 2.97 | 2.85 | 2.75 | 2.68 | 2.61 | 2.51 | 2.41 | 2.30 | 2.24 | 2.18 | 2.12 | 2.05 | 1.98 | 1.91 |
| 26 | 5.66 | 4.27 | 3.67 | 3.33 | 3.10 | 2.94 | 2.82 | 2.73 | 2.65 | 2.59 | 2.49 | 2.39 | 2.28 | 2.22 | 2.16 | 2.09 | 2.03 | 1.95 | 1.88 |
| 27 | 5.63 | 4.24 | 3.65 | 3.31 | 3.08 | 2.92 | 2.80 | 2.71 | 2.63 | 2.57 | 2.47 | 2.36 | 2.25 | 2.19 | 2.13 | 2.07 | 2.00 | 1.93 | 1.85 |
| 28 | 5.61 | 4.22 | 3.63 | 3.29 | 3.06 | 2.90 | 2.78 | 2.69 | 2.61 | 2.55 | 2.45 | 2.34 | 2.23 | 2.17 | 2.11 | 2.05 | 1.98 | 1.91 | 1.83 |
| 29 | 5.59 | 4.20 | 3.61 | 3.27 | 3.04 | 2.88 | 2.76 | 2.67 | 2.59 | 2.53 | 2.43 | 2.32 | 2.21 | 2.15 | 2.09 | 2.03 | 1.96 | 1.89 | 1.81 |
| 30 | 5.57 | 4.18 | 3.59 | 3.25 | 3.03 | 2.87 | 2.75 | 2.65 | 2.57 | 2.51 | 2.41 | 2.31 | 2.20 | 2.14 | 2.07 | 2.01 | 1.94 | 1.87 | 1.79 |
| 40 | 5.42 | 4.05 | 3.46 | 3.13 | 2.90 | 2.74 | 2.62 | 2.53 | 2.45 | 2.39 | 2.29 | 2.18 | 2.07 | 2.01 | 1.94 | 1.88 | 1.80 | 1.72 | 1.64 |
| 60 | 5.29 | 3.93 | 3.34 | 3.01 | 2.79 | 2.63 | 2.51 | 2.41 | 2.33 | 2.27 | 2.17 | 2.06 | 1.94 | 1.88 | 1.82 | 1.74 | 1.67 | 1.58 | 1.48 |
| 120 | 5.15 | 3.80 | 3.23 | 2.89 | 2.67 | 2.52 | 2.39 | 2.30 | 2.22 | 2.16 | 2.05 | 1.94 | 1.82 | 1.76 | 1.69 | 1.61 | 1.53 | 1.43 | 1.31 |
| ∞ | 5.02 | 3.69 | 3.12 | 2.79 | 2.57 | 2.41 | 2.29 | 2.19 | 2.11 | 2.05 | 1.94 | 1.83 | 1.71 | 1.64 | 1.57 | 1.48 | 1.39 | 1.27 | 1.00 |

Grados de libertad para el numerador ($\nu_1$)

TABLA V  Puntos porcentuales de la distribución F (continuación)

$$F_{.01,\, \nu_1,\, \nu_2}$$

Grados de libertad para el numerador ($\nu_1$)

| $\nu_2$ | 1 | 2 | 3 | 4 | 5 | 6 | 7 | 8 | 9 | 10 | 12 | 15 | 20 | 24 | 30 | 40 | 60 | 120 | ∞ |
|---|---|---|---|---|---|---|---|---|---|---|---|---|---|---|---|---|---|---|---|
| 1 | 4052 | 4999.5 | 5403 | 5625 | 5764 | 5859 | 5928 | 5982 | 6022 | 6056 | 6106 | 6157 | 6209 | 6235 | 6261 | 6287 | 6313 | 6339 | 6366 |
| 2 | 98.50 | 99.00 | 99.17 | 99.25 | 99.30 | 99.33 | 99.36 | 99.37 | 99.39 | 99.40 | 99.42 | 99.43 | 99.45 | 99.46 | 99.47 | 99.47 | 99.48 | 99.49 | 99.50 |
| 3 | 34.12 | 30.82 | 29.46 | 28.71 | 28.24 | 27.91 | 27.67 | 27.49 | 27.35 | 27.23 | 27.05 | 26.87 | 26.69 | 26.60 | 26.50 | 26.41 | 26.32 | 26.22 | 26.13 |
| 4 | 21.20 | 18.00 | 16.69 | 15.98 | 15.52 | 15.21 | 14.98 | 14.80 | 14.66 | 14.55 | 14.37 | 14.20 | 14.02 | 13.93 | 13.84 | 13.75 | 13.65 | 13.56 | 13.46 |
| 5 | 16.26 | 13.27 | 12.06 | 11.39 | 10.97 | 10.67 | 10.46 | 10.29 | 10.16 | 10.05 | 9.89 | 9.72 | 9.55 | 9.47 | 9.38 | 9.29 | 9.20 | 9.11 | 9.02 |
| 6 | 13.75 | 10.92 | 9.78 | 9.15 | 8.75 | 8.47 | 8.26 | 8.10 | 7.98 | 7.87 | 7.72 | 7.56 | 7.40 | 7.31 | 7.23 | 7.14 | 7.06 | 6.97 | 6.88 |
| 7 | 12.25 | 9.55 | 8.45 | 7.85 | 7.46 | 7.19 | 6.99 | 6.84 | 6.72 | 6.62 | 6.47 | 6.31 | 6.16 | 6.07 | 5.99 | 5.91 | 5.82 | 5.74 | 5.65 |
| 8 | 11.26 | 8.65 | 7.59 | 7.01 | 6.63 | 6.37 | 6.18 | 6.03 | 5.91 | 5.81 | 5.67 | 5.52 | 5.36 | 5.28 | 5.20 | 5.12 | 5.03 | 4.95 | 4.86 |
| 9 | 10.56 | 8.02 | 6.99 | 6.42 | 6.06 | 5.80 | 5.61 | 5.47 | 5.35 | 5.26 | 5.11 | 4.96 | 4.81 | 4.73 | 4.65 | 4.57 | 4.48 | 4.40 | 4.31 |
| 10 | 10.04 | 7.56 | 6.55 | 5.99 | 5.64 | 5.39 | 5.20 | 5.06 | 4.94 | 4.85 | 4.71 | 4.56 | 4.41 | 4.33 | 4.25 | 4.17 | 4.08 | 4.00 | 3.91 |
| 11 | 9.65 | 7.21 | 6.22 | 5.67 | 5.32 | 5.07 | 4.89 | 4.74 | 4.63 | 4.54 | 4.40 | 4.25 | 4.10 | 4.02 | 3.94 | 3.86 | 3.78 | 3.69 | 3.60 |
| 12 | 9.33 | 6.93 | 5.95 | 5.41 | 5.06 | 4.82 | 4.64 | 4.50 | 4.39 | 4.30 | 4.16 | 4.01 | 3.86 | 3.78 | 3.70 | 3.62 | 3.54 | 3.45 | 3.36 |
| 13 | 9.07 | 6.70 | 5.74 | 5.21 | 4.86 | 4.62 | 4.44 | 4.30 | 4.19 | 4.10 | 3.96 | 3.82 | 3.66 | 3.59 | 3.51 | 3.43 | 3.34 | 3.25 | 3.17 |
| 14 | 8.86 | 6.51 | 5.56 | 5.04 | 4.69 | 4.46 | 4.28 | 4.14 | 4.03 | 3.94 | 3.80 | 3.66 | 3.51 | 3.43 | 3.35 | 3.27 | 3.18 | 3.09 | 3.00 |
| 15 | 8.68 | 6.36 | 5.42 | 4.89 | 4.56 | 4.32 | 4.14 | 4.00 | 3.89 | 3.80 | 3.67 | 3.52 | 3.37 | 3.29 | 3.21 | 3.13 | 3.05 | 2.96 | 2.87 |
| 16 | 8.53 | 6.23 | 5.29 | 4.77 | 4.44 | 4.20 | 4.03 | 3.89 | 3.78 | 3.69 | 3.55 | 3.41 | 3.26 | 3.18 | 3.10 | 3.02 | 2.93 | 2.84 | 2.75 |
| 17 | 8.40 | 6.11 | 5.18 | 4.67 | 4.34 | 4.10 | 3.93 | 3.79 | 3.68 | 3.59 | 3.46 | 3.31 | 3.16 | 3.08 | 3.00 | 2.92 | 2.83 | 2.75 | 2.65 |
| 18 | 8.29 | 6.01 | 5.09 | 4.58 | 4.25 | 4.01 | 3.84 | 3.71 | 3.60 | 3.51 | 3.37 | 3.23 | 3.08 | 3.00 | 2.92 | 2.84 | 2.75 | 2.66 | 2.57 |
| 19 | 8.18 | 5.93 | 5.01 | 4.50 | 4.17 | 3.94 | 3.77 | 3.63 | 3.52 | 3.43 | 3.30 | 3.15 | 3.00 | 2.92 | 2.84 | 2.76 | 2.67 | 2.58 | 2.49 |
| 20 | 8.10 | 5.85 | 4.94 | 4.43 | 4.10 | 3.87 | 3.70 | 3.56 | 3.46 | 3.37 | 3.23 | 3.09 | 2.94 | 2.86 | 2.78 | 2.69 | 2.61 | 2.52 | 2.42 |
| 21 | 8.02 | 5.78 | 4.87 | 4.37 | 4.04 | 3.81 | 3.64 | 3.51 | 3.40 | 3.31 | 3.17 | 3.03 | 2.88 | 2.80 | 2.72 | 2.64 | 2.55 | 2.46 | 2.36 |
| 22 | 7.95 | 5.72 | 4.82 | 4.31 | 3.99 | 3.76 | 3.59 | 3.45 | 3.35 | 3.26 | 3.12 | 2.98 | 2.83 | 2.75 | 2.67 | 2.58 | 2.50 | 2.40 | 2.31 |
| 23 | 7.88 | 5.66 | 4.76 | 4.26 | 3.94 | 3.71 | 3.54 | 3.41 | 3.30 | 3.21 | 3.07 | 2.93 | 2.78 | 2.70 | 2.62 | 2.54 | 2.45 | 2.35 | 2.26 |
| 24 | 7.82 | 5.61 | 4.72 | 4.22 | 3.90 | 3.67 | 3.50 | 3.36 | 3.26 | 3.17 | 3.03 | 2.89 | 2.74 | 2.66 | 2.58 | 2.49 | 2.40 | 2.31 | 2.21 |
| 25 | 7.77 | 5.57 | 4.68 | 4.18 | 3.85 | 3.63 | 3.46 | 3.32 | 3.22 | 3.13 | 2.99 | 2.85 | 2.70 | 2.62 | 2.54 | 2.45 | 2.36 | 2.27 | 2.17 |
| 26 | 7.72 | 5.53 | 4.64 | 4.14 | 3.82 | 3.59 | 3.42 | 3.29 | 3.18 | 3.09 | 2.96 | 2.81 | 2.66 | 2.58 | 2.50 | 2.42 | 2.33 | 2.23 | 2.13 |
| 27 | 7.68 | 5.49 | 4.60 | 4.11 | 3.78 | 3.56 | 3.39 | 3.26 | 3.15 | 3.06 | 2.93 | 2.78 | 2.63 | 2.55 | 2.47 | 2.38 | 2.29 | 2.20 | 2.10 |
| 28 | 7.64 | 5.45 | 4.57 | 4.07 | 3.75 | 3.53 | 3.36 | 3.23 | 3.12 | 3.03 | 2.90 | 2.75 | 2.60 | 2.52 | 2.44 | 2.35 | 2.26 | 2.17 | 2.06 |
| 29 | 7.60 | 5.42 | 4.54 | 4.04 | 3.73 | 3.50 | 3.33 | 3.20 | 3.09 | 3.00 | 2.87 | 2.73 | 2.57 | 2.49 | 2.41 | 2.33 | 2.23 | 2.14 | 2.03 |
| 30 | 7.56 | 5.39 | 4.51 | 4.02 | 3.70 | 3.47 | 3.30 | 3.17 | 3.07 | 2.98 | 2.84 | 2.70 | 2.55 | 2.47 | 2.39 | 2.30 | 2.21 | 2.11 | 2.01 |
| 40 | 7.31 | 5.18 | 4.31 | 3.83 | 3.51 | 3.29 | 3.12 | 2.99 | 2.89 | 2.80 | 2.66 | 2.52 | 2.37 | 2.29 | 2.20 | 2.11 | 2.02 | 1.92 | 1.80 |
| 60 | 7.08 | 4.98 | 4.13 | 3.65 | 3.34 | 3.12 | 2.95 | 2.82 | 2.72 | 2.63 | 2.50 | 2.35 | 2.20 | 2.12 | 2.03 | 1.94 | 1.84 | 1.73 | 1.60 |
| 120 | 6.85 | 4.79 | 3.95 | 3.48 | 3.17 | 2.96 | 2.79 | 2.66 | 2.56 | 2.47 | 2.34 | 2.19 | 2.03 | 1.95 | 1.86 | 1.76 | 1.66 | 1.53 | 1.38 |
| ∞ | 6.63 | 4.61 | 3.78 | 3.32 | 3.02 | 2.80 | 2.64 | 2.51 | 2.41 | 2.32 | 2.18 | 2.04 | 1.88 | 1.79 | 1.70 | 1.59 | 1.47 | 1.32 | 1.00 |

Grados de libertad para el denominador ($\nu_2$)

DIAGRAMA VI   **Curvas características de operación**

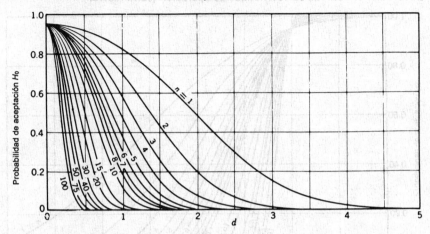

*a*) Curvas CO para diferentes valores de *n* para la prueba normal de dos lados en un nivel de significación $\alpha = .05$.

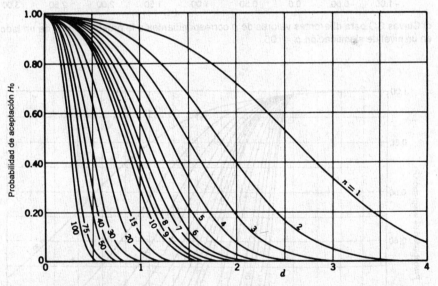

*b*) Curvas CO para diferentes valores de *n* correspondientes a la prueba normal de dos lados en un nivel de significancia $\alpha = .01$.

*Fuente*: Los diagramas VI*a, e, f, k, m* y *q* se reproducen con autorización de "Operating Characteristics for the Common Statistical Tests of Significance," por C. L. Ferris, F. E. Grubbs, y C. L. Weaver, *Annals of Mathematical Statistics*, Junio de 1946.
Los diagramas VI*b, c, d, g, h, i, j, l, n, o, p* y *r* se reproducen con autorización de *Engineering Statistics*, 2a. edición, por A. H. Bowker y G. J. Lieberman, Prentice-Hall, 1972.

**DIAGRAMA VI   Curvas características de operación (*continuación*)**

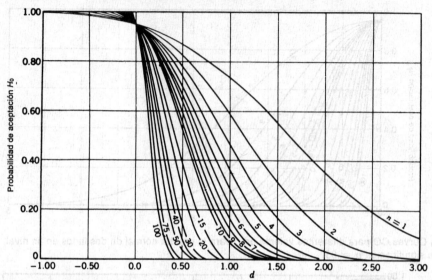

c) Curvas CO para diferentes valores de *n* correspondientes a la prueba normal de un lado en un nivel de significación $\alpha = .05$.

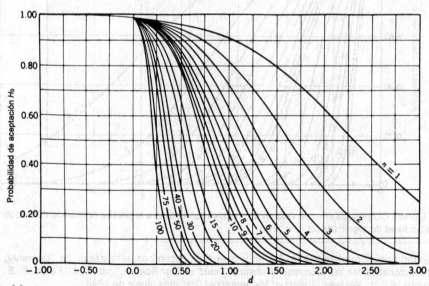

d) Curvas CO para diferentes valores de *n* correspondientes a la prueba normal de un lado en un nivel de significación $\alpha = .01$.

DIAGRAMA VI   Curvas características de operación (*continuación*)

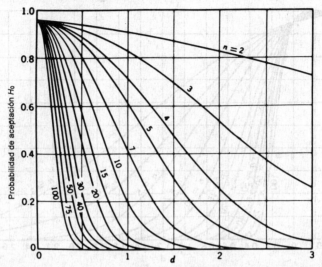

*e*) Curvas CO para diferentes valores de *n* correspondientes a la prueba de *t* de dos lados en un nivel de significación $\alpha = .05$.

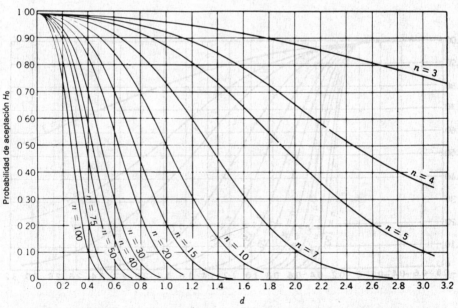

*f*) Curvas CO para diferentes valores de *n* correspondientes a la prueba de *t* de dos lados en un nivel de significación $\alpha = .01$.

DIAGRAMA VI   Curvas características de operación (*continuación*)

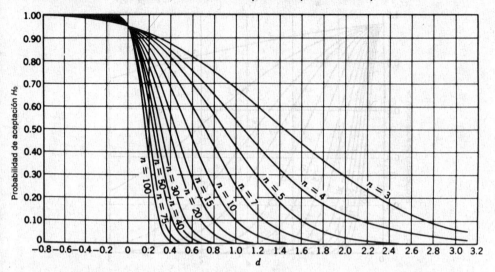

*g)* Curvas CO para diferentes valores de *n* correspondientes a la prueba de *t* unilateral en un nivel de significación $\alpha = .05$.

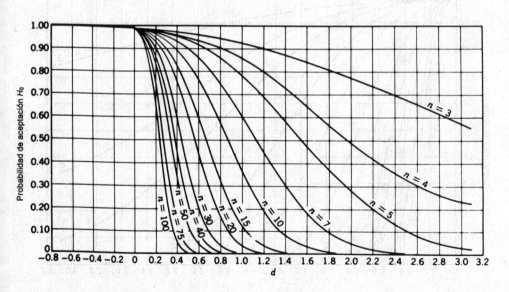

*h)* Curvas CO para diferentes valores de *n* correspondientes a la prueba de *t* de un lado en un nivel de significación $\alpha = .01$.

DIAGRAMA VI   **Curvas características de operación (*continuación*)**

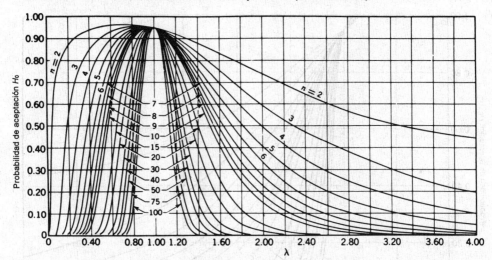

*i*) Curvas CO para diferentes valores de *n* correspondientes a la prueba ji cuadrada de dos lados en un nivel de significación $\alpha = .05$.

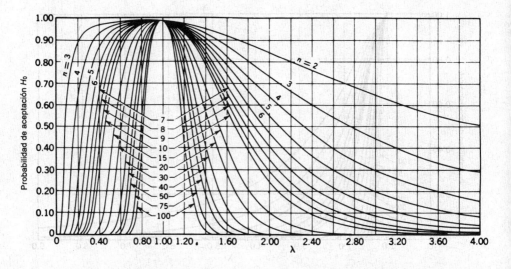

*j*) Curvas CO para diferentes valores de *n* correspondientes a la prueba ji cuadrada de dos lados en un nivel de significación $\alpha = .01$

## DIAGRAMA VI Curvas características de operación (*continuación*)

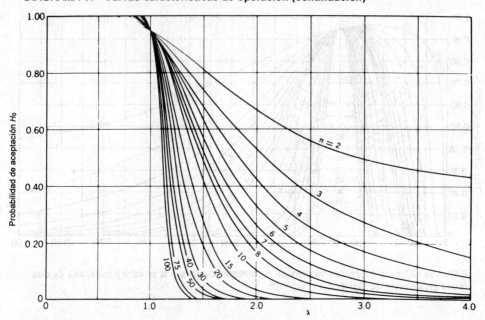

*k*) Curvas CO para diferentes valores de *n* correspondientes a la prueba ji cuadrada de un lado (cola superior) en un nivel de significación $\alpha = .05$.

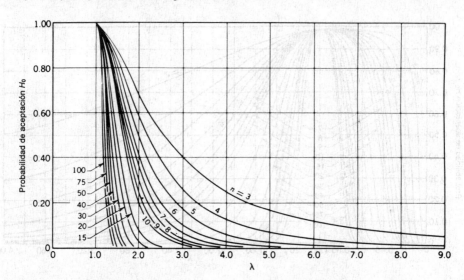

*l*) Curvas CO para diferentes valores de *n* correspondientes a la prueba ji cuadrada de un lado (cola superior) en un nivel de significación $\alpha = .01$

DIAGRAMA VI   Curvas características de operación (*continuación*)

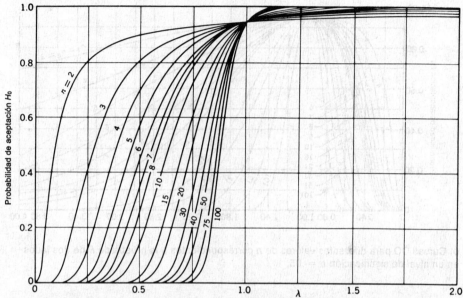

m) Curvas CO para diferentes valores de *n* correspondientes a la prueba ji cuadrada de un lado (cola inferior) en un nivel de significación $\alpha = .05$.

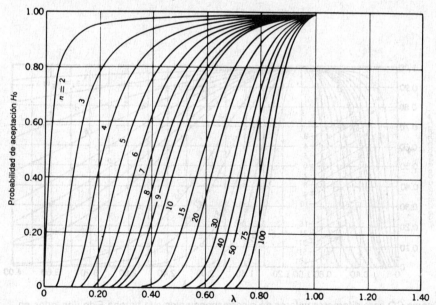

n) Curvas CO para diferentes valores de *n* correspondientes a la prueba ji cuadrada de un lado (cola inferior) en un nivel de significación $\alpha = .01$

DIAGRAMA VI    Curvas características de operación (*continuación*)

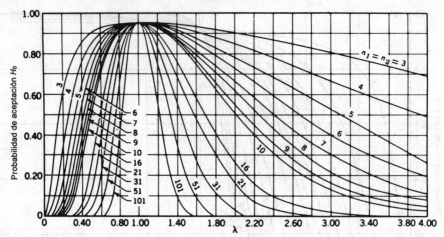

*o*) Curvas CO para diferentes valores de *n* correspondientes a la prueba de *F* de dos lados en un nivel de significación $\alpha = .05$.

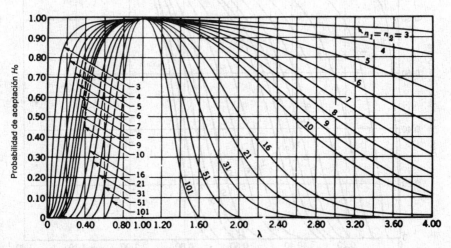

*p*) Curvas CO para diferentes valores de *n* correspondientes a la prueba *F* de dos lados en un nivel de significación $\alpha = .01$

DIAGRAMA VI  **Curvas características de operación (*continuación*)**

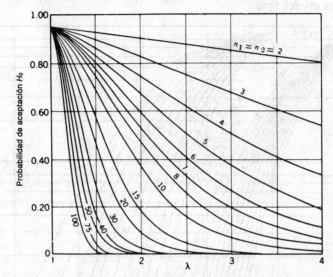

*q*) Curvas CO para diferentes valores de *n* correspondientes a la prueba *F* de un lado en un nivel de significación $\alpha = .05$.

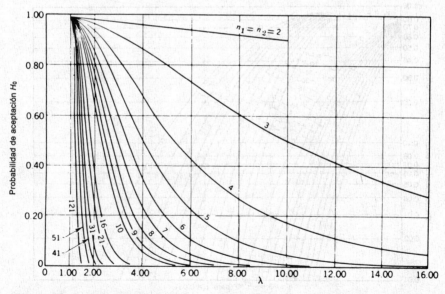

*r*) Curvas CO para diferentes valores de *n* correspondientes a la prueba *F* de un lado en un nivel de significación $\alpha = .01$.

DIAGRAMA VII   Curvas características de operación para el análisis de varianza del modelo de efectos fijos

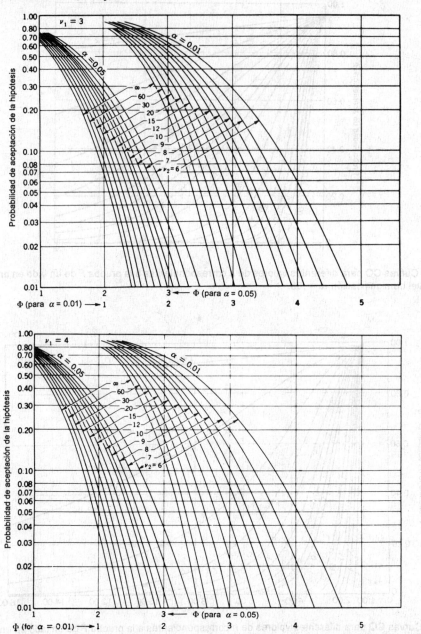

*Fuente*: El diagrama VII se adaptó con autorización de *Biometrika Tables for Statisticians*, Vol. 2, por E. S. Pearson y H. O. Hartley, Cambridge University Press, Cambridge, 1972

DIAGRAMA VII   Curvas características de operación para el análisis de varianza del modelo de efectos fijos (*continuación*)

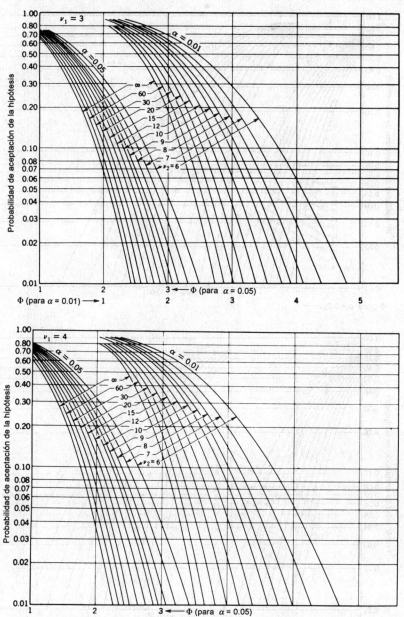

**DIAGRAMA VII   Curvas características de operación para el análisis de varianza del modelo de efectos fijos (*continuación*)**

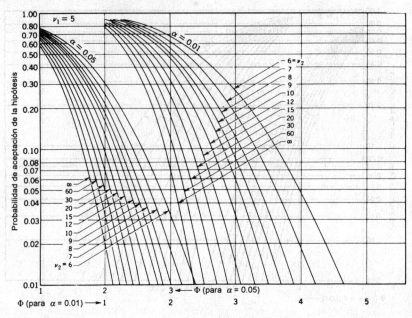

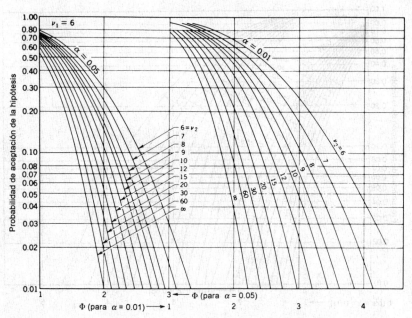

**DIAGRAMA VII   Curvas características de operación para el análisis de varianza del modelo de efectos fijos (*continuación*)**

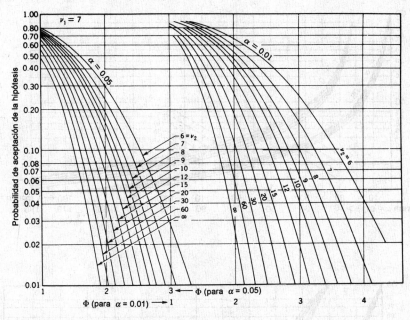

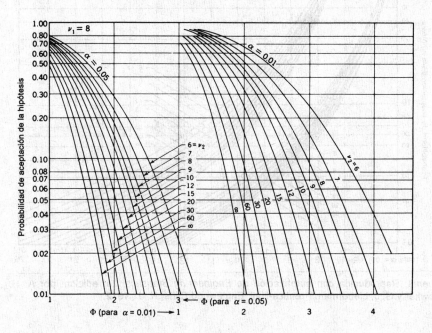

**DIAGRAMA VIII Curvas características de operación para el análisis de varianza del modelo de efectos aleatorios**

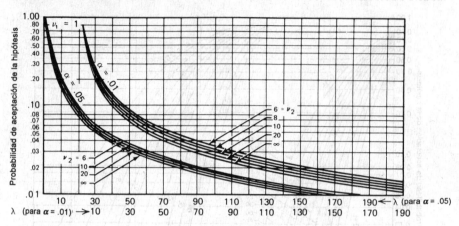

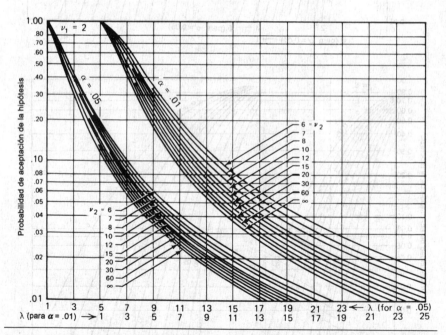

*Fuente*: Reproducida con autorización de *Engineering Statistics,* 2a. edición, por A. H. Bowker y G. J. Lieberman, Prentice-Hall, Englewood Cliffs, N. J., 1972.

DIAGRAMA VIII   Curvas características de operación para el análisis de varianza del modelo de efectos aleatorios (*continuación*)

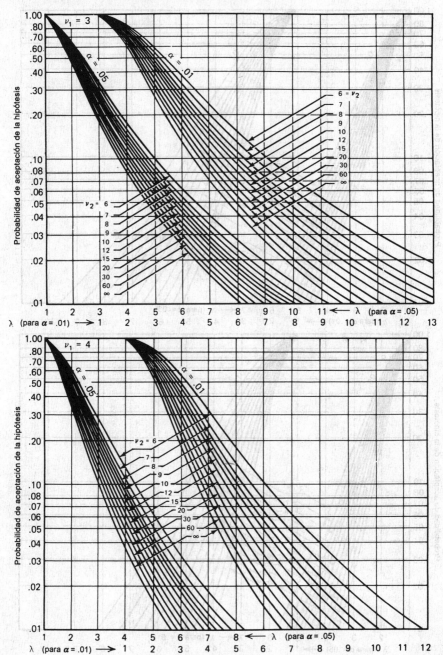

DIAGRAMA VIII   Curvas características de operación para el análisis de varianza del modelo de efectos aleatorios (*continuación*)

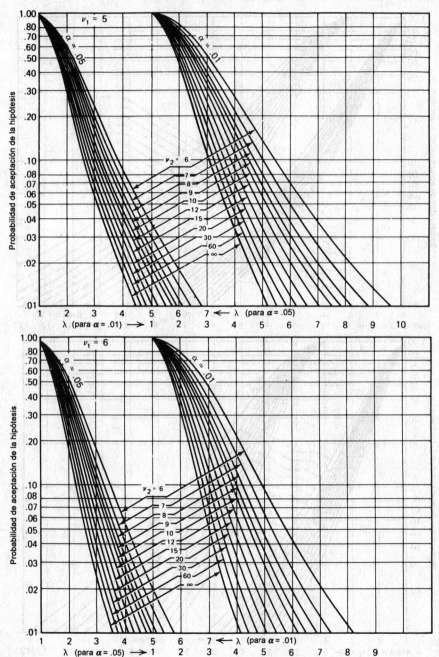

DIAGRAMA VIII   Curvas características de operación para el análisis de varianza del modelo de efectos aleatorios (*continuación*)

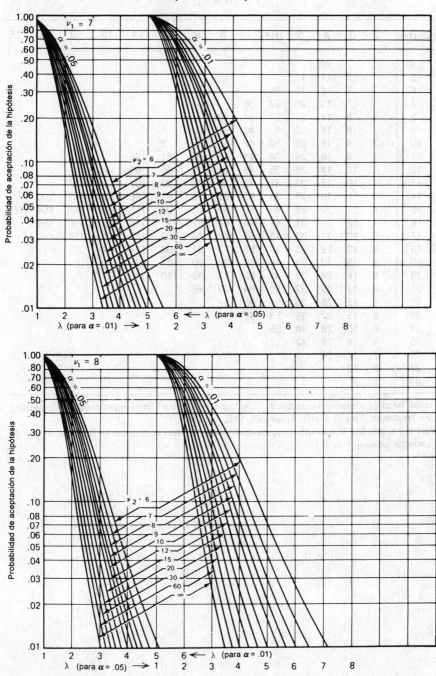

TABLA IX   Valores críticos para la prueba Wilcoxon de dos muestras [a]

$$R^*_{.05}$$

| $n_2 \backslash n_1$ | 2 | 3 | 4 | 5 | 6 | 7 | 8 | 9 | 10 | 11 | 12 | 13 | 14 | 15 |
|---|---|---|---|---|---|---|---|---|---|---|---|---|---|---|
| 4 | | | 10 | | | | | | | | | | | |
| 5 | | 6 | 11 | 17 | | | | | | | | | | |
| 6 | | 7 | 12 | 18 | 26 | | | | | | | | | |
| 7 | | 7 | 13 | 20 | 27 | 36 | | | | | | | | |
| 8 | 3 | 8 | 14 | 21 | 29 | 38 | 49 | | | | | | | |
| 9 | 3 | 8 | 15 | 22 | 31 | 40 | 51 | 63 | | | | | | |
| 10 | 3 | 9 | 15 | 23 | 32 | 42 | 53 | 65 | 78 | | | | | |
| 11 | 4 | 9 | 16 | 24 | 34 | 44 | 55 | 68 | 81 | 96 | | | | |
| 12 | 4 | 10 | 17 | 26 | 35 | 46 | 58 | 71 | 85 | 99 | 115 | | | |
| 13 | 4 | 10 | 18 | 27 | 37 | 48 | 60 | 73 | 88 | 103 | 119 | 137 | | |
| 14 | 4 | 11 | 19 | 28 | 38 | 50 | 63 | 76 | 91 | 106 | 123 | 141 | 160 | |
| 15 | 4 | 11 | 20 | 29 | 40 | 52 | 65 | 79 | 94 | 110 | 127 | 145 | 164 | 185 |
| 16 | 4 | 12 | 21 | 31 | 42 | 54 | 67 | 82 | 97 | 114 | 131 | 150 | 169 | |
| 17 | 5 | 12 | 21 | 32 | 43 | 56 | 70 | 84 | 100 | 117 | 135 | 154 | | |
| 18 | 5 | 13 | 22 | 33 | 45 | 58 | 72 | 87 | 103 | 121 | 139 | | | |
| 19 | 5 | 13 | 23 | 34 | 46 | 60 | 74 | 90 | 107 | 124 | | | | |
| 20 | 5 | 14 | 24 | 35 | 48 | 62 | 77 | 93 | 110 | | | | | |
| 21 | 6 | 14 | 25 | 37 | 50 | 64 | 79 | 95 | | | | | | |
| 22 | 6 | 15 | 26 | 38 | 51 | 66 | 82 | | | | | | | |
| 23 | 6 | 15 | 27 | 39 | 53 | 68 | | | | | | | | |
| 24 | 6 | 16 | 28 | 40 | 55 | | | | | | | | | |
| 25 | 6 | 16 | 28 | 42 | | | | | | | | | | |
| 26 | 7 | 17 | 29 | | | | | | | | | | | |
| 27 | 7 | 17 | | | | | | | | | | | | |
| 28 | 7 | | | | | | | | | | | | | |

*Fuente*: Reproducida con autorización de "The Use of Ranks in a Test of Significance for Comparing Two Treatments," por C. White, *Biometrics*, 1952, Vol. 8, p. 37.

[a]Para $n_1$ y $n_2$ grandes, $R$ se distribuye aproximadamente en forma normal con media $\frac{1}{2}n_1(n_1 + n_2 + 1)$ y varianza $\frac{1}{12}n_1 n_2(n_1 + n_2 + 1)$.

TABLA IX  Valores críticos para la prueba Wilcoxon de dos muestras (*continuación*)

$$R^*_{.01}$$

| $n_2$ \ $n_1$ | 2 | 3 | 4 | 5 | 6 | 7 | 8 | 9 | 10 | 11 | 12 | 13 | 14 | 15 |
|---|---|---|---|---|---|---|---|---|---|---|---|---|---|---|
| 5  |   |    | 15 |    |    |    |    |    |    |    |    |    |    |     |
| 6  |   |    | 10 | 16 | 23 |    |    |    |    |    |    |    |    |     |
| 7  |   |    | 10 | 17 | 24 | 32 |    |    |    |    |    |    |    |     |
| 8  |   |    | 11 | 17 | 25 | 34 | 43 |    |    |    |    |    |    |     |
| 9  |   | 6  | 11 | 18 | 26 | 35 | 45 | 56 |    |    |    |    |    |     |
| 10 |   | 6  | 12 | 19 | 27 | 37 | 47 | 58 | 71 |    |    |    |    |     |
| 11 |   | 6  | 12 | 20 | 28 | 38 | 49 | 61 | 74 | 87 |    |    |    |     |
| 12 |   | 7  | 13 | 21 | 30 | 40 | 51 | 63 | 76 | 90 | 106 |   |    |     |
| 13 |   | 7  | 14 | 22 | 31 | 41 | 53 | 65 | 79 | 93 | 109 | 125 |   |     |
| 14 |   | 7  | 14 | 22 | 32 | 43 | 54 | 67 | 81 | 96 | 112 | 129 | 147 |   |
| 15 |   | 8  | 15 | 23 | 33 | 44 | 56 | 70 | 84 | 99 | 115 | 133 | 151 | 171 |
| 16 |   | 8  | 15 | 24 | 34 | 46 | 58 | 72 | 86 | 102 | 119 | 137 | 155 |  |
| 17 |   | 8  | 16 | 25 | 36 | 47 | 60 | 74 | 89 | 105 | 122 | 140 |   |  |
| 18 |   | 8  | 16 | 26 | 37 | 49 | 62 | 76 | 92 | 108 | 125 |   |    |  |
| 19 | 3 | 9  | 17 | 27 | 38 | 50 | 64 | 78 | 94 | 111 |   |   |    |  |
| 20 | 3 | 9  | 18 | 28 | 39 | 52 | 66 | 81 | 97 |    |    |   |    |  |
| 21 | 3 | 9  | 18 | 29 | 40 | 53 | 68 | 83 |    |    |    |   |    |  |
| 22 | 3 | 10 | 19 | 29 | 42 | 55 | 70 |    |    |    |    |   |    |  |
| 23 | 3 | 10 | 19 | 30 | 43 | 57 |    |    |    |    |    |   |    |  |
| 24 | 3 | 10 | 20 | 31 | 44 |    |    |    |    |    |    |   |    |  |
| 25 | 3 | 11 | 20 | 32 |    |    |    |    |    |    |    |   |    |  |
| 26 | 3 | 11 | 21 |    |    |    |    |    |    |    |    |   |    |  |
| 27 | 4 | 11 |    |    |    |    |    |    |    |    |    |   |    |  |
| 28 | 4 |    |    |    |    |    |    |    |    |    |    |   |    |  |

## TABLA X   Valores críticos para la prueba del signo[a]

$$R_\alpha^*$$

| $n \backslash \alpha$ | .10 | .05 | .01 |
|---|---|---|---|
| 5 | 0 | | |
| 6 | 0 | 0 | |
| 7 | 0 | 0 | |
| 8 | 1 | 0 | 0 |
| 9 | 1 | 1 | 0 |
| 10 | 1 | 1 | 0 |
| 11 | 2 | 1 | 0 |
| 12 | 2 | 2 | 1 |
| 13 | 3 | 2 | 1 |
| 14 | 3 | 2 | 1 |
| 15 | 3 | 3 | 2 |
| 16 | 4 | 3 | 2 |
| 17 | 4 | 4 | 2 |
| 18 | 5 | 4 | 3 |
| 19 | 5 | 4 | 3 |
| 20 | 5 | 5 | 3 |
| 21 | 6 | 5 | 4 |
| 22 | 6 | 5 | 4 |
| 23 | 7 | 6 | 4 |
| 24 | 7 | 6 | 5 |
| 25 | 7 | 7 | 5 |
| 26 | 8 | 7 | 6 |
| 27 | 8 | 7 | 6 |
| 28 | 9 | 8 | 6 |
| 29 | 9 | 8 | 7 |
| 30 | 10 | 9 | 7, |
| 31 | 10 | 9 | 7 |
| 32 | 10 | 9 | 8 |
| 33 | 11 | 10 | 8 |
| 34 | 11 | 10 | 9 |
| 35 | 12 | 11 | 9 |
| 36 | 12 | 11 | 9 |
| 37 | 13 | 12 | 10 |
| 38 | 13 | 12 | 10 |
| 39 | 13 | 12 | 11 |
| 40 | 14 | 13 | 11 |

[a]Para $n > 40$, $R$ se distribuye aproximadamente en forma normal con media $n/2$ y varianza $n/4$.

TABLA XI  Valores críticos para la prueba Wilcoxon del rango con signo[a]

| $n$ \ $\alpha$ | .10 | .05 | .02 | .01 |
|---|---|---|---|---|
| 4 | | | | |
| 5 | 0 | | | |
| 6 | 2 | 0 | | |
| 7 | 3 | 2 | 0 | |
| 8 | 5 | 3 | 1 | 0 |
| 9 | 8 | 5 | 3 | 1 |
| 10 | 10 | 8 | 5 | 3 |
| 11 | 13 | 10 | 7 | 5 |
| 12 | 17 | 13 | 9 | 7 |
| 13 | 21 | 17 | 12 | 9 |
| 14 | 25 | 21 | 15 | 12 |
| 15 | 30 | 25 | 19 | 15 |
| 16 | 35 | 29 | 23 | 19 |
| 17 | 41 | 34 | 27 | 23 |
| 18 | 47 | 40 | 32 | 27 |
| 19 | 53 | 46 | 37 | 32 |
| 20 | 60 | 52 | 43 | 37 |
| 21 | 67 | 58 | 49 | 42 |
| 22 | 75 | 65 | 55 | 48 |
| 23 | 83 | 73 | 62 | 54 |
| 24 | 91 | 81 | 69 | 61 |
| 25 | 100 | 89 | 76 | 68 |
| 26 | 110 | 98 | 84 | 75 |
| 27 | 119 | 107 | 92 | 83 |
| 28 | 130 | 116 | 101 | 91 |
| 29 | 140 | 126 | 110 | 100 |
| 30 | 151 | 137 | 120 | 109 |
| 31 | 163 | 147 | 130 | 118 |
| 32 | 175 | 159 | 140 | 128 |
| 33 | 187 | 170 | 151 | 138 |
| 34 | 200 | 182 | 162 | 148 |
| 35 | 213 | 195 | 173 | 159 |
| 36 | 227 | 208 | 185 | 171 |
| 37 | 241 | 221 | 198 | 182 |
| 38 | 256 | 235 | 211 | 194 |
| 39 | 271 | 249 | 224 | 207 |
| 40 | 286 | 264 | 238 | 220 |
| 41 | 302 | 279 | 252 | 233 |
| 42 | 319 | 294 | 266 | 247 |
| 43 | 336 | 310 | 281 | 261 |
| 44 | 353 | 327 | 296 | 276 |
| 45 | 371 | 343 | 312 | 291 |
| 46 | 389 | 361 | 328 | 307 |
| 47 | 407 | 378 | 345 | 322 |
| 48 | 426 | 396 | 362 | 339 |
| 49 | 446 | 415 | 379 | 355 |
| 50 | 466 | 434 | 397 | 373 |

*Fuente*: Adaptada con autorización de "Extended Tables of the Wilcoxon Matched Pair Signed Rank Statistic", por Robert L. McCornack, *Journal of the American Statistical Association*, Vol. 60, septiembre, 1965.
[a]Si $n > 50$, $R$ se distribuye aproximadamente en forma normal con media $n(n + 1)/4$ y varianza $n(n + 1)(2n + 1)/24$.

TABLA XII  Escala de significación para la prueba de rango múltiple de Duncan

$r_{01}(p, f)$

| $f^a$ | | | | | | $p$ | | | | | | |
|---|---|---|---|---|---|---|---|---|---|---|---|---|
| | 2 | 3 | 4 | 5 | 6 | 7 | 8 | 9 | 10 | 20 | 50 | 100 |
| 1 | 90.0 | 90.0 | 90.0 | 90.0 | 90.0 | 90.0 | 90.0 | 90.0 | 90.0 | 90.0 | 90.0 | 90.0 |
| 2 | 14.0 | 14.0 | 14.0 | 14.0 | 14.0 | 14.0 | 14.0 | 14.0 | 14.0 | 14.0 | 14.0 | 14.0 |
| 3 | 8.26 | 8.5 | 8.6 | 8.7 | 8.8 | 8.9 | 8.9 | 9.0 | 9.0 | 9.3 | 9.3 | 9.3 |
| 4 | 6.51 | 6.8 | 6.9 | 7.0 | 7.1 | 7.1 | 7.2 | 7.2 | 7.3 | 7.5 | 7.5 | 7.5 |
| 5 | 5.70 | 5.96 | 6.11 | 6.18 | 6.26 | 6.33 | 6.40 | 6.44 | 6.5 | 6.8 | 6.8 | 6.8 |
| 6 | 5.24 | 5.51 | 5.65 | 5.73 | 5.81 | 5.88 | 5.95 | 6.00 | 6.0 | 6.3 | 6.3 | 6.3 |
| 7 | 4.95 | 5.22 | 5.37 | 5.45 | 5.53 | 5.61 | 5.69 | 5.73 | 5.8 | 6.0 | 6.0 | 6.0 |
| 8 | 4.74 | 5.00 | 5.14 | 5.23 | 5.32 | 5.40 | 5.47 | 5.51 | 5.5 | 5.8 | 5.8 | 5.8 |
| 9 | 4.60 | 4.86 | 4.99 | 5.08 | 5.17 | 5.25 | 5.32 | 5.36 | 5.4 | 5.7 | 5.7 | 5.7 |
| 10 | 4.48 | 4.73 | 4.88 | 4.96 | 5.06 | 5.13 | 5.20 | 5.24 | 5.28 | 5.55 | 5.55 | 5.55 |
| 11 | 4.39 | 4.63 | 4.77 | 4.86 | 4.94 | 5.01 | 5.06 | 5.12 | 5.15 | 5.39 | 5.39 | 5.39 |
| 12 | 4.32 | 4.55 | 4.68 | 4.76 | 4.84 | 4.92 | 4.96 | 5.02 | 5.07 | 5.26 | 5.26 | 5.26 |
| 13 | 4.26 | 4.48 | 4.62 | 4.69 | 4.74 | 4.84 | 4.88 | 4.94 | 4.98 | 5.15 | 5.15 | 5.15 |
| 14 | 4.21 | 4.42 | 4.55 | 4.63 | 4.70 | 4.78 | 4.83 | 4.87 | 4.91 | 5.07 | 5.07 | 5.07 |
| 15 | 4.17 | 4.37 | 4.50 | 4.58 | 4.64 | 4.72 | 4.77 | 4.81 | 4.84 | 5.00 | 5.00 | 5.00 |
| 16 | 4.13 | 4.34 | 4.45 | 4.54 | 4.60 | 4.67 | 4.72 | 4.76 | 4.79 | 4.94 | 4.94 | 4.94 |
| 17 | 4.10 | 4.30 | 4.41 | 4.50 | 4.56 | 4.63 | 4.68 | 4.73 | 4.75 | 4.89 | 4.89 | 4.89 |
| 18 | 4.07 | 4.27 | 4.38 | 4.46 | 4.53 | 4.59 | 4.64 | 4.68 | 4.71 | 4.85 | 4.85 | 4.85 |
| 19 | 4.05 | 4.24 | 4.35 | 4.43 | 4.50 | 4.56 | 4.61 | 4.64 | 4.67 | 4.82 | 4.82 | 4.82 |
| 20 | 4.02 | 4.22 | 4.33 | 4.40 | 4.47 | 4.53 | 4.58 | 4.61 | 4.65 | 4.79 | 4.79 | 4.79 |
| 30 | 3.89 | 4.06 | 4.16 | 4.22 | 4.32 | 4.36 | 4.41 | 4.45 | 4.48 | 4.65 | 4.71 | 4.71 |
| 40 | 3.82 | 3.99 | 4.10 | 4.17 | 4.24 | 4.30 | 4.34 | 4.37 | 4.41 | 4.59 | 4.69 | 4.69 |
| 60 | 3.76 | 3.92 | 4.03 | 4.12 | 4.17 | 4.23 | 4.27 | 4.31 | 4.34 | 4.53 | 4.66 | 4.66 |
| 100 | 3.71 | 3.86 | 3.98 | 4.06 | 4.11 | 4.17 | 4.21 | 4.25 | 4.29 | 4.48 | 4.64 | 4.65 |
| $\infty$ | 3.64 | 3.80 | 3.90 | 3.98 | 4.04 | 4.09 | 4.14 | 4.17 | 4.20 | 4.41 | 4.60 | 4.68 |

*Fuente*: Reproducida con autorización de "Multiple Range and Multiple F tests," por D. B. Duncan, *Biometrics*, Vol. 11, Núm. 1, págs. 1-42, 1955.

$a_f$ = grados de libertad.

TABLA XII  Escala de significación para la prueba de rango múltiple de Duncan (*continuación*)

$r_{.05}(p, f)$

| $f^a$ | 2 | 3 | 4 | 5 | 6 | 7 | 8 | 9 | 10 | 20 | 50 | 100 |
|---|---|---|---|---|---|---|---|---|---|---|---|---|
| 1 | 18.0 | 18.0 | 18.0 | 18.0 | 18.0 | 18.0 | 18.0 | 18.0 | 18.0 | 18.0 | 18.0 | 18.0 |
| 2 | 6.09 | 6.09 | 6.09 | 6.09 | 6.09 | 6.09 | 6.09 | 6.09 | 6.09 | 6.09 | 6.09 | 6.09 |
| 3 | 4.50 | 4.50 | 4.50 | 4.50 | 4.50 | 4.50 | 4.50 | 4.50 | 4.50 | 4.50 | 4.50 | 4.50 |
| 4 | 3.93 | 4.01 | 4.02 | 4.02 | 4.02 | 4.02 | 4.02 | 4.02 | 4.02 | 4.02 | 4.02 | 4.02 |
| 5 | 3.64 | 3.74 | 3.79 | 3.83 | 3.83 | 3.83 | 3.83 | 3.83 | 3.83 | 3.83 | 3.83 | 3.83 |
| 6 | 3.46 | 3.58 | 3.64 | 3.68 | 3.68 | 3.68 | 3.68 | 3.68 | 3.68 | 3.68 | 3.68 | 3.68 |
| 7 | 3.35 | 3.47 | 3.54 | 3.58 | 3.60 | 3.61 | 3.61 | 3.61 | 3.61 | 3.61 | 3.61 | 3.61 |
| 8 | 3.26 | 3.39 | 3.47 | 3.52 | 3.55 | 3.56 | 3.56 | 3.56 | 3.56 | 3.56 | 3.56 | 3.56 |
| 9 | 3.20 | 3.34 | 3.41 | 3.47 | 3.50 | 3.52 | 3.52 | 3.52 | 3.52 | 3.52 | 3.52 | 3.52 |
| 10 | 3.15 | 3.30 | 3.37 | 3.43 | 3.46 | 3.47 | 3.47 | 3.47 | 3.47 | 3.48 | 3.48 | 3.48 |
| 11 | 3.11 | 3.27 | 3.35 | 3.39 | 3.43 | 3.44 | 3.45 | 3.46 | 3.46 | 3.48 | 3.48 | 3.48 |
| 12 | 3.08 | 3.23 | 3.33 | 3.36 | 3.40 | 3.42 | 3.44 | 3.44 | 3.46 | 3.48 | 3.48 | 3.48 |
| 13 | 3.06 | 3.21 | 3.30 | 3.35 | 3.38 | 3.41 | 3.42 | 3.44 | 3.45 | 3.47 | 3.47 | 3.47 |
| 14 | 3.03 | 3.18 | 3.27 | 3.33 | 3.37 | 3.39 | 3.41 | 3.42 | 3.44 | 3.47 | 3.47 | 3.47 |
| 15 | 3.01 | 3.16 | 3.25 | 3.31 | 3.36 | 3.38 | 3.40 | 3.42 | 3.43 | 3.47 | 3.47 | 3.47 |
| 16 | 3.00 | 3.15 | 3.23 | 3.30 | 3.34 | 3.37 | 3.39 | 3.41 | 3.43 | 3.47 | 3.47 | 3.47 |
| 17 | 2.98 | 3.13 | 3.22 | 3.28 | 3.33 | 3.36 | 3.38 | 3.40 | 3.42 | 3.47 | 3.47 | 3.47 |
| 18 | 2.97 | 3.12 | 3.21 | 3.27 | 3.32 | 3.35 | 3.37 | 3.39 | 3.41 | 3.47 | 3.47 | 3.47 |
| 19 | 2.96 | 3.11 | 3.19 | 3.26 | 3.31 | 3.35 | 3.37 | 3.39 | 3.41 | 3.47 | 3.47 | 3.47 |
| 20 | 2.95 | 3.10 | 3.18 | 3.25 | 3.30 | 3.34 | 3.36 | 3.38 | 3.40 | 3.47 | 3.47 | 3.47 |
| 30 | 2.89 | 3.04 | 3.12 | 3.20 | 3.25 | 3.29 | 3.32 | 3.35 | 3.37 | 3.47 | 3.47 | 3.47 |
| 40 | 2.86 | 3.01 | 3.10 | 3.17 | 3.22 | 3.27 | 3.30 | 3.33 | 3.35 | 3.47 | 3.47 | 3.47 |
| 60 | 2.83 | 2.98 | 3.08 | 3.14 | 3.20 | 3.24 | 3.28 | 3.31 | 3.33 | 3.47 | 3.48 | 3.48 |
| 100 | 2.80 | 2.95 | 3.05 | 3.12 | 3.18 | 3.22 | 3.26 | 3.29 | 3.32 | 3.47 | 3.53 | 3.53 |
| ∞ | 2.77 | 2.92 | 3.02 | 3.09 | 3.15 | 3.19 | 3.23 | 3.26 | 3.29 | 3.47 | 3.61 | 3.67 |

$^a f$ = grados de libertad.

TABLA XIII   **Factores para los diagramas de control de calidad**

|  | Diagrama $\overline{X}$ | | Diagrama $R$ | | | |
| --- | --- | --- | --- | --- | --- | --- |
|  | Factores para los límites de control | | Factores para la línea central | Factores para los límites de control | | |
| $n^a$ | $A_1$ | $A_2$ | $d_2$ | $D_3$ | $D_4$ | $n$ |
| 2 | 3.760 | 1.880 | 1.128 | 0 | 3.267 | 2 |
| 3 | 2.394 | 1.023 | 1.693 | 0 | 2.575 | 3 |
| 4 | 1.880 | .729 | 2.059 | 0 | 2.282 | 4 |
| 5 | 1.596 | .577 | 2.326 | 0 | 2.115 | 5 |
| 6 | 1.410 | .483 | 2.534 | 0 | 2.004 | 6 |
| 7 | 1.277 | .419 | 2.704 | .076 | 1.924 | 7 |
| 8 | 1.175 | .373 | 2.847 | .136 | 1.864 | 8 |
| 9 | 1.094 | .337 | 2.970 | .184 | 1.816 | 9 |
| 10 | 1.028 | .308 | 3.078 | .223 | 1.777 | 10 |
| 11 | .973 | .285 | 3.173 | .256 | 1.744 | 11 |
| 12 | .925 | .266 | 3.258 | .284 | 1.716 | 12 |
| 13 | .884 | .249 | 3.336 | .308 | 1.692 | 13 |
| 14 | .848 | .235 | 3.407 | .329 | 1.671 | 14 |
| 15 | .816 | .223 | 3.472 | .348 | 1.652 | 15 |
| 16 | .788 | .212 | 3.532 | .364 | 1.636 | 16 |
| 17 | .762 | .203 | 3.588 | .379 | 1.621 | 17 |
| 18 | .738 | .194 | 3.640 | .392 | 1.608 | 18 |
| 19 | .717 | .187 | 3.689 | .404 | 1.596 | 19 |
| 20 | .697 | .180 | 3.735 | .414 | 1.586 | 20 |
| 21 | .679 | .173 | 3.778 | .425 | 1.575 | 21 |
| 22 | .662 | .167 | 3.819 | .434 | 1.566 | 22 |
| 23 | .647 | .162 | 3.858 | .443 | 1.557 | 23 |
| 24 | .632 | .157 | 3.895 | .452 | 1.548 | 24 |
| 25 | .619 | .153 | 3.931 | .459 | 1.541 | 25 |

[a]$n > 25$: $A_1 = 3/\sqrt{n}$., $n$ = número de observaciones en la muestra.

TABLA XIV Factores para límites de tolerancia bilaterales

| n | 90% de confianza de que el porcentaje de población entre los límites sea | | | 95% de confianza de que el porcentaje de población entre los límites sea | | | 99% de confianza de que el porcentaje de población entre los límites sea | | |
|---|---|---|---|---|---|---|---|---|---|
| | 90% | 95% | 99% | 90% | 95% | 99% | 90% | 95% | 99% |
| 2 | 15.98 | 18.80 | 24.17 | 32.02 | 37.67 | 48.43 | 160.2 | 188.5 | 242.3 |
| 3 | 5.847 | 6.919 | 8.974 | 8.380 | 9.916 | 12.86 | 18.93 | 22.40 | 29.06 |
| 4 | 4.166 | 4.943 | 6.440 | 5.369 | 6.370 | 8.299 | 9.398 | 11.15 | 14.53 |
| 5 | 3.494 | 4.152 | 5.423 | 4.275 | 5.079 | 6.634 | 6.612 | 7.855 | 10.26 |
| 6 | 3.131 | 3.723 | 4.870 | 3.712 | 4.414 | 5.775 | 5.337 | 6.345 | 8.301 |
| 7 | 2.902 | 3.452 | 4.521 | 3.369 | 4.007 | 5.248 | 4.613 | 5.488 | 7.187 |
| 8 | 2.743 | 3.264 | 4.278 | 3.136 | 3.732 | 4.891 | 4.147 | 4.936 | 6.468 |
| 9 | 2.626 | 3.125 | 4.098 | 2.967 | 3.532 | 4.631 | 3.822 | 4.550 | 5.966 |
| 10 | 2.535 | 3.018 | 3.959 | 2.839 | 3.379 | 4.433 | 3.582 | 4.265 | 5.594 |
| 11 | 2.463 | 2.933 | 3.849 | 2.737 | 3.259 | 4.277 | 3.397 | 4.045 | 5.308 |
| 12 | 2.404 | 2.863 | 3.758 | 2.655 | 3.162 | 4.150 | 3.250 | 3.870 | 5.079 |
| 13 | 2.355 | 2.805 | 3.682 | 2.587 | 3.081 | 4.044 | 3.130 | 3.727 | 4.893 |
| 14 | 2.314 | 2.756 | 3.618 | 2.529 | 3.012 | 3.955 | 3.029 | 3.608 | 4.737 |
| 15 | 2.278 | 2.713 | 3.562 | 2.480 | 2.954 | 3.878 | 2.945 | 3.507 | 4.605 |
| 16 | 2.246 | 2.676 | 3.514 | 2.437 | 2.903 | 3.812 | 2.872 | 3.421 | 4.492 |
| 17 | 2.219 | 2.643 | 3.471 | 2.400 | 2.858 | 3.754 | 2.808 | 3.345 | 4.393 |

TABLA XIV  Factores para límites de tolerancia bilaterales (*continuación*)

| n | 90% de confianza de que el porcentaje de población entre los límites sea | | | 95% de confianza de que el porcentaje de población entre los límites sea | | | 99% de confianza de que el porcentaje de población entre los límites sea | | |
|---|---|---|---|---|---|---|---|---|---|
| | 90% | 95% | 99% | 90% | 95% | 99% | 90% | 95% | 99% |
| 18 | 2.194 | 2.614 | 3.433 | 2.366 | 2.819 | 3.702 | 2.753 | 3.279 | 4.307 |
| 19 | 2.172 | 2.588 | 3.399 | 2.337 | 2.784 | 3.656 | 2.703 | 3.221 | 4.230 |
| 20 | 2.152 | 2.564 | 3.368 | 2.310 | 2.752 | 3.615 | 2.659 | 3.168 | 4.161 |
| 21 | 2.135 | 2.543 | 3.340 | 2.286 | 2.723 | 3.577 | 2.620 | 3.121 | 4.100 |
| 22 | 2.118 | 2.524 | 3.315 | 2.264 | 2.697 | 3.543 | 2.584 | 3.078 | 4.044 |
| 23 | 2.103 | 2.506 | 3.292 | 2.244 | 2.673 | 3.512 | 2.551 | 3.040 | 3.993 |
| 24 | 2.089 | 2.489 | 3.270 | 2.225 | 2.651 | 3.483 | 2.522 | 3.004 | 3.947 |
| 25 | 2.077 | 2.474 | 3.251 | 2.208 | 2.631 | 3.457 | 2.494 | 2.972 | 3.904 |
| 26 | 2.065 | 2.460 | 3.232 | 2.193 | 2.612 | 3.432 | 2.469 | 2.941 | 3.865 |
| 27 | 2.054 | 2.447 | 3.215 | 2.178 | 2.595 | 3.409 | 2.446 | 2.914 | 3.828 |
| 28 | 2.044 | 2.435 | 3.199 | 2.164 | 2.579 | 3.388 | 2.424 | 2.888 | 3.794 |
| 29 | 2.034 | 2.424 | 3.184 | 2.152 | 2.554 | 3.368 | 2.404 | 2.864 | 3.763 |
| 30 | 2.025 | 2.413 | 3.170 | 2.140 | 2.549 | 3.350 | 2.385 | 2.841 | 3.733 |
| 35 | 1.988 | 2.368 | 3.112 | 2.090 | 2.490 | 3.272 | 2.306 | 2.748 | 3.611 |
| 40 | 1.959 | 2.334 | 3.066 | 2.052 | 2.445 | 3.213 | 2.247 | 2.677 | 3.518 |
| 50 | 1.916 | 2.284 | 3.001 | 1.996 | 2.379 | 3.126 | 2.162 | 2.576 | 3.385 |
| 60 | 1.887 | 2.248 | 2.955 | 1.958 | 2.333 | 3.066 | 2.103 | 2.506 | 3.293 |
| 80 | 1.848 | 2.202 | 2.894 | 1.907 | 2.272 | 2.986 | 2.026 | 2.414 | 3.173 |
| 100 | 1.822 | 2.172 | 2.854 | 1.874 | 2.233 | 2.934 | 1.977 | 2.355 | 3.096 |
| 200 | 1.764 | 2.102 | 2.762 | 1.798 | 2.143 | 2.816 | 1.865 | 2.222 | 2.921 |
| 500 | 1.717 | 2.046 | 2.689 | 1.737 | 2.070 | 2.721 | 1.777 | 2.117 | 2.783 |
| 1000 | 1.695 | 2.019 | 2.654 | 1.709 | 2.036 | 2.676 | 1.736 | 2.068 | 2.718 |
| ∞ | 1.645 | 1.960 | 2.576 | 1.645 | 1.960 | 2.576 | 1.645 | 1.960 | 2.576 |

## TABLA XV  Números aleatorios

| | | | | | | | | |
|---|---|---|---|---|---|---|---|---|
| 10480 | 15011 | 01536 | 02011 | 81647 | 91646 | 69179 | 14194 | 62590 |
| 22368 | 46573 | 25595 | 85393 | 30995 | 89198 | 27982 | 53402 | 93965 |
| 24130 | 48360 | 22527 | 97265 | 76393 | 64809 | 15179 | 24830 | 49340 |
| 42167 | 93093 | 06243 | 61680 | 07856 | 16376 | 39440 | 53537 | 71341 |
| 37570 | 39975 | 81837 | 16656 | 06121 | 91782 | 60468 | 81305 | 49684 |
| 77921 | 06907 | 11008 | 42751 | 27756 | 53498 | 18602 | 70659 | 90655 |
| 99562 | 72905 | 56420 | 69994 | 98872 | 31016 | 71194 | 18738 | 44013 |
| 96301 | 91977 | 05463 | 07972 | 18876 | 20922 | 94595 | 56869 | 69014 |
| 89579 | 14342 | 63661 | 10281 | 17453 | 18103 | 57740 | 84378 | 25331 |
| 85475 | 36857 | 53342 | 53988 | 53060 | 59533 | 38867 | 62300 | 08158 |
| 28918 | 69578 | 88231 | 33276 | 70997 | 79936 | 56865 | 05859 | 90106 |
| 63553 | 40961 | 48235 | 03427 | 49626 | 69445 | 18663 | 72695 | 52180 |
| 09429 | 93969 | 52636 | 92737 | 88974 | 33488 | 36320 | 17617 | 30015 |
| 10365 | 61129 | 87529 | 85689 | 48237 | 52267 | 67689 | 93394 | 01511 |
| 07119 | 97336 | 71048 | 08178 | 77233 | 13916 | 47564 | 81056 | 97735 |
| 51085 | 12765 | 51821 | 51259 | 77452 | 16308 | 60756 | 92144 | 49442 |
| 02368 | 21382 | 52404 | 60268 | 89368 | 19885 | 55322 | 44819 | 01188 |
| 01011 | 54092 | 33362 | 94904 | 31273 | 04146 | 18594 | 29852 | 71585 |
| 52162 | 53916 | 46369 | 58586 | 23216 | 14513 | 83149 | 98736 | 23495 |
| 07056 | 97628 | 33787 | 09998 | 42698 | 06691 | 76988 | 13602 | 51851 |
| 48663 | 91245 | 85828 | 14346 | 09172 | 30168 | 90229 | 04734 | 59193 |
| 54164 | 58492 | 22421 | 74103 | 47070 | 25306 | 76468 | 26384 | 58151 |
| 32639 | 32363 | 05597 | 24200 | 13363 | 38005 | 94342 | 28728 | 35806 |
| 29334 | 27001 | 87637 | 87308 | 58731 | 00256 | 45834 | 15398 | 46557 |
| 02488 | 33062 | 28834 | 07351 | 19731 | 92420 | 60952 | 61280 | 50001 |
| 81525 | 72295 | 04839 | 96423 | 24878 | 82651 | 66566 | 14778 | 76797 |
| 29676 | 20591 | 68086 | 26432 | 46901 | 20849 | 89768 | 81536 | 86645 |
| 00742 | 57392 | 39064 | 66432 | 84673 | 40027 | 32832 | 61362 | 98947 |
| 05366 | 04213 | 25669 | 26422 | 44407 | 44048 | 37937 | 63904 | 45766 |
| 91921 | 26418 | 64117 | 94305 | 26766 | 25940 | 39972 | 22209 | 71500 |
| 00582 | 04711 | 87917 | 77341 | 42206 | 35126 | 74087 | 99547 | 81817 |
| 00725 | 69884 | 62797 | 56170 | 86324 | 88072 | 76222 | 36086 | 84637 |
| 69011 | 65795 | 95876 | 55293 | 18988 | 27354 | 26575 | 08625 | 40801 |
| 25976 | 57948 | 29888 | 88604 | 67917 | 48708 | 18912 | 82271 | 65424 |
| 09763 | 83473 | 73577 | 12908 | 30883 | 18317 | 28290 | 35797 | 05998 |
| 91567 | 42595 | 27958 | 30134 | 04024 | 86385 | 29880 | 99730 | 55536 |
| 17955 | 56349 | 90999 | 49127 | 20044 | 59931 | 06115 | 20542 | 18059 |
| 46503 | 18584 | 18845 | 49618 | 02304 | 51038 | 20655 | 58727 | 28168 |
| 92157 | 89634 | 94824 | 78171 | 84610 | 82834 | 09922 | 25417 | 44137 |
| 14577 | 62765 | 35605 | 81263 | 39667 | 47358 | 56873 | 56307 | 61607 |
| 98427 | 07523 | 33362 | 64270 | 01638 | 92477 | 66969 | 98420 | 04880 |
| 34914 | 63976 | 88720 | 82765 | 34476 | 17032 | 87589 | 40836 | 32427 |
| 70060 | 28277 | 39475 | 46473 | 23219 | 53416 | 94970 | 25832 | 69975 |
| 53976 | 54914 | 06990 | 67245 | 68350 | 82948 | 11398 | 42878 | 80287 |
| 76072 | 29515 | 40980 | 07391 | 58745 | 25774 | 22987 | 80059 | 39911 |
| 90725 | 52210 | 83974 | 29992 | 65831 | 38857 | 50490 | 83765 | 55657 |
| 64364 | 67412 | 33339 | 31926 | 14883 | 24413 | 59744 | 92351 | 97473 |
| 08962 | 00358 | 31662 | 25388 | 61642 | 34072 | 81249 | 35648 | 56891 |
| 95012 | 68379 | 93526 | 70765 | 10592 | 04542 | 76463 | 54328 | 02349 |
| 15664 | 10493 | 20492 | 38391 | 91132 | 21999 | 59516 | 81652 | 27195 |

# Referencias bibliográficas

Anderson, V. L., and R. A. McLean (1974), *Design of Expenments: A Realistic Approach,* Marcel Dekker, New York.

Berrettoni, J. M. (1964), "Practical Applications of the Weibull Distribution," *Industrial Quality Control,* Vol. 21, No. 2, pp. 71-79.

Bartlett, M. S. (1947), "The Use of Transformations," *Biometrics,* Vol. 3, pp. 39-52.

Belsley, D. A., E. Kuh, and R. E. Welsch (1980), *Regression D¿agnostics,* John Wiley & Sons, New York.

Box, G. E. P., and D. R. Cox (1964), "An Analysis of Transformations," *Journal of the Royal Statistical Society,* B, Vol. 26, pp. 211-252.

Cheng, R. C., "The Generations of Gamma Variables with Nonintegral Shape Parameters," *Applied Statistics,* Vol. 26, No. 1 (1977), pp. 71-75.

Cochran, W. G. (1947), "Some Consequences When the Assumptions for the Analysis of Variance Are Not Satisfied," *Biometncs,* Vol. 3, pp. 22-38.

Cochran, W. G., and G. M. Cox (1957), *Experimental Designs,* John Wiley & Sons, New York.

*Cumulative Binomial Probability Distribution* (1955), Harvard University Press, Cambridge, Mass.

Cook, R. D. (1977), "Detection of Influential Observations in Linear Regression," *Technometrics,* Vol. 19, pp. 15-18.

Cook, R. D. (1974), "Influential Observations in Linear Regression," *Journal of the American Statistical Association,* Vol. 74, pp. 169-174.

Daniel, C., and F. S. Wood (1980), *Fitting Equations to Data,* 2nd edition, John Wiley & Sons, New York.

Davenport, W. B., and W. L. Root (1958), *An Introduction to the Theory of Random Signals and Noise,* McGraw-Hill, New York.

Draper, N. R., and W. G. Hunter (1969), "Transformations: Some Examples Revisited," *Technometrics,* Vol. 11, pp. 23-40.

Draper, N. R., and H. Smith (1981), *Applied Regression Analysis,* 2nd edition, John Wiley & Sons, New York.

Duncan, A. J. (1986), *Quality Control and Industrial Statistics,* 5th edition, Richard D. Irwin, Homewood, III.

Duncan, D. B. (1955), "Multiple Range and Multiple *F* Tests," *Biometrics, Vol.* 11, pp. 1-42. Epstein, B. (1960), "Estimation from Life Test Data," *IRE Transactions on Reliability,* Vol. RQC-9.

Feller, W. (1968), *An Introduction to Probability Theory and Its Applications,* 3rd edition, John Wiley & Sons, New York.

Furnival, G. M., and R. W. Wilson, Jr. (1974), "Regression by Leaps and Bounds," *Technometrics,* Vol. 16, pp. 499-512.

Hald, A. (1952), *Statistical Theory with Engineering Applications,* John Wiley & Sons, New York.

Hocking, R. R. (1976), "The Analysis and Selection of Variables in Linear Regression," *Biometrics,* Vol. 32, pp. 1-49.

Hocking, R. R., F. M. Speed, and M. J. Lynn (1976). "A Class of Biased Estimators in Linear Regression," *Technometrics,* Vol. 18, pp. 425-437.

Hoerl, A. E., and R. W. Kennard (1970*a*), "Ridge Regression: Biased Estimation for Non-Orthogonal Problems," *Technometrics,* Vol. 12, pp. 55-67.

Hoerl, A. E., and R. W. Kennard (1970*b*), "Ridge Regression: Application to Non-Orthogonal Problems," *Technometrics,* Vol. 12, pp. 69-82.

Kendall, M. G., and A. Stuart (1963). *The Advanced Theory of Statistics,* Hafner Publishing Company, New York.

Keuls, M. (1952), "The Use of the Studentized Range in Connection with an Analysis of Variance," *Euphytica,* Vol. 1, p. 112.

Lloyd, D. K., and M. Lipow (1972), *Reliability: Management, Methods, and Mathematics,* Prentice-Hall, Englewood Cliffs, N.J.

Marquardt, D. W., and R. D. Snee (1975), "Ridge Regression in Practice," *The American Statistician,* Vol. 29, pp. 3-20.

Molina, E. C. (1942), *Poisson's Exponential Binomial Limit,* Van Nostrand Reinhold, New York.

Montgomery, D. C. (1984), *Design and Analysis of Experiments,* 2nd edition, John Wiley & Sons, New York.

Montgomery, D. C. (1985), *Introduction to Statistical Quality Control,* John Wiley & Sons, New York.

Montgomery, D. C. and E. H. Peck (1982), *Introduction to Linear Regression Analysis,* John Wiley & Sons, New York.

Mood, A. M., F. A. Graybill, and D. C. Boes (1974), *Introduction to the Theory of Statistics* 3rd edition, McGraw-Hill, New York.

Neter, J., and W. Wasserman (1974), *Applied Linear Statistical Models,* Richard D. Irwin, Homewood, Ill.

Newman, D. (1939), "The Distribution of the Range in Samples from a Normal Population Expressed in Terms of an Independent Estimate of Standard Deviation," *Biometrika,* Vol. 31, p. 20.

Owen, D. B. (1962), *Handbook of Statistical Tables,* Addison-Wesley Publishing Company, Reading, Mass.

Romig, H. G. (1953), *50-100 Binomial Tables,* John Wiley & Sons, New York.

Scheffe, H. (1953), "A Method for Judging All Contrasts in the Analysis of Variance," *Biometrika*, Vol. 40, pp. 87-104.

Snee, R. D. (1977), "Validation of Regression Models: Methods and Examples," *Technometrics*, Vol. 19, No. 4, pp. 415-428.

Tucker, H. G. (1962), *An Introduction to Probability and Mathematical Statistics*, Academic Press, New York.

Tukey, J. W. (1953), "The Problem of Multiple Comparisons," unpublished notes, Princeton University.

Tukey, J. W. (1977), *Exploratory Data Analysis*, Addison-Wesley, Reading, Mass.

United States Department of Defense (1957), *Military Standard Sampling Procedures and Tablesfor Inspection by Variablesfor Percent Defective* (MIL-STD-414), Government Printing Office, Washington, D.C.

United States Department of Defense (1963), *Military Standard Sampling Procedures and Tables for Inspection by Attributes* (MIL-STD-IOSD), Government Printing Office, Washington, D.C.

United States Department of Defense (1965), *Life Testing Sampling Procedures for Established Levels of Reliability and Confidence in Electronic Parts Specification* (MIL-STD-690A), Government Printing Office, Washington, D.C.

Weibull, W. (1951), "Statistical Distribution Function of Wide Application," *Journal of Applied Mechanics*, Vol. 18, p. 293.

White, J. A., J. W. Schmidt, G. K. Bennett (1975), *Analysis of Queueing Systems*, Academic Press, New York.

# Respuestas de los ejercicios

**Capítulo 1**

**1-5.** $\bar{x} = 126.875$    $s^2 = 660.112$    $s = 25.693$

**1-9.** $\bar{x} = 11.107$    $s^2 = 164.726$    $s = 0.0026$

**1-21.** $\bar{x} = 74.002$    $s^2 = 6.875 \times 10^{-6}$    $s = 0.0026$

**1-23.** (a) El promedio de la muestra se reducirá en 63.

(b) La media y la desviación estándar de la muestra serán 100 unidades más grandes. La varianza de la muestra será 10,000 unidades más grandes.

**1-25.** $a = \bar{x}$

**1-29.** (a) $\bar{x} = 120.22$, $s^2 = 5.66$, $s = 2.38$

(b) $\tilde{x} = 120$, modo $= 121$

**1-31.** Para 1–29, $cv = .0198$; para 1–30 $cv = 9.72$

**1-33.** $\bar{x} = 22.41$, $s^2 = 208.25$, $\tilde{x} = 22.81$, modo $= 23.64$

**Capítulo 2**

**2-1.** (a) 0.75    (b) 0.18

**2-3.** (a) $\bar{A} \cap B = \{5\}$    (b) $\bar{A} \cup B = \{1, 3, 4, 5, 6, 7, 8, 9, 10\}$

(c) $\overline{A \cap \bar{B}} = \{2, 3, 4, 5\}$    (d) $U = \{1, 2, 3, 4, 5, 6, 7, 8, 9, 10\}$

(e) $A \cap (B \cup C) = \{1, 2, 5, 6, 7, 8, 9, 10\}$

**2-5.** $\mathscr{S} = \{t_1, t_2), t_1 \in R, t_2 \in R: t_1 \geq 0, t_2 \geq 0\}$

$A = \{(t_1, t_2), t_1 \in R, t_2 \in R: t_1 \geq 0, t_2 \geq 0, (t_1 + t_2)/2 \leq 0.15\}$

$B = \{(t_1, t_2): t_1 \in R, t_2 \in R: t_1 \geq 0, t_2 \geq 0, \text{Máx}(t_1, t_2) \leq 0.15\}$

$C = \{(t_1, t_2): t_1 \in R, t_2 \in R: t_1 \geq 0, t_2 \geq 0, |t_1 - t_2| \leq 0.06\}$

**2-7.** $\mathscr{S} = \{$NNNNN, NNNND, NNNDN, NNNDD, NNDNN, NNDND, NNDD, NDNNN, NDNND, NDND, NDD, DNNNN, DNNND, DNND, DND, DD$\}$

**2-9.** (a) N = NOT DEFECTIVE, D = DEFECTIVE

$\mathscr{S} = \{$NNN, NND, NDN, NDD, DNN, DND, DDN, DDD$\}$

(b) $\mathscr{S} = \{$NNNN, NNND, NNDN, NDNN, DNNN$\}$

**2-11.** 30 rutas    **2-13.** 560,560 maneras

**2-15.** $P \text{ Aceptar } p') = \displaystyle\sum_{x=0}^{1} \frac{\dbinom{300p'}{x}\dbinom{300[1-p']}{10-x}}{\dbinom{300}{10}}$

**2-17.** 28 comparaciones    **2-19.** $(40)(39) = 1560$ pruebas

**2-21.** (a) $\dbinom{5}{1}\dbinom{5}{1} = 25$ maneras    (b) $\dbinom{5}{2}\dbinom{5}{2} = 100$ pruebas

**2-23.** $R_S = [1 - (.2)^3] \cdot [1 - (.1)^2] \cdot (.9) \doteq 0.884$

**2-25.** $S = $ Siberia    $U = $ Ural    $P(S) = 0.6$, $P(U) = 0.4$, $P(F|S) = P(\bar{F}|S) = 0.5$

$P(\bar{F}|U) = 0.3$    $P(S|\bar{F}) = \dfrac{(0.6)(0.5)}{(0.6)(0.5) + (0.4)(0.3)} \doteq 0.714$

**2-27.**  $\dfrac{1}{m-1} \cdot \dfrac{1}{m} + \dfrac{1}{m} \cdot \dfrac{m-1}{m} = \dfrac{m^2 - m + 1}{m^2(m-1)}$

**2-29.**  P mujeres$|6'$) $\doteq 0.03226$     **2-31.**  $1/4$

**2-35.**  $P(\bar{B}) = \dfrac{(365)(364) \cdots (365 - n + 1)}{365^n}$

| $n$ | 10 | 20 | 21 | 22 | 23 | 24 | 25 | 30 | 40 | 50 | 60 |
|---|---|---|---|---|---|---|---|---|---|---|---|
| $P(B)$ | .117 | .411 | .444 | .476 | .501 | .533 | .569 | .706 | .891 | .970 | .994 |

**2-37.**  $8! = 40320$     **2-39.**  $0.441$

## Capítulo 3

**3-1.**  $R_X = \{0, 1, 2, 3, 4\}$, $P_X(x = 0) \doteq 0.7187$,
$P_X(x = 1) \doteq 0.2555$, $P_X(x = 2) \doteq 0.0250$,
$P_X(x = 3) \doteq 0.0007$, $P_X(x = 4) \doteq 0.0000$

**3-3.**  $c = 1$, $\mu = 1$, $\sigma^2 = 1$     **3-5.** (a) Sí     (b) No.     (c) Sí .

**3-7.**  (a), (b)     **3-9.**  $P(X \le 29) = 0.978$

**3-11.**  (a) $k = \frac{1}{4}$
(b) $\mu = 2$, $\sigma^2 = \frac{2}{3}$
(c) $F_X(x) = 0$; $x < 0$
$= x^2/8$; $0 \le x < 2$
$= \frac{1}{2} + \frac{1}{4}\left(4x - \dfrac{x^2}{2} - 6\right)$; $2 \le x < 4$
$= 1$; $x \ge 4$

**3-13.**  $k = 2$, $[14 - 2\sqrt{2}, 14 + 2\sqrt{2}]$

**3-15.**  (a) $k = \frac{8}{7}$     (b) $\mu = \frac{11}{7}$, $\sigma^2 = \frac{26}{49}$
(c) $F_X(x) = 0$; $x < 1$
$= \frac{8}{14}$; $1 \le x < 2$
$= \frac{12}{14}$; $2 \le x < 3$
$= 1$; $x \ge 3$

**3-17.**  $k = 10$  y  $2 + k\sqrt{0.4} \doteq 8.3$ días

**3-21.**  (a) $F_X(x) = 0$; $x < 0$
$= x^2/9$; $0 \le x < 3$
$= 1$; $x \ge 3$

(b) $\mu = 2$, $\sigma^2 = \frac{1}{2}$     (c) $\mu_3' = \frac{27}{5}$     (d) $m = \dfrac{3}{\sqrt{2}}$

**3-23.**  $F_X = 1 - e^{-(x^2/2t^2)}$; $x \ge 0$
$= 0$; $x < 0$

**3-25.**  $k = 1$, $\mu = 1$

## Capítulo 4

**4-1.**  (a)

| $y$ | $p_Y(y)$ |
|---|---|
| 0 | 0.6 |
| 20 | 0.3 |
| 80 | 0.1 |
| en otro caso | 0.0 |

(b) $E(Y) = 14$
$V(Y) = 564$

**4-3.** (a) 0.221     (b) \$155.80

**4-5.** $f_Z(z) = e^{-z};\ z = 0$
          $= 0;$ en otro caso

**4-7.** 93.8 c/gal.

**4-9.** (a) $f_Y(y) = \frac{1}{4}\left(\dfrac{y}{2}\right)^{-(1/2)} \cdot e^{-[(y/2)^{1/2}]};\ y > 0$
             $= 0;$ en otro caso
     (b) $f_V(v) = 2ve^{-v^2};\ v > 0$
             $= 0;$ en otro caso
     (c) $f_U(u) = e^{-(e^u - u)};\ u > 0$
             $= 0;$ en otro caso

**4-11.** $s = (5/3) \times 10^6$

**4-13.** $f_Y(y) = \frac{1}{2}(4 - y)^{-1/2};\ 0 \le y \le 3$
        $= 0;$ en otro caso

**4-15.** $M_X(t) = \displaystyle\sum_{X=1}^{6} \left(\frac{1}{6}\right)e^{tx}$
     $E(X) = M_X'(0) = \frac{7}{2}$
     $V(X) = M_X''(0) - [M_X'(0)]^2 = \frac{35}{12}$

**4-17.** $E(Y) = 1,\ V(Y) = 1$
     $E(X) = 6.16,\ V(X) = 0.027$

**4-19.** $M_X(t) = (1 - t/2)^{-2}$
     $E(X) = M_X'(0) = 1$
     $V(X) = M_X''(0) - [M_X'(0)]^2 = \frac{1}{2}$

**4-21.** $X$ continua $\Rightarrow F_X(x)$ estrictamente creciente
     Let $Y = F_X(X)$ so $F_Y(y) = P(F_X(X) \le y)$
             $= P(X \le F_X^{-1}(y) = F_X(F_x^{-1}(y)) = y$
     so $f_Y(y) = F_Y'(Y) = 1;\ 0 \le y \le 1$
                  $0;$ en otro caso

**4-23.** $M_X(t) = \frac{1}{2} + \frac{1}{4}e^t + \frac{1}{8}e^{2t} + \frac{1}{8}e^{3t}$
     $E(X) = M_X'(0) = \frac{7}{8}$
     $V(X) = M_X''(0) - \left(\frac{7}{8}\right)^2 = \frac{71}{64}$

## Capítulo 5

**5-1.** (a)

| $x$ | 0 | 1 | 2 | 3 | 4 | 5 |
|---|---|---|---|---|---|---|
| $P_X(x)$ | 27/50 | 11/50 | 6/50 | 3/50 | 2/50 | 1/50 |

| $y$ | 0 | 1 | 2 | 3 | 4 |
|---|---|---|---|---|---|
| $P_Y(y)$ | 20/50 | 15/50 | 10/50 | 4/50 | 1/50 |

(b)

| $y$ | 0 | 1 | 2 | 3 | 4 |
|---|---|---|---|---|---|
| $P_{Y|0}(y)$ | 11/27 | 8/27 | 4/27 | 3/27 | 1/27 |

(c)

| $x$ | 0 | 1 | 2 | 3 | 4 | 5 |
|---|---|---|---|---|---|---|
| $P_{X|0}(x)$ | 11/20 | 4/20 | 2/20 | 1/20 | 1/20 | 1/20 |

**5-3.** (a) $k = 1$

(b) $f_{X_1}(x_1) = \frac{1}{100}; \; 0 \le x_1 \le 100$

   $= 0$; en otro caso

   $f_{X_2}(x_2) = \frac{1}{10}; \; 0 \le x_2 \le 10$

   $= 0$; en otro caso

**5-5.** (a) $\frac{1}{9}$

(b) $\frac{1}{64}$

(c) $f_W(w) = 2w; \; 0 \le w \le 1$

   $= 0$; en otro caso

**5-7.** $\frac{33}{8}$    **5-9.** $E(X_1|x_2) = \frac{3}{4}$    $E(X_2|x_1) = \frac{2}{3}$

**5-15.** $E(Y) = 80$, $V(Y) = 36$    **5-19.** $\rho = \frac{1}{2}$

**5-21.** $X$ y $Y$ no son independientes.    $\rho = -0.135$

**5-23.** (a) $f_X(x) = \dfrac{2}{\pi}\sqrt{1 - x^2}; \; -1 < x < +1$

   $= 0$; en otro caso

   $f_Y(y) = \dfrac{4}{\pi}\sqrt{1 - y^2}; \; -1 < y < +1$

   $= 0$; en otro caso

(b) $f_{X|y}(x) = \dfrac{1}{2\sqrt{1 - y^2}}; \; -\sqrt{1 - y^2} < x < +\sqrt{1 - y^2}$

   $= 0$; en otro caso

   $f_{Y|x}(y) = \dfrac{1}{\sqrt{1 - x^2}}; \; 0 < y < \sqrt{1 - x^2}$

   $= 0$; en otro caso

**5-27.** (a) $E(X|y) = \dfrac{2 + 3y}{3(1 + 2y)}; \; 0 < y < 1$    (b) $E(X) = \frac{7}{12}$    (c) $E(Y) = \frac{7}{12}$

**5-29.** (a) $k = (n - 1)(n - 2)$

(b) $F(x, y) = 1 - (1 + x)^{2-n} - (1 + y)^{2-n} + (1 + x + y)^{2-n}; \; x > 0, \; y > 0$

**5-30.** (a) Independiente.    (b) No independiente.    (c) No independiente.

**5-33.** (a) $\frac{1}{4}$    (b) $\frac{1}{2}$

**5-35.** (a) $F_Z(z) = F_X[(z - a)/b]$    (b) $F_Z(z) = 1 - F_X(1/z)$

(c) $F_Z(z) = F_X(e^z)$    (d) $F_Z(z) = F_X(\ln z)$

## Capítulo 6

**6-1.**

| $x$ | $p_x(x)$ |
|---|---|
| 0 | $(1 - p)^4$ |
| 1 | $4p(1 - p)^3$ |
| 2 | $6p^2(1 - p)^2$ |
| 3 | $4p^3(1 - p)^1$ |
| 4 | $p^4$ |

en otro caso 0

**6-3.** Suponiendo independencia    $P(W \ge 4) = 1 - (.5)^{12} \displaystyle\sum_{w=0}^{3} \binom{12}{w} \doteq 0.927$

**6-5.** $P(X > 2) = 1 - \displaystyle\sum_{x=0}^{2} \binom{50}{x}(.02)^x(.98)^{50-x} \doteq 0.078$

**6-7.** $P(\hat{p} \le 0.03) \doteq 0.98$    **6-9.** $P(X = 5) \doteq 0.0407$    **6-11.** $p = 0.8$

**6-13.** $E(X) = M_X'(0) = \dfrac{1}{p}$, $E(X^2) = M_X''(0) = \dfrac{1 + q}{p^2}$

$\quad\quad E(X) = \dfrac{1}{p}$, $\sigma_X^2 = E(X^2) - (E(X))^2 = \dfrac{q}{p^2}$

**6-15.** $P(X = 36) \doteq 0.0083$    **6-17.** $P(X < 4) = 0.896$

**6-19.** $E(X) = \frac{20}{3}$, $V(X) = \frac{20}{9}$    **6-21.** $p(0,0,3) \doteq 0.118$    **6-23.** $p(4,1,3,2) \doteq 0.005$

**6-25.** $P(X \le 2) \doteq 0.98$    Aprox. binomial : $P(X \le 2) \doteq 0.97$

**6-27.** $P(X \ge 1) \doteq 0.95$    Aprox. binomial: $\Rightarrow n = 9$

**6-29.** $P(X < 10) = (1.3888 \times 10^{-11}) \displaystyle\sum_{x=0}^{9} \dfrac{(25)^x}{x!}$.    **6-31.** $P(X > 5) \doteq 0.215$

**6-33.** Modelo de Poisson $c = 30$.

$\quad\quad P(X \le 3) = e^{-30} \displaystyle\sum_{x=0}^{3} \dfrac{30^x}{x!}$

$\quad\quad P(X \ge 5) = 1 - e^{-30} \displaystyle\sum_{x=0}^{4} \dfrac{30^x}{x!}$

**6-35.** Modelo de Poisson $c = 2.5$    $P(X \le 2) \doteq 0.544$

**6-37.** $c = 1.25$    $P(X \ge 1) \doteq 0.7135$    $n = 160$    **6-39.** $P(X \ge 2) = 0.0047$

## Capítulo 7

**7-1.** $\frac{5}{16}, \frac{9}{32}$

**7-3.** $f_Y(y) = \frac{1}{4}; 5 < y < 9$
$\quad\quad = 0$; en otro caso

**7-5.** $E(X) = M_X'(0) = (\beta + \alpha)/2$
$\quad\quad V(X) = M_X''(0) - [M_X'(0)]^2 = (\beta - \alpha)^2/12$

**7-7.**

| $y$ | $F_y(y)$ |
|---|---|
| $y < 1$ | 0 |
| $1 \le y < 2$ | 0.3 |
| $2 \le y < 3$ | 0.5 |
| $3 \le y < 4$ | 0.9 |
| $y \le 4$ | 1.0 |

genera realizaciones $u_i \sim$ uniformes en $[0, 1]$ como números aleatorios según se describió en la sección 7-6; empléense éstas a la inversa como $y_i = F_y^{-1}(u_i)$, $i = 1, 2, \ldots$.

**7-9.** $E(X) = M_X'(0) = 1/\lambda$
$\quad\quad V(X) = M_X''(0) - [M_X'(0)]^2 = 1/\lambda^2$

**7-11.** $1 - e^{-(1/6)} \doteq 0.16$    **7-13.** $1 - e^{-(1/3)} \doteq 0.2811$

**7-15.** $\quad C_I = C; \; x > 15 \quad\quad C_{II} = 3C; \; x > 15$
$\quad\quad\quad\; = C + Z; x \le 15 \quad\quad = 3C + Z; x \le 15$
$\quad\quad E(C_I) = Ce^{-(3/5)} + (C + Z)[1 - e^{-(3/5)}] \doteq C + (.4512)Z$
$\quad\quad E(C_{II}) = 3Ce^{-(3/7)} + (3C + Z)[1 - e^{-3/7}] \doteq 3C + (.3486)Z$
$\quad\quad \Rightarrow$ Proceso $I$ si $C > (0.0513)Z$

**7-19.** 0.8305    **7-23.** 0.8488

**7-27.** $f_X(x) = \dfrac{\Gamma(3)}{\Gamma(1) \cdot \Gamma(2)} \cdot x^0(1-x) = 2(1-x); \; \alpha < x < 1$

$\qquad\qquad\qquad\qquad\qquad = 0;$ en otro caso

**7-31.** $1 - e^{-1} \doteq 0.63$     **7-33.** $\approx 0.24$

**7-35.** (a) $\approx 0.22,$    (b) 4800    **7-37.** $\approx 0.35273$

## Capítulo 8

**8-1.** (a) 0.47725   (b) 0.6827   (c) 0.95053   (d) 0.975
      (e) 0.12140   (f) 0.94853   (g) 0.91465   (h) 0.9898

**8-3.** (a) $c = 1.56$   (b) $c = 1.96$   (c) $c = 2.57$   (d) $c = -1.645$

**8-5.** (a) 0.97725   (b) 0.50   (c) 0.66869   (d) 0.69146   (e) 0.95

**8-7.** 30.85%    **8-9.** 2376.63 fc

**8-13.** (a) 0.0455   (b) 0.0730   (c) 0.30854   (d) 0.30854

**8-15.** $B$ si $A'^s$ cuesta $< .1368$

**8-17.** $\mu = 7$    **8-19.** (a) 0.6687   (b) 7.84   (c) 6.018

**8-23.** 0.616    **8-25.** 0.00714    **8-27.** 0.276, en $\mu = 12.0$

**8-29.** (a) 0.552   (b) 0.058   (c) 0.702   (d) 0.09

**8-30.** $n = 139$    **8-36.** 2497.24    **8-37.** MED $= e^{50}$, MODO $= e^{25}$

**8-41.** 0.9788    **8-42.** 0.4681

## Capítulo 9

**9-1.** $f(x_1, x_2, \ldots, x_5) = (1/(2\pi\sigma^2))^{5/2} e^{-(1/2\sigma^2) \sum_{i=1}^{5} (x_i - \mu)^2}$

**9-3.** $f(x_1, x_2, x_3, x_4) = 1$    **9-5.** $N(5.00, [.10]^{2/5})$

**9-9.** El error estándar de $\overline{X}^1 - \overline{X}^2$ es $\sqrt{\dfrac{\sigma_1^2}{n_1} + \dfrac{\sigma_2^2}{n_2}} = \sqrt{\dfrac{(1.5)^2}{25} + \dfrac{(2.0)^2}{30}} = 0.47$

**9-11.** $N(0,1)$    **9-13.** $se(\hat{p}) = \sqrt{p(1-p)/n}, \; \widehat{se}(\hat{p}) = \sqrt{\hat{p}(1-\hat{p})/n}$

**9-15.** $\mu = u, \; \sigma^2 = 2u$

**9-17.** Para $F_{m,n}$, tenemos $\mu = n/(n-2)$ para $n > 2$ y $\sigma^2 = \dfrac{2n^2(m+n-2)}{m[n-2^2(n-4)]}$

      para $n > 4$

**9-23.** (a) 2.73   (b) 11.34   (c) 34.17   (d) 20.48

**9-25.** (a) 1.63   (b) 2.85   (c) 0.241   (d) 0.588

## Capítulo 10

**10-1.** Ambos estimadores son insesgados. Luego, $V(\overline{X}_1) = \sigma^2/2n$ en tanto $V(\overline{X}_2) = \sigma^2/n$. Puesto que $V(\overline{X}_1) < V(\overline{X}_2)$, $\overline{X}_1$ es un estimador más eficiente que $\overline{X}^2$.

**10-3.** $\hat{\theta}_2$, debido a que tendría un ECM más pequeño.

**10-7.** $\hat{\alpha} = \displaystyle\sum_{i=1}^{n} \dfrac{X_i}{n} = \overline{X}$    **10-9.** $(\bar{t})^{-1}$

**10-11.** $\hat{\lambda} = \overline{X} \Big/ \Big[ (1/n) \sum_{i=1}^{n} X_i^2 - \overline{X}^2 \Big], \ \hat{r} = \overline{X}^2 \Big/ \Big[ (1/n) \sum_{i=1}^{n} X_i^2 - \overline{X}^2 \Big]$

**10-13.** $1/\overline{X}$  **10-15.** $\overline{X}_N/n$  **10-17.** $\overline{X}/n$  **10-21.** $-1 - \Big( n \Big/ \sum_{i=1}^{n} \ln X_i \Big)$

**10-23.** $X_{(1)}$  **10-25.** $\alpha_1 = \alpha_2 = \alpha/2$ es más corta

**10-27.** (a) $74.03533 \le \mu \le 74.03666$
   (b) $74.0354 \le \mu$

**10-29.** (a) $3232.11 \le \mu \le 3267.89$
   (b) $3226.49 \le \mu \le 3273.51$

**10-31.** 150 o 151

**10-33.** (a) $.0723 \le \mu_1 - \mu_2 \le .3076$
   (b) $.0499 \le \mu_1 - \mu_2 \le .33$
   (c) $\mu_1 - \mu_2 \le .3076$

**10-35.** $-3.73 \le \mu_1 - \mu_2 \le -5.59$  **10-37.** $8.1757 \le \mu \le 8.2843$  **10-39.** 13

**10-41.** $1.0903 \le \mu \le 1.1092$  **10-43.** $-.917 \le \mu_1 - \mu_2 \le 1.077$

**10-45.** $-.338 \le \mu_1 - \mu_2 \le .438$

**10-47.** (a) $649.6 \le \sigma^2 \le 2853.69$  (b) $714.56 \le \sigma^2$  (c) $\sigma^2 \ge 2460.62$

**10-49.** $.004 \le \sigma^2 \le .0157$  **10-51.** $.330 \le \sigma_1^2/\sigma_2^2 \le 5.365$

**10-53.** $.11 \le \sigma_1^2/\sigma_2^2 \le .86$  **10-55.** 990  **10-57.** 16577

**10-59.** $-.0244 \le p_1 - p_2 \le .0024$  **10-61.** $-2038 \le \mu_1 - \mu_2 \le 3774.8$

**10-63.** $-3.1529 \le \mu_1 - \mu_2 \le .1529$
   $-1.9015 \le \mu_1 - \mu_3 \le .9015$
   $.1775 \le \mu_2 - \mu_3 \le 2.1775$

## Capítulo 11

**11-1.** (a) $Z_0 = 1.33$, se rechaza $H_0$.  (b) $\beta = .05$

**11-3.** (a) $Z_0 = 12.65$, se rechaza $H_0$.  (b) 3  **11-5.** $Z_0 = 2.50$, se rechaza $H_0$.

**11-7.** (a) $Z_0 = 1.349$, no se rechaza $H_0$.  (b) 2  (c) potencia $\simeq 1$

**11-9.** $Z_0 = 3.30$, se rechaza $H_0$.  **11-11.** $Z_0 = 6.84$, se rechaza $H_0$.

**11-13.** (a) $t_0 = 1.842$, no se rechaza  (b) $n = 8$ no es suficiente $n = 10$.

**11-15.** $t_0 = .344$ no se rechaza $H_0$.  **11-17.** $n = 3$

**11-19.** (a) $t_0 = 8.40$, se rechaza $H_0$.  (b) $t_0 = 2.35$, no se rechaza $H_0$.
   (c) power $\simeq 1$  (d) 5

**11-21.** $F_0 = .8835$, no se rechaza $H_0$.

**11-23.** (a) $t_0 = .74$, no se rechaza $H_0$.  (b) $\beta \approx .95$  (c) $n_1 = n_2 = 75$

**11-25.** $t_0 = .56$, no se rechaza $H_0$.

**11-27.** (a) $\chi_0^2 = 43.75$, se rechaza $H_0$.  (b) $\sigma^2 \ge .3678 \times 10^{-4}$  (c) $\beta = .30$  (d) 17

**11-29.** $\chi_0^2 = 2.28$, no se rechaza $H_0$.  **11-31.** $F_0 = 30.69$, se rechaz $H_0$.

**11-33.** $t_0 = 0.1$, no se rechaza $H_0$.  **11-35.** $t_0 = 2.587$, se rechaza $H_0$.

**11-37.** $Z_0 = .07$, no se rechaza $H_0$.     **11-41.** $Z_0 = -.834$, no se rechaza $H_0$.

**11-43.** $\dfrac{n_1}{n_2} = \sqrt{\dfrac{\sigma_1^2 C_2}{\sigma_2^2 C_1}}$     **11-47.** (a) $\chi_0^2 = 2.915$, no se rechaza $H_0$.

**11-49.** $\chi_0^2 = 4.724$, no se rechaza $H_0$.     **11-53.** $\chi_0^2 = .0331$, no se rechaza

**11-57.** $\chi_0^2 = 27.011$, se rechaza $H_0$.     **11-59.** $\chi_{.05, 4}^2 = 9.488$, se rechaza $H_0$.

## Capítulo 12

**12-1.** (a) $F_0 = 14.76$     (b) $30\%$     (c) Las medias 3, 2, 5 y 1 no difieren.

**12-3.** (a) $F_0 = 12.73$     (b) Las medias 1 y 3 no difieren.
$\hat{\tau}_1 = 39.1875$, $\hat{\tau}_2 = 224.4375$, $\hat{\tau}_3 = 1.9375$, $\hat{\tau}_4 = -265.5625$

**12-5.** (a) $F_0 = 2.62$     (b) $\hat{\mu} = 2.70$, $\hat{\tau}_1 = .01$, $\hat{\tau}_2 = -.18$, $\hat{\tau}_3 = -.02$, $\hat{\tau}_4 = .05$

**12-7.** (a) $F_0 = 4.01$     (b) La media 3 difiere.  (c) $SS_{C_2} = 246.33$   (d) potencia $\approx .88$

**12-9.** (a) $F_0 = 14.42$     (b) La punta del tipo 4 difiere.

**12-11.** $n = 4$

**12-15.** (a) $\hat{\mu} = 20.47$, $\hat{\tau}_1 = .33$, $\hat{\tau}_2 = 1.73$, $\hat{\tau}_3 = -2.07$     (b) $\hat{\tau}_1 - \hat{\tau}_2 = 1.40$

## Capítulo 13

**13-1.**

| Fuente | SS | DF | MS | $F_0$ |
|---|---|---|---|---|
| Tipos material | 10,683.72 | 2 | 5,341.86 | 7.91 |
| Temperatura | 39,118.72 | 2 | 19,558.36 | 28.97 |
| Interacción | 9,613.78 | 4 | 2,403.44 | 3.56 |
| Error | 18,230.75 | 27 | 675.21 | |
| Total | 77,646.97 | 35 | | |

$F_0 > F.05, 4, 27 = 2.73$ ∴ interacción significativa
$F_0 > F.05, 2, 27 = 3.35$ ∴ efectos principales significativos

**13-3.** $-42.88 \le \mu_1 - \mu_2 \le 16.21$     **13-5.** Ningún cambio en las conclusiones

**13-7.**

| Fuente | SS | DF | MS | $F_0$ |
|---|---|---|---|---|
| Tipo de vidrio | 14450.00 | 1 | 14450.00 | 251.00 |
| Tipo de fósforo | 933.33 | 2 | 466.66 | 8.1 |
| Interacción | 133.34 | 3 | 44.45 | .77 |
| Error | 633.33 | 11 | 57.57 | |
| Total | 16150.00 | 17 | | |

Conclusión: Efectos principales significativos.

**13-9.**

| Fuente | $F_0$ | |
|--------|-------|---|
| C | 10.62 | |
| T | 55.39 | |
| F | 26.50 | |
| CF | 4.17 | Todos significativos en .05 |

**13-15.**

| Fuente | SS | DE | MS | $F_0$ |
|--------|-----|-----|-----|-------|
| A | $1.78 \times 10^7$ | 1 | $1.78 \times 10^7$ | 431.31 |
| B | $1.0^2 \times 10^8$ | 1 | $1.02 \times 10^8$ | 2471.56 |
| C | 90312.5 | 1 | 90312.5 | 2.18 |
| D | 1162812.5 | 1 | 1162812.5 | 28.18 |
| E | 877812.5 | 1 | 877812.5 | 21.27 |
| AB | $9.79 \times 10^6$ | 1 | $9.79 \times 10^6$ | 236.49 |
| AC | 1250 | 1 | 1250 | .03 |
| AD | 70312.5 | 1 | 70312.5 | 1.70 |
| AE | 70312.5 | 1 | 70312.5 | 1.70 |
| BC | 300312.5 | 1 | 300312.5 | 7.28 |
| BD | 2812.5 | 1 | 2812.5 | .068 |
| BE | 2812.5 | 1 | 2812.5 | .068 |
| CD | 105312.5 | 1 | 165312.5 | 4.01 |
| CE | 7812.5 | 1 | 7812.5 | .19 |
| DE | 137812.5 | 1 | 137812.5 | 3.34 |
| Error | 660312 | 16 | 41269.5 | |
| Total | $1.3343 \times 10^8$ | 31 | | |

Conclusión: los efectos principales $A$, $B$, $D$, $E$ y la interacción $AB$ son significativos.

**13-17.**

| Bloque 1 | Bloque 2 |
|----------|----------|
| (1) | a |
| ab | b |
| ac | c |
| bc | abc |

**13-23.** (a) diseño: $2^{5-1}$  $D = ABC$

(b)
| | | |
|---|---|---|
| $l_A = .238$ | $l_{AB} = -.024$ | $l_{BD} = -.042$ |
| $l_B = -.16$ | $l_{AC} = .0042$ | $l_{CD} = -.024$ |
| $l_C = -.043$ | $l_{BC} = -.026$ | $l_{BE} = .1575$ |
| $l_D = .0867$ | $l_{AD} = -.026$ | $l_{CE} = -.029$ |
| $l_E = -.242$ | $l_{AE} = .059$ | $l_{DE} = .036$ |

Conclusiones: suponiendo insignificante la interacción de los factores 3 y 4, los factores $A$ y $E$ son importantes.

**13-25.** Diseño factorial completo $2^4$

**13-27.** $2^{4-1}$   $I = ABCD$   Aliados

| | |
|---|---|
| $l_A = A + BCD$ | $l_{AB} = AB + CD$ |
| $l_B = B + ACD$ | $l_{AC} = AC + BD$ |
| $l_C = C + ABD$ | $l_{AD} = AD + BC$ |
| $l_D = D + ABC$ | |

|       | $A$ | $B$ | $C$ | $D = ABC$ |     |
|-------|-----|-----|-----|-----------|-----|
| (1)   | −   | −   | −   | −         | 190 |
| $a$   | +   | −   | −   | +         | 174 |
| $b$   | −   | +   | −   | +         | 181 |
| $ab$  | +   | +   | −   | −         | 183 |
| $c$   | −   | −   | +   | +         | 177 |
| $ac$  | +   | −   | +   | −         | 181 |
| $bc$  | −   | +   | +   | −         | 188 |
| $abc$ | +   | +   | +   | +         | 173 |

$$A = -6.25 \quad l_{AB} = -.25$$
$$B = .75 \quad l_{AC} = .75$$
$$C = -2.25 \quad l_{AD} = .75$$
$$D = -9.25$$

Conclusión: el dulcificante ($A$) y la temperatura ($D$) afectan el sabor.

## Capítulo 14

**14-1.** (a) $\hat{y} = 10.4397 - .00156x$    (b) $F_0 = 2.052$, $\beta_1 = 0$
(c) $5.6725 \le E(y|x_0 = 2205) \le 8.3275$    (d) $R^2 = 7.316\%$

**14-3.** (a) $\hat{y} = 31.656 - .041x$    (b) $F_0 = 57.639$, se rechaza $H_0 : \beta_1 = 0$
(c) $R^2 = 81.59\%$    (d) $19.374 \le E(y|x_0 = 275) \le 21.388$

**14-7.** (a) $\hat{y} = 93.339 + 15.6485x$
(b) La falta de ajuste no es significativa, regresión significativa.
(c) $7.977 \le \beta_1 \le 23.299$    (d) $74.828 \le \beta_0 \le 111.852$
(e) $126.012 \le E(y|x = 2.5) \le 138.910$

**14-9.** (a) $\hat{y} = -6.3378 + 9.208364x$    (b) $F_0 = 74,212$; la regresión es significativa.
(c) $t_0 = 20.41$, se rechaza $H_0$.    (d) $525.58 \le E(y|x - 58)529.91$
(e) $521.22 \le y_{x-58} \le 534.28$

**14-11.** (a) $\hat{y} = 77.7895 + 11.9634x$
(b) La falta de ajuste no es significativa, regresión significativa.
(c) $R^2 = .3933$    (d) $4.5661 \le \beta_1 \le 19.1607$

**14-13.** (a) $\hat{y} = -.028 + .9910x$    (b) $r = .9033$    (c) $t_0 = 8.93$, se rechaza $H_0$.
(d) $Z_0 = 3.88$, se rechaza $H_0$.    (e) $.7676 \le p \le .9615$

**14-21.** $\hat{y} = 4.582 + 2.204x$, $R^2 = .9839$, $t_0 = 27.08$

## Capítulo 15

**15-1.** (a) $\hat{y} = 2.646 + 2548x_1 + 3.549x_4$    (b) $F_0 = 637.19$

**15-3.** $2.068 \le \beta_4 \le 5.03$

**15-5.** (a) $\hat{y} = -26.219 + 189.2x - .331x^2$    (b) $F_0 = 17.2$

**15-7.** (a) $\hat{y} = 102.713 + .605x_1 + 8.924x_2 + 1.437x_3 + .014x_4$
(b) $F_0 = 5.106$    (c) $\beta_3 : F_0 = .361$; $\beta_4 : F_0 = .0004$

**15-13.** (a) $\hat{y} = 4.459 + 1.384x + 1.467x^2$    (b) Falta significativa de ajuste.
(c) $F_0 = 8.83$, se rechaza $H_0$.

**15-15.** $H_0 = \beta_3 = 0$, $t_0 = 1.789$     **15-19.** $\hat{b}_1 = .862$, $\hat{b}_4 = .714$

**15-21.** $VIF_1 = VIF_2 = 1.16713$

## Capítulo 16

**16-1.** $R = 2$ **16-5.** $R = 2$ **16-9.** $R = 85$ **16-13.** $R_2 = 80$
**16-15.** $|Z_0| = .16$ **16-17.** $h = 4.835$

## Capítulo 17

**17-1.** (a) $\bar{\bar{x}} = 34.32$, $\bar{R} = 5.68$ (b) $PCR_k = 1.228$ (c) .205%
**17-5.** $\frac{4}{8}D$ **17-7.** El proceso no está bajo control. **17-11.** .1587, $n = 6$ o $7$
**17-13.** Límites revisados: $LC = 8.55$, $LCS = 17.32$, $LCI = 0$.
**17-15.** $LCS = 16.485, .434$ **17-17.** $LCS = 4.378$, $LCS = .282$
**17-19.** $\alpha = .5826$, $\beta = .0039$ **17-23.** $LEI = P_a p(1 - n/N)$
**17-25.** $24.32 \pm .0642$ **17-27.** (a) $R(60) = .0105$ (b) 13.16
**17-29.** .98104 **17-31.** .84, .85 **17-33.** (a) 3842 (b) [913.63, ∞)

## Capítulo 18

**18-1.** (a) $\approx 0.088$ (b) $L = 2$, $L_q = 1.33$ (c) $W = 1$ hr
**18-3.** $P = \begin{bmatrix} p & (1-p) \\ (1-p) & p \end{bmatrix}$

$P^\infty = \begin{bmatrix} 1/2 & 1/2 \\ 1/2 & 1/2 \end{bmatrix}$

**18-7.** (a) $P = \begin{bmatrix} 0 & p & 0 & 1-p \\ 1-p & 0 & p & 0 \\ 0 & 1-p & 0 & p \\ p & 0 & 1-p & 0 \end{bmatrix}$

$A = [1\ 0\ 0\ 0]$
(c) $p = q = \frac{1}{2} \Rightarrow p_1 = p_2 = p_3 = p_4 = \frac{1}{4}$
$p = \frac{4}{5}$, $q = \frac{1}{5} \Rightarrow p_1 = p_2 = p_3 = p_4 = \frac{1}{4}$
**18-9.** (a) $\frac{3}{10}$ (b) $\frac{9}{70}$ (c) 3 (d) 0.03 (e) 0.10 (f) $\frac{3}{10}$
**18-11.** (a) 0.555 (b) 56.378 min (c) 244.18 min
**18-13.** (a) $p_j = [(\lambda/\mu)^j/j!] \cdot p_0$; $j = 0, 1, 2, \ldots, s$
$= 0$; en otro caso

$p_0 = \dfrac{1}{\displaystyle\sum_{j=0}^{s} \dfrac{(\lambda/\mu)^i}{j!}}$

(b) $s = 6$, $\rho = 0.46$ (c) $p_6 = 0.354$
(d) De 41.6% a 8.33% (e) $\varphi = 4.17$, $p_6 = 0.377$

## Capítulo 19

**19-1.** $f(\mu|x_1, x_2, \ldots, x_n) = C^{1/2}(2\pi)^{-(1/2)} \exp\left\{ -\frac{6}{2}\left[ \mu - \frac{1}{C}\left( \frac{n\bar{x}}{\sigma^2} + \frac{\mu_0}{\sigma_0^2} \right) \right]^2 \right\}$

donde $C = \dfrac{n}{\sigma^2} + \dfrac{1}{\sigma_0^2}$

**19-3.** Gamma con parámetros $m + (n/2) + 1$ y $m\sigma_0^2 + \Sigma(X_i - \mu)^2$

**19-5.** Beta con $a + \Sigma X_i$ y $b + n - \Sigma X_i$

**19-7.** $\hat{\mu} = \dfrac{1}{c}\left(\dfrac{n\overline{X}_1}{\sigma^2} + \dfrac{\mu_0}{\sigma_0^2}\right)$

**19-9.** $\widehat{(1/\sigma^2)} = [m + 1 + (n/2)]/(m\sigma_0^2 + \Sigma(X_i - \mu)^2$

**19-11.** $\hat{p} = (a + \Sigma X_i)/(a + b + n)$     **19-13.** $\hat{\mu} = 4.708$

**19-15.** $\Sigma x_i = 6270$, $\hat{\lambda} = .000323$

**19-19.** (a) $f(\theta|x_i) = 2x/\theta^2(2 - 2x)$     (b) $\hat{\theta} = \frac{1}{2}$

**19-23.** $P(\mu < 10) = .7224$. La hipótesis nula es improbable.

# ÍNDICE

Esta obra se terminó de imprimir en
el mes de septiembre de 1995 en los talleres de
Programas Educativos, S. A. de C. V.
Chabacano núm. 65
Col. Asturias
México, D. F.

Se tiraron 1 000 ejemplares
más sobrantes para reposición.